Directeur
Philippe (

Cofor
Philippe GLOAGUE

Rédacteur en chef
Pierre JOSSE

Rédaction
Florence CHARMETANT, Benoît LUCCHINI,
Yves COUPRIE, Olivier PAGE,
Véronique de CHARDON, Amanda KERAVEL,
Isabelle AL SUBAIHI, Anne-Caroline DUMAS,
Carole FOUCAULT et Bénédicte SOLLE

LE GUIDE
DU
ROUTARD

1999/2000

POLOGNE, RÉP. TCHÈQUE,
SLOVAQUIE

Hachette

Hors-d'œuvre

Le G.D.R., ce n'est pas comme le bon vin, il vieillit mal. On ne veut pas pousser à la consommation, mais évitez de partir avec une édition ancienne. D'une année sur l'autre, les modifications atteignent et dépassent souvent les 40 %.

Chaque année, en juin ou juillet, de nombreux lecteurs se plaignent de voir certains de nos titres épuisés. À cette époque, en effet, nous n'effectuons aucune réimpression. Ces ouvrages risqueraient d'être encore en vente au moment de la publication de la nouvelle édition. Donc, si vous voulez nos guides, achetez-les dès leur parution. Voilà.

Nos ouvrages sont les guides touristiques de langue française le plus souvent révisés. Malgré notre souci de présenter des livres très réactualisés, nous ne pouvons être tenus pour responsables des adresses qui disparaissent accidentellement ou qui changent tout à coup de nature (nouveaux propriétaires, rénovations immobilières brutales, faillites, incendies...). Lorsque ce type d'incidents intervient en cours d'année, nous sollicitons bien sûr votre indulgence. En outre, un certain nombre de nos adresses se révèlent plus « fragiles » parce que justement plus sympa ! Elles réservent plus de surprises qu'un patron traditionnel dans une affaire sans saveur qui ronronne sans histoire.

Spécial copinage

– *Restaurant Perraudin* : 157, rue Saint-Jacques, 75005 Paris. ☎ 01-46-33-15-75. Fermé le samedi midi, le dimanche, le lundi midi et la 2e quinzaine d'août. À deux pas du Panthéon et du jardin du Luxembourg, il existe un petit restaurant de cuisine traditionnelle. Lieu de rencontre des éditeurs et des étudiants de la Sorbonne, où les recettes d'autrefois sont remises à l'honneur : gigot au gratin dauphinois, pintade aux lardons, pruneaux à l'armagnac. Sans prétention ni coup de bâton. D'ailleurs, c'est notre cantine, à midi.

– Un grand merci à *Hertz*, notre partenaire, qui facilite le travail de nos enquêteurs, en France et à l'étranger. Centrale de réservations : ☎ 01-39-38-38-38.

IMPORTANT : le 36-15, code ROUTARD, a fait peau neuve ! Pour vous aider à préparer votre voyage : présentation des nouveaux guides ; « Du côté de Celsius » pour savoir où partir, à quelle saison ; une boîte à idées pour toutes vos remarques et suggestions ; une messagerie pour échanger de bons plans entre routards. Nouveau : notre rubrique « Bourse des vols » permet désormais d'obtenir en un coup d'œil tous les tarifs aériens (charters et vols réguliers). On y recense tous les tarifs de 80 voyagistes et 40 compagnies pour 400 destinations. Fini le parcours du combattant pour trouver son billet au meilleur prix ! Et notre rubrique « Docteur Routard » ! Vaccinations, protection contre le paludisme, adresses des centres de vaccination, conseils de santé, pays par pays.
Et toujours les promos de dernière minute, les voyages sur mesure, les dates de parution des G.D.R... et une information détaillée sur Routard Assistance.

Hôtels, pensions, restos... mode d'emploi

En raison de l'inflation galopante dans une majorité de pays, il n'est plus possible d'indiquer les prix des hôtels et des restos. Souvent, en moins d'un an, la différence entre les prix relevés et ceux en vigueur au moment de la première diffusion du guide peut être très importante. Aussi avons-nous adopté le système des fourchettes de prix en instituant des catégories : bon marché, prix moyens et plus chic. Ces catégories varient selon les pays. Si les hôtels pas chers d'un pays se situent autour de 15 F, ceux qui s'affichent à 50 F appartiendront bien sûr à la rubrique « Prix moyens », et ceux qui coûtent 100 F et au-delà à celle « Plus chic ». Il est évident que pour un pays débutant à 100 F pour ses hôtels les moins chers, les autres rubriques seront décalées d'autant.

Avantage : l'inflation étant la même pour tout le monde, s'il y a élévation globale du coût de la vie, les prix augmentent simultanément. La seule chose imprévisible, c'est qu'un hôtel ou un restaurant change de standing (en bien ou en mal) et passe donc dans une autre catégorie. Dans ce cas de figure, assez rare il faut le dire, nous sollicitons bien sûr l'indulgence légendaire de nos lecteurs.

Le contenu des annonces publicitaires insérées dans ce guide n'engage en rien la responsabilité de l'éditeur.

TABLE DES MATIÈRES

LA SLOVAQUIE

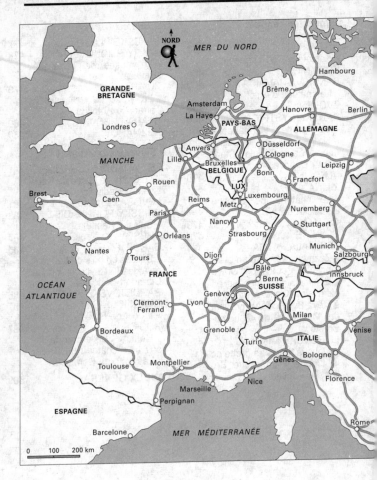

LES GUIDES DU ROUTARD
1999-2000

(dates de parution sur le 36-15, code ROUTARD)

France

- Alpes **(avril 99)**
- Alsace, Vosges
- Auvergne, Limousin
- Banlieues de Paris **(nouveauté)**
- Bourgogne, Franche-Comté
- Bretagne
- Châteaux de la Loire
- Corse
- Côte d'Azur **(nouveauté)**
- Hôtels et restos de France
- Junior à Paris et ses environs **(nouveauté)**
- Languedoc-Roussillon
- Lyon et ses environs **(sept. 99)**
- Le Marché du routard à Paris **(nouveauté)**
- Midi-Pyrénées
- Normandie
- Paris
- Paris exotique **(nouveauté)**
- Pays de la Loire
- Poitou-Charentes
- Provence **(nouveauté)**
- Restos et bistrots de Paris
- Sud-Ouest
- Tables et chambres
  à la campagne
- Week-ends autour de Paris

Amériques

- Brésil
- Canada Ouest et Ontario
- Chili, Argentine et île de Pâques
- Cuba
- États-Unis, côte Est
- États-Unis
  (côte Ouest et Rocheuses)
- Floride, Louisiane
- Guadeloupe
- Martinique, Dominique, Sainte-Lucie, Grenadines
- Mexique, Belize, Guatemala
- New York
- Pérou, Equateur, Bolivie
- Québec et Provinces maritimes

Asie

- Birmanie **(printemps 99)**
- Inde du Nord, Népal, Tibet
- Inde du Sud, Ceylan
- Indonésie
- Israël
- Istanbul **(printemps 99)**
- Jordanie, Syrie, Yémen
- Laos, Cambodge **(printemps 99)**

- Malaisie, Singapour
- Thaïlande, Hong Kong, Macao
- Turquie
- Vietnam

Europe

- Allemagne
- Amsterdam
- Angleterre, pays de Galles
- Athènes et les îles grecques **(nouveauté)**
- Autriche
- Belgique
- Ecosse
- Espagne du Nord et du Centre
- Espagne du Sud, Andalousie
- Finlande, Islande
- Grèce continentale **(nouveauté)**
- Hongrie, Roumanie, Bulgarie
- Irlande
- Italie du Nord
- Italie du Sud, Rome, Sicile
- Londres
- Norvège, Suède, Danemark
- Pologne, République tchèque, Slovaquie
- Portugal
- Prague
- Suisse
- Toscane, Ombrie
- Venise

Afrique

- Afrique noire
  Sénégal
  Gambie
  Mali
  Mauritanie
  Burkina Faso
  Niger
  Côte-d'Ivoire
  Togo
  Bénin
  Cameroun
- Egypte
- Ile Maurice, Rodrigues
- Kenya, Tanzanie et Zanzibar
- Maroc
- Réunion
- Tunisie

et bien sûr...

- Le Guide de l'expat
- Humanitaire
- Internet
- Des Métiers pour globe-trotters

Retrouvez
Le Web du Routard
sur Club-Internet
www.club-internet.fr/routard

POUR SEULEMENT 77 Frs* par mois,
vous aurez accès...

A Club-Internet :

- Tout l'Internet pour 77 Frs par mois*
- Accès en tarification locale sur toute la France métropolitaine
- Une des meilleures bandes passantes du marché, dont une liaison satellite
- Assistance technique gratuite* 7 jours sur 7
- 10 Mo gratuits pour héberger votre page personnelle
- 5 adresses e-mail

Au Web du Routard**,
le site officiel du Guide du Routard.

Retrouvez gratuitement :
Le quizz piégé des 4 familles du Routard, les bonnes adresses par type de voyage, des galeries de photos, une sono mondiale, les anecdotes des baroudeurs du Routard, des forums pour partager vos coups de coeur et préparer vos voyages, une boutique pour acheter les produits du Routard, des bons plans, etc.

Profitez des meilleures adresses et des bons plans avant parution dans les guides (informations inédites mises à jour en permanence), des offres spéciales sur les voyages, des réductions sur les produits du Routard... en vous abonnant au Cyber Club du Routard pour seulement 22 Frs*/mois (en plus de votre abonnement à Club-Internet). Vous pourrez également acheter ces exclusivités au coup par coup très prochainement.

Club-Internet
11, rue de Cambrai
75927 PARIS Cedex 19
Tél. : N° Azur 0 801 800 900
ou 01 55 45 46 47
Fax : 01 55 45 46 70

GROLIER INTERACTIVE

Pour vous abonner, tournez la page !

* TTC - hors coût téléphonique.
** une co-édition Routard / Moderne Multimédias.

BULLETIN D'ABONNEMENT

(à découper ou à photocopier)

• **Vous souhaitez vous abonner à Club-Internet et au Cyber Club du Routard :**
Cochez l'offre n° 1 (ou l'offre n° 2 si vous êtes déjà membre de Club-Internet).
Vous profiterez des informations inédites du Cyber Club du Routard.

• **Vous souhaitez vous abonner uniquement à Club-Internet :**
Cochez l'offre n° 3.
Vous pourrez acheter au coup par coup les exclusivités du Cyber Club du Routard.

Notez : Si vous vous inscrivez pour la première fois à Club-Internet, vous recevrez **gratuitement** un kit de connexion à Club-Internet qui comprend :
- un logiciel de navigation en français permettant la navigation sur le web, l'utilisation de la messagerie électronique...,
• 1 mois d'abonnement gratuit* à Club-Internet, pour un temps de connexion illimité.

Configuration conseillée :
PC : compatible 486 DX2 66 sous Windows 3.x ou Windows 95
Macintosh : compatible système 7.5
Lecteur de CD-Rom, 12 Mo de mémoire vive
Modem : 28 800 bps

❑ **Offre n° 1** : Je m'abonne à Club-Internet / Cyber Club du Routard pour 99 F TTC*/mois (77 F TTC + 22 F TTC), minimum 2 mois soit 198 F TTC.

❑ **Offre n° 2** : J'ai déjà un abonnement à Club-Internet et je souhaite m'abonner à l'option Cyber Club du Routard au prix de 22 F TTC*/mois, minimum 2 mois soit 44 F TTC.

• Mon login d'accès à Club-Internet est : ....
• Précisez ci-dessous uniquement votre nom et prénom : ....

❑ **Offre n° 3 :** Je m'abonne à Club-Internet pour 77 F TTC*/mois, minimum 2 mois soit 154 F TTC/mois.

Voici mes coordonnées :

Société : ....
Nom : .... Prénom : ....
Adresse : ....
Code Postal : .... Ville : ....
Tél. personnel : .... Tél. professionnel : ....
Télécopie : ....

Choisissez votre login d'accès à Club-Internet :

Votre login vous servira d'identifiant pour accéder au serveur Club-Internet et composera votre adresse e-mail (courrier électronique). Par exemple, si vous optez pour le nom de Dupont, votre adresse e-mail sera :
dupont @ club-internet.fr
Proposez trois logins (entre 3 et 8 caractères, lettres minuscules ou chiffres en dernières positions), par ordre de préférence.

Choix n° 1 : ⬚⬚⬚⬚⬚⬚⬚⬚
Choix n° 2 : ⬚⬚⬚⬚⬚⬚⬚⬚
Choix n° 3 : ⬚⬚⬚⬚⬚⬚⬚⬚

Votre login (nom d'utilisateur) et votre password (mot de passe) vous seront communiqués par courrier.

❑ J'accepte d'être prélevé(e) de deux mois d'abonnement**, tous les deux mois, en fonction de l'offre choisie. Je peux à tout moment résilier cet abonnement pour la période suivante, par lettre recommandée, quinze jours avant l'échéance de mon abonnement.

Carte bancaire n° :
⬚⬚⬚⬚ ⬚⬚⬚⬚ ⬚⬚⬚⬚ ⬚⬚⬚⬚ ⬚⬚⬚⬚

Expire le : |__|__|__|__|

Votre équipement informatique :

• Mon micro-ordinateur :
❑ PC compatible 486 DX2 66
❑ PC Pentium
❑ PC Portable
  ❑ Avec Windows 95 ❑ Windows 3.x

❑ PowerMacintosh (PowerPC)
❑ Powerbook
❑ autre Macintosh compatible Système 7.5

• Je possède déjà un modem de marque :
❑ Oui ❑ Non
❑ 28 800 bps ❑ 33 600 bps ❑ 56 000 b
Autre : ....

*hors coût téléphonique
**à la fin du mois gratuit si je bénéficie du kit de connexion gratuit.

À renvoyer avec votre règlement à :
Club-Internet / Web du Routard
11, rue de Cambrai
75927 PARIS Cedex 19
Informations / abonnement :
N°Azur **0 801 800 900** ou 01 55 45 46 47

Signature
(des parents pour les mineurs) :

GROLIER INTERACTIVE

R.C.S. Paris B 381 737 535

07/1998

En route pour la France.

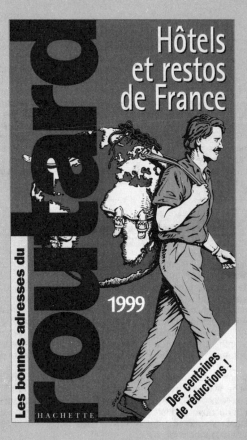

Plus de 4 350 adresses sélectionnées pour :

- *la chaleur de l'accueil*
- *la qualité de cuisine*
- *le charme du décor et la douceur des prix.*

Une France où il fait bon vivre.

Le Guide du Routard.
La liberté pour seul guide.

Hachette Tourisme

NOS NOUVEAUTÉS

ALPES (avril 99)

Malgré le massacre des bétonnières et des planteurs de pylônes, les Alpes françaises continuent de culminer par-dessus les petits soucis de notre quotidien. La Nature y joue de son charme, déchaînant la sauvagerie des aiguilles, des chaos et des éboulis pour mieux s'apaiser dans les alpages immaculés et les neiges éternelles. Sur ces abrupts, aux couleurs du Grand Nord, la vie se lit en vertical, au fil de balcons successifs surplombant des abîmes où l'homme, qui s'échine sur ses prés pentus, reste en contact avec la vie sauvage. La mystique des cimes, l'amour de l'oxygène se vivent aussi l'hiver avec les sports de glisse, où l'effort ne se vit plus dans l'ascension, mais dans la descente souvent sublime.

ISTANBUL (mars 99)

Ici finit l'Europe, ici commence l'Asie... À cheval sur deux continents, Istanbul se souvient qu'elle fut la Byzance des Grecs, la Constantinople de l'empire romain d'Orient et la capitale des sultans ottomans. Et vous serez séduit, à votre tour, par cette fabuleuse concentration de richesses et d'histoire qui a ébloui l'humanité entière durant neuf siècles... À Istanbul, toutes les provinces et métiers de Turquie se fondent en un grouillement coloré : paysan anatolien poussant ses moutons entre les immeubles, Kurde en salvar venu voir la ville, artisans arméniens, portefaix et vendeurs d'eau, marchands et colporteurs de toutes sortes. Des dizaines d'ethnies différentes se bousculent dans les quartiers animés, sur les marchés et dans les ruelles étroites. Une agitation qui tranche avec le calme et la sérénité des palais de la ville et des nombreux lieux de culte. Autant de trésors qui vous donneront envie de partir à la découverte d'Istanbul, la ville aux mille facettes, sous l'œil bienveillant des dômes immenses et des minarets qui s'élèvent comme des chandeliers.

Le Web du Routard

Retrouvez le *Guide du Routard* sur Internet, en version interactive et multimédia !
Pour chaque pays : nos meilleures adresses par type de famille, une sono mondiale, des photos, les anecdotes de l'équipe du *Routard*, des liens vers les meilleurs sites, des conseils pour mieux voyager, les bons plans des agences de voyages...
Mais aussi : la saga du Routard, le quiz « Quel routard êtes-vous donc ? », les infos médicales, une météo mondiale, des petites annonces gratuites et des forums de discussions ouverts à tous !

www.club-internet.fr/routard/

NOS NOUVEAUTÉS

GUIDE DE L'EXPAT (mai 99)

Pas un jour où la mondialisation n'est pas sur le devant de la scène. Et si on s'arrachait aux jérémiades quotidiennes pour enfin se servir de cette mondialisation dans le bon sens ? Partir vers des taux de croissance plus prometteurs n'est pas si difficile mais encore faut-il s'affranchir des clichés touristiques. En Europe, rien ne vous retient. De Dublin à Athènes, de Lisbonne à Oslo, il ne faut plus être bardé de diplômes pour pouvoir gagner le pari de l'adaptation et de la réussite. En revanche, le chemin n'est pas aussi aisé lorsqu'il s'agit de partir à Buenos Aires, Abidjan ou Chicago. Soit vous avez suffisamment de cran pour gravir à la force du poignet les barreaux de l'échelle sociale, soit vous peaufinez, mûrissez votre projet de départ à l'aide des multiples conseils du *Guide de l'Expat*. Pour se mettre dans le bain, rien ne vaut une bonne expérience scolaire « sponsorisée » par l'Union européenne. Mais pour les autres, une foule d'institutions, de fondations et d'associations peuvent vous informer. À celles-ci on a ajouté les contacts de quelques-uns des 2 millions de Français (quitte à bousculer quelques vieilles habitudes) qui sont aptes à vous informer quand ce n'est pas à vous aider. Histoire de se rendre compte que la solidarité aux antipodes est encore une valeur sûre...

BANLIEUES DE PARIS (paru)

Enfin, ça y est ! Le *Routard* est allé flécher les banlieues parisiennes. Comment avons-nous pu ignorer si longtemps ce vaste paradis des Doisneau, des Céline et des meilleurs metteurs en scène du Grand Paris ? Ces anciens villages qu'on appelle aujourd'hui banlieues déploient une incroyable floraison culturelle, qui ne se limite pas aux cours de rap des MJC : partout, ce ne sont qu'abbayes, châteaux, ports fluviaux, musées passionnants, réunis par des bois et des parcs, au fil d'inattendus chemins de Grande Randonnée. C'est aussi une mosaïque de peuples et de races, venus avec leurs traditions et leurs croyances, qui travaillent en permanence le tissu urbain pour forger de nouvelles cultures et réinventer l'art de vivre ensemble.
Ce guide voudrait leur révéler ce qu'ils ont sous les yeux, sans peut-être toujours l'apprécier ou le connaître. Casser l'esprit de clocher pour leur ouvrir des chemins vers les banlieues voisines. Sans oublier les gourmands... les dizaines de tables décrites ici nous ont surpris tant par leur qualité que par leur atmosphère conviviale. Et si les Parisiens, à leur tour, partaient explorer les banlieues ?

NOS NOUVEAUTÉS

LE MARCHÉ DU ROUTARD À PARIS (paru)

De l'humble boulanger à la star de la miche, du génial chocolatier au confiseur d'antan, du roi de l'andouillette au seigneur du fromage de tête, en passant par le boucher aux viandes tendres et goûteuses, le spécialiste de la marée et le marchand de primeurs, chez qui la salade a toujours une mine superbe et les fruits le goût des saisons, sans oublier le fromager génie des alpages, le caviste capable de vous dégoter le petit vin malin en assurant le cru bourgeois, et bien sûr tous ces artisans venus d'ailleurs, italiens, grecs, chinois, philippins... grâce auxquels nos assiettes s'emplissent de saveurs inédites, vous trouverez tout, absolument tout dans *Le Marché du routard à Paris,* le guide de vos emplettes dans la capitale.

Plus de 200 adresses essentielles pour mieux s'approvisionner au coin de la rue, dans le quartier ou à quelques stations de métro de son domicile. Un guide plein d'adresses inédites, mais qui n'ignore pas les valeurs sûres, les grands noms pour grandes occasions, déniche les as du produit, cherche les meilleurs coûts, et le traiteur qui dépanne à deux pas de chez soi. Bref, un guide qui dresse la carte complète de l'artisanat de bouche arrondissement par arrondissement avec, en prime, les marchés de Paris, lieux vivants et pratiques où l'on rencontre aussi bien les maraîchers d'Île-de-France qu'un producteur de miel du Morvan, un fromager du Bourbonnais ou encore un producteur de volailles des Landes.

PARIS EXOTIQUE (paru)

Découvrir le monde tout en restant à Paris, c'est possible et c'est à portée de métro. Passage Brady, laissez-vous tenter par les senteurs parfumées des *curries,* avant d'aller boire une pinte de bière rousse au son de la musique traditionnelle irlandaise dans l'un des fameux pubs de la capitale. À moins que vous ne préfériez dîner japonais rue Sainte-Anne avant de passer la soirée à danser la salsa à *La Coupole.* De l'Australie à Madagascar en passant par le Pérou et la Corée, tous les pays du monde sont à Paris. Et pas seulement avec leurs *nems, pastillas, burritos* et autres délices : au temple bouddhique du parc de Vincennes, partez à la rencontre de la sérénité asiatique ; à la Comédie italienne, perfectionnez votre langue en assistant à une représentation de théâtre en version originale ; à la librairie Shakespeare, préparez votre prochain voyage en lisant ou relisant les grands classiques de la littérature anglaise ; à l'Institut culturel suédois, initiez-vous à la cuisine nordique. Plus besoin de chercher un traiteur marocain pour un méchoui ou un havane pour un ami cubain de passage, nous les avons trouvés pour vous.

Nous tenons à remercier tout particulièrement Thierry Brouard, François Chauvin, Jérôme de Gubernatis, Pierrick Jégu, François-Xavier Magny, Bernard-Pierre Molin, Patrick de Panthou, Jean-Sébastien Petitdemange et Philippe Rouin pour leur collaboration régulière.

Et pour cette chouette collection, plein d'amis nous ont aidés :

Albert Aldan
Didier Angelo
Marie-José Anselme
Christine Bain
Arnaud Bazin
Nicole Bénard
Cécile Bigeon
Anne Boddaert
Philippe Bordet et Edwige Bellemain
Gérard Bouchu
Hervé Bouffet
Florence Breskoc
Jacques Brunel
Sandrine Cabioche
Vincent Cacheux et Laure Beaufils
Guillaume de Calan
Alexandre Cammas
Danièle Canard
Jean-Paul Chantraine
Bénédicte Charmetant
Claire Chiron
Sandrine Copitch
Maria-Elena et Serge Corvest
Vincent Cossé
Sandrine Couprie
Valentine Courcoux et Jean-Christian Perrin
Franck David
Laurent Debéthune
Agnès Debiage
Sophie Duval
Hervé Eveillard
Didier Farsy
Mathieu Faujas
Alain Fisch
Dominique Gacoin
Bruno Gallois
Cécile Gauneau
Michelle Georget
Hubert Gloaguen

Hélène Gomer
Jean-Marc Guermont
Xavier Haudiquet
Claude Hervé-Bazin
Bernard Houlat
Christian Inchauste
Fabrice Jahan de Lestang
François Jouffa
Pascal Kober
Jacques Lanzmann
Grégoire Lechat
Raymond et Carine Lehideux
Jean-Claude et Florence Lemoine
Aymeric Mantoux et François-Régis Gaudry
Pierre Mendiharat
Anne-Marie Minvielle
Xavier de Moulins
Jean-Paul Nail
Jean-Pascal Naudet
Alain Nierga et Cécile Fischer
Michel Ogrinz et Emmanuel Goulin
Franck Olivier
Alain Pallier
Martine Partrat
Odile Paugam et Didier Jehanno
Bernard Personnaz
André Poncelet
Jean-Alexis Pougatch
Michel Puysségur
Anne Riou
Frédérique Scheibling-Sève
Jean-Luc et Antigone Schilling
Régis Tettamanzi
Marie Thoris et Julien Colard
Christophe Trognon
Cyril Voiron
Anne Wanter

Direction : Isabelle Jeuge-Maynart
Contrôle de gestion : Ghislaine Stora, Dominique Thiolat et Martine Leroy
Direction éditoriale : Catherine Marquet
Édition : Catherine Julhe, Anne-Sophie du Cray, Yannick Le Bihen et Fabienne Travers
Préparation-lecture : Élizabeth Guillon
Cartographie : Fabrice Le Goff et Cyrille Suss
Fabrication : Gérard Piassale et Laurence Ledru
Direction artistique : Emmanuel Le Vallois
Direction des ventes : Francis Lang, Éric Legrand et Ségolène de Rocquemaurel
Direction commerciale : Michel Goujon, Cécile Boyer, Dominique Nouvel et Dana Lichiardopol
Informatique éditoriale : Lionel Barth et Pascale Ochérowitch
Relations presse : Danielle Magne, Martine Levens, Maureen Browne et Hélène Maurice
Régie publicitaire : Carole Perraud-Cailleaux et Monique Marceau
Service publicitaire : Frédérique Larvor et Marguerite Musso

COMMENT ALLER EN POLOGNE, EN RÉPUBLIQUE TCHÈQUE ET EN SLOVAQUIE ?

LES VOLS RÉGULIERS

▲ **AIR FRANCE :** 119, av. des Champs-Élysées, 75008 Paris. M. : George-V. Renseignements et réservations : ☎ 0-802-802-802 (de 8 h à 21 h). Minitel : 36-15 ou 36-16, code AF, et dans les agences de voyages.

Au départ de Paris, dessert la totalité des capitales des pays d'Europe de l'Est :

– *Varsovie :* 4 vols quotidiens sans escale au départ de Roissy-Charles-de-Gaulle, aérogare 2.

Pour aller à Cracovie, il faut faire escale à Vienne, Francfort ou Varsovie.

– *Prague :* 4 vols quotidiens sans escale au départ de Roissy-Charles-de-Gaulle.

Pour se rendre à Bratislava, correspondance à Prague puis vol quotidien par la compagnie aérienne nationale.

Air France propose une gamme de tarifs très attractifs sous la marque *Tempo,* accessibles à tous : *Tempo 1* (le plus souple), *Tempo 2, Tempo 3, Tempo 4* (le moins cher). Plus vous réservez tôt, plus il y a le choix de vols et de tarifs aux meilleures conditions. La compagnie propose également le tarif *Tempo Jeunes* (pour les moins de 25 ans) au départ de France vers l'Europe (en aller simple ou aller-retour ; changement de réservation ou remboursement gratuit) ou vers des destinations long-courriers (en aller-retour). Ce tarif est accompagné d'une garantie assistance rapatriement gratuite ainsi que la mise à disposition, 24 h sur 24, d'une ligne téléphonique « Air France assistance jeunes » en cas de difficultés durant le voyage ou pour transmettre un message à sa famille.

Les bonnes affaires de dernière minute, Air France propose également les tarifs « Coups de Pouce » disponibles uniquement le mercredi sur Minitel (36-15, code AF) avec une sélection de vols en métropole et en Europe pour les 7 jours suivants.

– **Renseignements et réservations Air France :** ☎ 0802-802-802. Ou Minitel : 36-15 ou 36-16, code AF (1,29 F la minute).

LES ORGANISMES DE VOYAGES

– Encore une fois, un billet « charter » ne signifie pas toujours que vous allez voler sur une compagnie charter. Bien souvent, même sur des destinations extra-européennes, vous prendrez le vol régulier d'une grande compagnie. En vous adressant à des organismes spécialisés, vous aurez simplement payé moins cher que les ignorants pour le même service.

– Nous ne faisons plus de distinction, comme les années précédentes, entre les organisateurs de « charters », les vols réguliers à prix réduits ou les associations pour étudiants. En effet, les agences dont les noms suivent proposent un peu de tout, pour tous les voyageurs. Ce n'est pas un mal : ça va dans le sens de la démocratisation du voyage.

– Ne pas croire que les vols à tarif réduit sont tous au même prix pour une

Avant de retenir un vol, retenez le nom de nos meilleurs tarifs : *Tempo*

Nos meilleurs tarifs, pour tous, toute l'année, en France et dans le monde entier. Tempo c'est une nouvelle gamme de prix qui s'adapte à votre rythme : plus vous vous décidez tôt, moins vous payez cher.

Renseignez-vous dans votre agence Air France, votre agence de voyages ou au 0 802 802 802 (0,79 F ttc/mn).

APL

AIR FRANCE

GAGNER LE CŒUR DU MONDE

COMMENT Y ALLER ?

20 COMMENT ALLER EN POLOGNE, EN RÉP. TCHÈQUE ET EN SLOVAQUIE ?

même destination à une même époque : loin de là. On a déjà vu, dans un même avion pour Lima partagé par deux organismes, des passagers qui avaient payé 40 % plus cher que les autres... Authentique ! Donc, contactez tous les organismes et jugez vous-même.
– Les organismes cités sont classés par ordre alphabétique, pour éviter les jalousies et les grincements de dents.

▲ ACCESS VOYAGES
– *Paris* : 6, rue Pierre-Lescot, 75001. ☎ 01-44-76-84-50. Fax : 01-42-21-44-20. R.E.R. : Châtelet-Les Halles.
– *Lyon* : 63, rue de la République, 69002. ☎ 04-72-56-15-95. Fax : 04-72-56-15-99.
Vendu aussi dans les agences de voyages.
Access Voyages, spécialiste depuis 14 ans maintenant du vol régulier à prix réduit. Pourquoi subir les inconvénients des charters, face aux tout petits prix proposés par ce professionnel du vol régulier ? Plusieurs destinations, tous les long-courriers et une production intense de vols secs sur l'Europe de l'Est notamment (Slovaquie, République tchèque, Pologne...). Access offre également de nombreux départs de province.
Le petit plus d'Access : la vente par correspondance, très intéressante pour les provinciaux qui utilisent le service de « paiement à la carte ».

▲ ALLIBERT :
14, rue de l'Asile-Popincourt, 75011 Paris. ☎ 01-40-21-16-21. Fax : 01-40-21-16-20. M : Saint-Ambroise.
Ce spécialiste du trek propose de nombreux circuits à travers le monde entier. Pour marcheurs avertis. En février et mars, un voyage d'une semaine en raquettes est organisé entre la Pologne et la Slovaquie. Tous renseignements sur Minitel : 36-15, code ALLIBERT.

▲ ANY WAY :
☎ 0803-008-008 (1,09 F la minute). Fax : 01-49-96-96-99. Centrale téléphonique accessible du lundi au samedi, de 9 h à 19 h. Internet : www.anyway.fr.
Ne vous déplacez pas, Any Way vient à vous ! Any Way, c'est une équipe dynamique rompue à la déréglementation aérienne et à l'explosion des monopoles. Son champ d'action s'étend aujourd'hui à toutes les grandes destinations du globe. Ses ordinateurs dénichent en un temps record les meilleurs tarifs du marché. 700 destinations dans le monde sur plus de 60 compagnies aériennes régulières et charters au départ de Paris et de la province, près d'un million de tarifs réduits !
Any Way permet également de réserver à tarifs réduits, hôtels et locations de voitures à la carte.
Les routards voyageant « chic » ou « bon marché » sauront sûrement trouver chaussures à leurs pieds parmi de nombreuses possibilités et promotions de séjours, circuits et week-ends. Précurseur dans le domaine de la vente à distance, Any Way vous permet de consulter les disponibilités et de réserver par téléphone, par Minitel ou sur Internet. Que vous soyez marseillais, lillois ou parisien, ce système très pratique vous permet de réserver à distance et de payer avec votre carte de crédit en toute simplicité. Un service très convivial.

▲ ČEDOK FRANCE :
32, av. de l' Opéra, 75002 Paris. ☎ 01-44-94-87-50. Fax : 01-49-24-99-46. M. : Opéra. Ouvert du lundi au vendredi de 10 h à 18 h. E-mail : travel@cedok-france.com. Adresse Internet : www.cedok-france.com. Minitel : 36-15, code TCHECO.
Agence de voyages franco-tchèque, spécialiste des voyages à Prague, en République tchèque et en Europe centrale. Čedok France propose de nombreuses formules :
– des réservations d'hôtels à la carte (à Prague, en République tchèque, en Slovaquie, en Hongrie) ;

– des forfaits hôtel + avion (avec éventuellement d'autres services) ;
– des week-ends « découvertes » (formule tout compris avec visites, transferts, guide francophone, pension complète) ;
– des logements chez l'habitant et locations d'appartements à Prague ;
– des visites guidées, excursions, réservations de billets de spectacles, location de voitures ;
– des voyages culturels ;
– des séjours aux châteaux de Bohême ;
– des propositions de séjours combinés (Prague et les villes d'Europe centrale),
– des circuits sur mesure.

▲ **CGTT VOYAGES :** 82, rue d'Hauteville, 75010 Paris. ☎ 01-40-22-88-14. Fax : 01-40-22-10-30. E-mail : cgtt2000@aol.com. M. : Poissonnière.
Travaillant en collaboration avec les offices du tourisme des pays d'Europe centrale, depuis plus de 30 ans, et maintenant avec certaines agences privées, ou avec sa propre structure, CGTT Voyages s'est spécialisée sur ces destinations. Très compétente sur la question, l'agence propose toutes sortes de formules : voyages individuels, séjours en hôtels, logement chez l'habitant, circuits historiques ou culturels et même des séjours de repos. Les individualistes forcenés peuvent se contenter de s'adresser à CGTT Voyages pour les réservations d'hôtels, recommandées pour tous les pays de l'Est.

▲ **CHEMINS DE BOHÊME (LES) :** rue Visnova 12/483, KRC, Praha 4. ☎ 472-49-38 ou 06-80-48-42-01. Fax : 472-49-38.
Dans cette petite agence francophone, une Tchèque et un Français proposent des circuits culturels en petits groupes (maximum 16 personnes), associant nature et culture ; des circuits en liberté permettant une découverte individuelle sans problème d'hébergement ou de langue (les guides qu'ils publient sont en français) et un contact téléphonique presque quotidien avec l'agence pragoise. Leur but : partir à la découverte de la Bohême et de la Moravie en évitant la très touristique Prague.

▲ **CLUB AVENTURE :** 18, rue Séguier, 75006 Paris. ☎ 01-44-32-09-30. Fax : 01-44-32-09-59. M. : Saint-Michel.
Club Aventure est le spécialiste du voyage actif et innovant. Catalogue avec de nombreuses propositions à pied mais aussi en 4 x 4, en pirogue ou en voilier et maintenant dans plus de 60 pays !
Les voyages regroupent une dizaine de participants, encadrés par une équipe d'accompagnateurs professionnels et grands bourlingueurs.
L'esprit est résolument axé sur le plaisir de la découverte des plus beaux sites du monde quitte à bivouaquer en plein désert, à coucher dans un *funduk* yéménite ou dans un refuge des Andes à 4 000 m d'altitude.
La formule reste malgré tout confortable dans le sens où le portage est confié à des Sherpas, des chameaux, des mulets ou à un 4 x 4 d'assistance. Les repas sont mitonnés en pleine nature par un cuisinier et l'hébergement en ville se fait dans des hôtels carrément douillets...
De mai à septembre, Club Aventure propose un trek de deux semaines en Slovaquie.

▲ **COMPAGNIE DES VOYAGES (LA) :** 28, rue Pierre-Lescot, 75001 Paris. ☎ 01-45-08-44-88. Fax : 01-45-08-03-69. Infos sur répondeur 24 h sur 24 au : ☎ 01-45-08-00-60. M. : Étienne-Marcel ou Les Halles. E-mail : voyages@internetaddress.com. Adresse Internet : www.lcdv.com.
Créé il y a plus de 17 ans, ce spécialiste du transport aérien long-courrier pratiquant le circuit court de distribution étend sa production à l'Europe et au Moyen-Orient. Plus de 250 000 tarifs vers plus de 900 destinations ! Point fort : le premier site interactif français opérationnel sur Internet permettant la

PRAGO MEDIA

Organisation de voyages en liberté

REPUBLIQUE TCHEQUE
POLOGNE
HONGRIE

…D'une chambre chez <u>l'habitant</u> aux <u>hôtels</u> 5 étoiles…

…D'un simple <u>forfait</u> "car/avion + hébergement"
aux <u>circuits</u> au travers des pays…

…D'une <u>visite</u> culturelle aux séjours de <u>détente</u> à la mer,
campagne, montagne…

Tél : 01 39 16 69 80

<u>57 chemin du bas des ormes 78160 Marly le Roi</u>

GUIDE DE L'EXPAT (mai 99)

Pas un jour où la mondialisation n'est pas sur le devant de la scène. Et si on s'arrachait aux jérémiades quotidiennes pour enfin se servir de cette mondialisation dans le bon sens ? Partir vers des taux de croissance plus prometteurs n'est pas si difficile mais encore faut-il s'affranchir des clichés touristiques. En Europe, rien ne vous retient. De Dublin à Athènes, de Lisbonne à Oslo il ne faut plus être bardé de diplômes pour pouvoir gagner le pari de l'adaptation et de la réussite. En revanche, le chemin n'est pas aussi aisé lorsqu'il s'agit de partir à Buenos Aires, Abidjan ou Chicago. Soit vous avez suffisamment de cran pour gravir à la force du poignet les barreaux de l'échelle sociale, soit vous peaufinez, mûrissez votre projet de départ à l'aide des multiples conseils du *Guide de l'Expat*. Pour se mettre dans le bain, rien ne vaut une bonne expérience scolaire « sponsorisée » par l'Union européenne. Mais pour les autres, une foule d'institutions, de fondations et d'associations peuvent vous informer. À celles-ci on a ajouté les contacts de quelques-uns des 2 millions de Français (quitte à bousculer quelques vieilles habitudes) qui sont aptes à vous informer quand ce n'est pas à vous aider. Histoire de se rendre compte que la solidarité aux antipodes est encore une valeur sûre…

consultation comparative des prix, horaires, disponibilités et réservations en temps réel (paiements sécurisés). Les prix communiqués à l'inscription sont fermes et définitifs au moment du paiement de l'acompte. Pour la province : vente par téléphone ou par correspondance.

▲ **COUNCIL TRAVEL :** numéro azur : ☎ 0801-41-00-41.
– *Paris :* 1, place de l'Odéon, 75006. ☎ 01-44-41-89-89. Renseignements téléphoniques seulement. ☎ 01-44-41-89-80. Fax : 01-40-51-89-12. M. : Odéon, ou R.E.R. : Luxembourg.
– *Aix-en-Provence :* 12, rue Victor-Leydet, 13100. ☎ 04-42-38-58-82. Fax : 04-42-38-94-00.
– *Lyon :* 35, rue Victor-Hugo, 69002. ☎ 04-78-38-78-38. Fax : 04-78-38-78-30.
E-mail : counciltravelfrance@ciee.org.
Et dans toutes les agences de voyages.
Council Travel propose toute l'année des vols à tarifs spéciaux sur lignes régulières réservés aux jeunes et étudiants et vers le monde entier. Souplesse d'utilisation et grand choix de destinations.

▲ **DÉGRIFTOUR-RÉDUCTOUR**
Deux services différents pour deux types de voyageurs différents. Le groupe Dégriftour est le spécialiste de la vente de prestations touristiques à prix dégriffés par Minitel ou sur Internet, avec une équipe de plus de 150 personnes à votre service pour vous conseiller.
Minitel : 36-15, code DÉGRIFTOUR, 36-15, code DT ou sur Internet : www.degriftour.fr.
La formule idéale pour satisfaire une envie brusque d'aller le plus loin possible tout en valorisant votre budget vacances ! Dégriftour propose de 1 à 15 jours avant le départ, des billets d'avion, des chambres d'hôtel, des séjours, des circuits, des thalasso... avec une réduction d'au moins 40 % du tarif public. Entre 900 et 1 200 offres de voyages sont présentées quotidiennement et actualisées 3 fois par jour.
Minitel : 36-15, code RÉDUCTOUR, 36-15, code RT ou sur Internet : www.reductour.fr.
Réductour est un tour-opérateur à part entière qui vend en direct sa propre production. Il garantit à ses clients des réductions de 5 à 30 % par rapport au tarif public, de 1 jour à 8 mois avant le départ. Réductour est donc destiné à ceux qui ne veulent pas ou ne peuvent pas attendre le dernier moment, et propose toutes les formules de voyage en France et dans le monde entier, avec un très grand choix de produits.
Et pour connaître les « Coups de Cœur » et les « Super Affaires » de Réductour, il vous suffit de composer le : ☎ 08-36-68-28-27.

▲ **ESPACES DÉCOUVERTES VOYAGES**
– *Paris :* 38, rue Rambuteau, 75003. ☎ 01-42-74-21-11. Fax : 01-42-74-76-77. M. : Rambuteau, ou R.E.R. : Châtelet-Les Halles.
– *Paris :* 377 *bis*, rue de Vaugirard, 75015 Paris. ☎ 01-56-56-74-44. Fax : 01-56-56-74-49. M. : Convention.
Deux équipes dynamiques vous accueillent tous les jours du lundi au samedi. Espaces Découvertes vous offre un vaste choix de tarifs aériens exceptionnellement compétitifs, ainsi qu'un éventail de séjours et de circuits sélectionnés pour leur bon rapport qualité-prix. De nombreuses formules « nuit d'hôtel à l'arrivée » et locations de voitures, toujours à prix réduits, sont proposées en complément des vols. Également un service de réservation et de vente par téléphone (paiement par carte bleue), uniquement pour les vols, en appelant le : ☎ 01-42-74-21-11.

TICKET POUR UN ALLER-RETOUR-ALLER-RETOUR-ALLER-RETOUR-ALLER-RETOUR...

LES PRÉSERVATIFS VOUS SOUHAITENT
UN BON VOYAGE. AIDES

Association de lutte contre le sida
Reconnue d'utilité Publique

3615 AIDES (1,28 F/MIN.) www.aides.org

▲ FRAM

– *Paris :* 128, rue de Rivoli, 75001. ☎ 01-40-26-20-00. Fax : 01-40-26-26-32. M. : Châtelet.
– *Toulouse :* 1, rue Lapeyrouse, 31000. ☎ 05-62-15-16-17. Fax : 05-62-15-17-17. Minitel : 36-16, code FRAM. Internet : ww.fram.fr.

L'un des tout premiers tours-opérateurs français pour le voyage organisé, FRAM programme désormais plusieurs formules qui représentent « une autre façon de voyager ». Ce sont des week-ends à Prague (avion + hébergement) pour les pays d'Europe de l'Est. Formule au départ de Paris.

▲ FUAJ

– *Paris :* centre national, 27, rue Pajol, 75018. ☎ 01-44-89-87-27. Fax : 01-44-89-87-49 ou 10. M. : La Chapelle, Marx-Dormoy ou Gare-du-Nord.
– *Paris :* 9, rue Brantôme, 75003. ☎ 01-48-04-70-40. Fax : 01-42-77-03-29. M. : Rambuteau.
– *Paris :* 10, rue Notre-Dame-de-Lorette, 75009. ☎ 01-42-85-55-40. Fax : 01-40-23-94-53. M. : Notre-Dame-de-Lorette.
– *Paris :* 4, bd Jules-Ferry, 75011. ☎ 01-43-57-55-60. Fax : 01-40-21-79-92. M. : République.

Et dans toutes les auberges de jeunesse et les points de distribution et de réservation en France. Minitel : 36-15, code FUAJ (1,01 F la minute). Adresse Internet : www.fuaj.org. Serveur vocal : 08-36-68-86-98 (2,23 F la minute).

La FUAJ (Fédération unie des Auberges de jeunesse), ce sont près de 200 auberges de jeunesse en France et 6 000 dans le monde. Mais ce sont aussi des voyages et des activités sportives ! Plus de 50 destinations à travers le monde, sur les 5 continents vous sont proposées à des prix toujours très étudiés. Pour une expédition, un circuit, un séjour ou un week-end, demandez les brochures FUAJ « Voyage expéditions » et « Go as you please ». Pour les activités en France, demandez la brochure « Activités été ou hiver », pour les hébergements, le « Guide français » (gratuit) et les guides internationaux vendus en deux tomes. Disponibles dans les points d'information ci-dessus.

▲ JEUNESSE ET RECONSTRUCTION : 10, rue de Trévise, 75009 Paris.
☎ 01-47-70-15-88. Fax : 01-48-00-92-18. M. : Cadet ou Grands-Boulevards. E-mail : jeunesse-et-reconstruction@compuserve.com.

Association offrant des vols, séjours, circuits et stages dès 15 ans ; groupes possibles. Chantiers de jeunes en Hongrie, Bulgarie et Roumanie : bénévoles pour les fouilles archéologiques, les restaurations de monuments, travaux d'environnement et chantiers sociaux ; travaux agricoles rémunérés.

▲ JUMBO

– *Paris :* Boiloris Voyages, 38, av. de l'Opéra, 75002. ☎ 01-47-42-06-92. M. : Opéra.
– *Paris :* Trajectoire Voyages, 9, rue Jacques-Coeur, 75004. ☎ 01-42-74-30-20. M. : Bastille.
– *Paris :* Boiloris Voyages, 62, rue Monsieur-le-Prince, 75006. ☎ 01-46-34-19-79. M. : Odéon.
– *Paris :* Étampes Voyages, 113, rue de Rennes, 75006. ☎ 01-45-44-53-10. M. : Rennes.
– *Paris :* Boiloris Voyages, 19, av. de Tourville, 75007. ☎ 01-47-05-01-95. M. : École-Militaire.
– *Paris :* Antipodes Découvertes, 16, rue Notre-Dame-de-Lorette, 75009. ☎ 01-44-91-99-00. M. : Notre-Dame-de-Lorette.
– *Paris :* Cama Voyages, 112, av. du Général-Leclerc, 75014. ☎ 01-45-42-03-87. M. : Alésia.
– *Paris :* Boiloris Voyages, 165, rue de la Convention, 75015. ☎ 01-42-50-83-83. M. : Boucicaut ou Convention.

– *Paris :* Denn Voyages, 123, av de Versailles, 75016. ☎ 01-42-88-13-88. M. : Exelmans.
Minitel : 36-15, code JUMBO (1,29 F la minute). Internet : www.jettours.com.
Retrouvez également Jumbo à :
– *Agen :* ☎ 05-53-87-74-74.
– *Aix-en-Provence :* ☎ 04-42-26-04-11.
– *Angoulême :* ☎ 05-45-92-07-94.
– *Annecy :* ☎ 04-50-10-02-02.
– *Arras :* ☎ 03-21-71-42-42.
– *Aubagne :* ☎ 04-42-03-19-24.
– *Bordeaux :* ☎ 05-56-00-79-79.
– *Boulogne-Billancourt :* ☎ 01-46-99-64-64.
– *Bourg-la-Reine :* ☎ 01-46-61-31-02.
– *Brest :* ☎ 02-98-46-58-00.
– *Cagnes-sur-Mer :* ☎ 04-93-20-76-44.
– *Cannes :* ☎ 04-93-68-45-45.
– *Carqueiranne :* ☎ 04-94-12-95-95.
– *Chambéry :* ☎ 04-79-33-17-64.
– *Clermont-Ferrand :* ☎ 04-73-93-29-15.
– *Colmar :* ☎ 03-89-41-66-80.
– *Corbeil-Essonne :* ☎ 01-60-89-31-21.
– *Dinan :* ☎ 02-96-39-12-30.
– *Grenoble :* ☎ 04-76-47-01-05.
– *Hyères :* ☎ 04-94-35-22-22.
– *Lille :* ☎ 03-28-38-11-28.
– *Limoges :* ☎ 05-55-32-79-29.
– *Lorient :* ☎ 02-97-21-17-17.
– *Lyon :* ☎ 04-72-77-41-07 et 04-78-89-34-34.
– *Marseille :* ☎ 04-91-22-19-19.
– *Meaux :* ☎ 01-60-09-64-64.
– *Metz :* ☎ 03-87-63-60-08.
– *Nantes :* ☎ 02-40-48-66-19.
– *Nice :* ☎ 04-92-17-65-00.
– *Nogent-sur-Marne :* ☎ 01-48-72-76-77.
– *Orléans :* ☎ 02-38-62-75-25.
– *Pérols :* ☎ 04-99-52-65-65.
– *Le Pradet :* ☎ 04-94-08-08-07.
– *Quimper :* ☎ 02-98-95-40-41.
– *Rambouillet :* ☎ 01-34-83-06-18.
– *La Roche-sur-Yon :* ☎ 02-51-36-15-07.
– *Royan :* ☎ 05-46-39-97-76.
– *Saint-Brieuc :* ☎ 02-96-61-88-22.
– *Saint-Étienne :* ☎ 04-77-32-39-81.
– *Strasbourg :* ☎ 03-88-21-52-40.
– *Torcy :* ☎ 01-60-17-58-20.
– *Troyes :* ☎ 03-25-43-66-00.
– *Versailles :* ☎ 01-39-49-98-98.
Jumbo s'adresse à tous ceux qui ont envie de se concocter un voyage unique, en couple, entre amis ou en famille, mais surtout pas en groupe. À la carte : vol ou location de voitures, 2 étoiles ou hôtels de charme, itinéraires tout faits ou à composer soi-même. Jumbo organise votre voyage où l'insolite ne rime pas avec danger et où l'imprévu ne se conjugue pas avec galère.

▲ **LOOK VOYAGES :** les brochures et produits Look Voyages sont disponibles dans toutes les agences de voyages. Sur Minitel : 36-15, code LOOK ou 36-15, code SOS CHARTERS VOYAGES (2,23 F la minute).
Ce tour-opérateur généraliste propose diverses destinations : circuits, croisières, séjours, safaris, « voyages à la carte », îles lointaines, week-ends,

ainsi que des formules clubs, les clubs Lookéa. Look Voyages, par ailleurs grand spécialiste du vol sec aux meilleurs prix, propose 400 destinations dans le monde sur vols charters et réguliers.

▲ **M.S.R (MONDIAL SÉJOUR RÉSERVATION) :** 11-13, rue Saint-Yves, 75014 Paris. ☎ 01-43-27-61-57. Fax : 01-43-27-50-09. M. : Alésia.
Agence spécialisée sur l'Europe centrale. Forfaits week-end (vol aller-retour, hôtel de charme) à Prague, Bratislava, Brno, Budapest, Vienne, Salzbourg et Innsbruck. Possibilités de réservations hôtelières seules, location d'appartements sur certaines destinations, réservations de spectacles et d'excursions collectives ou privées.

▲ **NEW EAST :** 12, rue du Docteur-Mazet, 38000 Grenoble. ☎ 04-76-47-19-18. Fax : 04-76-47-19-14.
Une petite agence dynamique qui se charge de vos réservations d'hôtels ou en cité universitaire à Prague, entre autres. Propose également des séjours tout compris ainsi que plusieurs circuits en Europe centrale. Possibilité de départ de province. Disponible dans les agences OTU Voyages.

▲ **NOUVELLES FRONTIÈRES :** 87, bd de Grenelle, 75015 Paris. M. : La Motte-Picquet-Grenelle. Renseignements et réservations dans toute la France : ☎ 0-803-33-33-33 (1,09 F la minute). Minitel : 36-15, code NF (à partir de 0,65 F la minute). Adresse Internet : www.nouvelles-frontières.fr.
Plus de 30 ans d'existence, 2 200 000 clients par an, 250 destinations, une chaîne d'hôtels-clubs et de résidences *Paladien*, deux compagnies aériennes, Corsair et Aérolyon, des filiales spécialisées pour les croisières en voilier, la plongée sous-marine, la location de voitures. Pas étonnant que Nouvelles Frontières soit devenu une référence incontournable, notamment en matière de prix. Le fait de réduire au maximum les intermédiaires permet d'offrir des prix « super serrés ».
Un choix illimité de formules vous est proposé : des vols sur les compagnies aériennes de Nouvelles Frontières : Corsair et Aérolyon, au départ de Paris et de province, en classe Horizon ou Grand Large, et sur toutes les compagnies aériennes régulières, avec une gamme de tarifs suivant confort, budget ; toutes sortes de circuits, aventure ou organisés ; des séjours en hôtels, en hôtels-clubs et en résidence, notamment dans les *Paladien*, les hôtels de Nouvelles Frontières avec « vue sur le monde » ; des week-ends ; des formules à la carte (vol, nuits d'hôtels, excursions, location de voitures...).
Avant le départ, des permanences d'information sont organisées par des spécialistes qui présentent le pays et répondent aux questions. Les 12 brochures Nouvelles Frontières sont disponibles gratuitement dans les 180 agences du réseau, par Minitel, par téléphone et sur Internet.

▲ **OPÉRA DU MONDE :** 7, rue Maître-Albert, 75005 Paris. ☎ 01-55-42-60-75. Fax : 01-55-42-60-71. M. : Maubert-Mutualité.
Spécialiste du voyage culturel autour des grands événements artistiques : créations musicales (opéras, festivals, concerts...), expositions exceptionnelles, etc. Au sommaire de leur brochure : le festival de Salzbourg et la saison Viennoise, bien sûr, mais aussi Budapest et ses « Rhapsodies hongroises », Prague, capitale musicale, Berlin « L'Opéra du futur », Munich et les châteaux de Bavière, et bien d'autres manifestations culturelles en Europe et ailleurs.

▲ **OTU VOYAGE**
Le spécialiste des vols charters et réguliers à tarifs étudiants, ainsi que des vols de dernière minute. Centrale de réservations à Paris : ☎ 01-43-62-30-00. Fax : 01-43-62-30-09. L'OTU est aussi représentée en France par les CROUS et les CLOUS :
– *Paris :* 119, rue Saint-Martin, 75004. ☎ 01-40-29-12-12. Fax : 01-40-29-12-25. M. : Rambuteau ou Châtelet.

– *Paris :* 39, av. Georges-Bernanos, 75005. ☎ 01-40-29-12-12. Fax : 01-40-29-12-25. R.E.R. : Port-Royal. Ouvert de 10 h à 18 h 30.
– *Paris :* 2, rue Malus, 75005. ☎ 01-40-29-12-12. Fax : 01-40-29-12-25. M. : Place-Monge.
– *Paris :* resto U de l'université Paris IX Dauphine, 75116. ☎ 01-40-29-12-12. Fax : 01-40-29-12-25.
– *Aix-en-Provence :* cité universitaire Les Gazelles, av. Jules-Ferry, 13621. ☎ 04-42-27-76-85. Fax : 04-42-93-09-16.
– *Angers :* CROUS, jardin des Beaux-Arts, 35, bd du Roi-René, 49100. ☎ 02-41-25-45-81.
– *Besançon :* CROUS, 38, av. de l'Observatoire, 25030. ☎ 03-81-48-46-25. Fax : 03-81-48-46-70.
– *Bordeaux :* campus de Talence, restaurant universitaire n° 2, « Le Vent Debout », 33405. ☎ 05-56-80-71-87.
– *Brest :* CROUS, université de Bretagne, 2, av. Legorgeu, 29287. ☎ 02-98-03-38-78.
– *Caen :* CROUS, Maison de l'Étudiant, av. de Lausanne, 14040. ☎ 02-31-56-60-93. Fax : 02-31-46-60-91.
– *Clermont-Ferrand :* CROUS, 25, rue Étienne-Dolet, bât. A, 63037. ☎ 04-73-34-44-14. Fax : 04-73-34-44-70.
– *Compiègne :* 27, rue du Port-aux-Bateaux, 60200. ☎ 03-44-86-43-41. Fax : 03-44-92-15-19.
– *Créteil :* Maison de l'Étudiant, université Paris XII, 61, av. du Général-de-Gaulle, 94000. ☎ 01-48-99-75-90. Fax : 01-48-99-74-01.
– *Dijon :* campus Montmuzard, 6B, rue du Recteur-Bouchard, 21000. ☎ 03-80-39-69-33. Fax : 03-80-39-69-43.
– *Grenoble :* CROUS, 5, rue d'Arsonval, 38019. ☎ 04-76-46-98-92. Fax : 04-76-47-78-03.
– *Grenoble Campus :* carreau Rive Gauche, campus Saint-Martin d'Hères, 38406. ☎ 04-76-51-27-25. Fax : 04-76-01-18-57.
– *La Rochelle :* résidence universitaire Antinéa, 15, rue Vaux-de-Foletier, 17026. ☎ 05-46-28-21-30. Fax : 05-46-28-21-55.
– *Le Havre :* cité universitaire de Caucriauville, 45 *bis*, rue Casimir-Delavigne, 76610. ☎ 02-35-21-69-12.
– *Le Mans :* 2, rue Laennec, 72040. ☎ 02-43-28-60-70.
– *Lille :* CROUS, 74, rue de Cambrai, 59043. ☎ 03-20-88-66-12. Fax : 03-20-88-66-59.
– *Lille* (campus) : brasserie « Les 3 Lacs », domaine littéraire du Pont-de-Bois, Lille III, 59650 Villeneuve d'Ascq. ☎ 03-20-67-27-45. Fax : 03-20-91-90-29.
– *Limoges :* CROUS, université de Vanteaux, 39G, rue Camille-Guérin, 87036. ☎ 05-55-43-17-03. Fax : 05-55-50-14-05.
– *Lyon :* CROUS, 59, rue de la Madeleine, 69365. ☎ 04-72-71-98-07. Fax : 04-72-72-35-02.
– *Metz :* cité universitaire, île du Saulcy, 57045. ☎ 03-87-31-62-62. Fax : 03-87-31-62-87.
– *Montpellier :* 43, rue de l'Université, 34000. ☎ 04-67-66-74-20. Fax : 04-67-66-30-72.
– *Mulhouse :* cité universitaire, 1, rue Alfred-Werner, 68093. ☎ 03-89-59-64-66. Fax : 03-89-59-64-69.
– *Nancy Vandoeuvre :* « Le Vélodrome », 8, rue Jacques-Callot, 54500. ☎ 03-83-54-49-63.
– *Nantes :* 14, rue de Santeuil, 44000. ☎ 02-40-73-99-17. Fax : 02-40-69-69-93.
– *Nantes :* 2, bd Guy-Mollet, 44000. ☎ 02-40-74-70-77. Fax : 02-40-37-13-00.
– *Nice :* Carlone, 80, bd Édouard-Herriot, 06200. ☎ 04-93-96-85-43. Fax : 04-93-37-43-30.

– *Orléans :* CROUS, rue de Tours, 45072. ☎ 02-38-76-48-99. Fax : 02-38-63-41-80.
– *Pau :* restaurant universitaire, av. Poplawski, 64000. ☎ 05-59-02-26-98. Fax : 05-59-02-20-26.
– *Poitiers :* CROUS, 38, av. du Recteur-Pineau, 86022. ☎ 05-49-45-10-79. Fax : 05-49-45-10-81.
– *Reims :* resto U J.-C.-Prost, rue de Rilly-la-Montagne, 51100. ☎ 03-26-09-91-50.
– *Rennes :* CROUS, 7, place Hoche, B.P. 115, 35002. ☎ 02-99-84-31-35. Fax : 02-99-84-31-03.
– *Rouen :* campus de Mont-Saint-Aignan, cité universitaire du Panorama, 76000. ☎ 02-35-70-21-65. Fax : 02-35-10-00-59.
– *Saint-Étienne :* restaurant « La Tréfilerie », 31 *bis*, rue du 11-Novembre, 42100. ☎ 04-77-33-68-05. Fax : 04-77-33-49-00.
– *Strasbourg :* CROUS, 3, bd de la Victoire, 67084. ☎ 03-88-25-53-99. Fax : 03-88-52-15-70.
– *Toulon :* résidence Campus International, B.P. 133, 83130 La Garde. ☎ 04-94-21-24-00. Fax : 04-94-21-25-99.
– *Toulouse :* CROUS, 60, rue du Taur, 31070. ☎ 05-61-12-54-54. Fax : 05-61-12-36-79.
– *Tours :* résidence Sanitas, bd de Lattre-de-Tassigny, 37041. ☎ 02-47-60-42-42. Fax : 02-47-20-46-33.
– *Valence :* 6, rue Deredon, 26000. ☎ 04-75-42-17-96. Fax : 04-75-55-48-37.
– *Valenciennes :* résidence universitaire Jules-Mousseron, 59326 Aulnoy-les-Valenciennes. ☎ 03-27-28-39-60. Fax : 03-27-28-39-61.

▲ **PRAGOMEDIA :** 57, chemin du Bois-des-Ormes, 78160 Marly-le-Roi. ☎ 01-39-16-69-80. Fax : 01-39-16-69-90. Ouvert du lundi au vendredi, de 13 h à 19 h.
Sympathique agence créée par une exilée tchèque, Jitka Bedel, et sa collaboratrice polonaise, Pragomedia est spécialisée sur trois destinations : République tchèque, Pologne et Hongrie. En plus de vous procurer des billets d'avion ou de bus, l'agence propose des forfaits avec cars, hôtels, auberges de jeunesse, guides, spectacles et des logements chez l'habitant ou des locations d'appartements, de voitures, guides, hôtels, excursions et circuits sur mesure. Organise aussi des voyages de groupes.

▲ **RÉPUBLIC TOURS**
– *Paris :* 1 *bis*, av. de la République, 75011. ☎ 01-53-36-55-55. Fax : 01-48-07-09-79. M. : République.
– *Lyon :* 4, rue du Général-Plessier, 69002. ☎ 04-78-42-33-33. Fax : 04-78-42-24-43.
Minitel : 36-15, code REPUBLIC (2,23 F la minute). Adresse Internet : www.republic-tours.com.
Et dans les agences de voyages.
Républic Tours, c'est une large gamme de produits et de destinations tous publics et la liberté de choisir sa formule de vacances. Séjours détente en hôtel classique ou club avec circuit en autocar, notamment à Prague, à partir de Noël.

▲ **SLAV'TOURS :** 6, rue Jeanne-d'Arc, 45000 Orléans. ☎ 02-38-77-07-00. Fax : 02-38-77-18-37. Ouvert de 9 h à 12 h 30 et de 13 h 30 à 19 h du lundi au vendredi et le samedi de 9 h à 12 h.
Son directeur est tchèque et connaît parfaitement toutes les ficelles de son pays, y compris côté slovaque. L'agence propose des week-ends, des circuits et des séjours sur mesure ainsi que tous types d'hébergement (hôtels, pensions de famille, chez l'habitant, gîtes...), de transports et de loisirs (visites d'usines, d'écoles). Propositions de séjours combinés avec d'autres

capitales de l'Est (correspondants en Pologne, Roumanie, Slovénie, Hongrie, Russie, etc.).

▲ TERRES D'AVENTURE

– *Paris* : 6, rue Saint-Victor, 75005. ☎ 01-53-73-77-77. Fax : 01-43-29-96-31. M. : Maubert-Mutualité.

– *Lyon* : 9, rue des Remparts-d'Ainay, 69002. ☎ 04-78-42-99-94. Fax : 04-78-37-15-01. E-mail : terdav.prod@wanadoo.fr. Internet : www.terdav.com.

Pionnière et leader du voyage à pied en France et à l'étranger, cette agence propose près de 350 randonnées de 7 à 36 jours pour tous niveaux, même débutant, et à tous les prix.

En République tchèque et Slovaquie, Terres d'Aventure propose des séjours culturels et des randonnées d'une ou deux semaines avec hébergement en hôtel.

▲ TRANSTOURS : 49, av. de l'Opéra, 75002 Paris. ☎ 01-53-24-34-00. Fax : 01-53-24-34-59. M. : Opéra.

La plus grande agence sur la Russie et les pays d'Europe centrale allie compétence et longue expérience (plus de 45 ans). Transtours propose trois styles de découverte :

– *les découvertes à la carte,* en toute liberté, Transtours mettant à votre disposition tous les éléments pour que vous puissiez organiser votre séjour à votre gré (transports, hôtels, visites) ; avec un itinéraire que vous effectuerez avec un guide et un chauffeur privés. Pour faciliter ces découvertes à la carte, Transtours vous offre un grand choix d'hôtels en centre-ville, et l'éventail complet des visites et des spectacles nécessaires à une réelle approche du pays.

– *Les découvertes tradition,* sous forme d'un circuit, d'un séjour ou d'un week-end, pour vous permettre de découvrir la destination avec un accompagnateur spécialiste du pays, en parlant la langue, et de bénéficier d'un voyage en pension complète.

▲ UCPA

– Informations et réservations : ☎ 0803-820-830. Minitel : 36-15, code UCPA.

Bureaux de vente à *Paris, Bordeaux, Lille, Lyon, Marseille, Nancy, Strasbourg, Toulouse* et *Bruxelles*.

Voilà plus de 30 ans que 5 millions de personnes de 7 à 40 ans font confiance à l'UCPA pour réussir leurs vacances sportives. Et ceci, grâce à une association dynamique, toujours à l'écoute des attentes de ses clients, une approche souple et conviviale de plus de 50 activités sportives, des séjours en France et à l'étranger.

En Pologne, l'UCPA propose des randonnées pédestres dans les Tatras et les Beskides, ainsi que des randonnées équestres dans les Sudètes.

▲ USIT (Voyages pour Jeunes et Étudiants)

– *Paris :* vente par téléphone : ☎ 01-42-44-14-00. Fax : 01-42-44-14-01.

– *Paris :* 12, rue Vivienne, 75002. ☎ 01-44-55-32-60. Fax : 01-44-55-32-61. M. : Bourse.

– *Paris :* 31 *bis,* rue Linné, 75005. ☎ 01-44-08-71-20. Fax : 01-44-08-71-25. M. : Jussieu.

– *Paris :* 85, bd Saint-Michel, 75005. ☎ 01-43-29-69-50. Fax : 01-43-25-29-85. M. : Luxembourg.

– *Paris :* 6, rue de Vaugirard, 75006. ☎ 01-42-34-56-90. Fax : 01-42-34-56-91. M. : Odéon.

– *Aix-en-Provence :* 7, cours Sextius, 13100. ☎ 04-42-93-48-40. Fax : 04-42-93-48-49.

– *Bordeaux :* 284, rue Sainte-Catherine, 33000. ☎ 05-56-33-89-90. Fax : 05-56-33-89-91.

– *Lyon :* 33, rue Victor-Hugo, 69002. ☎ 04-72-77-81-91. Fax : 04-72-77-81-99.
– *Montpellier :* 1, rue de l'Université, 34000. ☎ 04-67-66-03-65. Fax : 04-67-60-33-56.
– *Nice :* 10, rue de Belgique, 06000. ☎ 04-93-87-34-96. Fax : 04-93-87-10-91.
– *Toulouse :* 5, rue des Lois, 31000. ☎ 05-61-11-52-42. Fax : 05-61-11-52-43.

L'une des rares organisations de voyages à produire et à distribuer (billets délivrés immédiatement) le fameux billet d'avion SATA pour les jeunes et les étudiants : valables sur (presque) toutes les plus grandes compagnies aériennes régulières, ce billet autorise toutes les libertés : allers simples possibles, validité d'un an, modification des dates de voyage ou de vol, modification de l'itinéraire, modification des arrêts en cours de route, etc. Les coupons non utilisés, endommagés, perdus ou volés sont remboursés. De plus, les passagers trouvent aide et assistance dans les nombreux bureaux et correspondants USIT dans le monde entier. USIT met également à la disposition des voyageurs indépendants qui ne peuvent bénéficier du billet SATA d'excellents tarifs négociés sur vols réguliers. Hébergements économiques dans le monde entier, locations de voitures, circuits, ski, expéditions, campings, cartes internationales d'étudiants ou de jeunes et assurances de voyage sont également en vente chez USIT Voyages.

▲ VOYAGES 4A
– *Lyon :* 63, place Guichard, 69001. ☎ 04-72-07-45-45.
– *Nancy :* 8, place Saint-Epvre, 54000. ☎ 03-83-37-66-66.
– *Strasbourg :* 8, rue des Veaux, 67000. ☎ 03-88-24-90-90.
– Paris et autres villes de province, inscriptions au réseau USIT Voyages.
Infobus : ☎ 03-83-37-66-66.

Voyages 4A, le voyage en bus économique et convivial à destination de toutes les grandes cités européennes. Prague, Cracovie en liberté ; des circuits d'été Prague-Cracovie-Budapest, Prague-Český Krumlov ; des voyages culturels tels que Prague et l'Art nouveau, Prague et Mozart ; des séjours brassicoles, sur le thème de la pêche, des catastrophes écologiques en Europe centrale...
En plus de formules à la carte, le service groupes de Voyages 4A, spécialiste des pays de l'Est, vous concocte des séjours thématiques.
Courts et moyens séjours à petits prix au départ des grandes villes françaises. Tarifs préférentiels pour les groupes.
Catalogue gratuit.

▲ VOYAGES WASTEELS (JEUNES SANS FRONTIÈRE)
– *Paris :* 5, rue de la Banque, 75002. ☎ 0803-88-70-01. M. : Bourse.
– *Paris :* 8, bd de l'Hôpital, 75005. ☎ 0803-88-70-02. M. : Gare-d'Austerlitz.
– *Paris :* 113, bd Saint-Michel, 75005. ☎ 0803-88-70-03. R.E.R. : Luxembourg.
– *Paris :* 11, rue Dupuytren, 75006. ☎ 0803-88-70-04. M. : Odéon.
– *Paris :* 12, rue La Fayette, 75009. ☎ 0803-88-70-05. M. : Le Peletier.
– *Paris :* 11, rue Oberkampf, 75011. ☎ 0803-88-70-07. M. : Oberkampf.
– *Paris :* 2, rue Michel-Chasles, 75012. ☎ 0803-88-70-08. M. : Gare-de-Lyon.
– *Paris :* 16, rue Jean-Rey, bât. UIC, 75015. ☎ 0803-88-70-11. M. : Bir-Hakeim-Grenelle.
– *Paris :* 58, rue de la Pompe, 75016. ☎ 0803-88-70-13. M. : Rue-de-la-Pompe.
– *Paris :* 6, chaussée de la Muette, 75016. ☎ 0803-88-70-12. M. : La Muette.
– *Paris :* 150, av. de Wagram, 75017. ☎ 0803-88-70-14. M. : Wagram.
– *Paris :* 3, rue Poulet, 75018. ☎ 0803-88-70-15. M. : Château-Rouge.

– *Paris :* 146, bd de Ménilmontant, 75020. ☎ 0803-88-70-16. M. : Ménilmontant.
– *Nanterre :* Université Paris X, 200, avenue de la République, 92001 cedex. ☎ 01-47-24-24-06.
– *Versailles :* 4 *bis,* rue de la paroisse, 78000. ☎ 0803-88-70-17.
– *Aix-en-Provence :* 5 *bis,* cours Sextius, 13100. ☎ 0803-88-70-28.
– *Angoulême :* 2, place Francis-Louvel, 16000. ☎ 0803-88-70-29.
– *Béziers :* 66, allée Paul-Riquet, 34500. ☎ 0803-88-70-30.
– *Bordeaux :* 65, cours d'Alsace-Lorraine, 33000. ☎ 0803-88-70-31.
– *Bordeaux :* résidence Étendard, 13, place Casablanca, 33000. ☎ 0803-88-70-32.
– *Chambéry :* 44, faubourg Reclus, 73000. ☎ 0803-88-70-33.
– *Clermont-Ferrand :* 69, bd Trudaine, 63000. ☎ 0803-88-70-34.
– *Compiègne :* 10, rue des Bonnetiers-cour Le Roi, 60200. ☎ 0803-88-70-35.
– *Dijon :* 20, av. du Maréchal-Foch, 21000. ☎ 0803-88-70-36.
– *Grenoble :* 50, av. Alsace-Lorraine, 38000. ☎ 0803-88-70-39.
– *Grenoble :* 20, av. Félix-Viallet, 38000. ☎ 0803-88-70-38.
– *Lille :* 25, place des Reignaux, 59800. ☎ 0803-88-70-41.
– *Lyon :* 5, place Ampère, 69002. ☎ 0803-88-70-43.
– *Lyon :* 162, cours La Fayette, 69003. ☎ 0803-88-70-45.
– *Lyon :* centre d'échanges de Lyon-Perrache, 69002. ☎ 0803-88-70-44.
– *Marseille :* 87, la Canebière, 13001. ☎ 0803-88-70-46.
– *Metz :* 3, rue d'Austrasie, 57000. ☎ 0803-88-70-47.
– *Montpellier :* 6, rue du Faubourg de la Saunerie, 34000. ☎ 0803-88-70-49.
– *Montpellier :* 1, rue Cambacères, 34000. ☎ 0803-88-70-48.
– *Mulhouse :* 14, av. Auguste-Wicky, 68100. ☎ 0803-88-70-51.
– *Nancy :* 1 *bis,* place Thiers, 54000. ☎ 0803-88-70-52.
– *Nantes :* 6, rue Guépin, 44000. ☎ 0803-88-70-53.
– *Nice :* 32, rue de l'Hôtel-des-Postes, 06000. ☎ 0803-88-70-54.
– *Reims :* 26, rue Libergier, 51100. ☎ 0803-88-70-55.
– *Roubaix :* 11, rue de l'Alouette, 59100. ☎ 0803-88-70-56.
– *Rouen :* 111 *bis,* rue Jeanne-d'Arc, 76000. ☎ 0803-88-70-57.
– *Saint-Étienne :* 28, rue Gambetta, 42000. ☎ 0803-88-70-58.
– *Strasbourg :* 13, place de la Gare, 67000. ☎ 0803-88-70-59.
– *Thionville :* 21, place du Marché, 57100. ☎ 0803-88-70-60.
– *Toulon :* 3, rue Vincent-Courdouan, 83000. ☎ 0803-88-70-62.
– *Toulon :* 3, bd Pierre-Toesca, 83000. ☎ 0803-88-70-61.
– *Toulouse :* 1, bd Bonrepos, 31000. ☎ 0803-88-70-63.
– *Toulouse :* 23, av. de l'URSS, 31400. ☎ 0803-88-70-64.
– *Tours :* 8, place du Grand-Marché, 37000. ☎ 0803-88-70-65.
Tarifs réduits spécial jeunes et étudiants. En train : pour tous les jeunes de moins de 26 ans en France jusqu'à 50 % de réduction ; avec le billet BIJ, la possibilité de se balader dans tous les pays d'Europe et même au Maroc à tarif réduit. En avion : les billets *Tempo* d'Air France mettent à la portée des jeunes de moins de 25 ans toute la France aux meilleurs tarifs. Sur plus de 450 destinations, avec JSF et STA Travel, possibilité est offerte aux jeunes de moins de 30 ans de voyager dans le monde entier sur les lignes régulières des compagnies aériennes à des prix très compétitifs et à des conditions d'utilisation extra souples. En bus : des prix canons. Divers : séjours en Europe (hébergement, visite, surf...) et location de voitures à tout petits prix.

▲ VOYAGEURS EN EUROPE

– *Paris :* La Cité des Voyageurs : 55, rue Sainte-Anne, 75002. ☎ 01-42-86-16-00. Fax : 01-42-86-17-88. M. : Opéra ou Pyramides. Bureaux ouverts du lundi au vendredi de 10 h à 19 h. Le samedi de 9 h à 19 h. Accueil téléphonique à partir de 9 h.
– *Toulouse :* 12, rue Gabriel-Péri, 31000. ☎ 05-62-73-56-46.

– *Lyon* : 5, quai Jules-Courmont, 69003. ☎ 04-72-56-94-56. Fax : 04-72-56-94-55.

Minitel : 36-15, code VOYAGEURS ou VDM. Adresse Internet : www.vdm.com.

Toutes les destinations de Voyageurs du Monde se retrouvent en un lieu unique, sur trois étages, réparties par zones géographiques.

Tout voyage sérieux nécessite l'intervention d'un spécialiste. D'où l'idée de ces équipes spécialisées chacune sur une destination qui vous accueillent à La Cité des Voyageurs, premier espace de France (1 500 m²) entièrement consacré aux voyages et aux voyageurs. Leurs spécialistes vous proposent : vols simples, voyages à la carte et circuits culturels sur les destinations du monde entier à des prix très compétitifs puisque vendus directement sans intermédiaire.

La Cité des Voyageurs, c'est aussi :

– une librairie de plus de 4 000 ouvrages et cartes pour vous aider à préparer au mieux votre voyage, ainsi qu'une sélection des plus judicieux et indispensables accessoires de voyages : moustiquaires, sacs de couchage, couverture en laine polaire, etc. ☎ 01-42-86-17-38.

– Des expositions-vente d'artisanat traditionnel en provenance de différents pays. ☎ 01-42-86-16-25.

– Un programme de dîners-conférences : le mardi et le jeudi soir sont une invitation au voyage et font honneur à une destination. ☎ 01-42-86-16-00.

– Un restaurant des cuisines du monde. ☎ 01-42-86-17-17.

EN BELGIQUE

▲ **ACOTRA WORLD :** rue du Marché-aux-Herbes, 110, hôtel Carrefour de l'Europe, Bruxelles 1000. ☎ (02) 512-70-78. Fax : (02) 512-39-74. Ouvert en semaine de 8 h 30 à 18 h.

Acotra World, filiale de la Sabena, offre aux jeunes des prix spéciaux dans le domaine du transport aérien.

En vente également : carte Jeune internationale pour les moins de 26 ans (GO25-FIYTO), carte ISIC (International Student Identify Card) pour les étudiants à temps plein.

▲ **C.J.B... L'AUTRE VOYAGE :** chaussée d'Ixelles, 216, Bruxelles 1050. ☎ (02) 640-97-85. Fax : (02) 646-35-95. Ouvert de 9 h 30 à 12 h 30 et de 13 h 30 à 17 h 30, tous les jours de la semaine, sauf samedi et dimanche.

Association sans but lucratif, C.J.B. organise toutes sortes de voyages scolaires, individuels ou en groupe, de la randonnée au grand circuit. Vacances sportives ou séjours culturels. Dans la jungle des tarifs de transport (avion, train, bus ou bateau), on vous conseillera les meilleures adresses par destination, offrant les prix les plus intéressants.

▲ CONNECTIONS

– *Alost* : Kattestraat, 48, 9300. ☎ (053) 70-60-50. Fax : (053) 70-18-38.

– *Anvers* : Melkmarkt, 23, 2000. ☎ (03) 225-31-61. Fax : (03) 226-24-66.

– *Bruges* : Sint Jacobstraat, 30, 8000. ☎ (050) 34-10-11. Fax : (050) 34-19-29.

– *Bruxelles* : rue du Midi, 19-21, 1000. ☎ (02) 550-01-00. Fax : (02) 512-94-47.

– *Bruxelles* : av. Adolphe-Buyl, 78, 1050. ☎ (02) 647-06-05. Fax : (02) 647-05-64.

– *Gand* : Nederkouter, 120, 9000. ☎ (09) 223-90-20. Fax : (09) 233-29-13.

– *Hasselt* : Botermarkt, 8, 3500. ☎ (011) 23-45-45. Fax : (011) 23-16-89.

– *Liège* : rue Sœurs-de-Hasque, 7, 4000. ☎ (04) 223-03-75. Fax : (04) 223-08-82.

– *Louvain :* Tiensestraat, 89, 3000. ☎ (016) 29-01-50. Fax : (016) 29-06-50
– *Louvain-la-Neuve :* rue des Wallons, 11, 1348. ☎ (010) 45-15-57. Fax : (010) 45-14-53.
– *Malines :* Ijzerenleen, 39, 2800. ☎ (015) 20-02-10. Fax : (015) 20-55-56.
– *Mons :* rue de la Coupe, 30, 7000. ☎ (065) 35-35-14. Fax : (065) 34-79-19.
– *Namur :* rue Saint-Jean, 21, 5000. ☎ (081) 22-10-80. Fax : (081) 22-79-97.
– *Turnhout :* Grote Markt, 54, 2300. ☎ (014) 43-86-86. Fax : (014) 43-76-56.
– *Zaventen :* aéroport national, 1930. ☎ (02) 753-25-00. Fax : (02) 753-25-03.
Au **Luxembourg** : 70, Grande-Rue. ☎ (352) 22-99-33. Fax : (352) 22-99-13.
Informations et réservations téléphoniques : ☎ (02) 550-01-00. Fax : (02) 502-70-60.
Spécialiste du voyage pour les étudiants, les jeunes et les « independent travellers », Connections est membre du groupe USIT, groupe international formant le réseau des USIT Connections Centres. Le voyageur peut ainsi trouver informations et conseils, aide et assistance (revalidation, routing...) dans plus de 80 centres en Europe et auprès de plus de 500 correspondants dans 65 pays.
Connections propose une gamme complète de produits : les tarifs aériens spécialement négociés pour sa clientèle (licence IATA) et, en exclusivité pour le marché belge, les très avantageux et flexibles billets SATA réservés aux jeunes et étudiants ; toutes les formules rails et, en particulier, les *Explorers Passes* (Europe, Asie, USA), les billets BIJ et l'Eurodomino ; le bus avec plus de 300 destinations en Europe (un tarif exclusif pour les étudiants) ; toutes les possibilités d'arrangement terrestre (hébergement, location de voitures, « self-drive tours », circuits accompagnés, vacances sportives, expéditions...) principalement en Europe et en Amérique du Nord ; de nombreux services aux voyageurs comme l'assurance voyage « Protections » ou les cartes internationales de réductions (la carte internationale d'étudiant ISIC et la carte Jeune Euro-26).

▲ CONTINENTS INSOLITES

– *Bruxelles :* rue de la Révolution, 1, 1000. ☎ (02) 218-24-84. Fax : (02) 218-24-88.
– *En France :* ☎ 03-24-54-63-68 (renvoi automatique et gratuit sur le bureau de Bruxelles).
E-mail : continents@arcadis.be.
Association créée en 1978, dont l'objectif est de promouvoir un nouveau tourisme à visage humain, Continents Insolites regroupe plus de 20 000 sympathisants, dont le point commun est l'amour du voyage hors des sentiers battus.
Continents Insolites propose des circuits à dates fixes dans plus de 70 pays, et cela en petits groupes de 7 à 12 personnes, élément primordial pour une approche en profondeur des contrées à découvrir. Avant chaque départ, une réunion avec les participants au voyage est organisée pour permettre à ceux-ci de mieux connaître leur destination et leurs futurs compagnons de voyage. Voyages encadrés par des guides francophones, spécialistes des régions visitées.
Une gamme complète de formules de voyages :
– *Voyages lointains* : de la grande expédition au circuit accessible à tous ;
– *Aventure Jeune 2000* : des circuits « routard » pour jeunes (18-31 ans) ;
– *Continents adaptés* : l'aventure qui donne des ailes ; ce secteur propose des voyages pour personnes handicapées physiques ou sensorielles ;
– *Chantiers pour le développement A.S.B.L.* : ☎ (02)534-48-82, aller à la rencontre d'un autre « tiers-monde ». Après une préparation, les volontaires partent en petits groupes pendant un mois minimum pour participer à un projet interculturel au sein d'une communauté locale du Sud.

L'association organise également vos voyages à la carte : toute l'année, en individuel ou pour des petits groupes. Circuits mis sur pied grâce à une étroite collaboration entre le guide spécialiste et le voyageur afin de répondre parfaitement aux désirs de ce dernier.

De plus, Continents Insolites propose un cycle de 145 conférences-diaporama à Bruxelles, Liège, Namur et Luxembourg. Les conférences de Bruxelles se déroulent à la « Maison du Voyage », rue de la Révolution, 1, Bruxelles 1000 (métro : Madou). Elles se tiennent les mardi, mercredi, jeudi et vendredi à 20 h 30.

▲ **JOKER :** bd Lemonnier, 37, Bruxelles 1000. ☎ (02) 502-19-37. Fax : (02) 502-29-23 ; et av. Verdi, 23, Bruxelles 1083. ☎ (02) 426-00-03. Fax : (02) 426-03-60.

« Le » spécialiste des voyages aventureux et des billets d'avion à des prix très concurrentiels. Vols aller-retour au départ de Bruxelles, Paris et Francfort. Voyages en petits groupes avec accompagnateur compétent. Circuits souples à la recherche de contacts humains authentiques, utilisant l'infrastructure locale et explorant le vrai pays. Voyages organisés avec groupes internationaux (organismes américains, australiens, hollandais et anglais). Joker établit également un circuit de *Café's* pour voyageurs dans le monde entier : ViaVia Joker, Naamsesteenweg, 227, à Louvain, Wolstraat, 86, à Anvers, ainsi qu'à Yogyakarta, Dakar, Barcelone et Copán (Honduras).

▲ **NOUVELLES FRONTIÈRES**

– *Anvers :* Nationalestraat, 14, 2000. ☎ (03) 213-20-20. Fax : (03) 226-29-50.
– *Bruges :* Sint-Jakobsstraat, 21, 8000. ☎ (050) 34-05-81.
– *Bruxelles* (siège) : bd Lemonnier, 2, 1000. ☎ (02) 547-44-44. Fax : (02) 547-44-99.
– *Bruxelles :* chaussée d'Ixelles, 147, 1050. ☎ (02) 540-90-11.
– *Bruxelles :* chaussée de Waterloo, 746, 1180. ☎ (02) 626-99-99.
– *Bruxelles :* rue des Tongres, 24, 1040. ☎ (02) 738-99-99.
– *Charleroi :* bd Audent, 8, 6000. ☎ (071) 30-76-46
– *Gand :* Nederkouter, 77, 9000. ☎ (09) 269-95-53
– *Liège :* bd de la Sauvenière, 32, 4000. ☎ (04) 221-56-99.
– *Louvain :* Koningin Astridlaan, 6, 3000. ☎ (016) 31-95-20.
– *Mons :* rue d'Havré, 56, 7000. ☎ (065) 84-24-10. Fax : (065) 84-24-10.
– *Namur :* rue Émile-Cuvelier, 20, 5000. ☎ (081) 25-19-99.
– *Wavre :* rue Charles-Sambon, 15, 1300. ☎ (010) 24-49-40.
Également au **Luxembourg :** rue des Bains, 16, L 1212. ☎ (352) 46-41-40. 30 ans d'existence, 250 destinations, une chaîne d'hôtels-clubs et de résidences *Paladien*, des filiales spécialisées pour les croisières en voilier, la plongée sous-marine, la location de voitures... Pas étonnant que Nouvelles Frontières soit devenu une référence incontournable, notamment en matière de prix. Le fait de réduire au maximum les intermédiaires permet d'offrir des prix « super serrés ».
Un choix illimité de formules vous est proposé.

▲ **SERVICES VOYAGES ULB :** campus ULB, av. Paul-Héger, 22, Bruxelles. ☎ (02) 648-96-58. Et hôpital universitaire Erasme. Ouvert de 9 h à 17 h sans interruption du lundi au vendredi.
Le voyage à l'université, accueil évidemment très sympa. Billets d'avion sur vols charters et sur compagnies régulières à des prix hyper compétitifs.

▲ **TAXISTOP**
Pour toutes les adresses Airstop, un seul numéro de téléphone : ☎ 070-233-188.
– *Airstop Anvers :* Sint Jacobsmarkt, 86, 2000. Fax : (03) 226-39-48.
– *Airstop Bruges :* Dweersstraat, 2, 8000. Fax : (050) 33-25-09.

– *Taxistop Bruxelles :* rue Fossé-aux-Loups, 28, 1000. ☎ (02) 223-23-10.
Fax : (02) 223-22-32.
– *Airstop Bruxelles :* rue Fossé-aux-Loups, 28, 1000. Fax : (02) 223-22-32.
– *Airstop Courtrai :* Wijngaardstraat, 16, 8500. Fax : (056) 20-40-93.
– *Taxistop Gand :* Onderbergen, 51, 9000. ☎ (09) 223-23-10. Fax : (09)
224-31-44.
– *Airstop Gand :* Onderbergen, 51, 9000. Fax : (09) 224-31-44.
– *Airstop Louvain :* Maria Theresiastraat, 125, 3000. Fax : (016) 23-26-71.
– *Taxistop Louvain-la-Neuve :* place de l'Université, 41, 1348. ☎ (010) 45-
14-14. Fax : (010) 45-51-20.

EN SUISSE

C'est toujours assez cher de voyager au départ de la Suisse, mais ça s'améliore. Les charters au départ de Genève, Bâle ou Zurich sont de plus en plus
fréquents ! Pour obtenir les meilleurs prix, il vous faudra être persévérant et
vous munir d'un téléphone. Les billets au départ de Paris ou Lyon ont toujours la cote au hit-parade des meilleurs prix. Les annonces dans les journaux peuvent vous réserver d'agréables surprises, spécialement dans le
24 Heures et dans *Voyages Magazine.*
Tous les tours-opérateurs sont représentés dans les bonnes agences :
Hotelplan, Jumbo, le TCS et les autres peuvent parfois proposer le meilleur
prix, ne pas les oublier !

▲ ARTOU
– *Fribourg :* 24, rue de Lausanne, 1700. ☎ (026) 322-06-55.
– *Genève :* 8, rue de Rive,1204. ☎ (022) 818-02-00. *Librairie :* ☎ (022) 818-
02-40.
– *Lausanne :* 18, rue Madeleine, 1003. ☎ (021) 323-65-54. *Librairie :*
☎ (021) 323-65-56.
– *Lugano :* via Pessina, 14ᵃ. ☎ (091) 921-36-90.
– *Neuchâtel :* 2, Grand-Rue, 2000. ☎ (032) 724-64-06.
– *Sion :* 44, rue du Grand-Pont, 1950. ☎ (027) 322-08-15.
Demandez leur documentation (très bien faite) et leurs tarifs spéciaux sur les
billets d'avion. Une librairie du voyageur complète les prestations de chaque
agence.

▲ CLUB AVENTURE : 51, rue Prévôt-Martin, 1205 Genève. ☎ (022)-320-
50-80. Fax : (022)-320-59-10.
(Voir texte en France.)

▲ CONTINENTS INSOLITES : A.P.N. Voyages : 3, rue Saint-Victor, 1227
Carouge. ☎ (022) 301-04-10.
(Voir texte en Belgique.)

▲ NOUVELLES FRONTIÈRES
– *Genève :* 10, rue Chantepoulet, 1201. ☎ (022) 732-03-33.
– *Lausanne :* 19, bd de Grancy, 1006. ☎ (021) 616-88-91.
(Voir texte en France.)

▲ S.S.R. VOYAGES
– *Bienne :* 3, Hugistr., 2502. ☎ (032) 322-58-88.
– *Fribourg :* 35, rue de Lausanne, 1700. ☎ (026) 322-61-62.
– *Genève :* 3, rue Vignier, 1205. ☎ (022) 329-97-34.
– *Lausanne :* 20, bd de Grancy, 1006. ☎ (021) 617-56-27.
– *Lausanne :* à l'université, bât. BF SH2, 1015. ☎ (021) 691-60-53.
– *Montreux :* 25, av. des Alpes, 1820. ☎ (021) 961-23-00.
– *Nyon :* 17, rue de la Gare, 1260. ☎ (022) 361-88-22.

SSR Voyages appartient au groupe STA Travel regroupant 10 agences de voyages pour jeunes et étudiants, et réparties dans le monde entier. Gros avantage si vous deviez rencontrer un problème : 150 bureaux STA Travel et plus de 700 agents du même groupe répartis dans le monde entier sont là pour vous donner un coup de main *(Travel Help)*.

SSR propose des voyages très avantageux : vols secs *(Skybreaker)*, billets *Euro Train*, hôtels 1 à 3 étoiles, écoles de langues, voitures de location, etc. Délivre les cartes internationales d'étudiants et les cartes Jeunes GO25.

SSR est membre du fonds de garantie de la branche suisse du voyage, les montants versés par les clients pour les voyages forfaitaires sont assurés.

AU QUÉBEC

Revendus dans toutes les agences de voyages, les voyagistes québécois proposent une large gamme de vacances. Depuis le vol sec jusqu'au circuit guidé en autocar, en passant par la réservation d'une ou plusieurs nuits d'hôtel, ou la location de voitures. Sans oublier bien sûr, l'économique formule « achat-rachat », qui permet de faire l'acquisition temporaire d'une auto neuve (Renault et Peugeot en Europe), en ne payant que pour la durée d'utilisation (en général, minimum 17 jours, maximum 6 mois). Ces grossistes revendent également pour la plupart des *passes* de train très avantageux : *Europass* (5 pays maximum) et *Eurailpass* (accepté dans 17 pays).

▲ AMERICANADA

Ce voyagiste publie des catalogues sur différents thèmes (golf, croisières, location de voitures) et destinations (Europe, Floride, circuits en Amérique du Nord). Il présente une petite brochure pour les individuels, avec les indispensables : vols réguliers (Air Canada), location de voitures, hôtels (avec système de bons d'échange ou à la carte).

▲ NOUVELLES FRONTIÈRES : *comptoir Service d'Accueil,* 1180, rue Drummond, Montréal. ☎ (514) 871-30-60.

La filiale du premier voyagiste français, est, avec Vacances Air Transat, leader sur l'Europe et la France en particulier. Elle se destine à ceux qui recherchent des vacances en toute liberté. Au programme : de nombreux vols secs, une sélection d'hôtels, location de chalets, des locations de voitures, des *passes* de bus, des auto-tours, mais également toutes sortes de circuits : randonnée, aventure, minibus et organisés, etc.

▲ TOURS CHANTECLERC

Tours Chanteclerc publie différents catalogues de voyages (Asie, Pacifique Sud, Amérique, Europe, Méditerranée...). Il se présente comme l'une des « références sur l'Europe » avec deux brochures : groupes (circuits guidés en français) et individuels. « Mosaïques Europe » s'adresse aux voyageurs indépendants (vacanciers ou gens d'affaires), qui réservent un billet d'avion, une ou plusieurs nuits d'hôtels ou des séjours en résidence. Intéressant : le « Passeport Europe » de Tours Chanteclerc permet d'économiser 25 % sur l'hébergement. Pour mieux choisir votre hôtel, demander à votre agent de voyages, la vidéo présentant les hôtels et appartements sélectionnés par Tours Chanteclerc.

▲ TOURS MONT ROYAL

Ce voyagiste offre une programmation basique sur l'Europe, destinée aux individuels. Outre une bonne sélection de vols (avec la compagnie Charter Air Club International, qui lui appartient, et avec Royal) et d'hôtels à la carte en Europe, il suggère des bons d'échange permettant de réserver toutes ou plusieurs nuitées d'hôtels avant le départ (chaîne *Campanile* et *Bleu Marine*), valable dans 6 pays européens. Également quelques circuits accompagnés (Russie, Israël, Maroc, Vietnam, etc.).

▲ VACANCES AIR TRANSAT

Filiale de l'important groupe touristique Transat, qui détient la compagnie aérienne du même nom, Vacances Air Transat s'affirme comme le premier voyagiste québécois. Ses destinations : États-Unis, Mexique, Caraïbes, Amérique centrale et du Sud, Europe. Vers le vieux continent son offre est l'une des plus variées du marché, avec un catalogue de près de 70 pages (France, Angleterre et Belgique). D'abord un vaste choix de vols secs vers Paris et les grandes villes françaises et européennes, avec Air Transat, bien sûr. Puis de nombreux hôtels, studios et appartements à la carte, des *passes* de train. Également les « itinéraires découverte » en France, une formule originale qui comprend l'hébergement et la voiture (plusieurs régions au choix).

Vacances Air Transat est revendu dans toutes les agences de la province, et notamment dans les réseaux lui appartenant : Club Voyages, Voyages en Liberté et Vacances Tourbec (220 points de vente au total, dont 19 pour Vacances Tourbec).

▲ VACANCES TOURBEC

– *Montréal :* 3419, rue Saint-Denis, H2X-3L2. ☎ (514) 288-4455. Fax : (514) 288-1611.
– *Montréal :* 3506, av. Lacombe, H3T-1M1. ☎ (514) 342-2961. Fax : (514) 342-8267.
– *Montréal :* 595, bd de Maisonneuve Ouest, H3A-1L8. ☎ (514) 842-1400. Fax : (514) 287-7698.
– *Montréal :* 1887, rue Baubien Est, H2G-1L8. ☎ (514) 593-1010. Fax : (514) 593-1586.
– *Montréal :* 309, bd Henri-Bourassa Est, H3L-1C2. ☎ (514) 858-6465. Fax : (514) 858-6449.
– *Montréal :* 6363, rue Sherbrooke Est, H1N-1C4. ☎ (514) 253-4900. Fax : (514) 253-4274.
– *Montréal :* 545, bd Crémazie Est, H2M-2V1. ☎ (514) 381-7535. Fax : (514) 381-7082.
– *Saint-Laurent :* 776, bd Décarie, H4L-3L5. ☎ (514) 747-4222. Fax : (514) 747-4757.
– *Beloeil :* Mail Montenach, 600, Sir Wilfrid-Laurier, J3G-4J2. ☎ (514) 464-9523. Fax : (514) 464-9709.
– *Blainville :* 1083, bd Curé-Labelle, J7C-3M9. ☎ (514) 434-2425. Fax : (514) 434-2427.
– *Grandby :* 247, rue Principale, J2G-2V9. ☎ (514) 372-45-45. Fax : (514) 372-37-27.
– *Île Bizard :* 560, rue Jacques-Bizard, H9C-2H2. ☎ (514) 620-77-77. Fax : (514) 620-11-00
– *Laval :* 155 E, bd des Laurentides, H7G-2T7. ☎ (514) 662-7555. Fax : (514) 662-7552.
– *Laval :* 1658, bd Saint-Martin Ouest, H7S-1M9. ☎ (514) 682-5453. Fax : (514) 682-3095.
– *Longueuil :* 117, rue Saint-Charles, J4H-1C7. ☎ (514) 679-3721. Fax : (514) 679-3320.
– *Québec :* 30, bd René-Lévesque Est, QC G1R-2B1. ☎ (418) 522-2791. Fax : (418) 522-4536.
– *Repentigny :* 261, rue Notre-Dame, J6A-2R8. ☎ (514) 657-8282. Fax : (514) 657-8283.
– *Rimouski :* 23, rue Saint-Jean-Baptiste Ouest, G5L-4J2. ☎ (418) 725-5454. Fax : (418) 725-4848.
– *Saint-Basile :* 267, Sir Wilfrid-Laurier, J3N-3M8. ☎ (514) 461-3960. Fax : (514) 461-2033.

– *Saint-Lambert :* 2001, rue Victoria, J4S-1H1. ☎ (514) 466-4777. Fax :
(514) 466-9128.
– *Saint-Romuald :* 2089, bd Rive-Sud, G6W-2S5. ☎ (418) 839-3939. Fax :
(418) 839-7070.
– *Saint-Sauveur :* 94, rue de la Gare, Saint-Sauveur-des-Monts, J0R-1R6.
☎ (514) 227-8811. Fax : (514) 227-8791.
– *Sainte-Foy :* place des Quatre-Bourgeois, 999, rue de Bourgogne,
G1W-4S6. ☎ (418) 656-6555. Fax : (418) 656-6996.
– *Sherbrooke :* 779, rue King Est, Terrasse 777, J1G-4M5. ☎ (819) 563-
4474. Fax : (819) 822-1625.
– *Valcourt :* 1191, rue Saint-Joseph, J0E-2J0. ☎ (514) 532-3026. Fax :
(514) 532-3353.
– *Valleyfield :* 45, rue Nicholson, J6T-4M7. ☎ (514) 377-2511. Fax : (514)
377-4221.
Cette association, bien connue au Québec, organise des vols vers l'Europe,
l'Asie, l'Afrique ou l'Amérique. Sa spécialité : la formule avion + auto. Elle
offre également des forfaits à la carte et des circuits en autocar pour découvrir le Québec.

PARTIR EN BUS

Qu'à cela ne tienne, il n'y a pas que l'avion pour voyager. À condition d'y
mettre le temps, on peut aussi se déplacer en bus – on ne dit pas « car », qui
a des relents de voyage organisé. En effet, le bus est bien moins consom-
mateur d'essence par passager/kilomètre que l'avion. Ce système de transport est fort valable à l'intérieur de l'Europe, à condition d'avoir du temps et
de ne pas être à cheval sur le confort. Il est évident que les trajets sont longs
et les horaires élastiques. On n'en est pas au luxe des *Greyhound* américains où l'on peut faire sa toilette à bord mais, en général, les bus affrétés
par les compagnies sont assez confortables : air conditionné, dossier incli-
nable (exiger des précisions avant le départ). En revanche, dans certains
pays, le confort sera plus aléatoire. Mais, en principe, des arrêts toutes les
3 ou 4 h permettront de ne pas arriver avec une barbe de vieillard.
N'oubliez pas qu'avec un trajet de 6 h, en avion on se déplace, en bus on
voyage. Et puis en bus, la destination finale est vraiment attendue, en avion
elle vous tombe sur la figure sans crier gare, sans qu'on y soit préparé psy-
chologiquement.
Prévoyez une couverture ou un duvet pour les nuits fraîches ; la Thermos à
remplir de liquide bouillant ou glacé entre les étapes (on n'a pas toujours soif
à l'heure dite) et aussi de bons bouquins.
Enfin, c'est un moyen de transport souple : il vient chercher les voyageurs
dans leur région, dans leur ville. La prise en charge est totale de bout en
bout. C'est aussi un espace idéal pour rencontrer des compagnons de
voyage.

Organismes de bus

▲ **CLUB ALLIANCE :** 99, bd Raspail, 75006 Paris. ☎ 01-45-48-89-53.
Fax : 01-45-49-37-01. M. : Notre-Dame-des-Champs.
Spécialiste des week-ends (Londres, Amsterdam, Bruxelles) et des ponts de
4 jours (Budapest et d'autres capitales d'Europe centrale). Circuits économiques de 1 à 16 jours en Europe, y compris en France. Brochure gratuite
sur demande.

▲ EUROLINES

– *Paris :* gare routière internationale de Paris-Gallieni, B.P. 313, 28, av. du Général-de-Gaulle, 93541 Bagnolet. ☎ 08-36-69-52-52 (2,23 F la minute). M. : Gallieni.
– *Paris :* Eurolines BSA, 55, rue Saint-Jacques, 75005. ☎ 01-43-54-11-99. M : Maubert-Mutualité. Spécialiste des formules car + hôtel.
– *Versailles :* 4, av. de Sceaux, 78000. ☎ 01-39-02-03-73.
– *Avignon :* gare routière, 58, bd Saint-Roch, 84000. ☎ 04-90-85-27-60.
– *Bayonne :* 3, place Charles-de-Gaulle, 64100. ☎ 05-59-59-19-33.
– *Bordeaux :* 32, rue Charles-Domercq, 33000. ☎ 05-56-92-50-42.
– *Lille :* 23, parvis Saint-Maurice, 59000. ☎ 03-20-78-18-88.
– *Lyon :* gare routière, centre d'échanges de Lyon-Perrache, 69002. ☎ 04-72-41-09-09.
– *Marseille :* gare routière, place Victor-Hugo, 13003. ☎ 04-91-50-57-55.
– *Montpellier :* gare routière, place du Bicentenaire, 34000. ☎ 04-67-58-57-59.
– *Nantes :* gare routière Baco, Maison-Rouge, 44000. ☎ 02-51-72-02-03.
– *Nîmes :* gare routière, rue Saint-Félicité, 30000. ☎ 04-66-29-49-02.
– *Perpignan :* cour de la Gare, 66000. ☎ 04-68-34-11-46.
– *Strasbourg :* 5, rue des Frères, 67000. ☎ 03-88-22-57-90.
– *Toulouse :* 68, bd Pierre-Sémard, 31000. ☎ 05-61-26-40-04.
– *Tours :* gare routière, 37000. ☎ 02-47-66-45-56.
Et Minitel : 36-15, code EUROLINES.
Savez-vous que, dès 1933, cette compagnie traversait le Sahara ? C'est le « grand » qui, associé à d'autres sociétés sous le sigle Eurolines, exploite le réseau le plus étendu. L'organisation dessert plus de 1 500 destinations sur toute l'Europe et possède 95 lignes régulières internationales, entre autres à destination de la Pologne, la République tchèque, la République slovaque, la Hongrie, la Bulgarie, la Croatie, la Lituanie... Plus de 20 millions de kilomètres parcourus chaque année, 80 points d'embarquement en France. Renseignez-vous. Eurolines propose un *pass* qui offre la possibilité de voyager sans limites, à destination de 16 métropoles européennes pendant une période de 30 à 60 jours, à des prix intéressants.

▲ VOYAGES 4A

– *Lyon :* 63, place Guichard, 69003. ☎ 04-78-71-76-27.
– *Nancy :* 8, place Saint-Epvre, 54000. ☎ 03-83-37-66-66. Fax : 03-83-37-65-99.
– *Strasbourg :* 8, rue des Veaux, 67000. ☎ 03-88-24-90-90.
– Paris et autres villes de province : inscriptions réseau USIT Voyages.
Infobus : ☎ 03-83-37-66-66.
La curiosité ne doit pas coûter cher. Obsession chez Voyages 4A. Voyage en bus sur les grandes cités européennes (dont Bruxelles, Berlin, Cracovie, Moscou, Prague, Vienne, Venise, etc.), hôtel facultatif mais toutefois très bon marché, liberté sur place, le tour est joué. Ces « escapades » de 2 à 12 jours séduisent beaucoup de voyageurs. Au programme aussi, des circuits Bohême du Sud, Art nouveau à Prague, « Prague-Karlovy Vary-Cracovie-Budapest », des séjours snowboard en Bohême du Nord et dans les Tatras carpatiques. Autres propositions : « Prague et l'âge d'or du cinéma tchèque », « Le Prague de Kafka », « Prague et Mozart », « Sur les traces d'Andy Warhol », des circuits à thèmes variés (Shoah, écologie, etc.). Catalogue gratuit et propositions groupes sur simple demande.

EN BELGIQUE

▲ **EUROPABUS :** place de Brouckère, 50, Bruxelles 1000. ☎ (02) 217-00-25. Fax : (02) 217-31-92. Cette société assure des liaisons dans toute l'Europe.

42   COMMENT ALLER EN POLOGNE, EN RÉP. TCHÈQUE ET EN SLOVAQUIE ?

COMMENT Y ALLER ?

EN TRAIN

Renseignements S.N.C.F.

– *Ligne directe :* ☎ 08-36-35-35-35 (2,23 F la minute).
– *Ligne vocale :* ☎ 08-36-67-68-69 (1,49 F la minute). Serveur vocal permettant d'obtenir des informations horaires pour la France et les grandes lignes internationales 7 jours sur 7 et 24 h sur 24.
– *Minitel :* 36-15 ou 36-16, code SNCF (1,29 F la minute).
– Adresse Internet : www.sncf.fr (la réservation est disponible sur le site depuis l'été 1998).
Important : en achetant votre billet par téléphone ou par Minitel, vous pouvez le faire envoyer sans frais à votre domicile. Il vous suffit de régler par carte bancaire et de passer votre commande au moins 4 jours avant le départ.

Comment aller en Pologne ?

🚃 *De Paris-gare du Nord :* 2 trains par jour. Départ à 14 h 55 ; arrivée à Varsovie le lendemain à 9 h. Autre possibilité : départ à 17 h 17, correspondance à Francfort à 23 h 23, arrivée à Varsovie le lendemain à 16 h 33.

Comment aller en République tchèque ?

🚃 *De Paris-gare de l'Est :* en été, deux départs quotidiens pour Prague, à 8 h 54 (arrivée à 23 h 43) et 19 h 49 (arrivée le lendemain à 11 h 01). En hiver, un départ quotidien à 8 h 54.

Comment aller en Slovaquie ?

🚃 *De Paris-gare de l'Est :* départ à 21 h 04, correspondance à Prague à 6 h 22, arrivée le lendemain à Bratislava à 23 h 53. Soit 27 h de voyage.

Réductions S.N.C.F.

– Avec la *carte Inter-Rail*, quel que soit votre âge, vous pouvez circuler librement en 2ᵉ classe dans 29 pays d'Europe. Ces pays sont regroupés en 8 zones. La zone D englobe la Pologne, la République tchèque, la Hongrie, la Croatie et la Slovaquie, tandis que la zone H comprend la Bulgarie, la Roumanie, la Yougoslavie, l'ancienne république yougoslave de Macédonie. Vous avez la possibilité de choisir parmi les formules suivantes :
• *pass 1 zone* pour 22 jours de libre circulation : 1 285 F (moins de 26 ans) ou 1 836 F (plus de 26 ans) ;
• *pass 2 zones* pour un mois de libre circulation : 1 700 F (moins de 26 ans) ou 2 380 F (plus de 26 ans) ;
• *pass 3 zones* pour un mois de libre circulation : 1 938 F (moins de 26 ans) ou 2 720 F (plus de 26 ans) ;
• *pass global* pour un mois de libre circulation : 2 210 F (moins de 26 ans) ou 3 100 F (plus de 26 ans).
La carte vous permet également de bénéficier d'un aller-retour avec 50 % de réduction pour vous rendre de votre gare de départ à la gare frontière.

– Le ***pass Eurodomino*** vous permet de circuler librement dans un pays, en 1re ou 2e classe, pendant 3, 5, ou 10 jours consécutifs ou non, et ceci dans une période de validité d'un mois. Vous pouvez acheter plusieurs coupons pour plusieurs pays : le prix d'un coupon varie selon la classe et le pays choisi (par exemple, l'*Eurodomino Hongrie* en 2e classe coûte 304 F pour 3 jours, 462 F pour 5 jours et 858 F pour 10 jours).

Si vous avez moins de 26 ans, l'offre *Eurodomino Jeunes* vous donne accès à la libre circulation en 2e classe seulement. Son prix est réduit d'environ 25 %.

EN VOITURE

Pour l'itinéraire, se reporter directement au pays concerné.

« Quant à l'action qui va commencer, cela se passe en Pologne. C'est-à-dire nulle part », écrivait Alfred Jarry en prologue à *Ubu Roi*. C'est donc à la découverte de ce « nulle part », pays si proche et pourtant inconnu, que nous vous convions.

Située à l'est de l'Ouest et à l'ouest de l'Est, la Pologne confie son destin à deux cultures, l'Occident et l'Orient, qui s'y affrontent et s'y mélangent. Même le paysage, qui d'habitude ne possède pas de penchants politiques, hésite entre les deux. Les étendues de Mazovie, à l'est du pays, rappellent autant la plaine germanique qu'elles annoncent les steppes d'Ukraine. Dans les grandes cathédrales du gothique allemand, vous allez trouver des icônes de la triste madone de Vilnius, capitale lituanienne revendiquée par les Polonais. Et la langue polonaise aux sonorités bien slaves se transcrit étrangement dans l'alphabet latin. Le dilemme d'une double appartenance risque de ne jamais être tranché, parce que même aujourd'hui où le rêve de l'Occident se réalise, la nostalgie de l'Orient est toujours là.

Mais, plus que le pays, aux frontières maintes fois remodelées au fil d'une histoire tragique, ce sont ses habitants qui vous laisseront un souvenir impérissable. Vous prenez un peuple en plein centre de l'Europe, une histoire millénaire, vous essayez de faire disparaître le pays pendant cent quarante ans, vous le faites revenir dans un esprit insurrectionnel permanent, vous ajoutez un martyrologe terrifiant, vous mettez le tout au réfrigérateur pendant quarante-cinq ans, vous pimentez d'un pape au dernier moment et... vous obtenez un peuple irrésistiblement attachant, individualiste, romantique à outrance, d'une débrouillardise légendaire (jusqu'à la pagaille), et d'une merveilleuse hospitalité. Impossible de ne pas vous en apercevoir car les portes vont s'ouvrir devant vous, avant même que vous ne frappiez... En mille occasions, vous serez convié à la table des Polonais, partagerez des soirées inoubliables remplies d'interminables discussions loufoques, autour d'un verre de thé brûlant ou de vodka glacée. Chez ces Gaulois de l'Est, les amateurs de tourisme culturel et de dépaysement seront comblés, mais c'est l'émotion des rencontres qui restera en mémoire.

Carte d'identité

- *Capitale :* Varsovie.
- *Superficie :* 312 677 km².
- *Population :* 38 600 000 habitants.
- *Monnaie :* złoty.
- *Langue :* polonais.
- *Régime :* démocratie pluraliste.
- *Chef d'État :* Alexandre Kwaśniewski, élu en novembre 1995.

Adresses utiles, formalités

ADRESSES UTILES

En France

🅱 *Office national polonais du tourisme :* 49, av. de l'Opéra, 75002 Paris. ☎ 01-53-43-88-10. Fax : 01-42-66-35-88. M. : Opéra. Ouvert de 9 h à 17 h.

● Le bureau parisien accueille les touristes individuels. Nombreux plans de villes ainsi que la liste des hôtels de Pologne et celle des agences d'hébergement chez l'habitant. Ouvert du lundi au vendredi de 9 h à 17 h.

● Au rez-de-chaussée : l'agence *Transtours*. ☎ 01-44-58-26-26. Organise des circuits, vend les billets de train pour la Pologne (prix réduits, les mêmes que ceux des agences Wasteels) et le *Polrail Pass*.

● Également un service Minitel : 36-15, code POLOGNE. Un site internet : www.lapologne.com. Et un E-mail : polska@infonie.fr. Pour obtenir des informations pratiques et culturelles.

■ *Consulat polonais :* 1, rue Talleyrand, 75007 Paris. ☎ 01-45-51-82-22. M. : Invalides ou Varenne. Ouvert du lundi au vendredi, de 8 h 30 à 10 h.

■ *Consulat polonais :* 45, bd Carnot, 59040 Lille. ☎ 03-20-06-50-30. Ouvert du lundi au vendredi, de 9 h à 12 h 30.

■ *Consulat polonais :* 79, rue Crillon, 69006 Lyon. ☎ 04-78-93-14-85. Ouvert du lundi au vendredi, de 9 h à 12 h 30.

■ *Consulat polonais :* 2, rue Geiler, 67000 Strasbourg. ☎ 03-88-25-50-72. Ouvert du lundi au vendredi, de 9 h à 12 h.

■ *Librairie Dobosz :* 7, rue de la Bûcherie, 75005 Paris. ☎ 01-40-51-76-40. M. : Maubert-Mutualité.

■ *Librairie polonaise :* 123, bd Saint-Germain, 75006 Paris. ☎ 01-43-26-04-42. M. : Mabillon. Ouvert du mardi au samedi de 10 h à 19 h.

■ *Institut polonais :* 31, rue Jean-Goujon, 75008 Paris. ☎ 01-53-93-90-13. M. : Alma-Marceau. Ouvert de 9 h 30 à 17 h. Ce centre culturel officiel organise des concerts de musique classique, des conférences, des expositions de peintres et de graphistes, etc., ainsi que des projections de films contemporains polonais (V.O. avec lecteur français). Une bibliothèque sur place.

■ *Association France-Pologne :* 165-167, av. de Flandre, 75019 Paris. ☎ 01-40-36-36-22. M. : Corentin-Cariou. L'organisation qui a pour objectif de perpétuer et de développer l'amitié franco-polonaise. Nombreuses activités culturelles, sportives et techniques. Également précieux conseil économique pour les entreprises intéressées par le marché polonais.

En Belgique

■ *Consulat polonais :* rue des Francs, 28, Bruxelles 1040. ☎ 735-21-14. Ouvert de 9 h à 12 h, du lundi au vendredi.

Au Canada

■ *Consulat polonais :* 1500 Pine Avenue, West Montréal, Montréal, Québec H3G-1B4. ☎ (514) 937-94-81.

■ *Consulat polonais :* 2603 Lakeshore Bd, West Toronto, Ontario M8V-1G5. ☎ (416) 252-54-71 ou 72.

FORMALITÉS

– Le *passeport* en cours de validité est nécessaire pour les ressortissants de l'Union européenne séjournant moins de 3 mois. Le *visa* reste obligatoire pour les Canadiens notamment, mais il s'obtient sans difficulté à la frontière ($ 30).

Comment y aller ?

En avion

– *Air France* propose 3 vols quotidiens (minimum) sans escale à destination de Varsovie au départ de Roissy-Charles-de-Gaulle, aérogare 2.

– *Lot*, la compagnie polonaise liée à Air France, dessert trois fois par

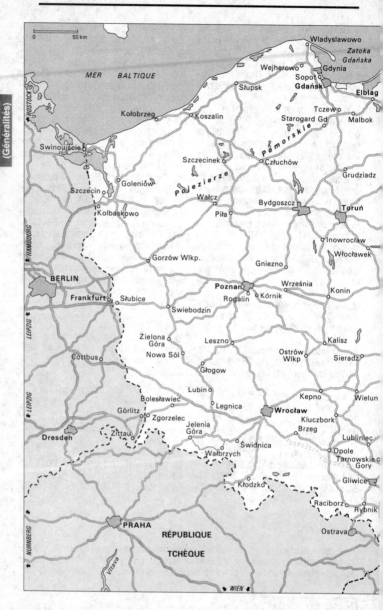

semaine Varsovie et Cracovie, ainsi que Gdańsk (via Varsovie). En plus, *Lot* assure deux vols par semaine Lyon-Varsovie-Lyon (uniquement le samedi hors saison). Pour les départs en période de vacances d'été et surtout pendant les fêtes de Noël, réservez longtemps à l'avance car souvent il n'y a plus de place. Réductions pour les moins de 25 ans.

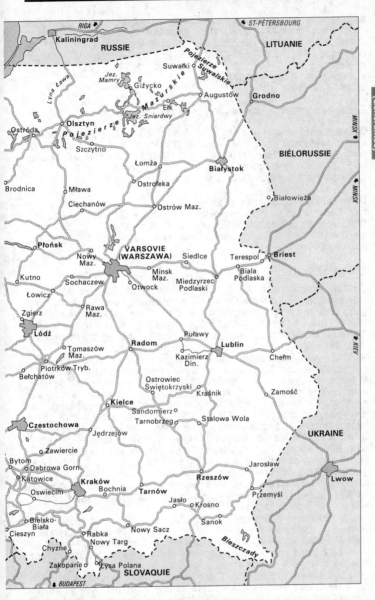

LA POLOGNE

■ *Air France :* 119, av. des Champs-Élysées, 75008 Paris. Renseignements et réservations : ☎ 0-802-802-802. M. : George-V. Et dans les agences de voyages. Minitel : 36-15 ou 36-16, code AF. Pour les tarifs spéciaux d'Air France, se reporter en début de guide à la rubrique « Comment aller en Pologne, en République tchèque et en Slovaquie ? ».

■ *Lot :* 27, rue du 4-Septembre, 75002 Paris. ☎ 01-47-42-05-60. M. : Opéra. *À Lyon :* 1, rue des Quatre-Chapeaux, 69002. ☎ 04-78-42-27-10.

■ *Sabena :*

• *À Paris :* 4-14, rue Ferrus, 75014. ☎ 08-36-67-88-00.

• *À Bruxelles :* bureau de l'hôtel Carrefour de l'Europe, rue du Marché-aux-Herbes, 110, 1000. ☎ 723-89-40. Ou à l'aéroport de Bruxelles-National : ☎ 723-23-23.

Certaines agences de voyages proposent des vols charters sur la Pologne.

■ Renseignez-vous dans les agences *Wasteels :* 146, bd de Ménilmontant, 75020 Paris. ☎ 01-43-58-57-87. M. : Ménilmontant. Ou éventuellement chez *Nouvelles*

Frontières : 87, bd de Grenelle, 75738 Paris Cedex 15. ☎ 08-03-33-33-33 (1,49 F la minute). M. : La Motte-Picquet-Grenelle.

Un autre moyen consiste à prendre l'avion jusqu'à Berlin, puis à continuer en train. Les charters en direction de Berlin se multiplient et les prix ont baissé. Cette solution permet d'effectuer une visite express de Berlin, ce qui ne manque pas d'intérêt. La frontière polonaise est seulement à 100 km et Varsovie à 500 km.

En voiture

C'est incontestablement le moyen de transport le plus souvent utilisé et le plus pratique. Contrairement à une idée largement répandue, la distance géographique n'est pas très grande. Partant de Paris, vous rejoignez la frontière polonaise au bout de 1 200 km d'autoroute. Comme si vous faisiez Lille-Marseille. Cependant, si vous êtes seul conducteur dans la voiture, nous vous conseillons de diviser le parcours en deux étapes.

Munissez-vous d'un certificat d'assurance (carte verte) et, si possible, d'un permis international (bien que le permis français suffise). De Paris, le chemin le plus court pour atteindre Varsovie passe d'abord par l'autoroute du Nord, direction Lille, puis conduit à Liège, Charleroi et Aix-la-Chapelle. Dès l'entrée en Allemagne, un panneau indique les numéros des autoroutes à emprunter en direction de Berlin : 44, 4, 1, 2. Vous passez par Cologne, Dortmund, Bielefeld, Hanovre, puis vous arrivez à l'ex-frontière entre les deux Allemagnes, à Helmstedt. Suivez les panneaux « Transit Varsovie » pour ne pas entrer dans Berlin. La ville frontière s'appelle, côté ancienne DDR, « Francfort-sur-l'Oder » (à ne pas confondre avec l'autre Francfort – sur-le-Main – qui se trouve à l'ouest de l'ex-Allemagne de l'Ouest).

Évidemment, selon l'endroit où vous habitez et votre destination en Pologne, il existe d'autres chemins possibles. Pour aller au sud de la Pologne, on transite par l'ex-Tchécoslovaquie.

Les autoroutes en Allemagne sont gratuites. Leur réseau est très dense et compliqué, donc suivez attentivement les indications de la carte et repérez bien les numéros des sorties. Évitez les petites aires de stationnement car elles sont très sommaires, reposez-vous plutôt dans des stations-service, toujours propres et modernes.

Pour traverser la frontière entre l'Allemagne et la Pologne choisissez, si possible, un poste frontalier de petite taille car sur les autres, envahis souvent par des camions, vous risquez d'attendre deux ou trois heures, voire encore plus ! Par ailleurs, en dehors de quelques rares postes frontaliers, signalés sur la carte par un symbole spécial, tous les passages de la frontière polonaise sont ouverts aux Occidentaux.

Pour le retour, prévoir parfois une longue attente à la douane allemande, très vigilante vis-à-vis des Polonais. À la douane d'Olszyna, il faut compter deux bonnes heures si vous rentrez le week-end (les camions ne peuvent rouler en Allemagne en fin de semaine) et plus si vous préférez traverser la frontière en semaine.

Sachez également que des liaisons en ferry-boat existent entre le port polonais de Świnoujście et Ystad, Copenhague ou Röne, ainsi qu'entre Gdańsk (Dantzig) et Helsinki.

En stop

C'est tout à fait possible. Évidemment en février, avec trois enfants en bas âge et cinq grosses valises, les choses se gâtent! Prévoir donc en conséquence. Le record que nous avons enregistré est de vingt-quatre heures pour effectuer Paris-Poznań.

Le stop marche très bien en Allemagne, à condition de rester dans les stations-service des autoroutes. Dès l'entrée dans ce pays, procurez-vous un dépliant qui répertorie toutes les stations sur les autoroutes. Il est gratuit et se trouve dans les stations-service, généralement près de la caisse ou à l'entrée du self. Grâce à lui, vous pourrez calculer votre coup et savoir quelle est la dernière station-service avant la ville dans laquelle se rend votre aimable conducteur.

■ Un bon moyen pour commencer le stop en direction de la Pologne est l'association *Allô Stop* : 8, rue Rochambeau, 75009 Paris. ☎ 01-53-20-42-42. M. : Cadet. Minitel : 36-15, code ALLO STOP. Ils proposent très souvent des voitures pour l'Allemagne et, occasionnellement, pour la Pologne, l'ex-Tchécoslovaquie et d'autres pays de l'Est. Évidemment, ce n'est pas gratuit, mais ça reste abordable.

– Autre solution : consulter les petites annonces devant l'entrée de l'*église polonaise*, 236 *bis*, rue Saint-Honoré, 75001 Paris. On y propose souvent des places dans les voitures se rendant directement en Pologne contre une participation aux frais. Se mettre d'accord avec le conducteur avant. Demandez à un Polonais (il y en a toujours quelques-uns dans le coin) de vous indiquer les annonces car elles sont souvent rédigées en polonais, puis relevez les numéros de téléphone.

En bus

Plusieurs compagnies assurent les liaisons quotidiennes avec les principales villes de Pologne. Dans les périodes de grands départs (vacances, fêtes), prenez soin de réserver 3 semaines à un mois à l'avance. Les prix des billets sont moins élevés que ceux pour le train. Le voyage dure environ dix-huit heures jusqu'à la frontière polonaise.

Assurez-vous que la compagnie soit munie de la licence ministérielle. Il existe en effet des compagnies pirates pas vraiment très sûres.

Sachez, si vous souhaitez être attendu à Varsovie, que le centre d'informations de la gare routière ne connaît pas l'heure d'arrivée des bus internationaux. Et il y a souvent des retards.

■ *Polka* : 252, rue de Rivoli, ou 2, rue de Mondovi, 75001 Paris. ☎ 01-40-20-00-80. M. : Concorde.

■ *Copernic* :
● *Paris* : 6, rue des Immeubles-Industriels, 75011. ☎ 01-40-09-03-43. M. : Nation. Départ tous les jours sauf le lundi. Compter un peu moins de 1 000 F pour un aller-retour. Réduction aux moins de 25 ans. Il est recommandé de retirer ses billets une semaine à l'avance.
● *Lyon* : 116, bd Vivier-Merle, 69003. ☎ 04-72-60-04-54. Ouvert de 8 h 30 à 12 h 30 et de 14 h à 18 h.

■ *Intercars* : 133, rue de Vaugirard, 75015 Paris. ☎ 01-42-19-99-36. M. : Falguière.

■ *Baudart* : 93, rue de Maubeuge,

75010 Paris. ☎ 01-42-80-95-60. M. : Gare-du-Nord.

■ *AFPE* : 4, rue Cambon, 75001 Paris. ☎ 01-47-03-90-00. M. : Concorde. Cette association franco-polonaise centralise la vente de billets des compagnies officielles. Aucun supplément. Vous y trouverez aussi un petit mensuel bilingue gratuit, *Dzień Dobry*, avec des adresses pratiques et des annonces.

En train

Il existe deux trains quotidiens Paris-Varsovie avec correspondance soit à Bruxelles, soit à Francfort-sur-le-Main. Horaires : ☎ 08-36-35-35-35. La réservation est obligatoire, couchettes possibles mais il faut les réserver longtemps à l'avance. C'est long (Paris-Varsovie : 24 h), mais on y fait souvent des rencontres intéressantes. Réductions : pour les moins de 25 ans, 25 % dans toutes les agences *Wasteels*.

■ L'agence *Transtours* (49, av. de l'Opéra, 75002 Paris, ☎ 01-53-24-34-00, M. : Opéra) propose des billets de train aux mêmes prix que Wasteels. Dans la même agence, vous pouvez vous procurer un *pass ferroviaire* pour la Pologne *(Polrail Pass)* valable 8, 15, 21 jours ou un mois, à des prix intéressants. Si vous vous êtes décidé pour le *pass,* pensez à acheter votre billet de train seulement jusqu'à la frontière (Francfort-sur-l'Oder). À partir de là, vous voyagerez avec le *pass*. Cela vous remboursera une partie importante de son prix.

Pour ceux qui rejoignent Varsovie à partir de Berlin : attention, braquages fréquents dans le train du vendredi soir.

Argent, banques, change

La monnaie polonaise

La monnaie officielle s'appelle *złoty*, ce qui signifie en polonais « en or ». En effet, jadis, la monnaie polonaise avait son équivalent en or. Cette époque est définitivement révolue et le złoty vaut beaucoup moins, même si, depuis le 1er janvier 1995, une réforme monétaire lui a fait perdre 4 zéros. Un (nouveau) złoty vaut ainsi 10 000 anciens złotys. Conséquence directe : l'introduction de centimes *(grosze),* un grosz valant 100 anciens złotys.
Aujourd'hui, la confusion n'est plus possible : seuls les nouveaux złotys sont en circulation. À titre indicatif, 1 złoty vaut un peu moins de 2 francs.

Change

– Les *bureaux de change* se sont avérés très lucratifs et ils ont poussé, surtout dans les grandes villes, comme des champignons. En raison du manque de locaux, vous trouverez des bureaux de change dans des endroits parfois insolites : les magasins d'alimentation, les selfs, etc. Ils s'appellent *kantors*. Les cours sont affichés clairement. Les taux de change sont ici plus intéressants que dans les banques (fermées le samedi). Prévoyez des espèces car les bureaux de change ne prennent pas les cartes de crédit et refusent les chèques de voyage.
– Ce qui demeure encore de l'ancienne époque, ce sont les changeurs au noir *(konikis* en polonais). Cependant, ils se font extrêmement rares, même dans les endroits qu'ils fréquentaient autrefois, comme les halls des grands hôtels. Ne changez pas avec eux car l'honnêteté n'est pas toujours leur devise !
– Si possible, évitez de changer votre argent à l'aéroport et dans les grands hôtels où les taux de change sont très défavorables.

– Vous n'êtes pas obligé d'avoir des dollars, bien que la monnaie verte reste de loin la plus appréciée. Les francs sont acceptés dans tous les bureaux de change.

– Si vous emportez des sommes importantes en złotys, n'oubliez pas que vous les échangerez difficilement contre des devises hors des frontières polonaises. Donc, calculez juste ou changez au fur et à mesure de vos besoins (de toutes manières, les bureaux de change ne pratiquent pas de commission forfaitaire par transaction).

LA POLOGNE
(Généralités)

Cartes bancaires

Les **cartes de crédit**, de plus en plus répandues en Pologne, sont généralement acceptées dans tous les grands hôtels et restaurants, dans les bureaux de l'*Orbis*, dans les grandes villes ou centres touristiques. Vous pourrez obtenir des złotys grâce à la carte *Visa*, par exemple, à la banque *PKO*.

● La *carte Eurocard MasterCard* permet à son détenteur et à sa famille de bénéficier de l'assistance médicale rapatriement. En cas de problème, appeler immédiatement le : ☎ 33-1-45-16-65-65.

En cas de perte ou de vol, appeler (24 h sur 24) le : ☎ 33-1-45-67-84-84 en France (PCV accepté) pour faire opposition. Sur Minitel, 36-15 ou 36-16, code EM, pour obtenir toutes les adresses de distributeurs par pays et par villes.

● Pour la *carte Visa*, en cas de vol, si vous habitez Paris ou la région parisienne, appeler le : ☎ 08-36-69-08-80 (2,23 F la minute) ou le numéro communiqué par votre banque.

● Pour la *carte American Express*, en cas de pépin : ☎ 01-47-77-72-00.

Les chèques de voyage

Les chèques de voyage sont acceptés sans difficulté par toutes les banques.

– Vous pouvez emporter en Pologne la somme que vous voulez, il n'existe aucune limite. À la frontière, vous devrez peut-être remplir une déclaration de devises, mais uniquement dans le but de vérifier si vous ne sortez pas plus de devises que vous n'en avez apporté (la Pologne est un pays où tout est possible !).

Problème de liquide ? Les dépannages d'urgence

En cas de besoin urgent d'argent liquide (perte ou vol de billets, chèques de voyage, cartes de crédit), vous pouvez être dépanné en quelques minutes grâce au système **Western Union Money Transfer.**

En cas de nécessité, appelez soit le : ☎ 0-800-202-24 (numéro gratuit à Varsovie) ; soit, en France le : ☎ 01-43-54-46-12 (à Paris).

Achats

Quand votre séjour s'achèvera, le spectre des inévitables cadeaux-souvenirs apparaîtra. Ne vous cassez pas la tête... nous sommes là ! Il y a beaucoup de belles choses, vraiment pas chères du tout ; en voici une petite sélection.

– Pour la copine : un bijou en argent. Vous en trouverez de très beaux dans les galeries d'art privées.

– Pour le copain : un livre d'art. Il en existe de splendides et vraiment donnés (parfois même avec des textes en français).

– Pour maman : un collier ou un bracelet en ambre, dans les magasins *Cepelia* ou sur les ports de la mer Baltique.

– Pour papa : une bonne bouteille de vodka (les douanes françaises autorisent 1 litre par voyageur).

– Pour tantine : une copie du tableau de la Vierge noire. Si elle est communiste, les œuvres complètes de Lénine sont actuellement en solde, mais prévoir une camionnette pour le retour (Vladimir Ilitch avait la plume facile).
– Pour tonton : une pipe en cerisier.
– Pour les autres : il reste encore du cuir (sacs, gants, ceintures, etc.), de la verrerie, de la peinture (attention, l'exportation d'objets fabriqués avant 1945 est prohibée) ou encore nombre d'articles vestimentaires à des prix défiant toute concurrence (ainsi, un voyage en Pologne est idéal avant la rentrée des classes).

Les magasins

Ils sont généralement ouverts de 10 h à 18 h. Dans les grandes villes, il existe des magasins d'alimentation qui fonctionnent 24 h sur 24. Vous trouverez aussi en Pologne des boutiques de luxe qui n'ont rien à envier à celles de l'Europe occidentale, les prix n'y sont d'ailleurs pas moins élevés. Mais, moyennant quelques efforts, vous réussirez à vous acheter des vêtements de bonne qualité et pas très chers, ainsi que des CD, des cassettes, etc.
À Varsovie, nous vous recommandons les halles entourant le palais de la Culture.

Boissons

Dans les bars et restaurants, les prix s'entendent par portions de 50 ml pour les alcools.
– Évidemment la **vodka**, généralement de l'alcool de grain (blé en particulier), et, par extension, toute liqueur polonaise. Sachez apprécier et consommer avec modération car elle monte très vite à la tête. Les meilleures vodkas blanches sont *Żytnia* et *Wyborowa*.
Et puis il existe la fameuse vodka à l'herbe de bison, *Żubrowka*. À l'est de Varsovie, dans la forêt de Białowieża, survivent encore 250 représentants de cette espèce, presque disparue. La tradition dit que l'herbe sur laquelle le bison a fait... pipi donne cette saveur unique et inimitable à la *Żubrowka*. Mais il semblerait que cette saveur provienne aussi et surtout de l'ajout de caramel...
Pour les amateurs de sensations fortes, essayez la *Śliwowica* (cousine du Slibowitz ex-yougoslave), liqueur cachère de prunes distillée par Polmos, l'ancien monopole étatique des vodkas. Mais ayez un verre d'eau à portée de la main, car cette vodka-là monte jusqu'à 70°. Enfin, il y a pire : la *Spiritus Rectificowany* revendique 90°.
– **Vin :** pas de vin polonais. Dans les magasins, pour le même prix, il vaut mieux acheter un bon vin bulgare ou hongrois qu'un mauvais vin français. Au restaurant, préférez la *bière* polonaise (les meilleures sont *Żywiec, Okocim, Lech*) à la bière étrangère qui est beaucoup plus chère et pas meilleure. Pour votre gouverne, sachez que vous ne tiendrez probablement pas aussi bien le coup que les Polonais, car ils ont sacrément l'habitude. La célèbre expression « saoul comme un Polonais » proviendrait de l'anecdote suivante : pendant les guerres napoléoniennes, un camp militaire de plusieurs régiments français et polonais se fit attaquer à une heure tardive par l'ennemi, alors que la consommation de l'eau-de-vie battait son plein. Seuls les Polonais réussirent à opposer une résistance. Le lendemain, Napoléon, furieux, rappela ses soldats à l'ordre : « Messieurs, soyez saouls, mais soyez saouls comme des Polonais ».
– **La bière :** le pays produit surtout de la blonde et le choix s'avère assez vaste : *Lech, Żywiec, Grolsch, Okocim, EB, 10,5*, etc. Généralement bonnes, rafraîchissantes et pas chères du tout. Tant mieux car les bières étrangères sont deux à trois fois plus chères que les bières locales.

– **Le thé :** herbata (le thé) est une institution. Partout où vous irez, on vous en proposera.

– Quant au **café**, il est parfois servi à la turque. À noter pour ceux qui sont très près de leur sous : le café non sucré est généralement moins cher que le café sucré, car on vous fait souvent payer un supplément pour le sucre ! Enfin, attention aux arnaques. Certains connaisseurs trouveront un drôle de goût à leur whisky favori.

Climat

La Pologne est située entre deux zones climatiques : le climat océanique de l'Europe occidentale et le climat continental de l'Europe orientale, ce qui provoque une grande variété de temps. L'hiver est très froid (de - 5 à - 15 °C) et

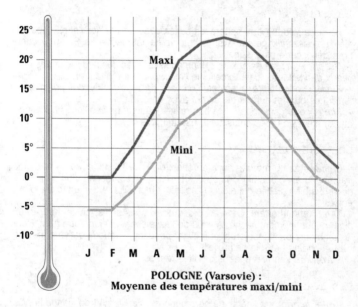

POLOGNE (Varsovie) :
Moyenne des températures maxi/mini

très enneigé, surtout à l'est et dans les montagnes. Il dure de décembre à février. Le printemps est généralement ensoleillé et chaud avec un retour de gelée blanche vers la mi-mai. L'été est chaud, voire très chaud (parfois il fait plus de 30 °C) et dure de juin jusqu'à août. La pluie et les orages sont fréquents, surtout en juillet dans les montagnes. L'automne est sec et ensoleillé, appelé couramment « l'automne doré » (septembre et octobre), particulièrement beau dans les massifs.

Cuisine

Les repas

Le petit déjeuner est copieux et solide : des œufs, des saucisses, du jambon, des fromages, car les Polonais doivent tenir avec cela une grande partie de la journée. En effet, ils travaillent d'un trait, de 7 h ou 8 h jusqu'à 15 h ou 16 h. Ils prennent un second petit déjeuner au travail, vers 11 h. Le repas principal a lieu après le travail, vers 16 h : il comprend de la soupe, un plat principal, un dessert et tout et tout. Le dîner est habituellement moins copieux, souvent ce sont des sandwiches ou un petit plat réchauffé vite fait. On trouve une grande variété de plats. La dernière édition du *Livre de la cuisine polonaise* contient 1 500 recettes. La viande la plus couramment consommée est le porc, suivi par le bœuf et le veau. Elle est toujours bien cuite, jamais saignante, très souvent accompagnée par de délicieuses sauces bien épaisses à base de farine et de crème fraîche. La pomme de terre reste le légume vedette incontestable. Elle accompagne presque tous les plats, le plus souvent cuite à l'eau ou sous la forme de frites. Les autres légumes les plus souvent consommés sont le chou, la betterave, le concombre et la salade verte.

Les soupes

– *Barszcz :* soupe aux betteraves cuites avec un bouillon, servie souvent avec un *pasztecik*, pâté de viande entouré de pâte feuilletée. Son goût sucré en a déconcerté plus d'un.
– *Grochówka :* soupe aux pois, bien épaisse, avec des lardons et des morceaux de viande épicée. Excellente l'hiver pour se réchauffer.
– *Żurek :* soupe aigre, avec des morceaux de saucisses et des pommes de terre. Les purs et durs le dégustent avec un œuf dur.
– *Flaki :* soupe aux tripes, très bourrative. L'auteur de ces lignes n'a jamais été amateur de tripes, mais c'est, paraît-il, très bon.

Les hors-d'œuvre

– *Śledź :* hareng mariné, servi au choix dans de l'huile, avec de la crème fraîche, ou avec des oignons ou des tomates. Accompagné d'un petit verre de vodka bien glacée qui aiguise l'appétit à merveille. Attention, c'est fort et épicé.
– *Tatar :* steak tartare, servi avec des cornichons salés, un œuf dur et un oignon tout finement haché. À vous de l'assaisonner selon votre goût. Pour les amateurs de viande crue, et à éviter pendant la période estivale (rien ne vaut la chaîne du froid naturelle !).
– *Surówka :* choux rouges et carottes râpées.

Les plats

– *Kotlet schabowy :* côtes de porc panées. C'est le plat de viande le plus populaire en Pologne.
– *Zraz zawijany :* viande de bœuf battue et roulée avec de la poitrine fumée et des cornichons salés à l'intérieur. Excellent, souvent servi avec du *kasza gryczana* (sarrasin).
– *Golonka :* jambonneau mariné aux aromates ou à la bière, puis mijoté ou cuit au bouillon.
– *Bigos :* la choucroute polonaise, à goûter obligatoirement. Chou, viande, assortiment de charcuterie, champignons, tomates et pruneaux secs.
– *Kaczka z jabłkami :* canard farci de pommes, souvent servi avec des *pyzys*, petits pains cuits à la vapeur. On trempe les morceaux de *pyzy* dans le jus de canard et cela devient un délice inoubliable.
– *Karp* (la carpe) : mille façons de la préparer, à la polonaise, à la juive, dans la gelée, toujours excellente.
– *Pierogi :* grosses ravioles fourrées généralement au fromage blanc *(pierogi ruskie)* ou aux choux *(pierogi z kapustą)*, plus rarement à la viande ou... aux baies rouges. Formidables !

Les pâtisseries

Les amateurs de pâtisserie viennoise vont être gâtés.

– **Sernik :** gâteau au fromage blanc.

– **Makowiec :** gâteau au pavot ; le goût des grains noirs est relevé par des fruits secs : poires, figues, raisins.

– **Jablecznik :** appelé aussi (pour des raisons inconnues) *szarlotka,* un délicieux dessert servi avec de la crème fraîche.

– **Chrusty :** à goûter surtout pendant le carnaval. Des fritures fines et croustillantes aux formes uniques, saupoudrées de sucre. Plus grosses, on les appelle *faworkis.* Ce nom vient d'ailleurs du mot français « faveur », qui désignait autrefois le ruban qu'une dame offrait à son chevalier après un tournoi victorieux.

Restaurants

Vous allez vous régaler, car les restaurants, même les plus chers, ne seront pas trop onéreux pour vous (attention quand même aux prix indiqués). Ils ouvrent vers midi, servent des plats souvent toute la journée, sans interruption. Le soir, la grande majorité des restaurants ferment à 22 h, sauf les plus chers et les plus réputés. Il faut arriver au moins trois quarts d'heure avant la fermeture pour être encore servi.

Le menu n'est que rarement affiché à l'extérieur, par contre il est tout à fait possible d'entrer au restaurant juste pour consulter la carte, et d'en sortir si celle-ci ne vous plaît pas. Le menu est parfois étonnamment long : ne soyez pas trop impressionné car dans la liste des plats on énumère aussi, par exemple, pommes de terre, frites, pâtes, riz... En effet, les viandes ne sont pas toujours accompagnées de légumes, qu'il faut choisir à part. Autrefois les restaurants étaient en Pologne un luxe destiné seulement à une élite bien restreinte. Mais à présent, l'économie de marché se fait sentir aussi dans ce domaine. L'arrivée, en premier lieu, des restaurants des nouveaux hôtels internationaux a été une véritable bouffée d'air frais dans le paysage culinaire polonais. Depuis, les nouvelles adresses se multiplient, en introduisant un peu de diversité dans le paysage gastronomique. Dans certains restaurants vous aurez l'impression de participer à des festins royaux, tellement les salles, les tables et les assiettes (parfois en argent) sont énormes et les plats abondants et bien décorés. Mais vous trouverez aussi facilement des petits restos intimes où on sert également une excellente cuisine.

C'est vrai que les pizzerias et les snacks à l'américaine battent toute la concurrence, mais il y a aussi de plus en plus de petites adresses originales. Vous pouvez quelquefois manger dans le cadre authentique de gentilhommières ou essayer une cuisine inventive dans des salles aux lignes excentriques, mais il est encore rare de voir combinés la cuisine traditionnelle et le cadre innovateur.

Un peu dommage seulement que les mêmes lois de la concurrence et de la rentabilité aient fait disparaître presque entièrement la catégorie de bars *mleczny.* Ces cafétérias populaires de l'ère communiste servaient une cuisine simple et subventionnée pour les bourses modestes.

Droits de l'homme

La Pologne, un des premiers pays d'Europe centrale à intégrer l'OTAN, a accompli ces derniers temps de grands efforts en matière de droits de l'homme. Ainsi, une nouvelle constitution, entrée en vigueur en octobre 1997, porte entre autres sur la protection des minorités et la condamnation des discriminations rac022iles, et un nouveau code pénal, appliqué en janvier 1998, abolit notamment la peine de mort (mais interdit par ailleurs l'I.V.G.).

Les mentalités, hélas, sont longues à changer. En effet, d'après la FIDH, les juifs et les Tsiganes subissent encore des discriminations raciales (profanation de cimetières, propagation antisémite dans les médias écrits et électroniques, discriminations envers les Tsiganes...). De plus, les conditions matérielles de détention (même préventive) sont très mauvaises, et les jeunes détenus font l'objet de violences physiques de la part des autorités. Espérons que les récents changements juridiques porteront leurs fruits.

La presse jouit d'une très large liberté en Pologne : quotidiens, radios et télévisions fleurissent...

N'oublions pas qu'en France, les organisations de défense des Droits de l'homme continuent de se battre contre les discriminations, le racisme et en faveur de l'intégration des plus démunis.

– *La Fédération internationale des Droits de l'homme :* 17, passage de la Main-d'Or, 75011 Paris. ☎ 01-43-55-25-18. Fax : 01-43-55-18-80. E-mail : fidh@hol.fr. Internet : www.fidh.imaginet.fr.

– *Amnesty International (section française) :* 4, rue de la Pierre-Levée, 75553 Paris Cedex 11. ☎ 01-49-23-11-11. Fax : 01-43-38-26-15. E-mail : admin@amnesty.asso.fr. Internet : www.amnesty.org.

Économie

« Le moteur tourne, mais où est le pilote ? », titrait non sans humour un article de presse spécialisée sur l'économie polonaise. Car il est vrai que l'instabilité politique n'a pas fini de nuire à l'économie (valse de ministres, scandales financiers, polémiques idéologiques infinies, etc.). Néanmoins, après avoir connu la chute de production la plus sévère d'Europe centrale en 1989 et 1991, l'économie la plus importante et la plus réformatrice a bénéficié de cette véritable « thérapie de choc » et affiche depuis des taux de croissance inégalés chez ses voisins. Ceci tout en jugulant l'inflation (20 % en 1996) et en évitant toute dévaluation brutale de la monnaie que la réforme monétaire de 1995 visait à renforcer.

En 1996, deux ans et demi après avoir déposé sa candidature, la Pologne a été admise au sein de l'OCDE. C'est le troisième pays post-communiste à rejoindre cette organisation après la Hongrie et la République tchèque.

Cela n'empêche que plus de 13 % de la population vit en dessous du seuil de pauvreté. Le niveau de vie reste donc en général bas et les villes sont grisâtres ; pourtant vous serez étonné de voir en Pologne un nombre assez impressionnant de voitures de luxe et de villas qui se construisent. Souvent, dans des immeubles délabrés, les appartements sont modernes et parfaitement équipés.

Le taux de chômage, qui atteignait presque 17 % de la population active en 1994, a tout de même baissé jusqu'à 9,8 % en juillet 1998. La Pologne, qui ambitionne de devenir membre de l'Union européenne, doit actuellement poursuivre les réformes à une vitesse astronomique. Cependant l'état désastreux de l'agriculture, non rentable par rapport aux pays occidentaux, les difficultés des secteurs sociaux et, en plus, les inondations catastrophiques survenues pendant l'été 1997 à l'ouest de la Pologne, ne facilitent pas la marche vers l'unification européenne.

Fêtes et jours fériés

– *Jours fériés :* le 1er janvier, le lundi de Pâques, les 1er et 3 mai (la fête nationale qui, depuis 1990, remplace le 22 juillet), le 15 août, la Fête-Dieu (*Boże Ciało,* qui est une fête variable en Pologne), le 1er novembre, le 11 novembre et les 25 et 26 décembre.

– Les Polonais offrent beaucoup de petits cadeaux (fleurs surtout, mais aussi chocolats...) pour les fêtes individuelles. Comme il y a quatre saints Andrzej et deux saintes Agnieszka par an, les fleuristes sont florissants ! En revanche, offrir des fleurs pour la Saint-Valentin (Walentynki) a valeur de déclaration.

Hébergement

Les auberges de jeunesse *(schronisko młodzieżowe)*

Il y en a beaucoup, dans toutes les villes et même à la campagne. En tout, plus de 1 100 réparties dans toute la Pologne. Pas chères du tout. La *carte internationale des auberges de jeunesse* est nécessaire ; de plus, elle donne droit à des réductions.

Deux sortes d'auberges : les *permanentes,* ouvertes toute l'année, et les *saisonnières,* qui sont aménagées en juillet et en août dans les écoles. En règle générale, préférez toujours les permanentes. Elles sont beaucoup mieux agencées et ont parfois des chambres doubles ou triples alors que les autres proposent invariablement dix ou quinze lits de camp dans une salle de classe. Le règlement est partout le même : entre 10 h et 17 h, vous devez quitter les lieux (on peut laisser ses affaires). Le soir, la porte ferme à 22 h, sauf accord avec la personne responsable. Il y a très souvent une cuisine à disposition, parfois avec vaisselle et réfrigérateur. Ce sont des endroits très conviviaux, les rencontres et les longues discussions nocturnes y sont fréquentes. La moyenne d'âge est assez basse (souvent des groupes d'élèves des écoles primaires, en voyage d'étude).

En saison, les places manquent souvent. Il est préférable de réserver, surtout si vous êtes en groupe. Les réservations s'effectuent par lettre, même à partir de la France, ou alors par téléphone, mais ce n'est pas toujours évident (voir la rubrique « Téléphone »).

On peut consulter la liste des auberges de jeunesse dans les offices du tourisme et dans les auberges mêmes. Relevez les adresses pour la ville suivante avant de partir et téléphonez, vous éviterez ainsi des mauvaises surprises.

– *Pratique :* la FUAJ offre à ses adhérents la possibilité de réserver depuis la France, 6 nuits maximum et jusqu'à 6 mois à l'avance, dans certaines auberges de jeunesse officielles situées en France ou à l'étranger, grâce à un réseau informatique *I.B.N. (International Booking Network)* qui couvre près de 50 pays.

Gros avantage, les A.J. étant souvent complètes, votre lit (en dortoir, pas de réservation en chambre individuelle) est réservé à la date souhaitée. La procédure est simple, il suffit de téléphoner pour demander si le pays où vous vous rendez est relié par ordinateur. Si c'est le cas, il vous faut aller remplir un formulaire de réservation dans un des points *I.B.N.* Vous saurez instantanément s'il y a de la place (aucun frais ne vous sera demandé si la réponse est négative) et quel est le prix des nuitées. Vous réglez en France, plus des frais (environ 17 F). L'intérêt, c'est que tout cela se passe avant le départ, en français et en francs ! Vous recevrez en échange un bon d'hébergement que vous présenterez à l'A.J. une fois sur place. Ce service permet aussi d'annuler et d'être remboursé (compter 33 F de frais d'annulation ; date limite : de 24 à 72 h avant).

● **Adresses en France**

– *Paris :* FUAJ, 27, rue Pajol, 75018. ☎ 01-44-89-87-27. Fax : 01-44-89-87-10. M. : Marx-Dormoy, Gare-du-Nord (R.E.R., ligne B), ou La Chapelle.

– *Paris :* bureau FUAJ, 9, rue Brantôme, 75003. ☎ 01-48-04-70-40. Fax : 01-42-77-03-29. R.E.R. : Châtelet-Les Halles, ou M. : Hôtel-de-Ville.

– *Paris :* A.J. D'Artagnan, 80, rue Vitruve, 75020. ☎ 01-40-32-34-56. Fax : 01-40-32-34-55. M. : Porte-de-Bagnolet.
– *Clichy :* A.J. Léo-Lagrange, 107, rue Martre, 92110. ☎ 01-41-27-26-60. M. : Mairie-de-Clichy.
– *Le Pré-Saint-Gervais :* A.J. Cité des Sciences, 24, rue des Sept-Arpents, 93310. ☎ 01-48-43-24-11. M. : Hoche.
– *Aix-en-Provence :* A.J. Jas-de-Bouffan, 3, av. Marcel-Pagnol, 13090. ☎ 04-42-20-15-99.
– *Aix-les-Bains :* A.J., promenade du Sierroz, 73100. ☎ 04-79-88-32-88.
– *Angoulême :* A.J., île de Bourgines, 16000. ☎ 05-45-92-45-80.
– *Annecy :* A.J., 4, route de Semnoz, 74000. ☎ 04-50-45-33-19.
– *Arles :* A.J., 20, av. Foch, 13200. ☎ 04-90-96-18-25.
– *Biarritz-Anglet :* « Gazté Etxea », 19, route des Vignes, quartier Chiberta, 64600 Anglet. ☎ 05-59-58-70-00.
– *Boulogne-sur-Mer :* A.J., place Rouget-de-Lisle, 62200. ☎ 03-21-80-14-50.
– *Brive :* A.J., 56, av. du Maréchal-Bugeaud, parc Monjauze, 19100. ☎ 05-55-24-34-00.
– *Carcassonne :* A.J., rue du Vicomte-Trencavel, Cité Médiévale, 11000. ☎ 04-68-25-23-16.
– *Chamonix :* A.J., 127, montée J.-Balmat, 74400. ☎ 04-50-53-14-52.
– *Grenoble-Échirolles :* A.J., 10, av. du Grésivaudan, 38130 Échirolles. ☎ 04-76-09-33-52.
– *Lannion :* A.J. « Les Korrigans », 22300. ☎ 02-96-37-91-28.
– *Le Mont-Dore :* A.J. Le Grand Volcan, « Le Sancy », 63240. ☎ 04-73-65-03-53.
– *Lille :* A.J., 12, rue Malpart, 59000. ☎ 03-20-57-08-94.
– *Lyon-Vénissieux :* A.J., 51, rue Roger-Salengro, 69200 Vénissieux. ☎ 04-78-76-39-23.
– *Marseille :* A.J., impasse du Docteur-Bonfils, 13008. ☎ 04-91-73-21-81.
– *Menton :* A.J., plateau Saint-Michel, 06500. ☎ 04-93-35-93-14.
– *Montpellier :* A.J., rue des Écoles-Laïques, impasse Petite-Corraterie, 34000. ☎ 04-67-60-32-22.
– *Nantes :* A.J. La Manu, 2, place de la Manu. ☎ 02-40-29-29-20.
– *Nice :* A.J., route forestière du Mont-Alban, 06300. ☎ 04-93-89-23-64.
– *Nice :* Summer Hostel « Les Colinettes », 3, av. Robert-Schuman, 06000. ☎ 04-93-86-58-48.
– *Nîmes :* A.J., chemin de la Cigale, 30900. ☎ 04-66-23-25-04.
– *Poitiers :* A.J., 1, allée Roger-Tagault, 86000. ☎ 05-49-58-03-05.
– *Rennes :* Centre international de séjour-A.J., 10-12, canal Saint-Martin, 35700. ☎ 02-99-33-22-33.
– *Sète :* A.J. Villa Salis, rue du Général-Revest, 34200. ☎ 04-67-53-46-68.
– *Saint-Brévin-les-Pins :* A.J. La Pinède, « Le Pointeau », 1-3, allée de la Jeunesse, 44250. ☎ 02-40-27-25-27.
– *Strasbourg :* A.J. Strasbourg-parc du Rhin, rue des Cavaliers, 67017. ☎ 03-88-45-54-20.
– *Strasbourg :* A.J. René-Cassin, 9, rue de l'Auberge-de-Jeunesse, La Montagne-Verte, 67200. ☎ 03-88-30-26-46.
– *Tours :* A.J., parc de Grandmont, av. d'Arsonval, 37200. ☎ 02-47-25-14-45.
– *Verdun :* A.J. du Centre mondial de la Paix, place Monseigneur-Ginisty, 55100. ☎ 03-29-86-28-28.

Les hôtels universitaires internationaux

Pour les moins de 35 ans, la carte internationale des étudiants *ISTE* donne droit à une réduction. Ouverts durant les mois de juillet et août seulement, ce sont des hôtels aménagés dans les résidences universitaires. Vous ne trouverez pas leurs adresses dans ce guide, car souvent, d'une année sur l'autre, ils changent d'emplacement ; mais sachez que dans chaque grande ville il y en a, en principe, au moins un. Avant de partir, vous pouvez vous procurer la liste actualisée dans les bureaux de l'*Orbis* ou de *Transtours* (voir « Adresses utiles »), qui vendent également les *vouchers* (bons d'échange) utilisés pour y dormir ; il n'est pas obligatoire de les avoir, vous pouvez payer sur place sans problème. Plus chers que les auberges de jeunesse, ces hôtels universitaires restent abordables. Sur place, on peut obtenir les adresses dans les bureaux de l'*Almatur*, l'agence de voyages des étudiants qui les gère, ou à l'office du tourisme. Chambre de 2, 3 ou 4 personnes, toilettes et douches à l'étage. Très bonne ambiance, beaucoup de routards de tous les coins d'Europe. Rencontres assurées. Parfois, une cantine universitaire est également à disposition ainsi qu'un night-club.

● *Agences Almatur en Pologne*

– *Częstochowa :* ul. NMP 37. ☎ 24-43-68.
– *Gdańsk :* ul. Długi Targ 11. ☎ 301-29-31.
– *Katowice :* ul. 3 Maja 7. ☎ 59-88-58 ou 59-64-18.
– *Kraków :* Grodzka 2. ☎ 422-46-68.
– *Lublin :* ul. Langiewicza 10. ☎ 533-32-38.
– *Łódź :* ul. Piotrkowska 59. ☎ 637-11-22.
– *Olsztyn :* ul. Kopernika 27A. ☎ 523-59-64, poste 38.
– *Opole :* ul. Kopernika 15 a. ☎ 53-77-36.
– *Rzeszów :* ul. 3 Maja 28. ☎ 852-07-69.
– *Szczecin :* ul. Bohaterów Worszawy 83. ☎ 84-43-55.
– *Toruń :* Most Pauliński 12. ☎ 22-100.
– *Warszawa :* ul. Kopernika 23. ☎ 826-26-39.
– *Wrocław :* ul. Kościuszki 34. ☎ 44-30-03.

Chez l'habitant

Dans chaque grande ville, un bureau est spécialisé dans la location de chambres chez l'habitant. En saison, ces bureaux sont ouverts en général de 8 h à 20 h. Ceux qui louent sont des pros, ne comptez donc pas sur une spontanéité totale. Ce n'est pas donné, mais cela revient quand même moins cher que l'hôtel. Il est parfois difficile d'obtenir une chambre en centre-ville.

Les Maisons du Touriste *(Dom Turysty)*

Une chaîne d'hôtels appartenant à *PTTK*, l'un des plus grands bureaux du tourisme polonais. Moins chers que les autres et moins confortables. Mais, à part les dortoirs, ils proposent également des chambres de bonne qualité. Dernièrement, certaines « Maisons du Touriste » sont devenues des hôtels de luxe.

Les hôtels

Ils sont chers par rapport au niveau général de prix. Les plus chic et les plus onéreux sont des hôtels de l'*Orbis*. Mais c'est un chic du genre « presque comme en Occident », c'est-à-dire plutôt de mauvais goût, surtout pour les plus récents. Il est très difficile d'avoir une place, même hors saison, surtout dans les villes touristiques comme Varsovie, Cracovie ou Gdańsk ; donc RÉSERVEZ à l'avance si vous connaissez vos dates. Il existe aussi des hôtels de moindre taille, plus intimes que ceux de l'*Orbis*. Ils se font de plus en plus nombreux, devenant une vraie concurrence pour les grandes chaînes, économie de marché oblige !

● *Exemple de lettre de réservation pour les hôtels*

Nom, prénom, adresse
Nom et adresse de l'établissement
Lieu et date
Uprzejmie proszę o zarezerwowanie pokoju X osobowego z (bez) łazienką w waszym hotelu, na okres od XXXX do XXXX. Proszę o potwierdzenie rezerwacji listownie na powyższy adres. Z góry dziękuję i załączam wyrazy szacunku.
Signature
Traduction : « Je vous prie de bien vouloir réserver une chambre de X personnes avec (sans) salle de bains du XXXX au XXXX. Veuillez confirmer cette réservation à l'adresse ci-dessus. Je vous remercie à l'avance et je vous prie d'agréer... »

Les campings

Ils sont ouverts du mois de mai jusqu'en septembre. Nombreux dans toutes les grandes villes et dans les villages touristiques. La plupart du temps, les équipements sont assez rudimentaires. Les sanitaires ne sont pas toujours très propres.
À la campagne, beaucoup d'aires aménagées pour camper, souvent dans des coins splendides. Une forêt et un lac font office de sanitaires !

Échange d'appartements

Formule de vacances originale. Il s'agit pour ceux qui possèdent une maison, un appartement ou un studio d'échanger leur logement avec un adhérent de l'organisme du pays de leur choix. Cette formule offre l'avantage de passer des vacances à l'étranger à moindres frais et ceci plus spécialement pour les couples ayant des enfants.
– *Intervac :* 230, bd Voltaire, 75011 Paris. ☎ 01-43-70-21-22. Fax : 01-43-70-73-35. M. : Boulets-Montreuil.

Histoire

Les débuts

Il suffit de regarder la carte de l'Europe pour comprendre l'histoire de la Pologne. Coincée entre deux puissances, dépourvue de frontières naturelles, elle dut pendant dix siècles se débattre pour survivre aux invasions successives. Même les débuts de l'État sont liés à cette fatalité. Menacé par les catholiques allemands et tchèques, Mieszko Ier évita à la Pologne les guerres religieuses en se convertissant en 966. Il éloigna ses favorites, séduisantes certes mais païennes, pour faire un mariage de raison avec la pieuse Dobrawa. Cette union scella une paix durable avec les voisins tchèques.
Leur fils, Boleslas le Vaillant, fut le premier roi de Pologne, couronné juste avant sa mort, en 1025. Il donna libre cours à son tempérament et conquit de nouveaux territoires aussi bien à l'est qu'à l'ouest. Mais son successeur, au caractère emporté, provoqua beaucoup de désordre. Sous l'emprise d'une colère noire, il fit assassiner l'évêque de Cracovie, le saint Stanislas. C'en était trop, il dut s'enfuir du pays en 1079, chassé par les magnats (nobles) indignés.
Ladislas Herman qui prit sa place était tout le contraire de son frère. Doux et délicat, mais incapable. Il a tout raté durant son règne : la couronne, la conquête de nouveaux territoires, l'unité nationale. N'arrivant pas à concilier sa progéniture, il morcela le pays en plusieurs duchés. Commença alors une

période de deux cents ans de luttes fratricides, de crises majeures et mineures, d'invasions incessantes... le chaos.

L'arrière-petit-fils de l'impulsif Boleslas, Conrad, duc de Mazovie, n'arrivant pas à en finir avec les païens prussiens, eut recours à la main-d'œuvre étrangère. Il fit venir, en 1226, les chevaliers teutoniques, un ordre de moines guerriers qui, ayant accompli les croisades en Terre sainte, étaient au chômage. Mais ces derniers, débordant d'enthousiasme, outrepassèrent très vite leurs prérogatives et devinrent des hôtes très encombrants. Le 14 novembre 1308, par un temps brumeux, ils s'introduisirent dans la ville de Gdańsk, déguisés en honnêtes marchands, et massacrèrent 10 000 habitants, afin de s'emparer de la « perle de la Baltique ».

Il fallut la main d'acier de Ladislas Petite Coudée, qui avait le bras long, pour mettre fin à cette anarchie et rassembler le pays. Il surmonta les difficultés et se fit couronner à Cracovie, en 1320. Son fils, Casimir le Grand, était du genre pacifiste. Menant une politique de conciliation, il renonça à ces incessantes batailles et se mit au travail. Pendant son règne, il instaura la monnaie, organisa le fonctionnement de l'État et de la justice, développa le commerce. Amoureux de la belle Esterka, il ouvrit les frontières aux juifs. Selon l'expression polonaise, Casimir le Grand ayant trouvé la Pologne en bois, il laissa une Pologne en briques. Malheureusement, si occupé, il n'eut pas le temps de faire des enfants. La dynastie, dite des *Piast*, s'éteignit à sa mort. C'est un Hongrois, par ailleurs neveu du défunt Casimir, qui prit sa place. N'ayant pas de progéniture masculine, il accorda de nombreux privilèges (notamment fiscaux) aux nobles afin d'assurer la couronne à sa fille, la belle Hedwige, qui devint... reine de Pologne à l'âge de treize ans. Voilà le prototype d'une campagne électorale réussie. Hedwige, ne sachant où donner de la tête devant tous ses nouveaux devoirs, sacrifia son amour pour le tendre duc d'Autriche, Guillaume, et épousa, en 1386, le grand-duc de Lituanie, encore païen (raison d'État oblige). Elle porta la culotte, mais l'heureux élu, Ladislas Jagellon, commença par faire le ménage. En 1410, il porta un coup décisif aux chevaliers teutoniques à la célèbre bataille de *Grunwald*.

Le siècle d'or

Au XVIe siècle, la Pologne connut un grand épanouissement. La dynastie Jagellon fit prospérer les affaires. Le territoire national s'étendit considérablement, les châteaux poussèrent comme des champignons après la pluie, l'art et la culture atteignirent les sommets. Cette époque fut aussi marquée par l'accroissement des privilèges de la noblesse, la célèbre *szlachta*. En revanche, le pouvoir du roi s'affaiblit de plus en plus, ce qui, au siècle suivant, orchestré par les invasions suédoises, provoquera le déclin de l'État.

La république des nobles

La dynastie Jagellon s'éteignit à la mort de Sigismond Auguste (1572). La noblesse imposa alors le principe de l'élection du roi. À chaque élection, les candidats, voulant s'assurer la victoire, accordèrent de nouveaux privilèges aux nobles. Le premier à gagner la campagne fut Henri de Valois, fils d'Henri II. Mais il ne tint que six mois et s'enfuit de Cracovie pour prendre la couronne de France. Poursuivi par la diète, qui lui demandait des comptes, il refusa toute idée de retour en Pologne. Jan Kazimierz (Jean Casimir) essaya de limiter la pagaille et tenta en vain de réformer l'État. Découragé, il démissionna et se réfugia en France. La noblesse imposa alors le principe « nihil novi » qui interdisait au roi d'établir de nouvelles lois sans accord de la diète, et le « liberum veto » qui permettait à un seul opposant d'empêcher le vote d'une décision. L'anarchie battait son plein. Évidemment les voisins de la Pologne se frottaient les mains. Selon le bon vieux principe « diviser pour régner », ils encourageaient les frictions, soutenaient les factions les unes contre les autres pour affaiblir encore la Pologne et renforcer leurs influences.

Les partages et les insurrections

Le dernier roi de Pologne, Stanislas II Auguste Poniatowski, amant de Catherine II de Russie, fut élu avec l'aide de 40 000 baïonnettes russes. Par chance, c'était un homme cultivé et patriote. Il tenta une ultime fois de reformer l'Etat et de renforcer le pouvoir royal. Mais la Russie, la Prusse et l'Autriche, ne voulant pas d'une Pologne forte, se posèrent « en garants des libertés nationales », c'est-à-dire justement des causes de sa faiblesse. Finalement, en 1772, les trois puissances procédèrent au *premier partage de la Pologne*, amputant le tiers de son territoire. C'était une sonnette d'alarme pour les patriotes polonais. La diète se réunit pendant quatre ans et accoucha finalement de tout un paquet de lois et d'une nouvelle Constitution, dite du 3 mai 1791 (date redevenue récemment fête nationale), deuxième Constitution au monde, très peu de temps après celle des Etats-Unis, qui devait servir de modèle aux républicains français. Mais il était trop tard. Encore une fois, un groupe de magnats, menacé dans ses libertés sans limites, se regroupa en *Confédération de Targowica* et obtint l'aide de l'armée russe pour s'opposer aux réformes. Le *deuxième partage de la Pologne* eut lieu en 1793.

Commence alors une période longue de cent quarante ans de soumission, d'insurrections incessantes, suivies toujours par des vagues de répression, de condamnations, d'émigrations. La première révolte éclate en 1794, conduite par Tadeusz Kościuszko. Son échec provoque le *troisième partage*. La Pologne disparaît de la carte d'Europe. Chaque nouvelle génération, une fois l'ère du biberon terminée, descend dans les caves pour conspirer et préparer une nouvelle insurrection suicidaire. Les Polonais font un apprentissage approfondi de toutes les techniques de résistance, de lutte armée, d'opposition passive et active contre l'occupant. Cela devient un trait caractéristique de ce peuple, qui a su déjouer toutes les tentatives d'anéantissement, pour en sortir encore plus fort et plus déterminé. L'Eglise joua un rôle très important dans le maintien de la conscience et de la culture nationales. Les victoires de Napoléon, en 1806, donnèrent un espoir aux Polonais. Mais quelques années plus tard, avec Napoléon en exil à Sainte-Hélène, la Pologne retrouva le régime dur.

Toutes les tentatives de ce peuple, qui réussit décidément mieux à se mobiliser pour la guerre que pour préserver la paix, resteront vaines.

La reconstitution

À l'issue de la Première Guerre mondiale, le traité de Versailles rendit à la Pologne sa place sur la carte d'Europe. Pendant vingt ans, malgré les immenses dommages causés par l'occupation, le pays se développa très vite, surmontant même la crise économique qui sévissait alors en Europe. Mais dix-neuf ans plus tard, l'essor fut stoppé net. Liées par une clause secrète du pacte germano-soviétique, l'Union soviétique et l'Allemagne nazie procédèrent au *quatrième partage de la Pologne*, l'envahissant presque simultanément.

La Seconde Guerre mondiale

Elle fut la plus terrible des guerres. Les nazis étaient bien décidés à en finir une bonne fois pour toutes avec « ce bâtard de l'Europe », comme disait Hitler. Ils entreprirent une action méthodique d'anéantissement total de la nation. Les Soviétiques, eux, commencèrent par l'assassinat de plusieurs milliers d'officiers et d'intellectuels à Katyń et par la déportation de centaines de milliers de Polonais en Sibérie. Après quoi, ils procédèrent aux élections, favorables à 100 % au pouvoir populaire. Malgré tout, le pays ne connut pas la collaboration et une résistance massive s'organisa. Afin de pouvoir lutter contre les envahisseurs nazis, le gouvernement polonais, en exil à Londres, signa un accord avec l'URSS, et une armée régulière fut organisée sur les territoires soviétiques.

La fin de la guerre sera marquée par une autre tragédie, celle de l'insurrection de Varsovie, qui coûta la vie à 300 000 civils et provoqua une destruction quasi totale de la capitale. Six millions de Polonais périrent pendant cette guerre.

Le pouvoir populaire

L'armée soviétique apporta la victoire, mais imposa aussi un nouveau régime. Les accords passés en décembre 1944 entre Churchill et Staline laissèrent la Pologne dans la zone d'influence de ce dernier. En 1948, les communistes vinrent à bout de l'opposition. Le vice-Premier ministre Mikołajczyk, ancien membre du gouvernement de Londres, s'enfuit brusquement, et le parti socialiste ressentit une soudaine et irrésistible envie de se fondre dans le parti ouvrier. Quelques arrestations suivies de procès sommaires complétèrent le tableau, et le tour était joué. Commença alors la noire période du stalinisme, marquée en Pologne surtout par les répressions visant les anciens résistants de l'armée nationale, une armée non communiste. Les héros de la guerre furent pourchassés et emprisonnés comme de simples criminels. Le livre de Mieczysław Moczarski, *Les Conversations avec le bourreau*, constitue un témoignage accablant de cette époque. Cet ancien officier de la Résistance passa plusieurs années en prison, dans la même cellule que le général allemand responsable de la mort de plusieurs milliers de juifs.

Après la mort de Staline, l'étau se desserra petit à petit. En 1956, les ouvriers de Poznań se révoltèrent. Bierut, alors premier secrétaire du Parti, alla à Moscou pour les négociations et mourut là-bas, terrassé par... une grippe. Gomułka prit le pouvoir et libéralisa pendant un court moment le régime. On pouvait alors se permettre de raconter une petite blague sans risques. Par exemple : quelque temps après la mort de Staline, un comptable se présente à son travail dans un costume terriblement froissé. Son supérieur lui en fait la remarque. Notre homme se justifie : « Ce matin je voulais repasser mon costume, mais d'abord j'ai branché la radio et j'ai entendu Staline, Staline, Staline. Puis j'ai voulu regarder la télé et j'ai entendu Staline, Staline, Staline. Alors, j'ai eu peur de brancher le fer à repasser ».

L'année 1968 fut marquée par une ignoble campagne antisémite, orchestrée par le Parti, qui fit fuir de Pologne les derniers juifs rescapés de la guerre. En 1970, les ouvriers de Gdańsk se révoltèrent. La manifestation fut réprimée dans le sang, mais Gomułka dut démissionner. Un ancien mineur en France, Edward Gierek, devint premier secrétaire du Parti. Il ouvrit le pays à l'Occident, développa les relations commerciales. Mais, en 1976, un nouveau dérapage se produisit, les ouvriers de Radom, qui protestaient contre les hausses de prix, firent tabasser. Le *KOR* (comité de défense des ouvriers) se constitua pour venir en aide aux ouvriers persécutés. L'opposition se structura, le premier syndicat libre vit le jour.

L'élection du cardinal Karol Wojtyła, qui devint le pape Jean-Paul II, et surtout sa triomphale visite en Pologne, furent des moments décisifs. Le pouvoir est alors forcé d'autoriser d'immenses messes-manifestations, diffusées par la télévision. Des millions de Polonais y participent. Les gens se sentent forts et unis.

Deux ans plus tard, les ouvriers des chantiers navals de Gdańsk déclenchent la grève, qui va donner naissance au syndicat *Solidarnosć*, avec Lech Wałęsa à sa tête. Mais la joie ne dure pas longtemps. Seize mois plus tard, le 13 décembre 1981, le général Jaruzelski, le soudeur de la Pologne avec l'URSS comme l'appellent les Polonais à cause de ses lunettes noires, instaure la loi martiale, dissout Solidarité, fait interner plusieurs milliers de personnes. Il faudra attendre huit ans, la *Perestroïka* en URSS et une situation économique désastreuse pour que les dirigeants cèdent le pouvoir. La table ronde avec l'opposition aboutit aux élections semi-libres. Devant l'ampleur de sa défaite, le parti communiste abdique. En 1990, Lech Wałęsa est élu à la présidence de la République tandis que Tadeusz Mazowiecki devient le premier Premier ministre non communiste à diriger un gouvernement dans un pays de l'Est depuis la guerre.

Aujourd'hui

Pendant quarante ans, la composition de la société se résumait à deux mots : nous et eux. La culture politique a été oubliée. Aujourd'hui l'organisation de la Pologne en un État moderne et l'assainissement de l'économie sont en cours de réalisation.

Petit à petit, sur le devant de la scène politique, les économistes, juristes et diplomates remplacent les révolutionnaires d'hier. Ainsi Leszek Balcerowicz, le plus critiqué et le plus controversé des ministres, grâce à une thérapie de choc, bouleverse le système économique et ralentit efficacement l'inflation (ramenée à environ 11 % sur l'année 1998). Le Premier ministre en place jusqu'en septembre 1993, Mme Suchocka, a essayé de mener une politique d'équilibre, évitant les grands débats sur l'avortement et l'épuration, qui divisent la société. En même temps que se construisent sur des bases nouvelles les échanges avec les anciens pays frères, la Pologne s'efforce de réduire la distance qui la sépare de l'Union européenne.

En septembre 1993, les élections législatives sont remportées par le parti paysan et le parti social démocrate, composé en majorité d'anciens communistes (!). La Pologne n'a donc toujours pas tourné la page politiquement, ce que l'on a pu encore constater lors de la dernière élection présidentielle. Une épopée s'est donc achevée le 19 novembre 1995 : le prix Nobel de la paix, Lech Wałęsa, celui qui réincarna la résistance au communisme et le triomphe de la démocratie, n'a pas été élu pour un second mandat présidentiel. Avec un peu plus de 51 % des voix, Alexandre Kwaśniewski, le dirigeant du parti social-démocrate (l'ancien parti communiste) est devenu le nouveau Président de la Pologne pour une durée de cinq ans. Quinze ans après la révolution pacifique de Gdańsk, six ans après les premières élections libres depuis la guerre, les Polonais ont rendu, démocratiquement, la totalité du pouvoir aux héritiers d'un régime imposé naguère par la force. Victime de l'usure du pouvoir, Lech Wałęsa a tout au long de sa campagne fait preuve d'archaïsme en tentant de reconstituer le temps d'une élection les polarisations de 1981 et 1989. Se lançant dans une véritable croisade contre le retour des communistes et pour les valeurs chrétiennes, l'ancien Président n'a pas pris conscience que la Pologne avait plus changé en 6 ans que dans les 15 années précédentes. Alexandre Kwaśniewski a réuni les mécontents de la transition, ceux qui ont payé le plus cher la « thérapie de choc » pratiquée par le gouvernement de Tadeusz Mazowiecki.

Les dernières élections législatives, celles de septembre 1997, ont montré que l'apprentissage de la démocratie en Pologne était en pleine effervescence : le parti Solidarité l'a emporté de peu sur le parti social-démocrate, le parti du centre a obtenu un bon score, tandis que le parti paysan a connu un échec cuisant. Il s'agit maintenant de créer des coalitions susceptibles d'harmoniser les programmes des partis et qui seraient efficaces dans la poursuite des réformes. Par ailleurs, le ministre en charge de l'Office de l'intégration européenne, Ryszard Czamecki, a été démis de ses fonctions le 26 juillet 1998 pour incompatibilité avec l'orientation pro-européenne du gouvernement et remplacé par Maria Karasinska-Fengler. Toutefois, il existe un décalage entre les bases électorales et les partis politiques ; une bien courte majorité parlementaire est en faveur d'une intégration européenne rapide (51 % en février 1998).

France-Pologne

Il y a eu et il existe toujours des liens privilégiés entre les deux pays. Tandis qu'en Europe centrale se développait la puissance de la maison des Habsbourg, la France allait désormais chercher des alliés à l'est de l'Europe, notamment en Pologne, et celle-ci voyait en la France un allié possible contre les Habsbourg. Cette situation se reproduisit en 1918, quand la France signa avec la Pologne, qui venait de retrouver son indépendance, un traité d'amitié clairement anti-allemand.

Aux XVIIIe et XIXe siècles, les relations entre les deux pays s'intensifient. En 1738, Louis XV accorda même à Stanislas Leszczyński, roi de Pologne détrôné dont il avait fait son beau-père, la jouissance du duché de Lorraine. Celui-ci laissa, dit-on, le meilleur souvenir... La Révolution française est contemporaine des partages de la Pologne. Les pays féodaux, qui occupaient la Pologne, deviennent des ennemis de la France. C'est vers elle que se tournent les yeux des leaders polonais voulant allier la lutte pour l'indépendance avec les réformes sociales.

Parallèlement, depuis longtemps la culture française influençait la Pologne et ceci aussi bien spirituellement que matériellement, surtout à l'époque de la Renaissance et pendant les partages. La population polonaise cherchait instinctivement un contrepoids à la pression culturelle des pays occupants. Éduquées en langue française, les grandes familles polonaises échangeaient toujours en français.

Après la Seconde Guerre mondiale, la France voulut mener une politique indépendante tout en restant dans le bloc occidental. Elle a développé des relations privilégiées avec les pays de l'Est et en particulier avec la Pologne. Résultat : le général de Gaulle a donné son nom à l'une des places principales de Varsovie, et a lancé une mode de casquettes : les *Degołówki*, à la forme si caractéristique !

Les symboles de ces liens particuliers furent, à l'époque féodale, les monarques : Henri de Valois, roi de Pologne puis roi de France ; Marie-Louise Gonzague de Nevers devenue, en 1645, reine de Pologne en épousant le roi Władysław IV ; Maria Leszczyńska, femme de Louis XV, et son père, Stanisław Leszczyński, roi de Pologne puis duc de Lorraine. À l'époque moderne, les grands chefs militaires : Józef Poniatowski, maréchal de France ; Ferdinand Foch, maréchal de Pologne ; Jarosław Dąbrowski, général de la Commune de Paris. Également des grands scientifiques, comme Marie Skłodowska-Curie. De l'union d'un père français et d'une mère polonaise naquit Frédéric Chopin. Le fils de Napoléon Bonaparte et de Marie Walewska, Aleksander Walewski, était ministre des Affaires étrangères du Second Empire. Le poète Apollinaire était d'origine polonaise. De Pologne sont jadis parties les familles d'hommes politiques comme Jean-Paul et Gaston Palewski ou encore Michel Poniatowski. Goscinny, l'un des pères de notre héros gaulois Astérix, est lui aussi d'origine polonaise (son nom veut d'ailleurs dire « accueillant »).

Ne pas oublier non plus l'importante immigration polonaise en France, spécialement dans les départements du Nord et du Pas-de-Calais. Ces contingents de travailleurs sont venus remplir les mines et les aciéries, et certains d'entre eux, ou leur descendance, reviennent aujourd'hui au pays.

Les relations difficiles entre Polonais et juifs

À l'évocation du problème juif, les Polonais sont souvent sur la défensive. Sans généraliser, on retrouve un antisémitisme profondément ancré dans la culture polonaise depuis les pogroms (qui commencèrent apparemment au XIVe siècle et se poursuivirent même après la Shoah) jusqu'aux déclarations télévisuelles douteuses de Lech Wałęsa, prix Nobel de la paix.

Mais c'est à juste titre que vos interlocuteurs mettront en avant la tradition séculaire de tolérance de leur pays. Le roi Casimir le Grand fut le premier à initier une législation plus libérale qu'ailleurs en Europe (influence en cela, dit-on, par ses sentiments pour la belle juive Esterka). C'est ainsi qu'à partir du XVe siècle, nombre de communautés chassées de l'Europe entière trouvèrent refuge dans la très catholique Pologne, où ils constituèrent l'embryon de classe moyenne qui manquait jusque-là au pays. Interdits de cultiver la terre, regroupés en villages homogènes, beaucoup servirent comme intendants dans les domaines féodaux (relisez Singer!), suscitant du coup la jalousie des paysans du coin. Si l'antisémitisme polonais ne peut être passé sous silence, il n'a pas toujours prévalu : une vieille maxime juive présente ce pays, berceau du renouveau hassidim, comme « le Paradis des juifs ». Mais les crises qu'eut à traverser le pays, allant jusqu'au partage de la Pologne entre ses puissants voisins, entraînèrent une détérioration du statut des juifs allant de pair avec le combat de l'Église pour le maintien du sentiment d'unité nationale. En 1919, l'État polonais, redevenu souverain, renoue avec les vieilles politiques de discrimination afin de forcer les juifs à émigrer. Ce sont les mêmes arguments, de nature économique, et ce même slogan de « Dehors les juifs ! », qui furent repris en 1968 par le pouvoir communiste (en la personne du premier secrétaire Gomulka), afin d'imputer l'échec du système aux rares survivants du génocide.

Malgré cette douloureuse histoire, il faut noter que c'est en Pologne qu'on a identifié le plus de « justes » ayant risqué leur vie en sauvant les juifs pendant la Seconde Guerre mondiale (4 900 médailles ont été décernées par le mémorial de Yad Vashem à des Polonais). Mais comme ailleurs en Europe, bien d'autres sont restés indifférents ou ont contribué à cette indicible tragédie, et le nombre de camps rappelle que c'est ici que commencèrent tout à la fois la politique de conquête du Reich et l'application massive de la « solution finale au problème juif ». Et puis 1996 a rappelé un sanglant épisode des relations entre les deux peuples : le 4 juillet 1946, 40 juifs rescapés de l'Holocauste furent massacrés par les habitants de la petite ville de Kielce. Un assassinat collectif que ni la justice, ni les historiens ne parviennent encore à expliquer. L'affaire fut étouffée, les dossiers soustraits aux regards des chercheurs pendant près d'un demi-siècle. Il faudra attendre janvier 1996 et la lettre du chef de la diplomatie polonaise au congrès juif mondial pour que la responsabilité des Polonais soit reconnue.

Langue

Le polonais appartient à la famille des langues slaves mais il utilise l'alphabet latin. Cette langue n'est pas aussi difficile qu'on pourrait le croire à la vue des séries interminables de consonnes. À vous de jouer :

– *sz* se prononce « ch » comme dans le mot français (ch)at.
– *cz* = « tch » comme dans (tch)èque.
– *dz* = « zz » comme dans pi(zz)a.
– *rz* et *ż* = « j » comme dans (j)our.
– *ł* = « oi » comme dans (oi)e.
– *c* = « ts » comme dans (ts)é-tsé.
– *ę* = « in » comme dans v(in).
– *ą* = « an » comme dans mam(an).
– *y* = « é ».
– *u* et *ó* = « ou ».
– *j* = « y » comme dans (y)oga.
– *ch* et *h* se prononcent comme dans le mot allemand *ma(ch)en* (ou aussi comme la « jota » espagnole).
– L'accent sur les consonnes *s, c, z, dz, n* les rend mouillées ; prononcer comme si elles étaient suivies par un « i ».
– On place toujours l'accent sur l'avant-dernière syllabe des mots.

Apprenez quelques mots de base et placez-les dans la conversation. Même si vous les écorchez terriblement, cela prouvera votre bonne volonté. Alors le contact s'établira et, les mains et la vodka aidant, vous allez aboutir à des discussions, sans même vous en rendre compte. De toutes façons, vous

trouverez facilement des gens parlant l'allemand et l'anglais ; la langue de
Molière est également pratiquée, surtout par les jeunes.

Formules de politesse et expressions usuelles

Oui	*tak*
Non	*nie*
Merci	*dziękuję*
Bonjour	*dzień dobry*
Salut	*cześć*
Au revoir	*do widzenia*
Bonsoir	*dobry wieczór*
Bonne nuit	*dobranoc*
Pardon, excusez-moi	*przepraszam*
S'il vous plaît, je vous en prie	*proszę*
Bon appétit	*smacznego*
Je suis français	*jestem Francuzem*
Je suis française	*jestem Francuzką*
Je ne comprends pas	*nie rozumiem*
Ça suffit !	*wystarczy tego !*
On danse ?	*zatańczymy ?*
D'accord	*dobrze, zgoda*
Pas ce soir	*nie dzisiaj wieczorem*
Combien ?	*ile ?*
Cher	*drogo*
Il n'y a pas	*nie ma*

Pour se repérer

À droite	*w prawo*
À gauche	*w lewo*
Tout droit	*prosto*
Où se trouve ?	*gdzie się znajduje ?*
Loin	*daleko*
Près	*blisko*
À côté	*obok*
Entrée	*wejście*
Sortie	*wyjście*

Temps

Quand	*kiedy*
À quelle heure ?	*o której godzinie ?*
Jour	*dzień*
Semaine	*tydzień*
Mois	*miesiąc*
Aujourd'hui	*dzisiaj*
Demain	*jutro*
Hier	*wczoraj*
Moment	*momencik, chwileczkę*
Matin	*rano*
Midi	*południe*
Soir	*wieczór*
Nuit	*noc*
Lundi	*poniedziałek*
Mardi	*wtorek*
Mercredi	*środa*
Jeudi	*czwartek*
Vendredi	*piątek*

Samedi	*sobota*		
Dimanche	*niedziela*		

Chiffres

1	*jeden*	2	*dwa*
3	*trzy*	4	*cztery*
5	*pięć*	6	*sześć*
7	*siedem*	8	*osiem*
9	*dziewięć*	10	*dziesięć*
20	*dwadzieścia*	30	*trzydzieści*
40	*czterdzieści*	50	*pięćdziesci*
60	*sześćdziesiąt*	70	*siedemdziesiąt*
80	*osiemdziesiąt*	90	*dziewiećdziesiąt*
100	*sto*	1000	*tysiąc*

En voyage

Hôtel	*hotel*
Chambre	*pokój*
Numéro	*numer*
Clé	*klucz*
Douche	*prysznic*
Salle de bains	*łazienka*
W.-c. hommes	*toaleta męska*
W.-c. femmes	*toaleta damska*
Rue	*ulica*
Château	*zamek*
Place du marché	*rynek*
Hôtel de ville	*ratusz*
Vieille ville	*stare miasto*
Église	*kościół*
Pharmacie	*apteka*
Hôpital	*szpital*
Librairie	*księgarnia*
Magasin	*sklep*
Boîte de nuit	*klub nocny*
Gare	*dworzec*
Aéroport	*lotnisko*
Avion	*samolot*
Vol	*lot*
Bateau	*statek*
Voiture	*samochód*
Train	*pociąg*
Bus	*autobus*
Arrivée	*przyjazd*
Départ	*odjazd*
Bicyclette	*rower*
Poste	*poczta*
Timbre	*znaczek*
Garage	*warsztat*
Essence	*benzyna*
Fin	*koniec*
Déviation	*objazd*
Caisse, guichet	*kasa*
Ouvert	*otwarte, czynne*
Fermé	*zamknięte, nieczynne*
Billet, ticket	*bilet*

Au restaurant

Eau	*woda*
Vin	*wino*
Bière	*piwo*
Café	*kawa*
Thé	*herbata*
Lait	*mleko*
Pain	*chleb*
Sel	*sól*
Poivre	*pieprz*
Sucre	*cukier*
Bon	*dobre*
Mauvais	*niedobre*
Addition	*rachunek*

Livres de route

– **Ferdydurke** (1937), de Witold Gombrowicz ; roman ; Christian Bourgois, poche : 10/18 n° 741 (310 p.) ; traduit par G. Sédir. En Pologne entre les deux guerres, Witold Gombrowicz, jeune homme mourant dans un pays vieilli, va renaître homme mûr dans un pays jeune. L'écrivain apprendra l'invasion de son pays sur un paquebot en route vers l'Argentine. Il y restera vingt-trois ans.
– **La Pologne de 960 à 1947**, de Jean Sikora ; ouvrage d'histoire ; éd. Bellona (165 p.). Publié à compte d'auteur par un enseignant lorrain d'origine polonaise, ce livre abondamment illustré raconte de manière claire et complète l'histoire méconnue de la Pologne, de sa christianisation (960) à la fin de la Deuxième Guerre mondiale. Un bon moyen de comprendre la formation de l'État polonais actuel. Disponible par correspondance au : ☎ 03-87-60-33-01.

Musées, visites, etc.

Autant le savoir : en Pologne, l'accès à la culture coûte cher car en plus du droit d'entrée aux sites (et souvent du parking), il faut ajouter les frais d'un guide, la plupart du temps indispensable si on ne parle pas le polonais. Les guides francophones étant assez rares, il est conseillé de réserver par téléphone quelques jours avant. Une astuce pour réduire les frais : trouver sur place d'autres touristes parlant la même langue que vous et leur proposer de se cotiser.
Bon à noter : la carte internationale d'étudiant permet d'obtenir des tarifs réduits dans la plupart des musées et des sites.

Santé

– Les **hôpitaux** polonais sont fortement délabrés, mais les médecins sont très professionnels et les règles d'hygiène généralement respectées.
– Deux **médecins francophones** sur la capitale : docteur Sienczewska (☎ 21-56-16 ou 29-05-23) et docteur Sowinska (☎ 31-78-22).

Savoir-vivre

Certains cadeaux seront très appréciés par vos amis et correspondants polonais, notamment eau de Cologne, vins, chocolats et pour les adolescents, cassettes ou CD de variétés françaises (actuelles).
Si vous offrez des fleurs à une polonaise, ne pas laisser le papier d'aluminium ou le plastique d'emballage : c'est paraît-il considéré comme une preuve de mauvais goût !

Téléphone

Dans un passé tout récent, les appels téléphoniques à partir de la Pologne étaient un vrai exploit. Il fallait faire preuve d'héroïsme et de patience. Aujourd'hui, cela devient moins pittoresque, mais en revanche plus fonctionnel. Le réseau téléphonique en Pologne est en train de se moderniser et, dans les grandes villes, vous trouverez un grand nombre de cabines qui fonctionnent avec des cartes magnétiques (de 25, 50 et 100 unités).
– *France → Pologne :* composer le 00 + 48 + l'indicatif de la ville (sans le 0 par lequel débute le numéro) et le numéro de votre correspondant.
– *Pologne → France :* composer le 00 + 33 + le numéro de votre correspondant sans le 0 initial.

Carte France Télécom

La *carte France Télécom*, internationale, permet de téléphoner depuis plus de 70 pays. Avec elle, vous pouvez appeler à partir de n'importe quel poste téléphonique ou d'une cabine, et vous êtes débité directement sur votre facture téléphonique habituelle. Plus besoin de monnaie.
Très pratique de l'étranger : vous appelez le numéro qui correspond au pays où vous êtes et vous êtes accueilli en français par un serveur vocal ou un opérateur qui établit votre communication. Idéal si vous ne parlez pas la langue locale. Noter que pour bénéficier du tarif le plus avantageux, il est préférable de passer par le serveur vocal plutôt que par l'opérateur.
– Pour appeler depuis la Pologne, composez le *numéro France Direct* suivant : ☎ 00-800-331-11-33.
– Pour obtenir une *carte France Télécom* ou des renseignements, composez le : ☎ 0800-202-202, ou tapez le 36-14, code CARTE FT sur votre Minitel.
La carte *France Télécom* est sans abonnement.
Si vous n'avez pas eu le temps de commander votre carte avant de partir, depuis l'étranger vous pouvez aussi utiliser le numéro *France Direct* pour effectuer un appel en PCV (vers la métropole ou vers les DOM). La communication sera alors facturée à votre correspondant.

Transports intérieurs

N'oubliez pas de vous procurer la carte internationale d'étudiant. En Pologne, elle donne droit en principe à 50 % de réduction sur les billets de train et sur les tickets de transport urbain. Mais cela ne semble pas toujours évident pour les étudiants étrangers, selon certains lecteurs qui ont eu des problèmes avec des contrôleurs... Essayez toujours, car ça marche malgré tout assez souvent. Dans les transports en commun polonais, un ticket est nécessaire pour les bagages. Ne l'oubliez pas, sinon gare à l'amende !

L'avion

Peu de lignes intérieures. Toutes les grandes villes sont reliées à Varsovie par un vol quotidien aller-retour. *Lot* est l'unique compagnie d'aviation polonaise.

Depuis 1992, la capitale a un aéroport supplémentaire pour les vols internationaux, ensemble moderne et fonctionnel. Si la couleur trop rose des intérieurs vous gêne un peu, excusez ! Les constructeurs voulaient riposter une fois pour toutes contre ceux qui disent que la Pologne est un pays de grisaille. Ici, il faut être optimiste, et dès le premier jour voir la vie en rose...

La voiture

Le réseau routier est assez bien développé et les routes sont plutôt en bon état. Pratiquement pas d'autoroutes, sauf de petits tronçons sur les axes est-ouest et nord-sud. Si vous avez le choix, circulez de préférence après 15 h et le week-end car, pendant les heures de travail, un nombre impressionnant de tracteurs, charrettes, vélos et camions encombrent les routes.

La vitesse autorisée en dehors des agglomérations est de 90 km/h ; dans les villes, 60 km/h. *Attention :* les radars sont fréquents, surtout à la sortie des villes. Comme partout, inutile de discuter. Le « téléphone routier » (les appels de phares) fonctionne très bien. Les P.V. sont à payer sur place.

BOIRE OU CONDUIRE est encore plus vrai en Pologne qu'ailleurs. Il est strictement interdit de boire une quelconque boisson alcoolisée (bière comprise) et de conduire ensuite. Les Polonais respectent cet interdit scrupuleusement. Vous verrez des camionneurs rouler au jus de tomate ou à la limonade. Et c'est très bien ainsi... quand on sait que la vodka reste toujours la boisson nationale. Organisez-vous en conséquence : si vous êtes invité à passer la soirée chez des Polonais, il y a peu de chance que la vodka soit absente à ce rendez-vous. Dans ce cas, un retour en taxi s'avèrera judicieux.

Rouler de nuit peut être assez fatigant en raison du marquage au sol souvent à peine visible.

– *L'essence :* l'essence en Pologne (notamment l'essence sans plomb) est pratiquement deux fois moins chère qu'en France. Les stations-service, modernes et bien équipées (GPL fréquent), se trouvent à peu près partout et sont souvent ouvertes 24 h sur 24. par contre, les carburants sont nommés par leur taux d'octane, y compris les essences plombées. Le petit Français fraîchement débarqué peut s'y perdre. Il est donc essentiel de se renseigner avant le départ auprès de votre garagiste pour savoir ce que pourra consommer votre chère auto.

– *Risques de vols :* il est indispensable de laisser son véhicule, de jour comme de nuit, dans un parking gardé *(parking strzeżony),* car les plaques d'immatriculation étrangères sont tout de suite repérées... Le risque de vol est trop grand et les chances de retrouver la voiture presque inexistantes : les marques étrangères passent en pièces détachées dans les pays voisins. Si votre voiture n'intéresse pas les voleurs, vous la retrouverez au mieux les vitres cassées, et l'autoradio (ou autres affaires) disparue...

En outre, des vols de voitures avec braquage ont été signalés aux frontières du pays, notamment sur la route de Francfort. Plusieurs scénarios sont possibles, le plus classique étant celui de la fausse panne. En cas de doute, le mieux est de ne pas s'arrêter. Sans pour autant sombrer dans la parano, faites tout de même attention !

LA POLOGNE
(Généralités)

	Częstochowa	Gdańsk	Katowice	Kraków	Łódź	Poznań	Szczecin	Toruń	Warszawa	Wrocław	Zakopane
Częstochowa	—	450	68	116	125	288	515	273	217	169	214
Gdańsk	450	—	518	573	332	303	340	177	343	442	670
Katowice	68	518	—	81	193	325	546	341	285	184	159
Kraków	116	573	81	—	241	389	627	396	294	258	104
Łódź	125	332	193	241	—	201	439	155	133	215	346
Poznań	288	303	325	389	201	—	238	147	303	171	484
Szczecin	515	340	546	627	439	238	—	305	516	370	700
Toruń	273	177	341	396	155	147	305	—	211	280	500
Warszawa	217	343	285	294	133	303	516	211	—	348	398
Wrocław	169	442	184	258	215	171	370	280	348	—	330
Zakopane	214	670	159	104	346	484	700	500	398	330	—

PRINCIPALES DISTANCES PAR LA ROUTE (EN KM)

Le train

Le réseau ferroviaire est très développé. C'est un mode de transport peu cher, aussi pour les longs trajets n'hésitez pas à prendre (si vous le pouvez) la 1re classe. Les trains partent toujours à l'heure, arrivent parfois en retard, mais la situation s'améliore et on peut dire que ça fonctionne convenablement. De plus, les caisses des grandes gares ont été récemment informatisées, ce qui a considérablement réduit l'attente devant les guichets.

Essayez toujours de prendre un train « accéléré » *(pociąg pośpieszny)* ou un express (si, sur le tableau d'affichage, ils sont accompagnés du logo « sseau NA », la réservation est obligatoire, pensez-y), car les omnibus *(pociąg osobowy)* sont vraiment très lents. Des « intercity » relient désormais les grandes villes sans escale. Celui qui relie Varsovie à Cracovie met 2 h 35 et on a droit à une boisson et un petit casse-croûte gratuit. Dans les autres trains, prévoir à boire et à manger, les wagons-restaurants étant rares.

Si vous arrivez en retard et que vous n'avez plus le temps d'acheter votre billet, montez quand même dans le train et allez voir tout de suite le contrôleur pour le prévenir (dites-lui « nie mam biletu » = je n'ai pas de billet). Il vous établira le billet dans le train pour guère plus, mais prévenez-le, sinon c'est l'amende.

Pour un usage régulier du train pendant une période de 8, 15, 21 jours ou un mois, nous vous conseillons le *Polrail Pass,* qui donne droit à un nombre illimité de trajets ; seules les réservations de places, sur les trains où elles sont obligatoires, restent à acheter. On peut se le procurer à Paris, chez *Transtours* (49, av. de l'Opéra, 75002, ☎ 01-53-24-34-01).

Réservez toujours votre place à l'avance, sinon vous resterez souvent debout, dans le couloir. Enfin, quand vous prenez le train en hiver, faites en sorte de pouvoir changer instantanément votre tenue « Sibérie » en tenue « Sahara », car le chauffage soit ne fonctionne pas, soit fonctionne trop bien. Enfin, sachez que gare « principale » se dit *główny :* confondre Gdańsk Oliwa et Gdańsk główny peut vous mener loin !

Prudence dans les trains de nuit, des lecteurs nous ont signalé des cas de vols.

À savoir : le panneau blanc, à gauche, est pour les arrivées, le panneau jaune, à droite, est pour les départs. En chiffres romains, à côté des destinations et des horaires, les numéros de quai (peron). Sur le billet sont indiquées les gares principales que vous traversez. Celles dont les noms sont suivis d'un astérisque (*) sont les gares où vous avez une correspondance. Parfois, mais c'est rare, une correspondance n'est pas indiquée... Le train qui suit la correspondance n'est pas indiqué sur le billet (ni la direction, ni l'heure, ni le quai). Il faut donc aller voir le panneau bicolore blanc-jaune, ou parfois lever le nez, sur les quais... C'est pas grand-chose mais ça peut aider.

L'auto-stop

Le stop est une pratique courante en Pologne. À la sortie des villes, vous verrez souvent des groupes de gens qui attendent « une occasion », comme ils disent. Ce sont les camionneurs qui s'arrêtent le plus souvent.

Les vrais auto-stoppeurs constituent une race à part. Ils ont des sacs à dos, ne paient pas, mais possèdent souvent un petit livret d'auto-stop. On peut se le procurer dans les bureaux de *PTTK* (bureau polonais du tourisme), dans chaque grande ville. Cela sert d'assurance pour vous et votre chauffeur et cela lui permet de participer à un tirage au sort, grâce à des coupons détachables que vous devez lui remettre. Pas cher du tout. Apparemment, ce système ne se pratique plus beaucoup. Tout fout le camp !

Le bus

Les bus (et aussi les tramways) qui fonctionnent dans les villes sont nombreux et pratiques. La seule difficulté consiste à bien comprendre l'itinéraire du bus qui n'est pas toujours bien signalé. Généralement, tous les itinéraires et les numéros correspondants sont indiqués sur les plans de ville.

Achat des billets dans les kiosques ou dans les gares (à Varsovie, place Bankowy, à l'entrée du parc). Bagages payants : comptez un ticket pour vous et un pour votre sac !

Les bus vont partout. Le moindre village a son arrêt de bus. Recommandé pour les petits trajets. Pour les longues distances, il vaut mieux prendre le train, car c'est beaucoup plus confortable et moins cher.

La compagnie d'État *PKS* détient encore le monopole, toutefois plusieurs petites entreprises privées commencent à lui faire concurrence. On achète le billet de bus à la gare routière *PKS*, et, si c'est impossible, directement au chauffeur. Comme pour les trains, en consultant les horaires ne confondez pas les départs *(odjazdys)* et les arrivées *(przyjazdys)*.

On distingue trois catégories de bus. Sur les panneaux d'horaires, ils sont d'habitude indiqués de trois couleurs différentes :
– en noir, les bus ordinaires *(autobus zwykłys)*, très lents et parfois surchargés, ils desservent tous les arrêts.
– En vert, les bus semi-rapides *(autobus przyśpieszonys)* roulent plus vite que les précédents mais ne s'arrêtent pas partout.
– En rouge, les bus rapides *(autobus pośpiesznys)* où on peut voyager très à l'aise. Ils vous déposeront seulement dans les moyennes et dans les grandes villes.

Faites aussi attention à tous les petits symboles qui accompagnent les horaires : ils indiquent souvent les jours où certains bus ne fonctionnent pas *(nie kursuje* en polonais), généralement le week-end et les jours fériés.

Le taxi

Pour les trajets urbains seulement, car c'est cher. Les taxis font la queue pour avoir un client, car les Polonais ne peuvent plus tellement se les payer. Mais ils restent le moyen très pratique pour se déplacer à Varsovie ou dans les autres grandes villes. La nuit, les tarifs sont plus élevés.

Attention, les compteurs n'affichent pas la somme finale à payer : en raison de l'augmentation constante des prix, il faut multiplier le chiffre par un facteur qui doit être indiqué dans le taxi. Cela paraît compliqué, mais la plupart des chauffeurs sont honnêtes.

Cependant, dans les aéroports et les hôtels de luxe s'est développé aussi un réseau de taxis surnommé « taxi-arnaque-devises ». Ils ne font pas la queue comme les autres, et vous proposent, d'eux-mêmes, leurs services. Ignorez-les car ils essaieront de profiter de votre méconnaissance de la ville et de la langue. Préférez toujours les taxis qui stationnent à l'arrêt signalé par un panneau. Si vous pouvez téléphoner, choisissez les *radio-taxis* : ☎ 919 ; *Taxi Plus* : ☎ 9621 ; ou *Super Taxi* : ☎ 9622.

Le kayak

Non, ce n'est pas un canular. Évidemment, on ne peut pas parcourir toute la Pologne avec ce moyen de transport, mais on peut faire de superbes balades de plusieurs semaines sans jamais revenir au même endroit. Au nord de la Pologne, trois régions (Pojezierze Pomorskie à l'ouest, Mazurie et Pojezierze Suwalskie à l'est) sont parsemées de centaines de lacs, reliés par des petites rivières et des canaux qu'on peut descendre aisément en kayak. Des guides spécialisés décrivent les trajets les plus spectaculaires et les mieux aménagés. (Voir aussi le chapitre sur la Mazurie.) Dépaysement assuré.

Travail bénévole

■ *Concordia* : 1, rue de Metz. ☎ 01-45-23-00-23. M. : Strasbourg-Saint-Denis. Logés, nourris. Chantiers très variés ; restauration du patrimoine, valorisation de l'environnement, travail d'animation. Places limitées. Attention, voyage à la charge du participant.

WARSZAWA (VARSOVIE)   IND. TÉL. : 022

Ville mal aimée, capitale non reconnue qui ne fera peut-être pas chavirer votre cœur. Et pourtant, la légende qui raconte les origines de la ville parle de l'histoire d'amour d'un certain Wars et d'une certaine Sawa, deux enfants sortis des eaux de la Vistule, qui se sont réunis pour créer la ville de Warszawa.

Métropole européenne de deux millions d'habitants, dont le centre offre un mélange assez particulier du fonctionnalisme et du réalisme socialiste. Mais derrière les façades grises et monumentales, le flâneur passionné découvrira quelques joyaux préservés de la dernière guerre ou quelques reconstructions d'une telle imitation qu'elles semblent frôler l'artifice.

Un peu d'histoire

Varsovie devint relativement tard une ville importante (au XIIIe siècle environ), mais sa situation géographique avantageuse favorisa son développement. À partir de 1569, à la suite de l'union entre le royaume de Pologne et le grand-duché de Lituanie qui les rassembla en un seul État, la diète siégea à Varsovie. Officiellement, Cracovie continuait d'être la capitale du royaume et Vilno celle du grand-duché, mais Varsovie était au centre de tous les événements importants. À la mort de Sigismond-Auguste, dernier roi de la dynastie Jagellon, le trône de Pologne devint électif et tout le pouvoir législatif se trouva concentré à la diète.

Adresses utiles

- ■ 1 Informator Turystyczny *(IT; plan II)*
- ■ 2 Warsaw Tourist Information Center *(plan I)*
- ■ 3 Annexe du Warsaw Tourist Information Center *(plan I)*
- ✉ Poste centrale *(plan I)*
- 🚂 1 Gare centrale *(plan I)*
- 🚂 2 Gare Śródmieście *(plan I)*
- 4 American Express *(plan II)*
- 5 Halle Mirowska *(plan I)*
- 6 Grands magasins *(plan I)*

Où dormir ?

- 20 Schronisko Młodziezôwe *(plan II)*
- 21 Hôtel Na Wodzie/Trojan *(hors plan II)*
- 22 Hôtel Saski *(plan II)*
- 23 Hôtel Garnizonowy *(plan II)*
- 24 Hôtel Dom Literatury *(plan II)*
- 25 Hôtel Federacji Metalowców *(plan II)*
- 26 Hôtel Harenda *(plan I)*
- 27 Hôtel Warszawa *(plan I)*
- 28 Hôtel Belfer *(hors plan II)*
- 30 Hôtel Wileński *(hors plan II)*
- 31 Hôtel Europejski *(plan II)*
- 32 Hôtel Polonia *(plan I)*
- 33 Hôtel Grand *(plan I)*
- 34 Hôtel Bristrol *(plan II)*
- 35 Hôtel Marriott *(plan I)*
- 36 Hôtel Mercure Frederyk Chopin *(hors plan I)*

Où manger ?

- 50 Bar Pod Barbakanem *(plan II)*
- 51 Uniwersytecki *(plan I)*
- 53 Familijny *(plan I)*
- 54 Bar Mleczny Szwajcarski *(plan I)*
- 56 Bar Smak *(plan I)*
- 57 Exxx Presso *(plan I)*
- 58 PG Sandwicz *(plan I)*
- 59 Salad Bar *(plan I)*
- 60 Salad Bar *(plan I)*
- 61 Pizzeria Capri *(plan I)*
- 62 Pizzeria Gaga *(plan I)*
- 63 Domino's Pizza *(plan I)*
- 64 Bar Co Tu *(plan I)*
- 65 Bus de nuit *(plan I)*
- 66 Karczma Gessler et Gessler Pod Krokodylem *(plan II)*
- 67 Adler *(plan I)*
- 68 Senator *(plan II)*
- 69 Rycerska *(plan II)*
- 70 Zapiecek *(plan II)*
- 73 El Popo et Cesarski Pałac *(plan II)*
- 75 Memora *(plan I)*
- 76 Pizzeria Mia *(plan I)*
- 77 Opus One *(plan I)*
- 78 Barbados *(plan I)*
- 79 Pizzeria Giovanni *(plan I)*
- 80 Mekong *(plan I)*
- 81 Fukier *(plan II)*
- 82 Chianti *(plan I)*
- 83 Bazyliszek *(plan II)*
- 85 Tsubame *(plan II)*
- 86 La Bohème *(plan II)*
- 87 Montmartre *(plan II)*
- 88 Pod Samsonem *(plan II)*

Pâtisseries

- 31 Pâtisserie de l'hôtel Europejski *(plan II)*
- 34 Café Bristol *(plan II)*
- 89 Wedel, pijalna czecolady *(plan I)*
- 90 Hortex *(plan I)*
- 91 Hôtel Grand Bar Expresso *(plan I)*
- 92 Kawiarnia Literacka *(plan II)*
- 94 Bar Cukierniczy Igloo *(plan I)*
- 96 Pozêgnanie z Afryką *(plan II)*
- 97 Café A. Blikle *(plan I)*

Où boire un verre ?

- 26 Harenda *(plan I)*
- 35 Panorama *(plan I)*
- 110 Między Nami *(plan I)*
- 111 Morgan's *(plan I)*
- 112 Irish Pub *(plan II)*
- 113 Zanzi Bar *(plan II)*
- 114 Club Giovanni *(plan I)*
- 115 Nora Bar *(plan I)*
- 116 Cyberia Cafe *(plan I)*
- 117 Alter Pub *(plan I)*
- 118 Krista Pub *(plan II)*
- 119 Sherwood Pub *(plan I)*
- 120 Jazz Club Akwarium *(plan I)*

Où sortir en boîte ?

- 121 Ground Zero *(plan I)*
- 122 Klub Stereo *(plan I)*
- 123 Blue Velvet *(plan I)*
- 124 Stara Dziekanka *(plan I)*

À voir

- 129 Château royal *(plan II)*
- 130 Colonne Sigismond *(plan II)*
- 131 Cathédrale Saint-Jean *(plan II)*
- 132 Musée historique de la Ville *(plan II)*
- 133 Maison natale de Marie Curie *(plan II)*
- 134 Église des Nonnes du Saint-Sacrement *(plan II)*
- 135 Église Sainte-Anne *(plan II)*
- 136 Monument d'Adam Mickiewicz *(plan II)*
- 137 Église des Carmélites *(plan II)*
- 138 Præsidium du Conseil des ministres *(plan II)*
- 139 Palais Potocki *(plan II)*
- 140 Musée de la Caricature *(plan II)*
- 141 Église des Visitandines *(plan II)*
- 142 Université de Varsovie *(plan II)*
- 143 Académie des Beaux-Arts *(plan II)*
- 144 Église de la Sainte-Croix *(plan II)*
- 145 Palais Staszic *(plan II)*
- 146 Palais Ostrogski (musée Chopin ; *plan I*)
- 147 Palais Zamoyski *(plan II)*
- 148 Ancien siège du Comité central du parti communiste *(plan I)*
- 150 Fotoplastikon *(plan I)*
- 151 Musée national *(plan I)*
- 152 Musée de l'Armée *(plan I)*
- 153 Synagogue Nożyk *(plan I)*
- 154 Théâtre juif *(plan I)*
- 157 Institut historique juif *(plan II)*
- 158 Monument des Héros du ghetto *(hors plan II)*
- 159 Umschlagplatz *(hors plan II)*
- 160 Musée Jean-Paul II ou musée de la Peinture européenne *(plan I)*
- 161 Musée archéologique *(plan II)*
- 162 Palais Radziwiłł et musée de l'Indépendance *(plan II)*
- 163 Monument du Soulèvement de Varsovie *(plan II)*
- 164 Palais Krasiński *(plan II)*
- 165 Musée de la Prison Pawiak *(hors plan II)*
- 166 Église des Basilians *(plan II)*
- 167 Monastère et église des Capucins *(plan II)*
- 168 Grand Théâtre *(plan II)*
- 170 Palais Błękitny *(plan II)*
- 171 Institut culturel français *(plan II)*
- 172 Place Jósefa Piłsudskiego *(plan II)*
- 173 Jardin Saski *(plan I)*
- 174 Zachęta Gallery *(plan I)*
- 175 Musée ethnographique *(plan I)*
- 176 Église luthérienne *(plan I)*

VARSOVIE

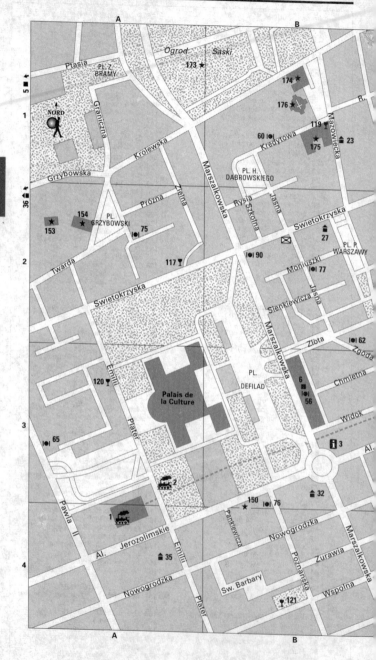

VARSOVIE

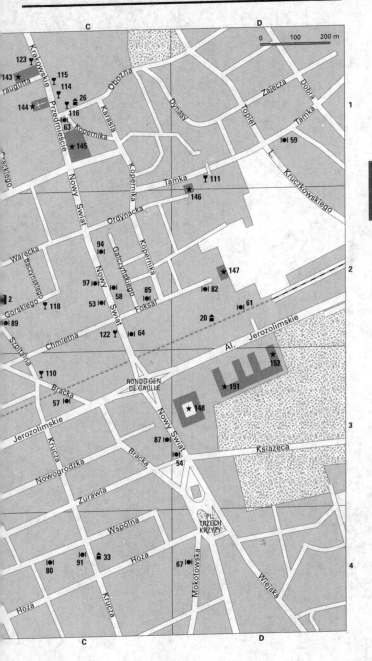

VARSOVIE

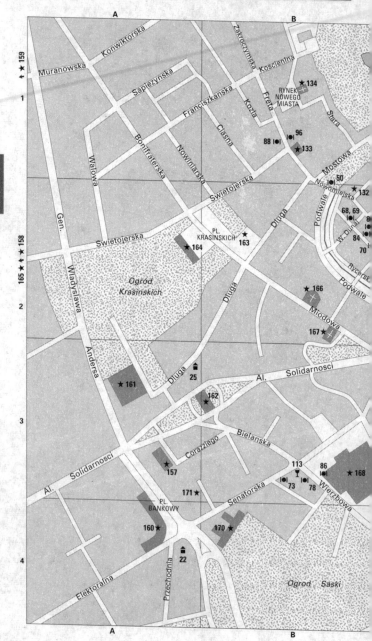

VARSOVIE

Finalement, après un incendie qui détruisit partiellement le château royal de Cracovie, Varsovie devint la capitale. Le château fut agrandi, les nobles construisirent des palais et des hôtels. Le développement de la ville se poursuivit malgré les guerres qui la ravagèrent de temps en temps. Sous le règne de Stanislas-Auguste Poniatowski, dernier roi de Pologne, la ville connut une grande prospérité. En 1787, sa population comptait 96 000 habitants. Le roi, qui était un grand amateur d'art, fit construire de nombreux édifices : le palais Łazienki, une manufacture de porcelaine, un hôtel de la Monnaie. Il fit aussi reconstruire le château royal, en le décorant de très nombreuses œuvres d'art.

Après les partages successifs de la Pologne, la ville se trouva sous l'occupation russe. Elle ne cessera de se révolter : déjà, en 1794, la population, conduite par le cordonnier Jan Kiliński, chassa les troupes russes hors de la ville. Mais quelques mois plus tard, après le massacre des habitants, l'armée du tsar revint en force. Les victoires de Napoléon rendirent la liberté à Varsovie pour un court moment.

En novembre 1830, en pleine période de romantisme, particulièrement fort en Pologne, éclata une nouvelle insurrection nationale. Les combats durèrent plus d'un an, notamment dans les environs de Varsovie. Après une ultime défaite dans le faubourg de la ville, Wola, commença une période de répression sans précédent, menée par le général russe Paskiewitch. Les jours s'écoulaient au rythme des exécutions et des déportations en Sibérie. L'université fut fermée, l'usage du polonais dans les administrations proscrit, plusieurs monuments furent défigurés. Une grande vague d'émigration suivit cette période tragique. C'est à Paris que les insurgés de Varsovie, dont les poètes Mickiewicz et Słowacki, et le compositeur Frédéric Chopin, trouvèrent refuge.

L'ouverture, en 1848, de la voie ferrée Saint-Pétersbourg-Varsovie-Vienne donna un renouveau d'activité commerciale et industrielle. Mais une relative prospérité matérielle ne pouvait satisfaire les âmes blessées. Une nouvelle génération voulut se battre, se révolter. Des manifestations se multiplièrent, la plupart sur la place du Château. Elles furent réprimées dans le sang. En 1863, la coupe d'amertume déborda. Encore une fois, malgré une infériorité militaire évidente, une insurrection éclata. L'histoire se répète. Malgré une résistance acharnée, ce fut l'échec. Une longue nuit commença à Varsovie. Le deuil national fut clandestinement proclamé. Pendant de longs mois, les femmes de Varsovie ne s'habillèrent qu'en noir, les bracelets en fil barbelé et les colliers en chaîne remplacèrent les bijoux traditionnels. Il fallut attendre la fin de la première guerre mondiale pour que le jour de la liberté se lève. La Pologne retrouva son indépendance et Varsovie son rôle de capitale.

Mais décidément, un mauvais sort était jeté sur cette ville : vingt ans après, Varsovie se retrouvait sous les obus allemands. Elle capitula le 28 septembre 1939. De nouveau occupée, pillée, blessée, meurtrie par la répression nazie, la ville ne céda pas pour autant. La résistance s'installa : les actions de sabotage, les inscriptions sur les murs, l'enseignement clandestin (plusieurs départements de l'université furent réactivés), la presse et même des spectacles de théâtre clandestins furent organisés.

Au printemps 1943, le ghetto juif se révolta. Les nazis sortirent les blindés et l'aviation et, finalement, procédant à l'incendie maison par maison, exterminèrent sa population et rasèrent complètement le périmètre du ghetto.

En 1944, les nouvelles du front de l'Est et le débarquement des Alliés en Normandie firent renaître l'espoir. Commandée par le gouvernement polonais en exil, depuis Londres, l'armée nationale, principale organisation de résistance, décida de libérer la capitale. Le 1er août 1944, à 17 h, passants innocents, promeneurs et jeunes gens assis dans les cafés se transformèrent instantanément en combattants. Les pistolets, souvent de fabrication artisanale, les cocktails Molotov surgirent des sacs à main ou des vestes.

Alors commença l'un des plus grands drames de la Seconde Guerre mondiale. L'Armée rouge, qui était déjà sur l'autre rive de la Vistule, arrêta sa progression. Elle attendit cinq mois avant de repartir à l'offensive. L'insurrection, programmée pour tenir une ou deux semaines, dura soixante-trois jours. Staline, en laissant le champ libre aux nazis, voulait anéantir une future opposition politique et affaiblir le gouvernement de Londres, pour imposer un gouvernement communiste. Il alla jusqu'à refuser à l'aviation anglaise, qui parachutait des armes et des médicaments aux insurgés, le droit d'atterrir de l'autre côté de la Vistule. Varsovie mourait dignement, lentement, mais inexorablement. Les pertes s'élevèrent à 300 000 personnes. Les Allemands, après avoir acheminé les survivants vers les camps de concentration, entreprirent une destruction méthodique de la ville. Même les ruines encore debout furent dynamitées. Varsovie devait disparaître de la carte de l'Europe.

Quand, finalement, le 17 janvier 1945, l'Armée rouge libéra ce qui restait de la ville, elle fut accueillie par une QUINZAINE de survivants. 84 % des maisons, 90 % de la vieille ville, 100 % du terrain de l'ancien ghetto juif étaient anéantis.

Il fallut tout recommencer, tout reconstruire. Des voix s'élevèrent. Faut-il le faire ? Y a-t-il un sens dans cet acharnement des Polonais à vouloir ressusciter du néant une ville entière ? Il suffit de comprendre que ce peuple puise sa force dans ses... défaites.

Arrivée à l'aéroport

✈ *L'aéroport Okęcie,* l'aéroport international de Varsovie, est à une courte demi-heure de trajet (environ 10 km) au sud du centre.
– Si vous êtes déjà avide d'infos et de cartes (sommaires), une petite succursale de l'*office de tourisme* vous attend tous les jours de 8 h à 20 h à gauche de la sortie du terminal près du marchand de journaux.
– Toujours à l'intérieur du terminal, l'agence *Orbis* délivre aussi quelques infos rudimentaires et peut vous aider à réserver immédiatement une chambre d'hôtel.

Taxis

Bienvenue dans le monde du capitalisme sauvage ! Toute une meute de taxis indépendants spécialistes de la surfacturation attend fébrilement votre arrivée et ne manquera pas de vous harceler dès votre sortie. Il s'agit d'une « mini-mafia » qui, depuis l'ouverture du pays, se partage la clientèle naïve des aéroports, des gares et des hôtels. Un seul conseil : déclinez les offres et ne cédez pas non plus à la tentation des taxis en stationnement à moins qu'une addition salée ne vous fasse pas peur.
Si l'option taxi vous colle néanmoins à la peau, commandez-en un par téléphone (voir liste dans la rubrique « Adresses utiles »). Aussi paradoxale que cela paraisse, c'est la seule garantie de tarifs pré-établis et stables. L'office de tourisme et l'agence *Orbis* peuvent parfois s'en charger.
Sinon, il vous reste l'alternative du bus qui vous conduira tout aussi confortablement en ville.

Bus

Par ordre décroissant de prix :
– *navette de l'hôtel Marriott :* un élégant minibus blanc à la sortie du terminal met toutes les demi-heures le cap sur la tour de l'hôtel *Marriott*, en plein cœur de Varsovie face à la gare centrale sur al. Jerozolimskie *(plan I, A4),* au carrefour des principaux transports municipaux.

– *Airport-City Bus :* un autre minibus, jaune celui-ci, dessert tous les grands hôtels de la ville ainsi que la gare ferroviaire centrale *(plan I, A4)*, à savoir les *Novotel* (ul. 1 Sierpnia), *Jan III Sobieski* (pl. Zawiszy), *Marriott* (al. Jerozolimskie, face à la gare), *Forum* (ul. Nowogrodzka), *Metropol* (ul. Marszałkowska), *Polonia* (al. Jerozolimskie), *Europejski* (ul. Krakowskie Przedmieśćie), *Bristol* (ul. Krakowskie Przedmieśćie) et *Victoria* (ul. Krolewska). Circule toutes les 20 mn en semaine et toutes les 30 mn les samedi et dimanche, de 5 h 30 à 22 h 30. Les billets s'achètent auprès du chauffeur.

– *Bus municipaux :* 175, 188 et le bus de nuit 611.

Le bus 175 est le plus central et conduit jusqu'à la vieille ville avec des arrêts devant la gare et le palais de la Culture *(plan I, A3)*, la tour gothique construite par Staline – qui, en dominant la ville, sert de point d'orientation. Ils se trouvent sur la troisième plate-forme en sortant juste avant les taxis et circulent environ toutes les 20 mn de 4 h (5 h le week-end) à 23 h.

Le 611 rejoint la rue Emilii Plater (derrière le palais de la Culture) tous les jours de 23 h 15 à 4 h 45, et part un quart d'heure avant et après chaque heure.

Les billets pour ces bus s'achètent dans la boutique de journaux à gauche de la sortie de l'aéroport et doivent être impérativement poinçonnés dès la montée dans le bus. Vous devrez également acheter un billet pour chaque bagage, une bizarrerie administrative qui fait le pain béni des contrôleurs, aussi nombreux et intransigeants que les pickpockets officiant sur ces lignes, tenez-le vous pour dit !

Arrivée en train

🚆 *La gare centrale :* *Warszawa Centralna (plan I, A4, 🚆 1)*, la gare centrale de Varsovie, porte bien son nom... Elle est au cœur de la ville et reçoit la plupart des trains nationaux et internationaux. Elle a aussi l'avantage d'être au croisement des principaux transports urbains. Les voies étant souterraines, il faut au préalable remonter les étages de la galerie commerciale qui niche dans son sous-sol pour gagner le hall principal.

– Dans ce hall principal se trouve *un mini-office de tourisme* avec quelques infos sommaires (sur le côté opposé au panneau d'affichage des trains et des caisses). Ouvert du lundi au samedi de 9 h à 19 h.

– Les billets pour les transports publics s'achètent dans les nombreux kiosques à journaux *Ruch* (de couleur verte) à la sortie ou, plus pratiquement, dans les bus rouges reconvertis en guichets enclavés dans les baraques, sur le côté droit de la gare (au début de la rue Emilii Plater).

– La galerie commerciale qui relie la gare à l'hôtel *Marriott* (en face, de l'autre côté de al. Jerozolimskie) recèle une des meilleures *librairies de cartes*. Ouvert tous les jours de 7 h à 21 h.

– Les *consignes automatiques* se trouvent également dans le sous-sol, ainsi qu'une pléiade de *changeurs (kantors)*.

Et bien sûr l'endroit est le rendez-vous des habituels prédateurs en tous genres, donc ouvrez l'œil sur vos précieux bagages et portefeuilles, et plus particulièrement la nuit où les abords de la gare sont carrément à déconseiller !

🚆 *Autres gares :* *Warszawa Zachodnia* (Varsovie-ouest), *Warszawa Wschodnia* (Varsovie-est), ainsi que *Warszawa Gdańska* accueillent les trains qui ne passent pas par la gare centrale. La première se trouve à l'ouest de la gare centrale, la seconde à Praga, sur la rive droite de la Vistule, et la dernière au nord de la ville. Également Warszawa Śródmieśćie *(plan I, A3, 🚆 2)*, qui accueille les trains locaux.

Arrivée en bus

🚍 *Dworzec Centralny PKS :* la gare routière principale est située à côté de la gare dworzec Warszawa Zachodnia, à l'ouest de la gare centrale à la fin de al. Jerozolimskie *(hors plan I par A4).* Elle accueille l'essentiel du trafic international et les bus nationaux en provenance du sud et de l'ouest. Le bus 127 conduit en une dizaine de minutes au centre.

🚍 *Dworzec PKS Stadion :* la deuxième gare routière, voisine de la gare ferroviaire Warszawa Stadion, à Praga sur la rive droite, est le terminus des bus venant du nord, de l'est et du sud-est du pays. De la gare Warszawa Stadion, le train de banlieue rejoint le centre-ville à la station Warszawa Śródmieście *(plan I, A3, 🚆 2).*

Adresses utiles et infos pratiques

Offices de tourisme

Ils sont plusieurs à se partager les faveurs des touristes toujours plus nombreux de ce côté-ci de l'Europe. Beaucoup sont des agences de voyages se contentant d'un vague service de renseignements. Les plus professionnels sont :

🏛 *Informator Turystyczny (IT; plan II, C2, 🏛 1) :* pl. Zamkowy 1/3. ☎ 635-18-81. Ouvert du lundi au vendredi de 9 h à 18 h, les samedi et dimanche de 11 h à 17 h. Fermé les jours de Noël et de Pâques. Sur la grande place à l'entrée de la vieille ville, dans l'immeuble entre les rues Podwale et Piwna. L'accueil est en anglais. Vous y trouverez le kit du parfait touriste. Nombreuses cartes et documentations sur Varsovie, un service de réservation de chambres d'hôtels, y compris dans les auberges de jeunesse, contre une commission modique, ainsi qu'un guichet de change.

🏛 *Warsaw Tourist Information Center :* deux adresses...

– La maison mère *(plan I, C2, 🏛 2)* est place Powstańców 2, au rez-de-chaussée de l'hôtel *Dom Chłopa,* en plein centre de Varsovie. ☎ 94-31. Adresse Internet : www.bptnet.pl/warswtour. E-mail : warsawtour@tel-bank.pl. Ouvert du lundi au vendredi de 9 h à 18 h, les samedi et dimanche de 9 h à 15 h. Bien gérée avec une banque de données informatiques, elle est à même de répondre à vos besoins les plus courants : réservation d'hôtels, cartes et horaires des trains et bus. Elle dispose également d'une succursale à l'aéroport.

– Une annexe *(plan I, B3, 🏛 3)* se trouve dans la rotonde blanche de la banque *PKO,* à l'angle de ul. Marszałkowska (n°s 100/102) et de al. Jerozolimskie. Ouvert du lundi au vendredi de 8 h à 19 h, le samedi de 9 h à 13 h, fermé le dimanche.

■ Si ces trois agences ne sont pas sur votre chemin et que vous avez besoin seulement d'un renseignement sommaire, comme les horaires des trains et des bus, vous pouvez toujours pousser la porte des bureaux de l'*agence de voyages Orbis,* censée également donner ce genre de renseignements : ul. Bracka 16. Ouvert du lundi au vendredi de 8 h à 19 h, le samedi de 9 h à 15 h ; ul. Marszałkowska 142. Ouvert du lundi au vendredi de 9 h à 18 h, le samedi de 9 h à 13 h.

■ Pour tous ceux qui souhaitent découvrir les coins secrets de Varsovie, par exemple, le cimetière soviétique, ou tout simplement utiliser les services d'un guide professionnel et multilingue, *Trakt, l'association des guides polonais,* est ce qui se fait de mieux dans le genre : ul. Kre-

VARSOVIE

dytowa 6. ☎ 827-80-60 et 827-80-69. Fax : 827-66-02. Un grand choix d'itinéraires à la carte ou selon vos suggestions. Bien sûr, tout cela n'est pas gratuit.

■ Les ultimes vestiges de la Varsovie juive se découvrent grâce à la *fondation Our Roots-Jewish Information and Tourist Bureau :* ul. Twarda 6. ☎ et fax : 620-05-56. Un pèlerinage de 4 heures avec un guide anglophone au cimetière juif, à la synagogue Nozyk, à l'Institut culturel juif et dans le périmètre de l'ancien ghetto. Tous les jours sauf le samedi.

Poste et télécommunications

⊠ *Poste centrale (Poczta Główna ; plan I, B2) :* ul. Świętokrzyska 31/33. ☎ 826-60-01. En plein centre, peu avant le croisement avec ul. Marszałkowska. Ouvert 24 h sur 24. Tous les services modernes de la poste, mais les files d'attente sont longues, notamment lorsque les autres postes sont fermées. La poste restante est au guichet 12.

■ *Téléphone :* renseignements téléphoniques :
– pour Varsovie : ☎ 913 ;
– pour la Pologne : ☎ 911.

– *Nouvelle numérotation :* attention, avec l'augmentation des abonnés, les numéros de téléphone de Varsovie sont en train de passer de six à sept chiffres. Si vous rencontrez encore ces anciens numéros, il faudra désormais les faire précéder des chiffres 6 ou 8.
– Outre la poste centrale et les différentes postes de quartier, il est très facile de téléphoner de Varsovie, la ville étant bien pourvue de cabines téléphoniques. Celles-ci fonctionnent soit avec des cartes magnétiques, soit avec des jetons. Les cabines à jetons, repérables à la couleur grise de leur téléphone, tendent heureusement à se faire rares car elles sont peu commodes d'utilisation : un jeton dit A pour les appels locaux et un jeton dit C pour les appels internationaux, tous deux limités à 3 mn de conversation, autant dire qu'il en faut une brouette pour les bavards. Jetons et cartes de téléphone s'achètent dans les kiosques à journaux *Ruch*, dans les hôtels, dans certains restos, chez les vendeurs de rues et à la poste. Les cartes existent en 25, 50 et 100 unités.
– *Petite info pratique supplémentaire :* les tarifs baissent par palier entre 18 h et 22 h et entre 22 h et 8 h, ainsi que le week-end, mais aucune réduction pour les appels internationaux.
– Varsovie dispose d'autre part de plusieurs cabines téléphoniques à cartes possédant un numéro, d'où il est possible de se faire rappeler, pratique notamment pour faire payer son papa ou son fiancé. Les plus centrales sont :
• à l'angle de ul. Marszałkowska et de Piękna : ☎ 628-35-42 ;
• à l'angle de ul. Marszałkowska et de Koszykowa : ☎ 628-11-19 ;
• à l'angle de ul. Marszałkowska et de Zůrawia : ☎ 628-39-06 ;
• à Praga sur la rive droite, pl. Mysliborska : ☎ 11-33-97.
– Pour ceux qui ont le mal du pays, il existe cependant deux sociétés de « call-back » pour réduire la facture : après avoir composé leur numéro, celles-ci vous rappellent et font transiter votre conversation par le réseau téléphonique américain beaucoup moins cher... élémentaire !
• *BCH communications :* ☎ 629-34-50,
• *Telegroup :* ☎ 642-75-46.
– *Fax :* il est également possible de recevoir et d'envoyer des fax 24 h sur 24 au *Fax Kommertel Communications Centre :* ul. Nowogrodzka 45.
– *E-mail :* les accros du E-mail pourront aussi disposer sur présentation de ce *Guide du Routard* d'une adresse électronique avec un quart d'heure de consultation gratuite au *Cyberia Cafe*, un café Internet comme il en fleurit un peu partout dans le monde. Pour cela, demandez son propriétaire, le très sympathique Suisse francophone, Peter Schweizer. Krakowskie Przed-

miesćie 4/6. Ouvert 24 h sur 24. Pour plus d'infos, voir rubrique « Où boire un verre ? ».

Argent, banques, change

– *Banques :* pour la plupart, elles sont ouvertes du lundi au vendredi de 8 h à 18 h, certaines vont même jusqu'à ouvrir leurs guichets le samedi de 10 h à 14-15 h.
Les principales banques dans le centre sont :

■ *Pekao (Bank Polska Kasa Opieki) :* place Bankowy 2 (tour Bleue, *plan II*, A4), ul. Kredytowa 3 et ul. Traugutta.
■ *PKO (Powszechna Kasa Oszczednosći) :* ul. Marszałkowska 100/102 (rotonde Blanche), place Bankowy 2 (tour Bleue), Nowy Świat 6/12, al. Jerozolimskie 65/79, Nowogrodzka 35/41, Krucza 5/11...
■ *NBP (National Bank of Poland) :* place Powstanców Warszawy 4.

– *Change :* rien de plus facile, avec l'afflux des touristes, Varsovie s'est mis en quatre pour vous faciliter l'opération.
– *Argent liquide :* les officines de change *(kantors)* balisent tout le centre et n'offrent que l'embarras du choix. À l'exception de celles installées dans la vieille ville, ce sont elles qui offrent les meilleurs taux de change, loin devant les banques, les hôtels ou les agences de voyages. Elles sont ouvertes pour la majorité d'entre elles du lundi au vendredi de 9 h à 18 h et le samedi de 9 h à 13 h.
Les *kantors* de la gare et de l'aéroport restent ouverts 24 h sur 24, ainsi que ceux à l'angle de ul. Mokotowska et de Piękna, du Krakowskie Przedmiescie 67, près de la vieille ville, et sur le rondo Wiatraczna à Praga sur la rive droite.
– *Chèques de voyage :* pas intéressant du tout (forte commission, peu de points d'échange). Voilà toutefois ce qu'on a trouvé de mieux :

■ *Orbis :* la grande agence de voyages nationale se fait le devoir de changer tous les types de chèques, mais contre une commission coup de poing de 5 %. Principaux bureaux : ul. Bracka 16. Ouvert du lundi au vendredi de 8 h à 19 h, le samedi de 9 h à 15 h. Ul. Marszałkowska 142. Ouvert du lundi au vendredi de 9 h à 18 h, le samedi de 9 h à 13 h.
■ La banque *PKO* ainsi que ses succursales offrent le même service contre une commission plus humaine de 2 %. Il s'agit notamment des bureaux : place Bankowy 2 dans la tour Bleue, et dans la rotonde Blanche du 100/102 ul. Marszałkowska à l'angle de al. Jerozolimskie. Ce dernier ne facture aucune commission non plus sur les chèques *Visa*. Ouvert du lundi au vendredi de 7 h à 20 h.
Les autres banques citées ci-dessus dans la rubrique « banques » changent aussi certains chèques de voyage.
■ *American Express* dispose de deux adresses : ul. Krakowskie Przedmiescie 11, en face de l'hôtel *Europejski (plan II*, C4, 4). Ouvert du lundi au vendredi de 9 h à 18 h. Et à l'hôtel *Marriott*, al. Jerozolimskie 65/79. Ouvert du lundi au vendredi de 8 h à 20 h, les samedi et dimanche de 10 h à 18 h.

– *Cartes de crédit :* les distributeurs, encore inexistants il y a peu de temps, font désormais partie du paysage urbain avec pas moins de 30 machines, un chiffre en constante évolution.

– Le réseau *Euronet,* qui accepte, sauf contrordre, les cartes *Visa, Plus, Cirrus, Eurocard MasterCard,* *American Express,* est bien représenté dans le centre : hôtel *Marriott,* al. Jerozolimskie 65/79 ; dans la galerie *Lim* de l'immeuble de la *Lot* à la même adresse ; dans la gare centrale juste en face ; près des *McDonald's* au 56c al. Jerozolimskie, et au 50 ul. Krucza ; à la boutique de pressing *Alba*, ul. Chmielna 26 ; près de l'épicerie *Porto Delikatesy*, ul. Świetokrzyska 30...

– Les cartes *Visa* se verront gratifier de quelques points supplémentaires, notamment ul. Nowy Świat 55, tandis que les porteurs d'*Eurocard MasterCard* et *Cirrus* auront en plus les distributeurs de la *Pekao* dans la belle tour Bleue, au 2 de la place Bankowy (aux heures d'ouverture seulement), et dans les autres filiales de cette banque (à ne pas confondre avec la *PKO*).

Représentations diplomatiques

■ *Ambassade de France :* ul. Piękna 1. ☎ 628-84-01.
■ *Ambassade de Belgique :* ul. Senatorska 34. ☎ 827-02-33.

■ *Ambassade de Suisse :* al. Ujazdowskie 27. ☎ 628-04-81.
■ *Ambassade du Canada :* ul. Matejki 1/5. ☎ 629-80-51.

Urgences

■ *Commissariat central de Varsovie :* ul. Nowolipie. ☎ 826-55-97.
■ *Commissariat central de l'arrondissement de Śródmieście*, c'est-à-dire le centre-ville, là où vous traînerez le plus vos guêtres : ul. Wilcza 21/23. ☎ 621-89-09. Pour les vols et les agressions.
■ *Police :* ☎ 997 ou 826-24-24.
■ *Pompiers :* ☎ 998.
■ *Infos Sida :* ☎ 628-03-36.
■ *Urgences médicales et ambulances* : ☎ 999 ou 628-24-24.
– Le service d'urgence de l'hôpital du 22 ul. Poznańska, à l'angle de ul. Hoża, a une bonne réputation, mais en cas de maladie, il est souvent plus indiqué de confier sa personne à une clinique ou un praticien privés.

Pour tous ces numéros, n'espérez cependant pas trouver une âme charitable qui parle l'anglais. En revanche, il est possible d'obtenir en anglais des adresses de cliniques privées et de médecins ainsi que de dentistes : ☎ 827-89-62, du lundi au vendredi de 8 h à 20 h, le samedi de 8 h à 15 h. Si vous n'êtes pas en danger de mort immédiate, il est parfois préférable de s'adresser à son ambassade qui saura généralement vous conseiller un praticien.

Médecine privée

Voici une sélection de centres de soins privés :

■ *AMC American Medical Center :* ul. Wilcza 23, appartement 29. ☎ 622-04-89. Urgences : ☎ (0-602) 24-30-24. Une association de médecins qui ouvrent des officines privées dans toute l'Europe de l'Est.
■ *ABC Medicover :* ul. Hoża 50. ☎ 622-74-55. Ouvert 24 h sur 24.
■ *CM Medical Center :* al. Jerozolimskie 65/79, au 3e étage de l'hôtel *Marriott*. ☎ 630-51-15. Tous les médecins parlent l'anglais.
■ *Capricorn :* ul. Podwale 11. ☎ 31-86-69. Ouvert 24 h sur 24. Dentistes et généralistes. Se déplacent aussi.
■ *Eurodental :* ul. Nowowiejska 37. ☎ 25-97-09. Tous soins dentaires.

Pharmacies *(aptekas)*

■ Ouverte 24 h sur 24 : *Grabowski*, dans l'enceinte de la gare centrale.
■ Parlant l'anglais : *Swiss Pharmacy*, al. Róż 2, à l'angle de al. Ujazdowskie.
■ Homéopathique : ul. Marszałkowska 111a.

Compagnies aériennes

■ *Aeroflot :* al. Jerozolimskie 29. ☎ 621-16-11.
■ *Air Canada :* ul. Marszałkowska 80. ☎ 621-41-91.
■ *Air France :* ul. Krucza 21. ☎ 628-12-81 et 83.
■ *American Airlines :* al. Ujazdowskie 20. ☎ 625-30-02.

■ *Air Autriche :* ul. Złota 44/46.
☎ 625-20-50.
■ *British Airways :* ul. Krucza 49.
☎ 628-94-31.
■ *Delta Airlines :* hôtel *Victoria*, ul.
Królewska. ☎ 827-84-61.
■ *Iberia :* ul. Świętokrzyska 18.
☎ 826-03-72.
■ *KLM :* pl. Konstytucji 1. ☎ 650-44-44.
■ *Lot :* al. Jerozolimskie 65-79.
☎ 952-953.
■ *Lufthansa :* al. Jerozolimskie
56c. ☎ 630-25-55.
■ *Sabena :* hôtel *Victoria*, ul. Królewska. ☎ 627-02-30.
■ *SAS :* ul. Nowy Świat 19. ☎ 826-12-11.
■ *Swiss Air :* hôtel *Victoria*, ul. Królewska. ☎ 827-50-16.

Location de voitures

– Les compagnies internationales :
■ *Avis :* hôtel *Marriott*, al. Jerozolimskie 65-79. ☎ 630-73-16. À l'aéroport : ☎ 650-48-72. Fax : 650-48-71.
■ *Budget :* hôtel *Marriott*, al. Jerozolimskie 65-79. ☎ 630-72-80. Fax : 630-69-46. À l'aéroport : ☎ 650-40-62.
■ *Europcar :* hôtel *Mercure*, al. Jana Pawła II 22. ☎ 624-85-66. Fax : 624-87-85. À l'aéroport : ☎ 650-44-54. Fax : 650-44-53.
■ *Hertz :* al. Nowogrodzka 27. ☎ 621-13-60. Fax : 629-38-75. À l'aéroport : ☎ 650-28-96.

– Les compagnies nationales (parfois moins chères) :
■ *BMG & Cartess :* al. Ujazdowskie 13. ☎ 622-75-22 et 622-58-32.
■ *Five Rent-a-Car :* ul. Złota 44/46. ☎ 625-40-94.
■ *Ecu Rent-a-Car :* hôtel *Marriott*, al. Jerozolimskie 65-79. ☎ 630-52-90.
■ *Eurodollar Rent-a-Car :* à l'aéroport, ☎ 4822-650-47-33 et 4822-606-92-02. Fax : 4822-846-00-45.
■ *Intercar :* ul. Powązkowska. ☎ 38-87-23/24.

VARSOVIE

Cartes et plans de la ville

Un homme averti en vaut deux : on ne saurait trop vous conseiller pour profiter de la ville d'investir dans une bonne carte ou mieux encore dans l'atlas des rues de Varsovie au format de poche (plan *Miasta Warszawy*). Ils ont en plus l'immense avantage d'indiquer les trajets des bus et des tramways.
On les trouve facilement dans les offices de tourisme, dans certains kiosques *Ruch* du centre près de la vieille ville, dans certaines des librairies citées plus loin ou à la gare dans la librairie de la galerie commerciale souterraine qui conduit à l'hôtel *Marriott* sous le boulevard al. Jerozolimskie. Cette librairie est également très bien fournie en diverses cartes de toute la Pologne, de même que la librairie *Ksiergarnia Atlas*, au 26 du boulevard Jana Pawła II, véritable temple de la carte.

Transports urbains

Varsovie a hérité de l'ancien régime, peu porté, comme on sait, sur la voiture individuelle, un solide réseau de transport public qui, de bus en tramways et, depuis 1995, avec le métro, quadrille efficacement la ville. Ces moyens de transport bien gérés, ponctuels et assez fréquents, sont la solution la plus efficace pour découvrir la ville, à l'exception bien sûr des heures de pointe où ils affichent complet.
Les trams sont idéaux pour sillonner le centre, tandis que les bus sont plus intéressants pour les destinations éloignées.
Quant à l'unique ligne de métro, en extension depuis 1995, elle est surtout utile pour rejoindre en 11 stations la banlieue sud de Kebaty depuis l'école polytechnique au sud de la place Konstytucji. Son prolongement vers le nord par le centre et la place Bankowy dessert désormais le palais de la Culture.

Bus

Il existe différentes catégories de bus repérables au chiffre de la centaine de leur numéro de ligne : 100 pour les bus avec arrêts réguliers, 300 pour les bus de pointe (de 6 h à 8 h et de 15 h à 18 h), 400 et 500 pour les bus express (les 400 ne circulant pas les week-ends), et 700 pour les bus desservant la grande banlieue.
— Il vaut mieux éviter de prendre les bus commençant par un E, car ce sont des express vraiment express avec pratiquement pas d'arrêt à part le terminus.
— La description du trajet et les horaires de passage figurent généralement sur l'arrêt des bus et des trams.

Tramway

Les nostalgiques de l'ancien temps auront aussi à leur disposition un tramway historique, une vieille grand-mère de voiture repérable au T de son fronton qui, depuis la place Starynkiewicza à l'ouest de la gare centrale, les conduira à Praga, sur l'autre rive, dans un circuit en boucle.
Les départs ont lieu entre 12 h et 18 h. Se renseigner sur les horaires précis à l'office de tourisme. Les tickets s'achètent partout dans les Rush.

Horaires

Le métro circule de 4 h 30 à 23 h 30, les bus et trams de 5 h 30 à environ 23 h. Ils sont ensuite relayés par les bus de nuit (les numéros commençant par 600) qui prennent leur départ depuis la rue Emilii Plater, à l'arrière du palais de la Culture. Ils circulent de 23 h 15 à 4 h 45 et partent tous les quarts d'heure avant et après chaque heure de la nuit.

Tarifs

Attention, les informations données ci-dessous peuvent s'avérer rapidement obsolètes, la municipalité de Varsovie étudiant actuellement la modernisation de son système de distribution de tickets.
Le même billet est valable pour les bus, les trams et le métro. Il doit être OBLIGATOIREMENT COMPOSTÉ (boîte métallique) dès la montée dans le véhicule. Malheur à vous en cas d'oubli, les contrôleurs sont légion et leur férocité est devenue légendaire depuis que le règlement leur accorde un substantiel pourcentage sur leur « chiffre d'affaires ». Et pour cause, l'addition est lourde, à peu de chose près le même tarif que chez nous.
Une autre règle à vous graver dans la cervelle pour voyager confortablement : il faut acheter et composter un autre billet POUR CHAQUE BAGAGE ENCOMBRANT (valise, gros paquet, sac à dos...) que vous transportez! À défaut, ne comptez pas sur la moindre indulgence de ces mêmes contrôleurs spécialistes de la chasse aux touristes, nul en effet n'est censé ignorer une loi si lucrative.
Il vous faudra enfin, pour être en règle, poinçonner un nouveau ticket à chaque changement de véhicule.
Heureusement, il existe plusieurs tarifications pour adoucir la facture de vos déplacements. En plus du billet valable pour un trajet *(bilety normalny),* vous avez le choix entre un billet journée (jusqu'à minuit), une carte hebdomadaire, un billet de week-end (réservé aux groupes de 5 personnes) et de groupe (2 adultes et 3 enfants).
Autre précision : les bus de banlieue (numéros commençant par 700) nécessitent deux tickets, les bus de nuit (n°s 600 et plus) trois tickets.

Achat des tickets

Rien de plus simple quand il s'agit d'un banal ticket pour un trajet unique : tous les kiosques *Ruch*, les vendeurs de rue, les hôtels, le métro en proposent... Mais l'affaire se corse pour les autres billets, voire pour tous les billets pendant le week-end lorsque les kiosques *Ruch* ferment par intermittence.

La garantie de les trouver à tout moment est bien sûr le siège des transports municipaux : **ZTM**, au 37 ul. Senatorska près de la place Bankowy. Ouvert du lundi au vendredi de 7 h 30 à 15 h.

Les kiosques *Ruch* autour de la gare centrale sont une bonne alternative et surtout les bus rouges reconvertis en guichets de billets sur le côté droit de la gare après le labyrinthe des baraques au niveau de la rue Emilii Plater. Vous pouvez aussi tenter votre chance dans les stations de métro ou dans les kiosques des terminus de ligne.

Taxis

Les habitués des pays de l'Est connaissent la chanson : prudence absolue ! *A priori* peu onéreux pour une bourse occidentale, leurs tarifs peuvent en effet se révéler astronomiques si vous tombez dans les griffes des taxis arnaqueurs (voir le paragraphe consacré aux taxis dans la rubrique « Arrivée à l'aéroport »).

Pour réduire les risques, la meilleure solution est d'en commander un par téléphone (service gratuit) ou de monter dans une voiture qui porte clairement le nom de sa compagnie. La plupart de ces taxis affichent une prise en charge fixe au compteur et des tarifs au kilomètre identiques. Néanmoins, vérifiez toujours que le compteur est remis à zéro, certains chauffeurs « distraits » additionnent en effet le prix de la course précédente à la vôtre.

Si vous devez vous rendre à l'aéroport, demandez à la réception de votre hôtel d'appeler un taxi et de négocier le prix. Les tarifs augmentent de moitié à partir de 22 h et pendant le week-end.

■ *Biate Taxi :* ☎ 9627.
■ *Halo Taxi :* ☎ 9623.
■ *Korpo Taxi :* ☎ 9624.

■ *Super Taxi :* ☎ 9622.
■ *Taxi Plus :* ☎ 9621.
■ *Taxi Volfra :* ☎ 9625.

Un détail : comme les opératrices de ces compagnies parlent rarement l'anglais, apprenez par conséquent à prononcer en polonais le nom de votre rue et votre numéro de téléphone.

Et pour vous aider à communiquer avec votre chauffeur généralement unilingue, voici quelques termes de l'espéranto taxi polonais :
– à gauche : *w lewo;*
– à droite : *w prawo;*
– tout droit : *prosto;*
– stoppez ici : *tutaj.*

Culture

Journaux sur Varsovie

Comme toute capitale qui se respecte, Varsovie brille des mille feux de sa vie culturelle : expos, concerts, festivals, théâtres, cinés, etc. Pour vous aider à y trouver votre bonheur, deux journaux se font le devoir d'en dresser une liste exhaustive :
● l'hebdo **WIK** *(Warszawski Informator Kulturalny)*, une sorte de *Pariscope* bilingue anglais/polonais au format de poche, mais qui oublie les cinémas.
● La meilleure formule est certainement l'édition du vendredi de **Gazeta Wyborcza**, le quotidien de gauche d'Adam Michnik, l'ex-théoricien de Solidarité. Bien qu'écrit en polonais, sa mise en page est excellente pour les films et les concerts.

– Quant au Varsovie branché, comprenez tout ce qui bouge dans les bars, boîtes, restos, mœurs locales, il faudra se plonger dans l'excellent mensuel *Warsaw Insider*, qui s'acquitte brillamment de la tâche.

– Les curieux de la vie politique et économique locale pourront aussi jeter un œil sur l'édition anglaise de l'hebdo *The City Voice* ou, mieux encore, sur le *Courrier de Varsovie*, hebdomadaire fondé par le correspondant du *Monde* qui propose un best of des meilleurs articles de la presse polonaise : drôle, informatif et pointu, une vraie réussite. En vente à la librairie *Marianne*. Voir la rubrique « Presse internationale », ci-après.

– L'afflux des touristes a également suscité plusieurs publications anglaises distribuées gratuitement dans les grands hôtels, les offices de tourisme et à l'aéroport : *Welcome To Warsaw* et *Warszawa : What, Where, When*. Plus de pubs et de publi-reportages que de véritables infos, à l'exception de listings de renseignements pratiques.

Presse internationale et française

Rien de plus simple, il suffit d'entrer dans n'importe quel grand hôtel et de filer au kiosque maison pour y dénicher une édition de la veille ou, avec un peu de chance, de votre quotidien préféré du jour. Vous pouvez aussi tenter votre chance dans les kiosques *Ruch* près de la vieille ville, ou encore à ces deux librairies :

■ **Librairie Ksiegarnia Bolesława Prusa :** ul. Krakowskie Przedmiesćie 7, bien fournie en magazines étrangers.

■ Un bon éventail de la presse française se trouve à la librairie *Ma-*rianne, à l'intérieur du Centre culturel français : ul. Senatorska 38. Ouvert du lundi au vendredi de 11 h à 18 h, le samedi de 10 h à 14 h, fermé le dimanche.

Librairies internationales

La littérature française ainsi que les ouvrages sur Varsovie et la Pologne en français se trouvent comme de bien entendu à la librairie *Marianne* indiquée ci-dessus.

Sinon, l'univers du livre non polonais se décline en anglais et principalement dans les librairies suivantes :

■ *American Bookstore :* ul. Krakowskie Przedmiesćie 45. Ouvert du lundi au samedi de 10 h à 19 h, le dimanche de 12 h à 19 h. Littérature américaine principalement.

■ *Ksiegarnia Bolesława Prusa :* ul. Krakowskie Przedmiesćie 7. Ouvert du lundi au vendredi de 10 h à 19 h, le samedi de 11 h à 15 h, fermé le dimanche. Bon rayon de presse étrangère et littérature anglo-saxonne en poche.

■ *CO Liber* (plan II, A4) : pl. Bankowy 4. Ouvert du lundi au vendredi de 10 h à 18 h, le samedi de 10 h à 14 h, fermé le dimanche. Littérature populaire anglo-saxonne, best-sellers et un tout petit rayon français et allemand.

■ *Bookland :* al. Jerozolimskie 61. Bien fourni en livres de poche *Penguin*.

Disques

Les magasins de disques bourgeonnent à Varsovie. On peut y acheter à peu près tout, du disque d'import à peine commercialisé aux éditions pirates des grands groupes de la *world music*. Cela se traduit notamment par une guerre entre la variété et la musique classique, celle-ci ayant moins les faveurs d'une clientèle jeune avide de rattraper 40 ans d'amnésie musicale.

Conséquence de tout cela : les prix ressemblent aux nôtres à moins de se rabattre sur les contrefaçons vendues sur les marchés et par les vendeurs de rue.

● *Musique classique :*

■ *Przy Operze :* ul. Moliera 8. Ouvert du lundi au vendredi de 11 h à 19 h, le samedi de 11 h à 15 h. À un saut de puce de l'opéra, près du salon de coiffure de Jean-Louis David, les fanas de musique d'opéra, classique et polonaise seront chez eux. Un stock impressionnant ainsi qu'un rayon de jazz.

■ *Vivart :* ul. Senatorska 17/19. Plus petit, mais utile pour compléter les emplettes de CD classiques et de jazz.

■ *Salon Muzyczny :* ul. Mazowiecka 9. Près de l'hôtel *Warszawa*. Une bonne sélection de disques classiques de label polonais.

● *Les généralistes :*

■ *CMR Digital :* al. Jerozolimskie 2. Ouvert du lundi au vendredi de 8 h à 21 h, le samedi de 8 h à 20 h, le dimanche de 10 h à 17 h. Le plus grand mais aussi le plus cher, le plus bondé et le plus fliqué. Une dominante pop et rock. Les initiés y trouveront aussi un grand rayon de CD d'occase avec parfois de véritables perles.

■ *Planet Music :* ul. Mokotowska 17. Ouvert du lundi au vendredi de 9 h à 21 h, le samedi de 9 h à 20 h, le dimanche de 10 h à 17 h. Le deuxième *megastore* de Varsovie à quelques encablures de la place de la Konstytucji, juste à côté de l'église de la place Zbawiciela. Même profil que le précédent avec une bonne sélection de jazz, rap, reggae et d'*ethnic music*.

■ *Marché du disque au cinéma Palladium :* ul. Złota 7. Tous les mardis après-midi, le foyer et le sous-sol de ce cinéma abritent un marché du disque qui, dans ses différents stands, mélange vendeurs professionnels et petits revendeurs de contrefaçons. On y trouve un peu de tout à des prix inférieurs à ceux des magasins, avec surtout une dominante pour la pop des années 70 et 80. Le sous-sol est davantage l'antre des disques piratés, souvent des productions récentes du box-office.

Instituts culturels

■ *Institut français :* ul. Senatorska 38. ☎ 827-76-40. Ouvert tous les jours de 9 h à 18 h sauf le dimanche. Installé dans l'immeuble cossu d'une ancienne banque 1900. Temple de la culture française à l'export, on peut aussi y déguster des croissants sur les quelques tables de son *Café de Paris*.

■ *Institut autrichien :* ul. Próżna 8. ☎ 620-96-20.

■ *British Council :* al. Jerozolimskie 59. ☎ 628-74-01.

■ *Goethe Institute :* palais de la Culture, 10ᵉ étage. ☎ 656-65-08.

Achats

Exit l'époque des magasins vides ou des boutiques réservées aux seuls étrangers lestés de devises. Avec l'afflux des capitaux, Varsovie comme les autres grandes villes polonaises est entrée dans la société de consommation. Les anciens magasins d'État cèdent progressivement la place à de rutilantes boutiques Paris/New York/Tokyo distribuant les grandes marques internationales à des prix également internationaux. Si celles-ci sont le domaine réservé de la nouvelle classe d'entrepreneurs, les marchés et les grands bazars maintiennent une économie de débrouillardise avec un bric-à-brac de produits *made in China, Rumania* et consorts, qui permettent aux plus démunis, c'est-à-dire l'ensemble de la population, de participer aussi à la fièvre consommatrice.

Marchés, supermarchés et grands magasins

■ Pour le tout-venant alimentaire, la chaîne de supermarchés **WW** dispose de plusieurs adresses centrales : ul. Przechodnia 2, ul. Złota 9. Ouvert du lundi au vendredi de 7 h à 22 h, le dimanche de 9 h à 15 h.

■ *Marchés :*

– un **grand marché** se tient chaque week-end à la halle Mirowska *(hors plan I par A1, 5)* sur la place Mirowski à l'ouest du jardin saxon sur al. Jana Pawła II. Les amateurs de pittoresque seront satisfaits.

– Un autre **marché couvert** qui sent bon la patine du temps se trouve à la halle Koszyki sur al. Koszykowa, peu après la place Konstytucji.

– Mais le plus représentatif d'une Pologne d'avant le boom économique est assurément le **petit marché en plein air** (fruits et légumes) de Różyckiego, enclavé entre les immeubles d'ul. Żabowska et ul. Targowa à Praga, sur la rive droite, non loin des bulbes de l'église orthodoxe.

■ Les **grands magasins** *(plan I, B3, 6)* occupent tout un pan discontinu d'immeubles modernes d'ul. Marszałkowska face au palais de la Culture : **Sezam, Sawa, Wars et Juniors,** ainsi qu'une galerie commerciale sous le carrefour Marszałkowska-al. Jerozolimskie. Ouvert du lundi au vendredi de 8 h à 20 h, le samedi de 8 h à 16 h. Pas encore de vrais temples de la consommation, l'ambiance est davantage post-communiste que Galeries Lafayette.

Fringues

Varsovie n'est pas vraiment idéale pour refaire sa garde-robe à petits prix.

■ Si vous n'êtes pas regardant sur la dépense, les boutiques de griffes se trouvent dans le secteur Marszałkowska-Świętokrka-Nowy Świat et dans le magasin **Dom Handlowy,** sur le côté gauche du palais de la Culture, une sorte de magasin du Printemps stalinien installé dans l'immense volume d'une ancienne banque d'État qui se fait fort de proposer toutes les grandes marques occidentales à prix pharaoniques. Mérite tout de même une visite pour le silence sépulcral qui y règne.

■ En revanche les amateurs du bas de gamme auront à leur disposition le plus grand magasin Tati du monde. Si, si nous l'avons trouvé ! Il est en plein air sur les pentes du stade Dziesięciolecia à Praga sur la rive droite de la Vistule près du pont Poniatowskiego. Plus de 3 000 vendeurs ont investi les bords extérieurs de ce stade pour proposer en petits stands couverts tout ce que les pays de l'Est, de l'Asie, de la Chine, de la Mongolie, du Vietnam... produisent en prêt-à-porter imité des fabrications occidentales. C'est le plus grand bazar de ce genre d'Europe. Tout pour habiller la famille à prix quart-monde ou presque. Malgré une réglementation drastique, quelques vendeurs tziganes et autres viennent aussi mêler leur bric-à-brac aux commerçants officiels. Ouvert tous les jours de 7-8 h à 11-12 h. Les samedi et dimanche, le bazar s'agrandit encore. Pour plus d'infos, se reporter à la rubrique « À voir ».

■ Un autre *bazar* de fringues, disques, chaussures, ancêtre du précédent, a élu domicile permanent dans le dédale des cabanes au pied du palais de la Culture. Les marchandises y sont d'un peu meilleure qualité, mais à des prix plus élevés. Ouvert tous les jours de 8 h à 19 h. Deux grandes halles couvertes y proposent aussi une variété de produits divers.

Artisanat et antiquités

■ *Magasins Cepelia :* cette chaîne de boutiques disséminées dans la ville propose une sélection d'artisanat des différentes régions de Pologne : objets en bois et en osier, couvertures en laine tissée, maroquinerie, bijoux, figurines, icônes, etc. : ul. Marszałkowska 99/101. En face de l'hôtel *Forum*, le plus grand : ul. Marszałkowska 34/50, près de la place Konstytucji ; ul. Nowy Świat 35 ; ul. Krucza 6/14 et 23/31.

– *Marché aux puces :*
■ tous les dimanches, le *Koło Bazar* sur ul. Obozowa, dans l'arrondissement Wola, fédère tout ce que la ville compte de brocanteurs professionnels ou improvisés. Peu de pièces rares (n'oubliez pas que l'exportation d'antiquités est soumise à autorisation), mais plutôt les fonds de grenier dans une ambiance bon enfant. Pour s'y rendre : tramways nos 1, 13, 20, 24 et bus nos 159, 167 et 359.

– *Affiches :*
■ les posters sont une spécialité polonaise. La *galerie Plakatu* possède un bon stock d'affiches anciennes et récentes à des prix raisonnables : rynek Starego Miasta 23. Ouvert tous les jours en été de 9 h à 21 h, l'hiver de 10 h à 19 h.

Fêtes et festivals

Si Varsovie mérite bien une qualification, c'est celle de capitale culturelle. Pas un mois de l'année qui n'ait une ou plusieurs manifestations culturelles de niveau international, au point que les énumérer toutes reviendrait à rédiger un catalogue à la Prévert.

Janvier

– En général, le mois de janvier carbure aux représentations du *Festival international de Théâtre*, un florilège des meilleures compagnies nationales et étrangères.

Février

– *Concours international Witold Lutosławski,* où s'affrontent les compositeurs contemporains de musique symphonique.
– *Concours de chant* dédié à la mémoire de Stanisław Moniuszko, le Schubert polonais.

Avril

– Le plat de résistance est assuré par les *journées du Ballet de Varsovie.*

Mai

– *Foire internationale du Livre* et *festival de Musique sacrée* dans la cathédrale Saint-Jean, auxquels s'ajoute un *festival de Vieux opéras.*

Juin-juillet-août

Arrivent ensuite les mois très chargés de l'été :
– en juin, un éblouissant *festival de Théâtre de rue*.
– Surtout, à cheval sur juin et juillet et à ne pas rater, le *festival Mozart*, unique en son genre. Pendant six semaines, toute l'œuvre du génial Amadeus est donnée à entendre grâce à des orchestres venus du monde entier.
– Si vos oreilles ne saturent pas, vous aurez le choix de zapper sur le *festival de Jazz* de la fin juin qui réunit les pointures de la profession ou sur le *festival d'Orgue Jean-Sébastien Bach,* qui s'échelonne jusqu'en octobre, ou encore sur les *concerts Frédéric Chopin,* organisés de mai à octobre dans le parc Łazienki et au château de Wilanów.
– Sans oublier le *mois de la Peinture,* dans toutes les galeries de la ville, de la fin juillet à la fin août, qui se combine une année sur deux avec le *festival de l'Affiche et du Poster,* une spécialité polonaise comme chacun sait.

Septembre

– *Festival de Musique contemporaine* pendant dix jours.

Octobre

– *Concours international de piano Frédéric Chopin*, grand meeting des interprètes du maître, qui a lieu tous les cinq ans, le prochain étant pour l'an 2000.
– *Festival international de Cinéma* (première semaine) et le *festival de Jazz Jambore,* une des grandes manifestations mondiales du genre avec pléthore de têtes d'affiche.

Novembre

– *Festival d'Opéras baroques* consacré à la redécouverte de ces opéras oubliés.

Attention : certaines de ces manifestations ne sont pas toujours annuelles. Pour plus de sécurité et pour en connaître les dates exactes, achetez le répertoire des événements culturels de Varsovie, l'*Imprezy Kulturalne oraz Targi*, disponible à l'office de tourisme de la place Zamkowy.

VARSOVIE

Où dormir ?

Bien que la Pologne soit en pleine mutation, Varsovie est, quant à l'offre d'hébergement, en retard d'une révolution. Le parc hôtelier, survivance de l'ancien temps, privilégie le haut de gamme, souvent d'antiques palaces idéalement situés en plein centre mais en attente d'une rénovation intelligente ou encore les ex-casernes concentrationnaires du luxe socialiste. Les petits et moyens budgets auront donc peu d'adresses où se nicher, souvent excentrées et, rareté oblige, prises d'assaut par les nationaux comme par les étrangers. Il est donc plus que conseillé de réserver en avance surtout en été.
Les offices de tourisme cités plus haut (voir « Adresses utiles et infos pratiques ») vous aideront à trouver et à réserver une chambre contre une petite commission. Mais quel que soit votre choix, une seule certitude : Varsovie est une ville chère !

HÉBERGEMENT BON MARCHÉ HORS HÔTELS

Campings

L'hébergement le moins cher de la capitale : au total six campings. Ceux qui ne possèdent ni tente ni caravane peuvent aussi y loger, la plupart de ces terrains étant équipés d'une série de bungalows à plusieurs lits ou de petits hôtels.

● *Les plus proches du centre*

▪ *Camping n° 123 Astur :* ul. Bitwy Warszawskiej 1920 n° 15. ☎ 233-748 et 229-121. Ouvert d'avril à fin septembre. Bus 154 de la gare routière. Situé au sud de celle-ci, dans le même arrondissement que le camping *Gromada*. Moins grand et moins fréquenté. À proximité, poste et cabines téléphoniques, supermarché, distributeurs de billets pour la carte *Visa*. Notez bien : ses bungalows chauffés l'hiver restent ouverts toute l'année. Sanitaires récemment en réfection.
▪ *Motel Camping Tur Wola :* ul. Fort Wola 22 (dans une rue au dé-

part de l'avenue Wolska juste après le grand cimetière Powstańców). ☎ et fax : 371-460. Bus nos 105, 106, 125, 184, et trams nos 10, 26, 27 et 42. À l'ouest, pas trop loin du centre et facilement accessible, un joli terrain bien géré avec une pension hôtel.

🛏 *Camping Gromada nº 34 :* ul. Żwirki i Wigury 32. ☎ 254-391. Ouvert d'avril à fin septembre. Sur la route de l'aéroport, dans l'arrondissement d'Ochota, le plus grand mais aussi le plus bondé (surtout en été). Bus 175 depuis la gare centrale ou l'aéroport et bus 136 depuis la gare centrale seulement. Ce camping a tout de même pas mal de défauts : beaucoup de bruit en journée, une propreté variable avec le nombre des visiteurs et des risques de vols. Pas vraiment recommandé, donc.

● **Les plus éloignés du centre**

🛏 *Camping PTTK :* ul. Polczyńska 6. ☎ 664-67-36. Bus nos 129, 149, 506, et trams nos 10 et 16. Ouvert de mai à septembre. Immense terrain exilé dans l'arrondissement de Wola, sur la route de Poznań.

🛏 *Camping Turysta :* ul. Grochowska 1. ☎ et fax : 610-63-66. Bus nos 145, 188, et trams nos 3, 6, 9. Ouvert d'avril à septembre. À l'est de Praga sur la route de Terespol. Il est plus petit et ses bungalows avec chauffage l'hiver restent ouverts toute l'année.

🛏 *Camping Stegny :* ul. Inspektowa 1. ☎ et fax : 422-768. Bus nos 116 et 195. Ouvert d'avril à septembre. Très loin au sud sur la route de Wilanów, près d'un stade, dans la banlieue de Stegny : un grand terrain peu boisé attenant à la pension pour sportifs *Dom Wycieczkowy Stegny* qui offre des chambres sommaires à plusieurs lits.

Auberges de jeunesse et résidences universitaires

Quatre auberges de jeunesse, dont deux seulement ouvertes toute l'année et encore assez loin du centre pour l'une d'elles, on croirait presque que Varsovie n'aime pas la jeunesse. Heureusement, pour compenser et satisfaire les hordes d'été, il existe le système des résidences universitaires qui, une fois les étudiants envolés, ouvrent leurs dortoirs aux oiseaux de passage.

● **Auberges de jeunesse ouvertes toute l'année**

Les détenteurs de la carte des auberges de jeunesse bénéficient d'une réduction dans toutes les adresses suivantes. Cette carte s'obtient au centre des auberges de jeunesse : *Polskie Towarzystwo Schronisk Młodzieżowych (PTSM)*, ul. Chocimska 28. ☎ 498-354 et 498-128. Fax : 498-354 et 498-128. Ouvert du lundi au vendredi de 8 h à 15 h 30.

🛏 *Schronisko Młodziezȯwe (plan I, D2, 20) :* ul. Smolna 30. ☎ 827-89-52. En plein centre-ville, près de l'angle des rues Nowy Świat et al. Jerozolimskie, mais ne rêvez pas, elle est pratiquement toujours complète en été. Le bus 175 s'arrête à proximité, ainsi que n'importe quel autre bus depuis la gare ferroviaire en direction de Nowy Świat. Au 4e étage (vous aurez l'impression d'en avoir monté huit) d'un solide immeuble d'après-guerre. 100 places en dortoirs de 10 à 17 lits (garçons et filles séparés), ouverts de 6 h à 10 h et de 16 h à 23 h. Mais interdit d'y séjourner plus de 3 nuits consécutives. Quelques chambres en single (mais aux draps trop petits). Le soir, la porte ferme à 23 h. Cuisine, w.-c., douches. Assez propre. Table de ping-pong. Côté rue, une jolie vue sur la maison Blanche, ancien siège de l'ex-parti communiste.

🛏 *Schronisko Młodziezȯwe :* ul. Karolkowa 53 a. ☎ 632-88-29. Exilée à l'ouest dans l'arrondissement de Wola. Trams nos 22 et 24 de la gare ferroviaire en direction de Mirów, et descendre au croisement avec l'avenue al. Solidarnośći. Également très chargée en été.

150 places. Chambres de 6 à 10 lits. Eau chaude en permanence. Cuisine à disposition. Accueil sympa. Ferme à 23 h.

● *Auberges de jeunesse ouvertes l'été seulement*

▪ *Schronisko Młodziezôwe :* ul. Międzyparkowa 4/6. ☎ 831-17-66. Au nord de Nowe Miasto, non loin de la gare de Gdańsk. Beaucoup moins grande que les autres. Bus 175 de l'aéroport et bus 174 de la gare ferroviaire centrale.

▪ *Schronisko Młodziezôwe :* Wał Międzeszyński 397. ☎ 617-88-51. Au bout du monde, à l'est, à la périphérie du quartier de Praga Południe à proximité du périphérique Trasa Łazienkowska. Bus 188 de l'aéroport ou bus 507 de la gare ferroviaire centrale.

● *Résidences universitaires*

La plupart sont gérées par l'agence de tourisme universitaire *Almatur :* ul. Kopernika 23. ☎ 826-35-12. Ouvert du lundi au vendredi de 9 h à 18 h, le samedi de 10 h à 14 h. Elles sont généralement ouvertes en juillet et août, et, pour certaines, jusqu'à la mi-septembre. Pour celles qui ne dépendent pas d'*Almatur*, adressez-vous à l'office de tourisme de la place Zamkowy.

Chambres chez l'habitant

C'est l'autre façon de se loger à petit prix et par la même occasion de partager le quotidien d'une famille polonaise. La sélection d'une chambre s'apparente à un jeu de hasard, mais dites-vous que Varsovie ayant été détruite par la guerre à près de 85 %, vous aurez davantage de chance d'atterrir dans un immeuble HLM que dans un édifice début du siècle. Le seul réflexe préventif à conseiller est de bien vérifier la localisation sous peine de se retrouver exilé dans une lointaine banlieue, Varsovie étant particulièrement étendue.

■ L'agence *Biuro Kwater Prywatnych « Syrena »,* ul. Krucza 17, centralise les principales offres en chambres de la ville. ☎ 628-75-40. Ouvert du lundi au samedi de 8 h à 19 h 30. En été le bureau est assailli. L'office de tourisme de la place Zamkowy dispose aussi de quelques chambres.

HÔTELS

Comme annoncé, peu d'hôtels pas chers, mais il existe tout de même une astuce pour contourner la difficulté. La majorité des hôtels dispose en effet d'un petit contingent de chambres sans salle de bains ou avec plusieurs lits pour des groupes de 3 à 5 personnes. En échange de ce léger sacrifice, leurs prix se font nettement plus doux et deviennent intéressants pour les plus petits budgets. N'hésitez donc pas, avant de faire votre choix, à consulter les adresses de la rubrique « Prix moyens ».

Bon marché

▪ *Hôtel Na Wodzie/Trojan (hors plan II par D3, 21) :* ul. Wybrzeżė Kościuszkowskie. ☎ 628-58-83. Sur la rive gauche de la Vistule, à gauche du pont Poniatowskiego. Varsovie au ras du fleuve, rien que ça! Réception ouverte de 10 h à 22 h. Ce sont deux sœurs jumelles de bateaux-péniches pesant leur poids de grosse fonte rivetée qui de concert ont cessé leur pérégrination fluviale. Ancrées paisiblement le long de l'ex-chemin de halage, elles offrent une dizaine de chambres-cabines avec deux lits couchettes qui se font face. Les toilettes et les douches sont dans le couloir. L'ensemble, ripoliné d'une épaisse peinture beige, respire le solide ouvrage des chantiers navals socialistes. Mais ne croyez pas que vos nuits seront bercées par le doux clapotis des vagues, la voie express vrombit malheureusement à quelques mètres au-dessus. Il faut d'ailleurs traverser celle-ci avant d'accéder au site – après s'être perdu dans les escaliers de l'avenue Jerozolimskie. La nuit, l'aventure peut être éprouvante, même si l'adresse semble très prisée par les Polonais de passage.

▲ *Hôtel Saski* (plan II, A4, 22) : place Bankowy 1. ☎ 620-46-11. Sur la grande place moderne édifiée à l'emplacement du ghetto juif, à l'ouest de la vieille ville. Sa belle façade classique construite en 1949 par l'architecte du Théâtre national lui vaut d'être classé aujourd'hui monument historique. Mais ce pedigree prestigieux ne l'a pas préservé d'une relative déchéance au rang d'« hôtel de gare ». La plupart des chambres sont en effet dépourvues de salle de bains digne de ce nom et n'ont droit qu'à un triste mobilier d'après-guerre. Ne croyez pas pour autant qu'il manque de charme. Les amateurs d'ambiance surannée et de la douce mélancolie de l'Europe de la guerre froide y trouveront leur compte. Sa grande salle de resto-dancing ringarde – mais qui fait le bonheur des sexagénaires – mérite à elle seule le déplacement. Sinon, c'est aussi l'adresse préférée des touristes fauchés de l'Est ainsi que des petits mafieux, donc attention quand même.

▲ *Hôtel Garnizonowy* (plan I, B1, 23) : ul. Mazowiecka 10. ☎ et fax : 827-23-65. Prix particulièrement câlins dans cet ex-hôtel de militaires pour les chambres sans salle de bains ou à plusieurs lits. Voir la rubrique « Prix moyens ».

– Les deux adresses suivantes sont des hôtels appartenant à des fédérations syndicales de travailleurs.

D'hôtel, ils n'ont que le nom, ils s'apparentent davantage à des foyers pour ouvriers, l'ex-république des travailleurs ayant en effet pour habitude de loger ses citoyens en voyage par catégories professionnelles dans des immeubles collectifs. N'escomptez donc pas y trouver l'adresse de charme qui illuminera votre séjour, mais plutôt une plongée dans la réalité polonaise. Et pourtant...

▲ *Hôtel Dom Literatury* (plan II, C2, 24) : ul. Krakowskie Przedmiescie 87. ☎ 635-39-20. Fax : 826-05-89. Emplacement de rêve : l'avenue royale, à son embouchure débutant place Zamkowy. Immeuble de rêve aussi : un édifice pseudo-historique issu des truelles de la reconstruction. Mais l'euphorie s'arrête là, les quelques chambres ouvertes depuis peu au public au dernier étage sont d'un confort assez sommaire. D'autre part, rien ne vous garantit que vous pourrez y loger, les touristes étrangers n'étant pas prioritaires. Autre difficulté : la réception ne parle que le polonais et ne se montre guère affable.

▲ *Hôtel Federacji Metalowców* (plan II, A3, 25) : ul. Długa 29. ☎ 31-40-20/29. Fax : 635-31-38. Bien situé dans une rue calme et bourgeoise pas trop loin de la vieille ville. Les métallurgistes n'ont pas forcément mauvais goût. Ils se sont attribué un cossu immeuble de rapport où les bureaux ont été reconvertis en chambres collectives de un à quatre lits. Bien sûr aucun souci de décoration, confort minimum syndical dans de belles couleurs marron, télé dans le couloir, clientèle en rapport, mais en contrepartie un véritable parfum d'authenticité. Paiement en liquide.

Prix moyens et plus

▲ *Hôtel Harenda* (plan I, C1, 26) : ul. Krakowskie Przedmiescie 4/6. ☎ 826-00-71. ☎ et fax : 826-26-25. En plein centre, au début de la voie royale, presque à l'intersection avec la rue Nowy Świat, autrement dit une situation idéale pour découvrir la ville à pied. À côté de l'université de Varsovie, aux derniers étages d'un monumental immeuble 1900 qui occupe tout un pan de rue. Ses petites chambres blanches alignées de part et d'autre de longs couloirs ont la simplicité des résidences universitaires. Mais elles auraient quand même besoin d'être rénovées. Pas donné pour ce genre d'endroit. Au rez-de-chaussée, un vaste magasin d'antiquités, un café Internet finement « designé », une pizzeria et un des pubs les plus sympathiques de la ville.

å **Hôtel Warszawa** (*plan I, B2, 27*) : place Powstanców Warszawy 9. ☎ 826-94-21 et 827-18-73. Fax : 827-18-73. Au centre du centre. Impossible de ne pas le remarquer, c'est le frère jumeau en plus petit du palais de la Culture voisin. Cette grosse tour de pur style stalinien se voulait l'ambassadeur de l'élégance communiste. Aujourd'hui, elle n'est plus qu'un objet kitsch au confort plus que moyen avec des chambres assez petites, mal rafistolées avec de la fausse moquette chic à fleurs et des meubles bon marché. Mais bon, tout n'est pas noir, l'immeuble a du charme et la direction a compris qu'il fallait faire un effort sur les prix. Comme d'hab, ceux-ci deviennent avantageux lorsqu'on se contente d'une douche. Il y a aussi 10 % de réduction le week-end. Petit déjeuner compris.

å **Hôtel Maria :** al. Jana Pawła II 71. ☎ 838-40-62. Fax : 838-38-40. L'adresse parfaite n'existe pas. Ceux qui désirent un vrai petit hôtel de tourisme, coquet, moderne, chaleureux et aux normes de chez nous devront faire l'effort de porter leurs bagages jusqu'aux confins de cette grande avenue au nord-ouest de la vieille ville. Ils seront récompensés par une jolie bâtisse récente toute souriante dans sa belle couleur mauve. Grande mer de marbre dans le hall avant d'accéder à des chambres spacieuses qui distillent un relatif luxe : murs aux douces teintes pastel, lits à fleurs, lampes en cuivre et de belles salles de bains. Également pour les paresseux un bon restaurant gastronomique dans une salle aux larges baies vitrées. Prix assez élevés mais justifiés par la

qualité. Petit déjeuner compris. Seul inconvénient : le bruit de la circulation.

å **Hôtel Belfer** (*hors plan II par D3, 28*) : ul. Wybrzeżě Kosćiuszkowskie 31/33. ☎ 625-05-71 et 625-51-85. Fax : 625-26-00. En bordure de la Vistule, ou plus exactement en bordure de la voie express qui longe la Vistule. Ce gros cube de béton socialiste a été le pied-à-terre de la fédération des maîtres d'école. Pas moins de 400 chambres, avec ou sans salle de bains, d'un confort très correct. Les chambres sur l'arrière sont plus calmes, mais pour la vue sur les eaux boueuses du fleuve et les toits de Praga, il faut choisir celles du dernier étage. Petit prix lorsqu'il n'y a pas de salle de bains.

å **Hôtel Cytadela** (*hors plan II par D3*) : ul. Krajewskiego 3/5. ☎ 687-77-15. ☎ et fax : 687-72-36. Excentré au nord de Nowe Miasto, non loin de la gare de Gdańsk. Bus 501, 515, 520, 524. A priori, ce quartier paisible de petites HLM grisâtres n'a rien de bien sympathique, tout comme l'immeuble qui abrite cet hôtel : Varsovie a été détruite, on ne peut que le répéter. Pourtant, une fois le porche franchi, on a l'agréable surprise de découvrir un intérieur tout clair et lumineux qui sent bon la pension de famille à l'allemande. Quatre étages de chambres blanches et modernes bien tenues et avec comme d'habitude des meubles Ikea de qualité, plus des TV. Salles de bains aussi. Prix sages, petit déjeuner compris.

å **Hôtel Garnizonowy** (*plan I, B1, 23*) : ul. Mazowiecka 10. ☎ et fax : 827-23-65. L'ancien régime dorlotait ses bidasses : un hôtel-caserne rien que pour eux, en plein centre, à deux pas de l'avenue royale. Mais tout cela, c'est de la vieille histoire, maintenant c'est à vous d'occuper les chambres spartiates de cet immeuble costaud comme un para polonais. La nouvelle direction a repeint de blanc les immenses couloirs, mais l'ambiance de prison est restée : mobilier, fenêtre et lavabo de cellule. À déconseiller aux dépressifs. En revanche, les prix ne jouent pas les forts en gueule, encore moins si l'on renonce au luxe d'une salle de bains ou si l'on accepte les chambrées à plusieurs lits (trois et quatre personnes).

■ *Hôtel Wilenski (hors plan II par D2, 30) :* ul. Ks. I. Kłopotowskiego 36. ☎ 18-53-17 et 18-57-80. À Praga, dans une rue calme, presque au carrefour avec ul. Targowa. Pour ceux qui veulent connaître la vie du Varsovie canaille et populeux de la rive droite. Le superbe hall de marbre de ce petit immeuble d'habitation modeste laisse présager le meilleur. Mais ce n'est qu'une fausse promesse, les couloirs ont conservé la rude peinture socialiste. Les choses s'améliorent à nouveau dans les chambres assez grandes qui ont bénéficié d'une rénovation aux finitions hasardeuses. Dommage, l'ouvrage est bâclé, l'argent a dû manquer, mais l'adresse conserve un parfum d'aventure par sa localisation. Pour s'en convaincre, il suffit de jeter un œil depuis les petits balcons sur le terrain vague d'en face. Prix raisonnables mais sans plus. Certaines chambres avec salle de bains.

Plus chic

■ *Hôtel Europejski (plan II, C4, 31) :* ul. Krakowskie Przedmieście 13. ☎ 826-50-51. Fax : 826-11-11. Au centre, sur l'avenue royale, non loin de la vieille ville. Étrange destin que celui de cet hôtel, le plus élégant établissement des années folles, et qui devint, après la guerre, le siège de l'Académie militaire polonaise. Il faut croire que la cohabitation de deux idéologies différentes n'était pas une heureuse solution, car, à la fin des années 50, l'*Europejski* retrouva son activité hôtelière. De ce passé, le grand hall, le bar comme les couloirs majestueux conservent une dominante délicieusement « Fifties socialistes » qui rappelle les romans de John Le Carré. Quant aux chambres, elles ne gardent de leur passé que de beaux volumes, le mobilier étant d'un banal contemporain. Qu'importe, il demeure toujours une très bonne adresse.

■ *Hôtel Polonia (plan I, B3, 32) :* al. Jerozolimskie 45. ☎ 628-72-41. Fax : 628-66-22. En plein centre au carrefour avec ul. Marszałkowska. Son imposante façade de style sécession tranche avec la grisaille du béton environnant. Et pour cause, construit en 1913, il est un des ultimes survivants du Varsovie d'avant-guerre. Depuis, après l'outrage des temps socialistes et malgré une rénovation volontaire, il peine à retrouver son faste d'autrefois. Ni la prestance de ses parties communes, ni la superbe salle de restaurant en forme de théâtre italien n'arrivent à faire oublier la modestie des chambres au mobilier standard et à la très laide moquette. Néanmoins, ses prix étudiés en font une adresse de qualité. Un peu bruyant toutefois.

■ *Hôtel MDM :* place Konstytucji 1. ☎ 621-41-73. Bien situé en bordure de la place de la Constitution dans l'axe de l'avenue Marszałkowska. Sa façade, qui a bénéficié de l'attention particulière des architectes de la reconstruction, divise les Varsoviens : laide ou pas ? Seule certitude : c'est un immeuble typique de cette époque de renouveau architectural. Sa modernisation est un succès. De proportions agréables, il a su se hisser aux normes du tourisme moderne : chambres confortables avec des meubles contemporains passe-partout mais fonctionnels. Toutes avec salle de bains, TV et téléphone. Assez cher cependant.

■ *Hôtel Grand (plan I, C4, 33) :* ul. Krucza 28. ☎ 629-40-51. Fax : 621-97-24. Stratégiquement ancré dans la partie commerçante de la ville, au sud du carrefour Marszałkowska-al. Jerozolimskie. Cet énorme bâtiment des années 50 est une véritable forteresse hôtelière. En ex-vaisseau amiral de l'époque communiste, il multiplie aujourd'hui les initiatives pour rester compétitif. Les atouts ne lui manquent pas : de belles chambres meublées avec un solide mobilier dans les couleurs automnales comme on les aime en Pologne et, surtout, une multitude de services : sauna, piscine, casino, et le night-

VARSOVIE

club *Olimp,* dont les demoiselles déshabillées sont la principale attraction. Grande foire aux prix pendant le week-end (du vendredi au lundi).

Beaucoup plus chic

■ *Hôtel Bristol (plan II, C4, 34) :* ul. Krakowskie Przedmieśćie 42/44. ☎ 625-25-25. Fax : 625-25-77. Face à l'*Europejski,* au cœur de l'avenue royale. On dit que c'est toujours dans les vieux pots qu'on fait la meilleure soupe, le groupe hôtelier anglais *Forte* l'a bien compris en rachetant à prix d'or cet ancien palace de 1901. Après un somptueux lifting de plus de dix ans, il a retrouvé sa place dans le carnet d'adresses de la jet-set internationale : décor de sobre élégance à tous les étages pour se sentir chez soi, ainsi qu'une piscine, deux restaurants de haute gastronomie et une pâtisserie dont on vous parle plus loin.

■ *Hôtel Marriott (plan I, A4, 35) :* al. Jerozolimskie 65/79. ☎ 630-63-06. Fax : 630-52-39. Face à la gare centrale. La preuve vivante que le capitalisme est revenu en Pologne. Cet hôtel de chaîne internationale n'a rien à envier aux meilleurs établissements d'Europe (ses prix non plus), avec ses onze restaurants, son café avec musique classique *live,* son personnel parlant d'abord l'anglais avant même que vous ne prononciez un mot, son casino de 2 000 m², ses marbres portugais, son kiosque à journaux où *Libé* date d'hier et *Le Monde* d'aujourd'hui, et ses mille et une autres surprises luxueuses, en plein centre de Varsovie. Pour les routards qui veulent absolument goûter à ce luxe au prix fort, une seule solution : emprunter une cravate et aller gagner une fortune au casino. L'argent ne les embarrassera pas longtemps, car tout y est organisé pour s'en débarrasser rapidement. Génial, non ?

■ *Hôtel Mercure Frederyk Chopin (hors plan I par A2, 36) :* al. Jana Pawła II 22. ☎ 620-02-01. Fax : 620-87-79. Dans le Varsovie moderne, à mi-parcours de la grande avenue au départ de la gare centrale. Le savoir-vivre français est représenté de façon très moderne par ce superbe immeuble dernier cri de l'architecture contemporaine, implanté par la chaîne tricolore. Luxueux confort international, idéal pour ceux qui se projettent déjà dans le prochain millénaire. L'un des deux restaurants maison, *Le Balzac,* mérite également son rang de digne ambassadeur de la cuisine française.

Où manger ?

L'époque n'est pas encore très lointaine où la scène culinaire de Varsovie se réduisait aux luxueux établissements pour dignitaires du parti et aux gargotes sans imagination des restaurants d'État. Aujourd'hui, la page est bien tournée, l'imagination, souvent d'inspiration occidentale, a repris le chemin des cuisines et les restaurants se multiplient, même s'ils restent pour la majorité de la population un plaisir cher.

Signe de la modernité retrouvée, toutes les gastronomies du monde sont désormais représentées, avec toutefois une prédominance asiatique, le Polonais « nouveau » aime en effet voyager dans son assiette.

On peut aussi se restaurer à tous les prix, et souvent à n'importe quelle heure. Néanmoins, l'addition a sensiblement grimpé, même si les établissements les plus luxueux restent encore très accessibles à condition de se limiter à un seul plat.

Très bon marché

– Les bars *mleczny* (littéralement « bar à lait ») : retenez bien ce nom. Ces petites cantines en self-service au décor et à l'atmosphère d'hospice ont été pendant des décennies les « restaurants du cœur » de la Pologne communiste. Grâce à la prodigalité de l'État, tous les standards de la cuisine populaire – à l'exception des plats de viande (trop chers) – y étaient vendus en dessous de leur coût de revient. La Pologne pauvre et moins pauvre y avait son rond de serviette, car la qualité y était aussi meilleure qu'à la maison.

Aujourd'hui encore, malgré la coupe des subventions et l'introduction de la rentabilité, ils continuent d'afficher les plus bas prix du pays sans faiblir pour autant sur la qualité. C'est assurément la façon la plus routarde de s'initier à la gastronomie nationale, folklore compris. Car même repeints, modernisés ou rebaptisés, ils gardent leurs traditions : le panneau des plats (où figure désormais la viande) a la taille d'un indicateur de chemin de fer, les cantinières ignorent toujours l'amabilité, et les couverts sont restés en aluminium sans oublier la forte odeur de soupe aux choux. Qu'importe, on y vient pour le contenu de son assiette et il est plus qu'excellent !

Les principaux dans le centre sont :

|●| **Bar Pod Barbakanem** *(plan II, B1-2, 50)* : ul. Mostowa 27/29. À l'angle de Nowomiejska, juste à la sortie de la barbacane au nord de la vieille ville. Ouvert du lundi au vendredi de 8 h à 18 h, les samedi et dimanche de 9 h à 17 h. Idéal pour une pause roborative après épuisement des réserves de protéines suite à l'exploration de la vieille ville. En plus, le décor est sympa : une jolie maison d'angle avec une pièce rustique.

|●| **Uniwersytecki** *(plan II, C4, 51)* : ul. Krakowskie Przedmieście 20. Sur l'avenue royale à gauche de l'université. Ouvert du lundi au vendredi de 7 h à 20 h, les samedi et dimanche de 9 h à 17 h. Situé dans une petite boutique, c'est l'antre des étudiants. Bonne humeur autour des tables à nappes en verre sous le regard sévère de la caissière.

|●| **Familijny** *(plan I, C2, 53)* : ul. Nowy Świat 39. En plein centre, dans le prolongement de l'avenue royale. Ouvert du lundi au vendredi de 7 h à 20 h, les samedi et dimanche de 9 h à 17 h. Nowy Świat oblige, la direction a investi dans le décor : une « belle » salle dans un emballage de bois et de plantes vertes.

|●| **Bar mleczny Szwajcarski** *(plan I, D3, 54)* : ul. Nowy Świat 5. Un peu plus loin que le précédent, après le rondo de Gaulle. Lors de notre passage, il était en rénovation. Après travaux, le résultat devrait se rapprocher des standards d'une cafétéria moderne.

|●| **Bar Bambino :** ul. Rucza 21. Derrière le carrefour Marszałkow-ska-al. Jerozolimskie, presque en face de l'*Hôtel Grand*. Ouvert du lundi au vendredi de 7 h à 20 h, le samedi de 9 h à 17 h, fermé le dimanche. Malgré son nom italien, il est resté conforme à la tradition : banale salle à l'atmosphère de maison de retraite, mais plats copieux pour estomacs de fauchés.

Bon marché

|●| **Bar Smak** *(plan I, B3, 56)* : ul. Marszałkowska 114. Au rez-de-chaussée des grands magasins face au palais de la Culture. Ouvert du lundi au samedi de 9 h à 21 h. La version fast-food des bars *mleczny* avec un peu moins de qualité. En échange, le cadre est plus engageant : grande salle blanche et rouge faisant un peu hall d'hôpital. Les principaux plats populaires polonais sont au menu.

|●| **Exxx Presso** *(plan I, C3, 57)* : ul. Bracka 18. Dans la fin de cette rue après son intersection avec al. Jerozolimskie. Ouvert du lundi au samedi de 8 h à 21 h, le dimanche de 10 h à 21 h. Trente plats polonais à l'affiche dans cette petite cafétéria à la décoration d'un moderne efficace qui sait néanmoins rester conviviale. On n'y ferait cependant pas une déclaration d'amour, mais ce n'est pas le propos. En tous cas, succès garanti auprès de votre estomac (à midi, les employés du quartier y jouent à la mêlée de rugby). L'été, l'établissement s'élargit d'une petite terrasse sur le trottoir.

|●| **PG Sandwicz** *(plan I, C2, 58)* : ul. Nowy Świat 28. Cette jolie boutique postmoderne dans sa peinture

VARSOVIE

sagement pastel et ses éclairages halogènes est la cantine diététique des employés du quartier. Et pour cause, haro sur la grosse nourriture polonaise, au menu, il n'y a qu'une large sélection de salades aussi appétissantes que peu caloriques. Et en dessert... des salades de fruits !

|●| *Salad Bar :* ul. Tamka 37 *(plan I, D1, 59)* et ul. Kredytowa 2 *(plan I, B1, 60)*. Respectivement dans la grande artère qui prolonge ul. Świętokrzyska et non loin du jardin saxon. Ouvert du lundi au vendredi de 10 h à 19 h, le samedi de 10 h à 17 h, fermé le dimanche. Encore des salades dans cette chaîne qui, par son aménagement fonctionnel de self-service blanc et chromé, singe ses aînées d'Europe de l'Ouest. Avec succès d'ailleurs. Si l'ambiance industrialisée ne vous dérange pas, on y trouve la même variété de salades salées et sucrées que dans le précédent, ainsi que des sandwiches.

|●| *Pizzeria Capri (plan I, D2, 61)* : ul. Smolna 14. ☎ 26-39-39. Dans une rue à l'embouchure de Nowy Świat, juste avant le rondo de Gaulle. Ouvert tous les jours de 12 h à 22 h. Voisine de l'auberge de jeunesse, cette jolie petite salle en contrebas de la rue a fait l'effort de ne pas ressembler à madame tout le monde : quelques fresques miniatures, de discrètes niches à bougies et des tables en mosaïque sur un beau carrelage blanc. Un cadre intime et frais pour inviter sa nouvelle copine polonaise. Buffet de salades également.

|●| *Pizzeria Gaga (plan I, B2, 62)* : ul. Zgoda 6. Dans une rue juste derrière le carrefour Marszałkowska-al. Jerozolimskie. ☎ 827-44-40. Ouvert tous les jours de 11 h à 22 h. Installée au pied d'un immeuble du quartier d'affaires, cette pizzeria rutilante et neuve se fait le devoir d'être aussi express que la pause-déjeuner des employés qui la fréquentent à midi. Organisée comme un self-service, avec ses pizzaiolos au garde-à-vous, elle pousse aussi l'exploit de proposer une trentaine de pizzas à petits prix. L'été, une terrasse permet de les apprécier au grand air.

|●| *Domino's Pizza (plan I, C1, 63)* : ul. Krakowskie Przedmieście 4/6. Au centre, au début de l'avenue royale près de l'université. Ouvert du lundi au vendredi de 10 h à 23 h, les samedi et dimanche de 10 h à 2 h. La célébrissime chaîne a planté ses fourneaux domino dans un grand local aussi vaste que la palette de ses pizzas. Clientèle estudiantine gloutonne dopée par les décibels de la sono en harmonie avec les photos de rock stars de la déco.

|●| *Bar Co Tu (plan I, C2, 64)* : ul. Nowy Świat 26. Dans le centre, juste avant le rondo de Gaulle. Ouvert du lundi au vendredi de 11 h à 21 h, les samedi et dimanche de 12 h à 20 h. Il faut s'aventurer dans une cour d'immeubles modernes en retrait de Nowy Świat pour découvrir cette minuscule échoppe de spécialités vietnamiennes. Son propriétaire compense l'étroitesse des lieux par le nombre des plats (58 au total) et ses prix plume. Pour les claustrophobes, il y a aussi quelques tables dehors l'été.

|●| *Stands de cuisine sino-vietnamienne (hors plan I par B4)* : côté droit de la place Konstytucji. Sur la grande place à mi-parcours de l'avenue Marszałkowska. En quelques années, cette colonie de boutiques de rue s'est hissée au rang d'institution du bitume varsovien. Créées par d'anciens travailleurs immigrés asiatiques venus jadis dans le cadre de la coopération entre pays communistes, elles ont su acclimater les bonnes recettes de la mère-patrie aux besoins d'un estomac polonais, à savoir légèreté des prix contre robustesse des portions, l'exotisme étant offert gracieusement par la maison. Tiercé gagnant évidemment.

|●| *Bar Zapraszamy :* 16e étage du palais de la Culture. Ouvert tous les jours de 9 h à 17 h. Non, il n'y a pas de vue panoramique sur le béton de la ville, mais seulement trois pauvres fenêtres emprisonnées dans des stores vénitiens. Ce n'est pas très grand non plus, ni bien décoré. Et côté cuisine, quelle déception : quelques plats nationaux bâclés sans

amour ! Alors pourquoi le citer ? Parce que ce n'est pas si mauvais que ça, que les prix sont bas, et qu'on y observe à midi la faune des employés de bureau qui nichent dans la tour. Eux ne sont pas si difficiles...

|●| Bus de nuit (plan I, A3, 65) : dans la rue Emilii Plater, derrière le palais de la Culture au niveau de l'hôtel *Holiday Inn*. Ouvert de minuit à l'aube. Tous les ventres affamés qui rôdent la nuit à Varsovie connaissent ce bus-restaurant qui, passé minuit, rejoint le même emplacement derrière le palais de la Culture. En bon exemple du système D à la polonaise, son propriétaire, un ancien ouvrier, bricole derrière un petit rideau rouge les trois-quatre recettes miracles pour torpiller les estomacs vides. La clientèle, un mélange d'employés de nuit, de fêtards et de poivrots, crie au miracle. Pour routards avertis seulement. Prix un peu plus élevés vu l'heure.

Prix moyens

● *Cuisine polonaise*

|●| Karczma Gessler (plan II, B-C2, 66) : rynek Starego Miasta 21/21a. ☎ 831-44-27. Sur la grande place de la vieille ville. Ouvert tous les jours de 10 h à 23 h ou minuit. Inutile de vous précipiter à l'étage, la ferme des Gessler (voir la rubrique « Plus chic ») est au sous-sol. Préparez-vous au choc de votre vie culinaire. Ce n'est pas un resto mais un écomusée que vous allez découvrir dans ces caves labyrinthiques. L'exploration commence par l'impressionnant dôme en brique au carrefour du dédale des caves. Ensuite vous avez le choix entre les petits salons aux graffitis artistiques, mais mieux vaut s'enfoncer dans les couloirs qui débouchent successivement sur l'énorme cuisine troglodytique, la salle à manger 1900, la ferme XIXᵉ siècle ou les greniers-salons encombrés de lits et d'armoires. Tout ce bric-à-brac de musée a été patiemment collecté dans toute la Pologne par les Gessler. Tant d'efforts pour vous inviter à goûter leur succulente cuisine polonaise et juive. Les fourneaux permettent même de commander un porc entier.

|●| Adler (plan I, D4, 67) : ul. Mokotowska 69. ☎ 628-73-84. Dans une rue au départ de la place Trzech Krzyży à la fin de Nowy Świat. Ouvert tous les jours de 12 h à minuit. Une banale rotonde blanche au pied d'un vilain immeuble qui, en un tour de porte franchie, vous fait changer de monde : bienvenue dans le monde païen de cette fantastique grange-auberge à l'abri sous un dôme de solides poutres en étoile. Nous sommes quelque part dans l'antre culinaire de l'amitié paysanne bavaro-polonaise. La lumière est tamisée, des bottes de foin pendent du plafond, le grossier plancher craque sous le pas des soubrettes et on finit par atterrir sur l'une des petites tables en cercle autour du bar central. Le grand manège de la bière et de la lourde gastronomie peut commencer : une majorité de plats polonais à la manière traditionnelle plus quelques échappées autrichiennes et allemandes. Le résultat sur le public est immédiat : une bonne humeur communicative. Petite terrasse l'été en option. Pas cher.

|●| Pod Samsonem (plan II, B1, 88) : ul. Freta 3/5. ☎ 831-17-88. Dans la rue au sortir de la vieille ville vers Nowe Miasto. Ouvert tous les jours de 10 h à 22 h. La carte mélange spécialités juives (non-cachères), polonaises et végétariennes. Toutes les trois sont bichonnées par le chef à la bonne franquette polonaise, c'est-à-dire avec un savoir-faire poli par des générations de maîtresses de maison. Et quant au cadre qui abrite cette trinité culinaire, il est d'une sobriété toute cordiale. Une salle blanche minimaliste d'où émergent çà et là quelques éléments de décoration : antiques photos de la Varsovie d'autrefois, des petits buffets et de vagues fausses poutres en fer. Les prix inclinent aussi à fraterniser avec votre bourse.

|●| U Szwejka (hors plan I par A4) : pl. Konstytucji 1. ☎ 621-62-11. À droite de l'hôtel *MDM*, sur la grande place au sud du palais de la Culture. Ouvert tous les jours de 10 h à 1 h (2 h les vendredi et samedi). Amateurs d'ambiance de brasserie surchauffée et fébrile, cette adresse est la vôtre. Maintenant, les choix culinaires de la maison : une offensive de grillades mélangées à une sélection de cuisine polonaise et internationale. Le tout est servi par une armée de serveurs des deux sexes en tenue bistrot blanche et noire. Comme d'hab la bière coule à flots et appelle la bonne humeur d'une clientèle trentenaire assez aisée. L'établissement possède aussi son secret : réussir à dénicher une table dans la longue salle voûtée du sous-sol dont les tablées compartimentées se prêtent beaucoup mieux à la dynamique de groupe que celles plus classiques de la pièce du rez-de-chaussée. Addition comme chez nous cependant. Désolé !

|●| Garret (hors plan I par B-C4) : ul. Marszałkowska 55/73. ☎ 621-96-75. Sur la grande avenue commerçante, presque au niveau de la place Konstytucji. Ouvert tous les jours de 12 h à 23 h ou minuit. Difficile d'imaginer que derrière la façade grise de cet immeuble se cache un restaurant douillet comme un grenier d'opérette. Opérette en effet parce que les Pygmalion du lieu sont deux célèbres décorateurs de théâtre. Grenier aussi parce que les deux comparses ont épuisé les brocantes pour transformer ce banal premier étage en une soupente champêtre issue de leur imagination. Pas un coin ou un recoin qui ressemble à l'autre, chacun racontant une histoire différente : un lit-table face à des armoires-fauteuils, plus loin une salle à manger grand-mère, le bar et son mur vieilles briques, un piano droit derrière une poutre... Le spectacle est aussi au plafond avec une forêt d'ustensiles qui se promènent. Mais ne vous inquiétez pas, vous aurez tout de même l'occasion de lorgner votre assiette. Dans celle-ci, les valeurs sûres mais rajeunies de

la cuisine polonaise, ainsi que quelques inventions du chef. À ne pas confondre avec le resto *Odeon* qui loge à la même adresse.

|●| Qchnia Artystyczna (hors plan I) : zamek (château) Ujazdowski, al. Ujazdowskie 6. ☎ 625-76-27. Dans le parc Ogród Botaniczny (et non Ujazdowski), à côté de la place Na Rozdrożu, à mi-parcours d'al. Ujazdowskie qui prolonge Nowy Świat, ouf! Ouvert tous les jours de 12 h à minuit. Ce palais d'été des rois de Pologne, tranquille sous les frondaisons de son parc, accueille déjà le centre d'Art contemporain. Il a fallu encore que quelques accros du décor et de la cuisine végétarienne y fassent le paon en investissant les grandes salles de l'arrière. Mot d'ordre : pas une des tables disséminées au hasard de leur arrivée ne doit ressembler à l'autre. On y trouve à peu près tout ce qui s'achète en *design* contemporain, plus un côté brocante : ainsi un lit-matelas voisine avec une table de cuisine qui, elle-même, cousine avec un ensemble salon, parent avec un vieux fourneau... Et ce n'est que la salle d'honneur. La deuxième, grande caverne voûtée, affiche une discrète constellation de néons sur le troupeau de tables bigarrées sous leurs nappes à carreaux. Reste encore la galerie du cloître intérieur qui se la joue grand seigneur avec son enfilade de dîneurs à la bougie sous les vraies étoiles du ciel d'été. *Fashion people* et artistes cérébralisés sont au rendez-vous pour une cuisine artistiquement végétarienne. Pas trop cher.

|●| Nowe Miasta (plan II, B1) : rynek Nowego Miasta 13/15. ☎ 831-43-79. Sur la grande place qui succède au nord de celle de la vieille ville. Ouvert tous les jours de 10 h à 23 h. Signe particulier : essentiellement végétarien, à peu près tout ce qui se cuisine avec des légumes, de la salade et des fruits. Les recettes sont polonaises, mais s'inspirent aussi de la gastronomie mondiale. Les carnassiers indécrottables pourront se rabattre sur les poissons de la carte. Autre caractéristique : une des meilleures caves de vins en ville. Sinon le décorateur a dévalisé un magasin de meubles en rotin pour meubler ce rez-de-chaussée clair qui s'ouvre agréablement sur le beau volume de la place du marché. Les nombreuses plantes vertes ajoutent une note de fraîcheur en harmonie avec les sages tableaux des murs et le glou-glou de l'aquarium-fontaine. Jazz tous les samedis et dimanches. Pas trop cher.

I●I **Senator** (plan II, B2, 68) : ul. Szeroki Dunaj 1/3. ☎ 831-79-68. Au bout de la rue Piwna au départ de la place Zamkowy dans la vieille ville. Ouvert tous les jours de 11 h à 23 h. Posée à l'angle d'une placette endormie, cette petite maison ancienne propose le calme feutré d'un intérieur bourgeois d'autrefois. Tapisseries et vieux lustres y font honneur à une cuisine polonaise traditionnelle où le zraz zawijany (bœuf roulé au sarrasin), plat typique costaud et nourrissant, cohabite très bien avec le bœuf chinois au soja. De même pour les entrées : les raviolis avec viande et chou concurrencent agréablement les crevettes et le caviar. Terrasse l'été.

I●I **Rycerska** (plan II, B2, 69) : ul. Szeroki Dunaj 9-11. ☎ 831-36-68. Au bout de la rue Piwna dans la vieille ville. Ouvert de 11 h à 23 h. Les fiers chevaliers de la Pologne médiévale auraient été étonnés par cette coquette maisonnette qui leur rend hommage en bordure d'une placette paisible. Même si ces messieurs harnachés et casqués s'affrontent en tournoi sur la grande fresque centrale, l'atmosphère des jolies salles blanches voûtées appelle plutôt la paix des armes. Pour les distraire de leurs armures et des nombreuses bannières qui tapissent les murs, le chef a l'argument de ses plats à la mode ancienne : gibier, rôtis divers, du caviar, vodka et porc entier cuit dans de la bière avec du sarrasin. En été, petite terrasse en bordure des remparts. Prix, en revanche, très modernes.

I●I **Restaurant-café Eljat** (hors plan I) : al. Ujazdowskie 45/47. ☎ 628-54-72. Dans la rue qui prolonge Nowy Świat, au niveau de la place Trzech Krzyżẏ. Ouvert tous les jours de 11 h à 23 h ou minuit. Comme les plaisirs de la table rapprochent parfois plus les hommes que les grands discours, monsieur Pruszyński a fait de cette belle salle sobre en surplomb de la rue le QG culinaire de l'amitié polono-israélienne. Le succès a vite dépassé l'objectif initial et c'est maintenant le Tout-Varsovie cosmopolite qui vient surfer entre les plats juifs traditionnels, la cuisine polonaise (pierogi, barszcz, etc.) et... française (quiches, tartes au citron). L'absence de recherche dans le décor – réduit à une élégance de cantine d'ambassade – contribue aussi beaucoup à l'éclosion des conversations. Également de copieuses salades orientales. Pas trop cher.

I●I **Ugarit** (hors plan I par A4) : pl. Konstytucji 1. ☎ 621-62-11. Juste sur la droite de l'hôtel MDM, sur la grande place de l'avenue Marszałkowska. Ouvert 24 h sur 24 avec une pause entre 4 h et 6 h du matin. Ugarit, comme personne ne l'ignore, est une ville de Syrie, par conséquent, dans ce resto marbré et spacieux comme une mosquée, la cuisine est en majorité moyen-orientale. Cependant, finesse diplomatique oblige, la carte décline aussi par égard pour le pays d'accueil les grands classiques de la cuisine polonaise. Et, comme rien n'est simple sur les rives de la Méditerranée, la lecture du menu est un vrai casse-tête chinois : pas moins de 500 combinaisons de plats, nous a assuré sans sourciller la serveuse ! En plus, c'est bon et pas excessivement cher.

I●I **Odeon** (hors plan I par B-C4) : ul. Marszałkowska 55/73. ☎ 622-45-94. Près de la place Konstytucji. Ouvert de 12 h à minuit. Avec l'apparition d'une nouvelle classe de yuppies aux złotys faciles, les restos à thème éclosent à Varsovie. Celui-ci a choisi la nostalgie musicale des Fifties dans une assez grande salle ocre. En fait, avec le mobilier froid de cafétéria élégante, la nostalgie en question est davantage aseptisée que chaleureuse. Seuls en effet les instruments de musique qui sont artistiquement accrochés aux murs apportent un peu de parfum de l'ancien temps. Cuisine très contemporaine, également des plats polonais revisités ainsi que des grillades et un grand choix de cocktails.

|●| *Zapiecek* (plan II, B2, **70**) : ul. Piwna 34/36. ☎ 831-56-93. Dans une rue de la vieille ville au départ de la place Zamkowy. Ouvert tous les jours de 11 h à 23 h. Pour se démarquer de ses voisins, cette coquette salle unique a choisi le style dînette de grand-mère : vitraux traditionnels, poupées anciennes, fleurs artificielles et des tableaux kitsch, bref le charme du passé en version Poulbot. Un bataillon de soubrettes rouges et jaunes s'activent le sourire en proue pour faire oublier la cuisine polono-touristique mais de bonne tenue.

● *Cuisine étrangère*

|●| *El Popo* (plan II, B3, **73**) : Senatorska 27. ☎ 827-23-40. Dans une rue au départ des places Zamkowy et Bankowy. Ouvert tous les jours de 12 h à minuit. La mode du tex-mex a débarqué à Varsovie. Celui-ci est le plus grand et le plus branché. La grande salle avec son bar-cuisine central dispose de tous les ingrédients du genre pour vous inviter au dépaysement : la fresque murale aux couleurs criardes, la mezzanine western, les tables banquettes et les guitaristes *mariachis* qui sont en vérité de solides Polonais. Spécialités typiques de là-bas en portions trop grosses pour les estomacs yuppies habitués du lieu. Assez cher.

|●| *Cesarski Pałac* (plan II, B3, **73**) : ul. Senatorska 27. ☎ 827-97-07. Dans une rue qui relie les places Zamkowy et Bankowy. Ouvert tous les jours de 12 h à 23 h (minuit le week-end). La fringale d'exotisme des Varsoviens est comblée : c'est le plus grand chinois de la ville. La déco se défonce gentiment pour donner satisfaction : petit pont avec ruisseau et cascade à l'entrée avant de découvrir une salle de tables rouges, compartimentée par des paravents. On aurait pu dire que c'est plutôt réussi si l'auteur de la déco ne

s'était pas cru obligé d'affubler les serveurs, tous polonais, de tuniques orientalisantes qui les travestissent en moujiks chinois ou l'inverse. Fous rires garantis, on les plaint. La formule semble cependant payante vu l'affluence pour une cuisine somme toute assez ordinaire.

|●| *Memora* (plan I, A2, **75**) : place Grzybowski 2. ☎ 620-37-54. Sur une place derrière ul. Świętokrzyska au niveau du palais de la Culture. Ouvert tous les jours de 10 h à 21 h. C'est le seul resto juif cacher de la ville, qu'on se le dise ! Il est très médiocrement situé au pied d'une des horribles HLM qui ont succédé après-guerre au ghetto. Son aménagement intérieur ne force pas non plus sur la déco : une salle blanche un peu cantine. Car son propos est ailleurs : fournir les authentiques spécialités de la Pologne juive et non pas les fac-similés que l'on trouve habituellement. Fondé par une association de jeunes juifs désireux de faire connaître une culture mise à mal par les hordes nazies, il est le point de ralliement des touristes juifs à la recherche de leurs racines polonaises. Un repas peut être agréablement complété par une représentation au Théâtre juif voisin.

|●| *Pizzeria Mia* (plan I, B3, **76**) : ul. Poznańska 37. ☎ 621-61-01. Presque à l'angle avec al. Jerozolimskie, à proximité de la gare centrale. Ouvert du lundi au vendredi de 10 h à 20 h, le samedi de 12 h à 18 h, fermé le dimanche. On ne s'explique pas pourquoi cette pizzeria mignonne comme un décor de cinéma s'obstine à fermer si tôt, car c'est l'une des plus coquettes. Ses propriétaires ont non seulement du goût mais aussi le respect des clients, avec des pizzas dignes de ce nom. Celles-ci arrivent *prestissimo* sur de jolies tables bistrot, environnées de tresses d'oignons, de vieux pots de confitures et autres objets des greniers italiens. Pas cher.

|●| *Opus One* (plan I, B2, **77**) : place E. Młynarskiego 2. ☎ 827-51-00. À l'arrière d'une petite place coincée entre les grands magasins

de Marszałkowska, face au palais de la Culture. Ouvert du lundi au samedi de 12 h à 23 h, le dimanche de 10 h à minuit. Encore un branché qui s'est attribué un immense espace dans l'immeuble de l'orchestre philharmonique. L'auteur des lieux est un Suisse habitué du Tout-Varsovie. À la manière new-yorkaise, il a divisé son lieu en plusieurs parcelles autonomes. Les soiffards littéraires ont leur coin sous la mezzanine. Tout en se délectant des différents cocktails (*happy hours* du lundi au samedi de 18 h à 20 h), ils peuvent aussi admirer sur les murs les photos du proprio parmi les grands de ce monde. Le resto fait bande à part derrière les colonnes qui divisent la salle, tandis que les voyeurs seront chez eux parmi le mobilier grand-mère de la mezzanine. Le menu change tous les jours, un pot-pourri de toutes les cuisines avec le mardi du tex-mex. *Brunch* également le dimanche matin.

|●| *Barbados* (plan II, B3, 78) : ul. Wierzbowa 9. ☎ 827-71-61. Dans une rue à droite du Théâtre national, à mi-parcours de Senatorska. Ouvert du lundi au vendredi de 12 h à minuit, le samedi de 15 h à minuit, fermé le dimanche. Malgré son espace plus modeste, cette salle unique avec son palmier en métal blanc s'est d'office inscrite parmi le peloton de tête des restos branchés. Est-ce la déco métallisée qui contraste avec le bois brut du plancher et les larges fenêtres aristocratiques ou la subtile nouvelle cuisine polonaise du chef, également expert en spécialités des Caraïbes ? Le lieu a aussi l'atout de s'élargir dès 22 h d'un bar colonial en sous-sol qui draine un flot de jeunes filles en fleurs.

|●| *Pizzeria Giovanni* (plan II, C3, 79) : ul. Krakowskie Przedmieście 37. ☎ 826-27-88. Sur l'avenue royale, non loin de la place Zamkowy. Ouvert tous les jours de 11 h à 23 h. 25 sortes de pizzas plus des salades à « avaler » dans le grand rez-de-chaussée pop d'un immeuble historique. Pour se démarquer de la concurrence, le propriétaire, qui a la bosse du commerce, s'est risqué à

repeindre ses trois salles voûtées de fresques mi-hippies, mi-Matisse, selon votre culture. Bonne ambiance. Contenu des assiettes très correct.

|●| *Paris Texas* (hors plan I par B-C4) : ul. Marszałkowska 66. ☎ 622-00-07. Dans la grande avenue qui passe devant le palais de la Culture, près de la place Konstytucji. Ouvert du lundi au samedi de 11 h à minuit. Le Texas vu de la Pologne, c'est plutôt propre et soigné. Pas de risque de se crotter les pieds sur l'impeccable mosaïque du carrelage, ni de faire de mauvaises rencontres au comptoir du bar qui s'enfonce dans la salle en longueur. Heureusement que les lampes tempête, les fausses poutres et les photos western sont là pour le dépaysement. Comme vous l'avez compris, c'est un bar-resto branché propre sur lui. Tenu par un Polonais et une Française de Bordeaux dont les fourneaux savent cuisiner français (20 %), tex-mex et cajun (80 %). Les buveurs y trouveront aussi l'apaisement dans les différents alcools du bar. Prix moyens.

|●| *Mekong* (plan I, C4, 80) : ul. Wspólna 35. ☎ 621-18-81. Dans une rue derrière l'hôtel *Forum*. Ouvert tous les jours de 12 h à 23 h. Un sino-vietnamien intimement lové derrière ses plantes vertes et ses murs de lin rouge. La salle, pas trop grande, séduit une clientèle d'habitués qui apprécient la lumière tamisée et les plats soignés, bien qu'au dire de certains bilieux de la critique, la qualité vienne à baisser. Nous, on ne s'en est pas aperçu, le défaut serait plutôt les prix : les mêmes que chez nous.

|●| *Cristal-Budapeszt* : ul. Marszałkowska 21/25. ☎ 25-34-33. Ouvert tous les jours de 13 h à 3 h. La fenêtre gastronomique sur la Hongrie. Restaurant construit à l'époque où l'amitié entre les peuples des pays frères était inébranlable. Commandez les plats les plus hongrois possible et vous ne serez pas déçu. Le goulasch avec un râpé de pommes de terre laisse un souvenir délicieux. De plus, la taille du restaurant diminue le risque d'une queue à l'entrée. Le soir, le dancing (à partir de 19 h 30) complique un peu les choses (billets d'entrée, musique tonitruante et forte alcoométrie). Mais bon, l'ambiance est assurée. Attention, certains vendredi et samedi soir, tout l'établissement peut être loué à des groupes qui souhaitent faire la fête entre eux.

Plus chic

|●| **Gessler Pod Krokodylem** (plan II, B-C2, 66) : rynek Starego Miasta 21/21a. ☎ 831-44-27. Sur la grande place de la vieille ville. Ouvert tous les jours de 18 h (14 h les samedi et dimanche) à 23 h ou minuit. Le vaisseau amiral du clan Gessler, les restaurateurs les plus célèbres de la ville. Dès le porche de cet immeuble historique, la couleur est annoncée : l'adresse est hors norme. Nul autre établissement ne peut rivaliser avec les trouvailles de décoration qui tapissent cette succession de salons à chaque fois différents. Pas du pompeux, ni de l'esbroufe facile pour épater le gotha mondial dont c'est la cantine, mais l'œuvre d'un vrai artiste, en l'occurrence l'épouse du maître de céans. Inutile de vous décrire les chaises africaines, les cheminées profondes, les collections de canapés, les lustres, les bras de lumière... il faudrait plusieurs pages et beaucoup de talent d'autant que si vous n'y dînez pas, vous pouvez toujours y jeter un œil, c'est gratuit ! Cuisine polonaise nouvelle. Au rez-de-chaussée, un bistrot plus modeste, et au sous-sol une époustouflante ferme troglodytique (voir Karczma Gessler dans la rubrique « Prix moyens »).

|●| **Fukier** (plan II, B2, 81) : rynek Starego Miasta 27. ☎ 831-10-13. Sur la grande place de la vieille ville. Ouvert tous les jours de 12 h à 23 h ou minuit. Un autre bijou de la famille Gessler, voisin de leur établissement vedette. Cette fois, ces virtuoses de la déco et de la cuisine ont concocté une auberge conte de fées belle comme une maison de pain d'épice. Tout y respire la patine d'une Pologne de rêve. Les fruits poussent en bouquets, le parquet fleure bon l'encaustique de grand-mère, dont les ancêtres dans d'antiques cadres veillent sur les convives, alors que le perroquet sur son perchoir siffle ses impertinences. Comme de bien entendu, on y dîne à la lumière des bougies qui flattent le bois des vieux buffets et les mille objets où l'œil s'égare. Difficile aussi de choisir entre la grande salle maîtresse ou les petits cabinets de l'arrière, secrets comme ceux d'un château, sans omettre pour l'été l'écrin de verdure de la cour intérieure. Sachez aussi que la dernière célébrité à y avoir posé son auguste fessier est notre actuel Président, Jacques Chirac. Et pour clore, la cuisine suit les saisons tout en s'évadant vers la Lituanie, la Russie et d'autres cieux européens.

|●| **Chianti** (plan I, D2, 82) : ul. Foksal 17. ☎ 828-02-22. Dans une rue de Nowy Świat près du rondo de Gaulle. Ouvert du lundi au vendredi de 9 h à 23 h, les samedi et dimanche de 12 h à 23 h. Chianti ! Le nom appelle à entrer dans ce sous-sol d'une auguste maison ancienne. Mais de trattoria à la bonne franquette point. Tout ici a été étudié pour flatter l'œil. Le décorateur s'est inspiré de l'Italie pour créer cette grande salle toute de pierre blanche, avec ses bancs intégrés (mais avec coussin). De jolis murs en terre cuite finalisent la note champêtre. Quelques instruments ethniques aussi et d'antiques photos de vendanges pour expliquer leur utilisation. Bref, le résultat est superbe comme les jeunes serveuses au tablier assorti à la couleur des murs. Et dans un tel cadre, la cuisine italienne se devait d'être raffinée : elle l'est, à l'image des dîneurs...

|●| **Casa Valdemar** (hors plan I) : ul. Piękna 7/9. ☎ 628-81-40. Dans la rue de l'ambassade de France, au croisement avec la fin de la rue Krucza. Ce n'était un secret pour personne que madame Gessler (voir plus haut), l'épouse du célébrissime restaurateur, avait un faible pour l'Andalousie. Il n'en fallait pas plus pour qu'éclose une magnifique hacienda en bordure d'une jolie placette ombragée et endormie. Toujours selon la formule qui a fait leur fortune, il s'agit d'une reconstitution

ethnique imaginaire. La salle est longue et haute de plafond. De lourds rideaux tamisent la lumière qui perce par les larges baies vitrées, tandis que de grandes tablées dynamisent l'espace sous l'œil sévère des tableaux de maître. Le gros four rond en terre cuite pose sa note paysanne. Il est le centre des activités. C'est là qu'on cuit les porcelets et les quartiers de mouton qui sont la spécialité de la maison, de même que la viande argentine et les poissons. La digestion de l'addition, quant à elle, est facilitée par la musique flamenco de la sono.

|●| *Bazyliszek* *(plan II, C2, 83)* : rynek Starego Miasta 3/9. ☎ 831-18-91. Au cœur de la vieille ville. Ouvert tous les jours de 12 h à minuit. Celui qui fut le restaurant le plus réputé de Varsovie peine à tenir son rang depuis l'arrivée sur la *rynek* des établissements Gessler. En comparaison, son cadre, autrefois considéré comme exceptionnel, fait pâle figure. Mais il ne faut pas être injuste, les salons à la décoration d'inspiration médiévale sont encore imposants et la vue sur la place, à condition d'être placé près d'une fenêtre, a toujours son charme. Côté cuisine, le *Petit Dragon* (dont la légende raconte que, jetant un regard de feu, il périt en s'admirant dans un miroir) se maintient aussi. Le canard aux pommes *(kaczka z jabłkami)* ainsi que le gibier sont des classiques du lieu. Essayez notamment, pendant la saison de la chasse, le faisan *(bazant)*, ou le sanglier sauvage *(dzik)*.

|●| *Le Petit Trianon* *(plan II, B2, 84)* : ul. Piwna 42. ☎ 831-73-13. Dans une rue de la vieille ville au départ de la place Zamkowy. Ouvert du mardi au dimanche de 10 h à minuit, fermé le mardi. Cette petite salle unique, confidentielle comme un boudoir de boîte à gâteaux, ne démérite pas de son nom. Si le terme de *cosy* a un sens, c'est bien ici dans l'intimité des grands tableaux de maître et de l'épaisse moquette qui calfeutre les lieux et protège de l'animation de la rue. Avec un sens du cérémonial propre au cabinet de conversation de l'ancien régime, le

chef et son personnel discret proposent l'originalité d'une carte qui mélange des spécialités traditionnelles françaises et polonaises. Assez cher.

|●| *Belvédère* *(hors plan I)* : Park Łazienkowski, Nowa Oranżeria. ☎ 41-48-06. Ouvert tous les jours de 12 h à 23 h ou minuit. Au cœur du plus beau parc de la capitale, dans un jardin d'hiver magnifique, se trouve le plus beau restaurant de Varsovie. Le cadre vaut à lui seul le déplacement mais la cuisine n'est bien sûr pas en reste. Le chef, un Français qui a fait ses classes au *Crillon* et à *La Tour d'Argent*, propose de délicieux plats (servis sous cloche) inspirés de la cuisine du terroir polonais (soupe aux champignons, rôti de porc à la vodka, canard aux pommes et... aux pétales de rose, etc.) mais aussi de la cuisine traditionnelle française (terrine de foie gras maison servie avec brioche et figue). Service irréprochable. Prix en conséquence, bien sûr.

|●| *Wilanówka* *(hors plan I)* : ul. Wiertnicza 27. ☎ 42-18-52. Ouvert tous les jours de 12 h à minuit. Cette auberge, à l'entrée du château de Wilanów, se caractérise par son cadre médiéval mêlant de vieilles armures et des trophées de chasse. Dans les assiettes, une excellente cuisine traditionnelle où la part belle est faite au gibier : chevreuil *(sarna)*, cerf *(jeleń)*, lièvre *(zając)*; et aux poissons d'eau douce : brochets *(szczupak)*, anguilles *(wegorz)*... Jardin extérieur aussi.

|●| *Tsubame* *(plan I, C2, 85)* : ul. Folksal 16. ☎ 826-51-27. Dans une rue qui se jette dans Nowy Świat, peu avant le rondo de Gaulle. Ouvert tous les jours de 12 h à minuit. Si soudainement le besoin de jeûner vous prend après des excès de *pierogi*, cet élégant japonais qui partage le même immeuble chic que le théâtre Polski devrait vous convenir. Sa longue salle tamisée et haute de plafond attire les amateurs (argentés) de *sushis* et de cuisine à la vapeur. Le public se délecte et ne manque pas de montrer ses bonnes manières de connaisseur sous l'œil zélé des geishas polonaises. Assez cher.

I●I *La Bohème* (plan II, B3, **86**) : place Teatralny 1. ☎ 692-06-81/84. Sur la droite de l'opéra national, au milieu de la rue Senatorska. Ouvert de 12 h (17 h les samedi et dimanche) à minuit. Le chic d'autrefois réinventé par un décorateur féru des années 30. Le rez-de-chaussée se veut plutôt café avec un grand espace lumineux : peinture jaune pastel aux murs et marbre au sol. Les partitions de musique courent sur les murs et rencontrent les photos sépia des divas d'autrefois. Au sous-sol, les choses deviennent plus sérieuses. Divisé en intimes alcôves, celui-ci invite à la parade mondaine autour des petites tables sur de drôles de chaises habillées de peaux de léopards. Le kitsch hollywoodien n'est pas loin. La carte présente le haut de gamme de la cuisine polonaise et européenne. Cher évidemment.

I●I *Montmartre* (plan I, C3, **87**) : ul. Nowy Świat 7. ☎ 628-63-15. À la fin de cette rue après le rondo de Gaulle. Ouvert tous les jours de 10 h à minuit. Impossible de ne pas se croire en France, du moins à Paris avec les posters touristiques alignés à l'entrée dans des panneaux « Jean-Claude Decaux », mais l'illusion s'arrête là : pas de petite guinguette montmartroise, mais une salle banale avec sa moquette vert amande et son mobilier de fourniture hôtelière. Est-ce le décorateur qui a manqué d'inspiration ou la France qui serait devenue une mauvaise muse ? La muse du chef est en revanche meilleure conseillère : même pour un palais français, les huîtres, les rognons de veau, les côtelettes de mouton, les escargots... sont d'un bon niveau. Exceptée l'addition bien sûr.

I●I *Flik* (hors plan I par B-C4) : ul. Pulawska 43. ☎ 49-44-34. Très au sud dans l'avenue qui prolonge ul. Marszałkowska. Ouvert tous les jours de 12 h 30 à 23 h ou minuit. Proche du ministère de l'Intérieur, ce restaurant fut la cantine de nombreux ministres sous le régime communiste. Ce qui ne l'empêche nullement d'être aujourd'hui à la mode. Allez comprendre. Pour un œil profane, ce n'est qu'une maisonnette moderne installée en bordure d'un parc coincé entre de vilaines HLM. Mais bon, la terrasse entre les bosquets du parc permet de dîner au frais, l'été, de bonnes grillades au barbecue. Les convives de l'hiver apprécieront peut-être la salle moderne avec expos de peinture sur ses murs blancs. Cuisine polonaise et internationale dont les pommes de terre en jaquette au caviar.

Où goûter ?

I●I *Fukier Słodki* (hors plan I par C4) : ul. Mokotowska 45. Au croisement avec la fin de la rue Krucza. Ouvert le lundi de 12 h à 20 h, du mardi au dimanche de 11 h à 20 h. Toujours et encore les œuvres de la famille Gessler (voir plus haut). Le résultat est une petite bonbonnière campagnarde qui allie la rusticité (relative) d'un mobilier en bois avec le raffinement des services en porcelaine, des tableaux anciens et le sourire des serveuses habillées en Laura Ashley. On y déguste sur le bout des doigts et des fesses (délicats tabourets), le nez enivré par les effluves parfumés des dames, des pâtisseries maison qui savent se faire respecter. Miroirs et rideaux à fleurs en complément d'ambiance. Cher.

I●I *Café A. Blikle* (plan I, C2, **97**) : ul. Nowy Świat 33. Au cœur de Nowy Świat. Ouvert du lundi au samedi de 9 h à 23 h, le dimanche de 10 h à 23 h. Après avoir servi de refuge littéraire aux opposants pendant la période communiste, ce grand café fondé en 1869 a retrouvé, enfin, grâce à une rénovation de prestige, sa vocation première : les plaisirs de la mondanité. Sur sa terrasse, comme dans les salons verts à la décoration un peu froide, les conversations suivent à nouveau le cours léger de l'insouciance. Les serveurs glissent sur le marbre brillant en direction des canapés et des tables pendant que sur les murs, les photos d'archives chantent la gloire du fondateur. Les gâteaux, fleuron de la maison, ont droit à un temple de marbre dans la boutique voisine. Mais la carte s'élargit aussi de nombreux cocktails et glaces.

|●| Wedel, pijalnia czecolady *(plan I, B-C2, 89)* : ul. Szpitalna 8. Dans une rue derrière les grands magasins, à l'angle avec Górskiego 11/19. Ouvert du lundi au vendredi de 11 h à 19 h, le samedi de 10 h à 17 h, le dimanche de 11 h à 17 h. Il faut d'abord entrer par une impressionnante boutique de chocolats (par le volume seulement !) pour accéder à deux petits salons paisibles vert et rose. Dépêchez-vous, car pour peu de temps encore on se contente de servir dans ce havre de paix d'une belle hauteur de plafond, loin du stress ambiant, le meilleur et le moins cher des chocolats chauds en ville. Mais c'est tout ce que la maison a à offrir !

|●| Café Bristol *(plan II, C4, 34)* : ul. Krakowskie Przedmieście 42/44. Au centre de l'avenue royale. Ouvert tous les jours de 10 h à 21 h (plus tard, les samedi et dimanche). Installé dans l'enceinte d'un des plus prestigieux palaces de Varsovie, ce café-salon de thé ne pouvait qu'être élégant dans un habillage de marbre et de mosaïque. Lumière douce, musique douce et serveuses à la politesse huilée sont à l'image de l'excellence des produits maison : pâtisserie, café et chocolat qui peuvent aussi se déguster à la lecture de la presse internationale mise gracieusement à la disposition par la direction.

|●| Pâtisserie de l'hôtel Europejski *(plan II, C4, 31)* : ul. Krakowskie Przedmieście 13. À l'angle de l'hôtel sur l'avenue royale. Ouvert de 9 h à 19 h (les samedi et dimanche, jusqu'à 16 h). Sous une belle hauteur de plafond qui lui donne des airs de cathédrale, cette pâtisserie s'enorgueillit d'un imposant comptoir en marbre qui sert d'écrin aux pâtisseries.

|●| Café Nowy Świat : ul. Nowy Świat 63. Au début de la rue après l'avenue royale. Ouvert de 9 h (10 h les samedi et dimanche) à 22 h. Les peintres ignorent manifestement l'existence de cette immense salle aux larges baies ouvertes sur la rue et au plafond abyssal porté par d'imposantes colonnes. Bien que racheté par un groupe autrichien, son ambiance désuète a le charme ou la tristesse de la convivialité d'avant l'ouverture : un comptoir longiligne comme un crocodile endormi, des tables bistrot sous de vieux lustres, un piano fatigué et un service minimum. Pâtisseries et chocolat.

|●| Hortex : ex-chaîne d'État, ces pâtisseries opèrent lentement et péniblement un virage à 360° vers les standards mondiaux de la restauration. Plusieurs adresses :

● *place Konstytucji 7 (hors plan plan I)* : ouvert tous les jours de 9 h à 21 h. Pour être grand, c'est grand : quelque 6 m et plus sous le plafond du hall de gare où se commandent les gâteaux. Mais ne croyez pas que c'est affreux. Dans cet immeuble d'après-guerre, l'architecte a conçu une très belle mezzanine soutenue par d'élégantes colonnes doriques d'où le regard plonge sur la rue et sur le ballet des serveuses aux tempes grisonnantes. Les pâtisseries et les glaces sont en revanche pimpantes et appétissantes.

● *Ul. Świétokrzyska 35 (plan I, B2, 90)*. À l'angle de la Marszałkowska, à côté du *McDonald's*. Ouvert tous les jours de 9 h à 21 h. Triste décor de cafétéria dans un triste immeuble de béton. Passez votre chemin, sauf en cas de crise d'hypoglycémie.

|●| Hôtel Grand Bar Expresso *(plan I, C4, 91)* : ul. Krucza 23/31. Presque en face de l'*Hôtel Grand*. Ouvert du lundi au vendredi de 8 h à 19 h, les samedi et dimanche de 9 h à 16 h. Ce n'est qu'une modeste boutique, malgré le gigantisme de l'hôtel auquel elle appartient. Mobilier et atmosphère de banale cafétéria du coin, s'il n'y avait les rudes manières des serveuses de l'ancien régime. Sinon, bon café et pâtisseries soignées (en petit nombre). Assez cher.

|●| Pożegnanie z Afryką *(plan II, B1, 96)* : ul. Freta 4/6. Dans la rue qui s'échappe au nord de la vieille ville pour conduire à Nowe Miasto. Ouvert tous les jours de 11 h à 21 h. *Out of Africa*, le film avec Meryl Streep et Robert Redford, a été l'origine de cette minuscule échoppe dédiée à un breuvage amer et excitant qu'on appelle café. Les plus grandes marques du nectar noir y sont exposées tels des trophées de chasse dans un musée colonial. Mais comme il serait inhumain de laisser les arômes vous enivrer sans pouvoir y goûter, la direction a octroyé une seconde salle lilliputienne où la boisson attend votre passage dans des cafetières sur des réchauds à gaz. Mais attention, cinq tables seulement !

|●| Kawiarnia Literacka *(plan II, C3, 92)* : ul. Krakowskie Przedmieście 87/89. Sur l'avenue royale à proximité de la vieille ville. Ouvert tous les jours de 10 h à 23 h. Une double vocation : resto au sous-sol et salon de thé au rez-de-chaussée dans une salle blanche qui, avec son sol de marbre et ses tables bistrot, peine à se montrer chaleureuse. Fréquenté par les touristes et les étudiants, il fut considéré jadis, c'est-à-dire il y a très longtemps, comme le plus élégant. Une réputation en berne aujourd'hui. Le soir, un petit orchestre de jazz s'applique à soutenir l'ambiance.

|●| Bar Cukierniczy Igloo *(plan I, C2, 94)* : ul. Nowy Świat 46. Ouvert tous les jours de 9 h à 20 h. Une minuscule boutique nickelée, bondée d'amateurs de glaces et de salades de fruits croulant sous des tonnes de crème chantilly.

Où boire un verre ?

C'est bien connu, les Polonais sont de grands buveurs devant l'Éternel, mais au goût national pour les paradis de l'alcool, il manquait l'art du savoir-boire, la fameuse *drinking culture* des Britanniques. La découverte de celle-ci et de ses temples, les bars et les pubs, fut l'autre grande innovation de l'après-communisme. Varsovie, comme les autres grandes villes polonaises, a vite relevé le défi, et les quartiers se sont équipés en établissements adéquats, bien que ceux-ci restent pour l'instant insuffisants pour le nombre de gosiers à étancher. Néanmoins, le début est prometteur.

♈ Między Nami *(plan I, C3, 110)* : ul. Bracka 20. Derrière les grands magasins, au départ de cette rue avant son intersection avec al. Jerozolimskie. Quel est ce bar qui ose s'appeler « Entre-nous » et dont la seule signalétique extérieure est la marquise bleue « Gauloises Blondes » ? Le « nous », ce sont les narcisses du look et les jeunes cultureux de Varsovie qui ont élu domicile dans cette salle post-moderne, aux tons orangés et secouée par les décibels de la sono. Chaises en métal griffées *design* d'artiste et tableaux tendance warholienne permettent de prendre la pose. Pour ceux que la faim tenaille, la petite mezzanine qui copie l'appartement de grand-mère offre l'occasion d'une pause récréative autour de quelques en-cas. Le week-end, l'étroitesse des lieux oblige cependant la direction à filtrer les candidats. Critères fluctuants. Les recalés pourront toujours se rabattre sur la terrasse de rue.

♈ Piwnica Architektów *(hors plan I)* : ul. Koszykowa 55. Dans une rue au départ de la place Konstytucji. Ouvert de 18 h à minuit (2 h les vendredi et samedi). Dès l'entrée, des décibels de rock annoncent qu'ici, dans ce grand sous-sol noir à l'allure d'entrepôt de brasserie, on n'aime guère les rendez-vous littéraires. Il y a certes des bougies et des halogènes pour la note d'intimité, mais les rangées de tables qui slaloment et se perdent autour du bar sont plus propices à recueillir les décilitres de bière, considérés comme le minimum vital par la clientèle d'étudiants et d'expatriés anglo-saxons. Les nombreux piliers en brique qui divisent l'espace permettent aussi à chacun de se regrouper par tribu. Bonne ambiance enfumée et un peu élitiste.

♀ *Harenda (plan I, C1, 26)* : ul. Krakowskie Przedmieście 4/6. Près de l'université, au début de l'avenue royale, au pied de l'hôtel *Harenda*. Ouvert tous les jours de 8 h à 3 h du matin. Le plus grand pub de Varsovie a plusieurs cordes à son arc. Une grande terrasse qui, avec ses rangées de bancs, se donne des airs de taverne bavaroise champêtre. Puis, lorsque les premières bourrasques sonnent le repli, deux grandes salles intérieures emmitou-flées dans des murs de bois permettent de poursuivre bien au chaud la fraternisation autour des bocks de bière. Il n'y a alors plus qu'à se laisser glisser jusqu'au club de jazz du sous-sol : traditionnel le mardi et le mercredi, blues le jeudi et le samedi. Un pub apparemment basique, mais qui a le pouvoir de fédérer aussi bien la foule des étudiants (avec pouvoir d'achat) que des néo-capitalistes. Quelle que soit l'heure, l'animation n'y fléchit jamais, sans mentionner l'embouteillage traditionnel du week-end.

♀ *Pub Lokomotywa (hors plan I par C4)* : ul. Krucza 17. Dans une rue parallèle à Marszałkowska, non loin de l'*Hôtel Grand*. Ouvert tous les jours de 11 h à 23 h (minuit les vendredi et samedi). Un petit bar branché qui se veut aussi grand qu'une locomotive, mais qui ne l'est que par la prétention de son décor. De locomotive, point, juste un drôle de tonneau métallique en couvre-chef du comptoir d'où trois pas suffisent pour rejoindre les quelques tables d'inspiration métro parisien. Mais c'est peut-être le bleu infini des murs qui séduit sa clientèle de yuppies-juniors, ainsi que l'équipe du *Warsaw Business Journal*. En option, une terrasse lilliputienne sur le trottoir pour exhiber son portable.

♀ *Morgan's (plan I, D1, 111)* : ul. Okólnik 1, mais entrée sur ul. Tamka

près de l'escalier de l'académie de Musique. Au premier tiers de la grande rue qui prolonge ul. Świętokrzyska. Ouvert de 15 h jusqu'au dernier client. Un petit rez-de-chaussée gris et voûté comme la salle d'armes d'un château irlandais. Quelques torchères de lumières au mur et surtout un bar qui, par son agencement, incite à la sédentarisation : dès la première bouteille décapsulée, l'heure du retour devient incertaine, déjà du fait de la foule qui bloque la sortie. Le patron, en homme d'expérience, a heureusement prévu des petits déjeuners en cas de prolongation matinale des festivités.

♀ *Irish Pub (plan II, C3, 112)* : ul. Miodowa 3. Dans une rue au départ de la place Zamkowy. Ouvert tous les jours de 9 h jusqu'au dernier client. Un petit bar irlandais, copie conforme de ses compatriotes restés au pays. Couleurs automnales, fanions au plafond à la gloire de la Guinness, quelques tablées de gros bois, une forte odeur de cigarette et certains soirs des orchestres de musique country. Pour avoir été le premier du genre à ouvrir à Varsovie, il affiche quelques rides d'ancienneté.

♀ *Zanzi Bar (plan II, B3, 113)* : ul. Wierzbowa 9/11. Dans une rue à droite du Théâtre national. Ouvert tous les jours de 13 h au dernier client. Amis branchés en retard d'une génération, ce petit bar avec mezzanine métallique rappelle nos chères années 90, période féconde en décoration minimaliste et post-moderne. Pour revivre la nostalgie d'avant-hier, visitez ses murs à la belle peinture de lavis ocre, le bar savamment « designé », admirez la barmaid pulpeuse et appréciez les fauteuils réceptacles des fessiers les plus snob et nouveaux riches de la ville. Si tout cela ne vous appâte pas, il reste la terrasse pour prendre le frais en été.

♀ *Pub 7 (hors plan I)* : place Konstytucji 1. Sous l'arcade gauche à la fin de la place, à l'angle de la rue Koszykowa. Ouvert tous les jours de 10 h jusqu'au dernier client. Cette salle carrée en rez-de-chaussée se veut pub anglais jusqu'à la caricature : néon rose au-dessus du bar, un labyrinthe de tables cloisonnées, des guirlandes de fanions, lumière tamisée et jeunesse en joie de vivre. *Folk music* pour cimenter le tout.

Club Giovanni *(plan I, C1, 114)* : Krakowskie Przedmieście 24. Près de l'université, au début de l'avenue royale. Ouvert tous les jours de 13 h à 1 h. Ces quelques caves emboîtées les unes dans les autres sont le repaire des post-pubères des deux sexes qui accèdent enfin à la permission de minuit. Pas un centimètre carré qui n'ait été repeint en couleurs vaguement psychédéliques. Le tagueur maison s'est éclaté sur des images d'aquarium et des fresques d'inspiration *Sixties*. Tout le monde se prend très au sérieux, de même que la sono qui refuse de passer autre chose que du heavy metal et du néo-punk.

Nora Bar *(plan I, C1, 115)* : Krakowskie Przedmieście 20/22. Voisin du précédent. Ouvert du lundi au jeudi de 11 h à 23 h, le vendredi de 9 h à 23 h, le samedi de 11 h à minuit (23 h le dimanche). Au sous-sol d'une entrée d'immeuble, cette salle troglodytique n'est pas une angoissée de la décoration. Elle se contente de fournir l'essentiel pour écluser un gorgeon avant d'aller voir ailleurs : un bar en long un peu daté, quelques tribus de chaises et l'attraction des flippers et billards à l'arrière. Une adresse de l'ancien régime. Beaucoup de *teenagers* Adidas.

Cyberia Cafe *(plan I, C1, 116)* : Krakowskie Przedmieście 4/6. ☎ 828-14-47. E-mail : cafe@cyberia.com.pl. Adresse Internet : www.cyberia.com.pl. Au rez-de-chaussée de l'hôtel *Harenda*, au début de l'avenue royale. Ouvert tous les jours de 9 h à minuit. Globe-trotters électroniques, six terminaux d'ordinateurs vous attendent dans ce café Internet pour une balade en octets sur le réseau mondial. Les heureux détenteurs de ce *Guide du Routard* auront en plus le privilège d'y disposer d'un E-mail, consultable gratuitement pendant un quart d'heure environ, grâce à l'insigne générosité de son propriétaire, le malicieux Suisse francophone Peter Schweitzer. N'hésitez donc pas à le demander au comptoir. Mieux que nous, il pourra vous expliquer l'exceptionnelle rapidité de sa ligne de connexion au serveur de l'université voisine. Vous aurez aussi le plaisir de causer décoration avec lui, car il a signé celle de ce petit bar de technologie conviviale. Pas d'effets spéciaux pour attirer le chaland, mais quelques bonnes idées comme un comptoir en verre qui exhibe les entrailles fluo des machines voisines et une mini-planche à voile porte-CD-Rom. Tout y est conçu pour ré-humaniser les cybernautes, à commencer par le café corsé et les quelques en-cas de cuisine légère. Une bonne adresse pour commencer ou finir la journée.

Alter Pub *(plan I, A2, 117)* : ul. Świętokrzyska 30. Face au palais de la Culture. Ouvert tous les jours de 12 h à 1 h. Le vieux pub a pris racine sur une placette moderne légèrement en retrait du carrefour avec Marszałkowska. Avec son petit étage décoré comme un wagon de métro 1900, il cherche à se rendre douillet pour oublier le béton ambiant. Pas bien grand, il n'a guère d'autre atout pour réchauffer les troupes que de les agglutiner dans une camaraderie amicale autour de son bar en bois du rez-de-chaussée. Clientèle de jeunes actifs appréciant les ambiances germanisantes.

Krista Pub *(plan I, C2, 118)* : ul. Górskiego 9. Dans une rue derrière la place Powstańców. Ouvert du lundi au vendredi de 11 h à 23 h, le samedi de 16 h à 23 h, fermé le dimanche. À notre connaissance, il détient le record du plus petit bar de Varsovie. Conçu comme un pub-cabane entre deux portes cochères, il réussit tout de même l'exploit de loger dans son espace de chambre de bonne une mezzanine et quelques chaises. Conséquence ou non de la promiscuité, les murs sont (artistiquement) graffités et l'atmosphère définitivement irlandaise.

Sherwood Pub *(plan I, B1, 119)* : ul. Kredytowa 1. Dans le centre, près du début de l'avenue royale, au niveau de l'université. Ouvert du lundi au jeudi de 11 h à minuit, le vendredi de 12 h à 1 h, le samedi de 16 h à 1 h (minuit le dimanche). Pas fréquent qu'un musée, en l'occurrence le Musée ethnographique, transforme ses caves en débit de boissons. Beaucoup d'étudiants en relâche d'examen.

ᵀ Jazz Club Akwarium *(plan I, A3, 120)* : ul. Emilii Plater 49. ☎ 620-50-72. Dans la rue à l'arrière du palais de la Culture. Ouvert du lundi au samedi de 10 h jusqu'au dernier client, le dimanche de 11 h jusqu'à 23 h ou minuit. Installé dans un vilain immeuble d'après-guerre, il a été le premier club de jazz de la capitale. Depuis, il ne s'est pas endormi sur ses lauriers. Il a créé une radio, *Jazz Radio,* sur 106.8 FM, et préside toujours aux destinées du festival de Jazz d'été. Quant à ses locaux, ils ont le parfum rétro d'une maison de la culture de chez nous. Deux étages, avec de la mauvaise moquette, un bar *Sixties*, des peintures murales vaguement psychédéliques et une terrasse ombragée sur la rue. Qu'importe, l'excellence de sa pro-

grammation attire la même foule d'amateurs. Les concerts gratuits du mercredi mélangent professionnels et jeunes talents. Pour ceux du week-end, il faut en revanche passer à la caisse (normal, de plus grandes pointures, souvent américaines, s'y produisent).

ᵀ Panorama *(plan I, A4, 35)* : hôtel *Marriott,* al. Jerozolimskie 65/69. Ouvert tous les jours de 17 h à 1 h. Varsovie *by night* se laisse admirer du 40ᵉ étage de la tour de cet hôtel destiné aux *happy few.* Beaucoup mieux que sur la terrasse du palais de la Culture. L'ambiance de ce bar est évidemment classieuse et cosmopolite. Il a aussi vocation de club de jazz avec des petites formations qui s'époumonent tous les jours à partir de 20 h à l'exception du lundi et du dimanche.

ᵀ Blue Velvet : ul. Krakowskie Przedmieście 5. Le bunker de la techno varsovienne ouvre son antre chaque mardi soir à des musiciens de jazz. Concert gratuit de 21 h à 23 h. Voir ci-dessous la rubrique « Où sortir en boîte ? ».

Où sortir en boîte ?

À la mode ou alternatives, les boîtes sont devenues le symbole de la libéralisation du pays. Mais attention, la mafia y est omniprésente et la prostitution apparente.

ᵀ Le Ground Zero *(plan I, B4, 121)* : ul. Wspólna 62. ☎ 625-52-80. Dans une rue à l'arrière de l'hôtel *Marriott.* Ouvert les mercredi et jeudi à partir de 20 h, les vendredi et samedi à partir de 21 h. Miracle de la détente, le plus grand abri anti-atomique de Varsovie s'est mué en une gigantesque disco en forme de patinoire olympique sous un dôme circulaire. Autant le souligner tout de suite, c'est « LA » boîte à la mode. Les dernières technologies de la nuit ont été importées pour électriser la foule massée dans l'arène centrale. Qu'importe les brouillards de fumée et les attaques au laser, on arrive toujours à gagner le long ruban du bar qui ceinture la salle. On y croise

aussi le plus grand nombre de nymphettes désarticulées au mètre carré. Comme la concurrence est rude, des podiums ont été aménagés pour permettre aux plus belles de s'exhiber telles des coco girls. Pas trop difficile non plus de s'y faire admettre, les cerbères de l'entrée sont conciliants. Musique différente chaque soir, mais l'ambiance est un peu froide pour un samedi soir.

ᵀ Klub Stereo *(plan I, C2, 122)* : ul. Krakowskie Przedmieście 23/25. Au centre de Nowy Świat. Ouvert le lundi de 21 h à minuit, du mardi au samedi de 21 h à 3 h, le dimanche de 15 h à minuit. Dans une cour à l'arrière de la rue, une enfilade de petites caves repeintes de couleurs pastel, comme les aiment ici les décorateurs, qui proposent un cabotage entre la piste de danse et les multiples pièces *cosy* destinées à faire connaissance. Anonymat exclu du fait de la taille humaine de l'endroit et du coude à coude dans les couloirs. On se croise et on se dévisage. Idéal pour faire des rencontres, notamment grâce au bar en cul-de-sac. La musique différente dans chacune des salles permet aussi une sélection par affinité musicale.

♟ *La Szena (hors plan I)* : ul. Szucha 3/5. Ouvert du vendredi au dimanche de 22 h à 4 h. Le Varsovie dans le vent se divise en deux groupes : il y a les heureux possesseurs de la carte de *La Szena*, et ceux qui intriguent encore pour l'obtenir ! Cœur du Varsovie nocturne le vendredi soir, cet ancien cinéma aménagé par un décorateur de théâtre constitue un cadre inattendu pour une boîte. On ne se lasse pas de passer en revue les objets hétéroclites accrochés au-dessus de nos têtes. Mais, tout compte fait, les danseurs le sont presque plus : les midinettes côtoient les stars de cinéma et cette nouvelle génération de businessmen polonais qui ne sortent qu'avec un téléphone portable. Finalement, *La Szena* est restée une salle de spectacle. Aux dernières nouvelles, le journal *Życie Warszawy*, propriétaire des murs, souhaiterait récupérer le joujou pour s'agrandir. Mais comme les tractations risquent de perdurer, sachez tout de même que le samedi soir la carte de membre n'est pas exigée et que, pour les autres soirs, il est toujours possible d'amadouer le gorille de l'entrée. À vous de jouer.

♟ *Barbados (plan II, B3, 78)* : ul. Wierzbowa 9. Dans une rue à droite du Théâtre national. Ouvert du mercredi au dimanche de 22 h à 6 h. Chic et huppée comme le resto du rez-de-chaussée, cette boîte d'humeur tropicale dans ses murs ocre avec ses implants de plantes vertes a la prétention de ne recevoir que l'élite vestimentaire et argentée de la cité. Donc barrage au look et à la prestance. Rappeurs, shootés de la techno, ne regrettez rien, le D.J. a ici les tympans B.C.-B.G., George Michael étant le hit du lieu. Vous y perdrez en revanche le *close contact* avec les régiments de mannequins et autres starlettes en quête de mécènes.

♟ *Blue Velvet (plan I, C1, 123)* : ul. Krakowskie Przedmieście 5. Non loin de Nowy Świat, au niveau de l'université. Ouvert du dimanche au jeudi de 22 h à 23 h ou minuit, le vendredi de 22 h à 5 h, le samedi de 22 h à 7 h. Les technophiles ont trouvé refuge dans un petit corridor de caves bétonnées qui s'effilochent jusqu'à un bar, réduit à l'essentiel. La piste de danse de la taille d'un mouchoir de poche se « stroboscope » chaque nuit à une programmation différente, tout comme les murs qui changent périodiquement de couleur fluo (bleue lors de notre visite). Public et mœurs en rapport avec la musique.

♟ *Colosseum (hors plan I)* : ul. Gorczewska 69/73. Dans l'avenue qui succède à al. Solidarnóci. Ouvert du mercredi au samedi de 21 h à 5 h. Les cirques n'ont jamais eu l'honneur du centre-ville, même lorsque les D.J. remplacent les acrobates. Ce grand chapiteau implanté dans un faubourg n'échappe pas à la règle, il faut se bouger un peu avant de retrouver son arène-piste de danse qui a la faveur des ados du voisinage. Au lieu des flonflons et du saut de la mort, des torrents de techno-pop et de dance music sous des batteries de laser.

♟ *Stodoła (hors plan I)* : ul. Batorego 10. ☎ 25-86-25. Dans le quartier Mokotów. Trams : 10, 12, 17, 33. Ouvert les mardi, jeudi et vendredi de 21 h à 3 h, le samedi de 20 h à 5 h, et selon le programme des manifestations (consultez les journaux). C'est sans doute le club d'étudiants le plus dynamique, qui ne se contente pas d'organiser une disco toute bête. Souvent des concerts, des soirées spéciales à thème, des défilés de mode. Deux salles, un patio, un bar. Fréquentée par des jeunes, pacifiques et souriants. Possibilité de manger un morceau sur place, mais un petit morceau...

♼ **Riviera Remont** (hors plan I) : ul. Waryńskiego 12. ☎ 25-74-97. Près de la place Zbawiciela qui succède à la place Konstytucji. Trams : 2, 4, 15. Ouvert le mardi de 18 h à minuit, le jeudi de 20 h à 2 h, les vendredi et samedi à partir de 21 h. C'est la boîte underground de Varsovie. Punks, alternatifs et autres cohabitent pacifiquement (la plupart du temps) dans un espace assez restreint. Parfois des concerts (jazz le jeudi), plus souvent « café musical » (ce qui consiste à regarder un concert en vidéo). La bière et l'atmosphère aidant, au bout de quelques instants on s'y croirait pour de bon !

♼ **Stara Dziekanka** (plan II, C3, 124) : ul. Krakowskie Przedmieście 56. Pendant l'été, la cour de cet hôtel particulier du XVIIIe siècle, qui a été longtemps le dortoir des étudiants de l'université de Varsovie, s'improvise discothèque à la bonne franquette. Sous le ciel étoilé ou non, la bière coule à flots au rythme de la sono saisonnière. Bonne ambiance d'auberge estudiantine.

À voir

★ **Le château royal** (zamek Królewski ; plan II, C2, 129) : pl. Zamkowy 4, en amont de la vieille ville. Ouvert du mardi au dimanche de 10 h à 17 h (caisses ouvertes à 9 h). Fermé le lundi. Réservations par téléphone : ☎ 635-39-95 et 657-21-70. Il symbolise pour tous les Polonais l'indépendance de leur pays.

L'ancien château fort du XIIIe siècle, maintes fois modifié, partiellement ou complètement détruit, a toujours été reconstruit et demeure, depuis le XVIe siècle, la résidence royale et le siège de la diète. Alors que dans d'autres pays européens, les XVIe et XVIIe siècles furent marqués par le renforcement du pouvoir absolu du roi, la Pologne vivait à l'heure de la république des nobles. Le roi, choisi par une élection libre, devenait non pas possesseur héréditaire du château mais son locataire à vie. Le château était géré par le *starosta* (le maire) de Varsovie. Le grand maréchal de la Couronne veillait à l'ordre et à la sécurité intra-muros, tandis que le trésorier de la Couronne avait la garde des biens de l'État accumulés dans le château. Le roi n'était que l'usufruitier de certains appartements appelés « chambres royales ». Le reste des salles de ce vaste bâtiment était occupé par la diète, les offices, les archives et les tribunaux. Les rois se construisaient leurs palais privés dans les faubourgs de Varsovie, comme le château *Ujazdów,* le palais *Wilanów,* érigé par Jan III Sobieski, ou le parc *Łazienki,* qui fut la résidence du roi Stanisław Auguste Poniatowski.

Le château royal fut complètement détruit pendant la dernière guerre. Dès 1939, sur ordre personnel d'Hitler, les soldats allemands, après l'avoir dépouillé de ses objets de valeur, percèrent plusieurs milliers de trous dans les murs pour le dynamiter. Ce fut chose faite en 1944. C'est seulement en 1971 qu'on décida de reconstruire ce château symbole. Grâce à un effort sans précédent de la population et à plusieurs milliers de dons provenant de Pologne et de l'étranger, il a pu être inauguré en 1984. Les vieux habitants se souviennent notamment de l'énorme tirelire qui trôna pendant des années devant le chantier, où chacun venait déposer quelques billets.

À l'intérieur, parmi de nombreuses salles, toutes richement décorées, on remarque la salle de la diète, dont l'aménagement reflète le système politique de l'époque et les très jolis appartements du roi Stanisław Auguste. Napoléon, lors d'une brève visite au château, en 1806, après les partages de la Pologne, refusa d'y dormir. Il ne voulait pas passer la nuit dans la chambre à coucher d'un monarque qui avait perdu sa couronne. Ignorant sa ruse, la malédiction opéra quand même...

★ **La colonne Sigismond** (plan II, C2, 130) : sur la place du château. Le plus vieux monument de Varsovie, érigé en 1664 par le roi Ladislas IV à la mémoire de son père. Les Varsoviens y jettent toujours un coup d'œil, car le vieux roi observe attentivement la conjoncture du haut des 20 m de sa colonne et les avertit si elle devient dangereuse, en levant son épée.

DANS LA VIEILLE VILLE (STARE MIASTO)

Avant d'entamer sa visite, ayez toujours à l'esprit que tout ce vous allez admirer dans ces ruelles du Varsovie historique n'était qu'un champ de ruines au lendemain de la guerre. Sa reconstruction à l'identique fut déclarée œuvre nationale par le nouveau gouvernement communiste. Ce travail titanesque mobilisa, tout comme le château, l'ensemble de la population et dura de 1949 à 1963. Imaginez Paris amputé de Notre-Dame, de l'île de la Cité et du Marais, et vous aurez l'échelle de l'œuvre accomplie. Cet acte de fierté nationale fut récompensé par l'inscription de la vieille ville au patrimoine mondial de l'Unesco.

★ **La cathédrale Saint-Jean** *(katedra Św. Jana ; plan II, C2, **131**)* : la plus vieille église de Varsovie (XIIIe-XIVe siècles), témoin, en 1309, du procès devant la tribune papale entre les Polonais et les chevaliers teutoniques, et lieu de couronnement de plusieurs rois. Dans ses cryptes, accessibles aux visiteurs, plusieurs tombes de personnalités connues, entre autres celle de l'écrivain Henryk Sienkiewicz, prix Nobel de littérature en 1905.

★ **La place de la Vieille-Ville** *(rynek Starego Miasta ; plan II, B-C2)* : reconstruite dans sa forme initiale des XVIIe et XVIIIe siècles, entourée de maisons bourgeoises dont certaines présentent des façades décorées de fresques, de sculptures et de bas-reliefs. Plusieurs cafés et restaurants célèbres : *Pod Krokodylem, Bazyliszek,* le débit de vin *Fukier,* vieux de trois cents ans.

★ Au n° 42, l'entrée du **Musée historique de la Ville** *(Muzeum historyczne Warszawy ; plan II, B2, **132**)*. Ouvert les mardi et jeudi de 12 h à 18 h 30, les mercredi, vendredi de 10 h à 15 h 30, les samedi et dimanche de 10 h 30 à 17 h. Dans ses 60 salles, toute l'histoire de la ville, maquettes de monuments détruits, nombreux souvenirs, tableaux, gravures, etc., ainsi qu'un excellent documentaire sur la reconstruction de Varsovie.

★ Près du n° 28 commence la rue *Krzywe Koło,* d'où bifurque à droite une charmante ruelle, *Kamienne Schodki,* qui descend vers la Vistule.

★ Vous pouvez poursuivre la promenade vers la **Ville Nouvelle** *(Nowe Miasto)*. Il suffit de passer sous le porche de la Barbacane, reconstruction des anciens remparts démantelés au XIXe siècle, et de suivre les rues Nowomiejska et Freta. La Ville Nouvelle fut installée à l'extérieur de l'ancienne enceinte au début du XVe siècle, et bénéficia du statut de cité indépendante, jusqu'à son rattachement à Varsovie à la fin du XVIIIe. C'est seulement à cette date que les premières maisons en pierre remplacèrent les pauvres constructions en bois qui abritaient une modeste population d'ouvriers et d'artisans. Aujourd'hui, indépendamment de la vieille ville, elle offre quelques monuments intéressants.

★ Au n° 16 d'ul. Freta, se trouve la **maison natale de Marie Curie** *(plan II, B1, **133**)* qui, avant de partager en 1903 avec son époux Pierre Curie le prix Nobel de physique, était née Maria Skłodowska. La maison abrite aujourd'hui un petit *musée* dédié à sa mémoire. Ouvert du mardi au samedi de 10 h à 16 h 30, le dimanche de 10 h à 14 h 30.

★ Sur la place du Marché (rynek Nowego Miasta), ne manquez pas la petite **église baroque des Nonnes du Saint-Sacrement** *(kościół Sakramentek ; plan II, B1, **134**)*, commanditée par la reine Maria Sobieska pour célébrer la victoire de son époux Jan sur les Turcs à Vienne en 1683.

★ Plus loin, l'*église de la Visitation de la Vierge* (*kościól Nawiedzenia NMP*), une des plus vieilles églises de Varsovie, construite sur le bord de l'escarpe. Une belle vue sur la Vistule.

★ *La voie royale* (*Trakt Królewski*) : composée de trois rues successives, ul. Krakowskie Przedmieście, ul. Nowy Świat, et aleje Ujazdowskie, elle était appelée ainsi car elle reliait sur 4 km le château royal à la résidence d'été du roi dans le parc Łazienki. Les deux premières rues concentrent le plus grand nombre de monuments.

– En commençant à partir de la place du château (*place Zamkowy*) :

★ *L'église Sainte-Anne* (*kościól Św. Anny ; plan II, C3, 135*) : sur la gauche. Elle date du XVᵉ siècle, et sa façade classique cache un intérieur baroque splendide. C'est ici que les princes polonais juraient fidélité au roi. Détruite en 1656 par les chevaliers suédois, elle fut reconstruite dans son actuel style baroque quelques années plus tard. En 1983, pendant la loi martiale, les opposants au régime avaient l'habitude de se réunir dans les jardins en contrebas au-dessus du tunnel routier.

★ Peu après, au centre d'un petit square, le monument du poète romantique *Adam Mickiewicz* (1789-1855 ; *plan II, C3, 136*), admiré par tous, communistes compris, comme un des chantres de l'indépendance nationale.

★ *L'église des Carmélites* (*kościól Karmelitów ; plan II, C3, 137*), juste après. Elle fut épargnée par la guerre. Construite au XVIIIᵉ siècle, elle renferme un magnifique maître-autel baroque du Flamand Tylman van Gameren. La grosse boule de son sommet a inspiré le dicton « avoir la tête comme la grosse boule des carmélites ». Pas besoin de vous faire la traduction.

★ Plus loin, dans l'ancien palais de la famille Radziwiłł, le *Praesidium du Conseil des ministres* (*pałac Namiestnikowski ; plan II, C3, 138*). C'est dans ses murs qu'a été créé en 1955, au plus fort de la guerre froide, le pacte de Varsovie. Trente ans plus tard, au printemps 1989, ironie de l'histoire, il accueillait les premiers pourparlers entre les dirigeants communistes et les leaders du syndicat Solidarité.

★ Devant lui se dresse la *statue du prince Józef Poniatowski,* seul étranger devenu maréchal de France, après avoir combattu aux côtés de Napoléon. Pour avoir servi aux côtés de Giscard, son descendant, Michel, ne récoltera qu'un titre de ministre... L'histoire de ce monument reflète bien le passé tortueux des Polonais. Réalisée par le sculpteur danois Thorwaldsen, fondue à Rome en 1822, la statue fut confisquée et envoyée en Russie, à la suite de l'insurrection de 1830, avant même sa mise en place. Rendue à la Pologne en 1923, après le traité de Riga, elle fut installée sur la place Saski (actuellement Zwycięstwa). Elle fut détruite pendant la guerre. En 1952, la ville de Copenhague, qui en possédait un modèle en plâtre, fondit une copie et l'offrit à Varsovie. Installée d'abord dans le parc Łazienki, c'est seulement en 1965 qu'elle trouva sa place définitive.

★ De l'autre côté de la rue, le *palais Potocki* (*pałac Potokich ; plan II, C3, 139*), un édifice baroque du XVIIIᵉ siècle, aujourd'hui siège du ministère de la Culture.

★ Avant de continuer, une escapade sur la gauche par la rue Trebacka qui croise la rue Kozia où, au n° 11, se trouve un truculent *musée de la Caricature* (*muzeum Karykatury ; plan II, C3, 140*). Ouvert du mardi au vendredi de 11 h à 17 h, les samedi et dimanche de 11 h à 17 h. La Pologne a aussi ses Daumier et ses Reiser, en particulier un certain Eryk Lipiński dont le coup de crayon n'épargna personne, pas même le pape.

★ Après les hôtels *Europejski* et *Bristol*, à l'architecture pâtissière des années folles, l'*église baroque des Visitandines* (*kościól Wizytek ; plan II, C4, 141*), où Chopin à ses moments perdus donnait des concerts sur son grand orgue. Le très sérieux ecclésiastique posté devant est le cardinal Stefan Wyszyński, apôtre des droits de l'homme pendant le régime communiste.

★ **L'université de Varsovie** (uniwersytet Warszawski ; plan II, C4, **142**) : un ensemble de bâtiments disposés dans un parc. À peine créée en 1818, elle fut fermée en 1832 sur ordre du tsar en représailles à l'insurrection de 1831. Depuis, sa tradition frondeuse perdure. Les nazis interdirent les cours, considérant tout enseignement comme un crime contre l'Allemagne, puni de la peine de mort. Le grand auditorium fut transformé par leurs soins en écurie, et un grand nombre d'étudiants et de professeurs furent fusillés. Néanmoins les cours continuèrent dans divers endroits de la ville. Cette université « volante » se poursuivit également dès 1970, sous le régime communiste. Aujourd'hui encore, l'université conserve sa réputation de radicalisme politique. Les bâtiments les plus intéressants sont le *palais Tyszkiewicz* et, au fond du campus, le *palais Kazimierzowski* (1634) avec la grande salle du Conseil de l'université, une ancienne résidence d'été.

★ En face, l'**académie des Beaux-Arts** (plan I, C1, **143**) : installée dans l'ancien palais Czapski. C'est ici que vécut Frédéric Chopin avant de quitter la Pologne, en 1830.

★ **L'église de la Sainte-Croix** (kościół Św. Krzyża ; plan I, C1, **144**) : après la rue Traugutta. Construite au XVIIIᵉ siècle d'après le modèle de l'église Saint-André-de-la-Vallée à Rome. Sur les escaliers qui mènent à l'entrée, une statue très expressive du Christ portant la croix. Son bras tendu, avec l'index pointé, comme dans un geste de reproche, désignait le siège du parti communiste installé en face. Est-ce pour cela qu'elle a été le théâtre des plus violentes batailles de rue entre les étudiants et les policiers de l'ancien régime ? Une vocation presque, puisqu'elle avait déjà eu à subir l'assaut des troupes allemandes lors de l'insurrection de Varsovie. À l'intérieur, parmi les nombreuses plaques funéraires, se trouve l'urne contenant le cœur de Frédéric Chopin (2ᵉ pilier à gauche de la nef).

★ **Le palais Staszic** (pałac Staszica ; plan I, C1, **145**) : construit en 1820, il ferme la perspective de la rue Krakowskie Przedmieście et abrite le siège de l'Académie polonaise des Sciences, après avoir longtemps servi d'école primaire aux écoliers des troupes soviétiques.

★ Devant lui, le **monument de Nicolas Copernic**, le grand astronome de la Renaissance. Lui non plus n'a pas échappé aux hordes nazies, qui l'ont envoyé comme simple ferraille en Allemagne où il fut finalement retrouvé.

★ **La rue Nowy Świat :** littéralement « Nouveau Monde », elle prend son envol à la hauteur du palais Staszic. Percée au milieu du XVIIᵉ siècle, elle devint rapidement, dès la fin du XIXᵉ siècle, la grande artère commerçante de la ville. Aujourd'hui, reconstruite en style néo-classique, après avoir subi le même sort que la vieille ville, elle renaît à sa vocation première. Elle est truffée de boutiques de luxe, de librairies et de galeries d'art. Parmi les célébrités ayant habité ici, le romancier Joseph Conrad au nᵒ 45. Au nᵒ 35, la célèbre pâtisserie *Blikle*, qui contribue au bonheur des Varsoviens depuis 1869. Vous ne pouvez pas passer devant sans goûter aux fameux *pączkis* (beignets).

★ Après avoir fait le plein de glucose, vous n'aurez plus qu'à bifurquer à gauche par la rue Ordynacka pour jeter un œil sur le lointain **palais Ostrogski** (plan I, D1-2, **146**), d'un beau baroque XVIIᵉ siècle, qui accueille le **musée Chopin**. Ouvert les mardi, mercredi et vendredi de 10 h à 17 h, le jeudi de 12 h à 18 h, les samedi et dimanche de 10 h à 14 h. Juché sur un promontoire, il possède, outre différentes reliques, le dernier piano du maître. Des concerts y sont organisés pendant l'été ainsi que dans le parc Łazienki. Voir plus haut la rubrique « Fêtes et festivals ».

★ La descente de Nowy Świat est encore prétexte à un dernier détour – cette fois plus court – par la rue Foksal qui s'achève sur le *palais néo-Renaissance Zamoyski (plan I, D2, 147)*, où fut assassiné en 1863 le gouverneur russe de Varsovie. Les cosaques se vengèrent en défenestrant le grand piano de Chopin de la chambre de sa sœur qui y avait ses appartements.

C'était l'ultime étape de nostalgie historique. Au-delà, un autre monde commence : la Varsovie moderne ou la version socialiste de la reconstruction d'après-guerre.

★ En avant-goût, l'*ancien siège du Comité central du parti communiste (plan I, D3, 148)*, surnommé jadis, par dérision, la « Maison blanche », qui se profile à la fin de ce tronçon de Nowy Świat, de l'autre côté du carrefour, sur la gauche, d'al. Jerozolimskie. Après moult tergiversations, il abrite désormais la Bourse de Varsovie.

LE CENTRE (ŚRÓDMIEŚCIE)

La reconstruction de la Varsovie moderne se fit en dix ans. Elle donna lieu aux projets les plus fous, malgré l'urgence de loger rapidement la population dans une ville rasée à près de 85 %. Les architectes socialistes avaient reçu pour mission de concevoir une cité aux normes de la société communiste récemment instaurée : fonctionnelle, égalitaire et à la mesure de l'« homme nouveau » qui allait naître. Le résultat est encore devant vous, même si les nouvelles constructions capitalistes commencent à humaniser le paysage de béton.

★ *Le palais de la Culture et de la Science (pałac Kultury i Nauki ; plan I, A3)* : au centre de la plus grande place d'Europe, entre les rues Świętokrzyska, Marszałkowska et al. Jerozolimskie, près de la gare centrale. Cet énorme bâtiment domine tout le centre-ville, et ses 242 m en font l'un des 50 plus hauts gratte-ciel du globe.

En 1950, Staline voulait construire à Varsovie un monument à la gloire du socialisme. Il émit trois propositions : soit un quartier d'habitation modèle, soit une ligne de métro, soit un palais de la Culture. Cette troisième proposition fut retenue. En un temps record, de 1952 à 1955, 6 000 membres des brigades socialistes internationales bâtirent ce colosse, qui est une copie de l'université Łomonosow de Moscou. 14 ouvriers russes et 2 enfants périrent sur le chantier ; leurs tombes dans le cimetière orthodoxe de Varsovie sont encore entretenues par l'administration du palais. À l'origine, le palais portait évidemment le nom de Joseph Staline. Ce dernier reconnu après sa mort comme un simple tyran, les marteaux effacèrent scrupuleusement son nom et détruisirent sa statue. Tout autour, une série de sculptures représente les saints communistes : le mineur courageux, l'ouvrier d'avant-garde, la femme travailleuse, le soldat vigilant, le juste milicien et, pour une raison inconnue... Hans Christian Andersen, l'auteur des célèbres *Contes !* L'entrée est décorée par deux statues dédiées à Copernic et Mickiewicz, seules présences polonaises admises dans le temple du communisme.

On raconte que l'homme le plus heureux de Varsovie est le gardien du palais, car, habitant tout en haut du bâtiment, il est le seul à ne pas le voir quand il ouvre ses fenêtres. Un jour, un touriste américain lui demanda ce qu'il faisait là. Le gardien lui répondit qu'il était payé 100 dollars par mois pour guetter l'arrivée de la prospérité. L'Américain lui proposa 1 000 dollars par mois pour guetter l'arrivée de la crise du haut de l'Empire State Building. Tenté par cette somme vertigineuse, le gardien a quand même refusé car il ne voulait pas d'emploi temporaire.

Le palais abrite deux théâtres, trois cinémas, une salle de congrès, une piscine, plusieurs musées et une multitude d'institutions officielles. Mais, associé pendant des décennies à la présence communiste en Pologne, le bâtiment a toujours généré des sentiments contrastés chez les Varsoviens. Édifié en pleine reconstruction de la ville, au milieu d'un parterre de ruines, son inutilité était criante, face à l'absence de logements. Sa construction déclencha bon nombre de rumeurs qui restent ancrées dans la mémoire de la capitale : il y aurait des donjons souterrains d'une profondeur de plusieurs étages (deux sous-sols en fait) et des galeries secrètes parcourant la ville entière. Mais, en dépit de cette désaffection des Varsoviens, le palais est devenu une attraction touristique pour tous les visiteurs, et son ascenseur de 30 étages fut longtemps considéré comme un must.

Lors du changement de régime, le palais sauva sa tête (on voulait le démonter et le vendre, ou encore le peindre en rose), et il réussit sa reconversion en devenant le siège de sociétés occidentales (dont Coca Cola), et en abritant, paradoxe suprême, le plus grand casino de la ville.

– Un ascenseur touristique conduit désormais à la **terrasse panoramique** du 30e étage (115 m), d'où la vue plonge sur la grisaille de la ville. Ouvert tous les jours de 9 h (10 h le dimanche) à 17 h. Entrée par la porte centrale d'ul. Marszałkowska, tickets à la caisse dans le hall.

– Un grand bazar de petites échoppes s'est sédentarisé en contrebas, offrant à de bons prix vêtements, chaussures, cassettes...

AUTOUR DU PALAIS DE LA CULTURE

Au sud

La bruyante avenue Jerozolimskie est dominée à l'ouest par la tour de l'hôtel *Marriott* et le clinquant immeuble de la Lot. Elle forme avec l'avenue Marszałkowska, qui continue en direction de la place Konstytucji, le centre commercial de la ville : grands magasins, boutiques, cinémas et galeries marchandes (sous le rondo Romana Domowskiego et au pied du bâtiment de la Lot : la luxueuse *Lim Gallery*).

★ Les fanas d'architecture pourront s'intéresser à la **place Konstytucji** qui, avec ses lampadaires monumentaux, se voulait le fleuron de la nouvelle Varsovie. Les autorités de l'époque avaient demandé que la place masque la perspective de l'église de la place Zabwiciela, située à l'arrière dans le prolongement de Marszałkowska. On peut toujours l'apercevoir en se penchant un peu !

– L'avenue Jerozolimskie abrite aussi une curiosité et deux musées :

★ Au n° 51, près de l'hôtel *Marriott*, le **Fotoplastikon** *(plan I, B3-4, 150)*. Ouvert du lundi au vendredi de 10 h à 18 h, le samedi de 10 h à 15 h, fermé le dimanche. Suivre la flèche dans la cour de l'immeuble, jusqu'au petit local minable qui cache une merveille rappelant les temps héroïques de l'invention du cinéma : à savoir, mesdames, messieurs, devant vos yeux ébahis et après une longue carrière commencée au début du siècle, la dernière rotonde de projection de photos stéréoscopiques encore en activité en Europe !

C'est un gros tambour en bois, de 3 m de diamètre, percé de lentilles qui permettent à 22 personnes assises autour de sa circonférence de visionner dans une ambiance musicale des photos en 3D, provenant d'une collection de quelque 3 500 clichés. Les programmes sont variés et couvrent l'histoire de la Pologne et du monde de 1870 à aujourd'hui. Lors de notre visite, nous avons eu droit aux colonies. D'après son propriétaire, Tomek Chudy, qui a hérité de l'appareil de son grand-père, le prochain sera consacré à l'histoire du vieux Varsovie.

★ À l'est, au n° 3, vers la Vistule, après le carrefour avec Nowy Świat, la lugubre caserne du **Musée national** *(Muzeum naradowe; plan I, D3, 151)*. Ouvert les mardi et dimanche de 10 h à 17 h, les mercredi, vendredi et samedi de 10 h à 16 h, le jeudi de 12 h à 18 h. Fermé le lundi. Ne passez surtout pas votre chemin, ces trois pavillons ayant survécu à la guerre recèlent, outre un très riche département d'antiquités coptes, une des plus belles collections d'art médiéval polonais, ainsi qu'un bon échantillon de la peinture polonaise depuis le XVIIe siècle.

Priorité absolue à la salle des peintures religieuses avec ses retables collectés dans toute la Pologne. Préparez-vous cependant à une vision d'horreur, car les auteurs de ces panneaux de bois polychromes, originaires de Gdańsk, de Silésie et des anciennes frontières de la Pologne, avaient le sens du détail sanguinolent réaliste : tout le martyrium du Christ décliné dans l'infini des souffrances infligées.

La salle des peintures au 1er étage apporte l'apaisement de ses portraits, paysages et tableaux historiques, dont l'extraordinaire *Bataille de Grunwald* du peintre Matejko, qui décrit l'écrasement des chevaliers teutoniques par l'armée polono-lithuanienne. Beaucoup de ces tableaux datent du XIXe siècle. Une autre section est dédiée aux écoles italienne (Botticelli, Le Tintoret et Cima da Conegliano), française (Ingres et Watteau), allemande (Cranach et Baldung) et hollandaise.

La salle des antiquités du rez-de-chaussée, quant à elle, présente, en plus de quelques pièces étrusques, égyptiennes et romaines, l'extraordinaire butin découvert en 1960 par les archéologues polonais à Faras, une ville de l'ancienne Nubie, aujourd'hui le Soudan : chapiteaux, colonnes, et surtout une soixantaine de fresques chrétiennes des VIIIe et XIIe siècles, provenant d'une cathédrale copte.

★ **Le musée de l'Armée** *(muzeum Wojska Polskiego ; plan I, D3, 152)* : dans le même bâtiment. Ouvert du mercredi au dimanche de 10 h à 16 h. *A priori*, pour un œil occidental, l'existence d'une telle institution peut prêter à sourire, surtout en référence aux cinquante années de communisme musclé. Mais il suffit de relire l'histoire polonaise pour comprendre le rôle clé qu'a joué l'armée dans la survie de la nation polonaise, maintes fois découpée et rayée de la carte. Cette précision étant faite, l'intérieur du musée propose une chronologie des différentes armes utilisées en Pologne depuis l'aube des temps jusqu'à aujourd'hui : armures, casques, fusils, pistolets, uniformes... Le matériel lourd, chars, avions et canons du XVIIe siècle, voitures blindées bricolées lors de l'insurrection de Varsovie... étant exposé à l'extérieur.

Au nord

★ **La place Grzybowski** *(plan I, A2)*, juste derrière la rue Świętokrzyska, peut être le point de départ d'une découverte des ultimes traces de la Varsovie juive. Faut-il rappeler que Varsovie comptait avant guerre plus de 380 000 citoyens juifs, soit presque un tiers de la population. Avec la destruction et la liquidation du ghetto en 1943, c'est toute une culture pluricentenaire qui a définitivement disparu et avec elle un pan de la culture polonaise.

★ De celle-ci, il reste néanmoins quelques traces comme la petite *synagogue Nożyk (plan I, A2, 153)* sur la rue Twarda qui borde la place. Construite en 1900, et la seule à avoir survécu, elle servit après guerre de magasin avant d'être redonnée au culte en 1983 après une modeste rénovation. Ouvert au public du lundi au vendredi de 10 h à 15 h et le dimanche de 9 h à 12 h.

★ Juste devant, le bâtiment moderne du *Théâtre juif*, place Grzybowski 12 *(plan I, A2, 154)*. Juif, il ne l'est cependant que par son répertoire, car la majorité de ses acteurs sont des Polonais catholiques.

★ Le parfum de l'ancien temps se trouve encore dans les quelques bâtiments délabrés de la *rue Próżna*. Ces modestes immeubles en brique sont les seuls à avoir échappé à la destruction du ghetto et ensuite aux bulldozers de la reconstruction. La fondation américaine *JRF (Jewish Renaissance Foundation)*, qui se consacre à la préservation de la mémoire juive en Pologne, les a rachetés pour les rénover. Des boutiques, une librairie et une pâtisserie juives devraient y être créées prochainement.

★ Plus douloureusement, une rumeur controversée affirme qu'un tronçon du mur du ghetto subsisterait dans la cour des immeubles entre les 55/59 ul. Sienna et 64 ul Złota *(plan I, B2)*, deux rues à l'ouest derrière le palais de la Culture.

★ Les personnes intéressées pourront poursuivre beaucoup plus au nord jusqu'à l'**Institut historique juif** *(Żydowski Instytut Historyczny ; plan II, A3, 157)*, au n° 3/5 ul. Tłomackie, derrière la place Bankowy. À la fois musée et bibliothèque, il rassemble documents, livres et photos sur la vie et l'insurrection du ghetto comme sur la vie juive en Pologne depuis le XVIIᵉ siècle. Ouvert du lundi au vendredi de 9 h à 15 h.

★ Le pèlerinage de la Varsovie juive serait incomplet sans une visite au **monument des Héros du ghetto** *(hors plan II par A2, 158)*, sur la place Bohaterów Getta, plus au nord dans le quartier de Muranów. Il est dédié à la mémoire de ces combattants du dernier courage qui pendant un mois, avec des moyens de fortune, ont tenu en échec l'armée allemande chargée, en avril 1943, de liquider le ghetto. Ironie de l'histoire : ce monument édifié en 1948 a été construit avec les blocs de granit commandés en 1942 à la Suède par Hitler pour construire... un monument à la gloire du Troisième Reich.

★ De là, un itinéraire du souvenir, balisé de pierres de granit portant le nom de personnalités du ghetto, mène au nord par la rue Zamenhofa, vers la terrible **Umschlagplatz** *(hors plan II par A1, 159)*, la place d'embarquement des trains pour les camps d'extermination. Un simple monument de marbre blanc en vague forme de wagon en garde le souvenir. Sur ses flancs, 400 noms juifs en rappel des 300 000 personnes qui sont parties d'ici.

★ Non loin, au 49/51 d'ul. Okopowa, autre ironie de l'histoire : le plus grand **cimetière juif** d'Europe *(cmentarz żydowski ; hors plan I)*. Ouvert tous les jours sauf les vendredi et samedi de 10 h à 15 h. Plan auprès du gardien. Intact !
Pour une fois, les Allemands n'avaient pas eu besoin d'utiliser les pierres tombales pour construire des routes, comme c'était l'usage dans les autres villes de Pologne. Fondé en 1806, de la taille d'un petit Père-Lachaise et bien que dégradé (les familles des descendants ayant toutes disparu dans les camps), il mérite une visite pour l'excentricité de certaines de ses sépultures. Des personnalités, comme Ludwig Zamenhof, le génial inventeur de l'espéranto, y sont enterrées. Les plus lettrés d'entre vous remarqueront aussi le monument à la mémoire de Janusz Korczak, ce médecin qui révolutionna la pédagogie en créant dès 1920 des orphelinats autogérés par les enfants. Il est aussi l'auteur du livre de chevet de tous les enfants polonais : le *Roi Mathias* (collection Folio).

★ Un des orphelinats créés par Janusz Korczak existe d'ailleurs toujours dans la *rue Jaktorowska*, au sud du cimetière en descendant la rue Towarowa, et possède quelques souvenirs à la réception. Dans le film *Korczak* (diffusé sur Arte et en cassette-vidéo), le cinéaste Andrzej Wajda fit un éloge glorieux à sa mort héroïque lorsque, malgré l'offre de vie sauve par les Allemands, il décida d'accompagner les enfants juifs de son orphelinat dans leur dernier voyage vers Treblinka.

Au nord-est

★ **La place Bankowy** *(plan II, A4)* : la place de la Banque mérite le détour pour les superbes palais néo-classiques de sa face ouest. Construits au début du XIXᵉ siècle par Antoni Corazzi à qui la ville est redevable de bon nombre de ses monuments, ils furent pour la plupart rebâtis après-guerre. Ils abritent aujourd'hui les différents services de la municipalité de Varsovie, depuis la destruction de l'hôtel de ville en 1944. Seule exception, la tour Bleue édifiée à l'endroit de la plus grande synagogue de la ville et dont les travaux durèrent plus de vingt ans. Selon une légende locale, le choix de l'emplacement y serait pour quelque chose...

★ Au sud de la place, au n° 1, à l'angle de la rue Elektoralna, l'imposant bâtiment de l'ancienne *Banque de Pologne* entame une nouvelle carrière sous l'enseigne du **musée Jean-Paul II** *(plan II, A4, 160)*, connu aussi sous le nom de **musée de la Peinture européenne** *(muzeum Malarstwa Europejskiego)*. Ouvert du mardi au dimanche de 10 h à 16 h.
Ce musée, qui présente quelque 400 tableaux de peinture à thème principalement religieux, du XIVᵉ siècle à aujourd'hui, est l'objet d'une intense controverse. Légués à l'Église polonaise par la richissime famille d'immigrés polonais, les Caroll-Porczyński, ils sont en effet suspectés d'être des faux. Pour l'instant, la bataille d'experts fait rage. Mais que cela ne vous empêche pas de vous plonger dans les univers des écoles italienne (ateliers de Titien et du Caravage), allemande (Cranach et Dürer), espagnole (Goya et Vélasquez), hollandaise (Rubens, Rembrandt), et des œuvres plus contemporaines : Renoir, Sisley, Van Gogh. On y croise aussi quelques portraits de Jean-Paul II...

★ La *rue Długa (plan II, A3-B2),* au nord de la place Bankowy, après le carrefour avec l'avenue Solidarności, remonte vers la ville nouvelle *(Nowe Miasto)* à la rencontre du monument de l'Insurrection de Varsovie.

★ Au début de la rue, au n° 52, l'immeuble baroque de l'ancien arsenal royal du XVIIᵉ siècle, et aujourd'hui **Musée archéologique** *(Państwowe Muzeum archeologiczne ; plan II, A3, 161)*. Ouvert du lundi au vendredi de 9 h à 16 h, les samedi et dimanche de 10 h à 16 h. Il expose les trésors du sous-sol polonais, du paléolithique au début du Moyen Âge, avec des reconstitutions d'habitats anciens.

★ Les curieux de l'histoire polonaise pourront aussi faire un écart jusqu'au petit **palais Radziwiłł**, enclavé dans l'avenue Solidarności (n° 62 ; *plan II, B3, 162*), qui accueille le **musée de l'Indépendance** *(muzeum Niepodległości)*. Ouvert du mardi au vendredi de 10 h à 17 h, les samedi et dimanche de 10 h à 16 h. Tout sur la lutte incessante de la nation pour son droit à l'existence face à ses puissants voisins. Diablement intéressant si toutes les explications n'étaient pas qu'en polonais.

★ Et, à mi-hauteur de Długa, à l'angle avec ul. Bonifraterska, le **monument du Soulèvement de Varsovie** *(pomnik Powstania Warszawskiego ; plan II, B2, 163)*. Inauguré à la fin 1980 par les autorités communistes, il représente un des bataillons des 45 000 hommes de l'armée intérieure (AK) qui se lancèrent à l'assaut des troupes allemandes au cœur de Varsovie pendant l'été 1944. C'était l'ultime tentative pour le gouvernement polonais en exil de conserver le pouvoir sur la Pologne face aux troupes de Staline, massées sur l'autre rive de la Vistule et qui apportaient déjà dans leurs bagages un gouvernement communiste polonais prêt à l'emploi. Sous l'œil impassible des Soviétiques, les insurgés furent massacrés jusqu'au dernier et Varsovie rasée rue par rue par un Hitler fou de rage. Aujourd'hui encore, ce monument est loin de faire l'unanimité parmi la population.
Cet épisode a fait l'objet d'un très beau film d'Andrzej Wajda : *Kanał,* visible dans toutes les bonnes cinémathèques.

★ Juste en face, l'**église Garnizonowy**, où les soldats avaient l'habitude de se recueillir pendant la guerre.

★ L'immense **palais Krasińkich** *(plan II, A2, 164)* occupe le côté ouest de la place du même nom que l'on trouve en remontant ul. Bonifraterska. C'est l'un des plus beaux palais baroques de Varsovie. Construit en 1667, il fut évidemment détruit pendant la guerre et rebâti à l'identique. Seule sa collection de plus 40 000 livres et incunables est restée définitivement perdue. Il abrite aujourd'hui une partie de la Bibliothèque nationale. Bien qu'il ne se visite pas, il est parfois possible de pénétrer à l'intérieur.

À l'arrière, l'ancien jardin est devenu un parc public, qui marquait jadis la frontière du ghetto.

★ Un peu plus à l'ouest, par les rues Nowolipki et Zamenhofa, le ***musée de la Prison Pawiak*** *(muzeum Wiezienia Pawiak ; hors plan II par A2, 165)*, au 24/26 de la rue Dzielna. Ouvert les mercredi et vendredi de 9 h à 17 h, les jeudi, samedi et dimanche de 10 h à 16 h. De sinistre réputation, elle fut la fidèle servante de tous les régimes, des tsars aux nazis.

★ ***La rue Miodowa*** *(plan II, B2)* : l'ancien cœur de la Varsovie aristocratique. Elle additionne les palais comme les médailles sur le poitrail d'un vieux général. Tous ont été rebâtis après-guerre ! D'ouest en est, au départ du carrefour de la rue Długa, sur la gauche, l'ancien *collège de la noblesse* du XVIIIe siècle ; sur la droite, le *palais Borchów*, toujours du XVIIIe siècle, actuelle résidence du primat de Pologne, le cardinal Glemp.

★ En face, le monastère et l'***église des Basilians*** *(plan II, B2, 166)*, l'unique église de rite grec de la ville ; puis, à l'angle avec ul. Kapitulna, le *palais Chodkiewiczów* (plus jeune car du XVIIe) ; ensuite le ***palais Paca***, qui était formé à l'origine de deux palais, l'un baroque et l'autre classique du début du XIXe, mais la guerre aidant, sa reconstruction le fit renaître en un simple bâtiment baroque.

★ On découvre ensuite ***le monastère et l'église des Capucins*** *(plan II, B2, 167)* édifiés au XVIIe siècle, dont l'une des chapelles renferme le cœur du roi Jan III Sobieski, le vainqueur des Turcs à Vienne en 1683.

★ Toujours et encore après la rue Kapucyńska, le ***palais Morsztynów***, du XVIIe siècle, qui s'étend à l'arrière jusqu'à la rue Podwale, puis ***les palais Ostrowscy*** et ***Branicki***, tous deux baroques, avant d'arriver à l'ancien ***palais du Primat*** dans sa grandiloquence néo-classique, à l'angle de la rue Senatorska.

★ ***La rue Senatorska*** *(plan II, B-C3)*. De la rue Miodowa, vos pas vous guideront naturellement vers l'esplanade venteuse de la place Teatralny, dominée par la monumentale façade du ***Grand Théâtre*** *(Teatr Wielki ; plan II, B3, 168)*. Ce bâtiment néo-classique de la taille d'un petit palais des sports avec ses 2 000 places a vu le jour en 1825 grâce à l'infatigable Antoni Corazzi. Il fut détruit pendant la guerre, seuls la façade et le hall d'honneur ont été reconstruits à l'identique. Même si vous n'assistez pas à une des représentations (souvent complètes en été !), la visite de l'entrée et de sa rotonde méritent l'effort.

– Le chantier au nord de la place occupe l'emplacement de l'ancien hôtel de ville, détruit comme il se doit. Derrière les palissades, en projet selon les rumeurs, un complexe de bureaux et de commerces.

★ De l'autre côté, ***le monument aux Héros de Varsovie***, ces quelque 850 000 morts de la ville, soit près des deux tiers de la population d'avant-guerre. Son déménagement vers un autre site est imminent.

★ L'exploration de la rue conduit ensuite au ***monastère et à l'église franciscaine*** *(kościół Franciszkanów)* réformée, d'un joli baroque du XVIIe siècle, puis au ***palais Błękitny*** *(pałac Błękitny ; plan II, B4, 170)*, appelé autrefois le palais Bleu en raison de la couleur de son toit. Chopin a donné son premier concert à l'âge de six ans. Mais sa reconstruction et sa reconversion en siège social des transports municipaux lui ont définitivement ôté son ancienne splendeur.

★ Face à lui, *le palais Mniszchów,* de style classique, n'a pas connu un sort plus enviable. Édifié au XVIIe siècle, transformé en hôpital pendant la guerre, il fut incendié par les Allemands après que ces derniers aient assassiné malades et médecins. Il abrite aujourd'hui l'ambassade de Belgique.

★ Et, dernière étape avant la place Bankowy, au 38, l'*Institut culturel français (plan II, A3, 171)* et son bistrot, le *Marianne.*

★ *La place Józefa Piłsudskiego (plan II, C4, 172) :* à proximité de la rue Krakowskie Przedmieście. Au centre brille la flamme éternelle de la tombe du soldat inconnu. Ce mémorial a été aménagé dans les ruines du *palais Saski,* détruit pendant la guerre. Après l'assassinat du *père Popiełuszko,* en 1984, alors que la loi martiale était encore en vigueur, les habitants ont assemblé ici une énorme croix faite de fleurs et de bougies à la mémoire du prêtre assassiné. Pendant de longs mois, malgré une surveillance policière constante, cette croix est demeurée un cri silencieux de protestation. Le gouvernement a alors décidé de fermer la place pour... travaux. Des travaux qui durèrent de longues années, le gouvernement ne pouvant pas courir le risque de manifestations humiliantes sous les yeux et à la barbe des touristes des hôtels *Europejski* et *Victoria* voisins.

★ *Le jardin Saski (Ogród Saski; plan I, A1, 173)* : mitoyen de la place Józefa Piłsudskiego. Aménagé à la fin du XVIIIe siècle dans le style anglais, il fut le premier jardin public de Varsovie. Sur une quinzaine d'hectares, il abrite plus de 130 espèces rares d'arbres et d'arbustes ainsi qu'un étang artificiel, une fontaine Empire du XIXe siècle et de nombreuses sculptures allégoriques.

★ *Le palais Lubomirski :* à l'opposé du jardin Saski, par la rue Marszałkowska. Avant la guerre, ce palais était entouré d'autres bâtiments, aujourd'hui détruits. À l'origine, la façade du palais était orientée vers le nord. Dans les années 60, les architectes de la Ville ont décidé de le déplacer afin de créer une perspective avec le jardin Saski. On scia ses fondations, on posa des rails et le palais fut déplacé de 98° sur son axe. En 1984, cette belle perspective, si laborieusement obtenue, a été bouchée par le monument (aujourd'hui rasé) « à la mémoire des victimes de la lutte pour la défense du pouvoir populaire en Pologne ».

★ *Zachęta Gallery (plan I, B1, 174) :* place Małachowskiego 3, en face du jardin Saski et à côté de l'hôtel *Victoria.* Ouvert du mardi au dimanche de 10 h à 18 h. Cette salle d'exposition de peintures, construite vers 1900, offre un bel exemple d'architecture éclectique. C'est ici que fut assassiné, lors d'un vernissage, le 16 décembre 1922, le Président de la Pologne, *Gabriel Narutowicz,* trois jours seulement après son élection, par un peintre fou. À défaut d'une belle toile, il a fait un joli carton...
Depuis que ses anciennes collections ont été transférées au *Musée national,* cette galerie est utilisée aujourd'hui comme centre d'expositions d'art contemporain.

★ *Le Musée ethnographique (Państwowe Muzeum etnograficzne; plan I, B1, 175) :* ul. Kredytowa 1. Au sud de la place Małachowskiego. Ouvert les mardi, jeudi et vendredi, de 9 h à 16 h, les mercredi de 11 h à 18 h, les samedi et dimanche de 10 h à 17 h. Avant-guerre, il possédait une collection de 30 000 objets. Depuis, il a réussi le pari de présenter à nouveau un large éventail d'art folklorique polonais, notamment une riche collection de costumes traditionnels ; également un département d'art africain, océanien et latino-américain.

★ Non loin, toujours sur ul. Kredytowa, l'énorme coupole de l'*église luthérienne (plan I, B1, 176),* la plus grande de Varsovie. Son acoustique exceptionnelle a eu les faveurs de Chopin et aujourd'hui de nombreuses chorales s'y produisent régulièrement.

Au nord-ouest, dans le quartier de Żoliborz

★ *La tombe du père Popiełuszko :* à côté de l'église Św. Stanisława Kostki, rue Kozietulskiego, tout près de la place Wilsona. Trams nᵒˢ 15 et 17. Bus nᵒˢ 116 et A. Le père était l'aumônier des ouvriers de la proche fonderie Warszawa. Il était jeune, idéaliste et prêchait le courage, l'honnêteté, la liberté. Il fut sauvagement assassiné, en 1984, par les agents de la police politique. Le père Popiełuszko est devenu le martyr national. Les plus grands de ce monde sont venus s'incliner sur sa tombe. Vous la trouverez à droite de l'entrée de l'église qui fut sa paroisse : une grande et simple croix en granit, posée à même le sol. À l'intérieur de l'église, une exposition émouvante sur sa vie, sa mort, ses obsèques.

PARCS ET JARDINS

★ *Le château d'Ujazdów et son parc :* l'une des résidences de campagne des rois de Pologne. Construit au XVIIᵉ siècle pour Sigismond III (celui de la colonne), il abrite aujourd'hui, après avoir été rebâti dans les années 70, le *centre d'Art contemporain*, l'un des plus dynamiques de Pologne. Il présente, outre des expos temporaires, des concerts, des films, une collection d'artistes contemporains polonais et étrangers. Ouvert du mardi au dimanche de 9 h à 17 h (21 h le vendredi).
Quittant le parc, prenez la rue Agrycola. Romantique, tracée à la fin du XVIIIᵉ siècle dans le ravin d'un ruisseau, elle vous mènera vers le palais sur l'île de Łazienki.

★ *Le parc Łazienki :* ouvert du lever au coucher du soleil (ensemble des bâtiments ouverts de 10 h à 17 h). Fermé le lundi. C'était la résidence d'été du roi Stanisław Auguste Poniatowski, au XVIIIᵉ siècle. Le plus beau parc de la capitale. Il comprend plusieurs monuments d'architecture baroque, classique et néoclassique.
– *L'Orangerie :* une charmante salle de théâtre, où jusqu'à aujourd'hui les spectacles se déroulent à la lumière des bougies.
– *Biały Domek* (la Maisonnette Blanche) : un petit bâtiment où Louis XVIII, en exil, demeura entre 1801 et 1805, sous le nom de « comte de Lille ».
– *Le monument de Frédéric Chopin :* de mai à septembre, tous les dimanches à midi, les plus doués des jeunes pianistes polonais donnent des concerts en plein air.
– *Le palais Myślewice :* une maison de style classique. Aujourd'hui, la résidence des hôtes de marque du gouvernement.
– *Le Palais sur l'Eau :* le bâtiment le plus grand et le plus intéressant. Ouvert du mardi au dimanche de 9 h 30 à 15 h 30. Situé au milieu d'un étang, sur un îlot artificiel, c'était à l'origine un établissement de bains, racheté et transformé par le roi. À l'intérieur, nombreuses œuvres d'art et objets d'époque, disposés dans les salles de Bacchus, de Salomon, de bal et dans les galeries royales de peinture. Au 1ᵉʳ étage, les appartements privés du roi, son cabinet, sa chambre à coucher, sa garde-robe.

★ *Wilanów :* la résidence du roi Jan III Sobieski et de sa bien-aimée, Marysieńka. Au sud de la ville, à 8 km du centre de Varsovie. Pour s'y rendre, bus nᵒˢ 130, 122. Ouvert de 9 h à 14 h 30. Fermé le mardi. Un somptueux palais baroque, qui date de la fin du XVIIᵉ siècle. L'intérieur se divise en deux parties. Exposition des intérieurs d'époque, avec des meubles splendides, une collection de céramiques, des objets usuels et des souvenirs de la famille royale. Le premier étage du palais est occupé par une galerie de portraits du XVIᵉ et XIXᵉ siècle.
Le palais Wilanów sert de résidence pour les hôtes de marque, en visite officielle. Ainsi les appartements du roi ont accueilli, entre autres, Charles de Gaulle (pour qui il a fallu construire un lit spécial, une fois de plus), Valéry

Giscard d'Estaing et Richard Nixon. Ce dernier apporta sa contribution à la propreté du parc : en raison de son habituel jogging matinal, qu'il effectuait pieds nus, la pelouse fut nettoyée jusqu'au dernier caillou. Après la visite de Fidel Castro, la collection du palais s'est enrichie d'une... table de ping-pong, le passe-temps favori du chef d'État cubain pendant les négociations !

– Dans le parc à la française (ouvert de 9 h 30 au coucher du soleil), on peut admirer l'*église Sainte-Anne* et le monumental *tombeau de la famille Potocki,* dernier propriétaire du palais avant la guerre.

Dans le parc également, un bâtiment moderne : le *musée de l'Affiche.* Ouvert du mardi au dimanche, de 10 h à 15 h 30. Fermé le lundi. L'affiche est un point fort de l'art contemporain polonais. Le musée est passionnant, riche en superbes affiches de théâtre et de cinéma. Les couleurs sont audacieuses, les formes originales et les concepts créatifs.

|●| Près de l'entrée, deux bons restaurants : *Wilanów,* aménagé dans une vieille auberge (attention, ferme tôt), et *Kuźnia Wilanowska,* dans l'ancien bâtiment de la forge.

QUARTIER PRAGA

Cousine pauvre de la rive gauche, plutôt provinciale qu'européenne, Praga porte encore aujourd'hui la touche authentique des quartiers populaires. Sise sur la rive droite, elle ne peut dénier son caractère légèrement oriental. À côté de la gare Warszawa Wileńska, d'où partaient autrefois les trains en direction de l'Est, brillent les clochers en oignons de l'*église orthodoxe (Cerkiew Prawosławna).* Elle témoigne de la présence pendant tout le XIXe siècle des fonctionnaires de l'administration tsariste qui avaient ici leur résidence. Praga fut aussi préservé des destructions de la guerre, les combats se déroulant principalement sur l'autre rive. L'armée de Staline, massée à Praga, se contenta en effet d'assister passivement à la destruction du centre de Varsovie lors de l'insurrection de 1944. Le motif invoqué par les Russes pour cette non-intervention fut... l'insuffisance de leurs troupes. En vérité, les Allemands se chargeaient pour eux d'un sale boulot : l'anéantissement des forces polonaises non communistes ! Est-ce pour cette raison que le nouveau gouvernement communiste se désintéressa de cette partie de la ville, la privant du « privilège » de la reconstruction d'après-guerre ? Toujours est-il que Praga conserva ainsi un habitat populaire laissé presque en l'état, qui fait aujourd'hui son charme. Jugé indigne de l'homme socialiste, ce quartier fut destiné à recevoir tous les indésirables de la nouvelle société : repris de justice, asociaux, réactionnaires...

Praga conserve aujourd'hui encore cette démographie particulière qui lui vaut d'avoir mauvaise réputation. Même si ce n'est pas le Bronx, les risques d'agression sont toutefois réels. Donc faites attention lors de vos déambulations. Comme sur le pittoresque bazar de *Różyckiego* d'ul. Żabowska, non loin de l'église orthodoxe (voir rubrique « Achats »).

★ Praga est aussi le site d'un des plus grands bazars en plein air d'Europe : le *stade Dziesięciolecia.* Ouvert tous les jours de 8 h à 12 h (voir rubrique « Achats »). Pour fêter le 10e anniversaire de son existence, l'ancien régime avait fait construire ce stade de près de 10 000 places. Mais les temps ont changé. Depuis 1989, il accueille sur ses flancs de façon exponentielle les commerçants venus de tous les pays de l'ancien bloc communiste.

Principalement marché de vêtements à côté de mille trouvailles à chiner sous le manteau, ses performances l'inscrivent au box-office du capitalisme : un chiffre d'affaires annuel d'1,5 milliard de złotys, 7 000 vendeurs et 20 à 30 000 acheteurs quotidiens. On y parle toutes les langues, 200 bus font chaque jour l'aller-retour avec les ex-républiques socialistes, et la fin du marché se solde par des embouteillages monstres. De quoi attraper la bosse du commerce! Et encore, chaque jour voit arriver un nouveau contingent de postulants qui grignote les derniers espaces libres.

Dans les environs

★ *Żelazowa Wola :* 55 km à l'ouest de Varsovie. Prendre la direction de Poznań, ensuite, à Błonie, celle de Leszno, pour rejoindre la route de Żelazowa Wola. La maison natale de Frédéric Chopin attire tous les mélomanes de la musique romantique. On en repart mélancolique et pensif comme ces saules pleureurs penchés sur la plaine de Mazovie. L'été, concerts tous les dimanches à 11 h; hors saison, sur commande. ☎ (828) 223-00.

★ *Pułtusk :* 70 km au nord-est de Varsovie. Prendre la direction de Gdańsk et bifurquer à droite vers Suwałuki avant la sortie de Varsovie. Cette adorable petite ville baignée par la Narew (affluent de la Vistule) est l'un des plus vieux sites de Mazovie (région centrale). Organisée autour d'une cité fortifiée, elle se caractérise par ses maisons maçonnées et son immense place du Marché *(rynek)* qui s'enroule autour de la tour de l'ancien hôtel de ville *(ratusz).* À noter aussi le château abritant aujourd'hui un complexe hôtelier. Pourtant, la ville a beaucoup souffert des destructions perpétrées par le Reich (notamment sur les foyers de l'importante communauté juive), puis du duel d'artillerie qui a marqué sa libération par l'Armée rouge. De fait, l'architecture de Pułtusk a été sauvée par une décision prise dès 1945 par le Bureau de Reconstruction de la Capitale et du Pays, ordonnant le relèvement des ruines à l'identique de 1939, ce qui fut achevé en 1958. Malheureusement, le style « réalisme socialiste » n'a pas totalement épargné le site (vous ne pourrez pas rater l'imposante nouvelle mairie).

Quitter Varsovie

En avion

● *Horaires de départ des vols*

– Vols internationaux : ☎ 846-17-00.
– Vols nationaux : ☎ 846-11-43.

● *Plusieurs options pour rejoindre l'aéroport*

– *Taxi :* dans tous les cas de figure, il est indispensable de le commander par téléphone, ou mieux encore de demander au réceptionniste de votre hôtel de le faire pour vous. Il pourra négocier le prix de la course, ce qui sera une garantie supplémentaire contre la fantaisie des tarifs. Voir aussi les informations pratiques et la liste des taxis dans la rubrique « Transports urbains ».

– *Bus :*
– *Airport City Bus :* ce minibus dessert tous les grands hôtels de Varsovie (voir rubrique « Arrivée à l'aéroport »). Il circule toutes les vingt minutes en semaine et toutes les trente minutes les samedi et dimanche de 5 h 30 à 22 h 30.
– *Navette de l'hôtel Marriott* (en face de la gare) : départ toutes les demi-heures du perron de l'hôtel.
– *Les bus municipaux :* 175, 188 et 611. Le 175 s'arrête devant la gare centrale et le palais de la Culture. Circule environ toutes les 20 mn de 4 h (5 h, le week-end) à 23 h. Le bus de nuit 611 part de la rue Emilii Plater (derrière le palais de la Culture; plan I, A3) tous les jours de 23 h 15 à 4 h 45, un quart

d'heure avant et après chaque heure. Il faut au préalable acheter les billets dans les kiosques *Ruch* en n'oubliant pas d'acheter un billet supplémentaire pour chacun de vos bagages.

En train

🚆 La **gare centrale** de Varsovie *(plan I, A4, 🚆 1)* dessert en principe toutes les grandes destinations internationales et nationales : Poznań, Kraków, Gdańsk, Lublin...

Mais certains trains peuvent aussi partir des **autres gares** de Varsovie :

🚆 *Warszawa Gdańska* (ul. Bracka 4), pour le nord,

🚆 *Warszawa Zachodnia* (à la fin de l'al. Jerozolimskie, à l'ouest de la gare centrale), pour l'ouest et le sud,

🚆 *Warszawa Wschodnia* (ul. Lubeska 1, à Praga, sur la rive droite) pour l'est.

🚆 La gare de *Śródmieście (plan I, A3, 🚆 2)*, à une centaine de mètres à l'est de la gare centrale, accueille les trains locaux : Łowicz, Pruszków et Skierniewice.

● *Achat des billets*

– Sur place *à la gare centrale* mais dans ce cas, malgré les 16 guichets il faut vous préparer à affronter une bonne heure de queue houleuse. L'astuce consiste à revenir plus tard dans la soirée lorsque les candidats au départ sont moins nombreux.

– L'autre solution est de s'adresser *aux agences Orbis* dont c'est l'une des spécialités. Principaux bureaux : ul. Bracka 16. Ouvert du lundi au vendredi de 8 h à 19 h, le samedi de 9 h à 15 h. Ul. Marszałkowska 142. Ouvert du lundi au vendredi de 9 h à 18 h, le samedi de 9 h à 13 h.

● *Horaires*

Ils s'obtiennent à la gare mais aussi dans les offices de tourisme et les agences *Orbis*.

Vous pouvez aussi tenter votre chance auprès du *centre de renseignements* :

– trains internationaux : ☎ 620-45-12.
– Trains nationaux : ☎ 620-03-61/70.

En bus

🚌 **Dworzec Centralny PKS :** la gare routière principale, à côté de la gare Warszawa Zachodnia (al. Jerozolimskie 144, à l'ouest de la gare centrale), dessert les destinations internationales et les villes de l'ouest et du sud de la Pologne.

🚌 **Dworzec PKS Stadion** (ul. Zieleniecka), l'autre gare routière, voisine de la gare Warszawa Stadion sur la rive droite, regroupe les bus en direction du nord, de l'est et du sud-est du pays. Elle est facilement accessible par le train de banlieue au départ de la gare de Śródmieście, à droite de la gare centrale.

● *Les compagnies*

Deux compagnies se partagent le trafic national : *PKS*, la compagnie d'État qui couvre toute la Pologne, et *Polski Express*, une société privée, plus rapide et plus confortable mais qui ne dessert que les destinations les plus importantes. Les bus *Polski Express* partent de l'aéroport et de l'avenue Jana Pawła II, à proximité de la gare centrale.

VARSOVIE

● *Achat des billets*

Excepté ceux de *Polski Express*, ils s'achètent dans les deux gares routières, aux deux adresses de la compagnie (ul. Żurawia 26 et ul. Świętokrzyska 30), et dans certaines agences *Orbis*. Les billets de *Polski Express* se réservent au : ☎ 620-03-30 ou à leur siège au 36 ul. Świętokrzyska. Les billets internationaux s'achètent à la gare principale, auprès des différentes compagnies, ou encore au *Bus Travel Center* du 63 al. Jerozolimskie, face à la gare centrale.

● *Horaires*

Ils s'obtiennent dans les offices de tourisme ou, plus difficilement, par téléphone :
– *Bus PKS :* ☎ 23-63-94, 23-63-95.
– *Bus Polski Express :* ☎ 620-03-30.

KAZIMIERZ DOLNY   IND.TÉL. : 081

À environ 130 km au sud-est de Varsovie. Une petite ville magique, qui compte à peine 4 500 habitants et dont le nom est écrit en petites lettres sur la carte. Son charme est irrésistible, son passé riche en péripéties. Il y règne une atmosphère unique. Vous êtes saisi dès les premiers moments. La ville est située au bord de la calme, large et majestueuse Vistule entre deux collines sculptées de ravins et de gorges. Comme pour la protéger contre la malveillance, l'une porte la grandiose silhouette du couvent des franciscains, l'autre les ruines du château fort médiéval. Le village est concentré sur la petite place du Marché *(rynek)*, aux maisons bourgeoises et cossues, serrées les unes contre les autres.
Fondée par le roi *Kazimierz Wielki* (Casimir le Grand), la cité porte son nom. Une légende raconte que le roi tomba amoureux d'une belle juive, Esterka. Pour dissimuler cette mésalliance, il fit construire le château fort dont un long souterrain menait jusqu'au château de la ville voisine de Bochotnica, lieu de rencontre avec sa belle.
Située au bord de la Vistule, principal axe commercial de l'époque, la ville était promise à un bel avenir. Elle prospéra, les maisons somptueuses des commerçants remplacèrent les chaumières autour de la place du Marché. Mais une série de catastrophes (guerres suédoises, peste, choléra, incendies) brisa cet élan, et la ville ne s'en remit jamais. Grâce aux efforts des peintres et des architectes amoureux de sa beauté, qui, entre les deux guerres, avaient fondé la Société des Amis de Kazimierz, la cité fut restaurée. Elle est devenue un lieu de pèlerinage pour les artistes, qui viennent saisir avec leurs pinceaux son charme délicat et son atmosphère mystérieuse.

Comment y aller ?

– *En voiture :* de Varsovie, prendre la route 17 en direction de Lublin. Après environ 110 km, tourner à droite vers Puławy. Ensuite la petite route (824), parallèle à la Vistule, mène à Bochotnica d'où il reste encore 5 km à parcourir pour Kazimierz.
– *En train :* il n'y a pas de train à Kazimierz, mais il y en a plusieurs qui vont de Varsovie (trois de Cracovie et trois de Poznań) à Puławy. De là, un bus conduit à Kazimierz.
– *En bus :* sept bus depuis Varsovie.

Adresses utiles

◻ *Informations touristiques, bureau de PTTK, guides de Kazimierz :* rynek 27. ☎ 81-00-46. Ouvert tous les jours, l'été de 8 h à 18 h, le week-end de 10 h à 17 h 30;

hors saison de 8 h à 13 h 30, le week-end de 8 h à 14 h.

🚌 *Gare routière :* à 5 mn à pied depuis l'angle nord-est de la *rynek*.

Où dormir ?

Bon marché

🛏 *Chambres chez l'habitant :* bureau de *PTTK* (voir « Adresses utiles »). Peu de réservations pour une seule nuit. On le comprend car Kazimierz vaut un plus long séjour.

🛏 *Schronisko Młodzieżowe Pod Wianuszkami (A.J.) :* ul. Puławska 64. ☎ 81-03-27. En sortant de la ville en direction de Puławy, sur la droite. 65 places en chambres de 2, 3, 4 et 10 personnes. Une grande maison peinte en blanc, dans le style de la région, près de la digue de la Vistule. Propre et joliment aménagée. Cuisine, salle à manger à disposition, toilettes et douches communes.

🛏 *Camping Zacisze :* ☎ 81-00-46. Sur le bord de la Vistule, à gauche de l'embarcadère. Petits bungalows assez sommaires. Réductions si on loge plus de deux jours. Bonne solution pour les routards à la bourse plate.

Prix moyens

🛏 *Camping N° 36 (PTTK) :* ul. Krakowska 61. ☎ 81-00-36. Situé à

20 mn à pied au sud-ouest du centre-ville. Un endroit très pittoresque, juste à côté d'un beau bâtiment du XVIIᵉ siècle, transformé en hôtel.

Chic

🛏 *Zajazd Piastowski :* ul. Słoneczna 3. ☎ 81-03-51. À 1 km de la ville en direction d'Opole Lubelskie. Une jolie auberge dont le style s'accorde harmonieusement avec l'environnement pittoresque, 100 places en chambres de 1, 2 ou 3 personnes avec salle de bains, très correctes. Sur place, restaurant, *drink bar*, sauna, musculation, piscine... détente garantie. Accueil attentionné.

🛏 *Hôtel Łaźnia :* ul. Senatorska 21. ☎ 81-02-98. Situé dans le bâtiment des anciens bains publics. Une charmante petite auberge (seulement six chambres), à deux pas de la Vistule. Un beau décor et un accueil très sympa. Pour un peu on se prendrait pour de riches marchands d'autrefois ! Si vous êtes matinal, allez prendre le petit déjeuner (non inclus dans le prix) dans un self-service rue Nadrzeczna.

Où manger ?

Bon marché

🍽 *Kawiarnia-grill Kramy Dominikańskie :* ul. Nadrzeczna 24, à côté d'un petit manoir. Dans un décor traditionnel, un self-service avec des plats copieux et pas chers du tout. Bon choix de salades.

🍽 *Café Studnia :* à l'angle de la *rynek* et de ul. Lubelska. Dommage

que sur cette adorable petite terrasse en bois, ou dans cet intérieur de chaumière rustique, on ne puisse déguster que des pizzas et des hamburgers : nous aurions préféré un bon *żurek* des familles !

Prix moyens

🍽 *Restauracja Staropolska :* ul.

Nadrzeczna 14. Ouvert de 12 h à 22 h. Prendre la petite rue à gauche du bureau *PTTK*. Un peu plus loin, à l'écart de la place principale, une maison typique polonaise, peinte à la chaux. Le jardin de devant n'a rien d'une terrasse mais, légèrement négligé, avec des mauves dépassant la clôture, il ajoute à l'authenticité du lieu. À l'intérieur, des gerbes de gui sur les murs, de la bonne cuisine et un service très sympa.

I●I ***Restaurant de l'hôtel Łaźnia :*** voir la rubrique « Où dormir ? » Ouvert de 10 h à 22 h. On y savoure une vraie cuisine familiale, bonne, simple et copieuse. En plus, l'auteur de ces lignes vous assure que le traditionnel *żurek* est tout à fait digne des soupes de sa grand-mère !

Vie culturelle

Il y en a pour tous les goûts et toutes les couleurs.
– Un festival original de ***groupes et chanteurs folkloriques*** se déroule chaque année à la fin juin, accompagné par une foire artisanale.
– L'été, des ***concerts d'orgues*** ont lieu dans le beau décor de l'église paroissiale (kościół Farny).
– Et enfin, pour s'éclater, des ***concerts de rock et de folk*** organisés l'été dans l'ancienne carrière, un peu à l'écart, au sud-ouest de la ville, au bord de la Vistule.

À voir

★ ***La place du Marché et les rues environnantes :*** les *maisons des frères Przybyło,* aux n°s 1 et 2, furent construites dans le style Renaissance, au début du XVIIe siècle. Bâtisses à un étage, avec des arcades. Trois fenêtres au premier étage, à l'alignement fantaisiste. Elles portent d'immenses attiques décoratifs, interprétation naïve des thèmes et schémas architecturaux de la Renaissance. Les nombreux bas-reliefs sont un joyeux mélange de sujets bibliques, scènes de la vie quotidienne, motifs grecs et romains...

★ ***La maison des Architectes :*** construite récemment, à partir des éléments de la maison dite « de Gdańsk », de la fin du XVIIIe siècle.

★ Dans le petit pavillon voisin, le ***musée d'Orfèvrerie*** expose des bijoux et des objets usuels en or et en argent provenant des musées polonais.

★ ***Kościół Farny*** *(église paroissiale) :* du côté nord-est de la place du Marché. Un exemple typique de l'architecture sacrée de l'époque de la Renaissance. Construite sur les ruines d'une église gothique, détruite par un incendie en 1598. Les vieux murs ont été alors surélevés et décorés. On a ajouté également les chapelles. À l'intérieur, une voûte à berceaux ornée de stucs. Notez les chapelles richement décorées et les splendides orgues de 1620.

★ ***Les ruines du château :*** au-dessus de l'église, accessibles par un chemin raviné, en 5 mn à pied. Bâti au XIVe siècle par les prisonniers tatares, le château devait assurer la sécurité du port sur la Vistule. À proximité, une tour haute de 20 m servait notamment de phare pour la navigation. Très beau panorama sur la ville et la rivière.

★ ***L'église et le couvent des frères franciscains :*** imposante bâtisse, du XVIIe siècle, dominant au sud la ville du haut de la colline. On y accède par des escaliers escarpés. C'est une chapelle aux décorations baroques. Sur le maître-autel, le célèbre tableau représentant la scène de l'Annonciation a, paraît-il, des vertus miraculeuses. On peut également visiter une partie du couvent, où une pièce aménagée en salle d'exposition retrace l'histoire de la communauté religieuse.

★ Les innombrables **galeries de peinture,** où le pire côtoie le meilleur. Nous recommandons la *galerie Mały Rynek,* sur la placette du même nom, spécialisée dans les aquarelles modernes et franchement délirantes.

– Quitter Kazimierz en restant sur le cours de la Vistule. À une centaine de kilomètres au sud, dans un paysage légèrement vallonné, on découvre la ville de Sandomierz.

SANDOMIERZ   IND. TÉL. : 015

Une petite ville provinciale qui domine d'une colline les eaux de la Vistule. Son charme d'antan va vous détourner de la route de Varsovie à Craco-vie. Et comme les commerçants du Moyen Âge, vous allez y faire une halte. Signalée dans la première chronique polonaise à côté de Wrocław et Cracovie, la ville était un important carrefour de la route vers l'Est. Endormie dans sa prospérité, elle rappelle aujourd'hui encore son passé éminent.

LA POLOGNE

Comment y aller ?

– **En voiture :** de Cracovie, prendre la route 777 qui mène directement à Sandomierz (145 km).
– **En train :** seulement trois trains de Varsovie et un seul de Częstochowa.
– **En bus :** plusieurs bus rapides depuis Varsovie.

Adresses utiles

❶ *Informations touristiques :* ry-nek 26. ☎ 832-23-05. Le bureau de *PTTK* propose, de mai à octobre, le samedi et le dimanche, des visites guidées de la ville. Le lieu du ren-dez-vous : rynek 10, entrée du côté de la rue Oleśnickich. Les vaga-bonds solitaires apprécieront un pe-tit dépliant en français avec le plan de la vieille ville. Également des ex-cursions sur la Vistule et des ba-lades dans les environs.
🚆 *Gare ferroviaire PKP :* ul. Lwowska. Éloignée du centre-ville, sur la route de Tarnobrzeg. Traver-ser la Vistule.
🚌 *Gare routière PKS :* ul. 11-Lis-topada. Au nord-ouest du centre-ville.

Où dormir ?

L'hébergement est un paradoxe de cette ville qui possède de grandes ambi-tions touristiques mais peu d'hôtels. Comptez sur l'hospitalité des habitants. Le bureau de *PTTK* (voir « Adresses utiles ») trouve toujours une bonne solution de dépannage. En dehors des chambres chez l'habitant, trois adresses, tout de même :

🛏 *Pensjonat Dick :* ul. Sokolnic-kiego 3, l'entrée est rynek Mały 2. ☎ 832-31-30. Parfaitement situé juste à côté de la *rynek.* Bon mar-ché. L'accueil se fait au premier étage, mais parfois... il se fait attendre. Une salle de bains pour deux chambres. Au rez-de-chaussée, un resto assez bruyant, endroit privilégié des buveurs de bière autochtones.

🏠 *Hôtel Oscar :* ul. Mickiewicza 17a. ☎ 832-11-44. Malgré le nom, il n'a rien de vraiment glorieux. À plus d'un kilomètre du centre-ville, vers le nord-ouest. Prenez le bus n° 11. Ce bâtiment banal offre l'avantage de se situer près de la gare routière et pratiquement en face de la police (c'est rassurant à défaut de parking gardé). En plus, sans souci de concurrence, les prix sont ici relativement élevés. La réception se trouve dans le bar du rez-de-chaussée, par contre les chambres sont au 3e étage. C'est simple et propre. Éviter les chambres côté rue, car certains joyeux drilles aiment à exprimer leur bonne humeur la nuit et au petit matin. Faites l'impasse sur le petit déjeuner, c'est de l'arnaque !

🏠 *Hôtel Zajazd Pod Ciżemką* : rynek 27. Une ancienne maison bourgeoise, idéalement située et récemment rénovée.

Où manger ?

🍴 *Kawiarnia Kasztelanka :* rynek 14. Bien réputé et bien fréquenté. Quatre salles installées dans les caves. Une cuisine correcte, sans grande variété de plats.

🍴 *Pizza :* ul. Sokolnickiego. Dans la rue qui longe la place. Un joli décor en bois peint, typique, et qui rend bien l'atmosphère. De bonnes pizzas. Mais ça ferme à 18 h !

Où boire un verre ?

🍷 *Kordegarda* : sur la *rynek*, juste à côté du *Kawiarnia Kasztelanka*. Un café, appelé « corps de garde », où les jeunes côtoient les artistes, dans une salle égayée de joyeuses affiches de Mucha. Mais, à part les toilettes, l'endroit n'a rien de vraiment grivois.

À voir

★ *L'église Saint-Jacques et le couvent des Dominicains :* visite de 9 h à 12 h 30 et de 15 h à 17 h 30, les dimanche et jours fériés à partir de 11 h. Descendez depuis le haut de la *rynek*, côté hôtel de ville, par le passage historique qui reliait autrefois deux couvents des dominicains. Rare monument de style roman tardif avec quelques polychromies et pierres tombales du XIIIe siècle. Une des plus anciennes églises en brique de Pologne. Touches baroques de reconstruction au XVIIe siècle.

★ *Le château :* ouvert de 10 h à 17 h du mardi au dimanche. Fermé le lundi. À l'origine, l'édifice présentait une parfaite architecture carrée de style Renaissance. Mais les nombreuses guerres et invasions n'ont épargné que le côté ouest. Après le troisième partage de la Pologne, cette résidence noble fut transformée en prison et restera ainsi jusqu'en 1959. Depuis, elle a été restaurée pour devenir un petit musée.

★ *La place du Marché :* une *rynek* originale en pente, bel ensemble de maisons bourgeoises (bien verticales !) aux façades rénovées où alternent gothique et style classique. Au centre, l'hôtel de ville construit au XIVe siècle, décoré ensuite par un attique Renaissance.

KRAKÓW (CRACOVIE)   IND. TÉL. : 012

Ici, on respire l'histoire. Chaque maison ancienne est construite sur les ruines d'une autre, encore plus ancienne. Les fresques baroques cachent des peintures gothiques peintes, elles, sur des bribes de décorations romaines. Les conservateurs se demandent s'il faut détruire les bâtiments « modernes » du XIXe siècle qui « dérangent » la belle harmonie médiévale. Dans un pays où il faut attendre vingt ans pour obtenir un logement, cela peut paraître curieux, mais l'attachement des Polonais à leur passé est sans limite raisonnable.

Pour une fois, c'est une ville « vraie », et non une reconstruction flambant neuf d'un passé marqué par d'innombrables guerres. Cracovie doit sa sauvegarde à sa beauté. Ses envahisseurs, et ils furent nombreux, préféraient toujours l'habiter plutôt que la détruire. Une seule fois la ville fut saccagée, en 1241, par les Tatares. En souvenir de cette défaite douloureuse, ou peut-être pour conjurer le mauvais sort, les Cracoviens revivent cette lointaine tragédie toutes les heures. La trompette retentit de la hauteur de la tour de l'église Notre-Dame et, après quelques notes chromatiques, la fanfare s'arrête brusquement. C'est la flèche tatare, lancée il y a sept cents ans, qui vient de se planter dans la gorge du guetteur.

Un peu d'histoire

L'histoire de la ville commença il y a très très longtemps. Sur la colline de Wawel, saisi par la beauté du lieu, s'installa un peuple heureux et son roi *Krakus*. Mais l'apparition du méchant dragon, qui vint occuper une grotte sur le flanc de la colline, troubla cette paisible existence. Le dragon harcelait les habitants et fit plusieurs victimes. La peur se répandit sur la ville. Le roi Krakus promit alors la main de sa ravissante fille à celui qui chasserait le dragon. Plusieurs cavaliers, tous plus courageux les uns que les autres, essayèrent, en vain. C'est alors qu'un ingénieux petit cordonnier tua un mouton, remplit son ventre de soufre et le jeta au monstre. Le dragon dévora l'appât et courut aussitôt vers la Vistule pour boire, boire jusqu'à ce que son ventre éclatât. Le cordonnier épousa la promise et ils eurent beaucoup d'enfants. Ainsi naquit Kraków.

On trouve les premières traces écrites de l'existence de Cracovie dès le Xe siècle. La ville devint la capitale du royaume polonais au XIe siècle, sous le règne de Casimir le Rénovateur. Après les destructions causées par les Tatares en 1241, la ville se dota d'une grande place de marché, de 4 ha, la plus grande alors en Europe, celle-là même que vous traverserez en large et en travers lors de votre visite. L'université Jagielloński, fondée en 1364, attira les étudiants de toute l'Europe. Parmi eux, un élève surdoué, avec un net penchant pour les sciences exactes : Nicolas Copernic. Le château royal sur le mont Wawel fut reconstruit, après un incendie, dans le style de la Renaissance au début du XVIe siècle, et devint le plus beau château de la Pologne. En 1596, le roi Sigismond III transféra la résidence royale à Varsovie et la ville perdit beaucoup de son importance. En 1815, après le congrès de Vienne, annexée par les Autrichiens à la suite des partages de la Pologne, Cracovie obtint, avec quelques villages voisins, le statut d'une minuscule république « libre, indépendante et neutre ». Elle le perdra trente-cinq ans plus tard.

Cracovie n'a jamais vraiment accepté qu'on lui enlève le rôle de capitale. Et elle reste toujours LA capitale. Pour s'en assurer, il suffit de le demander à n'importe quel habitant (les *Krakauer*, comme ils se nomment, non sans une certaine fierté). Si Varsovie est le cerveau de la Pologne, Cracovie en est le cœur. Et le cœur est l'organe principal des Polonais. Romantique jusqu'à la dernière pierre, c'est une ville fière, nostalgique et généreuse, peut-être la plus « polonaise » des villes. Malgré les années de régime « égalitaire », et l'adjonction de l'immense cité ouvrière, *Nowa Huta*, Cracovie garde toujours son élite intellectuelle, ses nobles et sa bourgeoisie. Son université, la plus ancienne de la Pologne, a une renommée internationale, ses théâtres sont les plus brillants, ses caves artistiques les plus folles. Et, comble de tout, comme pour la remercier de tant d'efforts et de tant de dignité, Cracovie a SON pape, qui y fut successivement élève, étudiant, prêtre, puis évêque.

L'arrivée à Cracovie

Par l'aéroport

✈ *Jean-Paul II/Balice,* l'aéroport de Cracovie, est à quelque 18 km à l'ouest du centre.

– *Taxis :* à la différence de Varsovie, leurs tarifs ne relèvent pas de la roulette russe et sont assez raisonnables. Néanmoins, consultez-en un ou deux pour avoir une échelle de prix.

– *Bus :*

● le bus 208 relie en une trentaine de minutes l'aéroport à la gare routière en bordure de la vieille ville. L'office de tourisme est juste en face, et rejoindre le centre (rynek Główny) ne demande qu'une dizaine de minutes à pied.

● Le bus express D mène aussi à la gare centrale, au niveau de la rue Lubicz.

En train

🚆 *Kraków główny (plan I, D1),* la gare centrale, offre le mérite d'être aux portes de la vieille ville qui se laisse facilement rejoindre à pied. Cette gare accueille l'essentiel du trafic national et international.

🚆 Certains malchanceux peuvent néanmoins arriver à *Kraków Płaszów,* l'autre gare, accueillant principalement les trains de nuit et située à 4 km au sud-est. Elle est reliée à la gare centrale par les trams n⁰ˢ 3 et 43, le bus express C, ainsi que par le train régional (toutes les demi-heures).

En bus

🚌 Rien de plus simple, *Dworzec PKS (plan I, D1),* la gare routière, est mitoyenne de la gare centrale, à quelques minutes de marche du centre.

En voiture

Une seule chose à se graver dans la tête : l'essentiel du centre-ville est zone piétonnière et, à l'exception de quelques axes, interdit aux voitures. Donc, unique solution, confier votre précieux véhicule à l'un des nombreux parkings du centre, certains avec gardiens : plac Ducha, plac Szczepański, plac Na Groblach, plac Biskupi, ul. Karmelicka, ul. Powiśle (à côté du château Wawel)...

Si vous résidez dans un hôtel du centre, vous pouvez toutefois obtenir une carte de résident temporaire pour vous garer plus facilement. Faites la demande à la réception de l'hôtel.

■ Adresses utiles

- Centrum Informacji Turystycznej
- Poste centrale
- Gare ferroviaire centrale
- Gare routière
- 3 American Express
- 6 Biuro Turystyki i Zakwaterowania, « Waweltur »

■ Où dormir ?

- 21 Wavel Tourist
- 22 Hôtel Pokoje Gościnne
- 23 Hôtel Saski
- 24 Hôtel Pod Różą
- 25 Hôtel Polski
- 26 Hôtel Polonia
- 29 Hôtel Europejski
- 30 Hôtel Warszawski
- 31 Dom Turysty PTTK
- 32 Hôtel Monopol
- 33 Hôtel Francuski
- 34 Hôtel Grand
- 37 Hôtel Pollera

|●| Où manger ?

- 50 Bar mleczny Temida
- 51 Bar mleczny Dworzanin
- 52 Jadłodajnia Kuchcik
- 53 Jadłodajnia
- 54 Bar Grodzka
- 55 Bar mleczny Barcelona
- 56 Bar Rybny
- 57 Chimera Salad Bar et Grace Pizzeria
- 58 Grace Pizzeria
- 59 Różowy Słoń
- 60 Różowy Słoń
- 61 Bar Wegetariański Vega
- 62 Renaissance Café
- 63 Piwnica Pod Ogródkiem
- 64 Piccolo Chicken Grill
- 65 Pizza Hut
- 66 Smak Ukraiński
- 67 Cechowa
- 68 Taco Mexicano
- 70 Paese
- 72 Szuflada
- 73 El Paso
- 74 Orient Express
- 75 Balaton
- 76 Marhaba Grill
- 77 Piwnica U Szkota
- 79 Starapolska
- 80 Garden Chińska
- 81 Pizzeria Cyclop
- 82 Pod Aniołami
- 83 Cyrano de Bergerac
- 84 Hawełka
- 86 Restauracja Wierzynek

|●| Pâtisseries et glaciers

- 86 Kawiarna Wierzynek
- 87 Kawiarna Noworolski
- 88 Cukierna
- 89 U Zalipianek
- 90 Lody Giolly
- 91 Lody U Jacka i Moniki

▼ Où boire un verre ?

- 72 Szuflada
- 110 Camelot et Dym
- 111 Osorya

- 112 Maska
- 114 Café Esplanada
- 115 Bambus et Piwnica Pod Baranami
- 116 Jama Michalika
- 117 Pożęgnanie z Afryką
- 118 Huśtawka et Herbaciarnia n° 1
- 119 Café Nietoperz
- 120 Ostoja et Pod Jaszczurami
- 121 Café Larousse
- 122 Non-Iron
- 123 Panaceum
- 124 Ratuszowa
- 125 Krzysztofory
- 126 Roentgen
- 127 Holenderska Pub des Artistes
- 128 Harris Bar
- 129 Free Pub
- 130 Black Gallery
- 131 Piwnica Jagiellońska
- 132 Scotland Pub
- 133 Fischer Pub
- 134 Pub U Kacpra
- 136 Irish Pod Papugami
- 137 Drink Bar
- 138 Rock and Roll Club
- 139 Kontrast
- 143 Bar Pod Stoncem

▼ Où danser ?

- 115 Piwnica Pod Baranami
- 146 Club X
- 147 Pasja
- 148 Pod Papugami
- 149 Jazz Rock Café
- 150 Club Kameleon
- 151 Equinox

★ À voir

- 170 Porte Florian
- 171 Barbacane
- 172 Sukiennice et musée de la Peinture polonaise du XIXe siècle
- 173 Statue d'Adam Mieckiewicz
- 174 Église Notre-Dame
- 175 Église Sainte-Barbara
- 176 Église Saint-Adalbert
- 177 Tour de l'hôtel de ville
- 178 Église de la Sainte-Transfiguration
- 179 Musée Czartoryski
- 180 Théâtre Słowacki
- 181 Église Sainte-Croix
- 182 Musée d'Histoire de Cracovie
- 183 Collegium Maius
- 184 Église Sainte-Anne
- 185 Collegium Nowodorski
- 186 Collegium Novum
- 187 Palais des Arts
- 188 Maison Szolayski
- 189 Église des Franciscains Réformés
- 190 Église et monastère des Domini- cains
- 191 Église et monastère des Francis- cains
- 192 Résidence de l'Archevêque
- 193 Palais Wielopolski
- 194 Musée archéologique
- 195 Église Saint-Pierre-et-Saint-Paul
- 196 Collegium Luridicum
- 197 Église Saint-André
- 198 Église Saint-Aegidius
- 199 Musée de l'Archevêché
- 200 Musée Stanisław Wyspiański
- 201 Musée du Théâtre de Cracovie

CRACOVIE

CRACOVIE

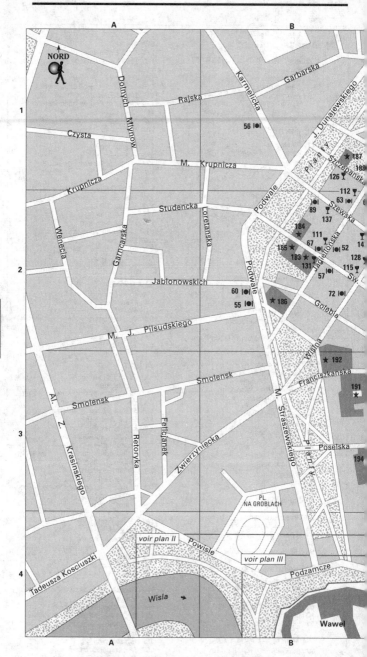

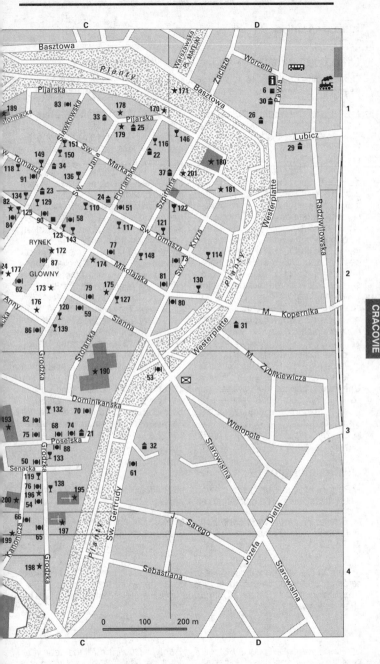

CRACOVIE – PLAN I (CENTRE-VILLE)

Adresses utiles

Office de tourisme et agences de voyages

Outre l'office de tourisme, plusieurs agences de voyages se chargent de la mission touristique avec plus ou moins de bonheur. Les meilleures sont :

❶ *Centrum Informacji Turystycznej (plan I, D1) :* ul. Pawia 8. ☎ 22-60-91. Fax : 22-04-71. Ouvert du lundi au vendredi de 8 h à 18 h, le samedi de 9 h à 13 h, fermé le dimanche. En face de la gare, à côté de l'hôtel *Warszawski.* L'office municipal ne s'est donné les moyens que d'une petite boutique avec compression de personnel. Peu importe, ils ont le sourire accueillant et le renseignement efficace. Pas de réservation de chambres d'hôtel à l'exception de l'auberge de jeunesse, mais, en revanche, grande générosité sur les horaires des bus, trains et avions. Dispose aussi du meilleur stock de cartes et de brochures.

■ *Jordan, Informacja Turystyczna (plan I, C2) :* ul. Floriańska 37. ☎ 21-77-64 et 939. Ouvert du lundi au samedi de 8 h à 18 h, le dimanche de 9 h à 15 h. Dans une des rues au départ de la rynek Główny. Une petite agence de voyages qui se démène pour vous rendre service : hôtels, infos pratiques, cartes, excursions.

■ *Dexter (plan I, C2) :* rynek Główny 1/3. ☎ 21-77-06 et 21-30-51. Fax : 21-30-36. Ouvert du lundi au vendredi de 9 h à 18 h, le samedi de 9 h à 13 h, fermé le dimanche. Dans la grande halle (Sukiennice), au centre de la place. Services tous azimuts ici aussi : chambres, billets de train, visites guidées, cartes, etc.

■ *Centrum Informacji Kulturalnej :* ul. Św. Jana 2. ☎ 21-77-87. Fax : 21-77-31. Ouvert du lundi au vendredi de 10 h à 19 h, le samedi de 11 h à 19 h. Toute une équipe au service de l'info culturelle (abondante !). Édite une brochure des principaux événements. Parlent l'anglais.

■ *Jarden Travel Agency :* ul. Szeroka 2 et ul. Miodowa 41. ☎ 21-71-66. Ouvert du lundi au vendredi de 9 h à 18 h, les samedi et dimanche de 10 h à 18 h. À Kazimierz, au sud du château. Une agence spécialisée dans la visite du quartier juif et des sites du tournage du film de Steven Spielberg, *La Liste de Schindler,* réalisé dans le quartier de Kazimierz et de ses environs. Se reporter à la rubrique « À voir ».

Guides et visites

– Pour bénéficier d'un guide qui vous fera découvrir Cracovie *in* et *off*, plusieurs associations de guides professionnels :

■ *Stowarzyszenie Przewodników Polskich :* ul. Floriańska 19/6a. ☎ 22-85-51.

■ *Klub Przewodników PTTK :* ul. Westerplatte 5. ☎ 22-26-76.

– Pour une visite romantique de la ville en cabriolet à cheval, un service de calèches attend le chaland sur le *rynek* devant le restaurant *Hawelka* (n° 34). L'excursion peut se limiter à un tour de la place ou se poursuivre jusqu'au château Wawel.

Postes

✉ *Poste centrale (plan I, D3) :* ul. Wielepole 2. Dans une rue à l'est, près de la promenade des remparts *(planty).* Ouvert du lundi au vendredi de 8 h à 20 h, le samedi de 8 h à 14 h, le dimanche de 9 h à 11 h.

CRACOVIE

✉ Une **autre poste** bien située se trouve au 4 d'ul. Lubicz près de la gare. Ouvert du lundi au vendredi de 8 h à 20 h, les samedi et dimanche de 14 h à 20 h.

Téléphone

■ **Centre téléphonique ouvert 24 h sur 24 :** poste centrale *(plan I, D3)*, ul. Wielepole 2.

– **Cabines téléphoniques :** Cracovie, comme les autre villes de Pologne, possède un bon réseau de cabines téléphoniques. Celles-ci fonctionnent en majorité avec des cartes magnétiques en vente à la poste, dans les kiosques, les hôtels, les vestiaires des restaurants et auprès des vendeurs de rue. Quelques-unes sont encore à jetons : jeton A pour les appels locaux et jeton C pour les appels internationaux, tous deux limités à trois minutes. Certaines cabines disposent de leur propre numéro pour se faire rappeler. Les principales sont :

• *à la gare centrale (dworzec główny) :* dans le hall (☎ 23-27-08), à côté des caisses (☎ 13-99-36 et 23-26-76), dans la salle d'attente (☎ 23-27-62).
• *Dans le passage souterrain devant la gare (Basztowa-Lubicz),* ☎ 23-25-62, 23-26-21 et 23-26-25.
• *Plac Szczepański 9,* près des taxis. ☎ 23-25-79.

• *Rynek Główny :* à côté du commissariat (☎ 13-30-66), à l'angle d'ul. Sienna (☎ 13-36-55 et 13-37-55), à l'angle d'ul. Bracka (☎ 13-31-66), à l'angle d'ul. Św. Jana, à côté de l'agence *Orbis* (☎ 23-26-04, 23-26-15 et 23-26-88).

– **Renseignements téléphoniques**
• Pour Cracovie et la Pologne : ☎ 911.
• Pour l'étranger : ☎ 912.
– **Fax :** émission et réception à la poste centrale *(plan I, D3)*, ul. Wielepole 2 . Informations : ☎ 21-75-77.

Argent, banques, change

– **Banques :** voici les principales dans le centre :

■ **Pekao :** rynek Główny 31 *(plan I, C2)* et ul. Bracka 1a.

■ **Narodowy Bank Polski :** ul. Basztowa 20.

🛏 **Où dormir ?**
   20 Rycerska Pensjonat
   27 Hôtel-restaurant Ariel
   28 Hôtel Pensjonat Kazimierz
   36 Hôtel Royal

🍽 **Où manger ?**
   27 Ariel
   69 Austeria
   71 Chłopskie Jadło
   85 Na Wawelu

🍸 **Où boire un verre ?**
   113 Singer

★ **À voir**
   206 Synagogue Ajzyk
   207 Grande Synagogue
   208 Vieille Synagogue
   210 Bain rituel
   211 Palais Jordan
   212 Synagogue Remu'h
   213 Cimetière Remu'h
   214 Tempel Synagogue
   215 Synagogue Kupa
   217 Musée ethnographique
   218 Église du Très-Saint-Corps-du-Christ
   219 Église Sainte-Catherine
   220 Église des Pauliens

CRACOVIE

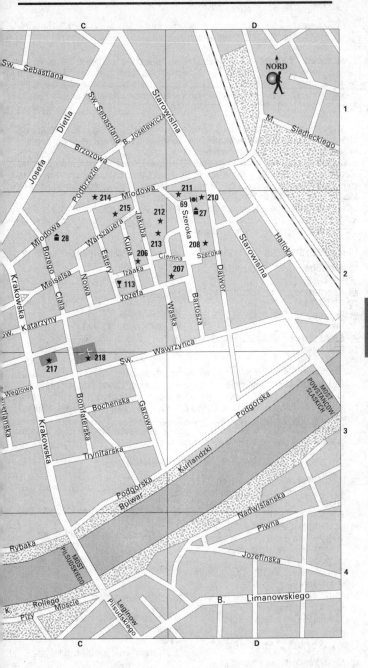

CRACOVIE – PLAN II (KAZIMIERZ)

CRACOVIE

– *Chèques de voyage :* on peut les changer dans les deux banques ci-dessus. Mais les taux de commission sont peu avantageux.

■ *American Express* (à l'intérieur de l'agence *Orbis, plan I, C2, 3*) reste la meilleure adresse : rynek Główny 41. ☎ 22-91-80. Ouvert du lundi au vendredi de 8 h à 19 h, le samedi de 8 h à 15 h, fermé le dimanche. Les chèques *Amex* sont changés sans commission, les autres avec une commission raisonnable.

– *Argent liquide :* rien de plus simple, la ville est sillonnée de bureaux de change *(kantors)*. Mais il vaut mieux éviter ceux à proximité de la gare, particulièrement gourmands en commission.
– *Cartes de crédit :* comme partout ailleurs en Pologne, le réseau *Euronet* s'applique à implanter ses distributeurs aux quatre coins ou presque de la ville. Ils sont censés, mais ce n'est pas toujours le cas, accepter les cartes *Visa, Eurocard MasterCard, Cirrus, Plus*, etc.
Les principaux sont situés : rynek Główny 31, Armii Krajowei 4, ul. Krasińskiego 1/3, ul. Mackiewicza 17, ul. Balicka 7, ul. Witosa, plac Kolejowy, ul. Starowiślna 88, et au château Wawel...

Représentations consulaires

■ *Autriche :* ul. Cybulskiego 9. ☎ 21-97-66.
■ *Allemagne :* ul. Stolarska 7. ☎ 21-84-73.
■ *France :* ul. Stolarska 15. ☎ 22-71-40.
■ *États-Unis :* ul. Stolarska 9. ☎ 22-14-00.

■ *Russie :* Westerplatte 11. ☎ 22-26-47.

Urgences

■ *Police :* ☎ 997.
■ *Pompiers :* ☎ 998.
■ *Ambulance :* ☎ 999.
■ *Objets perdus :* ☎ 33-65-26.

Mais attention, pour chacun de ces numéros, aucune réponse en anglais.
– *Service de soins :* comme toujours, il est recommandé de téléphoner au consulat français qui vous indiquera un praticien privé de confiance qui parle l'anglais, voire le français. Le consulat américain (voir ci-dessus) dispose aussi d'un grand fichier de praticiens anglophones.
– Sinon, il existe des cabinets privés tels le *Teleradio-Medyk*, une brigade de spécialistes opérationnelle 24 h sur 24. ☎ 661-471.

Pharmacies *(aptekas)*

■ Plac Wszystkich Świętych 11 (près d'ul. Grodzka). Ouvert du lundi au vendredi de 8 h à 21 h, le samedi de 8 h à 15 h.
■ Ul. Grodzka 26. Ouvert du lundi au vendredi de 8 h à 21 h, le samedi de 8 h à 16 h, le dimanche et les jours fériés de 10 h à 17 h.
■ Rynek Główny 13. Ouvert du lundi au vendredi de 8 h à 20 h, le samedi de 8 h à 15 h.
■ *Apteka Herbapharm :* ul. Dunajewskiego 2. Ouvert 24 h sur 24.

Compagnies aériennes

■ *Austrian Airlines :* rynek Mały 1. ☎ 22-64-70.

■ *British Airways :* ul. Św. Tomasza 25. ☎ 22-86-21.
■ *Delta Airlines :* ul. Szpitalna 36. ☎ 21-46-40.
■ *Lot :* ul. Basztowa 15. ☎ 22-42-15.
■ *Lufthansa :* ul. Sienna 9. ☎ 22-41-99.
■ *Swissair :* ul. Szpitalna 36. ☎ 40-22-95.

Location de voitures

– Les compagnies internationales :
■ *Avis :* ul. Basztowa 15. ☎ 21-10-66.
■ *Budget :* ul. Radzikowskiego 99/101 (hôtel *Krak*). ☎ 37-00-89. Aéroport : ☎ 85-64-24.

■ *Europcar :* ul. Krowarderska 58. ☎ 33-77-73. Aéroport : ☎ 85-64-44.
■ *Hertz :* al. Focha (hôtel *Cracovia*) 1. ☎ 37-11-20.
– Les agences locales (parfois les moins chères) :
■ *ABC :* ul. Piastowska 20. ☎ 37-12-55.

■ *Eurodollar :* ul. Głowackiego 22 (hôtel *Demel*). ☎ 36-16-00. Aéroport : ☎ 11-19-55, ext. 286.
■ *Express Rent-a-Car :* ul. Marii Konopnickiej 28 (hôtel *Forum*). ☎ 66-64-68.

Cartes et plans

Inutile de vous vanter les bienfaits d'une bonne carte détaillée, voire d'un atlas de rues au format de poche, vous en êtes déjà convaincu. On les trouve facilement dans les offices de tourisme, les kiosques de rue, au kiosque *Wędrowiec* (ul. Powiśle, sur le parking au pied du château), dans certaines librairies (voir plus loin, « Culture. Presse étrangère »), notamment *Pod Wierchami*, ul. Jagiellońska 6, et *Odeon*, rynek Główny 5.

Transports urbains

Bus et trams

Ils sillonnent la ville, à l'exception du centre piétonnier. Sauf pour vous rendre dans les faubourgs, ils vous seront de peu d'utilité. Ils circulent de 5 h 30 à environ 23 h et sont ensuite relayés par des bus de nuit (23 h-5 h). Certains des bus sont des express avec moins d'arrêts.
– *Tarifs :* utilisable indifféremment dans les bus et les trams, le billet unitaire n'est valable que pour un seul trajet sans changement. Il existe plusieurs tarifs outre le billet simple : bus express et bus de nuit, billet pour une heure avec changement à volonté, carte journalière, billet de groupe (entre 15 et 20 personnes) et billet pour la grande banlieue. Ils doivent être impérativement compostés dès la montée. Ils s'achètent dans les kiosques ou dans les boutiques affichant le sigle « MKP », ou encore auprès du chauffeur contre un léger supplément de prix.

Taxis

À condition d'éviter ceux qui rôdent autour de la gare, spécialistes de la surfacturation, leurs prix ont été réglementés et restent très confortables pour une bourse occidentale. Seule consigne : n'utiliser que les taxis affiliés à une centrale de réservation téléphonique (dont le numéro figure généralement sur la voiture).
Les commander par téléphone est gratuit et peut parfois, concurrence oblige, vous donner droit à 20 % de réduction. Mais, bien sûr, comme partout dans le monde, les prix augmentent de 22 h à 5 h du matin. Toujours vérifier en montant dans le véhicule que le compteur est remis à zéro.
– Numéros d'appel des principales compagnies :

■ *Barbakan :* ☎ 238-000.
■ *Express Taxi :* ☎ 444-111.
■ *Grosik :* ☎ 333-444.
■ *Hello Taxi :* ☎ 444-222.
■ *Krak Taxi :* ☎ 67-67-67.

■ *Major :* ☎ 36-33-33.
■ *Radio Taxi :* ☎ 44-55-55.
■ *Rotunda :* ☎ 33-33-33.
■ *Taxi Wawel :* ☎ 66-66-66.

CRACOVIE

Culture

Journaux sur Cracovie

Plusieurs publications se font le devoir de vous initier à la ville et à ses plaisirs.

– Les moins intéressants sont les deux mensuels gratuits en anglais *Kraków : What, Where, When* et *Welcome To Cracow*, qui mélangent courts articles, pubs et listings d'adresses. On les trouve dans les grands hôtels, chez les loueurs de voitures...

– Le mensuel *Insider* (en anglais) se fait l'échotier de tout ce qui bouge en matière de restos, bars, boîtes. Il comporte aussi des articles historiques sur la ville et une rubrique cinéma.

– Un autre mensuel, *Miesiąc w Krakówie*, avec une version anglaise, se charge de donner le programme des théâtres, festivals, concerts et galeries de peinture.

– Mais dans ce domaine, l'édition du week-end de la *Gazeta Wyborcza* ou du journal local *Gazeta krakówska* reste la plus performante avec des pages entières consacrées au cinéma, aux concerts et aux musées.

Presse étrangère

On la trouve facilement dans les boutiques des grands hôtels, en particulier les hôtels *Saski*, *Cracovia* et *Forum*, ainsi que dans certaines librairies internationales :

■ *Edukator :* ul. Św. Jana 15. À l'intérieur de l'Institut culturel français, la plus grande sélection de livres en français de la ville.

■ *Odeon* (plan I, C2) : rynek Główny 5. Ouvert tous les jours de 9 h à 21 h. Presse internationale et livres anglais.

■ *Księgarnia Podróżnika :* ul. Jagiellońska 6 et ul. Szujskiego 2. Ouvert tous les jours de 11 h à 18 h. Livres et magazines de tourisme, essentiellement anglais.

■ *Tabak-Lulka :* ul. Slakowska 22. Ouvert du lundi au vendredi de 7 h à 19 h, le samedi de 8 h à 16 h. Livres et presse en anglais, français et allemand.

■ *Wędrowiec :* ul. Powiśle. Ouvert tous les jours de 8 h à 16 h. Ce kiosque, installé sur le parking au pied du château Wawel, possède, outre des publications étrangères, une mine de cartes et de livres sur Cracovie.

■ *Jarden Book Store :* ul. Szeroka 2. Ouvert du lundi au vendredi de 9 h à 18 h, les samedi et dimanche de 10 h à 18 h. La seule librairie juive de la ville.

Centres culturels

■ *Institut autrichien :* ul. Kupnicza 42. ☎ 22-95-53 ;

■ *Institut français :* ul. Św. Jana 15. ☎ 22-09-82.

■ *Institut italien :* ul. Grodzka 49. ☎ 21-89-46.

■ *Goethe Institut :* rynek Główny 20. ☎ 22-69-02.

■ *Institut juif :* Judaica Foundation, ul. Meiselsa 17. ☎ 23-55-87. Représentative d'un regain d'intérêt pour la culture juive, cette ancienne maison de prière qui a fait peau neuve en 1993 propose désormais concerts, expos, bibliothèque et une très agréable cafétéria.

Disques

■ *Księgarnia Muzyczna Kurant :* rynek Główny 36. Un large choix de CD, toutes musiques.

■ *Salon CD :* ul. Senacka 6. Musique classique et jazz.

■ *Kompakt :* ul. Jagiellońska 6a. Tous CD.

Radio

RMF, la petite française (RFM) qui s'est expatriée, interrompt 4 fois par jour sa programmation musicale pour diffuser un journal d'infos en anglais (8 h 30, 10 h 30, 15 h 30, 21 h) : 70.06 FM.

Concerts classiques, opéras et ballet

– *L'Orchestre philharmonique de Cracovie* est l'un des plus réputés et lorsqu'on sait que les Polonais ont l'oreille particulièrement musicale, il n'y a pas à hésiter : ul. Zwierzyniecka 1. Les concerts ont lieu surtout le week-end.

– *Teatr im Słowackiego :* pourquoi ne pas allier la découverte d'une salle somptueuse, calquée en 1893 sur l'opéra de Paris, au plaisir d'un ballet, ou d'une représentation à grand spectacle du répertoire classique polonais ? Les opéras sont plus rares.

– Pour les autres spectacles, demandez l'agenda à l'agence culturelle, *Centrum Informacji Kulturalnej :* ul. Św. Jana 2. Voir plus haut.

Achats

– Les *horaires* des boutiques sont fluctuants et, malgré la rigueur polonaise, oscillent entre 10-11 h et 19 h.

– *Boutiques de vêtements :* les rues Floriańska et Szewska se sont converties dans le haut de gamme européen, même si parfois subsistent encore quelques magasins « à l'ancienne ». La rue Długa *(hors plan I par D1),* au nord de la gare centrale, avec des boutiques populaires vendant le nécessaire vital pour équiper les familles, est une alternative plus colorée, mais pas vraiment intéressante pour des besoins occidentaux.

– *Artisanat :* l'ancienne halle aux draps (Sukiennice) accueille sous ses voûtes une colonie d'échoppes qui se sont donné pour mission de rassembler tout ce que la Pologne produit en artisanat. La spécialité locale réside dans les petites maquettes d'églises en papier de chocolat. Chaque année à Noël, un concours oppose les meilleurs maquettistes. Ouvert du lundi au vendredi de 7 h à 19 h, les samedi et dimanche de 10 h à 15 h. Une succursale existe aussi au n° 11 d'ul. Bracka. Mêmes horaires.

– *Sklep Souvenirs :* ul. Stawkowska 32. Une autre boutique d'artisanat polonais, avec de nombreux bijoux. Ouvert du lundi au vendredi de 7 h à 18 h, le samedi de 10 h à 14 h.

– *Affiches :* la *Galeria Plakatu,* ul. Stolarska 8/10, dispose d'un grand choix d'affiches et de posters, un art où les Polonais sont passés maîtres, comme vous devez le savoir.

– *Marché :* pas vraiment de pittoresque, façon Europe centrale. Ici, tout est réglé et ordonnancé comme chez nous, les amateurs de folklore seront déçus. Vous pouvez toujours promener vos guêtres entre les étals du marché en plein air de la rynek Kleparski, au nord, derrière la gare centrale, de l'autre côté du boulevard Basztowa, ou encore aux halles couvertes de la rue Lubicz peu après la gare.

– *Épiceries ouvertes 24 h sur 24 :*

- *ABJ :* ul. Kazimierza Wielkiego 117.
- *A & C Delikatesy :* ul. Starowiślna 1.
- *Cristin :* ul. Krakowska 22.
- *Hean :* ul. Królewska 49.
- *Market :* ul. Krupnicza 24.

Fêtes et festivals

En Pologne, la culture est une valeur nationale et Cracovie, comme les autres villes polonaises, se charge de la mettre en pratique avec une inflation de manifestations qui rend votre agenda aussi chargé que celui d'un ministre.

Décembre-janvier

– ***Concours de la plus belle crèche de Noël*** *(szopki),* tradition locale pour laquelle toute la ville fouille dans ses poubelles à la recherche de matériaux pour « bricoler », avec un goût infini du détail, des scènes de la Nativité et des maquettes d'églises (la plus représentée est la volumineuse église, kościół Mariacki). Les lauréats ont l'honneur de voir leur œuvre exposée pendant tout le mois de janvier dans le musée d'Histoire qui intégrera ensuite les meilleures créations à sa collection permanente.

Février-mars

– Fin février, ***Festival international des Chansons de marins***, un des meilleurs du genre.
– En mars, ***festival de Théâtre alternatif***, une compétition internationale qui fait le point sur les dernières recherches de l'art scénique.
– À la fin du mois, pour Pâques, les ***journées Beethoven.***

Avril-mai

– En avril, ***journées de la Musique d'orgue,*** qui depuis trente ans se déroulent dans les églises de la ville, auxquelles succèdent le ***festival de Ballets***, réunissant le gratin des troupes polonaises et étrangères, ainsi qu'un ***festival des Orchestres de jazz débutants***.
– En mai, ***Concours international de Guitare.***

Juin, juillet, août

– En juin, surprenant ***Festival juif***, décliné en concerts, expos, théâtres et cinéma, une véritable curiosité dans une Pologne vidée de ses juifs.
– Puis ***Festival international de Courts-métrages***, et simultanément la ***Foire triennale des Arts graphiques*** (la prochaine est pour l'an 2000).
– Ne manquez pas la célébrissime ***procession Lajkonik,*** qui renvoie sept siècles en arrière, lorsqu'au XIIIe siècle les hordes tatares déferlaient sur la ville. Lajkonik, qui n'est plus aujourd'hui qu'un folklorique personnage emmanché sur un cheval de carnaval, fut jadis ce fier batelier qui, après sa victoire sur le khan, se para des atours de son adversaire pour défiler triomphalement depuis l'église des Nobertines (kościół Norbertanek), dans le faubourg de Zwierzyniec, jusqu'à la *rynek*. L'actuel costume est une copie de celui créé par Stanislas Wyspiański, un artiste du début du siècle, et conservé au Musée historique.
– En juillet, ***Festival international de Théâtre de rue***, et ***concerts d'orgue*** (à cheval sur août) de l'abbaye bénédictine de Tyniec, dans une lointaine banlieue au sud-ouest de la ville, puis ***festival des Petites formations de jazz*** (« solo, duo et trio »).
– En août, ***festival de Musique de la vieille ville***, véritable mise en musique du vieux Cracovie.

Septembre-octobre-novembre

– En septembre, plus confidentiel, ***festival du Folklore montagnard***, couplé avec celui de Zakopane, puis ***festival de Trompettes de jazz,*** à la mémoire de Miles Davis.

– En octobre-novembre, prestigieux *festival de Jazz Zaduszki Jazzowe*, le premier à avoir été créé de ce côté-ci de l'Europe, et qui réunit les grandes pointures de la profession.

– Le mois de novembre et la saison se termine dans les salles obscures du *festival du Film,* consacré aux jeunes cinématographes.

Comme d'habitude ce catalogue de manifestations étant sujet à variations, il est plus que conseillé d'en vérifier les dates auprès de l'agence culturelle : *Centrum Informacji Kulturalnej* (voir « Adresses utiles »).

Où dormir ?

Cracovie, en jargon professionnel, est un cœur de cible des tours-opérateurs, donc tirez-en la conclusion suivante : il est très judicieux de réserver à l'avance, particulièrement en été. Autre rançon du succès, les prix sont plus élevés que dans les autres villes de Pologne, mais moins qu'à Varsovie.

En revanche, immense avantage, la plupart des hôtels sont concentrés dans la vieille ville ou à la périphérie immédiate.

Dans tous les cas, les agences et offices du tourisme se feront le devoir de réaliser l'impossible pour vous (on l'espère !).

Dernier conseil, les petits budgets pourront slalomer entre les différentes catégories d'hôtels en tenant compte du fait que la majorité des établissements possède des chambres *sans salle de bains* à des prix inférieurs.

HÉBERGEMENT BON MARCHÉ HORS HÔTELS

Campings

▲ *Camping Krak n° 45 :* ul. Radzikowskiego 99. ☎ 37-21-22. Fax : 37-58-40. Ouvert du 15 mai au 15 septembre. À environ 5 km au nord-ouest, sur la route de Katowice. Depuis la gare, bus n° 208 ; bus n°s 173, 218 et 233 au départ d'autres points de la ville. Situé près du rutilant motel *Krak*, à l'architecture américanisante. 78 places sur un grand terrain bien équipé avec discothèque, café et bar.

▲ *Camping Krakowianka n° 171 :* ul. Żywiecka Boczna 4. ☎ 66-41-91 et 66-41-92. Ouvert de mi-mai à mi-septembre. À 6 km, sur la route de Zakopane. Bus n° 119. Intégré à un hôtel (chambres à 3 lits seulement), il est de bonne tenue et offre des bungalows à petits prix ainsi qu'un resto.

▲ *Camping Smok n° 46 :* ul. Kamedulska 18. ☎ 21-02-55. Ouvert de mi-mai à mi-septembre. À 4 km à l'ouest, sur la route d'Auschwitz. Depuis la gare, tram n° 2 jusqu'au terminus à Zwierzyniec, puis n'importe quel bus vers l'ouest (demander). Les bus n°s 209, 229, 239, 249, 259,

269 (ouf !) passent aussi à proximité. Petit camping privé, propre et bien agencé. Bon accueil. Emplacements ombragés dans un verger. Sanitaires neufs, machine à laver. Calme et prix très abordables.

▲ *Camping Ogrodowy n° 103 :* ul. Królowej Jadwigi 223. ☎ 25-22-67. Ouvert de mi-mai à mi-septembre. À 5 km à l'ouest, en direction de l'aéroport. Bus B depuis la gare. Bus n°s 102 et 134, également. Pas très grand et un peu bruyant.

▲ *Camping Sport « Wieczysta » :* ul. Chałupnika 16. ☎ 11-57-11. Ouvert de mi-mai à mi-septembre. À 4 km à l'est dans l'arrondissement de Śródmieście. Bus A, B, D et n° 124, trams n°s 4, 5, 10 et 40. Un joli terrain à proximité d'un hypermarché. Propre et bien équipé, avec machines à laver et plaques chauffantes.

Chambres chez l'habitant

▲ *Biuro Turystyki i Zakwaterowania,* « *Waweltur* » *(plan I, D1, 6) :* ul Pawia 8. ☎ et fax : 22-19-21. Ouvert du lundi au vendredi de 8 h à 20 h, le samedi de 8 h à 14 h, fermé le dimanche. En face de la gare à côté de l'hôtel *Warszawski*. Cette agence de voyages concentre les offres de chambres en ville. L'autre option est de céder aux offres des vieilles dames qui attendent votre arrivée à la gare ou vous abordent sur la *rynek*. Leurs prix sont toujours négociables en raison de la concurrence. Mais dans les deux cas, un seul conseil, toujours le même : avant de se décider, prendre son plan et bien localiser l'adresse sous peine d'un exil dans une lointaine banlieue.

Auberges de jeunesse

🛏 *Schronisko Młodzieżowe :* ul. Oleandry 4. ☎ 33-88-22. Fax : 33-89-20. Ouvert toute l'année. Pas trop excentrée, à l'ouest de la ville près d'al. 3 Maja, après avoir traversé le boulevard circulaire al. Z. Krasińskiego. De la gare, tram n° 15, puis descendre à l'hôtel *Cracovia* qui est non loin. Le contenant est un cube pachydermique de béton comme c'était la mode à l'époque stalinienne. Le contenu, en revanche, offre 345 places réparties dans des chambres de 2 à 16 personnes, au confort collectif bien administré. Néanmoins, elle est souvent complète. C'est l'occasion de croiser les ados polonais en vadrouille. Salles de bains et toilettes communes, cuisine et salle à manger à disposition, eau chaude en permanence. Ferme de 23 h à 6 h.
🛏 *Schronisko Młodzieżowe :* ul. Kościuszki 88. ☎ 22-19-51. Ouvert toute l'année. Au sud-ouest, dans le quartier de Zwierzyniec. De la gare, tram n° 2 jusqu'au terminus Salwator, ensuite depuis l'avenue Kościuszki, après le pont sur la rivière Rudawa, prenez un chemin pavé qui descend vers la Vistule, et vous aurez la surprise de découvrir l'une des plus belles auberges de jeunesse de Pologne. Sa découverte est initiatique : un portail en bois qui s'ouvre sur une grande cour avec des bâtiments à arcades, tandis que d'une église voisine s'élèvent des chants religieux. À l'intérieur, une petite antichambre, deux portes fermées, une fenêtre grillagée. Silence, il ne se

passe rien. Vous vous dites : ce n'est pas possible, ce n'est pas ici. Tirez une fois sur la petite croix de bois. Le rideau s'écarte et, l'espace de quelques secondes, vous apercevez le visage d'une religieuse. La lourde porte s'ouvre et se referme aussitôt derrière vous. Vous êtes... non pas dans un couvent mais dans l'auberge de jeunesse qui occupe une partie du couvent des sœurs norbertines. Ne vous inquiétez pas, l'auberge est tout à fait laïque et vous ne serez pas obligé de faire votre prière matinale ! 110 places en dortoirs de 8 à 20 personnes, salles de bains et toilettes communes, cuisine avec vaisselle à disposition. Mais pas de folie nocturne car l'A.J. ferme à 22 h 50. À la sortie, les trams n°^{os} 1, 2, 6 et 21 permettent de rejoindre le centre.

Résidences universitaires

Toujours le même principe : pendant les vacances d'été, elles ouvrent leurs dortoirs libres d'étudiants aux hôtes de passage.
■ *Almatur*, l'agence de tourisme universitaire, en gère quelques-unes : rynek Główny 7/8 *(plan I, C2)*. ☎ 22-59-42. Ouvert du lundi au vendredi de 9 h à 17 h.
🛏 *Hôtel Studencki Żaczek (hors plan I par A2-3) :* al. 3-go Maja 5. ☎ 33-54-77. Fax : 33-19-14. Voisine de l'auberge de jeunesse, et comme elle, pas trop excentrée, à l'ouest de la vieille ville par la rue ul. Piłsudskiego. De la gare, tram n° 15 et bus n° 119. Encore une caserne de béton, mais qui, grâce à sa gestion *cool* (sans couvre-feu la nuit), dispense plutôt de la bonne humeur. Et, dans ce cas, on y voit l'avantage de son grand nombre de chambres de 2 à 5 lits. Toutes ont été repeintes de neuf avec moquette et nouveau mobilier Ikea. Avec ou sans salle de bains et prix en fonction. Les couloirs sont hauts de plafond, il y a aussi un resto décoré étudiant, un café et une petite boutique. Seules les chambres avec salle de bains restent disponibles toute l'année, les autres seulement de juillet à septembre. Une des adresses les

plus sympa de sa catégorie. Idéal aussi pour faire des rencontres.

■ **Strawberry Youth Hostel** (hors plan I par D1) : ul. Racławicka 9. ☎ 36-15-00. Ouvert du 1er juillet au 10 septembre. Dans un quartier résidentiel donc calme, un peu excentré, à l'arrière de la gare. La direction met à votre disposition un minibus qui vous attend sur le parking de la gare de 7 h à 20 h. Si néanmoins vous ne le trouvez pas, prenez les bus 301 ou 302 de la rue Krowoderska (à gauche de la gare) et descendez au 3e arrêt, la rue de l'hôtel est peu après sur la droite. Pour une fois, la résidence des étudiantes en économie est un bâtiment, certes sévère dans son béton socialiste, mais de taille humaine. Sur trois étages, les chambres de 2, 3, 4 lits sont sobres et monacales avec un mobilier sommaire de qualité. Bien sûr, douches et toilettes sont collectives ainsi que la cuisine. Pour l'anecdote, le jeune directeur hongrois est lui-même un ex-étudiant en économie qui loue la résidence à l'université et trouve là un moyen astucieux de la rénover progressivement. Il a déjà ouvert plusieurs hôtels du même type à Budapest (voir le G.D.R. Hongrie, Roumanie, Bulgarie), et vous y accordera une remise si jamais vous passez par là après Varsovie.

■ **Dom Studencki « Nawojka »** (hors plan I par A2-3) : ul. Reymonta 11. ☎ 33-58-77. Fax : 33-39-36. Dans le même quartier que l'auberge de jeunesse, à l'ouest de la ville, après le boulevard circulaire Adama Mickiewicza. À voir ce bâtiment universitaire aussi imposant qu'un ministère, avec des couloirs abyssaux, on comprend vite qu'ici les études sont prises très au sérieux. L'ambiance est moins fun que dans les autres mais, en échange, les chambres d'un blanc Omo, dû au passage récent des peintres, ressemblent à

de microstudios avec moquette, mobilier Ikea étudiant et pour certaines avec une vraie salle de bains. De un à trois lits au choix. Celles sans salle de bains sont les moins chères. Mais il vous faudra grimper des escaliers cyclopéens. Les chambres avec salle de bains sont ouvertes toute l'année (sous réserve).

■ **Uniwersytet Jagielloński :** ul. Gabarska 7a. ☎ 22-30-08, 22-67-66. Dans une rue, juste à la sortie nord-est de la vieille ville. Le solide bâtiment de l'université de Cracovie ouvre pendant l'été ses dortoirs de un à plusieurs lits. Ils ont été bien rénovés et sont souvent de grande taille. Autre avantage, ils sont presque dans le centre, on peut y aller à pied. Prix légèrement plus élevés.

■ **Hôtel Letni AWF** (hors plan I) : ul. Jana Pawła II 82. ☎ et fax : 48-02-07. Ouvert du 22 juin au 22 septembre. Exilé à 4 km, à l'est, sur la route de Nowa Huta (bus A et trams nos 4, 5, 10, 40), c'est une bonne et grosse construction dont l'efficacité se mesure à sa capacité d'accueil : 320 lits dans des chambres individuelles ou doubles avec salle de bains, ainsi que des dortoirs. Réduction pour les routards munis de la carte des auberges de jeunesse.

■ **Hôtel Studencki Piast** (hors plan I par D1) : ul. Piastowska 47. ☎ 37-49-33, 37-41-58. Fax : 37-21-76. Pas vraiment la porte à côté, très à l'ouest, par les rues Karmelicka et Królewska (de la gare, bus n° 208 et trams nos 4, 12 et 40), mais l'assurance de trouver toujours de la place dans cette résidence d'été, grande comme une ville avec des cafés, une cafétéria, un bureau de poste et un kiosque à journaux. Elle se fait fort d'offrir 300 chambres propres et bien tenues pour 1 à 3 personnes. Les salles de bains sont bien sûr collectives. Ambiance de ruche, avec beaucoup de groupes.

HÔTELS

Bon marché

■ **Rycerska Pensjonat** (plan II, A1, 20) : Na Groblach 22. ☎ 12-22-60/82. Fax : 22-33-99. Au pied du

château et à une centaine de mètres de la Vistule, dont la vue est malheureusement obstruée par les autocars garés sur le parking en bordure du fleuve. Logée dans un petit immeuble à l'allure d'auberge, cette pension se veut familiale à la manière allemande, avec des couloirs intimes rythmés par les poutres du plafond et le solide bois des portes. Ses murs respirent la bonne santé d'une entreprise bien gérée. Les chambres avec salle de bains sont au 1er étage dont deux regardent la Vistule, les autres ayant droit au petit stade sportif de la place Na Groblach. Le mobilier, simple et un peu brocante, attend visiblement une rallonge budgétaire, mais on y gagne en atmosphère personnalisée. En revanche, les salles de bains rudimentaires pourraient faire un effort. Les chambres sans salle de bains, plus petites, sont sous le toit mansardé. Prix doux, particulièrement pour ces dernières. Également un appartement. Petit déjeuner compris. Restaurant gastronomique au rez-de-chaussée.

▄ **Wawel Tourist** (plan I, C3, **21**) : ul. Poselska 22. ☎ 22-67-65 et 22-13-01. Fax : 22-04-39. Idéalement située dans une rue calme et provinciale du centre, cette petite maison d'angle à un étage offre la tranquillité d'une adresse sans esbroufe. Les chambres réparties autour de la cour intérieure et sur la rue ont la décoration modeste d'une gentille rénovation. Simple, double ou quadruple, elles déclinent des prix d'amis même lorsqu'elles sont pourvues de salle de bains. Seule la chambre à la déco dite rétro se montre plus exigeante.

▄ **Hôtel Pokoje Gościnne** (plan I, C1, **22**) : ul. Floriańska 39. ☎ et fax : 22-75-40. Au centre dans la rue commerçante. Aux 3e et 4e étages d'un immeuble appartenant au syndicat des architectes. Dans l'entrée, l'escalier, éclairé « zénithalement » par la verrière du toit, vous fait comprendre qu'ici, la règle du jeu est plus conviviale que touristique. Les architectes ont quitté les lieux mais leur déco est restée : pas forcément d'un goût fulgurant, mais tout de même quelques tableaux, des lits canapés et de grandes fenêtres. Mais attention, seules deux des six chambres doubles ont droit à une salle de bains. Pour les autres, les

sanitaires communs sont neufs et d'une propreté prussienne.

▄ **Mini Hôtel :** ul. Wolnica 7. ☎ 56-24-13. Fax : 56-43-13. Au dernier étage d'un immeuble moderne bâti sur une grande place agréable à la périphérie du quartier juif de Kazimierz. Il n'offre que des chambres cellules aux murs lambrissés avec salle de bains, à la manière de studios pour un à trois célibataires. Auparavant, il vous aura fallu grimper quatre, cinq ou six étages (on a oublié de compter) d'un rude escalier. L'adresse est cogérée par des Chinois qui exploitent un resto asiatique au rez-de-chaussée.

Prix moyens

▄ **Hôtel Saski** (plan I, C1-2, **23**) : ul. Sławkowska 3. ☎ 21-42-22. Fax : 21-48-30. Au centre, voisin de l'*Hôtel Grand*. Une maison de carte postale, curieusement schizophrénique dans sa double identité d'ancien palace rétrogradé au rang moins triomphant d'hôtel de tourisme. Son groom à casquette et à la bedaine respectable semble sorti tout droit d'un film muet, tout comme le vieil ascenseur en bois, avec sa grille coulissante qui renâcle en grinçant avant de braver les lois de la pesanteur. Les étages sont parcourus par d'interminables couloirs qui s'ouvrent sur des portes à la quadruple couche de peinture pour enfin découvrir le beau volume des chambres, fraîchement blanchies. Souvent de la taille d'un studio, avec un parquet flambant neuf, elles n'offrent malheureusement qu'un modeste mobilier Ikea socialiste sur des tapis synthétiques. Les salles de bains ne sont pas non plus d'une netteté irréprochable. Prix étonnamment raisonnables et, comme d'habitude, encore plus en l'absence de salle de bains. Petit déjeuner non compris.

▄ **Hôtel Pod Różą** (plan I, C2, **24**) : ul. Floriańska 14. ☎ 22-12-44 et 22-14-24. Fax : 21-75-13. En plein centre, à une centaine de mètres de la *rynek*. Petit et mignon, cet immeuble historique poursuit sa carrière sous les meilleurs augures. Bien rénové dans des couleurs pastel, il a conservé le raffinement de ses murs anciens qui ont la patine confortable et douillette. On accède notamment aux chambres par un étonnant couloir vitré extérieur, en forme de coursive de bateau. Quelques frises aussi en trompe-l'œil pour agrémenter le parcours. Le mobilier des chambres se partage entre le contemporain de bonne facture et un vague pastiche de style ancien. Quant aux salles de bains, leur confort est digne d'un salon des arts ménagers. Belle salle de restaurant au parquet qui craque. Pour une fois, un mariage réussi entre hier et aujourd'hui. Petit déjeuner compris. Attention cependant, c'est le plus cher de cette rubrique !

≜ Hôtel Polski (plan I, C1, **25**) : ul. Pijarska 17. ☎ 22-11-44 et 22-15-29. Fax : 22-14-26. Magnifiquement bien situé à côté de la porte Florian, en fin de rue Floriańska. Cette élégante maison a bénéficié, une fois n'est pas coutume, d'une fine restauration qui tire profit des longs couloirs blancs où se détache le bois clair des portes. Les chambres aux excellentes proportions se distinguent par leur superbe parquet en damier qui s'acclimate assez bien avec un mobilier contemporain de qualité. Décoration à l'élégance discrète, juste ce qu'il faut pour créer une note personnalisée. La tradition des chambres (un à quatre lits) avec et sans salle de bains est maintenue. Petit déjeuner en option.

≜ Hôtel Fortuna (hors plan I par A2-3) : ul. Czapskich 5. ☎ 22-31-43. Fax : 11-08-06. À l'angle d'ul. Piłsudskiego, aux portes ouest de la vieille ville. C'est une belle maison de maître néo-classique d'un étage qui entame une nouvelle vie, re-toilettée en un coquet hôtel de tourisme. De l'ancien temps, il reste les beaux volumes des 25 chambres, sous une aristocratique hauteur de plafond. La modernité, elle, a fourni le mobilier d'un contemporain basique, la peinture blanche des murs, la moquette verte inusable, sans oublier les salles de bains, assez humbles il faut dire. La capacité d'accueil par chambre est démocratique : de 1 à 4 lits. Bref, une antique demeure au

goût des touristes d'aujourd'hui. Un peu bruyante par la faute d'ul. Piłsudskiego. Petit déjeuner compris.

≜ Hôtel Polonia (plan I, D1, **26**) : ul. Basztowa 25. ☎ 22-12-33. Fax : 22-16-21. En face de la gare. Sa façade du XIXe, imposante comme une caserne d'officiers, laisserait supposer des intérieurs vastes comme un ministère, mais la réalité est plutôt à la baisse avec des chambres certes d'un bon volume, mais dont la rénovation trop efficace a oublié de se montrer cosy, privilégiant la fonctionnalité d'un mobilier standard aux teintes automnales et un peu tristes. Dommage ! 69 chambres de un à quatre lits avec ou sans salle de bains. Bruyant à cause du carrefour.

≜ Hôtel Logos (hors plan I par B1) : ul. Szujskiego 5. ☎ 32-33-33. Fax : 32-42-10. À l'immédiate périphérie de la vieille ville, dans une rue calme voisine d'ul. Karmelicka. Cet hôtel d'architecture moderne, avec une façade en verre fumé bleue, est sorti depuis peu de la truelle des maçons. Les chambres d'un bon standing de tourisme contemporain ont l'originalité de proposer deux options : les doubles ou simples traditionnelles avec salle de bains et une « classe économique » avec des chambrées de 3 à 8 personnes sans salles de bains. Logées à l'arrière du bâtiment, elles ont l'avantage de faire chuter agréablement le prix du lit pour le confort somme toute d'un vrai hôtel. Sanitaires et salles de bains collectives impeccables. La maison est aussi équipée d'un sauna, d'un bar et d'un resto. Petit déjeuner compris.

≜ Hôtel-restaurant Ariel (plan II, D2, **27**) : ul. Szeroka 17. ☎ 21-38-70. Sur la place centrale du quartier juif. Ils sont deux, côte à côte, portant le même nom. Celui que l'on recommande est à gauche, avec la pancarte verte. Il occupe une antique maison rénovée et sa vocation première est gastronomique. Mais quand on dispose de 3 étages pourvus de beaux volumes, il serait dommage de ne pas faire hôtel. C'est chose faite. Le résultat est, à notre avis, superbe. Réparties autour d'un escalier central, les chambres surprennent par leur dimension, dans les 30 m^2 pour certaines. Comme les murs respirent la sagesse du bon vieux temps, le propriétaire s'est contenté de les repeindre d'un blanc éblouissant, tout en se gardant de toucher au parquet de grosses planches. Il a suffi de quelques meubles à la patine élégante pour que l'ensemble prenne le parfum d'un rustique relais de campagne. Belle vue sur la place. Seul défaut, le cliquetis des assiettes de la terrasse.

≜ Hôtel Pensjonat Kazimierz (*plan II, C2, 28*) : ul. Miodowa 16. Au cœur du quartier juif. Pour ceux qui apprécient le charme suranné et endormi de la ville juive, il faudra passer par ce petit hôtel qui a la folie des grandeurs. Alors que tout le quartier est en attente de rénovation, lui n'a pas hésité à mettre les bouchées doubles avec un hall pharaonique en marbre, sous un dôme de cathédrale ou presque. Ses dix chambres doubles sont aux normes du dernier confort international : murs blancs, moquette à motifs de tapis et mobilier moderne de Conforama élégant. Bien sûr, il y a téléphone, TV satellite et le dernier luxe dans les salles de bains. Prix moyens supérieurs. Petit déjeuner compris.

≜ Hôtel Europejski (*plan I, D1, 29*) : ul. Lubicz 5. ☎ 23-25-10. Fax : 23-25-29. Sur le côté droit de la gare. Premier signe distinctif de cet immeuble néo-classique de 1887 : sa récente rénovation. Mais est-elle réussie ? Oui, pour les teintes colorées de sa façade coquette. Oui, pour l'énergie sympathique du personnel d'accueil. Oui, pour les longs couloirs aux tapis moelleux. Mais ici encore, comme chez ses confrères, la déception vient du mobilier banalement basique des 56 chambres avec ou sans salle de bains. Celles-ci ne sont d'ailleurs que des douches au confort sommaire. La critique étant toujours facile, il faut pourtant avouer que l'ensemble fait quand même bonne figure. Choisissez de préférence les chambres sur l'arrière, celles sur le boulevard étant assez bruyantes. Petit déjeuner non compris.

≜ Hôtel Warszawski (*plan I, D1, 30*) : ul. Pawia 6. ☎ 22-06-22 et 22-71-14. En face de la gare. Une solide bâtisse années 30, abâtardie par une triste façade grise, qui conserve de cette époque plus fortunée les grands espaces des couloirs comme des chambres. Il va sans dire que l'ensemble, en attente d'une rénovation énergique, a chuté au modeste rang d'hôtel de gare. Le mobilier date d'avant-hier, les lits sont plutôt des canapés convertibles, mais grâce au volume des chambres, de un à quatre lits, on se dit qu'on est chez sa grand-mère un peu fauchée. Les prix deviennent bon marché lorsqu'il n'y a pas de salle de bains.

≜ Dom Turysty PTTK (*la Maison du Touriste ; plan I, D2, 31*) : ul. Westerplatte 15. ☎ 22-95-00. Fax : 21-27-26. Sur le boulevard des remparts, à 400 m au sud de la gare. Tourisme version socialiste dans cet immeuble-HLM qui se veut une ruche vrombissante de 530 chambres, au confort standardisé (minimum vital de qualité). Avec ou sans salle de bains, de un à quatre lits, elles ont le volume spacieux des constructions des années 60. Quelques chambrées aussi de 8 lits où les prix deviennent ridiculement bas. À la différence des autres hôtels, sa philosophie est davantage collectiviste avec les multiples allées et venues des groupes de touristes qui ont à leur disposition, pour se croiser et se rencontrer, un restaurant et des espaces communs de la taille d'un buffet de gare. Ambiance décontractée proche d'une auberge de jeunesse pour adultes. Belle vue des balcons sur la vieille ville. Petit déjeuner compris.

≜ Hôtel Monopol (*plan I, C3, 32*) : ul. Św. Gertrudy 6. ☎ 22-76-66. Fax : 22-70-15. Au sud-est sur l'avenue circulaire des anciens remparts. Cet hôtel, cela se hume encore, a dû jadis être chic, mais de ce temps révolu, il n'a plus que l'élégance d'un gros mastodonte de sous-préfecture. L'expression est certes un peu forte, mais comment juger autrement ces chambres (1 à 3 lits) assez petites, spartiates et meublées à la va-vite parce qu'il faut bien mettre un lit et une chaise. En plus, les couloirs aveugles sont du genre carcéral. Mais bon, l'adresse est bien située, les prix ne font pas les fiers, surtout lorsqu'il n'y a pas de salle de bains, et vous n'êtes pas là pour votre lune de miel.

Plus chic

🛏 *Hôtel Francuski (plan I, C1, 33) :* ul. Pijarska 13. ☎ 22-51-22. Fax : 22-52-70. Au nord de la vieille ville dans la rue calme de la Barbacane. L'hôtel français, installé dans un bel immeuble historique, n'a pas lésiné sur les moyens pour hisser cet ancien palace aux normes de la modernité luxueuse. Pas question de patine plus ou moins bien rafistolée, ici les murs ont abandonné la fatigue des ans pour retrouver une santé de jeune premier, sans perdre pour autant leur âme. Dans un espace de taille humaine, on glisse agréablement d'escalier en couloirs jusqu'aux chambres, toutes avec des salles de bains dont le mobilier lorgne vers l'ancien remis au goût du jour. Voilà un modèle de rénovation intelligente !

🛏 *Hôtel Grand (plan I, C1, 34) :* ul. Sławkowska 5/7. ☎ 21-72-55. Fax : 21-83-60. Au cœur de la vieille ville. Grand, il a été, grand il est toujours par ses suites d'apparat, ses salons, sa salle de restaurant, sa verrière historique. Mais ce mammouth de cent ans d'âge doit aussi chercher sa voie dans la modernité avec une restauration progressive qui se bagarre pour humaniser des couloirs longs comme le métro, des chambres souvent immenses avec des salles de bains presque de même taille. Difficile aussi de faire du neuf avec du vieux, surtout quand les fantômes des clients prestigieux de l'ancien temps rôdent toujours. La direction a donc joué le compromis avec un mo-

bilier de faux style en harmonie avec l'âge des murs. Bref, la nostalgie est encore au rendez-vous, malgré les efforts de rénovation.

🛏 *Hôtel Royal (plan II, B1, 36) :* ul. Św. Gertrudy 26/29. ☎ 21-49-79 et 21-46-61. Fax : 21-58-57. Au sud-est de la vieille ville, à proximité du château. Toujours la même chanson : un bâtiment à l'architecture somptueuse héritée des rêves de grandeur de ce début de siècle, mais dont les immenses chambres aux portes de salle d'audience jurent malheureusement avec la façade, l'escalier princier et les majestueux couloirs au silence de monastère. Pourquoi donc ce mauvais mobilier de brocante moderne améliorée et ces salles de bains au confort bâclé ? Néanmoins, les amateurs de passé en souffrance y trouveront leur compte. Petit déjeuner compris.

🛏 *Hôtel Pollera (plan I, C-D1, 37) :* ul. Szpitalna 30. ☎ 22-10-44. Fax : 22-13-89. Au nord-est dans la vieille ville, à proximité de la place Św. Ducha et de son somptueux théâtre. Il a beau aligner 150 printemps d'existence, posséder dans son escalier des vitraux signés par l'un des plus prestigieux artistes du début du siècle (Stanisław Wyspiański), il en conserve néanmoins la gestion froide et ne cherche pas à jouer dans la cour des grands. De ceux-ci, il a pourtant les grands espaces collectifs, des chambres claires de bonnes dimensions, toutes avec salle de bains, mais il connaît ses objectifs : une clientèle prioritaire de tourisme familial, qui se sentira chez soi dans une décoration et un mobilier soignés sans ostentation. Chambres de un à quatre lits, plus une suite. Les prix sont mesurés, et fléchissent lorsqu'il n'y a qu'une douche. Petit déjeuner compris.

Où dormir dans les environs ?

🛏 *Zajazd Krystyna :* à environ 15 km de Cracovie, sur la route 40, en direction d'Olkusz. On en parle

plus loin (voir « La route des Nids d'aigle »).

Où manger ?

Seul inconvénient : l'embarras du choix ! Avec l'afflux exponentiel des touristes, Cracovie a vite relevé le défi de ces milliers de bouches à contenter et les restaurants se sont mis à éclore au rythme d'un par semaine. La densité du tissu urbain les a agglutinés les uns aux autres, créant ainsi une offre compacte qui facilite le cabotage gastronomique. Toutes les variétés culinaires sont représentées, du fast-food traditionnel ou occidental aux cuisines étrangères et, bien sûr, à la nouvelle cuisine polonaise. Même si les restaurants appliquent des horaires tardifs, la tradition locale est au repas en début de soirée.

Les établissements haut de gamme pratiquent désormais des tarifs voisins de leurs confrères occidentaux, alors que les autres ont encore la délicatesse de préserver le pouvoir d'achat de leurs hôtes étrangers.

Très bon marché

Souvenez-vous des *bars mleczny* de Varsovie, ces petites cantines populaires, subventionnées en partie par l'État, et qui ont pour mission de servir aux citoyens les plus pauvres le meilleur de la cuisine polonaise à des prix ridicules. Cracovie en compte aussi quelques-uns, même si certains sont désormais sous gestion privée et ont changé de nom. C'est la meilleure formule pour permettre au routard averti de goûter aux délices de la cuisine locale sans bourse délier ou presque. Dans chacun d'eux, n'oubliez jamais de goûter aux *pierogis* ! Mais attention, ils ferment tôt. Les principaux sont :

|●| Bar mleczny Temida *(plan I, C3, 50)* : à l'angle d'ul. Grodzka et d'ul. Senacka. Dans la rue qui descend au château. Ouvert tous les jours de 9 h à 20 h. Peut-être le plus beau de sa catégorie. Il occupe les salles blanches d'un rez-de-chaussée voûté, éclairé par de grandes baies vitrées. Appliques aux murs et tables de cafétéria. La cuisine est son comptoir ont droit à un couloir indépendant pour ne pas gêner les mangeurs.

|●| Bar mleczny Dworzanin *(plan I, C2, 51)* : ul. Floriańska 17. Au début de l'artère commerçante. Ouvert tous les jours de 8 h à 20 h. Un double établissement dans cette salle en longueur. L'entrée est réservée au snack de grillades qui se consomment soit au bar, soit dans une petite salle au dallage de marbre noir. Mais c'est l'arrière-salle qui nous intéresse, la vraie avec son comptoir de distribution où, sous l'immense panneau des plats, s'active une brigade de vieilles cuisinières. Les tables sont collectives et chacun a le nez dans son assiette pleine à ras bord. Pour décor, un parquet lustré et de vagues rideaux aux fenêtres.

|●| Jadłodajnia Kuchcik *(plan I, B2, 52)* : ul. Jagiellońska 12. Dans une rue au nord-ouest de la *rynek*. Ouvert du lundi au vendredi de 10 h à 18 h, le samedi de 10 h à 16 h, fermé le dimanche. Jolie petite salle blanche décorée de quelques modestes tableaux. Mais l'essentiel n'est pas là. Ici, on aime son métier, la cuisine est léchée comme à la maison – à la grande satisfaction des nombreux habitués du lieu. Plats végétariens aussi.

|●| Jadłodajnia *(plan I, C3, 53)* : ul. Sienna 11. Dans une rue à l'est, pas très loin de la *rynek*. Ouvert du lundi au vendredi de 9 h à 17 h, le samedi de 10 h à 15 h. Une pièce unique, mais une grande carte et beaucoup d'habitués. Décoration soignée de vieux bistrot avec des petites tables protégées par des nappes en verre et quelques photos du Cracovie d'autrefois pour la nostalgie.

|●| Bar Grodzka *(plan I, C3, 54)* : ul. Grodzka 48. Dans la rue en direction du château. Ouvert tous les jours de 9 h à 19 h. La version privée et coquette de la formule. La patronne, qui trône derrière son comptoir aux 22 plats, a choisi pour séduire le chaland des chaises en bois, des tables avec décoration de carreaux et quelques glaces sur les murs. Une petite pergola sépare la salle de la cuisine et les prix sont un peu plus exigeants que chez les concurrents.

◖◗ Bar mleczny Barcelona *(plan I, B2, 55)* : à l'angle d'ul. Piłsudskiego et d'ul. Straszewskiego. Sur le boulevard ouest des remparts. Ouvert du lundi au samedi de 8 h à 16 h. Le plus représentatif des temps pionniers de cette catégorie de resto. Pas ou presque de décor, juste une peinture bleu ciel pour faire plus gai, sinon la modestie est de mise, à l'exception, bien sûr, de l'immense carte des plats.

◖◗ Bar Rybny *(plan I, B1, 56)* : ul. Karmelicka 16. Dans une rue qui quitte le boulevard des remparts en direction du nord-ouest. Ouvert du lundi au vendredi de 9 h à 20 h, le samedi de 10 h à 18 h. Plus excentré que les autres : il faudra un peu se mettre en jambes avant de gagner cette salle encore à l'ancienne, au rez-de-chaussée d'un immeuble gris, car nous sommes ici déjà dans les faubourgs. Seule la vitrine neuve indique un frémissement de rénovation.

Bon marché

◖◗ Chimera Salad Bar *(plan I, B2, 57)* : ul. Św. Anny 3. Au nord-ouest de la *rynek*. Ouvert tous les jours de 12 h à 23 h ou minuit. 20 variétés de salades à consommer dans une des plus élégantes caves de la ville. Malgré la petitesse des prix, le propriétaire, qui exploite aussi au rez-de-chaussée un resto plus *smart* (voir « Plus chic », plus loin), a tenu à offrir un cadre fastueux et théâtral. Son décorateur a capitonné les quelques salles de lourds rideaux précieux, en harmonie avec les planches du parquet artistiquement vieilli. Les bougies tamisent les petites tribus de tables en bois d'une ambiance à chaque fois différente, grâce aux nombreux objets logés dans les niches des murs. Pour un peu, on s'attendrait à voir surgir un maître d'hôtel en livrée. L'été, les salades se croquent au soleil de la jolie terrasse intérieure. Clientèle de jeunes gens raffinés qui savent apprécier.

◖◗ Grace Pizzeria : ul. Św. Anny 7 *(plan I, B2, 57)* et ul. Św. Jana 1 *(plan I, C2, 58)*. Deux adresses à proximité de la *rynek*. Ouvertes tous les jours de 10 h à 22 h. Elles ont trouvé la formule gagnante à mi-chemin entre la rapidité d'un fast-food et la convivialité d'une pizzeria traditionnelle. Elles ont d'abord su dénicher deux belles salles blanches sous une respectable hauteur de plafond. L'autre trait de génie est d'avoir laissé l'initiative au client entre 44 formules de pizzas à composer soi-même. Une carte bilingue anglais-polonais facilite la tâche, en suggérant des combinaisons possibles. Les pizzaiolos sont jeunes et dynamiques et l'affaire est vite envoyée. Il n'y a plus qu'à s'asseoir aux tables blanches en attendant d'être appelé. Clientèle d'étudiants enthousiastes.

◖◗ Różowy Słoń : ul. Sienna 3 *(plan I, C2, 59)* et ul. Straszewskiego 24 *(plan I, B2, 60)*. Respectivement à l'est de la *rynek* et sur le boulevard ouest des remparts. Ouverts du lundi au vendredi de 9 h à 21 h, le samedi de 11 h à 21 h. Deux fast-food de cuisine polonaise, dans un cadre pop de peintures BD géantes façon Roy Lichtenstein, ce n'est pas fréquent. Cela l'est encore moins quand les deux éléphants rose (tel est leur nom) se sont attribués un grand espace au rez-de-chaussée d'un immeuble historique. Le mobilier de cafétéria aux couleurs de bonbons acidulés n'est pas en reste non plus. Le menu, lui, applique un concordat entre les salades et un éventail de plats polonais traditionnels dont certains végétariens.

◖◗ Bar Wegetariański Vega *(plan I, C3, 61)* : ul. Św. Gertrudy 7. Sur le boulevard est des remparts. Ouvert tous les jours de 10 h à 21 h. Ce resto végétarien a élu domicile dans une élégante maison ancienne. Pour servir d'écrin aux nombreux plats de cette cuisine polonaise sans viande (sauf un ou deux), deux salles blanches jouent en duo l'intimité d'une décoration de petits meubles campagnards, orchestrés autour du bar de salades aux allures d'échoppe espagnole avec ses grappes d'oignons et ses fleurs séchées. Sur les tables de bistrot, le ballet des bougies flirte avec le blanc étincelant du carrelage et invite les dîneurs à se lover derrière les rideaux brodés des fenêtres.

|●| **Renaissance Café** (plan I, C2, 62) : rynek Główny 1/3. Sur la grande place. Ouvert tous les jours de 10 h à 23 h. La terrasse de ce café, situé dans la halle aux draps, a posé sa colonie de parasols colorés en poste d'observation sur la grande place. Animation garantie à toute heure. On n'y vient pas seulement pour sa position stratégique sur la *rynek*, mais aussi pour la diversité de sa carte où se distinguent parmi glaces et gâteaux une large gamme de pizzas gargantuesques ainsi que d'excellents sandwiches au poulet. Pas cher et copieux, avec en prime la vue gratuite sur la tour de l'hôtel de ville.

|●| **Piwnica Pod Ogródkiem** (plan I, B2, 63) : ul. Jagiellońska 6. Au nord-ouest de la *rynek*. Ouvert tous les jours de 13 h à minuit. Les caves du centre *PTTK* (l'office du tourisme polonais) ont la bonne idée d'abriter une brasserie dédiée aux crêpes. Avant d'accéder à cette énorme salle en forme de coque de bateau, il faut d'abord franchir le mur des buveurs rivés au bar implanté dans la première cave. À voir l'ambiance endiablée des convives soudés autour des tablées, il faut croire que la petite reine bretonne a la bonne humeur communicative. Celle-ci est déclinée dans sa version sucrée et salée et accommodée à tous les ingrédients imaginables. Succès d'enfer le week-end, lorsque l'auberge joue les prolongations jusqu'à 4 h du mat.

|●| **Piccolo Chicken Grill** (plan I, B1-2, 64) : ul. Szczepańska 2. Dans une rue au nord-ouest de la *rynek*, à l'angle d'ul. Jagiellońska. Ouvert tous les jours de 9 h à 22 h. Ce self-service de grillades de poulet cherche à conserver l'ambiance hu-

maine d'un resto traditionnel, grâce à un vague effort de décoration, notamment de fausses lampes Art déco. Le volume de salle ne réussit cependant pas à absorber les effluves des volailles à la découpe, et c'est dans une forte odeur de cantine que celles-ci sont livrées à vos papilles. Clientèle populaire de gros mangeurs qui apprécient la rapidité de la formule.

|●| **Pizza Hut** (plan I, C4, 65) : à l'angle de plac Sw. Marii Magdaleny et d'ul. Grodzka. Dans la rue vers le château. Ouvert tous les jours de 11 h à 22 h. Les chaînes américaines, lorsqu'elles débarquent de ce côté-ci de l'Europe, ne font pas les choses à moitié : tout un immeuble historique ! Et ne croyez pas qu'il a été défiguré. Bien au contraire, l'énorme volume du rez-de-chaussée, d'un jaune pastel du plus bel effet, a fait l'objet d'une fine restauration qui lui donne des airs d'hacienda espagnole avec son plafond aux poutres massives. Quant aux caves, on vous réserve la surprise...

Les curieux d'ethnologie fast-food pourront également jeter un rapide coup d'œil au *McDonald's* (ul. Floriańska 55) qui, lui aussi, loge dans un immeuble pluri-centenaire – mais sans la grâce du précédent. On ne se refait pas.

Prix moyens

|●| **Smak Ukraiński** (plan I, C4, 66) : ul. Kanonicza 15. ☎ 21-92-94. Au sud de la ville. Ouvert tous les jours de 12 h à 21 h. Deux grandes salles en sous-sol qui se veulent les ambassadrices de la cuisine ukrainienne. Mais comme l'Ukraine était jadis territoire polonais, celle-ci est aussi un peu polonaise, du moins historiquement. Qu'importe, ici on retrouve les mœurs simples des auberges de là-bas avec la succession des bancs au garde-à-vous devant de grandes tablées. Pas de surenchère folklorique non plus, juste quelques lithos évocatrices sur les murs. Le personnel affable s'active au diapason des douces mélopées de la sono. Idéal pour un coude à coude devant les larges portions des

assiettes, sans l'épée de Damoclès d'une addition mafieuse.

⦿ *Cechowa (plan I, B2, 67)* : ul. Jagiellońska 11. ☎ 21-09-36. Au nord-ouest de la *rynek*. Ouvert tous les jours de 11 h à 22 h. Pour faire honneur à ses spécialités polonaises, cette salle carrée, fréquentée par une clientèle d'hommes d'affaires gastronomes, a opté pour le style grande demeure. Les tables, agglutinées comme dans une brasserie, sont en effet sous la bonne garde d'une frise de blasons, qui veille à la prestance des manières. Mais n'ayez crainte, pas d'excès de pédanterie, l'ambiance est davantage à la franche cordialité, comme la cuisine qui va droit à l'estomac.

⦿ *Taco Mexicano (plan I, C3, 68)* : ul. Poselska 20. Au sud-est de la *rynek*. Ouvert tous les jours de 12 h à 23 h. La cuisine tex-mex a conquis Cracovie. L'exotisme est autant dans la salle que dans les assiettes. D'abord les assiettes qui déclinent tous les standards du genre. Ensuite la salle : un dédale de pièces peinturlurées en lavis ocre, comme chez nos amis les Navajos, et, pour s'asseoir, de grossiers bancs pour gringos polonais. Le décorateur a aussi dévalisé la boutique de souvenirs pour faire plus authentique. Et comme la formule plaît, les clients en surnombre peuvent également s'aventurer dans les profondeurs de la cave voûtée, badigeonnée à l'enduit telle une hacienda troglodytique. Pour les mauvais payeurs, la direction a prévu une potence bien en vue.

⦿ *Ariel (plan II, D2, 27)* : ul. Szeroka 17. ☎ 21-38-70. Sur la place centrale du quartier juif de Kazimierz. Ouvert tous les jours de 9 h à 1 h. Ils sont deux, côte à côte, à se disputer le même nom (un procès est en cours, chacun accusant l'autre de l'avoir copié). Raison de tout cela, l'auguste présence de Mister Steven Spielberg qui, pendant le tournage de *La Liste de Schindler*, y avait ses quartiers. Inutile de vous dire dans lequel, cela saute aux yeux : celui à l'enseigne verte ! Nostalgie oblige, en souvenir de l'époque heureuse d'avant les nazis, on a ressorti les meubles de grand-maman yiddish pour retrouver un peu de la chaleur disparue. Et il faut avouer que dans le cadre des vieux murs à la douce peinture verte, avec les tables guéridons et leurs nappes à dentelle, le parquet fatigué, les tableaux patinés, l'antique piano, celle-ci se serait sentie chez elle tout comme les nombreux convives. Car il est souvent difficile d'y trouver une table, en particulier le soir, lorsque dès 21 h l'orchestre se lance dans la ronde enivrante de ses mélopées juives et tziganes. Cuisine d'inspiration juive mais non cachère.

Pour cette dernière, il faut avoir le courage d'affronter la salle glaciale du *Na Kazimierzu*, juste en face au n° 39 de la même rue. Les aventuriers culinaires y auront droit aux authentiques plats du shabbat dans le respect de la tradition (les vendredi et samedi soir, au coucher du soleil). Les autres jours, toute la gamme de la carte est à leur disposition, et surtout une fantastique carpe farcie.

⦿ *Austeria (plan II, D2, 69)* : ul. Szeroka 6. ☎ 21-38-70. Un peu plus loin à gauche du précédent au centre du quartier juif. Ouvert tous les jours de 9 h à minuit. Que peut-on faire quand le succès est au rendez-vous ? Cette question a été vite résolue par la direction du « *Ariel* vert » (voir ci-dessus) qui a investi la maison d'un ancien bain rituel *(mikveh)*. Beaucoup plus grande, ce qui a permis de reproduire la même formule magique. C'est cette fois-ci tout un appartement années 30 qui a été reconstitué. Divisé en une partie salon de thé et une autre plus salle à manger, il accumule les antiquités dans une atmosphère de vieille carte postale : canapés, portraits d'ancêtres, rideaux de dentelle, piano patiné mais prêt à l'emploi et le charme d'un parquet poli par les ans. La clientèle a les yeux chavirés de contentement et la carte de spécialités juives suit toujours les recettes du chef « *Ariel* vert ».

⦿ *Paese (plan I, C3, 70)* : ul. Poselska 24. ☎ 21-62-73. Au sud-est de la *rynek*. Ouvert tous les jours de 13 h à minuit. Un resto corse, né sous la houlette d'une Polonaise tombée folle dingue de l'île de Beauté, et dont la sœur, pour rendre l'affaire plus familiale, a épousé un autochtone. Tous les trois ont retroussé leurs manches ; résultat : ces deux salles bleutées qui ont les faveurs de l'élite politique et journalistique locale. Pour déguster les fruits de mer (arrivés le matin même par avion), les filets de bœuf, les truites meunière, les sautés de veau aux raisins... Un quai de bois est d'abord ancré à côté de la capitainerie du bar dans la première salle. On y goûte l'air du large, protégé par des balustrades en corde sous des bottes de gui et un filet de pêche. Les plus grandes tablées sont réservées à l'autre salle, coiffée d'un toit de chaume et de lampes tempête. Presque la Corse, le soleil en moins.

|●| Chłopskie Jadło *(plan II, B2, 71)* : ul. Św. Agnieszki 1. ☎ 21-85-20. Au sud de la colline du Wawel. Ouvert du dimanche au jeudi de 12 h à 22 h, les vendredi et samedi de 12 h à minuit. Prenez une bonne et grosse auberge paysanne de montagne, transplantez-la dans une petite rue avec son vieux four, ses banquettes en rudes planches, ses instruments agraires, et le décor est planté. Ils ont juste oublié l'odeur champêtre. Mais celle-ci est vite remplacée par les cochonnailles et les tranches de lard qui s'empilent devant vous. N'oubliez pas, nous sommes ici dans les montagnes et on y mange costaud (et pas cher !). La tablée la plus convoitée est celle constituée d'un lit. Il faut la réserver à l'avance, mais les mélodies voluptueuses des violons sauront vous faire patienter.

|●| Szuflada *(plan I, B2, 72)* : ul. Wiślna 5. ☎ 23-13-34. Au sud-ouest de la *rynek*. Ouvert tous les jours de 11 h à 1 h. À la fois bar et restaurant, ce rêve de décorateur est un digne représentant des nouveaux lieux branchés de Cracovie. Une rangée de têtes de zèbres à l'entrée vous invite à pénétrer dans cette cave vouée au culte de la musique. Vous devez d'abord franchir un meuble d'apothicaire d'où s'échappe un arc de vieux livres agglutinés. Une

grosse poupée « Niki de Saint-Phalle », à cheval sur un clavier de piano, trône au centre de la première salle. Vous n'avez plus qu'à choisir votre table-vitrine où sont exposés, comme dans un cabinet de curiosités, des univers différents : cartes à jouer, pièces de monnaies, baguette de pain... Le bar de l'autre côté a déjà sa rangée de convives sous la forme de chaises personnages en tenue de gala rouge avec nœud papillon. Et, si vous avez encore le courage, vous remarquerez les partitions de musique reconverties en lampes. Comme il est fréquent dans ce genre de lieu, la cuisine a tendance à se reposer sur le décor en n'offrant qu'une petite variété de grillades et de plats à base de porc. Mais personne n'est vraiment là pour de la haute gastronomie.

|●| El Paso *(plan I, D2, 73)* : ul. Św. Krzyża 13. ☎ 21-32-96. Au nord-est de la *rynek*. Ouvert tous les jours de 13 h à minuit. Un autre tex-mex qui, cette fois-ci, ne s'adresse pas aux gringos mais aux grands propriétaires d'haciendas, dont il se veut un peu le club privé. Les Don Diego seront protégés de la racaille par les rideaux en velours rouge qui tamisent les deux grandes pièces à l'ameublement aristocratique : vieux papiers peints, petits tableaux de maître relatant la vie du ranch et quelques trophées de chasse. Avant de se lover dans les cabinets discrets de l'arrière, à l'abri des regards grâce à des paravents tendus de lourds tissus, ils auront à leur disposition pour se brûler le gosier le *saloon* du bar, moins pompeux, avec de simples tables de bistrot sous une confortable hauteur de plafond. On y discute révolution zapatiste autour des *chilis* de la maison. À moins que le pianiste ne s'active sur son antique bastringue.

|●| Orient Express *(plan I, C3, 74)* : ul. Poselska 22. ☎ 22-66-72. Dans une rue au sud de la *rynek*. Ouvert tous les jours de 11 h à 23 h. Le mythe de l'*Orient-Express* n'en finit pas de mourir. Pour preuve, ce resto voué à la nostalgie du train légendaire. Les candidats au voyage se verront d'abord proposer une salle en longueur, copie d'un ancien wagon, avec des compartiments à droite et à gauche. Les chaises sont des banquettes surmontées de porte-bagages aux valises fatiguées par les tours du monde. Pour apprécier la cuisine qui s'inspire des plats servis autrefois dans le train, il ne manque plus que le roulis des boggies, mais le propriétaire ignore encore les effets spéciaux. Vous pourrez choisir également l'autre salle en forme de wagon-restaurant avec ses vieux tissus muraux. Quelques photos sépia contribuent à l'illusion. Cuisine polonaise et occidentale.

◐◤ *Balaton* *(plan I, C3, 75)* : ul. Grodzka 37. ☎ 22-04-69. Dans la rue vers le château. Ouvert tous les jours de 9 h à 22 h. Balaton, cela vous dit quelque chose : le plus grand lac hongrois ! Donc, dans cette salle sans fioritures (des tables, des chaises et des serveurs, rien de plus banal), petite incursion gastronomique sur le territoire magyar : un *best of* des spécialités de là-bas, rehaussées certains soirs par les violons de l'orchestre tsigane.

◐◤ *Marhaba Grill* *(plan I, C3, 76)* : ul. Grodzka 45. ☎ 41-19-06. Dans la rue vers le château. Ouvert tous les jours de 9 h à minuit. À défaut de pouvoir voyager, le Polonais aime à s'expatrier dans son assiette. Ici, l'Orient est au menu, avec des spécialités de grillades de mouton et de poisson, exposées comme chez un traiteur dans des cantines à l'entrée. Mais le dépaysement serait incomplet sans les jolies voûtes d'une salle jaune pastel, vague copie d'un intérieur arabisant. Les menuisiers se sont aussi efforcés de donner des formes de trônes aux chaises de bois clair. Quelques lanternes colorées et des fenêtres à vitrail renforcent l'invitation au voyage et tamisent la lumière. La douceur de l'Orient n'est pas loin.

◐◤ *Piwnica U Szkota* *(plan I, C2, 77)* : ul. Mikołajska 4. ☎ 22-15-70. Ouvert tous les jours de 12 h à minuit. Drôle d'Écosse dans ces caves quadricentenaires. Tableaux et trophées de chasse, vieux buffets, instruments de musique, fleurs séchées et poupée de cire, tout indiquerait que nous sommes ici dans le pavillon de chasse d'un très respectable lord des Highlands. Si le doute persiste, il suffit pour s'en convaincre d'admirer les kilts de la jeune brigade de serveurs. Le seul élément divergeant est la variété de la carte qui voyage entre spécialités polonaises, orientales, espagnoles, françaises, et bien sûr écossaises. Il est vrai que l'Angleterre avait jadis un empire colonial.

◐◤ *Starapolska* *(plan I, C2, 79)* : ul. Sienna 4. À côté de la *rynek*. Ouvert tous les jours de 10 h à 22 h. Avec tous les nouveaux venus sur la scène culinaire, la bonne tradition de la gastronomie socialiste se perd. Voici un rescapé de l'ancien temps : salle rustique dans les couleurs marron, fresques en terre cuite sur les murs représentant la vie des champs et un escadron de serveuses grisonnantes à la politesse de cerbère. Seul le chef qui cuisine des spécialités polonaises se soucie avec brio du bien-être des clients.

◐◤ *Garden Chińska* *(plan I, D2, 80)* : ul. Mikołajska 5. ☎ 21-68-41. À l'ouest de la *rynek*. Ouvert tous les jours de 12 h à 23 h. Un des nombreux chinois de la ville. Mais celui-ci a la particularité de disposer d'une salle si grande qu'il a pu loger ses tables sous une rangée de pergolas, ce qui lui donne un côté un peu jardin. Mais n'exagérons rien, seule la cour avec de très basiques chaises en plastique permet de dîner au frais, l'été. Attention, ce petit supplément d'âme le pousse à pratiquer des prix plus élevés que ses compatriotes.

◐◤ *Pizzeria Cyclop* *(plan I, C2, 81)* : ul. Mikołajska 16. ☎ 21-66-03. À l'ouest de la *rynek*. Ouvert tous les jours de 11 h 30 à 23 h. On ignore pourquoi elle s'est donné un tel nom, car cette salle coquette et familiale donnant sur une cour est plutôt paisible. Des petits murets en brique structurent l'espace sous la surveillance du mitron devant son four à bois. Sur la carte, nous avons cru remarquer une pizza au camembert.

Plus chic

|●| *Pod Aniołami* *(plan I, C3, 82)* :
ul. Grodzka 35. ☎ 21-39-99. Dans la
rue vers le château. Ouvert du dimanche au jeudi de 13 h à minuit,
les vendredi et samedi de 13 h à 1 h.
Ceux qui connaissent les Gessler de
Varsovie se sentiront en terrain
connu. Le restaurant des « anges »,
comme son illustre confrère, a transformé un dédale de petites caves en
une ferme ethnique qui rend hommage à la cuisine du terroir polonais.
Tel un conservateur de musée, reconstituant l'art de vivre campagnard, le chef décorateur a multiplié
les atmosphères en disséminant au
gré des volumes vieux bancs à la
patine authentique, pressoirs, ser-
rures anciennes, tapis d'Orient en
guise de tableaux et de coussins.
Comme jadis, les grillades sont tour-
nées à la broche devant vous, à la
lumière scintillante des bougies. Le
personnel sait se faire discret. La
carte des vins est immense (principalement hongrois et italiens).
Lorsque le soleil brille, vous êtes invité à rejoindre l'arrière-cour dominée par un colossal four en argile,
protégé par un auvent et soutenu
par d'impressionnants piliers en
bois. Les spécialités de la maison
sont entre autres le cochon de lait,
les brochettes d'agneau et de veau
et une multitude de soupes. Mais le
meilleur est pour la fin : malgré le
brio de la cuisine, les prix restent
étonnamment bas. Une des meilleures tables de Pologne !

|●| *Chimera* *(plan I, B2, 57)* : ul. Św.
Anny 3. ☎ 23-21-78. À l'ouest de la
rynek. Ouvert tous les jours de 12 h
à 23 h ou minuit. Les amateurs de
salades sont déjà des habitués de
ces somptueuses caves (voir rubrique « Bon marché »). Reste encore à découvrir la salle du rez-de-
chaussée, tirée de l'imaginaire du
propriétaire, un nostalgique des intérieurs raffinés du Cracovie d'autrefois. Pour habiller cette pièce
blanche, protégée de la lumière du
dehors par de lourds rideaux, il a
marié le minimalisme et le surchargé. Des paravents torchères dé-
coupent l'espace placé sous la
bonne garde d'un antique buffet. Les
dîneurs se verront proposer, en plus
de quelques tables individuelles,
une longue banquette murale avec
pour chacun un coussin dans des
matières précieuses. Peu de bruit,
l'atmosphère est au chuchotement
des soirées d'hiver. Car il y a aussi
la délicatesse de la cuisine polonaise qui pousse au recueillement.
En particulier quelques soupes de
l'invention du chef.

|●| *Cyrano de Bergerac* *(plan I, C1,
83)* : ul. Sławkowska 26. ☎ 11-72-88.
Au nord de la *rynek*. Ouvert tous les
jours de 18 h à minuit. Ce bijou de
décoration et d'art culinaire est
l'œuvre d'un Polonais ayant vécu
25 ans à Paris. La cuisine est bien
sûr française tout comme le chef.
Mais la similitude s'arrête là. À la différence des autres établissements
battant pavillon français, rien dans le
cadre ne cherche à copier les auberges de chez nous. Seul l'extrême
raffinement de cette cave typique de
Cracovie se veut représentatif de
l'esprit national. On y accède progressivement par un escalier pentu,
prémices à la découverte du beau
volume troglodytique. Un bar avec
un auvent de fer forgé en garde l'entrée. De là, l'œil n'a plus qu'à se promener sur les trouvailles d'anti-
quaires posées ici et là qui
composent une atmosphère de château bourgeois : vieux buffets, horloge comtoise, tapis d'Orient. Le
plancher en bois vieilli apporte sa
note chaleureuse. Et les serveurs tri-
lingues en tenue blanc et noir n'ont
plus qu'à se faufiler entre les tables
à la patine rassurante pour vous initier aux subtilités de la carte : fruits
de mer, magret de canard, filet de
bœuf en sauce...
Une autre expérience de gastronomie française peut être tentée au
restaurant de l'hôtel *Francuski*, dans
un cadre beaucoup plus classique.

|●| *Hawełka* *(plan I, C2, 84)* : rynek
Główny 34. ☎ 21-19-15. Ouvert tous
les jours de 10 h à 22 h. Un autre
vestige de la gastronomie socialiste
mais toujours dans la course. Il suffit, pour s'en convaincre, de jeter un
œil sur les 200 m² sous quelque 4 m
de plafond de la salle du rez-de-
chaussée. À la mesure du volume,

les murs sont tapissés de gigantesques tableaux pompiers qui rendent hommage aux têtes couronnées de l'ancienne Pologne. Guidant la circulation des serveurs, des colonnes cyclopéennes se détachent sur de grands rideaux amidonnés qui ferment la perspective. Si vous souhaitez une atmosphère plus intime, il faut monter au premier, dans la salle Tetmajerowska à la dignité plus aristocratique (ouverte de 12 h à 16 h et de 18 h à 23 h). Spécialités polonaises raffinées et plats de poisson.

|●| *Na Wawelu* *(plan II, B1, 85) :* Wzgórze Wawelskie 9. ☎ 21-19-15. Ouvert tous les jours de 12 h à 20 h. Face à la Wisła, dans la partie en brique du château Wawel, ce restaurant de prestige se voue aux hôtes de marque comme le Président Jacques Chirac. Le cadre est relativement neutre, à la façon d'un restaurant de grand hôtel. Mais ne vous laissez pas impressionner par les manières onctueuses du personnel, les prix ne sont pas démesurés à condition de renoncer au caviar et au champagne. Ne mérite cependant une visite que si l'on veut jouer au châtelain pour un soir. Les portes sont impérativement closes à 20 h.

|●| *U Ziyada* *:* ul. Jodłowa 3. ☎ 21-98-31. Ouvert tous les jours de 8 h à minuit. À Przegorzały, à 5 km à l'ouest sur la route d'Oświęcim. Une vue panoramique sur le paysage de la Wisła et des montagnes des Tatras est déjà en soi une expérience. Mais lorsque celle-ci se donne comme tremplin la terrasse d'un imposant château accroché à une falaise, elle devient carrément exceptionnelle. Tel est le cas du restaurant logé dans le château de Przegorzały. La carte associe cuisine polonaise et européenne. Mais les vraies spécialités du lieu sont, vous ne devinerez jamais... kurdes !

Beaucoup plus chic

|●| *Restauracja Wierzynek* *(plan I, C2, 86) :* rynek Główny 15. ☎ 22-10-35. Sur la place du Marché. Ouvert tous les jours de 12 h à 23 h. En 1364, le roi Sigismond le Grand organisa un « sommet européen », invitant les monarques à Cracovie. Le patriarche Wierzynek les accueillit et leur offrit un banquet mémorable qui dura plusieurs jours. Voilà pour la légende. Elle fit néanmoins les beaux jours de ce resto fondé seulement en 1945 et qui devint la table la plus réputée de Pologne pendant l'ère communiste. Rien ne prouve en effet que le banquet ait eu lieu dans cet immeuble. Et pourtant ça marche, le riche Wierzynek n'étant plus là pour rétablir la vérité, l'établissement continue toujours d'accueillir chefs d'État et autres ministres. Gibier, viandes de toutes sortes, sauces délicieuses, bons vins et vodka, desserts succulents sont servis dans des salles royalement décorées d'armures, de portraits de nobles, d'horloges anciennes. Pour les petites gens comme vous et moi, trouver ici une place sans une réservation anticipée devient cependant de plus en plus facile, la direction ayant tendance à se reposer plus sur les lauriers de l'addition que sur le savoir-faire de son chef.

Pâtisseries et glaciers

|●| *Kawiarnia Noworolski* *(plan I, C2, 87) :* rynek Główny 1. Sur la grande place. Ouvert tous les jours de 9 h à 21 h. Occupant une immense espace au rez-de-chaussée de la halle aux Draps (Sukiennice), elle cherche à réinventer la mode du café viennois : une succession de belles salles élégantes et précieuses sur un sol de marbre. Les serveuses sont en tablier noir et s'activent autour des tables de style. Musique douce en toile de fond pour naviguer entre pâtisseries locales et internationales. Et, en prime, avec un tel emplacement, une superbe terrasse avec vue sur l'église Mariacki.

⍾● Kawiarna Wierzynek (plan I,
C2, 86) : rynek Główny 15. Sur la
grande place. Ouvert tous les jours
de 10 h à 23 h. Dans le célèbre restaurant. Curieusement, alors que les
étages supérieurs s'appliquent à re-
créer un cadre médiéval, la pâtisserie-salon de thé, logée dans deux
confortables salles blanches, a
choisi l'option du tout contemporain.
Un drôle de contemporain d'ailleurs
puisque constitué de poufs et de so-
fas années 60, comme dans un vieil
exemplaire de *La Maison de Marie-
Claire*, sa place serait davantage
dans un musée ou dans la boutique
d'un brocanteur spécialisé. Seules
les pâtisseries maintiennent la réputation de la maison.

⍾● Cukierna (plan I, C3, 88) : ul.
Poselska 15. Au sud de la *rynek*.
Ouvert du lundi au vendredi de 10 h
à 19 h, le samedi de 11 h à 16 h.
Pour une fois, pas d'effort de déco :
juste une petite boutique grande
comme une entrée d'immeuble.
Point fort : ses excellentes pâtisseries fabriquées artisanalement. Également un excellent jus de carotte.

⍾● U Zalipianek (plan I, B2, 89) : ul.
Szewska 24. Au nord-ouest de la *rynek*. Ouvert tous les jours de 9 h à
22 h. En bordure des jardins des

remparts, cette longue salle blanche
rend hommage à la tradition décorative de la ville de Zalipie (près de
Tarnów). Chaises, banquettes et
murs sont en effet ornés des motifs
floraux typiques de cette région. Le
bataillon des serveuses respecte
aussi la tradition avec leur costume
folklorique. Thé, café et quelques
pâtisseries.

⍾● Lody Giolly (plan I, C2, 90) : rynek Główny 39. Sur la grande place.
Ouvert tous les jours de 9 h à 23 h.
Juste à gauche de l'agence *Orbis*,
cette minuscule boutique vend les
meilleures glaces des environs. On
paie d'abord selon le nombre de parfums et on commande ensuite. Méthode de gestion radicale car la
queue est longue.

⍾● Lody U Jacka i Moniki (plan I,
C1, 91) : ul. Św. Tomasza 99. Au
nord de la *rynek*, entrée par ul. Sławkowska. Ouvert tous les jours de
9 h 30 à 21 h 30. Pas de déco. Ce
n'est pas le propos, on se contente
de distribuer de bonnes glaces depuis le grand comptoir ouvert sur la
rue. Si vous avez tout de même envie de prolonger votre visite, cette
adresse réduite à un pas-de-porte
offre une salle blanche avec quelques chaises.

Cafés

La promenade de café en café est une tradition de Cracovie. Il y en a pour
tous les goûts et comme les goûts évoluent, les cafés se multiplient,
changent de look et élargissent la palette de leurs prestations. Mais ne vous
attendez pas à trouver le bistrot de chez nous avec son zinc et ses tables en
Formica. Ici les cafés ressemblent davantage à des bars, et sont souvent
troglodytiques. D'ailleurs beaucoup d'adresses référencées dans cette
rubrique ont l'identité vagabonde entre café, bar et parfois resto. Donc, lors
de vos pérégrinations, n'hésitez pas à vous reporter aux deux rubriques, le
même lieu ayant une clientèle différente selon l'heure de la journée.

▼ Camelot (plan I, C2, 110) : ul.
Św. Tomasza 17. Au nord-est de la
rynek. Ouvert du dimanche au jeudi
de 10 h à 23 h, les vendredi et samedi de 10 h à minuit. Une double
caverne blanche installée dans une
boutique. Les murs bruts sentent le
salpêtre comme dans un couvent
chargé d'humidité. Le plancher est
resté à l'état de grosses planches

mal jointes. Les bougies et les can-
délabres mettent en valeur l'âge des
tables de grand-mère et leurs
nappes brodées. Pour agrémenter le
ballet des jeunes serveuses, de
vieilles armoires, des poêles en
fonte et une collection d'art naïf ni-
chées dans les murs. Créé par le
propriétaire du restaurant *Pod Aniołami* (voir « Où manger ? Plus chic »),

le *Camelot* est devenu en quelques mois la coqueluche des esthètes de Cracovie. Chaque vendredi soir, à partir de 20 h, la cave s'improvise cabaret de chanson. On y déguste gâteaux, salades, poissons fumés, vins et liqueurs ainsi que, le matin, un *brunch* « écologique ».

Osorya *(plan I, B2, 111)* : ul. Jagiellońska 5. À l'ouest de la *rynek*. Ouvert tous les jours de 12 h à minuit. C'est l'antre secret de l'association théâtrale. Max Ernst, Salvador Dalí et Léonor Fini se seraient sentis chez eux dans cette succession de caves gothiques à la décoration surréaliste, comme ces hommes-troncs à tête de chou qui éclairent votre chemin. Velours rouge drapé sur les murs, canapés profonds, bras de lumière et peintures oniriques vous font vite oublier la réalité du dehors. Nous sommes dans le rêve d'un décorateur en lévitation entre hier et avant-hier. Les bougies scintillent, de gros insectes en lamelles surveillent le bar pendant que les serveuses vêtues à la mode du siècle dernier prennent la commande. Une grande réussite. Hors norme.

Maska *(plan I, B1-2, 112)* : ul. Jagiellońska 5. Voisin du précédent. Ouvert du lundi au samedi de 9 h à 3 h, le dimanche de 11 h à 3 h. Le superbe théâtre Stary a libéré ses caves pour faire place à une caverne luxueuse, enveloppée sous des tentures de draperies inspirées de l'Art nouveau organique. Autour du bar central d'où s'élèvent des lampes liane en verre coloré, elle offre l'intimité de plusieurs petits cabinets de conversation ceinturés par les bordures en stuc du plafond qui retombent en larges pans de stalactites. Inutile de préciser que cette bonbonnière début du siècle, échappée du musée des Arts décoratifs, est sans équivalent à Cracovie. Mais pour s'y sentir bien, il faudra cependant accepter de pactiser avec l'élite artistique quinquagénaire qui fréquente le lieu.

Singer *(plan II, C2, 113)* : ul. Estery 20. Dans une ruelle du quartier juif de Kazimierz, à l'angle d'ul. Izaaka. Ouvert tous les jours de 16 h à 23 h ou minuit (4 h le week-end).

Rien n'indique sa présence dans cette boutique, juste les rideaux noirs des vitrines. L'entrée une fois trouvée, il faudra se repérer à tâtons car les deux salles sont plongées dans l'obscurité complète, excepté la lumière parcimonieuse des bougies. Mais on finit par distinguer les tables de machines à coudre Singer qui lui donnent son nom. Avec quelques vieux buffets et autres vieilleries, elles constituent le seul ameublement. Le résultat est magique. De part et d'autre des tables, les yeux animés par les conversations brillent comme des diamants. Pas étonnant que le lieu, né dans la confidentialité à l'image de son atmosphère, soit vite devenu le QG des intellectuels de la nuit. Et évidemment, il est difficile de parvenir à s'y poser.

Café Esplanada *(plan I, D2, 114)* : ul. Św. Tomasza 30. À l'est de la *rynek*. Ouvert tous les jours de 9 h à 22 h. Ici, la littérature est à l'honneur. Pour vous mettre dans l'ambiance, à l'entrée une grande fresque en trompe-l'œil représentant des livres maroquinés. Il ne reste plus qu'à trouver son coin. Au choix, le petit bar noir, les tables groupées près du mur graffité de signatures littéraires célèbres ou encore sous le petit dôme de la verrière Art déco. Auparavant, on aura fouiné dans les étagères des mini-bibliothèques riches en matière première livresque, mais aucune, hélas, en français (poésie arabe, philo et socio). Les littéraires y seront confortablement assis grâce aux coussins satinés assortis au lavis ocre de la peinture. On peut aussi tout simplement y buller en essayant de déchiffrer les quelques manuscrits exposés sur les murs.

Bambus *(plan I, B2, 115)* : rynek Główny 27. Au sud-ouest de la place. Ouvert du dimanche au jeudi de 9 h à minuit, les vendredi et samedi de 9 h à 2 h. Dans le même immeuble que le *Piwnica Pod Baranami*, il s'est attribué deux énormes pièces voûtées. De la taille d'une salle d'armes de château et sous une hauteur de plafond moyenâgeuse, le *Bambus* n'a aucune vocation à l'austérité mais cherche, au contraire, à séduire sa clientèle d'étudiants. Pour ce faire, le ciné du 1er étage lui a prêté sa collection d'affiches et Pier Import lui a suggéré un ameublement de chaises en rotin, d'où son nom. Mais comme il faut aussi jouer la multiplicité des ambiances, sa deuxième salle préfère aligner des banquettes le long des murs imposants. Celles-ci ne suffisent pourtant pas à remplir tout l'espace, laissé à l'improvisation des clients.

℉ Jama Michalika (plan I, C1, 116) : ul. Floriańska 45. Au nord-est de la rynek. Ouvert tous les jours de 9 h à 20 h. Créé en 1895, ce café a accueilli l'élite artistique du début du siècle. Au fil des ans, celle-ci y a fondé un cabaret, autrefois célèbre, et a laissé en souvenir une décoration qui lui donne rang de musée vivant. Comme dans un vaisseau fou, les chaises sont surdimensionnées, les artistes ont créé des verrières et des vitraux Art déco, tandis que peintres et comédiens ont tapissé les murs de caricatures et de peintures décadentes. On y remarque aussi des marionnettes de Guignol dans la moisson des souvenirs. Le faible éclairage ajoute une note surréaliste à l'ensemble et contribue peut-être aussi à la lenteur du service. Certains soirs de week-end, à partir de 20 h, des petits orchestres et des troupes de théâtre se dévouent à faire revivre la tradition du cabaret.

℉ Pożegnanie z Afryką (plan I, C2, 117) : ul. Św. Tomasza 21. Au nord-est de la rynek. Ouvert tous les jours de 10 h à 22 h. Le temple du café est une succession de salles voûtées blanches qui se termine par une boutique où plus de 70 variétés du nectar noir sont proposées à la vente dans leur emballage d'origine. Mais si vous souhaitez être initié aux subtiles différences entre un Santos brésilien et un Antigua guatémaltèque, il vaut mieux vous asseoir sur les petits tabourets recouverts de sacs de café et attendre le cours magistral de la serveuse. Pour compléter celui-ci et en attendant la préparation de votre breuvage, vous n'avez plus qu'à explorer les vitrines

où la saga des grains noirs est contée par le menu sous forme de BD. Et bien sûr, le patron étant collectionneur, il y aussi une accumulation sur les murs de moulins à café et autres machineries spécialisées. Votre café sera d'ailleurs servi dans l'une d'elles : une curieuse cafetière dont le haut est une théière en céramique et le bas une cuve de métal à la manière italienne.

℉ Dym (plan I, C2, 110) : ul. Św. Tomasza 17, presque à l'angle d'ul. Św. Jana. Au nord-ouest de la rynek. Ouvert tous les jours de 10 h à 1 h. L'été, ses tables débordent sur la rue et il est difficile d'y trouver une place. Mais une fois les frimas revenus, il reste toujours aussi « sudiste » avec ses tonalités bleu azur. Pas bien grand, il cultive néanmoins ses envies de tropiques avec quelques poissons en suspension audessus du bar. Voisin du Camelot (voir plus haut), il recueille les clients de ce dernier après sa fermeture, pour la dernière vodka de la nuit.

℉ Szuflada (plan I, B2, 72) : ul. Wisła 5. ☎ 23-13-34. Au sud-ouest de la rynek. Ouvert tous les jours de 11 h à 1 h. Voir « Où manger ? Prix moyens ».

℉ Hustawka (plan I, C1, 118) : ul. Św. Tomasza 7. Au nord de la rynek. Ouvert du lundi au vendredi de 9 h à 1 h, les samedi et dimanche de 10 h à 1 h. Le café « balançoire » a tenu à justifier son nom par une fresque coquine d'une demoiselle sur une balançoire. Le reste de la déco est beaucoup moins suggestif. Avec les miroirs dorés, le bar de bois patiné, le parquet brut, on revient vite à des conversations plus sages tout en lorgnant sur le va-et-vient des passants derrière les vitrines, en espérant que l'atmosphère cosy de ce petit château désargenté saura les attirer à l'intérieur.

℉ Café Nietoperz (plan I, C3, 119) : ul. Senacka 7. Au sud de la rynek. Ouvert tous les jours de 10 h à minuit. Le café « chauve-souris » a fait son nid dans un joli endroit agrémenté d'une petite terrasse pour l'été. Pour se sentir chez soi, le petit vampire nocturne a choisi des meubles en osier qui s'harmonisent bien avec le bar de grosses pierres. Il a aussi collecté dans les champs et les vignes beaucoup de sarments et de branchages qu'il a tricotés en bouquets accrochés au plafond et dans les coins. Et pour l'aimer et s'occuper de lui, il a mis à son service de jolies jeunes femmes au sourire soleil. Une adresse colorée où il est agréable de lire son journal en fin d'après-midi.

♟ *Café Larousse (plan l, C2, 121)* : ul. Św. Tomasza 22. Au nord-est de la *rynek*. Ouvert tous les jours de 9 h à 22 h. Minuscule et noir mais très savant grâce aux feuillets jaunis de notre Larousse national édition 1900, qui tapissent les murs de cette boutique mouchoir de poche. L'exiguïté favorise l'intimité et chacun peut y trouver son recoin grâce à une division de l'espace par quatre piliers en bois. Comme les objets du grenier de grand-papa exposés en vitrine, les cafés variés proposés à la dégustation ont l'arôme des valeurs sûres.

♟ *Non-Iron (plan l, D2, 122)* : ul. Św. Marka 27. Au nord-est de la *rynek*. Ouvert du lundi au vendredi de 12 h à minuit, les samedi et dimanche de 16 h à minuit. Dans ce bar, seuls le comptoir et l'escalier qui grimpe à la mezzanine sont en bois. Sinon, tout le reste, chaises, rideaux, tables et sculptures sont en fer soudé ou riveté. Pour souligner le gris métallisé façon *Mad Max* chic, le décorateur a choisi de repeindre les murs dans le lavis ocre de la post-modernité. La seule question : est-il ou non déjà dépassé ?

♟ *Herbaciarnia n° 1 (plan l, C1, 118)* : ul. Św. Tomasza 7. Au nord-

ouest de la *rynek*. Ouvert de 9 h (10 h les vendredi, samedi et dimanche) à 1 h. Une boîte à thé ! Une boîte pas trop grande, dans de chaudes couleurs marron, qui affectionne particulièrement les hélices d'avion, posées stratégiquement comme emblème de l'endroit. Clientèle de jeunes filles essentiellement. Est-ce l'attrait de la très grande variété de thés ? Mais la maison a aussi pensé aux garçons avec un choix d'alcools et de liqueurs.

♟ *Panaceum (plan l, C2, 123)* : rynek Główny 45. Sur la grande place. Ouvert tous les jours de 10 h à minuit. Caché au fond d'une cour, ce bar a le complexe des petits. Passé le magnifique portail gothique, il se présente en effet comme un joli coffret à bijoux Art nouveau où aucun pan de mur n'est laissé sans décoration. De part et d'autre de la salle en longueur, des canapés sont disposés jusqu'au bar aussi froufroutant que celui d'un bordel d'autrefois. Les tables décorées de symboles alchimiques accueillent d'excellents *cappuccino* et *Irish coffee*. Encore une réussite de décorateur très loin des poncifs de la post-modernité.

♟ *Ratuszowa (plan l, C2, 124)* : rynek Główny 1. Dans la tour de l'ex-hôtel de ville. Ouvert tous les jours de 9 h à 3 h. L'été, rares sont ceux qui vont plus loin que la mer de parasols implantés à ses pieds. Seuls les initiés connaissent les profondeurs des souterrains qui cachent un bar troglodytique encastré dans des murs de forteresse. Des banquettes sculptées dans des bois lourds s'offrent à vous sous la bonne garde des hallebardiers enivrés, assis sur le bar. Beau décor Art déco.

Bars

Une cave, un bar. Telle est l'équation qui gouverne la vie nocturne de Cracovie. Comme le sous-sol renferme un nombre infini de caves gothiques propices à leur multiplication, personne n'en connaît le nombre exact. En langage africain, on dirait « beaucoup beaucoup », plus prosaïquement dans les 150 et encore, chaque mois voit se profiler un nouveau venu.

Les premiers à avoir vu le jour sont ceux de la grande place et ne donnent à voir d'eux-mêmes que leurs terrasses de parasols, alors que leur centre nerveux se trouve à l'arrière dans les cours. Mais depuis, grâce à la population d'étudiants (la ville compte 11 universités et collèges !), il n'y a pas une rue qui n'ait ses bars, invitant ainsi les noctambules à un véritable quadrillage de la ville.

Tout comme les cafés, les bars divisent la journée en servant le matin et l'après-midi des boissons chaudes avant d'ouvrir le soir le robinet à bière et, pour certains, de se muer en disco les week-ends.

CRACOVIE

♟ *Piwnica Pod Baranami (plan I, B2, 115)* : rynek Główny 27. Sur la grande place. Ouvert tous les jours de 17 h à 4 h. Partage son sous-sol avec un cabaret réputé (à droite en bas des escaliers). La partie gauche de ces caves est depuis des années l'antre des étudiants. Et ceux-ci ont diablement bon goût. C'est l'un des plus beaux bars de Cracovie. Dans cet assemblage de salles communicantes a été exposé tout ce que la Pologne compte de plus représentatif dans ses trésors ruraux. Les tables sont des tonneaux découpés, un piano fou est accroché au mur en compagnie d'une carriole. Les vieux chapeaux d'épouvantails à moineaux dansent une ronde grotesque au plafond, tandis que des fantômes de guerriers se nichent dans les recoins. L'endroit se convertit en disco les vendredi et samedi : priorité aux danseurs juniors de 17 h à 21 h et à tous les autres ensuite. Bonne musique éclectique qui surfe entre tous les genres.

♟ *Krzysztofory (plan I, C2, 125)* : ul. Szczepańska 2. Au nord-ouest de la *rynek*. Ouvert du dimanche au jeudi de 11 h à 23 h, les vendredi, samedi et dimanche de 11 h à 2 h. Hier, ces deux énormes caves jumelles accueillaient une galerie d'avant-garde et les discussions houleuses de la troupe du génial Kantor (voir *Cricot 2* dans la rubrique « À voir »), qui y a bu son dernier café le 28 novembre 1990. Aujourd'hui, toujours à la pointe de la nouveauté, elles se vouent au culte de la techno avec une programmation inventive. Mais les discussions ne sont pas pour autant proscrites les autres soirs. C'est même la spécialité du lieu d'alterner beuveries étudiantes et joutes intellectuelles. Le décor a su trouver la note juste entre la simplicité de petites tables en bois patiné et quelques accessoires de scène rescapés de la troupe de Kantor. Une excellente adresse pour faire le bilan de la journée avant d'attaquer d'autres lieux plus musclés.

♟ *Roentgen (plan I, B1, 126)* : plac Szczepańska 3. Au nord-ouest de la *rynek*. Ouvert du dimanche au jeudi de 15 h à 23 h ou minuit, les vendredi, samedi et dimanche de 16 h à 2 h. Entrée sous l'enseigne *Stomatologia* et *Cotton Club*. Deux grosses caves pour une fois pas gothiques qui ne désemplissent jamais. La clientèle est grunge comme la déco qui mélange pêle-mêle : un bar sous une arcade en forme de soleil, face à une petite arène de tables encadrées par des chaises « Kantor » pendant qu'au-dessus des têtes l'hélice du ventilateur brasse infatigablement la fumée des cigarettes. Une petite mezzanine peinte de rouge vif permet d'admirer le spectacle. L'autre salle s'enfonce dans la pénombre. Ses grandes tablées rudimentaires sont disposées sous une voûte basse qui accueille les cadavres de chaises hors d'usage. Ici encore, beaucoup de fumée et des torrents de bière.

♟ *Holenderska Pub des Artistes (plan I, C2, 127)* : Mały rynek 4. À l'est de la *rynek*, derrière l'église Mariacki. Lors de notre passage, ces deux salles troglodytiques étaient listées parmi les plus branchées. Après l'épreuve d'un escalier raide à se rompre le cou, on a l'agréable surprise de fouler le sable de la première pièce. Pas très grande, avec des murs enduits d'un revêtement bistre, elle est éclairée par l'aquarium fluorescent du petit bar. On perd tout espoir d'échanger la moindre parole avec ses voisins, la techno de la sono imposant la tyrannie de ses décibels poussés au maximum. Avec un peu de chance, ceux-ci vous pousseront à fuir vers l'autre salle de même dimension mais gouvernée par une musique moins fracassante. Elle est beaucoup plus classique, juste une cave bourrée d'étudiants allumés.

Harris Bar *(plan I, B2, 128)* : rynek Główny 28. Sur la grande place. Ouvert du dimanche au jeudi de 11 h à minuit, les vendredi et samedi de 11 h à 2 h. Avant d'accéder à cette cave de jazz joyeuse dans ses murs de couleur orangée, il faut s'arrêter sur la mezzanine pour rendre un premier hommage à la statue du trompettiste noir de La Nouvelle Orléans, qui rit de bonheur de se trouver là. Les musiciens en chair et en os sont plus bas dans la salle de concert, une très belle réussite de décoration avec son mariage de bois clair et de couleur pimpante. Le bar, souriant lui aussi, fourmille de mille trouvailles comme les mobiles de pochettes de disques en suspension au plafond ou cette roue de bus dont les dents servent de porte-bouteilles. *Harris* est réputé pour le sérieux de sa programmation jazz qui s'anime dès 20 h du jeudi au dimanche. Et en plus, c'est gratuit sauf le dimanche où une entrée payante est exigée.

Free Pub *(plan I, C2, 129)* : ul. Sławkowska 4. Au nord de la *rynek*. Ouvert du dimanche au jeudi de 11 h à 23 h, les vendredi et samedi 24 h sur 24 avec une interruption au petit jour pour faire le ménage et expurger/expulser les comateux. Le *Free Pub* se cache : pas de signe extérieur en façade, mais il suffit de s'emboîter le pas aux silhouettes qui s'engouffrent dans la porte rouge sous l'escalier de l'immeuble. À l'arrivée, deux grandes salles spacieuses à la manière d'une taverne descendue sous terre. Pas d'effort de déco, les murs de brique ont été laissés en l'état initial (canalisations comprises), à l'exception des affiches de films et de théâtre artistiquement déchirées. Sa principale caractéristique est de faire rapidement le plein. La cohue commence d'abord par le bar avant de gagner la salle où les tables ont eu la bonne idée de ne pas s'agglutiner, ce qui laisse autant d'espace de plus pour les buveurs. Dès lors il n'y a plus qu'à céder à l'ambiance de rade de bord de route.

Black Gallery *(plan I, D2, 130)* : ul. Mikołajska. À l'est de la *rynek*. Ouvert de 12 h (16 h les samedi et dimanche) à 2 h. Avant de s'enfoncer sous terre, on bute d'abord sur une cour jardin dédiée à Maya, l'abeille qui butine sur une grande fresque murale de naïves fleurs transgéniques. Les deux caves sont décorées façon chantier de travaux publics. Un bar en béton avec une poutre de fer pour comptoir est solidement ancré sur un sol de grosses pierres. Histoire de faire plus vrai, les « ouvriers » ont oublié exprès de combler une petite tranchée et de couler le béton dans le coffrage d'un mur. Et ça continue : les chaises de fer brut portent de grossières marques de soudures. Pour compléter le tableau de cette caverne biscornue, le chef de chantier a choisi des tabourets en mauvais Skaï rouge vissés sur un socle de... béton. Une mezzanine permet de juger l'ensemble. Goûter le cocktail maison, le *Kamikaze Blue*.

Piwinica Jagiellonśka *(plan I, B2, 131)* : ul. Jagiellonśka 16, à l'ouest de la *rynek*. Ouvert du lundi au vendredi de 15 h à 22 h (minuit les samedi et dimanche). L'escalier qui s'enfonce mystérieusement dans les profondeurs révèle un dédale de caves de briques rouges, sous une respectable hauteur de plafond de cloître cistercien. Quelques lumières ici et là combattent timidement la pénombre où se sont réfugiés des couples sages d'amoureux. Peu de monde à vouloir prendre position sur le mobilier contemporain aux formes ethniques. Un drôle de lieu en dehors des modes.

Scotland Pub *(plan I, C3, 132)* : ul. Grodzka 33, au sud de la *rynek*. Ouvert tous les jours de 10 h à 2 h. Cette petite salle au fond d'un couloir défraîchi semble directement importée d'un village d'Écosse. Dans son volume carré et enfumé, les tables séparées en *boxes* bataillent autour du bar qui n'a pourtant aucun whisky, ni bière écossaise à offrir. Le seul unique représentant des brumes des Highlands étant de la... Guinness. Qu'importe, l'ambiance

CRACOVIE

fonctionne sous l'éclairage des bougies et des vitraux des fenêtres. Beaucoup d'étudiants devant une bonne bière polonaise.

Fischer Pub *(plan I, C3, 133)* : ul. Grodzka 42, au sud de la *rynek*. Ouvert tous les jours de 12 h à 2 h. Toujours troglodytique, ce bar affiche les manières classieuses de son décor d'acajou verni. Plus club pour néo-yuppies que taverne d'étudiants, il divise son espace intime en petites alvéoles pour donner à chacun son territoire. Les serveurs exclusivement mâles et lookés mannequins dans leurs chemises blanches sur pantalons noirs ont l'élégance snob et hautaine de leurs clients. Pour un peu, on se croirait sur Park Avenue.

Pub U Kacpra *(plan I, C2, 134)* : ul. Sławkowska 2. Au nord de la *rynek*. Ouvert de 11 h 30 (16 h le dimanche) à 2 h. Repérable à son enseigne « Gauloises Blondes », cette énorme caverne propose dans ses murs de briques décapées un grand espace central qui rappelle une place de village. Quelque chose de l'efficacité américaine flotte dans l'air comme au grand bar standardisé *clean*. Beaucoup d'étudiants à la norme B.C.-B.G.

Ostoja *(plan I, C2, 120)* : rynek Główny 6. Sur la grande place. Ouvert tous les jours de 12 h à minuit. Les amateurs du coude à coude élégant choisiront ce minuscule bar donnant sur une cour historique de la *rynek*. Sous une voûte de pierre polie, il n'offre à ses visiteurs que son très joli comptoir en fer à cheval coiffé d'une mezzanine. Cela suffit pourtant à créer une atmosphère chaleureuse qui invite au rapprochement des convives. Il faut dire aussi que la chaude couleur du bois et l'éclairage tamisé y contribuent beaucoup.

Irish Pod Papugami *(plan I, C1, 136)* : ul. Św. Jana 18. Au nord de la *rynek*. Ouvert de 12 h (16 h les samedi et dimanche) à 2 h. L'Irlande parade dans trois petites caves à l'élégance un peu *smart*. En choisissant des bois lourds et coûteux, en donnant au comptoir du bar la sécurité rassurante de vieilles planches,

l'objectif était de réinventer cet esprit *cosy* dont nos voisins anglo-saxons ont le secret. Opération réussie. Mais le décorateur a voulu éviter la monotonie en offrant à chaque pièce une ambiance différente, depuis le bar regorgeant de bouteilles de whisky, jusqu'à la dernière salle où triomphe, telle une œuvre d'art, un sompteux billard. Clientèle bien sous tous rapports.

Drink Bar *(plan I, B2, 137)* : ul. Szewska 9. Au nord-ouest de la *rynek*. Ouvert de 10 h à 23 h ou minuit (3 h les vendredi et samedi). Le raffinement n'est pas le genre de la maison. Ici, on préfère les ambiances authentiques et on ne manque pas de le démontrer : dans cette succession de caves et de couloirs, les murs sont bruts de décoffrage, tout comme le plancher de grosses planches de grange. La seule concession à l'esthétique étant quelques emboîtements de tuyaux de métal.

Rock and Roll Club *(plan I, C3, 138)* : ul. Grodzka 50. Au sud de la *rynek*. Ouvert du lundi au mercredi de 16 h à minuit, du jeudi au samedi de 16 h à 4 h. Les nostalgiques des *Sixties* ont investi le premier étage d'un vaste appartement. Les copains ont sorti leur collection de vieux vinyles qu'ils ont amoureusement pendus au plafond comme des étoiles. En raison du nombre de fans, il a fallu aussi opter pour des bancs et des tablées à défaut d'un mobilier plus confidentiel. La boum peut alors commencer. Du jeudi au samedi, des orchestres de rockabilly prennent la relève des platines et tentent de faire honneur à la grande fresque murale, à la mémoire des Beatles en costume de *Sergeant Pepper's Lonely Hearts Club Band*... Petit droit d'entrée ces jours-là.

Kontrast *(plan I, C2, 139)* : rynek Główny 12. Sur la grande place. Ouvert de 12 h à minuit (2 h les samedi et dimanche). La première impression de cette haute cave gothique à l'arrière de la *rynek* est olfactive : de l'encens et du papier d'Arménie enveloppent de leurs volutes le bel espace de la salle. Toutes les catégories d'âges cohabitent pour une fois dans l'harmonie des magnifiques piliers en forme de palmiers et du mobilier noir et blanc. Sur la petite estrade de scène, quelques orchestres de musique ethnique font de temps en temps leur apparition. L'atmosphère devient alors tropicale et les cocktails de la maison font miracle.

♟ *Pod Jaszczurami* *(plan I, C2, 120)* : rynek Główny 7. Sur la grande place. Ouvert tous les jours de 10 h à 2-3 h. Cet immense endroit sous des voûtes gothiques de cathédrale a été le club des jeunes pendant l'ère communiste. Après une fermeture prolongée, il a rouvert ses portes et entame une nouvelle vie en se vouant aux orchestres de jazz, qu'il accueille régulièrement. Le reste du temps, malgré son bel espace encore peu aménagé, il peine à trouver une nouvelle identité et se contente de faire débit de boissons.

♟ *Bar Pod Stoncem* *(plan I, C2, 143)* : rynek Główny 43. Sur la grande place. Ouvert tous les jours de 16 h à 2 h. Derrière la terrasse du *Rykne*, une cave, encore une, mais cette fois-ci avec peu de hauteur sous plafond. Le patron a su en tirer parti en jouant la carte de l'intime et du *cosy* coquin avec ces photos de nus 1900. La deuxième salle, plus grande, redevient sage avec une décoration classique de tableaux et de curieux tuyaux en bois. On y boit de la bière dans une ambiance de salon de thé.

Où danser ?

Cracovie, dans ce domaine, n'est ni Londres, Berlin ou Miami. La culture disco est encore à un stade embryonnaire. Peu ou pas de boîtes dignes de ce nom. Les adresses listées ci-dessous sont des bars qui s'improvisent disco le week-end. Pour des événements à la hauteur du night-clubbing, il vaut mieux repérer les affiches murales qui annoncent des fêtes d'un soir organisées dans des salles louées pour l'occasion, souvent à l'extérieur de la vieille ville.

♟ *Wolność FM* *(hors plan I par A-B1)* : ul. Królewska 1. À la périphérie est de la ville, en fin d'ul. Karmelicka. Ouvert les jeudi, vendredi et samedi à partir de 21 h. « LA » seule et unique vraie boîte de la ville, et quelle boîte ! Installée dans un ancien cinoche de quartier, elle peut largement rivaliser avec ses homologues d'Europe de l'Ouest. Propriété de la radio musicale RMF (voir la rubrique « Culture »), elle a fait l'objet d'une refonte totale qui a fait disparaître l'ancienne structure du cinéma. Reste l'immense piste centrale, ceinturée par les étages des différents bars. Le noir est sa couleur de prédilection, pas un mur ou un accessoire qui n'ait été conceptualisé en *design* noir. Bombardement de lasers et autres artilleries de la nuit disco. Filtrage inexistant à l'entrée, pas de tyrannie du look, seules les mines patibulaires se verront refuser l'entrée. Le samedi soir, la programmation du D.J. est retransmise en direct sur la radio.

♟ *Piwnica Pod Baranami* *(plan I, B2, 115)* : rynek Główny 27. Sur la grande place. Ouvert tous les jours de 17 h à 4 h. Voir la rubrique « Bars ».

♟ *Club X* *(plan I, D1, 146)* : ul. Pijarska 21. Au nord-est de la *rynek*. Ouvert tous les jours de 16 h à 23 h ou minuit, le week-end jusqu'à l'aube. Plus connu sous l'appellation « No Name », il ne se distingue par aucun signe extérieur. On trouve l'entrée sous la pancarte « Intercars ». *X* est un petit bunker de béton en apnée dans les profondeurs. Comme la techno de sa programmation, sa déco joue la révolte avec pour seule concession une bâche en suspension sous le plafond gris. Les pieds cognent sur le béton, et les oreilles explosent derrière les grillages qui divisent les deux salles. Un ou deux flippers pour se passer les nerfs si les décibels se révèlent insuffisants. Pas d'oxygène, peu de lumière et beaucoup de transpiration semblent être la règle de l'endroit.

Clientèle de jeunes à peine au-delà de la barre des vingt ans. Disco les week-ends. Programme : punk, techno et heavy metal. Petite taxe d'entrée le samedi.

▼ **Pasja** (plan I, B2, 147) : ul. Szewska 5. À l'ouest de la rynek. Ouvert les dimanche et lundi de 16 h à 2 h, du mardi au jeudi de 16 h à 3 h, les vendredi et samedi de 16 h à 4 h. Double mission dans ces caves de la « Passion » : d'abord chauffer la clientèle au bar où trônent deux billards, puis, lorsque le D.J. allume ses platines dans la grande salle voisine, transformer les candidats de la nuit en John Travolta première époque : dance music essentiellement. Droit d'entrée.

▼ **Pod Papugami** (plan I, C2, 148) : ul. Szpitalna 1. À l'est de la rynek. Ouvert de 19 h à 3 h (4 h les vendredi et samedi). Une meute de cerbères du look et de la bonne gueule veille à l'entrée de ces caves en vases communicants. Le principe est celui du plus grand nombre de personnes au mètre carré. Entrée payante of course.

▼ **Jazz Rock Café** (plan I, C1, 149) : ul. Sławkowska 12. Au nord de la rynek. Ouvert tous les jours de 17 h à 1 h, disco les jeudi, vendredi et samedi jusqu'à 4 h. Dans un sous-sol de pur béton maquillé en grosse caverne noire avec quelques peintures baba cool, on cherche à pousser les murs tant la programmation de bons vieux rocks attire le week-end les kids de la ville en apprentissage de la sexualité. Sinon, rien d'autre à signaler. Entrée payante.

▼ **Club Kameleon** (plan I, C1, 150) : ul. Sławkowska 11. Au nord de la rynek. Ouvert tous les jours de 17 h à 1 h, disco le jeudi, vendredi et samedi jusqu'à 4 h. Voisine de la précédente. Même profil sauf qu'ici les murs sont en brique et que la déco se veut plus rustique avec un habillage de rondins et de pergolas. Toujours des kids en permission de minuit. Entrée payante le samedi soir.

▼ **Equinox** (plan I, C1, 151) : ul. Sławkowska 13. Au nord de la rynek. Ouvert du dimanche au vendredi de 16 h à 2 h, le samedi de 15 h à l'aube. « LA » disco version années 70 dans ce sous-sol fluo et aux peintures de jeunes femmes déshabillées. Au programme de la fièvre du samedi soir : nombreux concours culturels telle l'élection de Miss T-shirt mouillé... Entrée payante le samedi.

À voir

Mille et une choses ! Pour visiter tous les monuments de Cracovie, il faut au moins deux semaines, et encore. Alors, voici juste un petit aperçu rapide.

★ **Le parc Planty** (son nom vient de « planter ») : idéal pour commencer votre visite de Cracovie. C'est un espace vert aménagé à la place des remparts et des fossés qui entouraient la vieille ville. Une petite promenade de 45 mn (4 km) permet d'en faire le tour complet. Vous comprendrez la topographie de la ville tout en admirant de nombreux monuments. Un bon moyen de faire connaissance avec les lieux donc, même si certains lecteurs nous ont fait remarquer que la « faune » qui hantait cette promenade donnait plutôt un côté misérabiliste à la ville...

En partant de la gare (par le passage souterrain), prenez à droite. Vous apercevrez les restes des fortifications : la **porte Florian** (brama Floriańska ; plan I, C1, 170). C'est l'une des sept portes de l'enceinte édifiée sur 200 ans entre les XIIIᵉ et XVᵉ siècles. Comprenant 47 tours dont deux subsistent de part et d'autre, elle fut démolie en 1806 sur ordre des Autrichiens, alors occupants de la ville. Ce fragment des remparts doit sa survie à un certain sénateur Radwański. Il avait justifié auprès des Autrichiens sa sauvegarde « par crainte des courants d'air dans la vieille ville, ceux-ci pouvant provoquer des rhumes ou même des paralysies auprès des femmes et des enfants ». Cet argument médical s'est avéré convaincant !

À l'arrière de la porte subsiste également la **Barbacane** *(plan I, D1, 171)*, un bastion circulaire ajouté au XVe siècle pour renforcer la défense de la porte. C'est un des derniers encore intacts d'Europe. Ses murs de 3 m d'épaisseur étaient jadis reliés à la porte par un tunnel aujourd'hui disparu.

★ Aller 1 km plus loin, au bout de la rue 1-go Maja, voir les bâtiments de l'**université** (si vous avez le temps, visite guidée intéressante qui permet d'en savoir plus sur Copernic) et le **monument de Nicolas Copernic**. Puis au bout de la rue Straszewskiego, vous passerez au pied de la colline Wawel, surmontée de la monumentale silhouette du château royal. Juste avant d'accomplir la boucle, vous admirerez le riche bâtiment du **théâtre Słowacki**, construit vers la fin du XIXe siècle. Regardez-le bien. Cela ne vous rappelle rien ? Allons, un petit effort ! L'opéra de Paris, bien sûr ! Le bâtiment est largement inspiré du palais Garnier, en plus petit, toutefois.

★ **Rynek Główny, la place du Marché** *(plan I, C2)* : avec ses 200 m de côté, cette vaste place carrée est l'une des plus grandes que le Moyen Âge a léguées à l'Europe. Ceinturée aujourd'hui de façades néo-classiques, elle s'enorgueillit d'une unité qui lui donne un incomparable air fin de siècle triomphant.
Mais jusqu'au milieu du XIXe, le Moyen Âge n'avait pas complètement disparu. C'est en effet à cette date que la municipalité a décidé de détruire les baraques de marché qui encombraient la place d'un réseau si dense que l'allée principale avait été appelée la *rynek*. Les marchands de fleurs et les vendeurs de souvenirs poursuivent aujourd'hui cette tradition marchande dont le dernier vestige est la halle aux Draps (Sukiennice), au centre de la place.

★ Au centre, la **Sukiennice** *(halle aux Draps ; plan I, C2, 172)*. L'origine de ce marché couvert remonte au début du XIVe siècle. Incendié en 1555, il fut rebâti dans le style Renaissance qui lui a donné son attique de pierre masquant le toit. Le XIXe s'est cru obligé de lui adjoindre ses actuelles arcades dont la jolie perspective accueille aujourd'hui une multitude de boutiques de souvenirs et deux cafés. Mais ne vous donnez jamais rendez-vous à leurs terrasses. Ce sont deux sœurs jumelles, il y a à 50 % de chances que votre ami(e) vous attende de l'autre côté. Cela arrive tous les jours.
– Au premier étage, les anciennes salles de bal servent d'écrin au **musée de la Peinture polonaise du XIXe siècle** *(Galeria w Sukiennicach)*, l'un des cinq sites du Musée national. Ouvert en été du mardi au vendredi de 10 h à 18 h, les samedi et dimanche de 10 h à 15 h 30, le reste de l'année du mardi au dimanche de 10 h à 15 h 30. Les impressionnantes peintures historiques de Jana Matejko sont l'attraction principale à côté d'autres grands noms de cette période comme Malczewski, Gierymski, Chełmoński et Witkacy, dignes représentants des courants réalistes et impressionnistes. Notez le tableau expressionniste de Podkowiński, représentant une femme nue sur un cheval écumant. Exposé pour la première fois en 1894, il a provoqué un véritable scandale et fut taxé de pornographie.

★ Sur le côté est de la halle se dresse la **statue d'Adam Mieckiewicz** *(plan I, C2, 173)*, le grand poète romantique, chantre de l'indépendance nationale. Détruite par les nazis, elle fut méticuleusement reconstituée et sert aujourd'hui de point de rendez-vous. C'est à ses pieds que se déroule chaque année, en décembre, le concours de crèches de Noël (voir rubrique « Fêtes et festivals »).

★ **L'église Notre-Dame** *(kościół Mariacki ; plan I, C2, 174)* : édifiée une première fois au XIIe siècle, puis détruite lors des invasions tatares, l'église paroissiale de Cracovie eut à subir trois reconstructions successives avant de renaître en 1355 comme l'une des plus belles églises gothiques du pays. Par sa structure (les nefs latérales sont plus basses que la nef centrale), elle est une basilique.

Une coupole Renaissance couronne la tour la plus basse (69 m). La plus haute (82 m) se distingue par un remarquable chapiteau de seize petits clochetons dont la flèche du XVIIe siècle se termine par une couronne dorée de 2,50 m de diamètre et d'un poids de 350 kg.

Utilisée jadis par la ville comme tour de guet, elle maintient toujours cette tradition, lorsqu'à chaque heure s'élèvent les notes du *Hejnał*, cette courte mélodie de quatre notes jouée à la trompette, qui immanquablement vous fait lever les yeux dans sa direction. Elle commémore le souvenir de la sentinelle qui sonna l'alerte en 1241 devant l'approche des Tatares. Mais ceux-ci furent plus rapides et une flèche lui transperça la gorge dès les premières notes, raison pour laquelle l'actuel trompettiste interrompt aujourd'hui sa mélodie au milieu d'une mesure. Tout ceci n'est bien sûr qu'une légende mais qui donne aujourd'hui à Cracovie son symbole. Le *Hejnał,* joué en rotation des quatre faces de la tour, est retransmis chaque jour, à midi, à la radio nationale.

Sous le porche baroque, plusieurs *tombeaux* des bourgeois de Cracovie et, à gauche, la *chapelle des Malfaiteurs*. Les prêtres écoutaient ici les dernières confessions des condamnés avant leur exécution sur la place du Marché.

Le chœur est dominé par le trésor de l'église : un monumental *retable*, œuvre du grand sculpteur allemand Veit Stoss, sculpté dans du bois de tilleul vers la fin du XVe siècle. C'est un triptyque dont la partie centrale représente la Vierge entourée par les douze apôtres. Certaines sculptures ont plus de 3 m de hauteur, car le maître savait que son œuvre allait être regardée d'en bas et il a prévu l'effet de perspective. On admirera le soin du détail : les muscles tendus sur les bras, les rides sur les visages. Veit Stoss a utilisé ses contemporains comme modèles : les artisans, les étudiants, les servantes. Grâce à ses couleurs vives, le retable émerge du fond sombre du chœur. Cet effet est renforcé par la lumière dorée des vitraux du XIVe. Le triptyque fermé fait apparaître douze panneaux sculptés représentant les scènes de l'histoire de la Sainte Famille. On ouvre le retable tous les jours à midi. Donc, pour pouvoir admirer ses deux faces, il faut venir à l'église un peu avant. On observera au-dessus les frises dues à Jan Matejko, le grand peintre historique du XIXe siècle.

Une autre œuvre de Veit Stoss est l'énorme *crucifix de pierre* sur le côté droit de la nef.

Ne manquez pas non plus les superbes *vitraux Art nouveau* au-dessus de la tribune du grand orgue signés Stanislas Wyspiański, artiste polyvalent de la fin du XIXe siècle.

Avant d'achever votre visite, jetez enfin un œil sur la *chapelle de la Vierge Noire* de Częstochowa, qui est une copie de l'original, bien que certains soutiennent que celle-ci soit la vraie.

★ À côté, la petite **église Sainte-Barbara** *(kościół Św. Barbary ; plan I, C2, 175)* domine la place Mariacki, utilisée autrefois comme cimetière jusqu'à sa fermeture au début du XIXe siècle par l'occupant autrichien. Édifiée au XIVe siècle pour servir de chapelle au cimetière, elle a, paraît-il, été bâtie avec les briques restant de la construction de sa grande voisine.

★ À l'arrière de celle-ci, la tranquille *rynek Mały* servit longtemps de marché à viande.

★ *La rue Sienna :* attenante, la rue Sienna abrite, au premier étage du n° 5, le *club des Intellectuels catholiques (KIK)*. Malgré cette dénomination un peu austère, elle fut la seule organisation indépendante tolérée dans la Pologne post-stalinienne. C'est ici qu'en 1980 le syndicat Solidarité encore balbutiant trouvait conseils et appuis. De cette organisation sont issues plusieurs personnalités officielles comme l'ex-Premier ministre Tadeusz Mazowiecki.

– Au n° 6, la *maison Szoberowski* accueillit en 1661 le premier journal polonais, le *Merkuriusz Polski*.

– La rue Sienna continue à l'est jusqu'à la place Na Grodku, où se dresse la silhouette de *couvent dominicain dit de Grodek*, édifié à la place d'une ancienne forteresse du Moyen Âge. La façade sur le Planty permet de reconnaître une porte de l'ancienne enceinte du XIIIᵉ siècle, enclavée dans le bâtiment.

★ **L'église Saint-Adalbert** (*kościół Św. Wojciecha; plan I, C2, 176*), au sud de la place, à l'angle de la rue Grodzka : c'est la plus vieille église de la ville. La légende veut qu'Adalbert, un évêque slave, y tînt ses premiers sermons vers l'an 995 avant d'aller convertir au nord les Prussiens qui le mirent à mort. La *crypte* – avec une exposition dédiée au saint et à l'histoire de la place – est ouverte du lundi au samedi de 10 h à 15 h.

★ **La tour de l'hôtel de ville** (*wieża ratuszowa; plan I, C2, 177*) : cette tour gothique est l'ultime vestige de l'hôtel de ville du XIVᵉ siècle malencontreusement démoli en 1820 par les autorités municipales pour vétusté. Le théâtre comique *Satyry* et un café se sont installés dans ses caves. On peut également grimper à son sommet qui offre une belle vue sur la ville. Ouvert de 10 h à 17 h (16 h les samedi et dimanche), fermé le deuxième week-end de chaque mois.

★ Avant de quitter la place, un tour d'horizon des édifices qui la bordent est plus que conseillé. La plupart de ces maisons patriciennes pluri-centenaires furent habitées par des artistes ou des personnages célèbres.
– À l'est, au n° 6, à l'angle d'ul. Sienna, la **« Maison grise »** accueillit dans ses appartements gothiques le premier roi élu de Pologne, Henri de Valois.
– Juste à côté, au n° 7, le **palais Montelupi**, avec son monumental portail Renaissance, servit de siège à la première poste du pays sous le règne du roi Sigismund.
– Au n° 9, le palais gothique **Bonerowska** fut le domicile du peintre et écrivain Stanislas Wyspanński.
– Au n° 15, à l'embouchure d'ul. Grodzka, le **palais Wierzynek** abrite le plus célèbre restaurant de la ville auréolé de sa légende royale (voir « Où manger ? Beaucoup plus chic »).
– Au sud, au n° 20, le **palais Potocki** est représentatif de l'architecture classique de Cracovie avec sa cour ornée de loggias, ainsi que le **palais Pod Baranami** (n° 27) du XVIᵉ, reconverti aujourd'hui en centre culturel.
Les immeubles de la face ouest eurent leurs façades remaniées aux XIXᵉ et XXᵉ siècles tout en conservant en partie leurs intérieurs Renaissance.

★ Le *palais Krzysztofory*, au n° 35, à l'angle d'ul. Szczepanńska, est resté en l'état. Ses étages accueillent le **musée d'Histoire de Cracovie** (*muzeum Historyczne Krakowa; plan I, C2, 182*). Ouvert les mercredi et vendredi de 9 h à 15 h 30, le jeudi de 11 h à 18 h, les samedi et dimanche de 9 h à 15 h. Ouvert aussi tous les lundis et mardis après le deuxième week-end de chaque mois de 9 h à 15 h. Si sa cible est l'histoire de la ville, incluant une collection de tableaux d'artistes célèbres natifs de Cracovie, il est aussi éclectique. Ses étages supérieurs présentent en effet les meilleurs *szopkis*, ces crèches de Noël et autres édifices religieux qui chaque année font l'objet d'un concours populaire au mois de décembre (voir la rubrique « Fêtes et festivals »), ainsi que des collections de vieilles horloges et d'armures.

LA VIEILLE VILLE OU STARE MIASTO

Construite sur un plan en damier à l'exception de sa partie sud, elle épouse le tracé médiéval des premières rues où chaque siècle a depuis laissé son empreinte, créant ainsi un ensemble typique d'Europe centrale où le gothique se mélange aux styles Renaissance et baroque.

Le nord

★ *La rue Florianśka :* percée au XIII⁰ siècle, elle conduit à la porte Florian (voir le parc Planty, plus haut), l'entrée historique de la vieille ville. Depuis son origine, sa vocation est commerçante, une tradition que le tourisme et l'éclosion des boutiques n'ont fait qu'amplifier. Elle conserve quelques beaux immeubles Renaissance.

– Au nº 14, l'*hôtel Pod Różą*, le plus vieux de la ville, avec un portail Renaissance.

★ Au nº 25, un petit *musée de la Pharmacie (muzeum Farmacji),* avec des anciens intérieurs d'échoppes dont une boutique du XVIᵉ, et plusieurs collections savantes sur les ustensiles de jadis.

★ Au nº 41, la *maison natale du peintre historique Jan Matejko,* qui vécut dans cet immeuble du XVIᵉ siècle jusqu'à sa mort en 1893. Transformée en musée, on peut notamment encore y découvrir ses appartements, son atelier et surtout les étranges collections dont il était friand : des peintures Renaissance, les costumes militaires et liturgiques dont il s'inspirait pour ses tableaux et un inventaire de... ses chaussures. Ouvert les mardi, mercredi jeudi, samedi et dimanche de 10 h à 15 h 30, le vendredi de 10 h à 18 h.

★ Au nº 45, le célèbre *café Jama Michalika*, où se déroulaient, entre les deux guerres, les folles soirées du cabaret *Zielony Balonik* (« le Ballon Vert »), qui réunissaient l'élite intellectuelle de l'époque. De nombreuses caricatures, le mobilier qui est en soi une plaisanterie, les marionnettes du guignol de l'époque et le décor original de la scène sont restés intacts. Une pause-café (et pourquoi pas dessert) s'impose.

– La rue se termine par la porte Florian, squattée aujourd'hui par les vendeurs de peintures à deux sous.
Il suffit de tourner à gauche pour rejoindre la *rue Pijarska (plan I, C1)*.

★ Immédiatement se trouve l'*église baroque de la Sainte-Transfiguration* (*kościół Przemienienia Panskiego; plan I, C1, 178*).

★ Face à elle, au nº 19 d'ul. Św. Jana, le *musée Czartoryski (plan I, C1, 179)*. Ouvert du mardi au jeudi, les samedi et dimanche de 10 h à 15 h 30, le vendredi de 10 h à 16 h 30. Fermé le lundi. Cette branche du Musée national, qui est aussi le plus vieux musée de Pologne, occupe un pâté de maisons constitué par le palais lui-même (XIXᵉ siècle), par un ancien couvent du XVIIIᵉ siècle et par un arsenal du XVIᵉ siècle.
Il présente une époustouflante collection de peintures de l'Europe occidentale du XVIᵉ au XIXᵉ siècle. La *Dame à l'Hermine* de Léonard de Vinci, une fascinante *Madone à l'Enfant*, ainsi qu'un paysage de Rembrandt sont les toiles les plus célèbres.
Cette collection, réunie à la fin du XVIIIᵉ par la princesse Izabelle Czartoryska dans son palais de Puławy, eut à subir le destin mouvementé de la Pologne. En 1831, après la révolte nationale contre les Russes et la confiscation de ses biens, la princesse transféra sa collection dans son hôtel parisien. Ce n'est qu'en 1870 que les tableaux purent être ré-acheminés à Cracovie. Il ne leur restait plus qu'à attendre l'arrivée des nazis qui dérobèrent 843 objets d'art dont un *Autoportrait* de Raphaël jamais retrouvé.
Car la collection de la princesse réunit aussi de l'art antique, des miniatures perses et indiennes, des gravures de Dürer, Holbein, Rembrandt... Elle recèle également, à côté d'une collection de porcelaines de divers pays, quelques curiosités que des petits malins ont réussi à lui vendre. Un « vrai » chapeau de Napoléon, un morceau de bois provenant, sans nul doute, de la maison de Shakespeare, et une chaise sur laquelle s'est assis, selon des sources sûres, Jean-Jacques Rousseau...

★ À la sortie du musée, si vos capacités d'admiration ne sont pas épuisées, vous pourrez remonter la rue Św. Jana pour jeter un œil sur le *palais néo-classique Lubomirski* (n° 15) et la *maison Kołłataj*, demeure patricienne du XVIIIe siècle au n° 20. Et vous voilà déjà de retour sur le *rynek*.

– **La rue Szpitalna** *(plan I, C2)*. Située à l'est de la rue Floriańska, elle est tout aussi aristocratique que sa voisine :

★ Au n° 24, une synagogue reconvertie après guerre en église orthodoxe. Ce n'est pas si fréquent, l'usage d'alors étant plutôt une reconversion en magasin, cinéma ou musée. Elle occupe le premier étage du bâtiment et ne mérite une visite que pour les icônes et les peintures religieuses d'inspiration byzantine dues à l'artiste contemporain Jerzy Nowosielski. Ouverte seulement lors des offices.

★ Au n° 21, le **musée du Théâtre de Cracovie** *(Dzieje Teatru Krakowa; plan I, D1, 201)*, installé dans la maison Pod Krzyżem, un ancien hospice du XVe. Ouvert du jeudi au dimanche de 9 h à 15 h 30, le mercredi de 11 h à 18 h. Tout sur l'histoire du théâtre dans la ville. Costumes, décors, accessoires. Un régal pour les amateurs.

★ **La place Św. Ducha et le théâtre Słowacki** *(plan I, D1, 180)*. Celui-ci fut construit en 1893, à l'emplacement d'un couvent du Moyen Âge dont la démolition souleva les protestations de l'élite artistique du moment, et en particulier du peintre Jan Matejko. Il porte le nom du poète romantique Juliusz Słowacki et se veut le frère cadet de l'opéra Garnier. Pour sa programmation, voir « Adresses utiles » et « Culture ».

★ **L'église Sainte-Croix** *(kościół Św. Krzyżå; plan I, D1-2, 181)*. À droite du théâtre Słowacki, édifiée au XVe, elle se singularise par la modestie de son extérieur et surtout par son accessibilité limitée aux horaires du culte affichés sur la porte. Et pourtant, sa superbe voûte gothique supportée par un pilier unique en forme de palmier mérite un peu de persévérance. Le chœur et la nef comportent aussi de très belles fresques restaurées au XIXe siècle par Stanisław Wyspiański (voir plus bas), tombé amoureux de cette église qu'il considérait comme le plus bel édifice gothique de la ville.

L'ouest

★ **L'université Jagielloński** *(plan I, B2)* : entre les rues Św. Anny, Jagiellońska et Gołębia se trouve le secteur de l'université. Elle fut implantée en 1364 par Casimir le Grand, sur le périmètre du quartier juif qui, progressivement exproprié, émigra en 1400 au sud de la ville à Kazimierz (voir plus loin). Il concentre les plus anciennes écoles de Pologne et bénéficie durant l'année universitaire d'une animation digne du Quartier latin.

★ **Le collegium Maius** *(plan I, B2, 183)* : à l'angle d'ul. Jagiellońska et d'ul. Św. Anny. D'une magnifique architecture gothique du XVe siècle, il est le cœur historique de l'université. À la fin du Moyen Âge, il pouvait se prévaloir d'être le centre intellectuel de l'Europe. Il n'a cessé de collectionner les élèves célèbres comme Nicolas Copernic ou plus récemment l'écrivain Czesław Miłosz ou... le pape Jean-Paul II. Ce vaste bâtiment (entrée par le n° 15 ul. Jagiellońska) s'ouvre sur une paisible cour à arcades qui conduit au *musée (muzeum Uniwersytetu Jagiellońskiego)*. Ouvert du lundi au vendredi de 11 h à 14 h 30, le samedi de 11 h à 13 h 30. Visite en groupe exclusivement.

Le rez-de-chaussée permet de découvrir le *lectorium*, avec des fresques murales dédiées aux mathématiques et à la géographie, les salles de cour, la salle alchimique et les ustensiles du docteur Faust (selon la légende) dont le fantôme rôderait toujours. Le premier étage est réservé aux appartements des professeurs, à la salle d'honneur surchargée de portraits des rois polonais, des professeurs et des différents donateurs, et dotée d'un plafond Renaissance. La pièce maîtresse de cette exploration, outre une impression-

CRACOVIE

nante collection de sceptres de recteurs, est le plus vieux globe du monde (1510), qui indique le tracé du continent américain sous le nom de « pays nouvellement découvert ».

★ *L'église Sainte-Anne* (*kościół Św. Anny ; plan I, B2, 184*) : à l'ouest, dans la rue du même nom. Pur joyau d'un baroque tardif du XVII° siècle, elle fut l'église de l'université et se consacrait à accueillir les cérémonies officielles de cette dernière, les mortuaires comme les festives, telle l'inauguration de la rentrée. Elle se distingue par son plan en croix et la hauteur de son dôme central.

★ En face, au n° 12, le *collegium Nowodorski* du XVI° siècle, aujourd'hui fac de Médecine (*plan I, B2, 185*). Son plus illustre élève fut Jan III Sobieski, le vainqueur des Turcs à Vienne, en 1683.

★ Le *collegium Minus* (*plan I, B2*) : ul. Gołębia. Ce bâtiment reconstruit au XVII° siècle est depuis le XV° siècle la faculté des Arts, où notamment Jan Matejko fut successivement élève et professeur.

★ Le *collegium Novum* (*plan I, B2, 186*) : à l'angle d'ul. Gołębia et d'ul. Jagiellońska. Une copie néo-gothique XIX° du collegium Maius, aujourd'hui centre administratif de l'université.

– De là, il n'y a plus qu'à rebrousser chemin en remontant la rue Jagiellońska, pour quitter le quartier de l'université et gagner la *place Szczepańska* qui, malgré son parking central, offre quelques curiosités pour le touriste que vous êtes :

★ À l'angle d'ul. Jagiellońska, le magnifique *théâtre Stary*, l'un des plus anciens de Pologne. Il a vu le jour au début du XIX° siècle et s'est enrichi depuis d'une élégante façade art nouveau. Sa programmation est aussi l'une des plus prestigieuses de Pologne avec des metteurs en scène comme Andrzej Wajda ou Konrad Swinarski. Ses caves recèlent également un somptueux bar Art nouveau (voir *Maska* dans la rubrique « Cafés »).

★ *Le palais des Arts* (*pałac Sztuki ; plan I, B1, 187*) : au n° 4, sur la face ouest de la place. Un bel exemple d'architecture Art nouveau. Fondé en 1854 par l'Association des Amis des Beaux-Arts, il s'orne de frises signées du peintre Malczewski et de bustes de l'infatigable Matejko. Des expos de peintures y sont organisées périodiquement. Ouvert tous les jours de 10 h à 17 h.

★ *La maison Szolayski* (*kamienica Szołajskich ; plan I, B1, 188*) : au n° 9. Cette demeure bourgeoise en perpétuelle évolution depuis le XVI° siècle accueille aujourd'hui un exceptionnel *musée d'Art sacré* gothique et Renaissance. Ouvert du mercredi au dimanche de 10 h à 15 h 30, le mardi de 10 h à 18 h. Réunissant les peintures, retables et sculptures collectés dans les églises de Cracovie et du sud de la Pologne, il offre une synthèse de la sensibilité religieuse du XIV° au XVI° siècle.
La *Madone* de Kruzłowa, une souriante Vierge à l'Enfant polychrome, datée de l'an 1400, est sa pièce maîtresse. La délicatesse de son exécution en fait un exemple majeur de la sculpture gothique polonaise. Également un magnifique *Christ sur son âne* de 1470, utilisé lors des processions de Pâques, ainsi que de nombreux retables du XV° siècle. Veit Stoss, l'auteur du monumental autel de l'église Notre-Dame (Mariacki), est aussi présent avec une sculpture du *Christ dans les jardins de Gethsemani*, provenant de l'ex-cimetière de la place Mariacki. L'art des églises uniates inspiré des icônes est représenté par une série de beaux triptyques de la région de Małopolska.

★ *L'église des Franciscains Réformés* (*kościół Refomatów ; plan I, C1, 189*) : un peu plus au nord dans ul. Reformacka. Reconstruite au XVII° siècle après la destruction par les Suédois du couvent initial, elle renferme dans sa crypte les restes momifiés de la famille des donateurs. C'est un rare exemple de momification naturelle dû au microclimat des caves. Mais préparez-vous à la frustration de votre vie, son accès est interdit au public afin de préserver ces lugubres reliques humaines.

– De là, il ne vous reste plus qu'à mettre le cap au sud en direction du château Wawel.

Le sud

Ici, la ville abandonne son plan en damier qui rendait sa découverte si facile. Elle se structure autour de plusieurs rues qui mènent toutes au château.

– *La rue Grodzka (plan I, C2-3)*. Dans le prolongement de la rue Floriańska, elle forme avec elle l'artère royale. Elle ne tarde pas à rejoindre la place Dominikański avec deux monuments majeurs :

★ *L'église et le monastère des Dominicains (kościół Dominikanów; plan I, C3, 190)* : à l'est de la place. D'abord simple église, en remplacement de celle détruite par les Tatares en 1241, elle se mua au fil des siècles en l'une des plus grandes de la ville. C'était sans compter l'incendie de 1850 qui détruisit la majorité de sa décoration intérieure en même temps qu'une bonne partie du quartier environnant. Elle se présente aujourd'hui sous l'aspect d'une basilique austère du XIIIᵉ siècle agrémentée d'une série de chapelles Renaissance ayant survécu à l'incendie.

Sa nef possède une récente décoration néo-gothique et des confessionnaux monumentaux.

À l'extrémité du bas-côté nord, la *chapelle Saint-Hiacynthe* (Św. Jakuba) est la plus ancienne et abrite le tombeau du saint fondateur du monastère. Inspirée de la chapelle Sigismond du château Wawel, elle présente une belle ornementation de stuc signée Baldassare Fontana et des peintures relatant la vie de saint du Vénitien Thomas Dolabella.

Au sud, la chapelle baroque de la riche famille Myszkowski est l'œuvre de l'atelier du Florentin Santi Gucci, un de ces nombreux artistes italiens qui au XVIᵉ siècle œuvraient en Pologne.

Dans le chœur, une série de tombeaux dont celui de l'humaniste Filip Kallimach, attribué à Veit Stoss.

On accède au couvent gothique par le porche Renaissance au nord près de la sacristie. Doté d'un paisible cloître et d'un réfectoire roman, il servit dans les années 80 de QG aux étudiants en révolte contre le régime, qui y organisèrent des expositions de peintures subversives.

★ *L'église et le monastère des Franciscains (kościół Franciszkanów; plan I, B3, 191)* : à l'ouest de la place. L'église, puissante et massive, bâtie au XIIIᵉ siècle, elle s'est posée en rivale de sa voisine. Mais c'est elle qui eut, en 1385, le privilège d'accueillir le baptême solennel du grand duc de Lituanie, Ladislaw Jagiełło, son accession au trône de Pologne ayant été posée comme condition préalable. Leur destin se confondit plus tard lorsque l'incendie de 1850 ne l'épargna pas.

Elle en tira néanmoins un meilleur profit en faisant appel en 1897 à l'artiste sécessionniste Stanislas Wyspiański (voir plus haut) ; celui-ci la dota de fresques et de vitraux art nouveau qui font aujourd'hui sa renommée. Le plus célèbre étant, dans le vitrail ouest, le portrait de Dieu Créateur du monde surgissant dans une apothéose de couleurs, inspiré de la chapelle Sixtine du Vatican.

★ Au sud de l'église, le couvent peu endommagé possède un beau *cloître gothique* avec des fragments de fresques du XVᵉ siècle. Mais il faut pénétrer à l'intérieur pour découvrir une impressionnante galerie de portraits des évêques de Cracovie depuis le milieu du XVᵉ siècle jusqu'à l'évêque en titre, Monseigneur Piotr Tomicki.

★ *La résidence de l'Archevêque (pałac Arcybiskupi; plan I, B3, 192)* : de l'autre côté de la rue, au n° 3 d'ul. Franciszkańska. Bâtie au XIVᵉ siècle, puis remaniée au milieu du XVIIᵉ, elle fut également ravagée par l'incendie de 1850 qui la priva en partie du faste de ses appartements. Elle abrite depuis la fin du XIXᵉ siècle une riche collection d'art inaccessible au commun des mortels. Son titre de gloire récent est d'avoir hébergé le plus célèbre de ses locataires, l'ex-cardinal Karol Wojtyła, plus connu sous le nom de Jean-Paul II. Dans la cour, sa statue célèbre son retour triomphal au pays en 1979.

★ **Le palais Wielopolski** *(plan I, C3, 193)*, à droite de l'église des Francis-cains, borde la petite place Wszystkich Świętych contiguë à la place Domin-kański (regardez bien votre carte!). D'un âge respectable puisqu'il est né au XVIᵉ siècle, il dut entre-temps changer plusieurs fois de style et de proprié-taire avant que l'incendie de 1850 ne lui donne son actuelle façade et sa fonction de mairie de Cracovie.

★ La descente de la rue Grodzka conduit à la rue Poselska où, sur la droite, au n° 12, se trouve la **maison** d'enfance de l'écrivain **Joseph Conrad**.

★ Plus loin, au n° 3, à l'angle d'ul. Senacka, le **Musée archéologique** *(Muzeum archeologiczne; plan I, B-C3, 194)*. Ouvert le lundi de 9 h à 14 h, le mardi et le jeudi de 13 h à 17 h, le vendredi de 10 h à 14 h, le samedi de 13 h à 17 h, le dimanche de 11 h à 14 h. Fermé le mercredi et certains samedis. Avant de devenir un musée, ce bâtiment du XVIIᵉ siècle fut d'abord un couvent carmélite, puis une prison des Habsbourg restée en service jusqu'à la Seconde Guerre mondiale.
Outre une collection de sarcophages égyptiens et d'art antique, trouvée par les soldats polonais au Moyen-Orient lors de la dernière guerre, son point fort est de présenter un large panorama de la Małopolska (sud-est de la Pologne), du paléolithique au début du Moyen Âge. Il possède aussi la seule sculpture jamais découverte d'un dieu païen slave : un phallus à quatre faces de 2,50 m! Une autre section expose les fouilles du site de Nowa Huta, lors de la construction du monstrueux combinat sidérurgique *(cf.* « À voir dans les environs »).

– Le retour sur la rue Grodzka permet de rejoindre la place Marii Magdaleny vampirisée par deux églises...

★ **L'église Saint-Pierre-et-Saint-Paul** *(kościół Św. Piotra i Pawła; plan I, C3, 195)*. Les statues des apôtres montent la garde devant cette église commanditée par les Jésuites arrivés en catastrophe à Cracovie en 1580 pour combattre la sédition protestante. Ce différend scolastique offrit à la ville son premier édifice baroque. L'intérieur sévère porte, malgré quelques décorations en stuc dues à Giovanni Falcone, les traces de la gravité de la situation d'alors. La crypte sert de tombeau au champion de la contre-réforme, le prédicateur Piotr Skarga. Entre-temps, la pollution a fait son tra-vail de sape et les apôtres d'origine ont dû se réfugier dans une remise, rem-placés par des copies. Le restant des bâtiments est occupé par l'université Jagielloński.

★ Face à elle, de l'autre côté de la rue, le **collegium Luridicum** *(plan I, C3, 196)*, une des plus anciennes annexes de l'université, d'un beau gothique tardif.

★ **L'église Saint-André** *(kościół Św. Andrzeja; plan I, C4, 197)* : juste à côté. Cette église romane du XIᵉ siècle est massive. Elle servit de refuge à la population lors de l'invasion tatare de 1241 qui la laissa intacte. Mais cet épi-sode tragique une fois passé, elle dut céder à la nouvelle mode du jour et s'habiller en baroque au XVIIIᵉ siècle. Les tours puissantes furent coiffées de coupoles et l'intérieur remodelé de décorations en stuc qui contrastent avec la simplicité de sa structure. Le trésor conserve une mosaïque byzantine de la Vierge du début du XIIIᵉ siècle qui aurait, dit-on, porté chance aux assiégés.

★ **L'église Saint-Aegidius** *(kościół Św. Idziego; plan I, C4, 198)* : sur la droite à la fin de la rue Grodzka. La petite sœur gothique des deux précédentes, de la première moitié du XIVe siècle. La grosse croix à l'arrière veille au souvenir des soldats et officiers polonais exécutés par Staline dans la forêt de Katyń pendant la Seconde Guerre mondiale.

– Le château est maintenant devant vous, mais avant de partir à son assaut, un ultime détour par la rue Kanoniczna s'impose.

★ *La rue Kanonicza* *(plan I, C3-4)* : jadis tronçon de la voie royale, elle garde le charme de l'alignement de ses demeures patriciennes aux façades gothiques et Renaissance finement travaillées. Progressivement rénovée, elle devrait retrouver son rang d'une des plus belles rues du vieux Cracovie. Du sud au nord :

★ Au n° 25, à l'angle d'ul. Podzamcze, le *palais Długosz* *(plan I, B-C4)*. Avant de devenir la demeure de l'historien Jan Długosz, ce palais du XVe siècle fut d'abord un bain royal. La légende locale raconte que la reine Jadwiga, avant son mariage avec le grand-duc de Lituanie, Ladislas Jagiełło, pas encore converti au christianisme, y envoya l'une des servantes pour aider celui-ci dans sa toilette. C'est ainsi que cette dernière aurait aperçu les monstrueuses parties génitales du futur roi de Pologne. Vrai ou faux ? La seule certitude est que la reine épousa bien le duc.

★ Au n° 20, la *Galerie ukrainienne* *(plan I, C4)*. Ouvert du jeudi au dimanche de 12 h à 16 h. Icônes et peintures des XVIIe et XVIIIe siècles, et art orthodoxe contemporain de Jerzy Nowosielski.

★ Au n° 19-21, le *musée de l'Archevêché* *(muzeum Archidiecezjalne; plan I, C4, **199**)*. Ouvert du mardi au samedi de 10 h à 15 h. Ce très jeune musée de 1994 occupe les vieux murs de deux maisons du XIVe siècle. Sa visite complète celle de la maison Szolayski (voir plus haut), car comme elle, il offre un éventail d'art religieux recueilli dans les églises de la région de la Małopolska et de Cracovie.

Sa section de sculptures gothiques, particulièrement riche, se distingue par une très belle *Madone à l'Enfant Jésus* du début du XVe représentative de cette école, et un magnifique bas-relief de l'Adoration des mages, de 1450, provenant de l'église Notre-Dame (Mariacki). La salle des peintures a pour pièce vedette une série de tableaux de Hans Suess de Kulmbach illustrant la légende de sainte Catherine d'Alexandrie, exécutée pour la chapelle de la famille Boner dans l'église Notre-Dame, ainsi qu'une remarquable *Annonciation* de 1580 signée Jakob Mertens.

L'autre curiosité du musée reste la chambre de Karol Wojtyła, qui, avant d'être pape, y séjourna de 1951 à 1958 en tant que simple prêtre. On peut y admirer son mobilier, sa paire de skis, ses vieux vêtements et ses chaussures – autant de reliques qui sentent le culte de la personnalité !

★ Au n° 9, le *musée Stanisław Wyspiański* *(plan I, C3, **200**)*. Ouvert les mardi, mercredi, vendredi, samedi et dimanche de 10 h à 15 h 30, le jeudi de 10 h à 18 h. Installé dans une demeure du XIVe siècle remaniée au XVIIIe, il permet d'appréhender tous les talents de cet artiste polyvalent (1869-1907) qui fut à la fois écrivain, auteur de théâtre, poète et peintre.

Dans l'escalier, les photos prises par lui à la fin du XIXe du quartier juif de Kazimierz. Au premier étage, plusieurs de ses tableaux ainsi que d'autres signés par des artistes du mouvement Młoda Polska. On y trouve aussi les maquettes de son projet visionnaire de transformer la colline du château Wawel en une « acropole » polonaise, un rêve fou qu'il mit en scène dans sa pièce du même nom. La visite se termine par les esquisses des fresques et des vitraux réalisés pour les églises des Franciscains et de la Sainte-Croix.

★ Au n° 5, l'ancien siège du *théâtre Cricot 2*, de Tadeusz Kantor (1915-1990). Ouvert du lundi au vendredi de 10 h à 14 h. Faut-il encore présenter l'auteur de ce théâtre atypique *(La Classe morte, Wielopole...)* ? *Wielopole* fait partie du gotha du théâtre mondial. Kantor a été aussi peintre et créateur

CRACOVIE

de happenings restés dans toutes les mémoires. Si jamais cela vous a échappé, l'association qui gère ici ses archives se fera un plaisir de vous visionner ses pièces. Sinon les fans du maître y trouveront des affiches à acheter et des expos de photos de spectacles.

LA COLLINE DU CHÂTEAU WAWEL

Ici bat le cœur historique de la Pologne. Pendant plus de cinq siècles, la colline du château fut le centre politique et administratif du pays. Même après la décision du roi Sigismund III Wasa de transférer en 1596 la capitale à Varsovie, rois et princes continuèrent de se faire enterrer dans la cathédrale du château, de même que les plus grands poètes et héros de la nation. Pour tous les Polonais, la colline du château est plus qu'un monument, c'est un véritable livre d'histoire, symbole de la fierté et de l'unité nationale. C'est pourquoi, lors de votre ascension, vous rencontrerez autant de touristes que de Polonais : pour eux, la visite du château est un pèlerinage aux sources de la nation.

Accès

Préparez-vous donc à affronter l'été et les week-ends de longues queues. Le château et la cathédrale ont des caisses séparées, ainsi que des horaires différents. Pour une visite sérieuse comptez environ trois heures.
Reste à régler la question shakespearienne : guide ou pas guide ? La seule certitude est que le château est pauvre en explications. À vous de voir.
L'office *PTTK*, près de l'entrée, dispose d'un service de guides anglophones. Vous avez aussi l'alternative d'acheter un livre à la librairie.

Visite

★ *La cathédrale (plan III, B1, 201)* : ouverte de novembre à mars, du mardi au samedi de 9 h à 15 h, le dimanche de 12 h 15 à 15 h ; d'avril à octobre, du mardi au samedi de 9 h à 16 h, le dimanche de 12 h 15 à 16 h.
Véritable sanctuaire chargé de l'histoire de la nation polonaise, elle fut rebâtie trois fois avant de connaître sa forme gothique actuelle du XIVᵉ siècle. Fondée par Bolesław le Vaillant (966-1022) vers l'an 1020, elle conserve encore des restes romans dans l'aile ouest du château. Un édifice plus vaste lui succéda un siècle plus tard, à la charnière des XIᵉ et XIIᵉ siècles. Mais pour peu de temps, car en 1305 un incendie ravagea presque tout, à l'exception de la crypte Saint-Léonard.
Il fallut 44 ans pour bâtir la cathédrale actuelle, entre 1320 et 1364, soit le règne de deux rois (Władysław Łokietek et Kazimierz le Grand). Au cours des siècles suivants, monarques, princes et archevêques lui adjoignirent chapelles et mausolées ainsi qu'une petite muraille percée de trois portes. Ces travaux d'embellissement allaient produire le chef-d'œuvre de la Renaissance de cette partie-ci de l'Europe : la chapelle Sigismond, repérable à sa coupole dorée et édifiée au début du XVIᵉ siècle par l'architecte florentin Bartholomeo Berrecci.
Avant de pénétrer dans la cathédrale par la porte massive, remarquez au passage sur la gauche la chaîne où pendent des os d'animaux préhistoriques. Une double légende les entoure. Ce seraient les os du dragon qui hantait jadis la colline. On leur attribue également le pouvoir d'écarter les forces du mal et de protéger la cathédrale dont l'existence sera assurée tant qu'ils existeront.
Au centre, à la croisée du transept, le *mausolée de saint Stanislas (mauzoleum Św. Stanisława),* au lourd baldaquin baroque. Ce sarcophage en argent du XVIIᵉ siècle, dû à l'atelier du maître fondeur de Gdańsk Peter van der Rennen, relate sur ses faces la vie de ce saint qui fut d'abord arche-

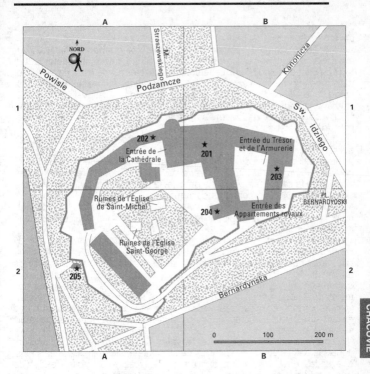

CRACOVIE – PLAN III (WAWEL)

★ À voir		203 Le château du Wawel
	201 La cathédrale du Wawel	204 Le Wawel perdu
	202 Le musée de la Cathédrale	205 La grotte du Dragon

vêque avant d'être canonisé en 1253. Il doit son martyre au roi Bolesłw le Hardi qui le fit tuer en 1079 pour s'être opposé à lui. Accueillie dans la cathédrale dès 1254, sa dépouille donna lieu à des pèlerinages.

Derrière lui, sur la droite, un autre mort célèbre, l'ancien grand-duc de Lituanie, devenu roi de Pologne, Ladislaw Jagiełło. Son sarcophage en marbre est un beau travail du milieu du XIVᵉ siècle.

Au-delà, le *chœur,* qui fut le théâtre de 37 couronnements royaux.

Puis le plat de résistance, les *chapelles* : leur visite se confond avec un cours d'architecture des six derniers siècles. À partir de la droite de l'entrée :

– **la chapelle gothique de la Sainte-Croix** *(kaplica Świętokrzyska).* Son mort est le roi Kazimierz IV Jagiellończyk (1447-92), un privilégié puisque son sarcophage de marbre rouge porte la signature de Veit Stoss, le maître sculpteur de l'église Notre-Dame. Sur les murs, les rares fresques d'inspiration byzantine de Pologne, du XVᵉ siècle, dues à des artistes de Pskow.

– Les deux suivantes sont seulement nobiliaires avec les dépouilles des Potocki et des Szafraniec. La première est néo-classique et la seconde baroque

– Puis **la chapelle Waza**, le mausolée baroque de la dynastie royale des

Waza, qui régnèrent au XVIIe siècle. Les portes de bronze de l'entrée sont décorées de leurs armoiries.

– Et enfin le clou du spectacle : *la chapelle Sigismond (kaplica Zyg-muntowska)*, dont on vous a déjà parlé plus haut. On vous le répète haut et fort : un chef-d'œuvre ! Dans cette double alcôve en forme d'arc de triomphe, toute une nichée royale, celle des derniers Jagellon : papa, le roi Sigismond Ier le Vieux (1467-1548), le fiston Sigismond II August (1520-1572). Deux très beaux autels et des peintures de George Pencz, élève de Dürer.

– En face, *la tombe de la reine Jadwiga*, épouse de Ladislaw Jagiełło, premier roi de la dynastie des Jagellon.

– Les autres chapelles accueillent les vénérables dépouilles d'archevêques du XIVe siècle.

À remarquer encore, à droite du grand autel, en marbre rouge de Hongrie, le *sarcophage du roi Kazimierz le Grand* (1333-1370), dont le règne vit l'achèvement de la cathédrale. Et sur la gauche, la *tombe du roi Władysław Łokietek* (1306-1333) qui ordonna sa construction.

– Le *trésor* de la cathédrale se trouve dans l'angle nord-est de l'édifice, derrière la sacristie, mais la plupart de ses richesses sont exposées dans le musée de la cathédrale.

– Depuis la sacristie, un escalier grimpe dans *la tour Sigismond (Wieżå Zygmuntowska)* du XIVe siècle et permet d'admirer, outre le paysage sur la ville, ses cinq cloches dont la plus grande est inscrite au guide des records du Moyen Âge : 8 tonnes, 2,50 m de diamètre sur 2 m de haut, soit une circonférence de... 8 m. Pour actionner son marteau de 350 kilos, il faut pas moins de 8 hommes. La légende raconte que son timbre puissant a le pouvoir de chasser les nuages et de faire apparaître le soleil. Le marteau, une fois effleuré, a aussi la propriété de promettre le mariage dans l'année, mais aux filles seulement !

– Dans l'aile gauche, *les cryptes royales (Groby Królewskie)* accueillent depuis le XVIIe siècle les dépouilles de plusieurs rois et reines polonais ainsi que celles de héros nationaux comme Tadeusz Kosćiuszko, leader de l'insurrection contre les Russes de 1793, dont la statue trône à l'entrée du château, ou encore le maréchal Józef Piłsudski et le prince Jósef Poniatowski, un des chefs de la guerre d'indépendance de 1813. Parmi elles, la *crypte de Saint-Léonard*, ultime vestige de la deuxième cathédrale.

– Dans une deuxième série de cryptes se trouvent les tombes des deux grands poètes romantiques, *Adam Mickiewicz* et *Juliusz Słowacki*, qui a donné son nom au grand théâtre de Cracovie.

★ En face, pour compléter la visite, une dernière étape au *musée de la Cathédrale (muzeum Katedralne; plan III, A1, 202)*. Ouvert du lundi au dimanche de 10 h à 15 h. Ici est exposé ce que les envahisseurs successifs n'ont pas dérobé dans le trésor. Reste une couronne du XIVe siècle qui aurait appartenu à Kazimierz le Grand, l'épée brisée au XVIe lors de l'enterrement de Sigismond August, le manteau de couronnement de Stanislas August Poniatowski de 1764... et différents objets liés à des personnages de l'Église.

★ *Le château (plan III, B1, 203)* : à le contempler depuis sa cour intérieure, il se présente comme un magnifique palais italien de la Renaissance. Difficile d'imaginer qu'il fut auparavant une solide forteresse gothique édifiée au XIVe siècle par Kazimierz le Grand, à la place d'un petit château roman du XIe siècle. Il doit son existence à l'incendie qui ravagea la forteresse en 1499 et qui décida le roi Sigismond le Vieux à se faire bâtir une nouvelle résidence au début du XVe siècle par les architectes italiens Francesco Florantino et Bartholomo Berrecci.

Tout comme la cathédrale, le château incarna jusqu'au début du XVIIe siècle l'identité nationale. Son sort déclina ensuite lorsque la Cour se fixa définitivement à Varsovie. Pillé successivement par les Suédois et les Prussiens, il tomba ensuite entre les mains des Autrichiens qui le transformèrent en caserne. Les deux églises gothiques extérieures furent rasées pour permettre l'installation d'une place d'armes et les anciennes fortifications gothiques remplacées par l'actuelle enceinte de brique. Il ne retrouva sa dignité qu'en 1903, lorsque les Polonais le rachetèrent aux Autrichiens. Sa restauration fut interrompue par les nazis. Le gouverneur de Cracovie, Hans Frank, s'y installa et attribua les appartements royaux à ses hommes de main. Les dégâts furent cependant limités car dès le début de la guerre leur contenu le plus précieux avait été évacué vers le Canada. Il fallut néanmoins plusieurs années de recherche pour le retrouver et c'est aussi grâce à des dons et des rachats dans les salles de vente que le château a pu reconquérir son faste. Ouf!

Le château est divisé aujourd'hui en cinq grandes sections. Attention, les horaires changent régulièrement.

– Les appartements royaux (komnaty Królewskie) : dans l'angle sud-est de la cour. D'octobre à mars, ouverts les mardi, mercredi, jeudi et samedi de 9 h à 14 h 30, le vendredi de 9 h à 16 h 30, le dimanche de 10 h à 15 h, fermé le lundi. D'avril à septembre, ouverts les mardi et vendredi de 9 h à 16 h 30, les mercredi, jeudi et samedi de 9 h à 14 h 30, le dimanche de 10 h à 15 h; fermé le lundi.

Du rez-de-chaussée où siégeait l'administration royale, jusqu'au deuxième étage qui était réservé aux festivités, en passant par le premier étage qu'occupait le monarque (comment parvenait-il à dormir les jours de bal?), c'est une débauche de trésors artistiques. Suite à un incendie survenu en 1595, l'aile Nord fut rénovée et se singularisa par un beau baroque débutant qui culmine dans la salle d'apparat décorée en 1798 par Domenico Merlini, l'auteur du parc Łazienki de Varsovie. L'aile Est a conservé son pur style Renaissance ainsi que ses plafonds à caissons d'origine. Les plus belles pièces se trouvent au dernier étage.

Point d'orgue de la visite : la collection de tapisseries des Flandres du roi Sigismond August, qui jalonnent le premier et le second étage. Au total 136 pièces, soit un tiers de la collection initiale qui a survécu à la soldatesque russe, autrichienne et nazie. Celles représentant des scènes de l'Ancien Testament, dues à l'atelier du Bruxellois Michel Coxie, surnommé le Raphaël flamand, sont parmi les plus belles.

À remarquer aussi, la salle d'audience à l'extrémité sud, qui possède des frises de Hans Dürer, le frère du célèbre Albrecht Dürer, le cabinet d'étude du roi, surchargé d'œuvres d'artistes flamands, la salle de Justice avec un portrait du prince Władysław Waza par Rubens, et la salle des Sénateurs où se réunissait le parlement lorsque Cracovie était capitale royale.

– Le trésor de la Couronne (skarbiec Koronny) : au rez-de-chaussée de l'aile nord-est du château. Mêmes horaires que les appartements royaux. Au temps de sa splendeur (XVIe siècle), vous auriez pu y admirer pas moins de six couronnes royales, quatre sceptres et globes impériaux, des tenues d'apparat, des bijoux précieux, etc. Tout cela n'existe plus, victime des pillages successifs. Les Prussiens notamment se chargèrent en 1795 de fondre les couronnes pour en récupérer l'or et vendre les diamants au détail. Ils dénigrèrent cependant le menu butin aujourd'hui exposé dans ces superbes salles gothiques voûtées du XIVe siècle. Le tout ayant bien sûr survécu depuis aux invasions russes et nazies.

La pièce vedette est une épée dentelée du milieu du XIIIe siècle : le Szczerbiec. Copie de l'arme utilisée par Bolesław le Vaillant lors de la conquête de Kiev en 1018 (capitale de la principauté slave, l'Ukraine), elle fut l'épée de couronnement de tous les rois polonais depuis 1320. Sinon, beaucoup de bijoux, les chaussures de couronnement du roi Sigismond August et la magnifique bannière du XVIe siècle fabriquée pour l'intronisation de sa troisième femme. Également, l'épée de tournoi de Sigismond Ier et les présents offerts par le pape au roi Jan III Sobieski pour fêter sa victoire sur les Turcs à

Vienne en 1683. Louis XIV s'est contenté de lui envoyer la cape de chevalier de l'ordre du Saint-Esprit.

– *L'armurerie (zbrojownia) :* après le trésor. Mêmes horaires. Une création des restaurateurs du château qui possédaient dans leurs bagages une importante collection d'armes provenant de la richissime famille Radziwiłł. À côté, d'impressionnantes cuirasses de hussards, cinq siècles de trophées de guerre conquis sur les envahisseurs successifs de la Pologne : boucliers, épées de tournoi, mais surtout les répliques des bannières des chevaliers teutoniques saisies lors de la sanglante bataille de Grunwald (1410).

– *L'exposition d'Art oriental (wystawa Sztuki Wschodniej) :* aile Ouest du château. Ouvert du mardi au samedi de 9 h à 15 h, le dimanche de 10 h à 15 h. Cette expo recense les influences de l'Orient dans la culture polonaise à travers différents objets : tapis, porcelaines... ramenés d'Arménie, de Chine, d'Iran, du Japon et de Turquie. Ce dernier pays fournit au musée ses plus belles pièces et pas n'importe lesquelles : les tentes et armures capturées lors de la bataille victorieuse contre les Turcs à Vienne en 1683 ! En complément, les bannières et les somptueux tapis qui garnissaient les tentes.

– *Le Wawel perdu (Wawel zaginiony ; plan III, B2, 204) :* entrée à l'extérieur de la cour, sur la droite de l'aile Ouest. Ouvert les lundi, mercredi, vendredi et samedi de 9 h 30 à 16 h 30, les jeudi et dimanche de 10 h à 15 h. Les cuisines royales sont désormais affectées aux trouvailles archéologiques du site et aux maquettes de bâtiments disparus, telle la rotonde. De Saint-Félix-et-Saint-Audacte, la plus vieille église de Pologne (XIe siècle), démolie en 1806 par les Autrichiens, on peut apercevoir les fondations.

– *La grotte du Dragon (smocza Jama ; plan III, A2, 205) :* près de la tour des Voleurs (Baszta Złodziejska), de l'autre côté du jardin central, sur la promenade des remparts face à la Wisła. (Au passage, remarquez dans le jardin les fondations des deux églises gothiques du XIVe siècle démolies par les Autrichiens.) Ouvert en été tous les jours de 10 h à 17 h.

Au VIIe siècle habitait sous la colline du Wawel un dragon qui chaque matin croquait sa pâtée de bétail. *A priori* rien de bien répréhensible sauf qu'un beau matin, on ne sait pourquoi, il exigea non plus du bétail à son menu mais sept garçons et sept filles. Le sang du roi Krak, le fondateur de Cracovie, ne fit qu'un tour et c'est le simple cordonnier Skuba qui trouva le remède : il donna à manger au dragon une peau de mouton bourrée de soufre qui lui provoqua une telle soif qu'il mourut noyé dans la Wisła. Voilà la légende que les petits Polonais ont dans la tête lorsqu'ils contemplent devant la grotte le dragon de bronze forgé par Bronisław Chromy. Quant à la grotte, après une petite descente de 135 marches, elle ne propose qu'une petite partie à la visite, la plupart de ses souterrains étant fermés au public.

– Ceux que l'histoire du dragon aura passionnés pourront visiter l'expo qui lui est consacrée dans la *maison Hipolitów (kamienica Hipolitów)* : place Mariacki 3. Ouvert les mercredi, vendredi, samedi et dimanche de 9 h à 15 h 30, le jeudi de 11 h à 18 h. Cette expo présente un éventail historique des représentations symboliques du dragon dans la culture polonaise.

KAZIMIERZ (plan II)

Ce quartier au sud-est de la colline du Wawel fut à l'origine une ville indépendante fondée en 1335 par Kazimierz III Wielki qui, outre son nom, lui offrit une charte municipale et de nombreux privilèges. Les habitants surent en tirer profit et la petite bourgade devint vite un centre commercial important, avec son propre hôtel de ville, sa place de marché et ses deux églises retranchées derrière les murs de son enceinte.

Mais le tournant décisif de son histoire fut la décision du roi Jan Olbracht d'y transférer, en 1495, l'importante communauté juive du quartier Św. Anny à

Cracovie, devenu le secteur de l'université. Désormais, la ville eut un pôle chrétien et un pôle juif séparés par un mur. Mais au fil des siècles, la culture juive, florissante bien que limitée à son secteur, finit par imprégner de son atmosphère la ville entière qui ne fut définitivement rattachée à Cracovie qu'à la fin du XVIe siècle. À la veille de la seconde guerre mondiale, Kazimierz était avec Varsovie le centre de la culture juive en Pologne.

La découverte de ce quartier laisse une impression d'abandon, du moins dans sa partie juive, comme si ses habitants venaient d'être déportés la veille (les quelque 70 000 juifs d'avant-guerre ayant presque tous péri dans les chambres à gaz voisines d'Auschwitz). Après le départ des nazis, les maisons et les synagogues furent en effet laissées en l'état durant toute l'ère communiste, jusqu'à ce que dans les années 90, le tournage de *La Liste de Schindler* de Steven Spielberg les tire triomphalement de l'oubli. Le film a depuis déclenché un intérêt croissant pour cet autre patrimoine de l'histoire polonaise. Des plans de rénovation sont en cours et les agences de tourisme ont inscrit Kazimierz en vedette dans leurs brochures. Le district de Kazimierz, en collaboration avec le « pour le développement de Cracovie », a édité un petit livret consacré à l'endroit et traduit en anglais. Gratuit, disponible au *Forum*, rue Józefa 7.

La découverte de ce quartier peut se faire par la rue Józefa, au croisement de la rue Krakówska, qui marquait la limite de l'ancien ghetto.

La rue Józefa

★ Au n° 11, *l'école paroissiale* dépendant de l'église du Très-Saint-Corps-du-Christ (place Wolnica), qui imposait au Moyen Age une dîme aux juifs se rendant à Cracovie.

★ Au n° 12, une **cour typique du ghetto** qui rejoint à l'arrière la rue Meiselsa. Parmi l'une des plus belles du quartier, elle servit de cadre à Spielberg pour la scène de la liquidation de Kazimierz.

★ À gauche, dans la rue Kuppa (n° 16), la très belle **synagogue baroque Ajzyk** *(plan II, C2, 206)*, bâtie au XVIIe siècle par le riche marchand Isaac Jakubowicz, malgré les protestations de l'école paroissiale voisine qui n'appréciait guère cette promiscuité. Dévastée par les Allemands, elle fut reconstruite en 1950 et restaurée en 1983, mais ne se visite pas pour l'instant.

★ Au n° 38, **la Grande Synagogue** *(Wysoka; plan II, D2, 207)* : édifiée en 1550, elle est appelée ainsi parce que la salle de prière était logée au premier étage du bâtiment, le rez-de-chaussée étant occupé par des boutiques. Détruite par les Allemands, elle ne fut restaurée qu'en 1966 et est utilisée aujourd'hui comme atelier par l'association des monuments historiques. On peut parfois la visiter s'il y a quelqu'un. Entrée par l'escalier du n° 40. Quelques traces de la décoration Renaissance.

La rue Szeroka

On arrive ensuite à la rue Szeroka. Cette rue en forme de place est le centre de la ville juive. Elle fut utilisée par Steven Spielberg pour de nombreuses scènes de son film.

★ Au n° 24, **la Vieille Synagogue** *(Stara Synagoga; plan II, D2, 208)*. Construite à la fin du XVe siècle, c'est la plus grande des huit synagogues de Kazimierz et le plus vieil édifice juif encore debout de toute la Pologne. Inspirée des synagogues de Worms, Prague et Regensburg, elle fut rebâtie dans le style Renaissance par le Florentin Mateo Gucci après l'incendie qui ravagea le quartier en 1557.

Son nom est associé à l'histoire du pays. C'est ici que Tadeusz Kosćiuszko chercha à rallier les juifs à l'insurrection de 1794. Peu avant la Seconde

Guerre mondiale, en 1931, le président polonais Ignacy Mościcki rencontra ici la communauté juive. Comme d'habitude, les nazis firent leur travail de démolition et la synagogue fut rebâtie dans son style d'origine en 1956 avant d'être transformée en *musée de l'Histoire et de la Culture des juifs de Cracovie (muzeum Historyczne).* Ouvert les mercredi, jeudi, samedi et dimanche de 9 h à 15 h 30, le vendredi de 11 h à 18 h.

Objets liturgiques au rez-de-chaussée dans la salle de prière avec au centre une magnifique *bimah* (la chaire d'où est lue la Torah) du XVIe siècle. Au premier étage, peintures juives, mais surtout une expo de photos émouvantes sur la vie du quartier avant et pendant la guerre.

★ Au n° 16, *la synagogue Popper,* du nom de son fondateur, un puissant financier du XVIIe siècle. Saccagé par les nazis, le bâtiment est devenu aujourd'hui une maison des jeunes.

— Aux n°s 17 et 18, au centre de la place, drainant la foule des touristes, les deux cafés *Ariel,* homonymes et rivaux (voir rubrique « Cafés »).

★ Plus loin au nord-est, au n° 6, un ancien *bain rituel (mikveh; plan II, D2, 210)* du XVIe devenu le restaurant *Austeria* (voir « Où manger? Prix moyens »).

★ Au nord, au bout de la place, au n° 2, le *palais Jordan (pałac Jordanów; plan II, D2, 211),* connu aussi sous le nom de palais Landau. Ancienne demeure d'une riche famille bourgeoise, il abrite aujourd'hui la *Jarden Book Store,* bien fournie en ouvrages sur le monde juif polonais. ☎ 21-71-66. Ouvert tous les jours de 10 h à 18 h.

En plus de proposer un petit café, la librairie s'est spécialisée dans la visite guidée des lieux de tournage de *La Liste de Schindler.* Celle-ci dure deux heures environ et, outre les ruelles de Kazimierz choisies par Spielberg, elle conduit sur le site du ghetto créé par les Allemands de l'autre côté de la Wisła près du pont Powstańców Śląskich. C'est ici que se situe l'action principale du film. On peut toujours voir l'usine de Schindler, la villa du commandant du camp et les restes du décor du camp, reconstitués dans une ancienne carrière de pierres et qui valut à son décorateur, Allan Starski, un Oscar à Hollywood.

★ De l'autre côté, au n° 40, *la synagogue Remu'h (plan II, C2, 212).* Bâtie en 1557 sur le site d'une première synagogue en bois, elle a été rouverte au culte après sa restauration, suite aux dévastations nazies. Elle porte le nom du rabbin et savant Moses Isserles, dit Remu'h, fils de son fondateur.

★ À l'arrière, *le cimetière Remu'h (plan II, C2, 213).* Son origine remonte à 1533, et il fonctionna jusqu'en 1800, date où il fut fermé par les Autrichiens pour raisons sanitaires (trop près des maisons!). Après sa destruction par les nazis, les fouilles et les restaurations ultérieures ont pu mettre au jour plus de 700 stèles, dont certaines datent de la Renaissance, c'est donc l'un des plus beaux cimetières juifs de cette époque en Europe. Ces stèles furent enterrées par les juifs eux-mêmes pour les préserver de l'invasion suédoise au XVIIe siècle. Les tombes qui n'ont pas pu être reconstituées ont été cimentées dans un mur dit du souvenir près de l'entrée.

Très visitée par les juifs pieux, la tombe de Remu'h est comme par le passé couverte de cailloux, une tradition qui remonte à la Bible où les tombes dans le désert de Palestine étaient signalées aux passants par des cailloux. On remarquera aussi la sépulture de la famille Jakubowicz.

★ De là, on tournera à gauche dans la rue Miodowa, où, à l'angle d'ul. Prodbrzezie, se dresse *la Tempel Synagogue (plan II, C2, 214),* un magnifique édifice néo-classique bâti en 1869 par l'association des Juifs progressistes. C'est la deuxième synagogue de Kazimierz à être ouverte au culte, mais, faute de fidèles, ses horaires d'ouverture sont fluctuants. Avec un peu de chance, le gardien vous ouvrira les portes pour vous permettre d'admirer sa belle galerie circulaire et les vitraux restaurés en 1970.

CRACOVIE

★ Presque en face, la rue Estery vous conduira à la rue Warszauera, qui abrite au n° 8 la modeste **synagogue Kupa** *(plan II, C2, 215)* érigée dans la première moitié du XVIIᵉ siècle. Généralement fermée, car transformée en entrepôt, elle a conservé quelques peintures représentant des villes d'Israël. Juste à côté, à l'angle d'ul. Kupa, on peut apercevoir des fragments de l'**ancienne enceinte médiévale** du ghetto.

– La visite du Kazimierz juif se termine quelques rues plus loin sur la place Wolny occupée par un petit marché couvert du XIXᵉ, pratiquement resté en l'état. Au siècle dernier, il abritait un abattoir rituel.

★ Ceux qui voudront continuer d'explorer les traces de l'histoire juive pourront visiter également au n° 55 d'ul. Miodowa au bout de cette rue, après la voie ferrée, l'autre **cimetière juif**. Ouvert du lundi au vendredi et le dimanche de 9 h à 18 h. Créé en 1800 après la fermeture du petit cimetière Remu'h, son étendue donne une idée de l'importance de la communauté juive de Cracovie. Son état d'abandon avancé rend cependant sa visite poignante. Plusieurs grands noms y sont enterrés, comme le peintre Maurycy Gotttlieb et des professeurs de l'université Jagielloński. À l'entrée, sur la droite, un monument à la mémoire des familles victimes de la Shoah.

Les sites du ghetto allemand

La suite de l'itinéraire conduit au ghetto créé par les Allemands de l'autre côté de la Wisła dans un quartier aujourd'hui rasé où toute la population juive de Kazimierz fut entassée en 1941 avant sa déportation dans les camps de la mort en 1943. Vous pouvez bien sûr pour cette partie-là avoir recours aux services de la librairie *Jarden* (voir « palais Jordan » ci-dessus et « Culture » plus haut).

– Le centre du ghetto allemand se trouve *place Bohaterów Getta,* à l'angle du boulevard Na Zjezdzie, dans le prolongement du pont Powstancóv. C'est d'ici que les Allemands opéraient les déportations. Cette période est très bien illustrée dans le film de Spielberg.

★ Le souvenir le plus poignant reste *la pharmacie (apteka Pod Orłem),* au n° 18. Ouvert du lundi au vendredi de 10 h à 16 h, le samedi de 10 h à 14 h. Son propriétaire non juif, le docteur Pankiewicz, risqua pendant deux ans et demi sa vie à apporter une assistance désespérée à la population massacrée sous ses fenêtres. Sa pharmacie toujours debout abrite aujourd'hui un petit musée avec des photos sur la vie du ghetto et le camp de travail de Płaszów.

★ Un dernier vestige du mur du ghetto se trouve au n° 25 d'ul. Lwowska qui part de la place.

★ *L'usine de céramique d'Oscar Schindler* se trouve un peu plus loin à l'est, derrière la voie de chemin de fer, au n° 4 d'ul. Lipowa. Si on y fabrique aujourd'hui des composants électroniques, le portail et les cheminées sont toujours là.

★ *Le camp de travail de Płaszów* décrit dans le film est situé dans le quartier de Podgórze. Établi sur l'emplacement d'un cimetière juif dont les pierres tombales furent utilisées comme route, il fut détruit par les Allemands avant la fin de la guerre. Il reste encore quelques vagues vestiges à l'angle d'ul. Wielicka et d'ul. Jerozoliemska, à l'ouest de la gare de Kraków Płaszów. Non loin se dresse, sur une colline visible de la route, le monument édifié en 1960 à la mémoire des victimes.

La partie chrétienne

Avant de quitter Kazimierz, il reste encore à en découvrir la partie chrétienne et ses nombreuses églises.

★ *La place Wolnica* en est le centre. Beaucoup plus petite que par le passé, en raison des constructions qui ont progressivement dévoré sa sur-face, elle est dominée sur sa face ouest par un très joli **hôtel de ville** de la fin du XIVᵉ, souvenir de l'époque où Kazimierz était une cité indépendante. Le XVIᵉ siècle lui donna sa tour actuelle et son aspect Renaissance.

★ L'hôtel de ville abrite aujourd'hui le **Musée ethnographique** (*Muzeum etnograficzne*; entrée au n° 1 de la place; *plan II, C3, 217*). Ouvert les lundi, mercredi et vendredi de 10 h à 17 h, les samedi et dimanche de 10 h à 15 h. C'est le plus grand de Pologne et sa visite est une excellente introduction au monde exotique des campagnes d'autrefois.

Au rez-de-chaussée, plusieurs intérieurs reconstitués de fermes de la région de Cracovie et de Podhale, notamment un moulin et une forge. Le premier étage présente comme un magasin de souvenirs toute la diversité des cos-tumes folkloriques du pays. Un plaisir coloré que vient compléter, au second étage, l'art brut des sculptures sur bois, souvent d'inspiration religieuse, ainsi que des crèches de Noël et des peintures. Il met aussi en scène des cou-tumes locales comme les processions de Noël. Également une collection d'objets de Sibérie, d'Afrique et d'Amérique latine.

★ **L'église du Très-Saint-Corps-du-Christ** (*kościół Bożego Ciała; plan II, C3, 218*), au nord-est de la place, à l'angle d'ul. Bożego Ciała. Première église de la ville, elle fut édifiée en 1340 par Kazimierz Le Grand pour servir d'église paroissiale. Un couvent compléta le bâtiment au XVᵉ siècle. Elle aurait servi de camp de base au roi suédois Charles Gustave lors du siège de la ville au XVIIᵉ siècle. Son intérieur baroque est un chef-d'œuvre de la sculpture cracovienne, en particulier le maître-autel et les stalles massives. À remarquer aussi une étonnante chaire en forme de bateau et, dans le chœur, un vitrail de 1420.

★ **L'église Sainte-Catherine** (*kościół Św. Katarzyny; plan II, B3, 219*), à l'ouest de la place, dans ul. Skałeczna. Fondée dans la seconde moitié du XIVᵉ siècle, elle est, par sa large structure de basilique gothique, la plus grande église de Kazimierz. Malgré sa conversion en arsenal par les Autri-chiens au XIXᵉ siècle, elle a pu conserver un très beau porche gothique sur sa face sud, alors que l'intérieur plus endommagé n'offre au visiteur qu'un maître-autel du XVIIᵉ siècle. Dans le jardin du couvent subsistent des frag-ments de l'enceinte médiévale de la ville.

★ Un peu plus loin, à l'ouest dans la rue Skałeczna, **le couvent** et **l'église des Pauliens** (*kościół Paulinów; plan II, B3, 220*), appelée aussi *Skałka*, « le Rocher », du nom de la petite falaise où elle a été construite. Cette église baroque du XVIIIᵉ siècle, élevée à la place d'un premier édifice roman, vaut le déplacement par la légende qui l'entoure.

C'est ici que le roi Bolesław le Hardi aurait, en 1079, décapité de ses propres mains l'évêque Stanislas qui s'était opposé à lui et l'avait excommunié. Canonisé en grande pompe en 1253, son martyre l'érigea en saint patron de la Pologne.

Ce précédent historique fut à l'origine de la lutte d'influence qui opposa au Moyen Âge l'Église et les rois polonais. Par acte de repentance, ces derniers firent non seulement construire un somptueux mausolée dans la cathédrale du Wawel, mais prirent l'habitude de se recueillir ici après chaque couronne-ment. Aucun roi portant le nom de Stanislas (ils ont été deux!) n'osa se faire enterrer dans les cryptes royales de la cathédrale. Cette légende a la vie longue puisque chaque année, à l'anniversaire de la mort du saint (8 mai), le clergé au grand complet organise un pèlerinage solennel depuis le Wawel. À l'intérieur, l'autel dans l'aile gauche conserve le supposé tronc d'arbre ayant servi à la décapitation, tandis que devant l'église la statue du saint est juchée sur le bassin où son corps aurait été jeté. La crypte de l'église creu-sée dans la roche est devenue au XIXᵉ siècle le mausolée des célébrités de l'époque, tels le peintre Stanisław Wyspianski, le compositeur Karol Szyma-nowski ou l'historien médiéviste Jan Długosz.

★ En face, sur l'autre rive de la Wisła, **le Centre japonais Manggha d'Art et de Technologie** : ul. Konopnickiej 26. Ouvert du mardi au dimanche de 10 h à 18 h. Ce bâtiment futuriste de l'architecte vedette japonais Arata Isozaki accueille une partie de la collection de Feliks Manggha Jasieński.

Cet écrivain et voyageur polonais, mort en 1926 et fou amoureux du Japon, a patiemment récolté vieilles armures, tissus, céramiques anciennes et gravures du pays du Soleil levant. Au total plus d'un millier de pièces. Restait encore à trouver un site. La solution est venue du metteur en scène Andrzej Wajda, qui a affecté à la construction du bâtiment le prix reçu de la ville de Kyoto en 1987.

Le centre a ouvert officiellement en 1994, et la collection est progressivement exposée. Le centre se consacre également à populariser dans son grand auditorium la culture japonaise.

LE QUARTIER DE ZWIERZYNIEC

Ce vaste faubourg à l'ouest de la vieille ville est surtout connu pour son attraction principale, le tertre Kościuszko, construit à main d'homme.

Bus direct n° 100 de la place Matejki, derrière la Barbacane de l'autre côté du boulevard circulaire Basztowa.

Sa visite peut être aussi l'occasion d'une assez longue balade à pied qui mélange culture et bol d'air. Au menu de celle-ci, avant d'arriver au tertre :

★ **Le musée de la Peinture polonaise du XXᵉ siècle :** au n° 1 d'al. 3 Maja, à l'angle d'al. Mickiewicza, près de l'hôtel *Cracovia*. Ouvert du 15 juin au 30 septembre du mardi au samedi de 10 h à 18 h, le dimanche de 10 h à 15 h 30, le reste de l'année du mardi au dimanche de 10 h à 15 h 30. Cette lugubre caserne moderne, intitulée poétiquement le Nouveau Bâtiment (Nowy Gmach), héberge les grands peintres de la fin du XIXᵉ et du début du XXᵉ siècle.

Le mouvement Młoda Polska est bien représenté, notamment par Stanisław Wyspiański (croquis des vitraux de la cathédrale de Wawel). On y trouve aussi les œuvres majeures de Mehoffer, Witkiewicz et Malczewski. Les amateurs reconnaîtront également quelques œuvres de Tadeusz Kantor.

★ À l'arrière, **le Błonia**, la plus grande pelouse de Cracovie, le long d'al. 3 Maja. Jadis propriété ecclésiastique formée de marécages asséchés, elle accueille encore aujourd'hui ici et là quelques vaches. Elle fut le théâtre des parades des légions du maréchal Piłsudski, et des messes « Woodstock » de Jean-Paul II (en 1979, 1983 et 1987), qui ont attiré plus de deux millions de personnes.

★ **Le couvent et l'église des Norbertines** (kościół i klasztor Nobertanek) : près de la Wisła, au n° 88 d'ul. Kościuszki. Une petite cité monastique fortifiée du XIIIᵉ siècle, avec un beau porche roman et un intérieur néo-classique. Toujours habitée par des nonnes, elle sert aussi d'auberge de jeunesse. La procession annuelle du Lajkonik démarre d'ici (voir rubrique « Fêtes et festivals »).

★ Juste au-dessus, sur la colline, **l'église du Saint-Sauveur** (kościół Św. Salwatora) est l'une des plus vieilles de Cracovie, avec des restes romans dans ses fondations datant de l'an mille.

★ En face, **la chapelle Sainte-Marguerite** (kaplica Św. Małgorzaty) est seulement du XVIIᵉ siècle.

★ **Le tertre de Kościuszko :** élever à la main une colline haute de 34 m démontre une « monumentomanie » aiguë. Les habitants de Cracovie ont réalisé cette performance entre 1820 et 1823, à la gloire du héros national, Tadeusz Kościuszko (1746-1817), chef de l'insurrection de 1794 contre les Russes. Son sommet offre une vue panoramique sur Cracovie. Les fortifications qui l'entourent sont un « cadeau » des Autrichiens. L'accès payant se fait par la chapelle néo-gothique de Saint-Bronisława, transformée en *musée Kosćiuszko* (ouvert du mardi au dimanche de 10 h à 16 h).

À voir dans les environs

★ *Nowa Huta (la Fonderie Nouvelle)* : de la gare centrale, bus n° A et trams n°s 4, 5, 10 et 15. Visite du combinat sidérurgique en groupes seulement et sur réservation par le biais de l'agence locale de la *PTTK* (agence de tourisme nationale). ☎ 43-79-05.

Un énorme quartier de 150 000 habitants, construit entre 1949 et 1956 autour d'un combinat sidérurgique, à 10 km à l'est du centre-ville. Les raisons d'implanter une industrie lourde et polluante à proximité immédiate d'une ville historique étaient purement politiques. Cracovie était considérée comme une ville rebelle, où l'ancienne bourgeoisie et l'élite intellectuelle se montraient ouvertement hostiles aux communistes. En 1949, lors du référendum qui devait appuyer le pouvoir populaire, la ville répondit « non » en majorité. Par adjonction d'une immense cité ouvrière, les communistes voulurent changer la structure sociale de la population et « détruire les nids de la contre-révolution ». La construction de cette ville entière fit l'objet d'une propagande intensive. Voilà une « ville moderne, qui a rompu avec les règles capitalistes de construction et qui assurera le bonheur des ouvriers ».

Le résultat est un ensemble de cages à lapins sinistres, réparties dans des quartiers répondant aux doux noms de : secteur A, secteur B, etc. De la place centrale, où trônait une statue de Lénine (démantelée aujourd'hui), partaient la rue de la Révolution-d'Octobre, la rue de Lénine (suivant la règle « à chaque régime, sa nomenclature » elles ont été rebaptisées en rue du Général-Anders et allée de la Solidarité). Puisque le paradis terrestre était atteint, la construction de l'église, réclamée pendant vingt ans par l'épiscopat, était sans fondement. C'est seulement dans les années 70 que fut construite la première église (quartier Dąbrowszczków), appelée *L'Arche*.

★ *Les mines de Wieliczka :* à voir absolument ! À 13 km au sud-est de Cracovie. Visite en groupe exclusivement. Ouvert tous les jours, du 16 avril au 15 octobre de 8 h à 18 h, le reste de l'année de 8 h à 16 h. Prévoir un peu plus de 2 h pour la visite. En été, possibilité d'obtenir un guide parlant à peu près l'anglais ou le français, sinon, se procurer le petit livret rédigé en français. Navette par bus privé au départ de la gare routière *(plan I, D1)* : demander l'arrêt *Wieliczka*. Pour le retour, soit reprendre le bus au même endroit, soit plus simplement emprunter la navette de la mine qui attend les touristes sur le parking à la sortie. Reste encore la solution du train : terminus à Wieliczka, mais seulement deux trains par jour.

Le sel fut l'une des principales sources de richesse des rois polonais, d'où la taille monstrueuse de cette mine exploitée depuis le XIIIe siècle. Ses 300 km de galeries sur neuf niveaux, atteignant une profondeur de 327 m sur une superficie de 10 km^2, ont été inscrites en 1978 au Patrimoine mondial de l'Unesco. Réputée pour son microclimat, elle est pourvue d'un sanatorium à 200 m de profondeur. Seuls les trois niveaux supérieurs sont ouverts au public.

Après une descente à pied (200 marches), l'exploration vous conduira de – 64 à – 135 m. Les galeries visitées ont été percées entre le XVIIe et le XIXe siècle. L'émerveillement est croissant. Après plusieurs salles et chapelles décorées de statues taillées à la main, on parvient à l'immense chapelle dédiée à la reine Kinga (1224-1292), qui fut selon la légende à l'origine de la mine. Fille du roi de Hongrie Bela IV, pour apporter la richesse à son époux, le roi polonais Bolesław le Honteux, elle jeta sa bague la plus précieuse dans les mines de son père et professa qu'on la retrouverait à Wieliczka dans un gisement de... sel.

Cette salle est une véritable cathédrale souterraine creusée pendant plus de trente ans entre 1895 et 1927 : 54 m de long sur 12 m de haut. Son acoustique exceptionnelle permet l'organisation de concerts, comme ceux qui furent donnés en 1995, en l'honneur de l'ancien Président américain George Bush.

Après bien d'autres surprises, comme le court de tennis Warszawa et la salle Staszic convertie en usine d'avions par les Allemands, le parcours se termine par un petit musée historique. Et rassurez-vous, on remonte à la surface en ascenseur !

▲ *Camping Kinga :* ul. Kósciuszki 36. ☎ 78-27-00. Excellent accueil. Emplacements herbeux, à demi ombragés. Sanitaires corrects. Bar dans l'enceinte du camping avec encas et petit déjeuner. Épicerie en face du camping.

Quitter Cracovie

En avion

– La compagnie nationale *Lot* relie Cracovie aux principales villes de Pologne : Gdańsk, Katowice, Poznań, Rzeszów, Szczecin, Varsovie et Wrocław.

– *Renseignements sur les vols :* ☎ 22-70-78.

✈ *L'aéroport :* situé à 18 km à l'ouest du centre-ville. Soit environ 30 mn de trajet en bus n° 208 ou D depuis la gare ferroviaire centrale, et grâce aux navettes de la place Matejki, derrière la Barbacane, de l'autre côté du boulevard Basztowa.

Le taxi est une option acceptable, mais bien se renseigner au préalable sur le prix de la course. Ne pas hésiter à se faire aider par le réceptionniste de son hôtel. (Voir liste des numéros d'appel de taxis dans la rubrique « Transports urbains ».)

En train

🚆 *La gare centrale* (Kraków główny ; plan I, D1) : au nord de la vieille ville, à une dizaine de minutes du centre. Elle dessert l'international comme la majorité des villes polonaises.

🚆 Mais certains départs peuvent avoir lieu de la *gare de Kraków Płaszów*, à 4 km au sud-est du centre.

Les deux gares sont cependant reliées par un train régional ou par les trams n°s 3 et 43, ainsi que par le bus express C.

– *Infos lignes internationales :* ☎ 22-41-82.

– *Infos lignes nationales :* ☎ 993, ou 22-22-48.

Les billets s'achètent soit à la gare soit dans les agences de voyages (telle *Orbis*, rynek Główny 41) et les offices de tourisme. À la gare, pour éviter les queues, il vaut mieux venir plus tard dans la soirée.

En bus

🚌 *La gare routière* (Dworzec PKS ; plan I, D1) : à côté de la gare centrale. Elle relie toutes les villes du pays. Vous pouvez avoir recours à la compagnie nationale *PKS* ou à des compagnies privées qui ne desservent que quelques destinations, *Polski Express* étant la plus réputée.

Les guichets sont ouverts de 6 h à 20 h. Les billets s'achètent à la gare ou dans les agences et offices du tourisme. Les billets de *Polski Express* s'achètent soit à l'agence *Orbis* (rynek Główny 41), soit au *Centrum Turystyki*, ul. Worcella 1, à l'angle de Piwa face à la gare.

ZAKOPANE

À partir de Cracovie, filez 100 km vers le sud, en suivant une route sinueuse. Zakopane est une petite ville très touristique, située au pied des pittoresques montagnes *Tatry* (les Tatras), le plus beau massif des Carpates (le sommet le plus haut côté polonais est le *mont Rysy* : 2 499 m).

Les habitants, les célèbres *Górale* (Montagnards), sont des gens durs mais avec un cœur « gros comme ça » (et même encore un peu plus gros, la vodka aidant), francs et gais. Très attachés à leur région, ils conservent précieusement leur folklore : les habits traditionnels, leur accent inimitable, leurs chevaux. Respirant l'air pur (enfin !), vous profiterez d'un superbe panorama sur les pics gris recouverts de neige éternelle. Moyennant quelques efforts, vous atteindrez les lacs de montagne, dont les surfaces bleu marine reflètent les nuages blancs poussés par le vent. On vous saluera sur les petits chemins au fond des vallées. Le soir, au refuge, avec une bonne fatigue dans les jambes, vous écouterez des ballades romantiques accompagnées à la guitare.

La ville se résume à une rue principale *(Krupówki)* bordée de restaurants, bars, cafés, hôtels, sur fond de montagnes. Plus de monuments imposants. Ici, on visite la nature !

Comment y aller ?

– **En voiture :** depuis Cracovie, prenez la route 77, puis la route 95.
– **En train :** un train toutes les heures de Cracovie, trois trains de Varsovie, trois de Częstochowa et trois également de Poznań.
– **En bus :** un bus toutes les heures de Cracovie, un seul arrive de Varsovie et de Częstochowa. Plusieurs bus desservent les points de départ d'itinéraires en montagne.

Adresses utiles

◻ *Informations touristiques :* ul. Kościuszki 17. ☎ 201-22-11. Ouvert tous les jours de 7 h à 21 h. Dans un petit chalet en bois, pas loin de la gare. Accueil très sympa. Organisation d'excursions : descente du Dunajec ou balade de l'autre côté de la frontière, chez les voisins slovaques.

■ *Agence de tourisme Trip :* ul. Zamoyskiego 1. ☎ 201-54-17. Ouvert du lundi au vendredi de 9 h à 17 h, le samedi fermeture à 13 h. Proposent des pensions très confortables, ainsi que des chambres chez l'habitant.

■ *PTTK :* ul. Krupówki 12. ☎ 201-24-29. À côté du Musée ethnographique. C'est le bureau des guides,

ouvert de 8 h à 16 h (14 h le samedi). Fermé le dimanche. Certains parlent le français. Il faut réserver deux jours à l'avance.

■ *Orbis :* ul. Krupówki 22. ☎ 201-50-51. Ouvert l'été du lundi au vendredi de 9 h à 18 h, le samedi de 9 h à 15 h. Le reste de l'année ouvert de 9 h à 17 h, fermé le weekend. Certains guides parlent le français.

■ *Lot :* dans l'hôtel *Helios*, ul. Słoneczna 2 a. ☎ 206-36-35. Ouvert du lundi au vendredi, de 9 h à 18 h.

🚆 *Gare ferroviaire PKP :* ul. Chramcówki 35. ☎ 201-45-04.

🚌 *Gare routière PKS :* ul. Kościuszki 25. ☎ 201-46-03.

Où dormir ?

Bon marché

≜ *Dom Turysty PTTK :* ul. Zaruskiego 5. ☎ 206-32-81. Dans le centre-ville, pas loin de la rue Krupówki et de la poste centrale. Un grand bâtiment dans le style de la région, avec un beau toit étagé. Le lieu de rendez-vous des touristes. Équipement un peu sommaire, salles de bains et toilettes communes, chambres de 2 à 28 personnes (là, ça tient du dortoir). Deux étonnantes suites tout en bois, avec des salons (mais assez chères). Au premier étage, évitez le restaurant car la vodka n'y coûte presque rien et les montagnards boivent sec. Parking (bien) gardé, relativement cher, à la disposition des clients, intérêt non négligeable lorsqu'on part quelques jours en montagne.

≜ *Schronisko Młodziezówe Szarotka (A.J.) :* ul. Nowotarska 45. ☎ 206-62-03. Au nord du centre-ville. Pour y aller, demandez le nouveau cimetière, c'est à côté. Ouvert toute l'année. Dans cet endroit pittoresque, l'atmosphère montagnarde est garantie. 226 places en chambres de 8 à 14 personnes, quelques chambres de 2 à 4 personnes (mais ne comptez pas trop dessus, elles sont souvent occupées). Cuisine et salle à manger à disposition. Accueil sympathique.

≜ *Camping Harenda :* sur la route de Cracovie, à hauteur de la grande station-service. ☎ 206-84-06. Assez excentré, mais à Zakopane rien n'est vraiment loin. Belle vue. Situation calme au pied d'une colline. Eau chaude. Sanitaires corrects. Petits bungalows à louer, assez sommaires.

Prix moyens

≜ *Hôtel Gazda :* ul. Zaruskiego 2. ☎ 201-50-11. À côté de la rue Krupówki. Hôtel moderne, très bien situé, en face de la poste. Chambres simples ou doubles, avec ou sans salle de bains. Petit déjeuner compris. Accueil très aimable. Le restaurant au rez-de-chaussée est souvent occupé par des groupes.

≜ *Hôtel Helios :* ul. Słoneczna 2a. ☎ 201-38-08. À partir du centre, prenez la direction de la gare, vous verrez sur la gauche, un peu en retrait, au milieu d'un espace vert, un bâtiment moderne : c'est ici. Les chambres simples et doubles, avec salle de bains, sont assez petites mais confortables. Quelques chambres pour handicapés. Petit déjeuner. Un bon restaurant sur place. Parking gardé devant l'hôtel.

≜ *Hôtel Kasprowy Wierch :* ul. Krupówki 50b. ☎ 201-27-38. Dans le style de la région, cet adorable hôtel vous accueille comme un hôte de marque. Une jolie cour devant, où on peut prendre un verre. Chambres pour 2, 3 ou 4 personnes avec salle de bains. Possibilité de demi-pension ou de pension complète. Parking.

Chic

≜ *Hôtel Kasprowy :* Polana Szymoszkowa 1. ☎ 201-40-11. 5 km à l'est de la ville, dans une vallée. Des minibus à votre disposition. Vous avez compris, *Orbis* détient encore de fait le quasi monopole des hôtels de catégorie supérieure en Pologne. En voilà encore un, très connu, appliquant à la perfection l'austérité architecturale qui caractérise la chaîne. Vraiment cher, mais si vous restez plus de cinq jours on vous offre un jour supplémentaire. Chambres simples, doubles, et 12 magnifiques suites ! Chambres pour handicapés. Vous trouverez tout sur place y compris une piscine couverte. En plus, dans un joli refuge au-dessus du parking vous grillerez vous-même vos saucisses. Boîte de nuit à visiter pour le folklore.

Où manger ?

Bon marché

I●I *Bar Fis :* ul. Jagiellońska 2. En face de la gare *PKS*. Ouvert tous les jours de 8 h à 19 h. Non, pas d'imams de choc, ici. D'ailleurs, rien d'original par rapport à d'autres bars *mleczny* que vous devez déjà bien connaître. Toujours pratique quand on a faim et pas trop d'argent.

Prix moyens

I●I *Karcma Redykołka :* à l'angle des rues Krupówki et Kościeliska, en bas de la rue Krupówki. Une auberge traditionnelle entièrement en bois avec un joli décor folklorique et des serveuses montagnardes. Plats typiques, bons et copieux. Il paraît que le nom *Redykołka* désigne un petit cadeau, un fromage par exemple, que le chef des bergers offrait à tous en descendant des montagnes. Musique folklorique tous les soirs, à partir de 18 h. Souvent complet.

I●I *Restaurant Bak :* ul. Piłsudskiego 6. Ouvert de 13 h à minuit. Trois salles qui se veulent différentes, mais qui suivent fidèlement la ligne du folklore local. Un endroit sympathique où l'on sert de la bonne cuisine. Goûter au *placek zbójecki*, une véritable montagne de délices : des beignets de pommes de terre avec de la viande, le tout parfumé avec des épices que le cuisinier garde jalousement secrètes.

I●I *Restaurant de l'hôtel Gazda :* voir « Où dormir ? » Ferme à 22 h. Probablement le meilleur rapport qualité-prix à Zakopane. Service rapide et sympa. Bonnes côtes de porc.

I●I *Restaurant de l'hôtel Giewont :* ul. Kościuszki 1. À côté de l'hôtel *Gazda*. Comme le casino qui se trouve dans le même bâtiment, il est ouvert jusqu'à 3 h du matin. C'est son principal avantage. Décor sans caractère, assez triste, avec tout de même de jolies mosaïques sur les murs.

Où boire un verre ?

Y *Chata Zbójnicka :* ul. Jagiellońska. Ouvert de 17 h à minuit. Un peu à l'écart de la rue, dans un petit bois, se trouve une véritable taverne de brigands où vous serez accueilli comme les meilleurs copains de Mandrin et Cartouche (Janosik en Pologne). Une cheminée au milieu, où grillent de bonnes saucisses.

Pour vous réchauffer, un orchestre montagnard (hélas, ce n'est pas tous les soirs) ; sinon, commandez un *herbata góralska* (thé avec quelques gouttes d'eau-de-vie). Un endroit à ne pas manquer, mais n'y allez surtout pas en cravate... Vous comprendrez sur place.

Boîte de nuit

– *Snake :* ul. Krupówki 12. Bonne musique et ambiance estudiantine pour probablement la seule boîte de la ville où vous ne serez pas une proie. Alors, pourquoi ne pas y croquer le fruit défendu ?

Fête

– Un *Festival international de Folklore de montagne*, grande fête pour les montagnards venus du monde entier, est organisé chaque année fin août.

À voir

EN VILLE

★ *La vieille église :* ul. Kościeliska. La première église de Zakopane. Un bel exemple d'architecture en bois de la région. Très coquette, et entourée d'un pittoresque cimetière.

★ *Galeria Hasiora :* ul. Jagiellońska 18b. Ouvert du mercredi au samedi de 11 h à 18 h et le dimanche de 9 h à 15 h. Fermé les lundi et mardi. Entrée payante, sauf le dimanche. Prenez la rue en face de la gare ; la galerie se trouve derrière l'hôtel *Warszawianka,* au fond du jardin, dans un bâtiment tout en bois. Les œuvres de Władysław Hasior, un artiste original qui travaille à partir d'objets usuels, sont des compositions à mi-chemin entre la mini-scénographie et la sculpture. Bonjour, la psychanalyse : une poupée éventrée au milieu de soldats de plomb, un couteau faisant saigner un miroir, un landau transformé en cimetière ! Le maître utilise à outrance le paradoxe et la contradiction afin de choquer le spectateur.

★ *Le musée Tatrzańskie (Musée ethnographique des Tatras) :* ul. Krupówki 10. Ouvert du mardi au dimanche, de 9 h à 16 h. Fermé le lundi. Entrée gratuite le dimanche. Art folklorique, reconstitution d'intérieurs traditionnels, exemples de faune et flore des Tatras, cartes en relief de la région.

Itinéraires en montagne

Les montagnes *Tatry* sont au cœur d'un parc national, il faut donc rester sur les sentiers et respecter la nature. Mais les itinéraires sont très nombreux, variés et très bien balisés.

Prudence cependant. Tous les ans, on déplore des accidents, parfois mortels. Ne surestimez pas vos forces. Des chaussures adéquates sont indispensables en altitude.

Les nuits sont froides l'été, prévoyez donc des vêtements chauds. Pour les excursions tranquilles, une dizaine de vallées superbes sont accessibles pour la plupart à pied à partir de Zakopane.

Il existe aussi de très beaux itinéraires en altitude, mais certains sont éprouvants et techniquement assez difficiles. Un minimum d'expérience s'impose.

– Commencez par acheter une *carte,* c'est indispensable. Les chemins sont indiqués par des pointillés de différentes couleurs correspondant au marquage sur le terrain. Au début de chaque itinéraire, vous trouverez un panneau indiquant la durée moyenne du trajet. En fait, c'est calculé assez serré, prévoyez 25 % de temps en plus, si vous n'êtes pas Ben Johnson ou Carl Lewis. Les couleurs des itinéraires ne correspondent pas à un degré de difficulté.

– *Les refuges :* on en compte sept dans les Tatras. Ce sont des endroits qui ne manquent pas de charme. Vous trouverez toujours un self avec quelques plats rapides, les dortoirs avec des lits superposés, souvent une cuisine touristique, et presque toujours des salles d'eau (avec douche). Mais surtout les montagnards sont pleins d'humour et d'énergie. En cas de manque de place, on dort souvent par terre dans la salle à manger et même dans les couloirs. Bonne ambiance assurée.

Quelques exemples d'itinéraires

★ *La vallée Kościeliska :* à partir de Zakopane, il faut se rendre à *Kiry,* un petit bled, à 7 km à l'ouest (possible en bus à partir de la gare routière ou en

LA POLOGNE

voiture). La vallée, longue de 8 km, offre de superbes vues sur les rochers calcaires aux formes fantaisistes. Sur l'itinéraire, plusieurs grottes à visiter : après *Brama Kraszewskiego* (un passage serré entre les rochers), les marques noires mènent à la *grotte Mrozńa* (éclairage électrique) où les stalagmites et les stalactites jettent leurs ombres mystérieuses sur les parois. Plus loin, après une clairière *(Polana Pisana)* sur la gauche, l'entrée de la *grotte Mylna,* dont la visite a donné des frissons à plus d'un. Il est très facile de s'y perdre et la multitude des couloirs est un vrai casse-tête. Suivez méticuleusement les marques. Une torche est indispensable. Au bout de la vallée, le refuge *Ornak.*

Pour le retour, si vous avez encore quelques forces, vous pouvez prendre à partir du refuge l'itinéraire vert pour revenir par la *vallée Tomanawa,* puis l'itinéraire rouge par le *Przełeçz Chuda* (le col Maigre), et rejoindre la *vallée Mieţusia,* qui débouche sur la vallée Kościeliska (itinéraire noir). Pour l'ensemble, comptez une bonne journée, mais vous ne le regretterez pas.

★ *La vallée Olczyska :* pour vous y rendre, rejoignez *Jaszczurówka* (3 km du centre), à l'est de Zakopane. L'itinéraire (signes verts) commence à côté de la piscine, sur la route principale. Le chemin suit le torrent, d'abord dans la forêt, puis vous conduit dans un grand pré avec quelques cabanes en bois. Ici se trouve *Wywierzysko,* l'endroit d'où jaillit une résurgence du torrent entre les rochers. Possibilité d'épreuve d'endurance : qui maintiendra le plus longtemps la main (ou une autre partie du corps, pourquoi pas ?) dans l'eau glaciale ? Le vainqueur gagne le droit de monter sur le *pic Kopieniec* (1 328 m), en suivant toujours les marques vertes, d'où il pourra admirer une vue sur les hautes Tatras. Comptez 5 h de marche.

★ *Le plateau de Gaşienicowa :* l'itinéraire commence à *Kuzńice* (à 3 km au sud-est du centre), la station basse du téléphérique, accessible en bus, à pied ou en fiacre, interdit aux voitures. Prenez à gauche après le bâtiment du restaurant. Après une passerelle sur un torrent, suivez les marques jaunes. Par la *vallée Jaworzynka,* qui monte doucement, commencez une ascension un peu raide jusqu'au *col Mieɉzy Kopami.* Continuez la piste bleue pour rejoindre finalement le grand refuge *Murowaniec.* Retour possible par le *Skupniów Upłaz* (la piste bleue) qui vous conduit de l'autre côté du massif pour finalement rejoindre Kuzńice.

★ *Morskie Oko (L'Œil de la Mer) :* lac très pittoresque de la partie est des Tatras. Entrée vraiment pas chère. Une route menait à proximité, mais elle est coupée actuellement à 1 km après *Łysa Polana* (passage frontalier avec la Slovaquie). Un parking gardé se trouve à cet endroit. Pour vous y rendre, voiture ou bus partant de la gare routière. Les 8 km restants peuvent se parcourir soit à pied (prévoyez au moins 2 h), soit dans une charrette tirée par deux robustes chevaux. Au bord du lac, vue splendide sur le *massif de Rysy.* Contournant le lac par la gauche, on peut rejoindre en 1 h un autre lac, *Czarny Staw* (suivre les marques rouges), qui offre un paysage très alpin.

★ *La vallée des Cinq Lacs (dolina Pięciu Stawów) :* un endroit magnifique, le doux mélange du bleu des lacs avec le gris nuancé des rochers et le vert vif des petits sapins nains. Le coucher du soleil est une véritable symphonie de couleurs, de reflets et d'ombres. Un refuge, peut-être le plus sympa des Tatry, vous assure le repos après tant de sensations. Évidemment, ce qui est beau est toujours difficile d'accès, nous le savons tous. Comptez 3 h de montée assez raide. Commencez comme pour aller à Morskie Oko. 3 km après le parking, à la hauteur d'une cascade, commence l'itinéraire vert qui vous mènera aux lacs. Pour le retour, possibilité de rejoindre *Morskie Oko* par *Świstówka* (itinéraire bleu). Comptez une bonne journée, mais pour le coucher du soleil, prévoyez une nuit là-haut.

★ Pour les paresseux : montée sur **Kasprowy Wierch** (1 985 m) par le télé-phérique. La station basse se trouve à *Kuźnice* (3 km du centre-ville). Il y a souvent la queue pour acheter les billets car c'est le passage obligé de tous les groupes du style « la Pologne en 5 jours ». Une belle vue panoramique vous attend là-haut. Plusieurs itinéraires de difficultés variées permettent de redescendre à pied vers Zakopane.

★ **La descente du Dunajec :** la descente du torrent en radeau. À 50 km de Zakopane. Vous pouvez vous renseigner à l'office du tourisme de Zakopane. Prendre la direction de Nowy Targ par la route 969, passer par Dębno, direc-tion Krośnica. Au panneau « Czorsztyn », prendre à droite pendant 9 km, direction Sromowce. Une belle aventure de 2 h 45, en compagnie des mon-tagnards bateliers. Paysages superbes. Parc naturel. Entrée payante.

OŚWIECIM (AUSCHWITZ)

IND. TÉL. : 033

C'est un endroit terrible, qui symbolise à lui seul un génocide perpétré par-tout en Europe centrale contre les peuples juif et tsigane. La masse de souf-france humaine, de désespoir, d'horreur que renferme la terre du camp de concentration d'Auschwitz est infinie. Une question se pose à tous les esprits, pendant la visite : comment l'homme a-t-il pu commettre des actes aussi inhumains ? Froidement, avec une organisation méticuleuse. Aucune excuse, aucune idéologie, aucune « obéissance aux ordres » ne peut justi-fier une telle barbarie. La visite du camp est éprouvante. En face des révi-sionnistes, de toute cette cohorte de diffuseurs de doutes et autres « détails », prenez le parti de la vérité. Deux générations seulement nous séparent de cette époque. C'est peu. N'oublions pas que 6 millions d'humains exterminés, c'est 1 + 1 + 1 + ...

Adresses utiles

◻ **Informations touristiques, bu-reau de PTTK :** ul. Findera 11, Skrzynka Pocztowa (boîte postale) 11. ☎ 323-93. Près du musée-camp. Visites guidées du camp, sur réservation.
– Bureau de **change** sur le site du camp, à des taux corrects.

Où dormir ?

Prix moyens

▲ **Międzynarodowy Dom Spot-kań Młodziezy** *(Maison internatio-nale de Rencontres des jeunes) :* ul. Manifestu Lipcowego 1. ☎ 221-07. À proximité du musée, en direction du centre-ville, près du pont sur la Soła. 70 places. Un endroit très in-téressant. Construit en 1986, à l'ini-tiative de l'organisation de jeunesse allemande évangélique *Aktion Sune-zeichen*, c'est un centre de réflexion des jeunes du monde entier sur la tragédie d'Auschwitz et la Seconde Guerre mondiale. On y propose des séminaires avec, au programme, la visite du camp-musée, des dis-cussions, des rencontres avec les anciens détenus. Accueille aussi, dans la mesure des places libres, des touristes individuels. Chambres de 2 à 5 personnes, confortablement aménagées. Possibilité, sur com-mande préalable, de prendre des re-pas sur place.

▲ **Hôtel Olimpijski :** ul. Chemików 1. ☎ 238-41. Près de la gare rou-tière, en bordure d'un parc. Dans un bâtiment récent, chambres de 2 ou 3 personnes avec salle de bains et téléphone, assez modestes mais propres. Un restaurant sur place.

Où manger?

À Oświecim, aucun bon restaurant. Les établissements indiqués sont choisis selon le principe du moindre mal.

Prix moyens

|●| **Self :** sur le terrain du musée, dans le bâtiment d'accueil. Surtout pour les groupes. Spécialités polonaises à des prix raisonnables mais de qualité moyenne.

|●| **Restauracja Skorpion :** ul. Powstańców Śląskich 29. ☎ 325-47. Bonne cuisine polonaise. Bien tenu et pas cher. Décor pour le moins déplacé en ces lieux.

À voir

★ *Le musée-camp d'Auschwitz Birkenau*
Entrée par la rue Findera. Des panneaux indiquent la route qui part du centre-ville. Ouvert tous les jours à partir de 8 h. L'heure de fermeture varie selon les mois : 15 h du 15 décembre à fin février; 16 h en mars et de novembre au 14 décembre; 17 h en avril et en octobre; 18 h en mai et en septembre; 19 h en juin, juillet et août. Entrée libre.
Le *camp de Brzezinka*, Birkenau II, à 3 km du musée, suit les mêmes horaires. Comptez environ 4 h pour la visite des deux camps.
Nous recommandons de visiter le camp avec un guide car il est assez difficile de s'y repérer, de comprendre l'exposition, ainsi que d'imaginer le fonctionnement de cette « usine de la mort ». Les guides sont très professionnels et leurs commentaires restent neutres. On peut louer les services d'un guide (parlant le français) à l'accueil du musée; comptez 50 F pour la visite. Réservez toujours plusieurs jours à l'avance par téléphone. Sinon, attendez un groupe (il y en a toutes les demi-heures) et joignez-vous à lui. À l'entrée, on peut visionner la chronique de la libération du camp, des images terrifiantes (25 mn environ). Une tenue correcte s'impose. À noter : la visite est déconseillée aux enfants de moins de 14 ans.

Un peu d'histoire

La construction du camp a commencé dès le début de l'année 1940. Les premiers prisonniers, un groupe de 729 Polonais, arrivèrent en juin 1940. Parallèlement à l'accroissement du nombre de détenus, le camp fut agrandi. En 1941, les Allemands entreprirent la construction du deuxième camp, à Brzezinka, un village à 3 km d'Auschwitz, d'une superficie de 175 ha. En 1942, Auschwitz III fut construit près de l'usine chimique *IG-Farbenindustrie*, qui employait les détenus. Les camps furent le lieu d'extermination le plus important des juifs européens, ainsi que des détenus de nombreuses nationalités : Allemands, Américains, Anglais, Autrichiens, Belges, Bulgares, Chinois, Croates, Égyptiens, Français, Gitans, Grecs, Hollandais, Hongrois, Italiens, Luxembourgeois, Norvégiens, Perses, Polonais, Russes, Roumains, Slovaques, Suisses, Turcs, Yougoslaves, de toutes les religions. La plupart des nouveaux arrivés étaient convaincus qu'ils étaient déportés vers les nouveaux territoires de l'est de l'Europe. On leur vendait des parcelles de terrains inexistants, ou on leur proposait du travail fictif. En conséquence, la plupart d'entre eux apportaient leurs objets de valeur. Les biens des détenus étaient triés et envoyés en Allemagne. Les prisonniers parcouraient jusqu'à 2 400 km dans des wagons à bestiaux, fermés hermétiquement. Cela pouvait durer jusqu'à dix jours, pendant lesquels ils n'avaient rien à manger. Beaucoup d'entre eux, surtout les enfants et les vieillards, mouraient avant d'arriver au camp.

Les trains s'arrêtaient sur une rampe spécialement aménagée dans le camp de Brzezinka, à proximité des chambres à gaz. Après une sélection qui se déroulait sur le quai, on assurait à ceux qui étaient destinés au gaz (75 % en moyenne) qu'ils allaient être conduits au bain. Dans le plafond de la chambre à gaz, des douches factices étaient aménagées. À coups de bâtons et de crocs de chiens, les SS précipitaient près de 2 000 victimes dans une pièce d'une superficie de 210 m². Le gaz était versé par les lucarnes dans le plafond. Au bout de 20 mn, on ouvrait les portes, on dépouillait les cadavres : on récupérait les dentiers en or, on coupait les cheveux des femmes, on arrachait les boucles d'oreilles et les bagues. Ensuite les cadavres étaient transportés dans les fours crématoires ou sur des bûchers en plein air. Les cendres des victimes étaient dispersées dans les lacs des environs ou utilisées comme engrais. Les SS tuaient également les détenus en les fusillant, en leur injectant du phénol dans le cœur ou en les pendant.

Les autres détenus étaient employés aux travaux forcés dans le camp ou dans une quarantaine d'usines des environs. Les conditions de détention étaient affreuses, la plupart mouraient au bout de quelques semaines, d'épuisement, de maladie ou de famine. Dans l'enceinte du camp, les nazis avaient aménagé des « hôpitaux » afin de pratiquer des « expériences » pseudo médicales sur les détenus. La plupart d'entre eux périrent à la suite des terribles traitements qu'on leur infligeait. Il s'agissait, entre autres, de trouver un moyen efficace et peu coûteux de stériliser massivement les femmes. L'objectif des nazis était d'exterminer le peuple juif et les autres peuples d'Europe de l'Est, tout en utilisant leur force de travail. Au total, plus d'un million de personnes périrent à Auschwitz.

Visite

– Le *camp central* est aménagé en *musée*. Plusieurs bâtiments ont été transformés en salles d'exposition. On y raconte l'histoire du camp à l'aide de documents et de photos des détenus, leurs objets personnels, leurs cheveux, prothèses, chaussures, et également une maquette de la chambre à gaz. Le pavillon n° 20 retrace le martyrologe des détenus français (entrée seulement avec le guide).

– *Auschwitz II-Birkenau :* le deuxième camp. Il se trouve à *Brzezinka*, à 3 km du camp central. Plus de 100 000 personnes y étaient incarcérées en permanence. C'est un immense terrain, qui a été sauvegardé en l'état. De la tour de surveillance, on a une vue générale sur le camp. Plus de 300 baraques y sont disposées géométriquement, dans un ordre précis, séparées par des barbelés en plusieurs unités. La plupart des baraques, ainsi que les chambres à gaz et les fours crématoires, ont été détruits par les nazis, qui voulaient effacer les traces de leurs crimes avant de quitter le camp. Néanmoins, environ 60 bâtiments sont restés intacts ainsi que la rampe par laquelle descendaient les détenus amenés au camp dans les trains. Entre les ruines des fours crématoires se dresse le *monument à la Gloire des Victimes*, inauguré en 1967. Birkenau est moins visité que le camp d'Auschwitz lui-même, bien que ce soit là que la majorité des victimes ait péri. Cette immense usine de la mort est beaucoup plus éloquente que le musée du camp principal.

LA ROUTE DES NIDS D'AIGLE

Entre Cracovie et Częstochowa, un itinéraire pittoresque et intéressant dans le Jura cracovien. La petite rivière de Prądnik, qui se faufile entre les rochers blancs de calcaire, sculpte des formes fantasques et creuse de profondes cavernes. C'est aussi une belle route de châteaux forts dont les ruines se fondent avec la nature. Accès : idéal en voiture ou en bus (plusieurs cars

PKS à partir de la gare routière de Cracovie). Une partie de la route n'est toutefois pas accessible en voiture ; on doit alors faire un crochet (suivant, par exemple, le sentier des Nids d'aigle, balisé en rouge). Des grottes assez belles peuvent se visiter (parking pour les voitures).

Où dormir ? Où manger ?

🛏 🍴 *Zajazd Krystyna :* à environ 15 km de Cracovie, sur la route 40, en direction d'Olkusz. ☎ et fax : 12-67-61-61. Facile à trouver. Bien située pour visiter la région, cette auberge assez récente propose, à des prix moyens, des chambres un peu exiguës avec salle de bains. Le petit déjeuner très copieux vous retapera parfaitement avant la route. Le ménage n'est peut-être pas toujours très efficace, mais bon, c'est tout de même une bonne adresse. Bon resto pas cher du tout et parking sur place (bien gardé).

À voir

★ *Ojców :* ruines légendaires d'un château médiéval. Encore une construction du règne de Casimir le Grand. Dans la tour, le musée *PTTK*. Casimir le Grand a probablement fait bâtir ce château sur l'emplacement d'un ancien, signalé à la fin du XIIIe siècle, et qui servait de refuge pour son père, Władysław Łokietek, à l'époque des luttes pour le trône de Cracovie. Pour honorer son père, il l'appela « Ojców », nom dérivé du mot « père ».

★ *La grotte de Łokietek :* sobre, sans stalactites ni stalagmites, elle peut attirer par son aura légendaire : l'histoire se passe au début du XIVe siècle, lorsque Władysław Łokietek (« Petite Coudée »), futur roi de Pologne, fuit les chevaliers du roi tchèque qui rêve, lui aussi, du trône de Cracovie. Łokietek choisit cette grotte comme cachette, aidé même par les araignées qui dissimulent l'entrée de la caverne : d'où une toile d'araignée symbolique sur la grille. L'accès se fait soit depuis Ojców (mais il faut marcher 2,5 km), soit depuis la route de Cracovie (40), en direction de Czajowice (petit panneau, à ne pas manquer). Visites guidées de mai à octobre, de 9 h à 16 h.

★ *Pieskowa Skała* (à 8 km d'Ojców) : musée ouvert du mardi au vendredi de 10 h à 15 h 30, le week-end de 11 h à 17 h 30. La cour extérieure est accessible chaque jour de 7 h à 20 h. Belle bâtisse qui domine toute la vallée de Prądnik. Élevée au XIVe siècle, elle change aussitôt de propriétaire et d'allure. La famille de grands seigneurs qui s'y installe rêve d'une résidence digne des rois. Ils font transformer le château d'après le modèle de Wawel, à Cracovie. À l'intérieur, des collections de meubles et de peintures du Moyen Âge jusqu'au XIXe siècle.
🍴 Côté pratique : un joli *restaurant* se trouve dans un bastion du château.

★ *Ogrodzieniec :* un peu plus loin, sur la route d'Olkusz à Zawiercie. Vestiges superbes d'un château Renaissance saccagé pendant l'invasion suédoise au XVIIe siècle. Visite très pittoresque, voire fantomatique : on se perd sur les remparts, dans les bastions et les caves, surtout quand le brouillard agrémente les itinéraires fléchés.

CZĘSTOCHOWA   IND. TÉL. : 034

La « reine de la Pologne » (la Vierge noire de Częstochowa) est omniprésente. La ville vit au rythme des pèlerinages et des offices religieux.

Toute la cité est organisée autour de la large avenue *Najświętszej Marii Panny* (de la Sainte-Vierge) qui mène au pied de la colline sur laquelle se dresse le *monastère Jasna Góra* (la Montagne Lumineuse). De surcroît, cette église-forteresse représente pratiquement le seul attrait de la ville, par ailleurs plutôt grise et monotone.

Le culte de la Vierge noire reste toujours très vivace en Pologne. Le pèlerinage du 15 août réunit chaque année plus d'un million de personnes, la plupart venues à pied de tous les coins de la Pologne. Rien d'étonnant à cela : la Vierge noire n'a pas seulement une importance religieuse, elle est aussi un symbole national. Durant six cents ans, le monastère n'a jamais cédé aux attaques de l'ennemi. En 1655, la forteresse résista avec succès à un siège de plusieurs semaines entrepris par les troupes suédoises, fortes de près de 4 000 hommes et de 36 canons, alors que la défense était assurée par 180 soldats et 70 religieux. À la veille de Noël, après une ultime attaque, l'armée suédoise leva le camp. Cette défense « miraculeuse » fut le moment crucial de la guerre. Elle contribua à la mobilisation de la nation polonaise qui repoussa finalement l'envahisseur suédois hors des frontières.

Au cours des siècles suivants, la Pologne fut sans cesse obligée de soutenir des sièges. « Et quand le territoire, comme cela arriva si souvent, était conquis, l'Église restait la seule et la dernière Patrie. La langue nationale interdite par l'occupant, elle se chantait en cantiques, se chuchotait en confession. Au milieu des écroulements et des bouleversements constants de l'histoire, Dieu devint la Pologne et être Polonais fut, avant tout, être catholique. Les princes de l'Église participèrent étroitement à toutes les luttes politiques du pays... Le premier sénat polonais fut un sénat d'évêques et il n'y eut guère, jusqu'en 1929, de gouvernement polonais qui n'ait comporté un ou plusieurs prélats. Le bas clergé, lui, se faisait tuer dans les campagnes aux côtés de ses paroissiens... Quand, en 1621, des Polonais vinrent demander au pape Paul V le don de quelques reliques, le Saint-Père répondit : « Ramassez un peu de votre terre ; il n'y en a pas une parcelle qui ne soit la relique d'un martyr ». » (Eva Fournier, *La Pologne,* éd. Petite Planète, 1975).

Comment y aller ?

– *En train :* plusieurs trains depuis Varsovie, six trains de Cracovie, quatre trains de Wrocław et trois de Poznań, tard le soir.
– *En bus :* quatre bus arrivent de Varsovie, quatre également de Cracovie. Cinq bus de Wrocław, mais un seul de Zakopane.

Adresses utiles

◨ *Informations touristiques :* al. NMP 65. ☎ 24-13-60. Fax : 24-34-12. Ouvert tous les jours de 9 h à 18 h, le week-end de 10 h à 18 h. Langues pratiquées : l'anglais et l'allemand, brochures en français. Tous les renseignements sur la ville et les environs, réservations d'hôtels. Accueil très chaleureux.
■ *Orbis :* al. NMP 40/42. ☎ 24-79-87. Fax : 24-20-56. Ouvert du lundi au vendredi de 9 h à 17 h, le samedi de 10 h à 14 h.

🚆 *Gare ferroviaire (PKP) :* ul. Marszałka Piłsudskiego. ☎ 24-13-37.

🚌 *Gare routière (PKS) :* al. Wolności. ☎ 24-46-16. Depuis la gare ferroviaire, empruntez le passage souterrain, ensuite tournez à gauche et marchez 10 mn.

LA POLOGNE

Où dormir?

Bon marché

▪ *La Maison du Pèlerin :* ul. Kardynała Wyszyńskiego 1/31, derrière le monastère. ☎ 24-70-11. Un vaste édifice agréablement situé. En principe, il est prévu pour les groupes, mais, s'il reste des places libres, les sœurs vous accepteront. Surtout des dortoirs. Garçons et filles sont séparés. Également, des chambres simples, doubles et triples avec salle de bains, à prix raisonnables.

▪ *Camping Oleńka :* ul. Oleńki 10/30. ☎ 24-74-95. À proximité du monastère. Jolis bungalows à louer (mais les salles de bains sont un peu vieillottes), emplacements pour camper, douches, toilettes (correctes), cuisine touristique, bar. Un petit lac pas très loin. On y rencontre des routards de tous les coins du monde. Accueil très sympa : la réception bichonne les clients.

Prix moyens

▪ *Hôtel Miły :* ul. Katedralna 18. ☎ 24-33-91. Pas loin de la gare ferroviaire. 58 places seulement. Chambres pour 2, 3 ou 4 personnes, salle de bains et toilettes à l'étage. Malgré son nom prometteur (« hôtel Agréable »), il n'est pas terrible, mais bien situé. Le nouveau propriétaire n'a rien amélioré : la propreté y reste douteuse.

▪ *Hôtel Ha-Ga :* ul. Katedralna 9. ☎ 24-61-73. 90 lits dans des chambres avec ou sans salle de bains. Juste à côté de l'hôtel *Miły*, il est plus décent que ce dernier et à peine plus cher.

Assez cher

▪ *Hôtel Polonia :* ul. Marszałka Piłsudskiego 9. ☎ 24-40-67. Fax : 65-11-05. Situé dans un bel immeuble de caractère, ce qui est rare dans la ville, tout près de la gare ferroviaire. Toutes les chambres, récemment rénovées, doubles pour la plupart, sont avec salle de bains, petit déjeuner compris. Une fantastique suite rose... Parking gardé sur place, restaurant et salle de bal.

Chic

▪ *Hôtel Orbis Patria :* ul. Ks. J. Popiełuszki 2. ☎ 24-70-01. Fax : 24-63-32. En face de la colline Jasna Góra, au bout de l'allée NMP, sur la droite. 180 places en chambres de 1, 2 ou 3 personnes avec salle de bains. Éviter les chambres du rez-de-chaussée qui attendent la rénovation. Sur place, restaurant, café, *drink bar*, parking gardé et night-club (rareté dans la ville !). Des réductions intéressantes pour le week-end. Vous le connaissez déjà, c'est le frère jumeau des autres *Orbis*, ni plus ni moins.

Où manger?

Prix moyens

|●| *Restaurant Viking :* ul. Nowowiejskiego 10/12. Ouvert de 10 h à 22 h, les vendredi et samedi jusqu'à minuit. Qui l'aurait cru ? Częstochowa, qui résista héroïquement à l'invasion de l'armée suédoise, accepte de se laisser envahir aujourd'hui sur le plan gastronomique. Spécialités polonaises et scandinaves « à la polonaise ».

|●| *Restaurant Polonus :* al. NMP 73/75. Ouvert de 10 h à minuit. Dans un décor très banal, une bonne cuisine polonaise, copieuse et rapidement servie.

Chic

|●| *Restaurant Orbis Patria :* dans l'hôtel du même nom (voir « Où dormir ? »). Ouvert de 12 h à 23 h. Il ne pêche pas par l'originalité, mais bon... Des raviolis aux myrtilles, à s'en lécher les doigts. Prévoir un peu de temps car le service est parfois lent.

Où boire un verre?

☛ Kawiarnia Bon-Art : al. NMP 81. Ouvert de 9 h à 22 h. Toujours dans la rue principale. Assez sympa, café de l'association des Artistes. Sur les murs, quelques objets de leur production. Une galerie d'art à côté.

À voir

★ **Le couvent des Pauliniens :** ouvert de 5 h à 21 h 30 (17 h pour le bureau d'info). Visites guidées gratuites assurées par les frères pour les groupes, notamment en français. Il faut téléphoner quelques jours à l'avance (☎ 24-50-87) ou s'adresser sur place au portail du couvent *(Furta Klasztorna)*.

Devant le monastère, sur une large esplanade, de nombreux marchands du Temple proposent un choix impressionnant de souvenirs religieux, dont évidemment la Vierge sous toutes les formes possibles, le summum de l'art kitsch. Il y a quelques années, on a même trouvé un malin qui avait ajouté des auréoles sur les portraits de... Marx et Engels, alors disponibles dans toutes les librairies d'État à des prix défiant toute concurrence. Leurs têtes de sages barbus évoquaient bien les visages des apôtres. Il les vendait comme des effigies de saint Pierre et saint Paul, empochant au passage un bénéfice miraculeux!

Le couvent fut fondé en 1382 par Ladislas II, duc d'Opole. Il fit venir le tableau de la Vierge noire, cause légendaire d'innombrables miracles, qui devint très vite un objet de vénération. Fortifié dans la première partie du XVIIe siècle, le monastère soutint victorieusement, grâce à la Vierge, de nombreux sièges.

La basilique est entourée de nombreux remparts et de bâtiments monastiques. C'est une église gothique, remaniée dans le style baroque, avec une riche décoration intérieure : stucs et polychromies, maître-autel très intéressant par le foisonnement de ses formes baroques. Dans la *chapelle Notre-Dame,* à gauche, se trouve le célèbre tableau de la *Vierge noire.* Il y règne une atmosphère mystérieuse, recueillie et émouvante. L'obscurité masque les visages des pèlerins, qui se pressent contre la grille protectrice du tableau. Dès qu'une prière murmurée se fait entendre, elle est aussitôt répétée par plusieurs voix invisibles. Le chant entonné timidement s'amplifie en quelques instants et remplit la chapelle. Toutes les lumières sont concentrées sur « ELLE ». Derrière la grille, sur l'autel, la Vierge noire regarde les pèlerins. Le visage sombre, triste, les yeux baissés, elle les prie. Peut-être pense-t-elle aux souffrances que son fils, encore petit, à sa gauche, devra affronter dans sa vie. Les deux cicatrices sur la joue droite accentuent la gravité de son visage. Sa main droite repose sur sa poitrine comme dans un geste d'excuse ou de salut.

L'icône est solennellement dévoilée tous les jours, en principe à 6 h, 15 h 30, et 21 h (20 h 30 les samedi, dimanche et jours fériés); elle est couverte à 12 h (13 h les samedi, dimanche et jours fériés), 16 h 40, 19 h 30, 21 h 15.

– On peut également visiter :

● *le trésor :* ouvert tous les jours de 8 h 30 à 16 h 30. Nombreuses pièces d'orfèvrerie : deux couronnes offertes par Pie X, une horloge à neuf cadrans, un ostensoir en or massif (12 kg) offert par la nation, en action de grâces après la libération du pays des Suédois (1672).

● *L'arsenal :* ouvert de 9 h à 17 h. Des armes et autres objets d'art militaire, des trophées de guerre, notamment ceux que ramena de Vienne le roi Jan III Sobieski, trouvés dans les tentes du grand vizir, après sa victoire sur les Turcs en 1683.

• *La grande salle des Chevaliers,* avec plusieurs tableaux intéressants (on peut y profiter d'une projection audiovisuelle en français, à gauche de l'entrée), et la *bibliothèque,* avec une belle collection de livres anciens.

WROCŁAW   IND. TÉL. : 071

Ville retrouvée, riche du mélange des cultures qui l'ont créée et qui, suivant les siècles, transforment son destin silésien à la mode tchèque, germanique ou polonaise. À terre de contrastes, cité variée. La quatrième ville de la Pologne et capitale de la Silésie (appelée Breslau avant 1945) fut construite au milieu d'une multitude de petits bras de l'Oder, dont l'habitué seul saura reconnaître le principal. Bâtie sur des îles et des îlots, elle retrouve son unité grâce à une centaine de ponts. Certains sont des blocs de métal suspendus par des dentelles de fer, d'autres de banales passerelles en bois. Composition insolite où, sur de grandes places typiques du réalisme socialiste, poussent de superbes églises en briques rouges, fleurons du gothique germanique. L'œil fatigué des volumes pesants trouvera du plaisir en s'arrêtant sur les formes légères du classicisme ou encore sur quelques images excentriques du style fin de siècle. Avis au promeneur distrait, attention à ces tramways bruyants qui se frottent, dans les rues souvent trop étroites, contre les murs des vieilles bâtisses, rénovées ces dernières années, mais endommagées par les terribles inondations de l'été 1997.

Comment y aller ?

– **En avion :** trois vols chaque jour de Varsovie (un vol supplémentaire le lundi et le samedi), un vol tous les jours de Francfort. Des liaisons avec escale depuis Düsseldorf et Amsterdam. Moins d'avions l'hiver.
– **En train :** plusieurs trains de Varsovie, un toutes les deux heures de Cracovie et de Poznań, deux trains de Częstochowa.
– **En bus :** cinq bus de Częstochowa, quatre de Varsovie et deux de Poznań.

Adresses utiles

🛈 *Office du tourisme (plan B2)* : rynek 14. ☎ 44-31-11. Ouvert du lundi au vendredi de 9 h à 17 h, l'été jusqu'à 18 h ; le samedi de 10 h à 14 h. Renseignements concernant la ville et la région. Publications touristiques à acheter ou à consulter sur place. On y parle l'anglais et l'allemand. Accueil moyen.

■ *Bureau PTTK (plan B2, 1) :* rynek 11/12. ☎ 343-83-31. Au centre de la place du Marché. Au premier étage. Ouvert du lundi au vendredi, de 9 h à 17 h. Des guides parlant le français. Accueil sympathique.

■ *Chambres chez l'habitant (plan B4, 2)* : ul. Piłsudskiego 98. ☎ 343-00-37. Ouvert du lundi au vendredi de 8 h 30 à 16 h 30, le samedi de 8 h à 14 h. Dans l'hôtel *Piast.* Parlent l'anglais, l'allemand et le français. Accueil très sympa et efficace.

🚈 *Gare ferroviaire PKP (plan B4) :* ul. Piłsudskiego. ☎ 343-60-31. À gauche juste après l'entrée N (côté centre-ville), un panneau lumineux vous indique les chambres libres dans tous les hôtels de la ville.

🚌 *Gare routière PKS (hors plan par B4) :* ul. Sucha. ☎ 61-81-22. Ouvert de 5 h à 23 h. Récemment construite, au sud de la gare ferroviaire dont vous pouvez emprunter le passage souterrain.

✈ *Aéroport :* ul. Skarżyńskiego 39. ☎ 57-39-59. À Strachowice, à 10 km au sud-ouest du centre-ville. Bus n° 106.

■ *Lot (plan A4, 3) :* ul. Piłsudskiego 36. ☎ 343-90-31. Ouvert du lundi au vendredi de 8 h à 18 h, le samedi de 9 h à 15 h. Accueil simple, rapide et efficace.

■ *Location de voitures Hertz (plan B2, 4)* : rynek 29. ☎ 343-47-80. Dans le bureau *Orbis*. Ouvert en semaine de 8 h à 16 h, le samedi de 10 h à 14 h.

Où dormir?

Bon marché

■ *Schronisko Młodzieżowe (A.J.; plan C4, 10) :* ul. Kołłątaja 20. ☎ 343-88-56. Très bien située, à 5 mn de la gare ferroviaire. Dans un grand immeuble gris avec une toute petite enseigne. Entrez quand même! Accueil affable. Les chambres sont trop grandes (beaucoup trop grandes même pour la catégorie des A.J.) : de 2 à 22 lits. Pas de petit déjeuner. Possibilité de préparer des repas sur place.

Prix modérés

■ *Hôtel Savoy (plan B3-4, 11)* : pl. Kościuszki 19. ☎ 40-33-49. Dans le coin sud-est de la place. Bien situé au centre-ville. Devant la réception, au premier étage, un gros chat qui somnole, dérangé parfois par la musique forte du restaurant du rez-de-chaussée. Dans de petites chambres, très correctes, toutes avec salle de bains, des canapés à déplier. Petit déjeuner non compris. Accueil vraiment aimable.

■ *Hôtel Piast (plan B4, 2)* : ul. Piłsudskiego 98. ☎ 343-00-33. En face de la gare *PKP*. Le décor est assez triste et les chambres bruyantes. Mais c'est bon marché et l'hôtel est l'endroit de prédilection des jeunes touristes. Toutous et matous sont les bienvenus! Réductions le vendredi et le samedi.

Prix moyens

■ *Hôtel Zaułek (plan B1, 13)* : ul. Odrzańska 18 a. ☎ 40-29-45. Fax :

LA POLOGNE

■ **Adresses utiles**

- 🛈 Office du tourisme
- ✉ Poste
- 🚉 Gare ferroviaire PKP
- 🚌 Gare routière PKS
- 1 Bureau PTTK
- 2 Chambres chez l'habitant
- 3 Lot
- 4 Location de voitures Hertz

■ **Où dormir?**

- 2 Hôtel Piast
- 10 Schronisko Młodzieżowe (A.J.)
- 11 Hôtel Savoy
- 13 Hôtel Zaułek
- 14 Hôtel Polonia
- 15 Hôtel Europejski
- 16 Dwór Polski
- 17 Art Hotel
- 18 Hôtel Wrocław

I●I **Où manger?**

- 30 Bar Starówka
- 31 Mr. Beef
- 32 Ready's
- 33 Karczma Lwowska
- 34 Pod Szczęśliwym Kupcem
- 35 Pizzeria Roma
- 36 Karczma Piastów
- 37 Spiż

🍷 **Où boire un verre? Où sortir?**

- 50 Kawiarnia Uni
- 51 Pod Kalamburem
- 52 Bacchus
- 60 Music Club Liverpool
- 61 Crazy Horse

★ **À voir**

- 80 Wyspa Piaskowa (Île-sur-Sable)
- 81 Église Sainte-Croix
- 82 Cathédrale
- 83 Musée de l'Archidiocèse
- 84 Université de Wrocław
- 86 Église Sainte-Marie-Madeleine
- 87 Musée national
- 88 Panorama Racławicka

LA POLOGNE

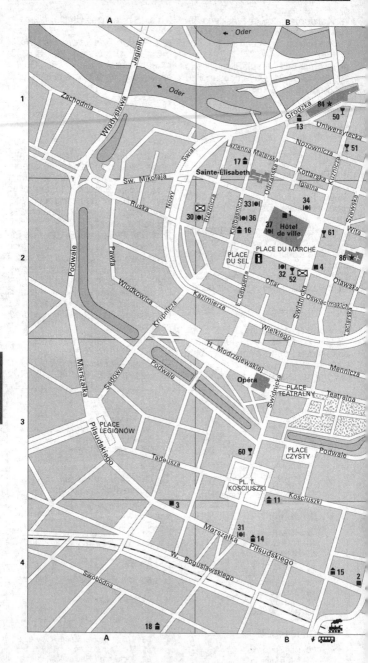

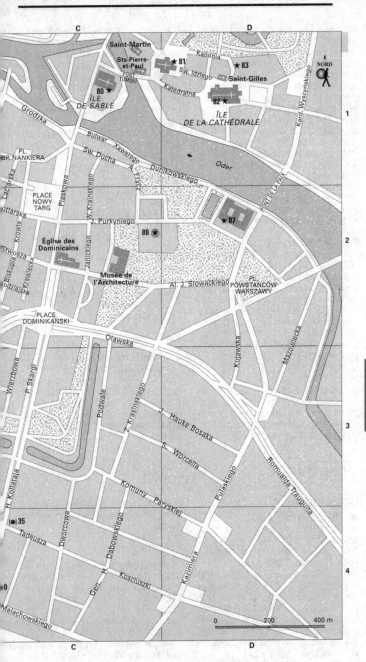

WROCŁAW

40-29-47. Dans le joli cadre du quartier de l'Université, ancienne maison bourgeoise rénovée et repeinte en blanc. Assez cher. Chambres agréables, avec salle de bains et téléphone direct, parfois avec un petit salon intime pour les visiteurs. Excellent accueil, clientèle d'universitaires. Le soir, vous pouvez manger sur place dans un bar-restaurant au rez-de-chaussée. Parking devant l'hôtel avec verrouillage des places.

🛏 *Hôtel Polonia (plan B4, 14)* : ul. Piłsudskiego 66. ☎ 343-10-21 (29). Fax : 44-73-10. En partie rénové, il propose des chambres correctes mais sans caractère. Accueil très sympa. Réductions intéressantes le week-end.

🛏 *Hôtel Europejski (plan B4, 15)* : ul. Piłsudskiego 88. ☎ 343-10-71 (77). Fax : 44-34-33. Dans la même rue que le précédent, tout près de la gare ferroviaire. Couloirs d'un luxe démodé, comme chargé du souvenir triste d'une époque plus prospère. Chambres moyennes sauf si vous demandez une chambre rénovée. Propose également des réductions pour le week-end.

Chic

🛏 *Dwór Polski (plan B2, 16)* : ul. Kiełbaśnicza 2. ☎ 72-34-15. Fax : 72-34-19. Dans une petite rue tranquille, à l'ouest de la place du Marché. La riche façade, côté *rynek*, est

comme une bonne carte de visite. Vous n'allez pas être déçu. À l'intérieur, où est reconstitué un décor traditionnel de maison bourgeoise, on trouve un confort moderne. Ici, pas de faux-semblants : c'est ancien, c'est chic, mais le luxe reste à un prix abordable. Accueil très sympathique et bon rapport qualité-prix. L'ensemble abrite aussi trois restaurants, une cave à vin, un jazz-pub, et, aux beaux jours, une cafétéria s'installe dans le passage (voir « Où manger ? »).

🛏 *Art Hotel (plan B1, 17)* : ul. Kiełbaśnicza 20. ☎ 342-42-49. Fax : 342-39-29. Situé tout près d'une magnifique église du XIVe siècle. Dans un immeuble ancien, parfaitement restauré. Couleurs douces, jolis meubles, étranges tableaux sur les murs, tout constitue un mélange irréprochable de traditionnel et de moderne. Un bon resto dans la cave. Accueil excellent. L'hôtel doit s'agrandir.

Très chic

🛏 *Hôtel Wrocław (plan A4, 18)* : ul. Powstańców Śląskich 7. ☎ 61-46-51. Fax : 61-66-17. Assez éloigné du centre-ville. Établissement moderne. Encore un enfant de la chaîne *Orbis*. Sympathique, malgré ce cousinage ingrat, et chambres parfaitement équipées.

Où manger ?

Bon marché

🍴 *Bar Starówka (plan A-B2, 30)* : ul. Rzeźnicza 34. Derrière la place du Sel. Ouvert tous les jours de 8 h à 20 h. Excellente cuisine traditionnelle et chaude ambiance.

🍴 *Mr. Beef (plan B4, 31)* : ul. Piłsudskiego 66. Ouvert chaque jour de 9 h à minuit. Premier self de style américain en Pologne. Bien sûr, des hamburgers, mais aussi quelques bons plats traditionnels polonais. Belles aquarelles contemporaines sur les murs.

🍴 *Ready's (plan B2, 32)* : rynek 15. À l'intérieur d'un immeuble

cossu, un snack moderne. Quelques spécialités grecques à la mode polonaise.

Prix moyens

🍴 *Karczma Lwowska (plan B2, 33)* : rynek 4. Ouvre à 11 h. Au premier étage d'un très bel immeuble. Un resto tout récent créé par les amoureux de Lwow. En effet, tout rappelle ici cette ville (autrefois en Autriche-Hongrie, ensuite en Pologne, maintenant en Ukraine), dont plusieurs habitants de Wrocław sont originaires : des peintures murales, de vieilles cartes postales, mais aussi une délicieuse cuisine. Goûtez au *rôti à la Dzieduszycki* selon la recette d'un comte lui-même venu de Lwow.

|●| *Pod Szczęśliwym Kupcem* *(plan B2, 34)* : rynek 46/47. Ouvert de 11 h à 22 h. Toujours sur la place du Marché, un petit resto avec beaucoup de charme. De la bonne cuisine traditionnelle et quelques pizzas. Le service est un peu lent.

|●| *Pizzeria Roma* *(plan C4, 35)* : ul. Kołłątaja 29/30. Ouvert de 10 h 30 à 22 h. À défaut d'être traditionnel, ce resto est très pratique car situé à 100 m seulement de l'auberge de jeunesse. Plus de 20 pizzas différentes.

Chic

|●| *Spiż* *(plan B2, 37)* : rynek Ratusz 9. Ouvert de 12 h à minuit. Au milieu de la place du Marché. Dans les caves d'anciennes halles, plusieurs grandes salles au décor royal. Sur la carte (énorme), vous découvrez quelques spécialités mexicaines, et pour cause... le propriétaire, Bogdan Spiż, est consul honoraire du Mexique! Également de la bonne cuisine polonaise et surtout de la bière brassée sur place : les cuves sont visibles. En été, installez-vous sur les planches de la grande terrasse, verte et gaie, pour observer le va-et-vient de la place.

|●| *Karczma Piastów* *(plan B2, 36)* : ul. Kiełbaśnicza 6/7. Fait partie du fameux ensemble gastronomique de *Dwór Piastów*, fréquenté d'ailleurs par des célébrités : la princesse et le prince de Luxembourg, Lech Wałęsa... Sur l'arrière de l'entrée principale, dans une rue aux façades encore délabrées, se cache un excellent restaurant. Une belle carte de spécialités polonaises et silésiennes. Commandez les tripes et ensuite le filet de porc à la sauce aux pruneaux, garni de *kluski śląskie*. Un vrai régal.

Où boire un verre ?

♈ *Kawiarnia Uni* *(plan B1, 50)* : sur la place de l'Université. Ouvert de 10 h à minuit. Charme intime des cafés d'intellos. On peut y rencontrer des jeunes gens passionnés de discussions sur la vanité des choses et de jolies filles qui leur donnent tort. Des cocktails aux noms extravagants : veuve verte *(zielona wdowa)*, rêve d'un ivrogne *(marzenie pijaka)*, tournevis *(śrubokręt)*...

♈ *Pod Kalamburem* *(plan B1, 51)* : ul. Kuźnicza 29a. Ouvert de 11 h à minuit, le dimanche de 16 h à 23 h. Dans le quartier de l'Université se niche un café d'artistes et de connaisseurs qui voisine avec un petit théâtre. Une bonne ambiance et un décor dans le style Art nouveau. Les jeudi, vendredi et samedi, soirées de piano à partir de 20 h.

LA POLOGNE

Vie nocturne

– **Music Club Liverpool** *(plan B3, 60)* : ul. Świdnicka. En face du grand magasin Centrum, entrée sous les arcades. Un couloir un peu suspect mène à une cave. C'est ici. Une boîte toute neuve, mais déjà connue parmi les étudiants qui y fêtent volontiers leurs examens. Le décor est voué aux Beatles.

– **Crazy Horse** *(plan B2, 61)* : rynek 36/37. En face de l'hôtel de ville. Encore une boîte située dans une cave dont le couloir n'est pas très engageant mais n'ayez crainte, entrez bravement. Les jeunes et les très jeunes se sentent à l'aise dans ce capharnaüm de chaises et de journaux placardés sur les murs. Vers minuit, on pousse les tables pour organiser une folle discothèque au rythme du rock polonais et on s'éclate jusqu'à l'aurore !

– **Bacchus** (plan B2, **52**) : rynek 16/17. Dans un tout autre style, une boîte dite à l'occidentale, assez snob mais pas trop chic non plus, avec une boule de lumière et une petite piste. Toujours dans des caves. Public mélangé.

Vie culturelle

Procurez-vous à l'office du tourisme, par exemple, le mensuel gratuit Co jest grane? présentant le programme de manifestations culturelles à Wrocław et dans les environs. Il est en polonais mais, moyennant quelques efforts linguistiques, vous arriverez à dénicher un bon concert ou un spectacle.
– Si vous êtes intéressé par le théâtre expérimental, ne ratez pas le **centre de Recherches théâtrales** (rynek Ratusz 27 ; plan B2). Il cultive l'art de Jerzy Grotowski et vous invite à participer à des spectacles, des conférences, des rencontres...
– Les amateurs de jazz apprécieront le **Festival international Jazz sur l'Oder** qui a lieu d'habitude en mai.
– Le **festival d'Oratorios et de Cantates Wratislavia Cantans** demeure aussi une grande fête et pas seulement pour les mélomanes.
– Au centre de la ville se trouve le beau bâtiment de l'**opéra de Wrocław** (ul. Świdnicka 3 ; plan B3). En un siècle et demi, depuis son ouverture, l'opéra a accueilli sur scène des musiciens célèbres : Johannes Brahms, Frédéric Chopin, Henryk Wieniawski... Une belle soirée à prix pas trop élevé.

À voir

★ **Wyspa Piaskowa (Île-o-Sable ; plan C1, 80**) : par le plus vieux pont de Wrocław, vous pénétrez sur l'Île-sur-Sable. Tout de suite à droite, la Bibliothèque universitaire, dont les volumes les plus précieux ont brûlé pendant la dernière guerre. Plus loin, Notre-Dame-sur-Sable. Ces noms poétiques pour l'île et la cathédrale évoquent les modèles italiens d'églises dédiées aux chrétiens massacrés sur le sable des arènes. L'ensemble date de la fin du XIVᵉ siècle, mais les derniers travaux ont permis de découvrir les traces des édifices antérieurs. Ne manquez pas le tympan roman du XIIᵉ siècle, ni la fresque murale du XVᵉ.
Sortant de l'église, empruntez à droite le pont Tumski.

★ **Ostrów Tumski :** la première cité, berceau de la ville, qui n'a préservé du passé que les témoins les plus somptueux, les édifices sacrés.

★ **L'église Sainte-Croix** (plan D1, 81) : grandiose, élancée, les non-initiés la prennent parfois pour la cathédrale. Elle se trouve juste à votre gauche, quand vous traverserez le pont Tumski. Cette construction originale abrite deux églises superposées. C'est aussi un bel exemple de la tolérance, car les deux niveaux correspondent à deux cultes différents.
Continuez par la petite rue aux maisons des XVIᵉ et XVIIIᵉ siècles (reconstruction totale), au bout de laquelle vous découvrez la cathédrale.

★ **La cathédrale** (plan D1, 82) : monument millénaire qui n'a gardé aucune trace de la première église fondée en l'an mille. Elle a été reconstruite dans le style du gothique tardif, mais on y trouve aussi un grand nombre d'ornements baroques et d'ajouts néogothiques. Dans la nef centrale, une chaire du baroque silésien.

★ Sortant de la cathédrale par la porte de gauche, vous pouvez poursuivre la visite en longeant l'église ou par le porche d'en face puis entrer au **musée de l'Archidiocèse** (plan D1, **83**), ul. Kanoni 12. Fermé le lundi. Intéressant surtout pour la sculpture silésienne et les précieux manuscrits datant des origines de la littérature polonaise. Tout près se trouve le *Jardin botanique,* ul. Ostrów Tumski, pour faire une halte écolo.

★ *L'université de Wrocław (plan B1, 84)* : bâtiment baroque de l'ancienne académie des jésuites. Au premier étage, une superbe salle de fêtes, *Aula Leopoldina,* dédiée à l'empereur Léopold. Ne la manquez pas, surtout vous, les étudiants des académies modernes dont les amphis n'ont rien de chefs-d'œuvre. Ouvert de 10 h à 15 h 30, sauf le mercredi.

★ *L'hôtel de ville et la place du Marché (plan B2)* : rare monument du gothique tardif de l'architecture civile. La plus belle et la plus intéressante est peut-être la façade sud ornée de nombreuses frises en relief des XVe et XVIe siècles. Exécutées avec réalisme, elles nous font revivre les amusantes scènes de la vie quotidienne du Moyen Âge. Du côté est, la reconstitution d'un ancien pilori.
Sur la place, de jolies maisons baroques aux nos 4, 5 et 6; au no 2, une grande résidence patricienne de la Renaissance flamande.

★ *La place Solny (place du Sel; plan B2)* : une sorte de place annexe, destinée à l'origine au marché du sel. Intéressant ensemble baroque.

★ *L'église Sainte-Marie-Madeleine (plan B2, 86)* : dans la rue attenante à la place du Marché. Une écrasante basilique gothique. Sur le côté sud, un portail roman du XIIe siècle.

★ *Le Musée national (plan D2, 87)* : place Powstancόw Warszawy 5. Ouvert tous les jours, sauf le lundi, de 10 h à 16 h; le jeudi, ouverture à 9 h. Un imposant bâtiment de la néo-Renaissance flamande. Collections d'art silésien, du Moyen Âge au baroque : sculpture en bois, peinture, anciennes pierres funéraires. Une salle spéciale est consacrée aux maîtres étrangers : les œuvres les plus précieuses sont celles de Giovanni Santi, père de Raphaël, et d'Albrecht Dürer. Le billet du Panorama Racławicka est valable, le même jour, pour le Musée national.

★ *Panorama Racławicka (plan C2, 88)* : ul. Purkyniego 11. ☎ 44-23-44. Ouvert de 9 h à 16 h. Fermé le lundi. À proximité du Musée national, dans un parc, une étrange rotonde en béton. À mi-chemin entre la peinture et la scénographie, le panorama représente une grande toile réaliste déroulée à l'intérieur d'un bâtiment circulaire. Invention intéressante à une époque (fin XIXe siècle) où personne ne rêvait encore des cinémas modernes aux écrans hémisphériques. La toile raconte les événements d'une des batailles de l'insurrection de Kościuszko de 1794. L'œuvre de deux grands artistes de l'école réaliste constitue, outre une valeur esthétique, le manifeste patriotique de la lutte pour l'indépendance. Son message ouvertement anti-russe fit longtemps obstacle à son exposition publique, rendue possible seulement en 1985. À voir absolument (appareil de traduction en français).

POZNAŃ (POSEN)   IND. TÉL. : 061

La plus grande ville de l'ouest de la Pologne, qui fut le berceau du pays. Chef-lieu de la région, au centre d'une grande plaine connue pour une agriculture de très haut niveau, Poznań fut annexée pendant plus de cent ans (1815-1918) par les Prussiens, et la ville a conservé jusqu'à aujourd'hui certains traits du caractère allemand. Les habitants sont célèbres pour leur sens pratique et leur caractère rationnel.
Tous les ans, au mois de juin, s'y déroule la *Foire internationale de Poznań,* la plus importante rencontre économique annuelle d'Europe centrale et orientale. Pendant la foire, la ville s'anime, on organise beaucoup de festivités, des concerts de musique, un marché aux puces, des expositions. Restaurants et cafés restent ouverts plus tard.

Sa proximité de Berlin (200 km) a fait de Poznań un important carrefour d'échanges commerciaux.
Notons également que la ville connaît une vie nocturne dynamique, ce qui ne déplaira pas aux plus jeunes de nos lecteurs...

Avertissement

La Foire internationale de Poznań est la grande fierté de la ville et aussi sa richesse : à cette période, les prix des hôtels se trouvent doublés, voire triplés. Les plus grandes festivités ont lieu au mois de juin. Le reste de l'année, les prix reprennent leur cours normal.

Comment y aller ?

– **En avion :** plusieurs vols directs chaque jour de Varsovie, un vol quotidien de Cracovie, via Varsovie ; deux avions de Wrocław (matin et soir), via Varsovie.
– **En train :** un train toutes les 2 h de Varsovie (dont l'*Intercity*) et autant de trains de Wrocław. Six trains de Gdańsk et trois de Częstochowa.
– **En bus :** deux bus de Wrocław, une liaison directe depuis Varsovie, mais le trajet est long et plus coûteux qu'en train. Néanmoins, le bus reste très pratique pour visiter les environs : Gniezno, Kórnik et Rogalin.

Adresses utiles

🛈 *Informations touristiques* (*plan C2*) : rynek Stary 59. ☎ 852-61-56. Sur la place du Marché de la vieille ville. Ouvert de 9 h à 17 h du lundi au vendredi, et de 10 h à 14 h le samedi. Renseignements concernant toute la Pologne et Poznań, avec adresses des hôtels, auberges de jeunesse, etc. Vente de publications touristiques et de petits souvenirs. Langues pratiquées : allemand, anglais et français. Personnel sympathique et patient.

■ *Bureau PTTK* (*plan C2*) : rynek Stary 90. ☎ 852-18-39. Ouvert de 9 h à 15 h (18 h le mercredi). Possibilité de louer les services d'un guide parlant le français (il faut réserver la veille), réservation d'hôtels (☎ 852-88-93). Ils organisent également des excursions dans les environs de la ville en bus.

■ *Bureau d'accueil des touristes étrangers*, Orbis (*plan C3, 2*) : place Gen. Andersa 1. ☎ 833-02-21. Fax : 833-22-11. Dans le bâtiment de l'hôtel *Poznań*. Ouvert de 8 h à 20 h (14 h le samedi). C'est un service pour les touristes « haut de gamme », location de voitures, réservation d'hôtels (mais seulement les plus chers), change. Accueil en plusieurs langues, dont le français.

■ *Chambres chez l'habitant, Biuro Zakwaterowań « Przemysław »* (*plan A3, 3*) : ul. Głogowska 16. ☎ 866-35-60. Fax : 866-51-63. Tout près de la gare ferroviaire ouest (il faut emprunter le souterrain et prendre la sortie ouest de la gare), en face de la poste, dans un bâtiment blanc. Ouvert de 8 h à 18 h du lundi au vendredi, le samedi de 8 h à 14 h. À louer : chambres, appartements, voire des villas. Les chambres sont assez chères, mais plus abordables que les hôtels. Langues pratiquées : anglais et allemand. Accueil très correct.

■ *Maison de la Bretagne (Dom Bretanii)* : rynek Stary 35/37. Pour ceux qui auraient le mal du pays, ce lieu culturel met à la disposition des francophones une bibliothèque et une vidéothèque. Le personnel parle le français, bien sûr. Utile si vous vous sentez perdus !

■ *Lot* (*plan B2, 4*) : ul. Św. Marcin

69. ☎ 852-28-47. Ouvert du lundi au vendredi de 8 h à 19 h, le samedi de 8 h à 13 h.

✈ **Aéroport :** à Ławica, à 7 km à l'ouest du centre-ville. Bus n°s 59, 77. ☎ 868-17-01.

🚆 **Gare ferroviaire PKP** (plan B3) : ul. Dworcowa. ☎ 866-12-12.

🚌 **Gare routière PKS** (plan B3) : ul. Towarowa. Près de la gare ferroviaire. ☎ 853-09-40.

■ **Garage Renault** (plan A1, 5) : ul. Kościelna 56. Au nord-ouest du centre-ville, juste à côté d'un pont ferroviaire. Ouvert du lundi au vendredi de 9 h à 17 h. Un des rares garages Renault. Accueil froid, mais personnel compétent et prix honnêtes. Pièces détachées.

■ **Centre français** (plan A3, 6) : ul. Matejki 8/10. Dans un lycée, au deuxième étage. ☎ 866-39-63, poste 14. Un petit bureau modeste (n° 10), mais qui peut être utile pour visiter la ville et ses environs avec un guide parlant le français, ou bien pour bénéficier d'aide en cas de pépin. Accueil très cordial.

Où dormir ?

Bon marché

▲ **Schronisko Młodzieżowe (A.J. ; plan A3, 20)** : ul. Berwińskiego 2/3. ☎ 866-40-40. À l'angle de la rue Głogowska, à côté du parc Wilsona. Trams : 5, 10, 11 ; arrêt : parc Wilsona. Ouvert toute l'année. Dans une école primaire ; vieux bâtiment en brique rouge. Entrée par la porte principale de l'école (si elle est fermée, sonnez et insistez). 54 places en chambres de 8 ou 16 (!) lits. Deux chambres de 3 personnes (pour ceux qui se lèvent de bonne heure). Une cuisine à disposition ; toilettes et douches communes, d'une propreté douteuse ; une salle de télé. Accueil fort revêche. La porte n'ouvre qu'à 17 h et ferme immanquablement à 22 h.

▲ **Hôtel Miejski Ośrodek Sportowy** (plan C4, 21) : ul. Chwiałkowskiego 34. ☎ 833-24-44. Fax : 833-46-51. Trams : 2, 9 et 18. Dans un quartier plutôt sinistre. Confort moyen rappelant de près et de loin les cités universitaires. Les chambres sont propres et tout à fait cor-

---

■ **Adresses utiles**

- 🛈 Informations touristiques
- ✉ Poste
- 🚆 Gare ferroviaire PKP
- 🚌 Gare routière PKS
- 2 Bureau d'accueil des touristes étrangers, Orbis
- 3 Chambres chez l'habitant, Biuro Zakwaterowań « Przemysław »
- 4 Lot
- 5 Garage Renault
- 6 Centre français

▲ **Où dormir ?**

- 20 Schronisko Młodzieżowe (A.J.)
- 21 Hôtel Miejski Ośrodek Sportowy
- 22 Hôtel Lech
- 23 Hôtel Wielkopolska
- 24 Hôtel Rzymski
- 25 Hôtel Orbis Merkury

|●| **Où manger ?**

- 30 Milk Bar Apetyt
- 31 Avanti
- 32 Pizza Hut
- 33 U Dylla
- 34 Ratuszowa
- 35 Restaurant Polonez
- 36 Club Elite

🍸 **Où sortir ?**

- 40 Pod Aniołem
- 41 Nasz Klub
- 42 Café Gruszecki
- 43 Palladium
- 44 Jama

★ **À voir**

- 50 Kościoł Farny
- 51 Ostrów Tumski
- 52 Musée national
- 53 Palmiarnia
- 54 Monument à la mémoire des Événements de juin 1956

LA POLOGNE

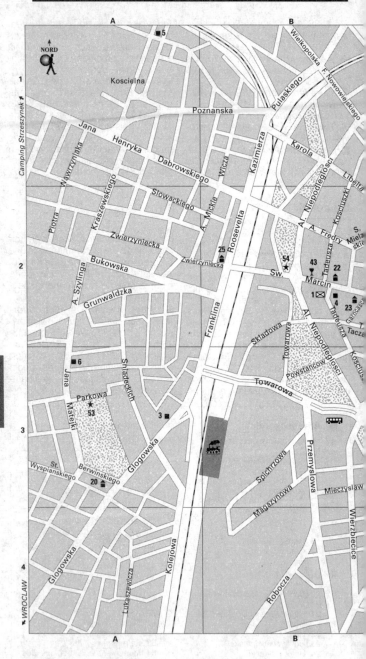

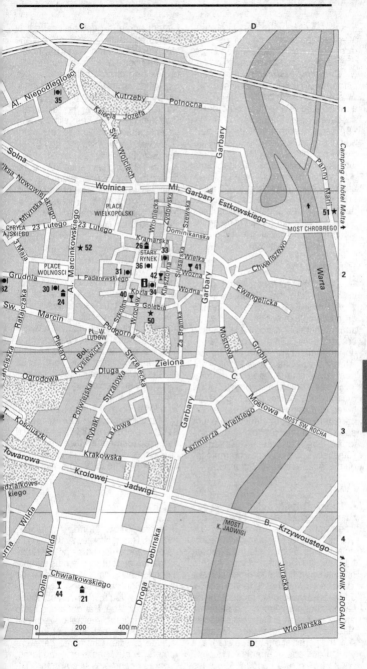

rectes. De plus, vous avez la piscine à votre disposition, ce qui est très rare dans les établissements de cette catégorie. Accueil indifférent.

■ **Camping Strzeszynek** (hors plan par A1) : ul. Koszalinska 15. ☎ et fax : 848-31-29. Ouvert de mai à mi-octobre. À 11 km au nord-ouest du centre-ville. Trams : 2, 7, 8, 19, 20, jusqu'au terminus Ogrody, puis bus n° 95 (toutes les demi-heures du matin au soir). A proximité d'un petit lac, lieu de baignade des habitants de Poznań (attention, foule le week-end). Très joli paysage plongé dans la verdure. Possibilité de louer des barques ou des pédalos. Bungalows à louer également (certains de grand standing). Un restaurant sur place. Accueil vraiment sympa.

Prix moyens

■ **Camping et hôtel Malta** (hors plan par D2) : ul. Krańcowa 98. ☎ 876-61-55. Fax : 876-62-83. Un grand complexe sportif, récent et un peu futuriste par rapport à la grisaille du centre-ville. Situé à l'est, au bord du lac Maltańskie. Tram n° 6 depuis la gare ferroviaire. Ouvert toute l'année. Une cinquantaine de bungalows très confortables pour 2, 3 ou 5 personnes. Côté camping : sanitaires et cuisine très propres, terrain parfaitement entretenu. L'esprit sportif règne ici et les sensations fortes sont assurées : un saut à l'élastique, puis un repas au resto indien... Accueil très attentionné.

Chic

■ **Dom Turysty** (plan C2) : rynek Stary 91. ☎ et fax : 852-88-93. Entrée par la rue Wroniecka 91. Trams : 4 et 8 jusqu'à plac Wielkopolski, puis 5 mn à pied. La réception est au premier étage. Ancien palace de la fin du XVIIIᵉ siècle, sur la place du Marché de la vieille ville. Jarosław Dąbrowski, le général de l'armée napoléonienne, y a séjourné en 1806, préparant le passage de Napoléon en route vers Moscou. Aux troisième et quatrième étages, il y avait des appartements en duplex, chose très rare à l'époque, pour les visiteurs de marque. Rénové entiè-

rement après la guerre, l'intérieur a un peu perdu de son caractère d'antan. Reste néanmoins un bel hôtel, plus que correct, en plein centre-ville et pas trop cher. Chambres de 1 à 6 personnes, très propres. Les meilleures sont au deuxième étage.

Au rez-de-chaussée, le restaurant *Turystyczna*, dont les clients font parfois, le soir, un peu de bruit.

■ **Hôtel Lech** (plan B2, 22) : ul. Św. Marcin 74. ☎ 853-01-51. Fax : 853-08-80. En plein centre-ville, donc assez bruyant. Récemment rénové, très clair et moderne, il propose des chambres standard, propres et correctes. Demandez celles côté cour. Petit déjeuner compris. Accueil cordial.

■ **Hôtel Wielkopolska** (plan B2, 23) : ul. Św. Marcin 67. ☎ 852-76-31. Fax : 852-54-92. Beaucoup moins agréable que son voisin, l'hôtel *Lech*. Ici aussi, on a changé de propriétaire et fait des travaux. Un vieux bâtiment massif. Dans un hall banal et sombre, un accueil moyennement sympa. La moitié des chambres n'a pas de salle de bains. Les chambres non rénovées sont assez sinistres. Demandez celles côté cour (bien que la vue soit lugubre), car la rue est très bruyante.

■ **Hôtel Rzymski** (plan C2, 24) : al. K. Marcinkowskiego 22. ☎ 852-81-21. Fax : 852-89-83. Très bien situé, pratiquement en face du Musée national et à 5 mn de la vieille ville. Chambres agréables, mais un peu chères quand même.

Très chic

■ **Hôtel Orbis Merkury** (plan B2, 25) : ul. Roosvelta 20. ☎ 855-80-00. Le plus ancien des trois hôtels *Orbis* à Poznań et peut-être le plus sympa. Il surplombe le carrefour principal de la ville. Son café est le lieu de rencontre privilégié des autochtones d'un certain âge. Par contre, le resto de spécialités internationales est plutôt cher. Le pâtissier est le meilleur de la ville. Chambres sans caractère, au mobilier moderne, propres néanmoins et correctes. Téléphone dans les chambres.

Où manger ?

Bon marché

l●l **Milk Bar Apetyt** (plan C2 , **30**) : place Wolności, à côté de l'hôtel Rzymski (voir « Où dormir ? »). Ouvert de 8 h à 19 h, le samedi de 10 h à 17 h, le dimanche de 11 h à 17 h. Idéal pour un tout petit budget. La propreté est ici relative et les plantes artificielles poussiéreuses, mais peu importe l'esthétique lorsque les *pierogis*, crêpes et autres côtelettes de porc bien fumantes sentent si bon. Alors, bon appétit !

l●l **Avanti** (plan C2, **31**) : rynek Stary 76. Ouvert de 9 h à 22 h. Juste à côté du bureau d'informations touristiques, sur la place du Marché de la vieille ville. Un self vraiment sympa ; la spécialité : les spaghetti à la bolonaise, qui devraient plutôt s'appeler « spaghetti à la polonaise » (disons que c'est une interprétation libre, mais c'est délicieux). La salle ressemble d'ailleurs beaucoup à un spaghetti tellement elle est étroite. Souvent on y fait la queue, mais le service est rapide. À côté de la cuisine pseudo italienne on sert des bons plats polonais. Une autre adresse au premier étage de la gare ferroviaire.

l●l **Pizza Hut** (plan C2, **32**) : ul. 27 Grudnia 9. En face du théâtre Polski, en plein centre-ville. C'est la preuve vivante de l'américanisation, toujours en expansion, du marché polonais : *Pizza Hut* a remplacé le resto *Smakosz* (« gourmet » en polonais) dont il reste seulement quelques vestiges, un four et... un « pissoir » assez extravagant. Mais on pardonne, car les pizzas sont appétissantes et l'accueil excellent. Un *McDonald's* à côté !

Prix moyens

l●l **U Dylla** (plan C-D2, **33**) : rynek Stary 37/39. Décidément, une visite de la vieille ville s'impose car, encore une fois, il s'agit de la place du Marché. À l'intérieur, décor un peu kitsch : quatre fausses icônes, glaces sur les murs, couleurs vives, rose et jaune. Avant de commander la spécialité, demandez d'abord un verre d'eau et faites faire quelques exercices de relaxation à votre appareil digestif. Cela s'appelle *krokiety sowizdrzała* : de la pâte à crêpes, de la viande hachée et d'autres ingrédients secrets, le tout roulé, pané, et cuit à l'huile. Les amateurs de valeurs sûres commanderont la côtelette à la polonaise (escalope de porc panée). Ou bien ils feront confiance au cuisinier, formé en France, qui leur servira de bons plats bretons. En plus, la carte est en français. Le service est correct mais pas trop dynamique.

l●l **Ratuszowa** (plan C2, **34**) : place du Marché, du même côté que l'office du tourisme. Ouvert de 10 h à 1 h. À l'entrée, un bar aux néons fluo. Descendre dans les caves (du XVIe siècle), où deux salles différentes vous feront passer un bon moment. À gauche, un pub avec les tables faites de tonneaux. De la bière bien sûr (Lech ou Okocim), mais aussi du thé, du café et des pâtisseries. À droite, une belle salle de restaurant au décorum un peu onirique : costumes de théâtre, portraits, vieilles photos, gravures, instruments de musique. Ce capharnaüm d'objets hétéroclites est le vrai trésor du patron, collectionneur passionné. Vous avez presque oublié que c'est un resto, mais l'addition vous remettra en place. Effectivement, c'est assez cher, même si la cuisine est bonne.

Chic

l●l **Restaurant Polonez** (plan C1, **35**) : aleje Niepodległości 54/68, dans l'hôtel *Orbis* du même nom. Un peu à l'écart du centre-ville. Ouvert jusqu'à minuit. Le décor est sans âme, mais la nourriture présente quelque intérêt (heureusement !). Le portier réfléchit toujours longuement avant de vous laisser entrer, même si la salle est vide. *Barszcz* (excellent), suivi de *kaczka z pyzami* (canard servi avec des petits pains cuits à la vapeur, très bon), puis des glaces à la liqueur et un bon *espresso* constitueront un repas honnête présentant des valeurs caloriques et gustatives indiscutables. La cravate n'est pas nécessaire mais le short ne sera pas apprécié. Service correct.

|●| *Club Elite* *(plan C2, 36)* : rynek Stary 2. ☎ 852-99-17. Ouvert de 12 h à 22 h, le dimanche de 13 h à 17 h. Situé au milieu de la *rynek*. Ne vous fiez pas à son nom, ce restaurant est en fait l'une des meilleures tables de la ville, offrant une cuisine assez typique. Le cadre est sobrement élégant, la musique douce et le service impeccable. Devant le resto, admirez une jolie fontaine qui représente une paysanne bavaroise (« Bamberka ») : elle rappelle que, pendant la première moitié du XVIIIᵉ siècle, des paysans de Bavière s'installèrent dans des campagnes ravagées, autour de Poznań.

Où boire un verre ?

Ⴘ *Pod Aniołem* *(plan C2, 40)* : ul. Wrocławska 4. Bien qu'appelé littéralement « sous l'ange », l'atmosphère n'y est pas vraiment angélique. La bière coule à flots dans les deux salles sombres du pub, rempli jusqu'au dernier siège.

Ⴘ *Klepsydra* *(plan C2)* : à l'angle de la place du Marché et de la rue Paderewski. Ouvert de 16 h à minuit ; le samedi, ferme à 2 h. Au premier étage, une assez petite salle où règne une atmosphère plutôt assoupie : on est assis dans des fauteuils en osier, devant un écran de TV en allemand, hypnotisé par deux boules tournantes. Le temps passe ici lentement...

Ⴘ *Nasz Klub* *(plan D2, 41)* : ul. Woźna 10. Situé dans une petite rue, à quelques pas de la *rynek*. Ouvert tous les jours, sauf le dimanche, de 12 h à minuit. Au premier étage, ne pas hésiter à prendre l'escalier, un peu sinistre. Dans un tout autre style que les deux précédents : un ancien appartement transformé en club d'amateurs de musique classique. Des personnalités du théâtre et de l'opéra viennent ici souvent pour goûter une excellente pâtisserie française. Le patron, Adam Nowak, a d'ailleurs gagné un prix au championnat du monde des boulangers !

Ⴘ *Café Gruszecki* *(plan C2, 42)* : rynek 50. Excellent pour un tête-à-tête intime. Trois petites salles dans les caves, où on oublie vite le vacarme de la ville. Mais parfois c'est la serveuse qui vous oublie un peu. Patientez tout de même car la pâtisserie est délicieuse et les glaces (la Cyntia, par exemple), tout simplement divines. En plus, un bon choix de cafés.

Vie nocturne

Ⴘ *Palladium* *(plan B2, 43)* : ul. Św. Marcin 80/82. ☎ 853-60-31 ou 536-177. Ouvert de 21 h à 5 h. Dans le bâtiment du palais de la Culture. Lieu de prédilection des nouveaux riches polonais en mal de sensations fortes (qui sont ici fortement érotiques). La chemise est de rigueur ! Clientèle élégante, plus âgée que dans les autres boîtes, mais elle ne s'amuse pas moins pour autant !

Ⴘ *Jama* *(plan C4, 44)* : ul. Chwiałkowskiego 35/37. ☎ 833-25-90. Ouvert du mardi au jeudi de 21 h à 3 h, jusqu'à 5 h les vendredi et samedi, le dimanche de 19 h à 1 h. C'est très occidental, très américain et surtout très à la mode. C'est là que vont les jeunes Polonais, friqués et bien sapés.

Ⴘ *Café Stones Grill* : Paderewskiego, à côté de rynek Stary. Barboîte sur deux étages, avec billard et minuscule piste de danse. Clientèle jeune, moins bourgeoise que dans

les lieux précédents, et souvent de jolies créatures...
♥ Studio Jack Live Disco : Ozielynskich 12. La boîte du moment chez les 16-20 ans. Spacieux, avec une déco classique de disco provinciale. Dance au 1ᵉʳ étage. Chaude ambiance certains soirs.

À éviter

– Les environs du club *Jama*, si vous n'y allez pas en taxi. Très risqué.
– Les night-clubs des hôtels *Poznań* et *Polonez*. Les touristes étrangers y sont trop prisés.

Vie culturelle, fêtes

– Le prestigieux **Festival international de Violon Henryk Wieniawski** a lieu tous les cinq ans, le prochain en 2001.
– Côté jazz, venez en mai pour participer au **festival Poznań Jazz Fair** : une fête dans tous les clubs de jazz de la ville, rendez-vous avec les plus grands musiciens au club d'étudiants *Esculap* (ul. Przybyszewskiego 39) pour les *jam sessions*, qui durent jusqu'à l'aube.
– Le **Festival international du Théâtre de rue Malta** se déroule chaque année au mois de juin, transformant Poznań en carnaval magique.
– Au mois de juin a aussi lieu la **foire de la Saint-Jean**, grande fête traditionnelle de l'artisanat, chaque année sur la *rynek*.

À voir

★ **L'ancien hôtel de ville** *(plan C2)* : au centre de la place du Vieux-Marché. Construit à la fin du XIIIᵉ siècle, de style gothique. Reconstruit après un incendie au milieu du XVIᵉ siècle par un architecte italien, Giovanni Battista Guadro di Lugano. Considéré comme le plus précieux monument laïc de l'époque Renaissance au nord des Alpes. Jusqu'en 1939, résidence du maire. Actuellement, *musée de la Ville* (ouvert du lundi au samedi de 10 h à 16 h ; de 10 h à 15 h le dimanche ; le vendredi, entrée libre). La façade principale est richement découpée avec arcades et loggia couverte de sgraffites et d'une polychromie. Quand sonne midi, deux chevreaux, sculptés en bois, apparaissent sous l'horloge de la tour et se touchent les cornes douze fois. À l'intérieur, grand vestibule Renaissance (1ᵉʳ étage) avec un plafond à caissons richement décorés.
Devant le bâtiment, la *copie du pilori* du XVIᵉ siècle. On y exposait les criminels à la vindicte publique et on pratiquait la flagellation. Ce pilori a été construit avec l'argent des amendes infligées aux domestiques pour avoir porté des habits trop riches pour leur condition. En 1535, le Conseil de la Ville avait édité une réglementation très précise et déterminé les montants des amendes en cas de non-respect de ces règles. Non mais !

★ **La place du Vieux-Marché :** place carrée, avec douze rues qui en partent. Autour de la place, des maisons des XVᵉ et XVIᵉ siècles, avec des façades baroques et néo-classiques, reconstruites après la guerre. Au n° 78, le *palais Działyński* se distingue par sa beauté et par sa taille. Au milieu de la place, à côté de l'hôtel de ville, deux pavillons modernes : l'un abrite le *Musée militaire* (armures, armes anciennes, pirogues du Moyen Âge, etc.), l'autre une *salle d'exposition d'art contemporain* qui organise des expos, souvent dignes d'intérêt (fermée les lundi et jeudi).
En été, les samedi et dimanche, à la tombée de la nuit, se déroule un spectacle « son et lumière » qui met en valeur les richesses architecturales de la place du Vieux-Marché.

LA POLOGNE

★ *Le musée des Instruments de musique* (plan C2) : sur la même place, au n° 45. Ouvert les mardi et samedi de 11 h à 17 h ; les mercredi et vendredi de 10 h à 16 h ; le dimanche, de 10 h à 15 h. Fermé les lundi et jeudi. Unique en Pologne. Très intéressant. Des instruments souvent très originaux témoignent de la recherche de sons nouveaux à travers les différentes époques (à partir du XVIe siècle). Une collection d'instruments des pays exotiques et aussi toute une série de « machines à musique » : orgues de Barbarie, boîtes à musique, etc. Une salle est consacrée à Chopin, avec le piano à queue qu'il a utilisé entre 1827 et 1829.

★ *Kościół Farny* (église paroissiale ; plan C2, **50**) : rue Świętosławska. Construite par les jésuites à la fin du XVIIe siècle. Ce magnifique édifice baroque possède un intérieur monumental avec de nombreuses fresques et des tableaux d'époque.

★ *Ostrów Tumski* (plan D2, **51**) : jadis une île qui fut le berceau de la ville. Ouvert l'été de 7 h jusqu'à 19 h, l'hiver de 7 h à 16 h ; le dimanche, seulement l'après-midi à partir de 15 h. Partant de la place du Vieux-Marché, prendre la rue Wielka, puis continuer la rue Chwaliszewo et passer le pont sur la Warta. Un ensemble architectural d'une grande importance historique. C'est ici que fut construite la première enceinte fortifiée. Le baptême de la Pologne, en 966, se déroula probablement à cet endroit, dans l'église qui se trouvait à la place de la cathédrale qui domine l'île. C'est un édifice du XVe siècle, de style gothique, entouré de chapelles remaniées dans le style baroque. À l'intérieur, nombreuses œuvres d'art : la chapelle dorée, le mausolée des fondateurs de l'État polonais, Mieszko Ier (vers 922-992) et Boleslas le Vaillant (967-1025). Dans la crypte, vestiges d'une cathédrale préromaine et romane.

★ *Le Musée national* (plan C2, **52**) : aleje Marcinkowskiego 9. Ouvert de 10 h à 16 h le mercredi ; les vendredi, samedi et dimanche de 10 h à 15 h ; de 12 h à 18 h le mardi. Fermé les lundi et jeudi. Dans le centre-ville, à proximité de la place Wolności, un grand bâtiment en pierre noire. Une riche galerie de la peinture polonaise et européenne. Parmi les maîtres les plus célèbres de la peinture polonaise, on retrouve Jan Matejko, Jozef Chełmoński, Jacek Malczewski, Stanisław Wyspiański. Peinture hollandaise du XVIe siècle, quelques toiles de l'époque du maniérisme, peinture flamande, peinture baroque italienne.

★ *Palmiarnia* (plan A3, **53**) : serre géante, dans le parc Wilsona, côté rue Parkowa. Ouvert tous les jours, sauf le lundi, de 9 h à 17 h, le dimanche et les jours fériés de 9 h à 18 h. Une des plus grandes d'Europe. Dans les huit pavillons, chacun maintenu à une température et un degré d'humidité différents, près de 17 000 plantes de pays tropicaux.

★ *Le monument à la mémoire des Événements de juin 1956* (plan B2, **54**) : place A. Mickiewicza. En plein centre, entre le bâtiment de l'Université et le palais de la Culture. En juin 1956, les ouvriers de Poznań, à la suite d'une augmentation des prix de l'alimentation, protestèrent et réclamèrent « du pain, de la vérité et de la liberté ». Une délégation se mit en route pour Varsovie afin de faire entendre la voix des ouvriers, mais elle fut arrêtée. Une énorme manifestation s'ensuivit, les insurgés attaquèrent le siège de la police politique, saccagèrent les installations de brouillage des radios occidentales. Le Comité du Parti fut incendié. La police chargea, faisant cinquante victimes. L'armée envahit Poznań. Des centaines de personnes furent arrêtées et jugées par les tribunaux militaires. C'était le premier « soulèvement populaire » contre le pouvoir communiste. D'autres suivirent en 1968, 1970, 1976 et 1980, qui donna naissance à Solidarité.
Le pouvoir communiste voulut, pendant des années, garder ces événements sous silence. Mais les habitants de Poznań n'ont pas oublié. En 1980, pendant la période de Solidarité, une de leurs premières revendications fut

l'érection de ce monument et la réhabilitation des participants aux événements. En un temps record (deux mois), le monument fut construit et inauguré. Pendant les années de la loi martiale (1981-1989), cet endroit est devenu le lieu de toutes les manifestations contre le pouvoir en place.

Dans les environs

★ *Kórnik :* à 20 km au sud-est de Poznań, par la route n° 42. Ouvert du mardi au dimanche, l'été de 9 h à 17 h 30, l'hiver de 9 h à 15 h. Fermé le lundi. Un château néogothique, possédant une collection de peintures, des meubles et des armes de l'époque romantique. La bibliothèque renferme plus de 150 000 volumes, certains d'une grande valeur. Le château est entouré par un parc de style anglais qui est aussi une réserve comptant plus de 2 000 espèces d'arbres et d'arbustes d'Europe, d'Asie et d'Amérique. Un lac à proximité.

★ *Rogalin :* à 11 km de Kórnik, prenez la route 431 en direction de Mosina. Ouvert de 10 h à 16 h (19 h pour le parc). Fermé le lundi. Un palais rococo classique, de beaux décors intérieurs des XVIe et XIXe siècles. Dans le parc, des chênes millénaires, véritables monuments de la nature, dont la circonférence atteint 9 m. Ces trois arbres, appelés Lech (Pologne), Russ et Szech, symbolisent paraît-il le partage historique de l'Europe centrale ! Dans un pavillon, à gauche de l'entrée, une galerie d'art où on peut admirer des peintures polonaises et étrangères des XIXe et XXe siècles. En arrivant à Rogalin, à gauche de la route, se trouve une chapelle très curieuse : imitation de la Maison carrée de Nîmes !

★ *Gniezno :* à environ 50 km au nord-est de Poznań, par la route n° 5. Une belle ville qui fut au bas Moyen Âge la première capitale de la Pologne, riche et prospère.
Selon une vieille légende, trois frères, Lech, Szech et Russ (fondateurs mythiques des nations polonaise, tchèque et russe), vinrent en ces lieux avec leurs tribus. Soudainement, Lech aperçut sur un chêne solitaire le nid d'un aigle blanc. Persuadé que c'était de bon augure, il y fonda une ville et l'appela Gniezno (du mot *gniazdo* signifiant « nid » en polonais).
On y visite avant tout la cathédrale gothique, célèbre pour ses portes sculptées en bronze, du XIIe siècle, qui illustrent la vie du saint martyr Adalbert. Son tombeau, magnifique ouvrage du XVe siècle, se trouve au milieu de la cathédrale. Demander à un guide de visiter aussi la crypte et la tour. Projection audiovisuelle en français à droite de l'entrée. On visite la cathédrale tous les jours de 10 h à 17 h, les jours fériés de 13 h 30 à 17 h 30, sauf au moment des offices.

★ *Biskupin :* continuez la route n° 5 au nord de Gniezno. Roulez 35 km et tournez à droite, 5 km plus loin se trouve la reconstruction parfaite d'une cité préhistorique, un des rares vestiges de la civilisation lusacienne. Cette fortification lacustre était construite sur une péninsule, entourée d'un rempart en bois, épais de 3 à 8 m. On suppose qu'à l'intérieur 700 à 1 000 personnes vivaient dans des maisons en bois très solides, toutes pratiquement identiques et distribuées symétriquement. Les archéologues ont découvert ici des objets de l'âge de pierre et de l'âge du fer. C'est donc une aventure originale, dans des paysages superbes. La visite se fait tous les jours de 8 h à 18 h.

TORUŃ   IND. TÉL. : 056

Un nom lié à la ville : Nicolas Copernic, le grand astronome du XVIe siècle, celui qui « mit la terre en mouvement et arrêta le soleil et le ciel », comme l'indique l'inscription gravée sur son monument, place de la Vieille-Ville. Giordano Bruno, le philosophe italien, né cinq ans après la mort de Copernic, brûla sur un bûcher pour avoir défendu les mêmes idées, alors que Copernic s'éteignit de mort naturelle en 1543, à soixante-dix ans.

Située sur les bords de la Vistule, Toruń est la ville de Pologne la plus riche en monuments du Moyen Âge. Plus de 350 bâtiments, concentrés autour de la vieille ville, constituent un ensemble architectural d'une grande valeur. Nous pouvons facilement imaginer le petit Nicolas parcourant la rue Żeglarska pour se rendre à l'école ou descendant avec ses camarades vers la Vistule pour s'amuser. Tout est resté intact : maisons, remparts, églises. Seuls les vêtements des passants et les vitrines des magasins rappellent que nous sommes à la fin du XXe siècle.

À part ça, la spécialité de la ville ce sont les fameux *piernikis*, des pains d'épice (appelés *toruńs*, tout simplement), fourrés de confiture et recouverts de chocolat. La ville en fabrique, paraît-il, depuis le XIVe siècle.

Adresses utiles

◗ *Informations touristiques :* Piekary 37/39. ☎ 621-09-31. Ouvert du mardi au vendredi de 9 h à 18 h ; lundi et samedi de 9 h à 16 h. Également les dimanches de mai à août de 9 h à 13 h. Très compétent et sympa.

■ *Orbis :* ul. Mostowa 7. ☎ 622-43-46.

■ *PTTK :* pl. Rapackiego 2. ☎ 622-49-26. Ouvert du lundi au vendredi de 8 h 30 à 16 h ; samedi de 9 h à 13 h ; l'été en semaine de 8 h à 17 h, samedi de 9 h à 13 h ; en haute saison, ouvert parfois le dimanche. Librairie de voyage sur place.

■ *Almatur :* Most Paulinski 12. ☎ 622-21-00.

🚆 *Gare ferroviaire :* ul. Kujawska. ☎ 654-72-22. À 3 km du centre-ville. Bus n°s 22 et 27.

🚌 *Gare routière :* ul. Dąbrowskiego. ☎ 655-53-33.

Où dormir ?

Bon marché

🛏 *Dom Wycieczkowy PTTK :* ul. Legionów 24. ☎ 622-38-55. Prendre le bus n° 10, qui s'arrête juste devant la maison. 65 places. Dans une villa particulière, chambres pour 2, 3, 4 et 5 personnes. Salles de bains communes ; eau chaude incertaine. Chambres propres et agréables. Ambiance familiale. Un snack au rez-de-chaussée permet de se restaurer rapidement.

🛏 *Camping Tramp :* ul. Kujawska 14. 622-41-87. Ouvert de juin à août. Tout près de la gare, à côté d'un espace vert qui longe la Vistule. Les aménagements ont été rénovés et la proximité de la rivière est agréable. Jolie vue sur la vieille ville. De toutes manières, c'est l'unique camping de Toruń.

Prix moyens

🛏 *Hôtel Pod Orłem :* ul. Mostowa 17. ☎ 622-50-24. Tout près de la vieille ville ; à partir de la place centrale, prendre la rue Szeroka puis la première à droite derrière le fast-food. 79 places. Chambres de 1 à 5 lits avec ou sans salle de bains. Côté cour, chambres simples et sombres, mais calmes. Accepte la carte *Visa*.

🛏 *Hôtel Trzy Korony :* rynek 21. ☎ 622-60-31. Pratique parce que central. Confort moyen, douches et toilettes communes. Quelques touches de peinture fraîche ne lui feraient pas de mal. Demandez les chambres avec vue sur la place du Marché.

Chic

🛏 *Hôtel Helios :* ul. Kraszewskiego

1/3. ☎ 622-50-33. 180 places en chambres simples ou doubles. Un classique d'*Orbis :* bâtiment moderne sans âme. Chambres avec salle de bains correcte, restaurant et café sur place. Prix élevés.

Où manger ?

Bon marché

|●| *Bar mleczny Małgośka :* ul. Szczytna 10/12. Dans la vieille ville. Ouvert de 6 h à 18 h du lundi au samedi et de 6 h à 16 h les dimanches et fêtes. Service rapide, mais la salle manque de ventilation, comme dans la plupart des bars *mleczny* en Pologne. Bonnes crêpes au fromage.

Prix moyens

|●| *Restauracja Staromiejska :* ul. Szczytna 2. Ouvert tous les jours de 10 h à 22 h. Vous ne pouvez pas vous tromper : il y a une salle où l'on mange et une autre où l'on boit. Peu d'interférences entre les deux, car elles sont séparées par un couloir. Un resto italien, comme son nom ne l'indique pas. On boit de la vodka et de la bière et on mange des escalopes de porc ou de bœuf. Nourriture moyenne. Honnête.

|●| *Palomino :* ul. Wielkie Garbary 18. Agréable salle dans les tons clairs. Recommandé par les habi-

tants de la ville. D'ailleurs, ils ne vont pas tarder à vous y rejoindre.

Chic

|●| Cette catégorie amène inévitablement (ou presque) à l'*hôtel Helios* (voir « Où dormir ? »). Une grande salle, un service correct mais pas toujours très rapide, des plats bien présentés et pas mauvais. Choix de vins, bonne bière *(Żywiec)*. Les prix sont comme dans les autres restaurants *Orbis :* pas trop élevés pour vous, inabordables pour les Polonais.

|●| *Kawiarnia Pod Atlantem :* ul. Św. Ducha 3. Il ne s'agit pas d'un restaurant mais d'un café. Ses desserts peuvent faire office de repas : glaces, bons gâteaux, « cocktails » laitiers (crème mixée avec des fruits). Un superbe poêle ancien en fonte domine la salle et crée une ambiance agréablement chaude. La clientèle est jeune et gaie. Au bout de la rue (en sortant à droite), superbe vue sur la Vistule. Bon rapport qualité-prix.

À voir

LE SITE DE LA VIEILLE VILLE

★ *L'hôtel de ville :* situé au centre de la place du Marché, de style gothique (XIIIe-XIVe siècles) puis remanié dans le style maniériste au XVIIe siècle. Un petit bijou de l'architecture médiévale bourgeoise en Pologne. À l'intérieur, *Musée régional :* ouvert du mardi au dimanche de 10 h à 16 h. Tableaux et vitraux médiévaux, objets des métiers d'art et d'orfèvrerie et une collection de moules aux formes originales pour la fabrication du célèbre pain d'épice de Toruń. De la tour, haute de 40 m, belle vue panoramique sur la ville.

Face à l'hôtel de ville, le magasin Kopernik Toruń (reconnaissable à la file d'attente) vend les gâteaux de Toruń *(piernikis)*.

★ En bordure de la place, des *maisons* anciennes, en majorité avec des

LA POLOGNE

éléments gothiques et baroques. L'une des plus belles, la maison « À l'Étoile » au n° 35, avec une très belle façade, richement décorée, ainsi que la maison « Sous l'Ange », au n° 29, avec son entrée de style baroque, portant l'emblème de l'ancien maire de Toruń.

★ *L'église Saint-Jean :* accessible à partir de la place du Marché, par la rue Zeglarska. Édifice en brique rouge, de la seconde moitié du XIIIᵉ siècle. L'intérieur est à trois nefs, du type halle, avec une voûte en étoile. Dans la tour, haute de 40 m, de grosses cloches (dont la deuxième de Pologne par sa taille, coulée en 1500 ; elle mesure 217 cm de diamètre et pèse 7,2 tonnes). Peu de lumière pénètre à l'intérieur de l'église où règne une atmosphère majestueuse et silencieuse. Les pas des visiteurs résonnent sous la voûte. Les murs d'austères briques rouges, les sculptures anciennes, les tableaux représentant la vie du Christ revêtent un caractère dramatique dans ce merveilleux décor ancien. On sort de l'église aveuglé par la lumière et avec le sentiment d'avoir passé un instant hors du temps.

★ *Le musée Copernic :* ul. Kopernika 17. Fermé le lundi. Le musée est aménagé dans sa maison natale, reconstituant le style des habitations bourgeoises de l'époque. Nombreux souvenirs et documents concernant la vie de l'illustre astronome.

★ *L'église Saint-Jacques :* sur la nouvelle place du Marché (rynek Nowomiejski). Style gothique, des XIVᵉ et XVᵉ siècles. Monumentale basilique, construite selon un schéma architectural original. Intéressantes décorations extérieures en céramique. À l'intérieur, de précieuses œuvres d'art.

★ *Le Musée ethnographique :* ul. Wały Gen. Sikorskiego 19. Ouvert les lundi, mercredi, jeudi et vendredi de 9 h à 15 h ; les mardi, samedi et dimanche de 10 h à 18 h. Riche collection concernant la Pologne septentrionale. À l'arrière du bâtiment, un *skansen,* reconstruction en plein air de maisons anciennes.

★ *L'ancienne ville médiévale :* tout un ensemble de murs, remparts et portes fortifiées du côté de la Vistule (au sud de la vieille ville). En partant de la place du Marché, prendre la rue Szeroka, puis la troisième à droite : rue Podmurna. Au bout de la rue, le *palais des Bourgeois,* avec une tour du XVᵉ siècle, puis, tout en suivant le mur, trois portails fortifiés. Au bout de la rue, sur la droite, un vieux *grenier à blé* témoigne du passé commerçant de la ville. À gauche, la *tour penchée,* un beffroi de défense élevé vers la fin du XIIIᵉ siècle. À peine construite, elle commença à s'incliner et la déviation de la verticale est actuellement d'environ 140 cm.

GDAŃSK

GDAŃSK

Une ville magnifique, par sa richesse architecturale, son site sur le delta de la Vistule, en bord de mer, son passé lointain et récent, si riche ; mais plus encore, c'est une ville qui a une âme. Cosmopolite, elle fit durant toute son histoire cohabiter pacifiquement plusieurs nationalités et croyances. Il s'en dégage cette atmosphère particulière qu'on retrouve seulement dans les villes portuaires : ouverture, mélange, tolérance. Elle est capable de générer des idées nouvelles, d'être à l'avant-garde des mouvements sociaux les plus importants. Elle est gaie, égalitaire, presque rabelaisienne et fait se côtoyer intellectuels et matelots, eau douce et eau de mer, artistes et ouvriers, théâtres et tavernes où l'on boit cul sec. C'est une ville qui a du caractère ; de tout temps elle a suscité des convoitises, on la courtise, on la veut pour soi comme une belle fille... mais elle reste elle-même, ne plie pas, ne cède pas ; elle séduit. On l'appelle « la Perle de la Baltique », et c'est une espèce rare qui, sortie de l'eau de mer, perd tout son éclat et sa beauté.

Aujourd'hui, Gdańsk (en allemand Dantzig) est un conglomérat de trois villes : la mère *Gdańsk,* sa fille balnéaire *Sopot* et la sérieuse, industrielle *Gdynia.*

Un peu d'histoire

Les origines de Gdańsk remontent au IXe siècle. En 1308, les chevaliers de l'ordre teutonique s'emparent de la ville, massacrent la population polonaise

■ **Adresses utiles**

🅱 1 Polska Agencja Promocji Turystyki (office municipal)
🅱 2 Agencja Informacji Turystycznej
✉ Poste principale et centre téléphonique
🚂 Gdańsk główny
🚌 Dworzec PKS
3 Almatur
4 American Express et Orbis
8 Gdańsk Tourist

≙ **Où dormir ?**

20 Schronisko Młodzieżowe (A.J.)
21 Hôtel Zaułek
22 Dom Harcerza
23 Hôtel Jantar
24 Dom Aktora
25 Hôtel Hanza
26 Hôtel Hevelius
27 Hôtel Novotel

|●| **Où manger ?**

40 Bar Neptun
41 Jadłodajnia u Plastyków
42 Bar Turystyczny
43 Bar Złoty Kur
44 Pod Jaszczurem
45 Pizzeria La Pasta
46 Bar Artus
47 Bar Grotex
48 Bar Gyros
49 Palowa
50 Pod Zúrawiem
51 Kubicki
52 Milano
53 Ha Long
54 Pizzeria Napoli
55 Pod Basztami
56 Tawerna
57 Pod Łososiem
58 Gdańska
59 Retman

☕ **Cafés, pâtisseries et glaciers**

25 Kawiarnia de l'hôtel Hanza
49 Palowa
60 Cukiernia Kaliszczak

61 Cocktail Bar Capri
62 Pożegnanie z Afryką
63 Kawiarnia Kolumbijka
64 Kawiarnia Mariacka
65 Ratusz Staromiejski

🍸 **Où boire un verre ?**

62 John Bull Pub
65 Irish Pub
66 Café Casablanca
67 Piwnica Irish Pub
68 U Szkota
69 Klub Aktora
70 Cotton Club
71 Pub International

★ **À voir**

90 Porte Haute
91 Ancienne avant-porte
92 Porte Dorée
93 Hôtel de la Confrérie de Saint-Georges
94 Hôtel de ville de la ville principale et Musée historique de Gdańsk
95 Maison d'Artus
96 Fontaine Neptune
97 Maison Dorée
98 Porte Verte
99 Porte du Pain
100 Porte Notre-Dame et Musée archéologique
101 Grue de Gdańsk et Musée maritime
102 Tour Swan
103 Église Notre-Dame
104 Chapelle royale
105 Grand Arsenal
106 Église Saint-Nicolas
107 Halle Targowa
108 Tour Yacinthe
109 Église Saint-Jean
110 Grand Moulin
111 Église Sainte-Catherine
112 Église Sainte-Brigitte
113 Hôtel de ville de la vieille ville
114 Monument aux Morts des Ouvriers du chantier naval
115 Musée national
116 Église de la Sainte-Trinité
117 Musée de la Poste

GDAŃSK

GDAŃSK

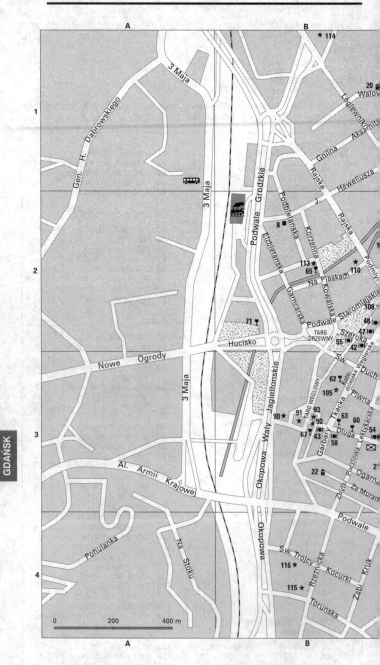

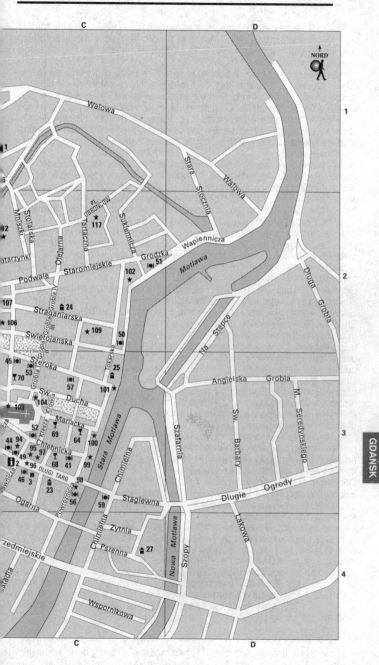

GDAŃSK

(10 000 personnes) et expulsent les survivants. Cinquante ans plus tard, la ville se révolte contre l'ordre. Après la défaite de l'ordre dans la célèbre bataille de *Grunwald,* en 1410, Gdańsk rend hommage au roi, s'associe avec la Pologne.

La ville obtient de nombreux privilèges, le monopole du commerce sur la Vistule, le droit de contrôler le port, de fixer les prix, une autonomie législative, contre un impôt annuel et la reconnaissance du roi de Pologne comme juge suprême de ses tribunaux. Commence alors une période de prospérité. On agrandit les installations portuaires. Les odeurs de blé, de charbon, de miel et de bois expédiés dans tous les grands ports d'Europe se mêlent aux parfums des épices et du café transportés par des bateaux en provenance des mers lointaines.

Durant tout le XVIe siècle, Gdańsk fut la terre d'asile des Hollandais, des Flamands et des Bourguignons qui fuyaient les persécutions religieuses. Au début du siècle suivant, Gdańsk fait appel aux paysans hollandais pour assécher les marais au nord de la ville et permettre son développement. En 1646, c'est à Gdańsk qu'on accueille Marie-Louise Gonzague, devenue reine de Pologne, car c'est la ville la plus fastueuse du royaume.

Pendant les partages de la Pologne, la ville fut occupée par la Prusse et perdit beaucoup de son importance et de son éclat. Libérée en 1807 par les troupes napoléoniennes commandées par le général Lefebvre, elle retombe sous la coupe des Prussiens six ans plus tard, après la défaite française.

Gdańsk a vu naître le physicien Fahrenheit, le père du système de mesure de la température portant son nom, le philosophe Arthur Schopenhauer, un Gdanois « typique », car né d'une mère française et d'un père hollandais.

En 1919, Gdańsk devient « ville libre », son statut est garanti par la Société des Nations. Elle retrouve sa splendeur d'antan et son importance. Sa population est composée à 85 % d'Allemands et à 15 % de Polonais, qui cohabitent harmonieusement jusqu'aux années 30. Après l'arrivée d'Hitler au pouvoir, les litiges se multiplient. Le dictateur revendique l'intégration de Gdańsk à l'Allemagne. Le 1er septembre 1939, le coup de canon donné à partir du cuirassé *Schleswig-Holstein,* qui quelques jours plus tôt était amarré à Gdansk pour – officiellement – rendre hommage aux morts de la Première Guerre mondiale, marque le début de la Seconde Guerre mondiale.

Détruite par les Allemands qui fuyaient en 1945, achevée par l'Armée rouge, qui s'acharna sur cette ville ennemie, Gdańsk fut presque complètement anéantie à la fin de la guerre. Mais l'âme restait vivante. Pierre par pierre, maison après maison, elle se redressa.

Décembre 1970, c'est la révolte. Les ouvriers des chantiers navals protestent. Provoquée par les hausses de prix, une lutte farouche pour la liberté s'engage. Gdańsk se bat davantage pour l'âme que pour le corps. Malgré les morts, l'âme a survécu.

Dix ans plus tard, Gdańsk se rebiffe à nouveau. Mais, cette fois-ci, elle est plus sage, plus expérimentée. Les ouvriers des chantiers navals font appel à toute la Pologne, aux mineurs de Silésie, aux intellectuels de Cracovie. Le mot d'ordre est SOLIDARITÉ. Nous sommes en août 1980. Le monde fait connaissance avec l'électricien *Lech Wałęsa.* Pour la première fois depuis la guerre, les Polonais marchent tous ensemble, derrière une idée. En 1956, à Poznań, c'étaient les ouvriers ; en 1958, à Varsovie, les étudiants ; en 1970, encore les ouvriers ; en 1980, ce sont tous les Polonais, *Solidarność* est né.

Solidarność

Fort de 10 millions de membres, un peu moins d'un quart de la population polonaise, Solidarité sera légalisé par le pouvoir communiste en septembre 1980. Gdańsk, sous la conduite de Lech Wałęsa, vient d'imposer à l'ensemble du bloc communiste le premier syndicat indépendant de son histoire.

Ce succès se solde néanmoins par l'instauration dès 1981 de l'état de siège par le général Jaruzelski sur pression de Moscou. Solidarité est dissous. Lech Wałęsa est emprisonné, puis libéré avant de recevoir le prix Nobel de la Paix en octobre 1983.

L'ouvrier électricien des chantiers navals fera à nouveau plier le pouvoir communiste en déclenchant des grèves massives en 1988 depuis Gdańsk. Ce seront les dernières.

Au printemps 1989, les autorités polonaises sont réunies à une table ronde qui met fin au régime communiste. Gdańsk a donné à la Pologne sa liberté. Les premières élections législatives libres ont lieu en juin et Wałęsa est triomphalement élu Président à la fin de 1990.

Gdańsk et ses trois agglomérations s'ouvrent alors progressivement à la nouvelle économie de marché. Les investissements étrangers y sont les plus importants du pays après Varsovie. Juste le temps de ravaler les façades et d'ouvrir de nouvelles boutiques pour fêter en grande pompe les 1 000 ans de la ville en 1997.

L'arrivée à Gdańsk

Par avion

✈ L'*aéroport* de Gdańsk se trouve à Rebiechowo, à 14 km à l'ouest du centre.

Pour rejoindre le centre :

– *les navettes de la Lot :* se renseigner sur les horaires de départ auprès de leur comptoir.

– Le *bus B* relie directement l'aéroport à la gare centrale *(Gdańsk główny, plan B2, 🚃)*, à la périphérie ouest de la ville, non loin du centre.

– Le *bus n° 110* rejoint la gare de banlieue Gdańsk Wrzeszcz, à trois stations au nord de Gdańsk główny, la gare centrale. Il suffit de prendre le train régional pour rejoindre celle-ci, située en bordure ouest de la vieille ville. Le centre historique est à une dizaine de minutes à pied.

– *Taxi :* l'option la plus chère, mais à la différence de Varsovie pas de risque de voir flamber les tarifs. Bien négocier le prix avant de monter dans la voiture.

En train

🚃 *Gdańsk główny (plan B2, 🚃)*, la gare centrale qui accueille tous les trains, est en bordure ouest de la vieille ville. Il suffit, pour rejoindre celle-ci, d'emprunter le passage souterrain sous le boulevard Jagiellońskie situé devant la gare. Les tramways sont sur le terre-plein central. Un petit office de tourisme se trouve dans le sous-sol de la gare. Ouvert du lundi au vendredi de 9 h à 17 h, fermé les samedi et dimanche.

En bus

🚌 *Dworzec PKS (plan A1, 🚌)*, la gare routière, est logée à l'arrière de la gare centrale sur ul. 3 Maja. De là, il n'y a plus qu'à emprunter le passage souterrain qui vous dépose à l'entrée ouest de la vieille ville.

En bateau

⛴ Les bateaux accostent à l'*embarcadère Nowy Port*, à 6 km au nord de la ville. Ne cédez pas à la tentation des taxis mafieux qui guettent votre arrivée à la sortie du port, mais rejoignez plutôt, 500 m plus au sud, la gare de banlieue (Nowy Port), qui, en 6 stations, vous conduira jusqu'à la gare centrale de Gdańsk, à quelques dizaines de minutes du centre (trains toutes les 20 mn).

Adresses utiles

Offices du tourisme

❖ *Polska Agencja Promocji Turystyki (office municipal;* plan C1, **0** *1) :* ul. Heweliusza 27. ☎ 31-43-55, 31-66-37. Fax : 33-66-37. Dans la rue qui part de la gare, presque en face de l'hôtel *Hevelius.* Ouvert du lundi au vendredi de 9 h à 15 h (16 h en été). C'est l'office municipal. Polyglotte : anglais, allemand et russe. Et surtout efficace. Dispose de nombreuses cartes et brochures sur la ville.

❖ *Agencja Informacji Turystycznej* (plan C3, **0** *2) :* ul. Długa 45. ☎ 31-93-27. Fax : 31-95-72. Dans la grande rue piétonnière, face à l'hôtel de ville. Ouvert tous les jours de 9 h à 18 h. Le deuxième office de tourisme mais de gestion privée. Utile grâce à son grand stock de cartes et de livres.

Agences de voyages

■ *Almatur* (plan C3, *3) :* ul. Długi Targ 11. ☎ 31-24-03, 31-29-31. Fax : 31-78-18. Au cœur du centre, sur la place historique. Ouvert du lundi au vendredi de 9 h à 17 h, le samedi de 10 h à 14 h, fermé le dimanche. Spécialisée dans le tourisme universitaire, *Almatur* gère certains dortoirs dans les collèges. Elle organise aussi la visite des chantiers navals. Réservation deux jours à l'avance, et par groupes de 10 personnes minimum.

■ *PTTK* (plan B3) : Bogusławskiego 1. ☎ 31-16-19. Installée dans la porte Brama Wyżynna, à l'entrée de la rue Długa, cette agence nationale de tourisme procure des guides polyglottes pour la visite de la ville.

■ *Orbis* (plan C1, *4) :* ul. Heweliusza 22. ☎ 31-23-84. Dans une rue au départ de la gare, à l'angle gauche du rez-de-chaussée de l'hôtel *Hevelius.* Ouvert du lundi au vendredi de 8 h à 17 h, le samedi de

10 h à 14 h. Agence de tourisme traditionnelle, elle est compétente pour les billets de train, de bateau et d'avion, ainsi que pour l'organisation d'excursions.

Poste et téléphone

✉ *Poste principale* (plan B3) : ul. Długa 22-28. Dans la rue principale.
– *Téléphone*
● Le *centre téléphonique* est situé dans l'élégant rez-de-chaussée 1900 de la poste centrale. Ouvert 24 h sur 24.
● Sinon, la ville dispose d'un réseau de cabines de téléphone à cartes magnétiques et plus rarement à jetons (jeton A pour les appels locaux, jeton C pour les appels internationaux). Jetons et cartes (25, 50 et 100 unités) s'achètent à la poste, dans les kiosques à journaux et dans les hôtels.

Argent, banque, change

– La plupart des *banques* ouvrent leurs guichets du lundi au vendredi de 8 h à 18 h. Voici les principales dans le centre (et qui changent tous les chèques de voyage) :
■ *Narodowy Bank Polski :* ul. Okopowa 1.
■ *Bank Gdański :* ul. Targ Drzewny 1 et Długi Targ 14/16.
■ *American Express* est hébergé par l'agence *Orbis* (plan C1, *4*) : ul. Heweliusza 22. Au rez-de-chaussée de l'hôtel *Hevelius.* Ouvert du lundi au vendredi de 8 h à 17 h, le samedi de 10 h à 14 h. Guichet n° 3.
– *Change*
Les bureaux de change (kantors) sont la voie la moins onéreuse pour changer vos devises. Parmi les nombreux dans le centre :
■ *Kantor Wymiany Walut :* ul. Szeroka 119/120.
■ *Xamax :* ul. Długa 81/83.

– *Cartes de crédit*

Ici, comme dans les autres grandes villes de Pologne, le réseau *Euronet* a commencé à implanter ses distributeurs. Ils sont supposés accepter les principales cartes de crédit mais ce n'est pas toujours le cas :

■ *Kino Neptun :* ul. Długa 57.

■ *Cukierna Muszelka :* ul. Pańska 7/8.

■ *À la gare (Gdańsk główny) :* ul. Podwale Grodzkie 1.

Représentations consulaires

■ *Allemagne :* ul. Grunwaldzka 1. ☎ 41-43-66.

■ *Autriche :* à Gdynia, ul. Śląska 17. ☎ 20-19-93.

■ *Biélorussie :* ul. Jaśkowa Dolina 50. ☎ 41-00-26.

■ *France :* à Sopot, ul. Kościuszki 16. ☎ 51-44-43.

■ *Grande-Bretagne :* ul. Grunwaldzka 102. ☎ 41-43-65.

■ *Hollande :* ul. Jana Pawła II 20. ☎ 46-76-18.

■ *Italie :* à Gdynia, ul. Świętojańska 32. ☎ 20-15-61.

■ *Ukraine :* ul. Jaśkowa Dolina 44. ☎ 46-06-90.

■ *Russie :* ul. Batorego 1. ☎ 41-10-88.

Urgences

■ *Police :* ☎ 997.

■ *Gendarmerie municipale :* ☎ 986.

■ *Ambulance :* ☎ 999.

■ *Pompiers :* ☎ 998.

■ *Commissariat central :* ul. Okopowa 15. ☎ 31-62-21.

■ *Gendarmerie municipale :* ul. Elżbietańska 10/11. ☎ 31-30-11.

Hôpitaux *(szpitales)*

■ *Szpital Miejski :* ul. Jana Pawła II 50. ☎ 56-45-15.

■ *Wojewódzki Szpital Zespolony :* ul. Nowe Ogrody 1/6. ☎ 32-30-31.

■ *Państwowy Szpital Kliniczny :* ul. Kliniczna 1a. ☎ 41-80-01.

Médecine privée

■ *Centrum Informacyjne i Obsługi Gości :* ul. Wały Jagiellońskie 1. ☎ 35-20-01. Ouvert du lundi au vendredi de 8 h à 20 h, les samedi et dimanche de 10 h à 18 h.

■ *Wrzeszcz :* al. Zwycięstwa 49. ☎ 32-29-29, 41-10-00. Service d'urgences 24 h sur 24, par des médecins parlant l'anglais.

Pharmacies *(aptekas)*

– *Dans le centre*

■ Ul. Długa 54/56.

■ *Dworcowa :* dans la gare centrale.

■ ul. Chmielna 47/52.

– *Plus loin*

■ *Chełmska :* ul. Łużycka 1/1.

■ *Przymorze :* ul. Opolska 3.

■ *Wrzeszcz :* ul. Grunwaldzka 52.

Compagnies aériennes

■ *Aeroflot :* ul. Podwale Staromiejskie 102. ☎ 31-33-37.

■ *KLM :* ul. Grunwaldzka 87/91. ☎ 41-62-20.

■ *Lot :* ul. Wały Jagiellońskie 2/4. ☎ 31-36-66, 31-28-21.

■ *Air Scandinavia SAS :* ul. Słowackiego 200. ☎ 41-31-11.

Location de voitures

■ *Avis :* dans les bureaux de la *Lot*, ul. Wały Jagiellońskie 2/4. ☎ 31-88-18.

■ *Budget :* ul. Słowackiego 200 (aéroport). ☎ et fax : 41-52-51, ext. 298.

■ *Eurodollar :* ul. Słowackiego 200 (aéroport). ☎ 41-52-51, ext. 285.

■ *Europcar :* ul. Słowackiego 200 (aéroport). ☎ 41-52-51, ext. 202.

■ *Hertz :* ul. Heweliusza 22. ☎ 31-40-45.

GDAŃSK

Plans de ville

On n'insistera jamais assez sur la nécessité d'acheter une carte. Vous dominerez mieux la ville et, en plus, elle vous indiquera le parcours des lignes de bus et de tramways.

Transports urbains

Train

Le train de banlieue *SKM (Szybka Kolej Miejska)* est le moyen le plus efficace pour circuler. Il relie en une douzaine de stations la gare centrale (Gdańsk główny) aux deux autres villes de l'agglomération de Gdańsk : Sopot et Gdynia.

Chacun des arrêts est proche d'un site touristique ou pratique (cathédrale d'Oliwa et embarcadère des ferries). Ce train circule environ toutes les 10 mn (30 mn en soirée), de 5 h à minuit ou 1 h. Les billets s'achètent à la caisse à la fin du passage souterrain entre la vieille ville et la gare. Ils doivent être compostés avant la montée dans le train. Les quais sont à droite de la gare. Le trajet jusqu'à Gdynia dure environ 35 mn.

Bus et tramways

Ils sillonnent l'agglomération urbaine où il est facile de se perdre. Mieux vaut les inscrire en deuxième option après le train de banlieue, lorsque l'une des gares est trop éloignée de votre destination.
Ils circulent de 5 h à 23 h et sont ensuite relayés par des bus de nuit. Le prix du billet est calculé en fonction de la durée de votre trajet. Quatre possibilités : 10 mn, 30 mn, une heure et la journée. Bonne chance pour évaluer le temps de votre parcours. N'hésitez pas à demander conseil. Les billets permettent de changer à volonté de bus et de tram durant la durée choisie. Ils doivent être compostés dès la montée. On les achète dans les kiosques, ainsi qu'auprès du chauffeur et des vendeurs de rue.

Bateaux

Ils relient quotidiennement Gdańsk à Sopot, Gdynia et aux presqu'îles de Westerplatte et de Hel. L'embarcadère se trouve sur les *quais de Długie Pobrzeże (plan C3)* près de la porte Verte (brama Zielona). Les horaires de départ sont affichés près des caisses de l'embarcadère. Ils circulent généralement de mi-mai à septembre, mais les bateaux desservant la presqu'île de Westerplatte continuent de fonctionner jusqu'au milieu de l'automne en service réduit.
– Le *Pomeranka*, un bateau promenade à aubes, propose des excursions le long des docks et des chantiers navals avec vue directe sur les grues et les bateaux en réparation. Son embarcadère est situé au nord des quais, sur la *place Targ Rybny (plan C2)*. Horaires près du ponton (en moyenne, 8 départs par jour). Uniquement l'été.

Taxis

Vérifier lors de la montée si le compteur est bien remis à zéro. Certains bars et clubs sont affiliés à une compagnie de taxis qui accordent à leurs clients une réduction. Vous aurez aussi droit à une réduction si vous possédez une carte de fidélité de la compagnie. Le chauffeur se fera généralement un plaisir de vous la remettre.

- *Taxi Plus :* ☎ 96-25 et 35-35-35.
- *Komfort Taxi :* ☎ 32-29-66.
- *Hallo Taxi :* ☎ 91-97.
- *Super Hallo Taxi :* ☎ 31-91-97.
- *Neptun Taxi :* ☎ 96-26.
- *Milano Taxi :* ☎ 96-27.
- *City Taxi :* ☎ 91-93.
- *Chronos Radio Taxi :* ☎ 91-95.

GDAŃSK

Culture

Presse locale

Les deux mensuels anglais gratuits, *Welcome To Gdańsk* et *What, Where, When In Gdańsk, Sopot, Gdynia*, mélangent, comme d'habitude, courts articles sur les événements de la ville avec beaucoup de pub. Également un listing d'adresses utiles. On les trouve dans les grands hôtels et dans certaines agences de voyage.

Plus sérieux mais en polonais, pour avoir le programme des théâtres, cinémas et concerts, l'édition locale de la *Gazeta Wyborcza*.

Presse et librairies internationales

Votre quotidien ou magazine préféré vous attend avec un peu de chance dans les kiosques des grands hôtels ou à l'*International Book Store* du 28/29 Długi Targ (à gauche de la porte Dorée ; *plan C3)*. Ouvert du lundi au vendredi de 10 h à 19 h, les samedi et dimanche de 10 h à 15 h. Ou encore à la maison de presse du centre commercial *Wielka Zbrojownia* (voir ci-dessous).

Une autre librairie internationale avec un rayon livres anglais se trouve sous les arcades de l'immeuble en face de l'hôtel *Hevelius* (ul. Heweliusza 22).

Théâtre et opéra

– *L'Opéra municipal et l'orchestre philharmonique :* al. Zwycięstwa 15. À proximité de la station de train Gdańsk Politechnika, au nord du centre. Ballets, concerts de musique classique.

– *Teatr Wybrzeże, le théâtre national :* Targ Węglowy 1. Au centre. Au répertoire, les grands classiques polonais.

Achats

Gdańsk, la ville hanséatique reine du commerce, commence à retrouver après des décennies de coma socialiste sa vocation première, mais ce n'est pas encore l'euphorie.

Néanmoins, quelques bonnes surprises comme les deux centres commerciaux suivants :

■ *Wielkie Młyny :* ul. Rajska Młyny Podmłyńska, à l'angle d'ul. Na Piaskach. De l'extérieur, c'est un massif moulin à grain construit au milieu du XIVe siècle par les chevaliers teutoniques. C'était le plus grand de son genre en Europe. Jusqu'en 1930, il produisait plus de 200 tonnes de farine par jour. Cela n'a pas empêché la municipalité de dépouiller le bâtiment pour affecter sa carcasse à un « shopping center », digne du capitalisme renaissant. Ouvert du lundi au vendredi de 10 h à 19 h, le samedi de 10 h à 15 h.

■ *Wielka Zbrojownia :* Targ Węglowy. Qui n'a pas rêvé de faire ses menus achats sous les voûtes blanches d'un monumental arsenal du XVIIe siècle ? Gdańsk l'a exaucé en n'hésitant pas à prêter son rez-de-chaussée à un très chic centre commercial qui se partage entre un supermarché et une série de boutiques élégantes. Ouvert du lundi au vendredi de 8 h à 20 h, le samedi de 10 h à 18 h, le dimanche de 10 h à 16 h.

Marchés

– **Hala Targowa :** ul. Pańska, à l'angle de la place Dominikański. Diverses boutiques dans cet ancien et pittoresque marché couvert où l'on trouve de tout, depuis les chaussettes jusqu'aux préservatifs. Il s'agrandit au dehors de stands de fruits et légumes.

– Une succession de stands de vêtements à bas prix occupe toute la longueur de la rue Szeroka. Ouvert tous les jours de 8 h à 20 h.

Artisanat et souvenirs

– La **rue Mariacka** accueille devant ses porches des étals de souvenirs, produits des artisans de la région. Les prix se sont cependant vite alignés sur les standards occidentaux. On y achète aussi de l'ambre, spécialité de la région, ainsi que dans les boutiques de Długie Pobrzeże. La *Danziger Bowke* (Długie Pobrzeże 21) est consacrée aux antiquités du Gdańsk d'autrefois.

– **Magasins Cepelia :** cette chaîne de boutiques, présente dans toutes les villes polonaises, se fait le devoir de proposer un large échantillon de l'artisanat polonais. Quelques adresses :

■ ul. Długa 47 : ouvert du lundi au samedi de 11 h à 19 h.

■ Ul. Grundwaldzka 35 : au nord-ouest du centre. Ouvert du lundi au vendredi de 11 h à 19 h, le samedi de 11 h à 15 h.

Festivals

Pas de ville polonaise sans saison festive. Ici, le gros de l'artillerie événementielle se concentre sur les mois d'été. Place d'abord à la culture :

– En juin, à Gdynia, **festival de Chansons de marin** ; en juillet, à Gdańsk, **festival des Minorités nationales,** avec ses démonstrations de folklore ethnique et, à cheval sur août, le **Festival international d'Orgue,** sous les voûtes de la cathédrale d'Oliwa ; à Sopot, toujours en août, **Festival international de la Chanson**, un cocktail pop et rock de stars locales et étrangères, doublé d'un **festival de Musique classique et de Folklore de la Baltique.**

– Mais l'attraction d'été reste la **Foire dominicaine** (*Jarmark Dominikański*), pendant les deux premières semaines d'août. Remontant à l'an 1260, elle essaime dans la ville échoppes d'artisans et tréteaux de bateleurs et d'artistes de rue.

– En novembre, **festival du Film de Gdynia**, et en décembre pendant les trois premières semaines, **foire de Saint-Nicolas** (*Jarmark Mikołaja*), un remake hivernal de la grande foire d'été.

GDAŃSK

Où dormir ?

Gdańsk, malgré son inflation de monuments cotés à la bourse du tourisme, n'a pas encore hissé son parc hôtelier à la hauteur de la demande. L'offre d'hébergement dans le cœur historique est plus que limitée.

Sopot, la ville balnéaire voisine, vient heureusement à la rescousse. Facilement accessible en une vingtaine de minutes par le train de banlieue (jusqu'à minuit), elle a le mérite d'offrir outre le bol d'air de son bord de mer, un petit éventail d'hôtels et de pensions à prix raisonnables. N'hésitez donc pas à vous reporter au moment de votre choix à la rubrique la concernant. Gdynia, le port industriel, au nord de Sopot, peut être aussi une option envisageable (35 mn par le train de banlieue).

HÉBERGEMENTS BON MARCHÉ HORS HÔTELS

Campings

Les campings indiqués sont ceux de la circonscription administrative de Gdańsk. En réalité, certains sont limitrophes de Sopot, qui compte aussi plusieurs terrains. Vous pouvez donc aussi consulter la rubrique de cette ville.

■ *Camping Stogi :* ul. Wydmy 1. ☎ 37-39-15. À 5 km au nord-est, dans le centre de vacances « Stogi Ośrodek Turystyczny » du faubourg de Stogi, à l'est de Westerplatte. Terminus du tram n° 13 depuis la gare centrale. Ouvert de juin à septembre. Situé en bordure de l'une des plus belles plages de la région. Bien équipé. Bungalows.

■ *Camping n° 18 :* ul. Jelitkowska 23. ☎ 53-27-31. À 9 km au nord-ouest, à côté du parc Jelitkowski, à la frontière de Sopot (entre les hôtels *Posejdon* et *Marina*). Terminus des trams n°s 2 et 6 depuis la gare centrale. Ouvert de juin à septembre. La mer est à 150 m. Bungalows.

■ *Camping n° 10 :* ul. Hallera 234. ☎ 43-55-31. À 6 km au nord de la ville, dans le quartier Brzezno. Ouvert de juin à septembre. Grand et assez bien équipé. Bien entretenu. Bar. Près de la mer mais aussi du port, ce qui compromet la baignade. Bungalows. Tram n° 13 depuis la gare centrale.

Auberges de jeunesse

■ *Schronisko Młodzieżowe* (plan B1, 20) : ul. Wałowa 21. ☎ 31-23-13. Ouvert toute l'année. À quelques minutes à pied au nord-est de la gare principale. Une bâtisse de brique solide comme la nation polonaise, logée à l'arrière d'un petit parc. En raison de son emplacement central, il est souvent difficile de réussir à s'y nicher, mais tentez tout de même votre chance. Après quelques escaliers costauds, 100 places dans des chambres de 1 à 10 personnes. Cuisine avec réfrigérateur, salle à manger à disposition, sanitaires communs (pour prendre une

douche, demander la clé à la réception). Personnel assez froid et pas très coopératif.

■ *Schronisko Młodzieżowe :* ul. Kartuska 245 b. ☎ 32-41-87, 32-60-44. À 4 km à l'ouest de la gare centrale. Bus n°s 161, 167, 174 depuis la gare routière sur al. 3 Maja, à l'arrière de la gare. Ouvert toute l'année. Pas trop grande mais bien entretenue, avec l'école attenante l'été comme annexe.

■ *Schronisko Młodzieżowe :* ul. Grunwaldzka 244. ☎ 41-16-60, 41-41-08. À 6 km, au nord-ouest, près d'Oliwa, dans le faubourg de Wrzeszcz. Train de banlieue : arrêt Gdańsk-Zaspa ou trams n°s 6 et 12 depuis la gare centrale. Ouvert toute l'année. Dans un bâtiment moderne, à l'intérieur d'un complexe sportif, voisin d'un terrain de football.

Résidences universitaires

Toujours le même principe, ces dortoirs d'étudiants s'ouvrent aux touristes de passage pendant les mois de vacances (août-septembre).

– *Almatur* (plan C3, 3), l'agence de tourisme universitaire, gère quelques-uns de ces dortoirs : ul. Długi Targ 11. ☎ 31-24-03, 31-29-31. Fax : 31-78-18. Ouvert du lundi au vendredi de 9 h à 17 h, le samedi de 10 h à 14 h, fermé le dimanche.

– *L'université Politechnika Gdańska* dispose du plus grand parc de cités universitaires ouvertes en été (août-septembre) : ul. Wyspiańskiego 7a. ☎ 47-25-47. Fax : 41-44-14. La plupart de ces résidences se trouvent dans le faubourg de Wrzeszcz. L'office central de l'université ci-dessus ou l'office de tourisme peuvent se charger de la réservation. Vous pouvez aussi téléphoner directement à chacune d'elles. Les principales sont :

● *Dom Studencki (DS)* : ul. Traugutta 115 b. ☎ 47-17-63.

● *DS :* ul. Dom Studzienki 32 et 61. ☎ 47-14-48 et 41-27-45.

● *DS :* ul. Wyspiańskiego 7, 5 et 9. ☎ 47-17-53, 47-12-51 et 47-24-72.

• *DS :* ul. Leczkowa 18. ☎ 41-28-89.

Chambres chez l'habitant

– L'agence **Gdańsk Tourist** *(plan B2, 8)* a pour mission de gérer l'offre de logement chez l'habitant : ul. Heweliusza 8. ☎ 48-58-31/17/27. Fax : 31-63-01. Au début de cette rue au départ de la gare. Ouvert tous les jours en juillet-août de 8 h à 19 h, le reste de l'année du lundi au vendredi de 8 h à 18 h, le samedi de 9 h à 15 h ; fermé le dimanche.

Les prix pratiqués sont fonction de la situation géographique, les chambres les plus chères étant dans le centre historique. Comme ces dernières sont forcément en nombre limité, les heureux élus sont rares. Les autres devront orienter leur choix en fonction de la proximité d'une gare de banlieue, celle-ci étant le moyen le plus rapide pour faire la navette avec le centre.

HÔTELS

Bon marché

▪ **Hôtel Zaułek** *(plan B-C3, 21)* : ul. Ogarna 107/108. ☎ 31-41-69. Logé dans une cour derrière la rue Długa. À la fin de la rue Długa, tourner à droite dans la rue Ławnicza, puis suivre la flèche. À regarder cette façade d'HLM de béton gris, la première réaction est de tourner immédiatement les talons et de passer son chemin. Mais réfléchissez, vous êtes en plein centre à quelques mètres de l'animation de la grande place et les prix sont ridiculement bas pour des chambrées spartiates de 1 à 6 lits. Bien sûr, il faudra accepter les escaliers emprisonnés dans des grilles carcérales, une réception qui oublie d'être aimable, et un mobilier réduit à l'essentiel. Mais ce qui était bon pour les travailleurs de l'ex-république socialiste peut l'être aussi pour le routard économe de sa bourse. Rien n'est parfait sous le soleil de Gdańsk.

▪ **Dom Harcerza** *(plan B3, 22)* : ul. Za Murami 2/10. ☎ 31-36-21. Fax : 31-24-72. Dans le centre, au sud de la rue Długa, le long des remparts. Hôtel ou auberge de jeunesse améliorée? La réalité est entre les deux pour ce petit hôtel, logé dans le solide bâtiment d'un cinéma d'art et d'essai à proximité des remparts. Sa fonction première est d'accueillir des groupes de jeunes dans des dortoirs de 7 à 12 lits. Mais il possède également des chambres de bonne tenue avec salle de bains pour 2, 3 et 4 personnes, ainsi que plusieurs petits appartements. Évidemment, l'ambiance est plus collectiviste que dans une adresse traditionnelle, ce qui a aussi son charme. Il faut mettre également à son crédit sa situation centrale, ses prix consensuels et un excellent état de propreté générale.

▪ **Hôtel Pensjonat Złota Plaża :** ul. Kapliczna 12. ☎ 53-08-51. À 9 km au nord-ouest, à côté du parc Jelitkowski, à proximité du bord de mer, près de l'hôtel *Posejdon*. Trams nos 2 et 6 depuis la gare centrale. Cette petite maison a été pendant longtemps le centre de vacances des techniciens de la télévision avant d'être rachetée par Anna Wenclik, une violoniste polonaise expatriée en Allemagne. Celle-ci la rénove progressivement pour lui donner des airs de pension de famille. Les quelques petites chambres au confort bricolé de résidence secondaire sont mignonnes et sans prétention. Elles peuvent accueillir de deux à trois personnes qui devront se partager l'unique salle de bains. Mais tout devrait changer l'année prochaine, quand les chambres auront atteint le standard de l'appartement sous le toit du dernier étage : trois petites pièces contiguës en bois clair. Une bonne adresse intime qui bénéficie de la personnalité de sa propriétaire.

▪ **Centrum Edukacji Nauczycieli :** ul. Gen. J. Hallera 14. ☎ 41-93-73. Fax : 41-07-63. Au nord du centre, près de la station Gdańsk Politechnika. Cet énorme bâtiment de brique à la sévérité doctorale est le centre d'hébergement des professeurs. La décoration et le confort intime n'entrent pas dans la vocation des chambres doubles réduites au minimum syndical universitaire. Ambiance de monastère laïque dans les longs couloirs où l'on s'attend à voir surgir le recteur. Une adresse de dépannage mais un excellent poste d'observation des mœurs polonaises.

Prix moyens

▪ *Hôtel Jantar* *(plan C3, 23)* : ul. Długi Targ 19. ☎ 31-27-16. Fax : 31-35-29. Magnifiquement situé sur la place centrale. C'est l'occasion de découvrir ce qui se cache derrière ces somptueuses façades historiques reconstituées. Le décor de cinéma cache ici un bâtiment moderne, en forme de caserne socialiste, avec des longs couloirs sous des plafonds abyssaux. Rien de la douceur promise par la façade ne se retrouve dans les chambres, certes de bon volume mais d'un aménagement tristounet de sous-Conforama qui pousse à la dépression. La couleur dominante est le marron et les portes capitonnées de Skaï sont les seules concessions de décoration. Néanmoins, vous êtes en plein centre, ce qui n'a pas que des avantages, si par exemple vous logez au premier étage au-dessus du restaurant de la place qui a oublié d'insonoriser ses murs.

▪ *Dom Aktora* *(plan C2, 24)* : ul. Straganiarska 21/22. ☎ 31-78-82. Fax : 31-61-93. Bien situé dans une rue calme au nord de la vieille ville. Encore une fois, l'extérieur de ce petit immeuble de quatre étages, gris et moderne, n'est guère engageant. Les cages d'escalier en pur béton non plus. Son atout réside dans l'offre originale de trois petits appartements meublés comme un chez-soi polonais, avec tout le nécessaire pour vivre en autarcie : cuisine aménagée à la bonne fortune du pauvre, salon et chambres à coucher, lits-canapés et décoration de fond de tiroir. Le tout, pour le prix moyen d'une chambre d'hôtel. Pas trop mal si l'on veut disposer d'un peu plus d'espace.

▪ *Dom Nauczyciela :* ul. Uphagena 28. ☎ 41-91-16, 4155-87.

Fax : 41-49-17. Au nord, à proximité de la station Gdańsk Politechnika. Installée dans un quartier résidentiel, cette maison de brique aux allures de *cottage* anglais n'attend plus que son Pygmalion pour devenir une adresse de charme. Pour l'instant, on devra se contenter de lugubres couloirs chichement éclairés qui desservent des chambres dont le seul point fort est de disposer d'un beau volume (parfois 2 pièces pour une chambre double). Le mobilier est presque bon pour la décharge, certains lits sont de mauvais canapés clic-clac. En revanche, les prix n'ont pas la folie des grandeurs et deviennent très modestes quand on renonce à une salle de bains, ou même à un évier. Chambres de 2, 3, 4 personnes.

Plus chic

▪ *Hôtel Hanza* *(plan C3, 25)* : ul. Tokarska 6. ☎ 35-34-27. Fax : 35-33-86. Emplacement de rêve pour cet immeuble flambant neuf qui a pris position sur la promenade des quais. Bien que conforme au dernier cri de l'architecture contemporaine, il réussit le pari de s'harmoniser avec les bâtiments voisins au pedigree historique. D'une taille raisonnable, il propose un intérieur post-moderne dans des couleurs pastel italianisantes, vert, ocre et jaune, qui procurent un sentiment de luxe discret. Les chambres reproduisent la même ambiance avec un souci du détail et de la perfection : bonne moquette, mobilier moderne de goût et des salles de bains qui invitent au farniente. Sans oublier la vue pour certaines sur le va-et-vient du bras de la Motława. Au rez-de-chaussée, le bar et le restaurant dans un pastiche des années 30 sont un atout supplémentaire pour s'y sédentariser.

▪ *Hôtel Hevelius* *(plan C1, 26)* : ul. Heweliusza 22. ☎ 31-56-31. Fax : 31-19-22. Dans une rue au départ de la gare. Une tour comme en a produit par centaines le tourisme socialiste. Si son aspect extérieur n'a guère changé, l'intérieur a fait l'objet d'une rénovation réussie qui l'a hissé aux normes de sa catégorie. Les chambres sont grandes, bien équipées d'un mobilier en bois d'acajou du plus bel effet et, bien sûr, avec TV câblée et téléphone. L'avantage d'une tour est d'offrir une vue panoramique sur la ville et celle de l'*Hevelius*, sur sa façade est, est magique : elle offre pour perspective une bonne partie des toits de la vieille ville. Le sous-sol héberge une disco maison, principal lieu de pêche des « belles de nuit » de la ville. Une très bonne adresse en dépit des apparences.

≜ *Hôtel Novotel* (plan C4, 27) : ul. Pszenna 1. ☎ 31-56-11. Fax : 31-56-19. Sur la face est de l'île Spichlerze, en bordure de la vieille ville. Un discret bâtiment en U, à l'architecture moderne passe-partout, pour ne pas dire laide. Pas de charme particulier outre d'offrir l'assurance d'un confort standardisé aux normes occidentales et surtout un emplacement calme à deux pas ou presque de la grande place.

≜ *Hôtel Posejdon :* ul. Kapliczna 30. ☎ 53-18-03. Fax : 53-18-03. Au nord de la ville, près du parc Jelitkowski. Principal avantage de cette ancienne caserne du luxe socialiste : sa proximité immédiate avec le bord de mer. Sinon, il se présente comme une construction années 60 pas trop grande, bien reliftée pour séduire la clientèle des tours-opérateurs qui y déversent leurs contingents de touristes allemands. Piscine, sauna et salle de muscu en cadeau.

Où manger ?

S'il est un domaine où Gdańsk a réussi en quelques années sa résurrection, c'est bien celui de la restauration. Les restaurants pullulent au point de former une succession ininterrompue dans les rues commerçantes. Le poisson est souvent la vedette de la carte et se laisse consommer sans risque, depuis la dépollution progressive de la Baltique. L'échelle des prix est à même de satisfaire toutes les bourses. Seul point faible, l'absence encore de cuisine étrangère pour varier les plaisirs.

Très bon marché

Vous avez de la chance, Gdańsk compte encore quelques *bars mleczny*, ces petites cantines populaires subventionnées où la cuisine polonaise familiale se laisse découvrir à petits prix.

|●| *Bar Neptun* (plan C3, 40) : ul. Długa 33/34. Dans la rue principale. Ouvert de 7 h à 18 h (17 h les samedi et dimanche). À peine croyable, mais seule la Pologne réussit à faire cohabiter dans la même rue des cuisines pour riches et pauvres. Cette cantine a droit à un immeuble historique comme ses voisins plus fortunés. Installée sur deux étages blancs, avec vue sur l'animation de la rue, elle propose ses nombreux plats copieux en version self-service, une nette amélioration de la formule. Le meilleur de sa catégorie.

|●| *Jadłodajnia u Plastyków* (plan C3, 41) : ul. Chlebnicka 13/16. Dans une rue parallèle à Długi Targ. Ouvert de 9 h à 17 h (16 h 30 les samedi et dimanche). Tout près de l'animation commerciale des quais, cette grande salle, en surplomb de la rue, se donne des airs de club anglais fauché dans sa dominante de bois sombre. Le volume est immense, comme la carte des plats, destinés prioritairement aux estomacs des étudiants du foyer voisin. Le caissier posté à l'entrée sera d'une aide secourable pour trouver son bonheur parmi les spécialités affichées sur un grand panneau.

|●| *Bar Turystyczny* (plan B2, 42) : à l'angle des rues Latarniana, Węglarska et Szeroka. À l'entrée nord-ouest de la ville. Ouvert du lundi au vendredi de 7 h à 19 h, les samedi et dimanche de 9 h à 17 h. Logé dans le rez-de-chaussée blanc et rose d'une maisonnette, il vient de subir une rénovation qui n'a en rien perturbé son savoir-faire. Comme par le passé, il continue de servir de larges portions de plats roboratifs sous l'œil sévère des caissières en blouses blanches.

GDAŃSK

|●| Bar mleczny Akademicki : al. Grundwaldzka 35. Au nord, au début de cette avenue près de la station Gdańsk Politechnika. Ouvert du lundi au vendredi de 7 h à 19 h, le samedi de 9 h à 17 h, fermé le dimanche. Dans un gros immeuble dont les baies vitrées sont largement ouvertes sur la rue, le nouveau gérant a converti l'ancienne cantine en une cafétéria dynamique où la même inflation de plats est proposée désormais en self-service. Clientèle mixte d'étudiants et d'habitants du quartier.

Bon marché

|●| Bar Złoty Kur (plan B3, **43**) : ul. Długa 4. Au début de la rue principale. Ouvert tous les jours de 9 h à 19 h. La version privée des bars *mleczny* dans cette salle en longueur au mobilier d'auberge de quartier. La décoration est plus soignée et se rapproche de celle d'une cafétéria moderne dans des couleurs marron. Un grand choix de plats populaires typiques qui, l'été, se laissent apprécier sur la petite terrasse avec vue sur les cohortes de touristes.

|●| Pod Jaszczurem (plan C3, **44**) : ul. Długa 47. À gauche de l'hôtel de ville, dans la rue principale. Ouvert tous les jours de 10 h à 23 h. Un fast-food élégant dans sa décoration de marbre qui a l'intelligence, pour satisfaire tous les appétits, de marier les spécialités polonaises aux valeurs sûres de la restauration rapide : hamburgers et *kebabs*. Petite terrasse l'été pour manger au frais.

|●| Pizzeria La Pasta (plan C3, **45**) : ul. Szeroka 34/35. Dans une des rues du centre. Ouvert tous les jours de 11 h à 22 h. Pour une fois, un fast-food à visage humain qui offre à ses clients une large salle claire et conviviale où le beau *design* gris et blanc des tables ajoute la note chic qui manque habituellement à ce genre d'établissement. Côté cuisine, même souci de la qualité avec 19 variétés de pizzas et 7 plats de spaghetti et lasagnes. L'été, sa grande terrasse sur la rue piétonnière invite à se sédentariser au soleil.

|●| Bar Artus (plan C3, **46**) : ul. Długi Targ 8-10. Sur la droite de la grande place. Ouvert tous les jours de 10 h à 22 h. Ce petit fast-food tout blanc reprend la formule qui semble rencontrer le succès ici : la fraternisation des plats polonais avec les pizzas, hamburgers et *kebabs*.

|●| Bar Grotex (plan B2, **47**) : ul. Pańska 4. Dans une rue près de la place Dominikański. Ouvert tous les jours de 9 h à 20 h. Une petite boutique blanche qui, dans sa pièce carrée avec des tablées de bois blanc, s'évertue à servir quelques plats polonais en version fast-food améliorée.

|●| Bar Gyros (plan B2, **48**) : ul. Pańska 6. Ouvert tous les jours de 8 h à 19 h 30. Voisin du précédent et même profil de petit fast-food au rez-de-chaussée d'une boutique carrelée et blanche. Au menu, plats polonais et orientaux comme des *kebabs*.

Prix moyens

|●| Palowa (plan C3, **49**) : ul. Długa 47. ☎ 31-55-32. Ouvert tous les jours de 10 h à 22 h. Magnifiquement implanté dans l'entresol voûté de l'hôtel de ville, ce restaurant de bonne gastronomie polonaise où dominent les plats de poisson n'a pas eu à se forcer pour ressembler à la salle de banquet d'un château seigneurial. L'espace immense est occupé par la mer des tables sur laquelle tombe la lumière rasante des vitraux qui garnissent les lourdes fenêtres grillagées. Les formes puissantes des chaises géantes vous emprisonnent à votre tablée, tandis que le regard dérive sur les nombreuses plantes vertes qui séparent les convives. Le ballet des serveurs, en tenue bistrot blanc et noir, ajoute la note festive qui convient à ces murs historiques.

|●| Pod Żurawiem (plan C2, **50**) : ul. Warzywnicza 10. ☎ 31-34-17. Sur les quais, au nord, après la porte Świętojańska. Ouvert tous les jours de 12 h à 23 h. Pour vous séduire et faire apprécier sa cuisine de spécialités polonaises, ce restaurant avec vue sur les quais a choisi le cadre chaud d'une auberge traditionnelle de Gdańsk. La décoration privilégie le bois et les petites banquettes où l'on dîne dans une atmosphère de bonne franquette bourgeoise. Nappes amidonnées, bougeoirs et un service stylé discret y contribuent aussi.

|●| Kubicki *(plan C2, 51)* : ul. Wartka 5. ☎ 31-00-50. Au nord de la promenade des quais, après la place Targ Rybny. Ouvert tous les jours de 12 h à 22 h. Le vieux Gdańsk est à l'honneur dans ces deux salles calfeutrées comme une antique taverne de marins. Ici on a oublié que l'homme a marché sur la lune, seul compte le souvenir du bon vieux temps où le monde de la Baltique se donnait rendez-vous à Gdańsk. En témoigne, sur les murs, la collection de lithos à la gloire de l'ancienne cité, tandis que les banquettes profondes et l'éclairage aux chandelles ont vite fait de charger l'atmosphère de la lourdeur paisible des veillées d'autrefois. La bonhomie tranquille des serveurs accompagne magistralement une cuisine polonaise calorique et succulente qui va droit à l'estomac.

|●| Milano *(plan C3, 52)* : ul. Chlebnicka 49/51. ☎ 31-78-47. Au pied de l'église Notre-Dame. Ouvert tous les jours de 12 h à minuit. Ce restaurant de spécialités italiennes a voulu se montrer digne de l'église paroissiale voisine. Sa salle unique à l'élégance sobre des adresses de haute gastronomie. La décoration se contente de mettre en valeur les tables habillées de nappes roses et les murs nus tandis que les celliers arborent triomphalement les vins de la maison. L'été, le restaurant s'agrandit d'une terrasse à l'abri des passants derrière une balustrade à motifs autrichiens. Grande carte de lasagnes. Assez cher.

|●| Ha Long *(plan C3, 53)* : ul. Szeroka 37/39. Dans une rue du centre. Ouvert tous les jours de 11 h à 23 h. Un chinois chic, dans un grand espace tout en longueur aux grandes fenêtres ouvertes sur la rue. Le plafond disparaît dans les hauteurs, tandis que la rangée de lampions rouges rythme le serpent des petites tables jusqu'à la grande rotonde du fond. Peu de bruit et un service discret sous la houlette du patron chinois. Une grande carte mais à des prix assez élevés. Il s'est adjoint, au coin de la rue Grobla I (n° 37), le petit fast-food *Smok*, où une sélection de plats chinois est proposée à des prix inférieurs, dans un cadre plus que rudimentaire.

|●| Pizzeria Napoli *(plan B3, 54)* : ul. Długa 62/63. Dans la rue principale. Ouvert tous les jours de 12 h à 21 h. Disposer d'un emplacement sur l'artère la plus passante de la ville n'incline pas à produire des efforts d'imagination. Tel est le cas de cette pizzeria assez grande au cadre banal et fonctionnel pour touristes trop paresseux pour aller plus loin. Une adresse de proximité, dont la seule qualité est d'être sur votre chemin.

|●| Pod Basztami *(plan B2, 55)* : ul. Latarniana 2. À l'entrée ouest de la vieille ville près de la place Targ Drzewny. Ouvert tous les jours de 11 h à 23 h. Bonne ambiance de brasserie polonaise qui surplombe de son bâtiment moderne un square bien vert. Le lieu conserve le savoir-faire fonctionnel et sans fioritures d'une adresse née sous le socialisme. La couleur marron habille cette grande salle aux larges baies vitrées et dominée par un long bar. La clientèle est plutôt âgée et semble apprécier une cuisine de standards polonais qui n'a plus besoin de faire ses preuves.

Plus chic

|●| Tawerna *(plan C3, 56)* : ul. Powroźnicza 19/20. ☎ 31-41-14. Dans une rue à droite de la porte Verte en fin d'ul. Długi Targ. Ouvert tous les jours de 11 h à 23 h ou minuit. Il est des adresses qui d'emblée imposent l'évidence de leur aristocratie. C'est le cas de ce restaurant de poisson et de recettes traditionnelles qui a la tranquille assurance d'un salon culinaire plébiscité par l'élite locale. Sa pièce unique est un hymne à la mer. Les maquettes d'antiques voiliers naviguent au-dessus des têtes des dîneurs, pendant que des tableaux maritimes cloisonnent l'espace en petits cabinets de conversation. Le bar s'est déguisé en un long dragon des mers en forme de proue de navire. Aux commandes, un personnel qui sait jouer de la confidentialité pour ne pas faire ombrage à la paisible atmosphère de gastronomie sélecte.

|●| *Pod Łososiem* *(plan C3, 57)* : ul. Szeroka 54. ☎ 31-76-52. Dans une rue du centre. Ouvert tous les jours de 12 h à 22 h (dernière commande à 20 h). Depuis sa fondation en 1598, il n'a pas démérité de son rang d'institution culinaire de la ville. Déjà par son cadre, il est hors catégorie. Situé dans un hôtel particulier du XVIIe siècle reconstruit à l'identique après-guerre, il aligne d'impressionnants salons, sous la bonne garde de plafonds peints ou de poutres centenaires. Des fenêtres à vitraux au lourd mobilier ancien, tout y respire la puissance de l'ancienne cité commerciale qu'était Gdańsk. Le poisson est le plat vedette de sa carte, en particulier le saumon qui lui donne son nom. Son pedigree culinaire se flatte aussi de plusieurs récompenses gastronomiques, tandis que ses murs ont servi de décor à de nombreux films. Il s'enorgueillit également du secret de la liqueur dite *Gold Wasser*, une épaisse vodka sucrée avec des paillettes d'or.

Cafés, pâtisseries et glaciers

– *Cukiernia Kaliszczak* *(plan B3, 60)* : ul. Długa 74, toujours et encore dans la rue principale. Ouvert tous les jours de 9 h à 20 h. Dans une magnifique maison rose, cette pâtisserie-glacier est noire de monde. C'est pourquoi elle n'a pas prévu de chaises ou presque, et se consacre entièrement à la vente à emporter. D'avis de connaisseurs, confirmé par l'affluence, ce sont les meilleures glaces en ville. Le comptoir de pâtisseries ne démérite pas non plus.

|●| *Palowa* *(plan C3, 49)* : ul. Długa 47. ☎ 31-55-32. Ouvert tous les

|●| *Gdańska* *(plan B3, 58)* : ul. Świętego Ducha 16. ☎ 35-76-72. Dans une petite rue du centre. Ouvert tous les jours de 12 h à 23 h. Atmosphère lourde et feutrée dans cette salle qui se veut un hymne au vieux Gdańsk. Tel le salon d'un château, ses murs sont surchargés de tableaux anciens, de maquettes de navires et d'innombrables trouvailles d'antiquaires qui charment l'œil. Les tapis épais absorbent le bruit des conversations et contribuent à renforcer l'élégance nobiliaire du personnel en tenue traditionnelle. Le décorateur a adjoint un petit bar également surchargé de bibelots qui sert d'écrin à une série de caricatures des célébrités de la ville. Cuisine de spécialités polonaises et européennes.

|●| *Retman* *(plan C3, 59)* : ul. Stagiewna 1. ☎ 31-92-48. Sur l'île Spichlerzen, face à la porte Verte, à la fin de Długi Targ. Ouvert tous les jours de 12 h à 23 h ou minuit. Cette petite salle donne dans le pompeux ancien pour réveiller les mânes du vieux Gdańsk, supposé vous séduire. Maquettes de bateaux, vieux tableaux et lourdes boiseries assurent l'ambiance nostalgique. Le service semble un peu guindé, mais la cuisine est à la hauteur de l'ambition du lieu : bons plats de poisson et de viande.

jours de 10 h à 22 h. Ce restaurant (voir la rubrique « Où manger ? Prix moyens ») se convertit l'après-midi en une pâtisserie-salon de thé qui bénéficie de son énorme salle voûtée, logée à l'entresol de l'hôtel de ville.

♈ *Cocktail Bar Capri* *(plan B-C3, 61)* : ul. Długa 59. Dans la rue principale. Ouvert tous les jours de 10 h à 22 h. Beaucoup de monde à se presser dans ce glacier-pâtisserie en self-service. Une belle salle bleu et blanc pour se repaître des cocktails de fruits et, l'été, une terrasse en poste d'observation sur la rue.

GDAŃSK

☙ *Pożegnanie z Afryką (plan B3, 62)* : ul. Kołodziejska 4. Dans une rue, à l'arrière de la place Targ Węglowy. Ouvert tous les jours de 10 h à 22 h. Le temple du café a élu domicile dans une belle et grande boutique dans les tonalités de beige. À la fois magasin et café, elle permet de déguster les multiples nectars noirs qui trônent comme des trophées au-dessus du comptoir de vente. Ceux-ci sont préparés à l'aide d'une cafetière originale portée à ébullition sur des becs de gaz. Vous aurez droit aussi à des tabourets habillés de sacs à café qui exhalent encore la forte odeur des grains venus du monde entier.

☙ *Kawiarnia de l'hôtel Hanza (plan C3, 25)* : ul. Tokarska 6. Sur les quais après la porte Verte. Ouvert tous les jours de 9 h à 21 h. Envie de luxe sobre pour lire au calme son journal, tout en regardant la foule des promeneurs sur les vieux quais. Ce bar est alors le vôtre. Comme l'hôtel qui l'abrite, il bénéficie du décor élégant d'une architecture moderne qui s'amuse à pasticher les années 30. Murs pastel et gros fauteuils cubes. Une petite terrasse en surplomb des quais. Bref, la classe.

☙ *Kawiarnia Kolumbijka (plan B3, 63)* : ul. Długa 77/78. Toujours dans la rue principale. Ouvert tous les jours de 10 h à 22 h. Sa grande terrasse cache une grande salle en longueur qui se veut un peu tropicale sans trop y réussir. Pas beaucoup de charme mais bienvenue pour se reposer entre deux explorations de la ville.

☙ *Kawiarnia Mariacka (plan C3, 64)* : ul. Mariacka 21/22. Dans une rue perpendiculaire aux quais. Ouvert tous les jours de 10 h à 20 h. Un salon de thé lilliputien en surplomb des stands de souvenirs qui s'installent pour la journée dans cette rue pittoresque. Pas de décoration originale, mais ses quelques tables en poste d'observation sur son perron méritent bien une petite pause.

☙ *Ratusz Staromiejski (plan B2, 65)* : ul. Korzenna 33/35. Dans une rue au nord de la vieille ville. Ouvert tous les jours de 10 h à 20 h. L'ancien hôtel de ville Renaissance, transformé en centre culturel, prête son entrée coquette à un petit café sans fenêtre. Il bénéficie de la patine des murs rehaussés par deux petits lustres et quelques blasons. Peu de tables sous son plafond voûté mais qu'importe, l'endroit a le charme *cosy* d'une adresse oubliée de la cohue des touristes.

Où boire un verre ?

☙ *Irish Pub (plan B2, 65)* : ul. Korzenna 33/35. Dans une rue au nord de la vieille ville. Ouvert de 12 h à 1 h (4 h les vendredi et samedi). Ce bar a squatté les caves de l'ancien hôtel de ville d'un pur style Renaissance. Mais dans ce monde des profondeurs, les mœurs sont plutôt barbares en comparaison. Pas de décoration, d'ailleurs pourquoi en faudrait-il, juste des murs bruts rocailleux et un éclairage minimaliste à la bougie. On y vient surtout pour les concerts de jazz et de rock qui débutent chaque soir vers 21 h sur la petite scène avec son piano fatigué. Un bon prétexte pour ouvrir le robinet à bière du grand bar carré qui domine les tables de bois brut. L'été, il dispose aussi d'une grande terrasse sommaire sur un des flancs du bâtiment. Mais même là, les clients ont davantage le nez dans leur verre que dans les étoiles.

☙ *Café Casablanca (plan B3, 66)* : ul. Długa 57. Dans la rue principale. Ouvert tous les jours de 14 h à minuit. Impossible de le détecter depuis la rue, puisqu'il loge dans les étages supérieurs du cinéma Neptun (entrée sur la droite). Occupant une bonne partie de la superficie du cinéma, il se donne des airs de salon d'étudiants avec des meubles récupérés dans le grenier de papa et maman. Comme dans un apparte-

GDAŃSK

ment collectif d'intellectuels, on aime à y refaire le monde. Car c'est aussi un peu sa vocation première. Chaque mardi sont organisées des soirées anglaises, et chaque jeudi des soirées... françaises. Entendez par là qu'il souhaite attirer sur ses canapés des expatriés des deux pays pour des conversations à bâtons rompus avec les locaux bilingues. Le restant de la semaine, il accueille des petites formations de jazz ou de rock débutantes. Un bar en dehors des circuits traditionnels de la nuit.

Piwnica Irish Pub *(plan B3, 67)* : ul. Podgarbary. Dans une rue sur la droite au début de la rue Długa, après la porte Złota. Ouvert tous les jours de 11 h à 1 h. Facilement repérable, c'est une maisonnette isolée sur une petite place. Il faut s'y enfoncer pour découvrir une belle cave voûtée de briques rouges. Pas très grande, elle a l'élégance *cosy* comme on l'aime ici. Pas d'exubérance non plus, on y lève son verre de whisky sur des tables proprettes qui ne prêtent pas au laisser-aller. S'il ne se voulait pas irlandais, on se croirait dans un salon de thé troglodytique. Petite restauration de grillades.

U Szkota *(plan C3, 68)* : ul. Chlebnicka 9/12. Dans une rue parallèle à Długi Targ. Ouvert tous les jours de 12 h à minuit. Pourquoi aime-t-on tant l'Écosse à Gdańsk au point d'habiller les serveurs de ce bar-restaurant en kilt ? Son volume est petit, confiné sous une mezzanine comme dans un repaire d'opposants écossais à la couronne britannique. Nostalgiques de leur patrie d'adoption, les propriétaires ont accumulé les souvenirs de là-bas : fanions, vieilles vaisselles et petits personnages. Seuls les dîneurs ont droit à la mezzanine, les buveurs, eux, doivent se tasser au minuscule comptoir.

Klub Aktora *(plan C3, 69)* : ul. Mariacka 1/3. Dans une rue perpendiculaire aux quais. Ouvert tous les jours de 9 h à 23 h. Le club de l'acteur a ses beaux jours derrière lui.

Malgré son impressionnant portail monumental, son décor anglo-polonais de petites tables basses date un peu. La mezzanine du premier est tout aussi basique pour un œil occidental. Mais les Polonais continuent à l'aimer en souvenir peut-être des joyeux moments passés ici jadis.

Cotton Club *(plan C3, 70)* : ul. Złotników 25/29. Dans une ruelle qui coupe ul. Szeroka. Ouvert tous les jours de 16 h à 1 h ou 2 h. Un grand sous-sol profond ceinturé de mezzanines, avec vue directe sur les solides gaillards qui s'affrontent autour des billards de l'espace central. Rien à voir avec le mythique club de jazz new-yorkais, immortalisé par Francis Ford Coppola. La seule référence semble être cette vague peinture murale rappelant un New York de carte postale. Non, ce *Cotton Club*-là est davantage un club sportif pour boire un coup en attendant qu'un des billards se libère. Une adresse de la première génération.

John Bull Pub *(plan B3, 62)* : ul. Kołodziejska 4. Dans une rue à l'arrière de la place Targ Węglowy. Ouvert tous les jours de 12 h à minuit. Les habitués de l'Europe de l'Est connaissent cette chaîne anglaise expatriée. Logé dans l'entresol d'un vieil immeuble, ce pub reproduit avec fidélité le décor qui lui a valu son succès : l'intimité du *cosy* anglais décliné dans une petite salle sombre avec cheminée, tableaux anciens et banquettes moelleuses. Bières anglaises et restauration internationale.

Pub International *(plan B2, 71)* : al. Wały Jagiellońskie 1. Sur le boulevard ouest qui part de la gare, au niveau de la place Targ Drzewny. Ouvert tous les jours de 14 h à minuit. Au sous-sol du club d'étudiants Żak, ce qu'on y découvre n'est pas à la hauteur de son nom : une lugubre cave moderne qui s'égaye seulement grâce à la population estudiantine qui trouve les lieux à son goût.

GDAŃSK

À voir

La vieille ville dans son ensemble. Réservez une demi-journée et flânez, enfoncez-vous dans les ruelles, regardez de tous les côtés, car presque chaque maison recèle des détails intéressants. Entrez dans les cours, elles renferment souvent des trésors cachés. Humez la ville, ses odeurs, son atmosphère, goûtez à son passé.

Le centre historique de Gdańsk est constitué par des ensembles urbains séparés : la ville ancienne au nord (Stare Miasto), la ville principale au centre (Główne Miasto), et le vieux faubourg au sud (Stare Przedmieście).

LA VILLE PRINCIPALE (GŁÓWNE MIASTO)

Fondée en 1343, elle s'organise autour d'un réseau de rues parallèles, débouchant toutes à l'est sur les quais de la Motława où chacune d'elles est protégée par de lourdes portes monumentales. Détruite à près de 90 % lors de la dernière guerre, la ville principale a bénéficié du plus grand effort de reconstruction. Elle concentre aujourd'hui la majorité des édifices historiques situés, pour la plupart, le long d'une artère centrale, composée de la rue Długa (rue Longue) et de la place Długi Targ (le Long Marché). Cette artère dite royale (Królewska Droga) était autrefois la voie d'honneur des cortèges royaux.

★ La voie royale s'ouvre à l'ouest par la **porte Haute** (brama Wyżynna; plan B3, **90**). Construite au XVIe siècle, elle faisait partie de la nouvelle enceinte Renaissance, édifiée en avant-poste des fortifications médiévales. Son attique porte les armoiries de la Pologne (anges), de la Prusse royale (licorne) et de Gdańsk (lions), une œuvre du Flamand Willem Van den Blocke qui résume à elle seule l'histoire mouvementée de la ville.

★ Juste derrière, l'***ancienne avant-porte*** de la ville (przedbramie; plan B3, **91**). Composée d'une tour gothique, utilisée jusqu'au XIXe siècle comme prison (Wieża Więzienna), et d'une salle de torture (Katownia), elle forme un ensemble fortifié du XVe siècle. La maison de la torture exhibe aujourd'hui dans son petit musée des instruments de torture du Moyen Âge.

★ **La porte Dorée** (brama Złota; plan B3, **92**) qui lui succède fut édifiée au début du XVIIe siècle et constituait la véritable entrée de la voie royale. Sa fonction était plus ornementale que défensive. Elle tire son nom des statues allégoriques, jadis dorées, qui couronnent sa balustrade : la Paix, la Liberté, la Richesse, la Gloire en éternelle opposition avec la Sagesse, la Piété, la Liberté et la Concorde. Les devises latines gravées sur ses faces illustrent l'éthique de la ville comme l'axiome : « Les petites républiques croissent dans la concorde, les grandes disparaissent dans la discorde ».

★ À gauche de la porte Dorée, l'***hôtel de la Confrérie de Saint-Georges*** (dwór Bracta Św. Jerzego; plan B3, **93**), magnifique palais du XVe siècle, bâti pour cette confrérie secrète regroupant les plus riches bourgeois de la ville. Sa tour du XVIe siècle est dominée par la statue de Saint-Georges et du dragon.

★ **La rue Długa** s'ouvre ensuite sur l'un des plus beaux alignements de façades peintes de Pologne. Ces maisons patriciennes, surmontées de pignons sculptés et richement décorées de portails imposants, sont typiques de l'architecture des villes hanséatiques.

– Au n° 1, le palais rococo de l'armateur George Hewl qui finança la flotte du roi Wladislas IV.

– Au n° 12, un autre palais rococo, propriété de l'échevin Jan Uphagen. Ses intérieurs préservés par la guerre devraient accueillir prochainement le musée des Appartements bourgeois (muzeum Historiczne).

GDAŃSK

– Au n° 28, le palais Renaissance du bourgmestre Feber, décoré de motifs italiens du XVIe siècle.

– Au n° 29, la maison baroque du maire Czirenberg, du XVIIe siècle.

– Au n° 35, le « château du Lion » *(zamek Lwi)*, un palais Renaissance dû à l'architecte de la porte Dorée, où les nobles de la ville donnèrent au XVIIe siècle un festin en l'honneur du roi Wladislas IV.

– Au n° 47, une maison gothique de la deuxième moitié du XVe siècle.

★ *L'hôtel de ville de la ville principale* (ratusz głównego miasta; plan C3, 94) clôt la rue Długa. Son beffroi domine de ses 82 m les toits. Au sommet, la statue dorée du roi Sigismond Auguste, un cadeau des habitants du XVIe siècle pour le remercier d'avoir établi l'égalité des droits entre protestants et catholiques. L'édifice d'un beau gothique, mélangé de style Renaissance des XIVe et XVe siècles, est le résultat des transformations successives du bâtiment construit en 1328. Son escalier d'apparat et son monumental portail aux armes de la ville sont des ajouts de l'époque baroque, tandis que la Renaissance lui a donné un petit clocher. En 1945, réduit par un incendie à un tas de décombres, il fut magnifiquement rebâti sous la pression des habitants. C'était le troisième incendie de son histoire. Lors des reconstructions ultérieures, il a hérité de son célèbre carillon de 14 cloches, réputé pour son timbre cristallin qui joue l'hymne patriotique, appelé « Rota ».

Ses intérieurs, qui ont retrouvé en 1970 leur ancien faste, abritent aujourd'hui le *Musée historique de Gdańsk* (Muzeum historii Miasta Gdańska; plan C3, 94). Entrée au n° 47. Ouvert les mardi, mercredi, jeudi et samedi de 10 h à 16 h, le dimanche de 11 h à 16 h. Fermé les lundi et vendredi.

La visite s'ouvre par l'imposant portail aux armes de Gdańsk, gardé par deux lions tournés vers la porte Dorée en l'honneur des cortèges royaux. Au sous-sol, l'ancienne salle du trésor municipal servait de coffre-fort à l'argent déposé par les bateaux ancrés dans le port. C'est aujourd'hui le restaurant *Palowa*.

Le superbe escalier en colimaçon conduit aux salles d'apparat. Les deux premières sont déjà impressionnantes mais c'est la salle du grand conseil, dite *salle Rouge (sala Czerwona)*, qui retiendra toute votre attention. Sa décoration somptueuse est l'œuvre d'artistes flamands de la fin du XVIe siècle qui l'ont dotée du style maniériste caractéristique de cette époque. La cheminée et ses armoiries, la grande porte ouvragée, les bancs marquetés frappent l'œil par la richesse du travail d'exécution. Les peintures murales sont signées par le Flamand Johan Veberman de Vries, mais c'est son compatriote, Isaac Van den Block, qui emporte l'admiration avec ses 25 peintures du plafond. La plus connue est le panneau ovale central intitulé la « Glorification du rattachement de Gdańsk à la Pologne » et représentant le panorama de la ville dominée par un arc de triomphe. Tout ce décor, qui ne servait aux échevins que pendant l'été, fut démonté en 1942 pour être mis à l'abri. Les séances d'hiver se tenaient dans les salles attenantes.

L'étage supérieur est consacré à l'histoire de Gdańsk : photos d'avant-guerre de la ville et un excellent documentaire sur l'épopée de la reconstruction. De là on accède à la tour qui offre une vue circulaire sur la ville et le port.

★ *Długi Targ* (le Long Marché; plan C3) prolonge, de sa place, la voie royale. C'étaient les « Champs-Élysées » de Gdańsk, où les marchands se faisaient construire de prestigieuses demeures qui témoignaient de leurs rang et fortune. Beaucoup de ces demeures, à la différence de celles de la rue Długa, ont conservé leur grand perron central.

★ *La maison d'Artus* (dwór Artusa; plan C3, 95), à côté de l'hôtel de ville, à l'arrière de la fontaine, est l'une des plus célèbres. Ouvert du mardi au samedi de 10 h à 16 h.

GDAŃSK

L'origine de cet édifice de la fin du XVe siècle remonte au début du XIVe, lorsque les riches marchands commencèrent à s'inspirer de la légende du roi Arthur pour créer un tribunal d'arbitrage interne à leur corporation, calqué sur le fonctionnement de la cour du célèbre roi. L'objectif était de créer une commission de juges impartiaux, gouvernée par un esprit d'égalitarisme et de confraternité. Le succès fut immédiat et au fil des décennies, ce tribunal de commerce, indépendant du pouvoir, devint l'institution clé de la ville. Son développement fut financé par les autorités municipales au point que la « Cour d'Arthur » ne tarda à se démultiplier à la fois en tribunal apolitique qui faisait autorité dans toute l'Europe du Nord, en siège des différentes guildes de marchands et en bourse de commerce.

Le bâtiment fut doté, au début du XVIIe siècle, d'une monumentale façade, due à l'architecte flamand Abraham Van den Block. Bien que l'édifice fût totalement détruit pendant la guerre, une partie de ses richesses a pu néanmoins être sauvée. Son intérieur se présente aujourd'hui comme une énorme caverne gothique sous une voûte en palmier soutenue par quatre élégantes colonnes de granit.

La pièce maîtresse est un gigantesque poêle pyramidal de 11 m de haut, chef-d'œuvre de la Renaissance. Son gigantisme était destiné à chauffer l'énorme salle pendant les rudes mois d'hiver. Sur ses faces, une succession de bas-reliefs et de portraits de présidents des guildes.

★ Devant la maison d'Artus, la jolie **fontaine Neptune** *(fontanna Neptuna; plan C3, 96)*. Elle a été dessinée en 1633 par Abraham Van den Block pour s'harmoniser avec la façade de la maison d'Artus dont il est également l'auteur. La statue de Neptune signée par l'artiste flamand Peter Husen tient lieu de symbole à la ville et rappelle que sa principale source de richesse est la mer. Une petite grille fut ajoutée en 1614, qui tirerait son origine d'une légende mettant en scène les convives de la maison d'Artus.

Ceux-ci, après une soirée bien arrosée, auraient jeté par bravade leurs bagues en or dans les eaux de la fontaine. Le lendemain, une fois dessaoulés, ils cherchèrent à récupérer leurs biens, mais c'était sans compter avec Neptune qui pendant la nuit avait mélangé, à l'aide de son trident, l'eau et l'or des bagues pour créer une liqueur explosive toujours en vigueur : la « Gold Wasser » (de la vodka mélangée à de la limaille d'or, voir le restaurant *Pod Łososiem*). Depuis, la grille veille à ce que l'expérience ne se renouvelle pas.

★ Au n° 41, la **maison Dorée** *(kamienica Złota; plan C3, 97)*. Édifiée en 1606 dans le style Renaissance pour un riche marchand, elle se singularise par les nombreuses frises de sa façade, une œuvre de Hans Voigt. Les bustes sont ceux des rois polonais, tandis que les personnages au sommet de la balustrade sont plus exotiques. De gauche à droite, Cléopâtre, Œdipe, Achille et Antigone.

★ **La porte Verte** *(brama Zielona; plan C3, 98)* : elle ferme la place à l'est et clôt la voie royale. Construite au XVIe siècle en remplacement d'une porte défensive gothique, elle a été conçue comme un palais, pour héberger la cour royale en visite dans la ville, mais aucun roi ne daigna honorer de sa présence ces appartements glacials, à l'exception de Marie Gonzague de Nevers quand elle vint épouser le roi Władysław IV. Les armes de la Pologne, de Gdańsk et de la Prusse ornent les quatre entrées.

★ **Les quais** *(plan C3)* : la porte Verte marque l'entrée de la promenade des quais, le long de la rivière Motława. De l'autre côté s'étend l'île des Greniers *(Spichlerze)* qui compta, au plus fort de l'activité portuaire, jusqu'à 300 entrepôts et greniers. Un incendie les ravagea complètement pendant les guerres napoléoniennes et en 1930. La dernière guerre leur porta le coup de grâce, et peu furent reconstruits depuis, d'où l'impression de désolation qui règne sur cette rive.

Les quais sont rythmés par une succession de portes défensives qui ferment la perspective des rues parallèles qui y débouchent. L'exploration des portes suit vers le nord Długie Pobrzeże (le Long Quai), où accostaient jadis voiliers et autres navires marchands.

★ **La porte du Pain** (brama Chlebnicka; plan C3, **99**), juste après la porte Verte, fut édifiée au milieu du XVe siècle sous le règne des chevaliers teutoniques. Pour marquer le rattachement de Gdańsk au royaume de Pologne, le roi Kazimierz IV fit ajouter en 1457 la couronne royale aux armoiries laissées par les chevaliers teutoniques.

★ Au n° 16 d'ul. Chlebnicka, la **maison Anglaise** (dom Angielski), de 1569, était la plus grande de son époque et témoigne de l'intensité du commerce d'alors entre Gdańsk et l'Angleterre.

★ Au n° 14, la **maison Schlieff,** d'un beau gothique du début du XVIe siècle, a dû être rebâtie à l'identique après que l'empereur de Prusse, Wilhem III, l'eût fait démonter en 1820 pour l'installer près de sa résidence de Potsdam où on peut toujours l'admirer.

★ **La porte Notre-Dame** (brama Mariacka; plan C3, **100**) est la sœur jumelle de la précédente, de la fin du XVe siècle.

★ À l'arrière, la **rue Mariacka** est la seule à avoir conservé tous ses perrons qui abritent aujourd'hui des boutiques de souvenirs et des bijouteries d'ambre. On y respire encore l'ambiance du vieux Gdańsk.
Les grilles richement ornées ont une fonction de publicité médiévale. En effet, plus la maison était fastueuse de l'extérieur, plus elle témoignait de la réussite commerciale de son propriétaire. Message : « Je suis un partenaire fiable ». Les aigles polonais, les emblèmes des rois gravés sur les grilles se voulaient des gages d'amitié et de respect de la part des commerçants, en majorité allemands, à l'égard des Polonais avec qui ils traitaient. Sous-entendu : « Business is business! » Voilà l'origine des multinationales.

★ Attenante à la porte Notre-Dame, la maison Renaissance de la Société des naturalistes (dom Towarzystwa Przyrodniczego) accueille un petit **Musée archéologique** (Muzeum archeologiczne; plan C3, **100**) dédié aux premières peuplades slaves de Gdańsk. Entrée par le n° 25/26 d'ul. Mariacka. Ouvert les mardi, jeudi et vendredi de 9 h à 16 h, le mercredi de 10 h à 17 h, les samedi et dimanche de 10 h à 16 h, fermé le lundi.

★ La **porte du Saint-Esprit** (brama Św. Ducha) date aussi du XVe siècle et a été entièrement rebâtie après-guerre.

★ Puis, la merveille des merveilles, la **grue de Gdańsk** (żuraw Gdański; plan C3, **101**), la plus grande grue de l'Europe du Moyen Âge. À la fois porte et grue, elle accumule les performances. Ses roues de 5 m de diamètre, actionnées par des hommes marchant dans sa circonférence interne, commandent une poulie centrale qui peut soulever jusqu'à deux tonnes de marchandises. Au-dessus, une autre poulie fut ajoutée au XVIIe siècle pour poser les mâts des navires.

★ **Le Musée maritime** (Muzeum morskie; plan C3, **101**) : la grue et les bâtiments voisins hébergent aujourd'hui l'un des meilleurs musées maritimes du pays. Le musée dispose aussi d'un autre site logé dans trois greniers Renaissance, en face sur l'île Spichlerze. Ouvert du mardi au vendredi de 9 h 30 à 16 h, les samedi et dimanche de 10 h à 16 h (la vente des billets s'arrête une heure avant la fermeture). Trois heures pour une visite complète.
– La section logée dans la grue (entrée au n° 67/68 d'ul. Szeroka) présente une collection d'oiseaux, de coraux et de faune marine du monde entier. Y est relatée aussi l'histoire des grands navigateurs polonais, au rang desquels se compte l'écrivain Joseph Conrad. La visite permet aussi d'admirer le mécanisme de la grue.

– De l'autre côté de la rue, un autre bâtiment expose des bateaux venus de tous les continents, comme des canoës et des catamarans d'Afrique, d'Asie et de Polynésie.

– La visite se poursuit dans les trois greniers de l'île Spichlerze. Un petit bateau assure la traversée dès qu'il a fait le plein de passagers. L'exposition intitulée « La Pologne et la Baltique » retrace l'épopée maritime de Gdańsk et de la Pologne : maquettes de bateaux et de ports, instruments de navigation, lunettes et compas, tableaux, drapeaux... La plus grande salle expose les canons de bronze de la flotte suédoise, coulée lors du siège de Gdańsk en 1650 et 1660. Plusieurs anciennes proues de navires et une série de cartes illustrent les guerres menées durant des siècles pour la maîtrise de la Baltique.

La visite s'achève par l'histoire contemporaine des chantiers navals de Gdańsk.

Au pied des greniers, le bateau *Soldek*, qui fut le premier navire à sortir des chantiers après la Seconde Guerre mondiale, a été transformé en musée. À découvrir : les cabines de l'équipage, la salle des machines et une petite expo sur les grèves de 1980 du chantier naval et la naissance du syndicat Solidarité.

★ De là, les quais offrent encore deux autres portes plus modestes : **brama Świętojańska** (XVᵉ) et **brama Straganiarska** (fin du XVᵉ, avec les armes de Pologne, de Gdańsk et de Prusse).

★ Un peu plus loin, la **tour Swan** *(plan C2, 102)*, sur la place Targ Rybny (le marché des Pêcheurs), faisait partie des défenses nord de l'enceinte gothique médiévale.

★ **L'église Notre-Dame** *(kościół Mariacki ou NMP; plan C3, 103)* : à l'intersection des rues Chlebnicka et Mariacka. La plus grande église de Pologne : 100 m de long, 60 m de large au niveau du transept, 27 m de haut, 5 000 m² au sol, 30 chapelles, 37 fenêtres dont une de 127 m², sept portes d'entrée, 1 ha de toit, 78 m pour sa tour quadrangulaire et une capacité d'accueil estimée à 25 000 personnes. En volume, cette église gothique est comparable à Notre-Dame de Paris ou à la cathédrale Saint-Stephane de Vienne.

Sa construction prit 159 ans, de 1343 à 1502. Vouée à l'origine au culte catholique, elle fut attribuée aux protestants, en 1572, au moment de la Réforme. Les catholiques spoliés se firent construire à côté la chapelle royale. Depuis 1945, elle est à nouveau catholique. La dernière guerre l'a laissée à moitié détruite et c'est seulement progressivement qu'elle retrouve sa décoration intérieure mise préventivement à l'abri. Les fresques qui couvraient ses murs sont cependant définitivement perdues.

Composé de trois nefs sous une voûte gothique, son volume blanc est dominé par un superbe maître-autel gothique du début du XVIᵉ siècle représentant le couronnement de la Vierge, dû à Michel Schwartz, élève de Dürer. À droite du maître-autel, un crucifix de 4 m avec le visage du Christ exprimant à la fois la souffrance et le pardon. Arrêtez-vous devant, fixez le visage, vous aurez l'impression qu'il change d'aspect.

Dans la nef gauche, la chapelle Saint-Reinhold possède une copie du célèbre triptyque exécuté en 1472 par Hans Memling, *Le Jugement dernier*, commandité à l'origine par une banque hollandaise. C'est seulement en 1473, à la suite de la capture du bateau qui le transportait par un navire de Gdańsk, qu'il devint la propriété de l'église. Au Moyen Âge, ce tableau a provoqué de nombreuses conversions. L'original est depuis 1956 exposé au Musée national de Gdańsk.

Dans la nef nord, la chapelle Sainte-Anne conserve une Madone de Gdańsk, datée de 1420.

Mais le bien le plus précieux est définitivement la gigantesque horloge astronomique dans le transept nord. Réalisée entre 1464 et 1470, elle est comme l'église à inscrire au guide des records du Moyen Âge. Avec ses 14 m de hauteur, indiquer l'heure, le jour, le mois et l'année ne lui suffit pas, il faut encore qu'elle donne les phases de la lune, la position du soleil et de la lune par rapport au calendrier des saints et du zodiaque. Hans Düringer, son concepteur, l'a réalisée en trois parties : en bas, l'horloge de 2,70 m de diamètre avec un calendrier, au-dessus un planétarium, et en haut, un théâtre de personnages bibliques qui apparaissent en rotation pour sonner les heures. Lorsqu'elle fut achevée en 1470, elle était la plus grande horloge du monde.

Les orgues baroques résonnent chaque vendredi à 17 h (l'été seulement), remplissant ce gigantesque espace de leurs sons graves et majestueux. Elles ont été entièrement reconstituées au lendemain de la guerre grâce à une collecte de fonds.

Avant de quitter l'édifice, une petite grimpette au sommet de la tour s'impose : 405 marches au total. Elle permet d'admirer les combles de l'église et d'observer les travaux de reconstruction d'après-guerre. Au sommet, une petite plate-forme offre une vue d'aigle sur la ville. Ouvert tous les jours de mi-mai à mi-octobre de 9 h à 15 h 30.

★ *La Chapelle royale (kaplica Królewska ; plan C3, 104)* : à côté de l'église Notre-Dame, sur ul. Św. Ducha. Édifiée entre 1678 et 1681, avec les deniers du primat de Pologne qui souhaitait compenser la perte de l'église Notre-Dame attribuée aux luthériens, elle est la seule église baroque de la ville. Mais comme les fonds étaient insuffisants pour construire un bâtiment entier, la chapelle fut logée au premier étage du presbytère de l'église Notre-Dame. Seule la façade prestigieuse donne l'illusion de l'unicité du bâtiment. Son architecture est signée par Tylman van Gameren, l'auteur des principaux palais de Varsovie. Son aménagement intérieur ne tient pas non plus les promesses de la façade.

★ *Le Grand Arsenal (Wielka Zbrojownia ; plan B3, 105)* : dans la rue Tkacka, au débouché de la rue Piwna (la rue des Brasseurs) qui part de l'église Notre-Dame. Au lendemain de la guerre, il ne restait que quelques pans de murs de cette œuvre maîtresse de l'architecture maniériste flamande du XVIIe siècle, très présente à Gdańsk. Encadrée par deux tours, sa grande façade, due à Antoon Van Opberghen, multiplie les motifs militaires, tandis que les blasons de Gdańsk ornent les portes. Reconverti aujourd'hui en galerie commerciale, il offre une façade plus modeste à l'arrière sur la place Targ Węglowy (marché au Charbon).

AU NORD DE L'ARSENAL

À partir d'ici, la densité du tissu urbain historique se clarifie pour faire place à des immeubles contemporains, la reconstruction ayant été moindre.

★ *L'église Saint-Nicolas (kościół Św. Mikołaja ; plan C2, 106)* : à l'angle d'ul. Pańska et d'ul. Świętojańska. Cette église gothique en brique, du XIVe siècle, construite pour les dominicains arrivés de Cracovie, est sortie presque indemne de la guerre. Son intérieur richement décoré est pratiquement d'origine : un magnifique maître-autel de 1647, un joli chœur, une Vierge à l'Enfant gothique dans la nef et des orgues baroques du XVIIe siècle.

★ À côté, au nord, le **grand marché de la halle Targowa** du XIXe siècle *(plan C2, 107)* est un autre rescapé de la guerre.

★ Juste devant, la **tour octogonale Yacinthe** *(baszta Jacek ; plan B2, 108)*, du XVe siècle, faisait partie des anciennes fortifications médiévales et servait de tour de guet.

★ *L'église Saint-Jean (kościół Św. Jana ; plan C2, 109)* : à l'extrémité est d'ul. Świętojańska. À la différence de l'église Saint-Nicolas, ce bel édifice gothique des XIVᵉ et XVᵉ siècles porte toujours les stigmates de la guerre, au point que sa restauration n'est pas encore achevée. Seul le toit a été refait, l'intérieur fermé au public a été partiellement démantelé et remonté dans d'autres églises de la ville.

★ Avec l'église Saint-Jean, la ville principale a livré toutes ses richesses. Avant d'attaquer la vieille ville, vous pouvez toujours remonter un peu plus au nord-est pour visiter le petit **musée de la Poste** *(muzeum Poczty Polskiej ; plan C2, 117)*, logé dans la vieille poste : ul. Obrońców Poczty Polskiej 1. Ouvert du mardi au dimanche de 10 h à 16 h.

L'immeuble a été immortalisé par l'écrivain allemand Günther Grass, originaire de Gdańsk, dans son célèbre roman *Le Tambour* dont l'adaptation cinématographique par Volker Schlöndorff a par ailleurs remporté une Palme d'or à Cannes. En septembre 1939, les 50 postiers réfugiés à l'intérieur ont en effet opposé une résistance désespérée contre les forces allemandes, venues réquisitionner le bâtiment. Malgré la faiblesse de leur armement, ils ont réussi à tenir en échec l'armée nazie pendant 14 heures. Les rares survivants ont tous été exécutés. Le monument face à la poste garde la mémoire de leur acte d'héroïsme.

Le musée possède une petite section dédiée à cet épisode, le restant des salles étant consacré à l'histoire de la poste locale, qui joua un rôle stratégique au cours des siècles dans le développement commercial de la ville.

LA VIEILLE VILLE (STARE MIASTO)

Le canal Raduni marque au nord la frontière de la vieille ville. Bâtie à l'emplacement d'une ancienne cité slave du Xᵉ siècle, la vieille ville connut un développement séparé de la ville principale. Elle ne fut rattachée à Gdańsk qu'au XIVᵉ siècle, sous le règne des chevaliers teutoniques qui la transformèrent en un faubourg de la ville principale.

Privée de remparts, elle ne profita guère des richesses de sa voisine. Les riches marchands allemands qui tenaient la ville y refoulaient en effet la population polonaise la plus pauvre. Cette différence de destin se retrouva aussi après-guerre, lorsqu'elle fut négligée par l'effort de reconstruction, celui-ci se bornant à n'y rebâtir que les monuments les plus représentatifs, d'où aujourd'hui son aspect en majorité moderne qui contraste avec le faste de la ville principale.

★ **Le Grand Moulin** *(Wielki Młyny ; plan B2, 110)* **:** sur l'île au centre du canal, à l'angle de Młyny Podmłyńska et Na Piaskach. Construit en 1350 par les chevaliers teutoniques, il était le plus grand moulin de l'Europe médiévale : 40 m de long, 26 m de haut sur neuf étages. Ses 18 roues à aubes pouvaient moudre 200 tonnes de farine par jour. Toujours en activité à la veille de la Seconde Guerre mondiale, il fut totalement détruit après une carrière de 600 ans. Seule la carcasse du bâtiment a été reconstruite. Elle abrite depuis peu une galerie commerciale.

★ **L'église Sainte-Catherine** *(kościół Św. Katarzyny ; plan B-C2, 111)* **:** en face du Grand Moulin, à l'angle d'ul. Katarzynki et de Młyny Podmłyńska. L'une des plus vieilles de la ville. Elle servit d'église paroissiale avant la construction de l'église Notre-Dame. D'un beau gothique du XIVᵉ siècle, elle fut couronnée au XVIIᵉ siècle d'un dôme baroque. Dans son chœur repose Jean Hévélius (1611-1687), qui est avec Nicolas Copernic le plus grand astronome de Pologne.

L'intérieur, pillé lors de la guerre, a perdu la plupart de ses richesses originales, mais la tour, en revanche, a retrouvé son carillon de 37 cloches pesant 17 tonnes, après une absence de 40 ans. Les Allemands démontèrent en effet l'original pour l'installer dans une église de Lübeck. Il fallut l'obstination d'un habitant de Gdańsk pour que soit créée, en 1983, une fondation destinée à récolter les fonds pour la fabrication d'un nouveau carillon. En 1989, ce fut chose faite et les citoyens de Gdańsk purent à nouveau entendre son timbre puissant. Chacune des cloches porte le nom d'un donateur (tel le chancelier Helmut Kohl, ou le président allemand Richard von Weizsaecker).

★ Juste derrière, l'*église Sainte-Brigitte* *(kościół Św. Brygidy; plan C2, 112)*. Totalement ravagée pendant la guerre, elle dut attendre jusqu'en 1973 pour retrouver sa forme gothique du XVIᵉ siècle, à l'exception de sa décoration intérieure passée par les pertes et profits. Elle est surtout connue pour avoir été le bastion du syndicat Solidarité durant les grèves des années 80, grâce à la complicité de son curé, le charismatique père Henryk Jankowski, qui devint par la suite un proche de Lech Wałęsa. Son intérieur moderne conserve quelques reliques du syndicat, comme une série de croix utilisées pendant les grèves.

★ *L'hôtel de ville de la vieille ville* *(ratusz staromiejski; plan B2, 113)* : à l'angle d'ul. Bielańska et Korzenna. Antoon Van Opberghen, l'architecte du Grand Arsenal, donna à la ville cet autre bijou de la Renaissance flamande. L'astronome Jean Hévélius y siégea et on peut voir son monument à l'extérieur. La guerre le laissa pratiquement indemne. On peut ainsi admirer la tour caractéristique de l'influence flamande. Le portail arbore les blasons de Pologne, de Prusse et de Gdańsk. Au début du XXᵉ siècle, on lui greffa des éléments provenant de maisons de la rue Długa comme la frise romaine sur le mur à arcades ou son portail Renaissance. Il héberge aujourd'hui le *Centre culturel balte* (ouvert tous les jours de 9 h à 23 h), grâce auquel on peut désormais visiter l'intérieur richement décoré. Un petit café s'est aussi niché dans son entrée (voir *Ratusz Staromiejski* dans la rubrique « Cafés, pâtisseries et glaciers »).

★ *Le monument aux Morts des Ouvriers du chantier naval* *(pomnik Poległych Stoczniowców; plan B1, 114)* : plac Solidarności Robotniczej. Un peu plus au nord, devant l'entrée du chantier naval, près d'al. Jana Kolna. Ces trois croix géantes de 40 m de haut, visibles à plusieurs centaines de mètres à la ronde, furent inaugurées en grande pompe le 16 décembre 1980 par le parti communiste, en présence de l'Église et des leaders de l'opposition. C'était la première fois qu'un parti communiste érigeait un monument à la mémoire de ses propres victimes : les ouvriers des chantiers tombés sous les balles de l'armée, lors des émeutes de 1970, déclenchées par l'augmentation du prix des denrées de base.

Le monument marque aussi la première victoire politique du syndicat Solidarité, un combat de dix ans. Pendant toute une décennie en effet, les ouvriers ont apporté chaque jour une pierre pour former un monticule de plus en plus grand, vite emporté par la milice pendant la nuit. La victoire fut acquise lorsqu'en 1980 les grèves déclenchées par Solidarité se propagèrent à tout le pays. Dès lors, les ouvriers avaient gagné le bras de fer avec le pouvoir. La légende du monument proclame un peu pompeusement : « Les trois croix ont brisé la croûte de mensonge qui s'est formée à l'endroit où le sang a pénétré dans la terre ».

À côté du monument, sur le mur d'enceinte du chantier naval, des plaques commémoratives pour les autres victimes du communisme tombées depuis 1970.

★ *Le chantier naval de Gdańsk* *(stocznia Gdańska; hors plan par C1)* : jusqu'en 1980, il s'appelait encore chantier Lénine. Aujourd'hui, après que les grèves de 1980 et de 1988 aient mis fin au régime communiste et que la Pologne est entrée dans la galaxie du capitalisme, son avenir est plus qu'incertain. Le « tombeur du communisme » n'est plus qu'un Goliath aux pieds d'argile. Le nouveau gouvernement a cherché à le vendre sans succès à des compagnies occidentales et, malgré la réduction progressive de son personnel, il peine toujours à trouver sa place dans la compétition international.

Son avenir est peut-être en partie dans le tourisme industriel. Pour l'instant, il est difficile de visiter les immenses installations couvrant des centaines d'hectares. Seule l'agence *Almatur* (voir « Adresses utiles. Agences de voyages ») propose actuellement des visites guidées à des groupes de dix personnes minimum et sur réservation seulement. Les bateaux qui vont à Westerplatte ou à Sopot et Gdynia offrent aussi une vue d'ensemble sur le chantier.

★ *Le Vieux Faubourg* (Stare Przemieście ; plan B-C4) : le boulevard Podwale Przemiejskie marque au sud le début du Vieux Faubourg, qui devrait s'appeler aujourd'hui le faubourg détruit. Car rien de l'urbanisme de ce quartier apparu au XVᵉ siècle n'a été reconstruit. C'est donc dans un faubourg bétonné et gris qu'on partira à la découverte de ses rares curiosités.

★ *Le Musée national* (Muzeum narodowe ; plan B4, 115) : ul. Toruńska 1. Ouvert du mardi au samedi de 10 h à 15 h, le dimanche et les jours fériés de 10 h à 16 h. Il est abrité dans un ancien monastère franciscain. Musée polyvalent, il présente plusieurs sections dédiées à la grande tradition de l'artisanat polonais : orfèvrerie, argenterie, porcelaine, faïence, broderies, fer forgé et meubles – dont les célèbres armoires sculptées de Gdańsk, diffusées jadis dans toute la Pologne. Il comprend aussi un département de peintures et de sculptures sur bois.

Reste encore l'imposant *département des peintures hollandaises et flamandes,* qui témoigne des relations passées avec les Pays-Bas : Van Dyck, Bruegel le Jeune, Cuyp, et bien sûr la pièce vedette : le triptyque du *Jugement dernier* de Hans Memling, dont une copie se trouve dans l'église Notre-Dame. Avant de couler des jours tranquilles sur ces cimaises, le tableau a vécu une véritable épopée : à peine acheté par les Médicis de Florence que déjà saisi en chemin par la marine de Gdańsk, il fut ensuite réquisitionné par Napoléon, puis à nouveau exposé à Gdańsk, où les nazis le dérobèrent pour l'enfermer dans un abri où l'Armée rouge le retrouva.

★ Attenante au musée, l'*église de la Sainte-Trinité* (kościół Św. Trójcy ; plan B4, 116) se présente comme un bel édifice gothique de la fin du XVᵉ siècle : à l'intérieur, une magnifique chaire gothique et un maître-autel composé de plusieurs triptyques, dont un attribué à Isaac Van der Blocke.

★ Les *vestiges des anciennes fortifications* du XVIIᵉ subsistent encore, bien visibles un peu plus au sud, notamment grâce au tracé des douves qui n'ont pas été comblées.

À voir dans les environs

★ *La cathédrale d'Oliwa :* à 8 km, dans un faubourg moderne au nord-ouest du centre. Accessible par le train de banlieue : arrêt Gdańsk-Oliwa, puis une courte marche à travers le très beau parc à l'ouest d'al. Grunwaldzka. Trams nᵒˢ 6 et 12 également.

Cette magnifique église gothique avec ses deux tours symétriques fut d'abord l'église d'une abbaye cistercienne avant d'être érigée en cathédrale en 1925. Elle mérite le déplacement pour son exceptionnel jeu d'orgues, un pur joyau du XVIIIᵉ siècle, et les quelques musées logés dans l'enceinte de l'abbaye.

Son histoire est aussi mouvementée que celle de la Pologne. Son origine remonte au milieu du XIIᵉ, lorsque le prince de Poméranie accorda les terres d'Oliwa aux moines cisterciens. Le premier édifice roman fut ravagé deux fois par les chevaliers teutoniques, en 1240 et 1250, avant d'être la proie des flammes en 1350. Il fut alors reconstruit progressivement dans son style gothique actuel. Il lui fallut encore subir le pillage des guerres suédoises du XVIIe siècle, qui lui dérobèrent, notamment en 1626, la majorité de sa somptueuse décoration intérieure : le maître-autel, l'orgue et la cloche. C'est seulement à partir du XVIIIe, après la signature en 1660 du traité de paix avec la Suède, ici même à Oliwa, que l'abbaye put connaître la prospérité qui allait lui donner le faste qu'elle a conservé depuis. Cette période s'est achevée brutalement un siècle plus tard, lorsque les Prussiens reprirent possession de Gdańsk et expulsèrent les moines en 1831.

Dès le premier regard, la cathédrale impose sa singularité : une étroite façade baroque, prise en étau entre deux tours gothiques identiques, avec des flèches Renaissance. C'est la plus longue église de Pologne, avec ses 107 m de long (7 m de plus que l'église Notre-Dame), mais aussi la plus étroite : 8,50 m de large dans la nef centrale. D'où, à l'intérieur, l'impression d'un long couloir. Au centre, sous les voûtes gothiques, un somptueux maître-autel baroque du XVIIe siècle surmonté d'un ciel de stuc rococo, habité par une colonie d'anges. L'ancien autel de la Renaissance, magnifiquement sculpté, a été placé dans le transept nord. Les chapelles latérales ont été progressivement ajoutées, entre les XVe et XVIIe siècles.

Mais la pièce vedette incontestée reste le grand orgue baroque avec sa décoration exubérante d'anges mécaniques, qui sonnent triomphalement cloches et trompettes. Pendant plus de 100 ans, il a pu se prévaloir d'être le plus grand orgue d'Europe. En 1758, le jeune organiste Jan Wulf fut chargé par les frères de sa construction. Il s'attaqua d'abord à la fabrication d'un premier petit jeu d'orgues dans le transept sud. Il partit ensuite trois ans en Allemagne et en Hollande pour apprendre les nouvelles techniques. Son problème était de réussir à loger une orgue d'une telle puissance dans l'espace réduit de la galerie qui lui était attribué. Ce travail lui coûta 25 ans de sa vie, entre 1763 et 1788. Le résultat est plus qu'imposant : 101 registres de sons distincts et 6 338 tuyaux, dont le plus petit a la taille d'un crayon et le plus grand 10 m de longueur. Somptueusement éclairé par un vitrail de la Vierge Marie, il a le pouvoir d'imiter à la manière d'une orgue électrique d'aujourd'hui les sons de divers instruments : flûte, clarinette, violon, contrebasse, ainsi que le bruit du vent, les cris des animaux, le chant des oiseaux, le croassement des grenouilles et même la voix humaine. Faut-il s'étonner alors qu'après ce travail titanesque, Jan Wulf tombât en pleine mystique et devînt frère Michel ?

Généralement, le grand orgue joue en canon avec le petit orgue du transept, créant ainsi un effet d'écho remarquable. Les démonstrations ont lieu du lundi au vendredi à 10 h, 11 h, 12 h, 13 h, 15 h, 16 h et 17 h ; le samedi à 10 h, 11 h, 12 h, 13 h, 14 h et 15 h ; le dimanche à 15 h, 16 h et 17 h.

– À l'arrière de la cathédrale, le *palais des Abbés (pałac Opatów)*, édifié en 1756 par l'abbé Jacek Rybiński (le commanditaire du grand orgue), abrite aujourd'hui un **musée d'Art moderne** *(Wystawa Sztuki Współczesnej)* : ul. Cystersów 15 a. Ouvert du mardi au dimanche de 9 h à 15 h.

Cette annexe du Musée national de Gdańsk présente, outre quelques expos temporaires d'artistes locaux, une sélection de la peinture polonaise du XXe siècle, avec une large section consacrée à la période pop. Parmi eux, quelques noms importants comme Jan Lodiński et Henryk Staszewski (1894-1988), qui dispose d'une salle entière.

– De l'autre côté de la cour, l'ancien grenier à blé du palais a été transformé en **Musée ethnographique** *(Muzeum etnograficzne)* : ul. Opacka 12. Ouvert du mardi au samedi de 9 h à 15 h, le dimanche et les jours fériés de 10 h à

16 h. Objets et ustensiles artisanaux de la région et une petite section d'art populaire de Kachoubie.

– L'*ancien parc du palais*, avec ses essences exotiques, son jardin à la française et ses nombreuses pièces d'eau, complète agréablement la visite.

– Ceux d'entre vous qui s'y rendront un 1er novembre devront obligatoirement faire un crochet par le cimetière voisin *Oliwaski*, de l'autre côté d'ul. Opacka, au nord de l'abbaye. La fête des Morts, particulièrement respectée en Pologne, mobilise en effet ce jour-là l'ensemble de la population qui envahit alors les cimetières pour illuminer de milliers de bougies les tombes de leurs morts. Un grand moment d'ethnologie vivante !

★ *Westerplatte :* la façon la plus agréable de s'y rendre est de prendre un des bateaux du quai Długie Pobrzeże, juste après la porte Verte. Mais vérifiez bien que vous êtes dans le bon bateau, car ils font aussi la liaison avec Sopot et Gdynia. Le bus n° 106 depuis la gare centrale y conduit aussi.

Cette vaste presqu'île, délimitant à 7 km au nord l'entrée du port de Gdańsk, eut l'honneur du premier coup de canon de la Seconde Guerre mondiale. Le 1er septembre 1939, à 4 h 45 du matin, le cuirassier allemand *Schleswig-Holstein* ouvrait le feu sur la petite garnison polonaise qui s'y était établie. A cette époque, la presqu'île était le seul territoire polonais officiel de Gdańsk, celle-ci ayant le statut de ville libre depuis le traité de Versailles. Les 200 soldats polonais résistèrent pendant 7 jours à l'assaut combiné de l'aviation, de l'artillerie et des 4 000 hommes de troupes allemands.

Les ruines de la caserne ont été laissées en l'état et l'un des bâtiments restés debout a été transformé en *musée* (ouvert du mardi au dimanche de 10 h à 16 h). Ses nombreuses cartes et documents relatent l'histoire récente de la presqu'île et le déroulement de la bataille de 1939.

En 1966, un monument de 240 blocs de granit a été élevé un peu plus loin à la mémoire des soldats.

La visite de la presqu'île offre aussi l'occasion de prendre un bon bol d'air de la Baltique.

★ *La forteresse de Gdańsk* (Twierdza Wisłoujście) : à 5-6 km au nord, sur la rive gauche de la Vistule, juste en dessous de Westerplatte, face à Nowy Port. Pour y aller, bus n° 106 depuis la gare centrale en direction de Westerplatte. Cette énorme forteresse garde depuis 1480 l'embouchure de la Vistule. Composée d'un donjon entouré d'une enceinte octogonale en zigzag, elle était initialement située en bordure de la côte, mais l'ensablement progressif de l'estuaire lui a donné son actuelle situation dans un coude de la Vistule.

Elle a néanmoins conservé au cours des siècles son importance stratégique de défense du port. Elle fut agrandie au milieu du XVIIIe siècle et sera même renforcée par Napoléon qui la visita lors de la campagne de Russie. Les Prussiens l'utilisèrent comme prison politique pour les opposants, dont le maréchal Josef Piłsudski, ce qui expliquerait pourquoi ils ne l'ont pas démantelée en même temps que les autres fortifications du port.

Aujourd'hui encore, elle n'a rien perdu de sa superbe, malgré un relatif abandon pendant la période communiste. Le sommet du donjon qui sert de phare depuis le XVe siècle garde une vue imprenable sur le chantier naval et la presqu'île de Westerplatte, tandis que le tour des remparts reste plus qu'impressionnant. L'intérieur surprend par le volume de ses souterrains qui s'enfoncent parfois jusqu'en dessous du niveau de l'eau. Leur taille permettait de stocker des provisions pour une année entière. Les cuisines datent du XVIe siècle et l'appartement du gouverneur est en train d'être transformé en cafétéria.

★ *La presqu'île de Hel :* à une trentaine de kilomètres au nord-ouest de Gdańsk. En été, un service quotidien assure la liaison avec Hel depuis Gdańsk (quai Długie Pobrzeże), Sopot (la grande jetée) et Gdynia. Demander les horaires à l'office de tourisme. Bus également de la gare routière. Ou encore le train de banlieue jusqu'à Gdynia où l'on trouve le train pour Hel.

Cette superbe langue de terre qui ferme la baie de Gdańsk invite à goûter le calme de ses pinèdes et de ses petits villages de pêcheurs. La nature est restée intacte dans ce drôle de banc de sable de 34 km de longueur et dont la largeur varie entre 200 m et 2,9 km à sa pointe. Ses plages ont la réputation d'être les plus propres de la région.

Hel, le port de pêche à son extrémité, réserve la surprise d'un bel ensemble de maisons à colombages des XVIIIe et XIXe siècles et d'une église gothique dominant les bateaux.

Excursions dans les environs

La compagnie nationale de train *PKP* organise plusieurs excursions dans les environs de Gdańsk :

– les samedi et dimanche, le train dit *Costerina* met le cap sur les *lacs de la Kachoubie* : Żukowo, Somonino, Wieżyca, Gołub, avec pour terminus *le musée des Locomotives PKP Skansen* à Kościerzyna. Départ à 9 h 07 de Gdynia. Le samedi, le train est tracté par une vieille locomotive à vapeur, et le dimanche par une ancienne locomotive à gasoil.

– Un voyage nostalgique sur voie étroite, dans des wagons historiques l'été, conduit aussi de Nowy Gdańsk à *Sztutowo*, à l'est dans la baie de Gdańsk. Départs de Nowy Dwór : 6 h 15, 7 h 20, 8 h 20, 10 h, 14 h 10, 16 h 35.

Renseignements sur ces excursions : *PKP*, ul. Dyrekcyjna 2/4. ☎ 38-35-22, 38-51-38.

SOPOT   IND. TÉL. : 058

Deuxième ville de l'agglomération urbaine de Gdańsk, Sopot se présente sous le visage souriant d'une dynamique station balnéaire qui eut ses heures de gloire dans les années 20. Rattachée à Gdańsk après la Première Guerre mondiale, elle fut en effet la station la plus chic de la Baltique. De cette époque, il lui est resté sa célèbre jetée de 512 m (la plus longue de ce côté-ci de l'Europe) et son grand hôtel. Les pollutions toxiques des usines de la baie ont cependant rendu toute baignade impossible jusqu'en 1995. Depuis, des mesures énergiques ont été prises et ses plages ont retrouvé l'animation qu'elles méritent.

Pour la petite histoire, avant d'arpenter sa rue principale bruyante de monde l'été, sachez que c'est un Français, Georges Haffner, un ancien médecin militaire de Napoléon, qui eut l'idée de créer, en 1823, la première station de bains de mer après être tombé amoureux du site et des quelques huttes de pêcheurs. Il y investit tous ses biens et fut vite récompensé par le succès presque immédiat.

Comment y aller ?

– Depuis Gdańsk, vous n'avez que l'embarras du choix entre bus, train et bateau. Le train de banlieue est le plus rapide, et le bateau le plus long mais aussi le plus romantique.

Adresses utiles

🅘 *Centrum Informacji Turystycznej :* ul. Dworcowa 4. ☎ 51-26-17. Dans une rue face à la gare. Ouvert en été du lundi au vendredi de 8 h à 17 h, les samedi et dimanche de 9 h à 14 h, le restant de l'année du lundi au vendredi de 8 h à 16 h, fermé les samedi et dimanche. C'est l'office du tourisme municipal : cartes, brochures, et une aide précieuse pour trouver un toit.

■ *Orbis :* ul. Bohaterów Monte Cassino 49. ☎ 51-41-42. Dans la grande rue qui mène à la jetée. Ouvert du lundi au vendredi de 10 h à 18 h, le samedi de 10 h à 14 h. Agence de voyages traditionnelle, utile pour les excursions et les billets de trains.

■ *Banque Pekao :* ul. Bohaterów Monte Cassino 50. Possède un distributeur d'argent.

■ *Bank Gdański :* plac Konstytucji 3 Maja 1.

■ *Sopot Taxi :* ☎ 51-02-70.

Festival

Chansons tous azimuts dans le grand opéra de verdure de la ville pendant la seconde quinzaine d'août. Ce festival international réunit les pointures locales et certaines grandes vedettes internationales.

Où dormir ?

En juillet et août, le retour de Sopot sur la scène touristique a pour conséquence que les adresses sont prises d'assaut, au point qu'il devient difficile de s'y nicher. Donc prenez vos précautions. Dans tous les cas, l'office du tourisme reste très compétent en la matière.

Campings

♠ *Camping n° 19 :* ul. Zamkowa Góra 25. ☎ 50-04-45. Situé à l'extrême nord de la plage, au-dessus de l'hôtel *Miramar*. Ouvert du 1er mai au 30 septembre. Beau et grand terrain ombragé en haut d'une colline et en bordure d'un petit bois. La mer est à 300 m de marche à travers un bois et un petit parc. Pour y accéder, deux options : soit remonter la plage vers le nord ou descendre à la station de train Kamienny Potok juste après la gare de Sopot. Le camping est à une courte distance à pied.

♠ *Camping n° 67 :* ul. Bitwy Pod Płowcami 73. ☎ 51-65-23. À 1 km, au sud de la jetée. Ouvert de juin à septembre. Assez grand et à proximité de la plage. Pas d'autre solution que la marche ou la voiture.

♠ Pour des bungalows confortables, voir l'hôtel *Maryla* dans la rubrique « Prix moyens ».

Chambres chez l'habitant

– L'office du tourisme, dont c'est aussi la spécialité, dispose d'un contingent de chambres chez l'habitant. Il pourra aussi vous indiquer quelques dortoirs saisonniers dans des centres de vacances.

Bon marché

◾ *Hôtel Pensjonat Eden :* ul. Kordeckiego 4/6. ☎ et fax : 51-15-03. Très bien situé dans le centre, au sud de la jetée, à une centaine de mètres de la plage. De l'extérieur, cette énorme villa début du siècle en impose. À l'intérieur, les choses se gâtent. Elle a certes une belle architecture de plan carré avec un grand escalier central, mais elle ne peut effacer 40 ans de gestion socialiste pendant lesquels elle a servi de centre de vacances. Les chambres d'un volume agréable sous une grande hauteur de plafond sont tristes à mourir, voire miteuses avec des meubles d'un autre âge. Seul le petit balcon dont elles sont toutes pourvues rappelle son faste d'autrefois. Salles de bains uniquement collectives, hommes et femmes séparés. Mais son avenir devrait changer depuis qu'elle a retrouvé ses anciens propriétaires. Pour l'instant, plaident en sa faveur ses petits prix et sa situation centrale.

Prix moyens

◾ *Hôtel Irena :* ul. Fryderyka Chopina 36. ☎ et fax : 51-20-73. Dans une rue au sud et parallèle à ul. Monte Cassino. Cette belle et grande villa ancienne dans un quartier paisible a retrouvé sa dignité après une récente rénovation. Le résultat lui donne une atmosphère *cosy* et intime comme celle des pensions autrichiennes. Tout y est conçu pour vous inviter à vous y sédentariser. Le personnel a le savoir-faire des grands établissements, les chambres mélangent le moderne et l'ancien sans être impersonnelles et les salles de bains sont rutilantes. En bonus, une salle de restaurant confortable comme un club anglais. Mais, rançon du succès, elle est souvent complète. Petit déjeuner compris.

◾ *Pensjonat Zatoka :* ul. E. Plater 7/9. ☎ 51-23-67. Fax : 51-30-16. À l'extrême sud de la plage. Ce beau bâtiment en forme de grande auberge traditionnelle de bord de mer est une bonne surprise. Par sa taille avec son énorme salle à manger centrale éclairée par de larges baies vitrées, il ressemble aux hôtels de la côte normande. Son aménagement intérieur joue aussi la carte rustique avec de grands volumes blancs mariés à la chaude couleur du bois. Il s'est spécialisé dans le tourisme familial et de groupe. Ses chambres, toutes rénovées pour deux à quatre personnes, sont mignonnes et accueillantes avec un mobilier contemporain de qualité et de jolis rideaux blancs. Les salles de bains sont larges et confortables. Le soleil s'invite par les grandes fenêtres. Et, dernier atout, il bénéficie du calme de ce quartier de villas élégantes qui borde le côté sud de la plage. Petit déjeuner compris.

◾ *Hôtel Maryla :* ul. Sepia 22. ☎ 51-60-53. Fax : 51-00-34. Au nord de la plage sur une petite colline dans un bel environnement de verdure, près de l'avenue Niepodległości. Cette magnifique villa patricienne des années 30 a fait peau neuve. Repeinte désormais en couleurs souriantes, elle dispose de plusieurs chambres de tailles diverses sur deux étages avec ou sans salle de bains. Les prix sont fonction de la taille, certaines ont droit à un joli balcon, et pour toutes un nouveau mobilier contemporain de bon goût. Au rez-de-chaussée, un restaurant gastronomique. Mais ce n'est pas tout : si l'envie vous prend de jouer au trappeur, il y a plusieurs bungalows en bois pour 2 à 4 personnes dans un petit parc à la douce pelouse verte. Le cadre est idyllique comme sur une montagne suisse, les oiseaux chantent, il y a même un petit étang et la forêt est juste à côté, en avant-poste de la plage en contrebas. Bien sûr, les prix changent de catégorie et deviennent bon marché.

◾ *Lucky Hôtel Sopot :* ul. Haffnera 81/85. ☎ 51-42-04. Fax : 51-32-96. Au nord de la plage. Deux petits bâtiments modernes de deux étages qui se donnent des airs de coquet motel américain. Les façades d'un blanc immaculé sont pourvues d'une galerie extérieure qui donne accès aux chambres pour 2, 3 et 4 personnes. Bien sûr, ici on ne fait pas dans l'intime mais dans le fonctionnel moderne à la manière de la chaîne française *Formule 1*. Équipement standard de qualité pour dormir aux normes du confort du tourisme occidental. Pas cher. Seul inconvénient : la proximité d'une route passante, c'est râpé pour la tranquillité du bord de mer qui est à 500 m de l'autre côté de la route.

⬥ *Hôtel Miramar :* ul. Zamkowa Góra 25. ☎ 51-80-11. Fax : 51-51-64. Près de la gare Kamienny Potok, à l'extrême nord de la plage, au calme sur une petite colline bordée d'un bois. Davantage qu'un hôtel, il se présente comme une mini-cité d'immeubles modernes de colonie de vacances. Ses chambres de 2 à 3 personnes avec ou sans salle de bains en ont d'ailleurs l'esprit. Propres et fonctionnelles, elles ont le confort et le mobilier rudimentaires qui conviennent à l'accueil des groupes de vacanciers en congés payés constituant sa clientèle de base. Bonne ambiance de vacances socialistes et de vie collective. La mer est à proximité après une courte promenade dans un petit parc. Pour vous rendre dans cet hôtel, soit remonter le bord de plage vers le nord ou descendre à la gare Kamienny Potok, juste après celle de Sopot. L'hôtel est alors facilement accessible à pied.

⬥ *Hôtel Bursztyn :* ul. E. Plater 12/19. ☎ 51-40-68. Fax : 51-27-92. À l'extrême sud de la plage, en bordure de la mer, cette petite HLM grise est le centre de vacances d'un combinat métallurgique. Pour une fois, l'intérieur contredit l'extérieur : les chambres blanches avec ou sans salle de bains sentent agréablement le confort balnéaire avec un sympathique mobilier moderne et de bonne tenue. Pas de laisser-aller, tout est impeccablement bien géré jusqu'au moindre détail de l'aménagement. Ce n'est évidemment pas une adresse de haut vol qui privilégie le raffinement, mais les nuitées ne sont pas non plus trop chères.

⬥ *Hôtel Magnolia :* ul. Jana J. Haffnera 100. ☎ et fax : 51-34-19. Au nord de la plage. Cette villa ancienne pourrait avoir du charme. Pour cela, il faudra attendre qu'elle perde sa rude fonctionnalité de centre de vacances à la mode socialiste. Les chambres sont spartiates avec le minimum vital pour dormir. Mais les prix sont bradés pour toutes celles qui n'ont ni salle de bains ni douche. En bordure d'un bois, et à quelque 300 m de la plage, elle bénéficie comme son voisin, l'hôtel *Maryla*, d'un environnement calme.

Plus chic

⬥ *Hôtel Zhong Hua :* al. Wojska Polskiego 1. ☎ 50-20-20. Fax : 51-17-66. Hallucinant ! La cité interdite de Pékin s'est téléportée sur la plage, dans un ancien établissement de bains 1900 situé à quelques mètres de la jetée, sous la forme d'une grande pagode chinoise avec ses toits rouges ornés de gouttières à tête de dragon. L'intérieur s'annonce comme le palais du dernier empereur : hall de marbre, lumières rouges et bois marquetés de motifs chinois. Dans les chambres avec vue sur la mer, toujours la Chine dans le moindre détail. Ce grand édifice possède une excroissance de petits cabanons de Robinson chinois qui mordent avec leurs terrasses privatives sur une partie de la plage. Comme dans la cité des empereurs, l'immense salle de restaurant se félicite de présenter les meilleures spécialités de là-bas. Il y a aussi un bar, une salle de billard et un café avec terrasse. Naturellement, luxe et raffinement obligatoire partout.

⬥ *Grand Hôtel Sopot :* ul. Powstańców Warszawy 12/14. ☎ 51-00-41. Fax : 51-61-24. À gauche de la jetée, ancré comme un château sur le bord de plage, il fut le palace de la ville. Ses murs Art nouveau, son grand hall central en forme de rotonde ouverte, son énorme salle à manger panoramique sur la mer et ses somptueux escaliers sont toujours là pour témoigner du faste de sa naissance dans les bienheureuses années 1926. Mais c'était hier, il a fallu entre-temps souffrir l'outrage des décennies communistes, si bien qu'il peine aujourd'hui à retrouver ses galons d'antan. À l'exception des suites meublées à l'ancienne, ses chambres, spacieuses pourtant, semblent bien roturières avec leur basique mobilier contemporain. Grandeur et décadence, comme on dit...

Où manger ?

Bon marché et prix moyens

|●| *Bar Przystań :* au niveau de l'hôtel *Zatoka*, à la fin d'al. Wojska Polskiego qui longe la plage sud. Ouvert tous les jours de 11 h à 23 h. C'est un petit chalet les pieds dans l'eau, en bordure de plage. L'été, sa terrasse qui regarde les bateaux de pêche hissés sur le sable ne désemplit pas. Signe que sa cuisine de bonnes spécialités locales en self-service a su se montrer efficace. Les mangeoires à touristes de la rue Monte Cassino sont en effet très loin en arrière, et il a fallu affronter une assez longue promenade pour arriver jusqu'ici. De quoi se mettre en appétit. Le contenu de l'assiette et les prix ne déçoivent pas si l'on aime les ambiances bonne franquette de guinguette. Le succès de celle-ci est aussi la réussite personnelle de son jeune propriétaire qui a débuté il y a quelques années par un vieil hangar à bateaux. Une des adresses les plus sympa de la ville.

|●| *Bar et restaurant Pod Strzechą :* ul. B. Monte Cassino 42. Ouvert tous les jours de 11 h à 22 h. Un fast-food et un resto logés sous le même toit. La déco du fast-food est presque plus recherchée que dans la salle de restaurant d'une banalité passe-partout. Tous les deux ont une terrasse sur la rue. Leurs cartes sont presque similaires : des grillades de poisson et de viande. Mais pas de choc culinaire, on doit se contenter de la qualité touristique, c'est la ville qui veut ça.

|●| *Saj-Gon :* Grunwaldzka 8. Dans la rue qui part sur la droite devant la jetée. Ouvert tous les jours de 11 h à 21 h. Plats vietnamiens et chinois dans une salle en longueur décorée avec le strict minimum exotique. L'ambiance et la cuisine semblent plaire aux Polonais, mais rien d'affolant.

|●| Plusieurs *stands de restauration sur le pouce* à la fin de la rue Monte Cassino, peu avant la jetée.

Plus chic

|●| *Fulkier :* ul. Władysława IV 3/5. ☎ 51-21-00. Dans une rue à droite, en bas de la gare. Ouvert tous les jours de 12 h à 23 h. Toujours et encore les Gessler de Varsovie – pour ceux qui connaissent. Pour les autres, sachez que les maîtres de la gastronomie luxueuse ont investi, cette fois-ci, une belle villa qu'ils ont entièrement rénovée. Après un passage chez les plus chic fournisseurs de décoration, on y dîne désormais dans plusieurs salons « désignés » par leurs couleurs pastel différentes : le salon citron avec ses nappes à jupettes et ses petits lustres, le salon orange niché sous une grande verrière où poussent des orangers, et deux petits frères cadets dits salons abricot et pistache. Le chef se distingue par l'originalité de sa carte de vieilles spécialités polonaises et de Kachoubie. Le soir, le pianiste tente de succéder dignement au Vivaldi de la sono.

|●| *Zhong Hua :* al. Wojska Polskiego 1. ☎ 50-20-19. Dans le grand hôtel-pagode chinoise à quelques centaines de mètres à droite de la jetée. Ouvert tous les jours de 11 h à 22 h. Comme l'hôtel qui l'abrite, il affiche le grand luxe d'une salle immense faiblement éclairée sous un beau plafond de poutres anciennes. Des lampions élégants *made in China* ajoutent de la solennité à la

procession de tables noires face à la capitainerie du bar. Bonne carte de spécialités chinoises à prix pimentés.

Où boire un verre ?

Y *Błekitny Pudel :* ul. B. Monte Cassino 44. Dans la grande rue. Ouvert tous les jours de 12 h à 1 h. Le « Teckel Azuré », car tel est son nom, n'est pas bien grand, mais la créativité de son décorateur est sans limite. Il a réussi à multiplier les ambiances en garnissant le petit espace de recoins avec chaque fois une identité différente. Vous aurez le choix entre un mini-boudoir début XIXe, un petit salon-fumoir anglais années 40, et un bistrot années 50. Ajoutez à cela des petits trésors de brocante et vous aurez la sensation de vous trouver dans le grand salon d'un aristocrate devenu artiste.

Y *Kawiarnia Artystyczna :* ul. B. Monte Cassino 53. Dans la grande rue. Ouvert tous les jours de 11 h à minuit. Toute la jeunesse intello de la ville se donne rendez-vous dans ce grand bar près d'un cinéma. Lumière tamisée de rigueur pour se plonger dans l'ambiance plutôt rock'n'roll du décor (le bar est caché dans un enclos western). Sur les murs, quelques lithos et affiches de ciné années 40. Un piano et une petite scène attendent les musiciens de passage.

Y *Bar Fregata :* sur la jetée à droite. Le maigre droit d'entrée sur la jetée justifie largement le plaisir de se caler confortablement sur les fauteuils en osier de ce petit bar touristique, qui permet de goûter au soleil couchant sans la foule de la rue Monte Cassino. Et en récompense, une balade-exploration sur les 512 m du ponton qui offrent une vue panoramique sur Sopot.

Y *Rotunda :* dans la coupole sur la gauche, à l'entrée du môle. Ouvert de 12 h à minuit. Tel un phare fantastique de Jules Verne, il dresse sa rotonde 1900 au-dessus de la jetée. De grandes baies vitrées engrangent la lumière du large, tandis que les canapés anciens et modernes se mélangent artistiquement. Le bar éclairé aux halogènes ne laisse pas la nostalgie s'installer. Peu de monde à goûter cet espace hors du temps. Idéal pour bouquiner l'après-midi, mais l'après-midi seulement, car le sous-sol se transforme dès la tombée de la nuit en disco.

Y *Inver House :* ul. B. Monte Cassino. À la fin de la rue Monte Cassino (au niveau du n° 9), dans une impasse sur la droite après le passage sous la voie de chemin de fer. Ouvert tous les jours de 11 h à 22 h. Un minuscule salon de thé, meublé comme le boudoir d'une archiduchesse reconvertie dans la restauration : accumulation de fauteuils biscornus, de tableaux, de canapés et de sièges divers, bref, un marché aux puces sélect qui vous laisse encore un peu de place pour vous installer.

Boîte de nuit

– *Atomic Beach Club :* sur la plage nord, dans le complexe de loisirs. Grosse caverne de béton équipée de tout l'attirail nécessaire pour passer des nuits blanches. Programmation différente chaque nuit.

À voir

★ La *plage*, la principale attraction, dans sa version nord plus populaire avec un petit parc ombragé et, dans sa version sud, un peu plus distinguée.

Vous y trouverez l'ancien établissement de bains 1900 dont la belle architecture de bois a été malheureusement donnée en pâture à un hôtel de luxe vaguement chinois.

★ La *jetée* *(molo)* et ses 512 m, de 1928.

★ Quelques *vieilles maisons de pêcheurs*, du début du siècle, dans la rue Ogrodowa (sur la droite de la rue Monte Cassino, peu avant la rue Grunwaldzka), ainsi que sur la place Rybaków, à l'extrême sud de la plage devant l'hôtel *Bursztyn*.

★ L'*opéra de verdure* (opera Leśna), notamment si vous avez la chance de vous trouver à Sopot au mois d'août lors du *Festival international de la Chanson*. Un grand amphithéâtre de verdure noyé dans les bois d'une colline, à l'ouest du centre : 4 ha et une capacité de 5 000 spectateurs. Sa visite est l'occasion d'une belle balade dans les collines environnantes. Pour y aller, remonter la rue Monte Cassino qui devient après le pont de chemin de fer la rue 1 Maja.

GDYNIA
IND. TÉL. : 058

Après le faste architectural de Gdańsk et les plaisirs balnéaires de Sopot, la forte industrialisation de Gdynia ne peut que surprendre. C'est pourtant la vocation première de la troisième cité de l'agglomération de Gdańsk.
Au lendemain de la Première Guerre mondiale, à la suite de la perte de Gdańsk déclarée ville libre, les autorités polonaises se donnèrent le défi de transformer en un temps record le petit village qu'était encore Gdynia en la plus grande installation portuaire du pays. L'objectif était de doter à nouveau la Pologne d'un débouché maritime. En à peine dix ans, les travaux (commencés en 1923) réussirent l'exploit de faire naître du néant un port qui, dès 1937, absorbait la majorité du trafic de la Baltique.
Le premier geste des Allemands fut d'annexer Gdynia en septembre 1939 et de la rebaptiser Gothafen. Pendant toute la guerre, Gdynia fut l'une des bases les plus importantes de la « Kriegsmarine ». La Norvège fut notamment envahie d'ici. Les installations portuaires et les chantiers navals devinrent des camps de travail alimentés par les déportés. La fin de la guerre se solda par l'entière destruction du port. De nouveaux travaux titanesques aboutirent à l'actuelle cité. On ne peut dès lors que se montrer indulgent pour son aspect gris et triste.
Cela ne l'a pas empêché d'être dès 1990 à l'avant-poste de la renaissance capitaliste du pays avec des privatisations accélérées et l'apparition éclair d'une nouvelle classe d'entrepreneurs. Depuis, de nombreuses sociétés étrangères se sont installées, donnant un coup de pouce à l'éclosion de boutiques et de nouveaux commerces comme dans les rues Starowiejska et Świętojańska.

Comment y aller ?

Comme pour Sopot, sa voisine au sud, le train de banlieue est le moyen le plus rapide (environ 35 mn de Gdańsk) : arrêt Gdynia Główna Osobowa. Le bateau est l'autre solution au départ soit de Gdańsk soit de Sopot.

Adresses utiles

🛈 *Miejska Informacja Turystyczna :* ul. 3 Maja 27. ☎ 21-77-51. Fax : 21-75-24. De la gare, prendre la rue Starowiejska, et tourner ensuite à gauche dans la rue 3 Maja. Ouvert du lundi au vendredi de 9 h à 18 h (19 h en été), le samedi de 9 h à 14 h ; fermé le dimanche. Sympathiques et amoureux de leur ville, les employés de l'office du tourisme municipal se feront un plaisir de vous dépanner. Cartes et brochures évidemment, mais aussi un coup de pouce pour trouver un hébergement sans toutefois aller jusqu'à la réservation.

■ *Bank PKO :* ul. Świętojańska 17.
■ *Bank Morski :* ul. 10 Lutego 24.
■ *Distributeurs de billets :*
– ul. Świętojańska 17 et 59.
– *Euro Market :* ul. Nowowiczlińska 35.
– *Makro Cash & Carry :* ul. Hutnicza 8.
■ *Taxis :* Hallo Radio Taxi, ☎ 91-90 ou 23-18-18.

Où dormir ?

Bon marché

⬛ *Camping n° 64 :* ul. Świętopełka 19/23. ☎ 29-00-29. Ouvert de juin à septembre. Terrain agréable non loin de la mer, mais malheureusement excentré à la périphérie sud de la ville. Gdynia Orłowo est la gare la plus proche. Mais il reste encore une bonne marche à pied.

⬛ *Schronisko PTSM (A.J.) :* ul. Morska 108 c. ☎ 27-00-05. Auberge de jeunesse ouverte toute l'année. Au bout du monde, près de la gare Gdynia Grabówek, deux stations après Gdynia Główna Osobowa.

⬛ *Résidences universitaires :* leurs dortoirs sont ouverts aux touristes en juillet-août. L'office de tourisme tient une liste à votre disposition et acceptera de téléphoner pour vérifier s'il y a de la place.

⬛ *Biuro Zakwaterowań (chambres chez l'habitant) :* ul. Dworcowa 7. ☎ 21-82-65. Face à la gare. Ouvert du lundi au vendredi de 8 h à 18 h, le samedi de 10 h à 18 h, fermé le dimanche. Ici plus que jamais, vérifiez bien la localisation de votre chambre car, comme vous avez déjà pu le constater, Gdynia manque de charme et encore vous êtes dans le centre, alors la banlieue...

⬛ *Hôtel Lark :* ul. Starowiejska 1. ☎ 21-80-46. Au bout d'une rue qui part de la gare centrale. Dans un immeuble de belle proportion mais qui n'invite guère à passer la porte. Comme l'ensemble du quartier, il aurait besoin d'une solide restauration avant de pouvoir s'affranchir de sa sinistre apparence d'hôtel de gare. Chambres tristes à souhait avec un mobilier prêt à rendre l'âme, douches et w.-c. sur le palier. En revanche, les prix se font modestes. Mais attention, beaucoup de bruit dû à la circulation de l'avenue.

Prix moyens

⬛ *Hôtel Neptun :* ul. Jana z Kolna 6. ☎ 26-64-77. À la fin d'une rue qui part de la gauche de la gare. Encore une façade sinistre d'HLM, grise et vraiment pas engageante. Et pourtant, la nouvelle direction qui a repris cet ancien hôtel de garnison tente l'impossible pour le rendre habitable. Elle y arrive peu à peu, mais la tâche est encore immense pour reconvertir les cellules spartiates. Celles sans salle de bains sont pratiquement restées en l'état et font penser à des chambres d'étudiants fauchés. Les autres ont déjà meilleure figure avec un grand volume qui les rapproche d'un petit appartement. Le mobilier est aussi plus recherché, dans la gamme supérieure Ikea, sur une bonne moquette. Elles disposent pour la plupart d'un petit salon.

Plus chic

⬚ *Hôtel Gdynia :* ul. Armii Krajowej 22. ☎ 20-66-61. Fax : 20-86-51. Dans le centre, à une centaine de mètres de la promenade du port. Un gros cube de béton, digne héritier des années de tourisme socialiste. Sa récente rénovation l'a transformé en une ruche bourdonnante élégante qui fait le bonheur des tours-opérateurs qui l'ont annexé. Confort fonctionnel et rassurant dans les chambres.

Où manger ?

Bon marché

|●| *Bar mleczny Słoneczny :* à l'angle d'ul. Władysława IV et ul. Zwirki i Wigury. Dans une rue parallèle à l'artère commerçante Świętojańska. Ouvert du lundi au vendredi de 6 h à 19 h, le samedi de 9 h à 17 h. Tout le quartier a rendez-vous dans cette grande cantine populaire logée dans une belle boutique blanc et bleu. Fidèle à la tradition de ces restos subventionnés par l'État, elle propose dans un cadre simple les grands classiques de la cuisine polonaise familiale à prix minuscules. Les plats, comme d'habitude, sont copieux et très variés. Une des meilleures adresses en ville dans cette catégorie.

|●| *Zax Bar :* ul. Świętojańska 69. Dans la rue commerçante. Ouvert tous les jours de 11 h à 22 h. Un fast-food de plats polonais et de pizzas qui s'est agrandi d'une vraie salle de restaurant avec chaises et tables bistrot sur un beau sol de carrelage. Basique mais correct.

|●| *Bar Chata :* ul. Świętojańska 49. Toujours dans la grande rue commerçante. Ouvert tous les jours de 11 h à 22 h. Ce petit self de plats polonais et occidentaux s'est voulu plus coquet que ses voisins en se donnant des allures de maisonnette rustique.

|●| *Liliput :* ul. Świętojańska 75. Toujours dans la même rue. Ouvert tous les jours de 8 h à 22 h. Minuscule comme son nom l'indique, mais pour se faire pardonner, il a repeint ses murs d'une joyeuse couleur rose bonbon. Sa carte en revanche est loin d'être lilliputienne : immense comme le panneau d'affichage d'une gare !

Beaucoup de plats polonais avec en *guest stars* les inévitables hamburgers. Au sous-sol un resto-boîte de nuit kitsch pop qui offre le mérite de ne jamais fermer.

|●| *Pizza Hut :* ul. Świętojańska 38. Toujours dans la grande rue commerçante. Ouvert tous les jours de 11 h à 23 h (minuit les samedi et dimanche). Rien à dire cette fois-ci de cette chaîne qui a su parfois dénicher de meilleurs emplacements, comme à Cracovie : ici, juste une salle blanche, hygiénique et fonctionnelle! Mais bon, les pizzas assurent quand même.

|●| Des crêpes, à déguster sur le pouce dans un petit *stand de rue* installé dans un square à l'angle des rues Świętojańska et 10 Lutego.

Prix moyens

|●| *Grill Bistro Prima Pasta :* ul. 3 Maja 21. Dans une rue au croisement d'ul. Starowiejska qui part de la gare. Ouvert tous les jours de 11 h à 22 h. Une pizzeria toute rutilante de modernité dans une grande salle compartimentée par des murs de brique et de verre. Comme dans un bistrot de chez nous, les pizzas et les plats italiens sont affichés à la craie sur les tableaux noirs. Bonne ambiance.

|●| *Polonia :* ul. Świętojańska 92. Ouvert tous les jours de 10 h à 22 h. Attention, point ethnique, espèce en voie de disparition : cette énorme salle aussi conviviale qu'un buffet de gare tombé dans un pot de peinture marron est un des derniers vestiges de la gastronomie communiste. Le parfait antidote à la joie de vivre : service robotisé, tables raides

comme à la parade et un petit orchestre qui cultive le vague à l'âme. Si cela ne vous coupe pas l'appétit, vous pourrez alors vous lancer dans l'exploration de la carte qui décline de très correctes spécialités polonaises. En étant moins sévère, on pourrait dire que c'est une adresse délicieusement rétro.

Plus chic

🍴 *La Gondola :* ul. Portowa 8. ☎ 020-59-23. Dans une rue sur la gauche en fin d'ul. Starowiejska. Ouvert tous les jours de 12 h à minuit. Le cadre est soigné à la polonaise : une jolie colonie de chaises élégantes, un vieux cellier sur un des murs avec les vins de la maison, et une petite note d'excentricité grâce à un ruisseau que l'on enjambe en entrant. Le service en grande tenue annonce d'entrée de jeu que l'endroit a la prétention de jouer dans la cour des grands. La carte de spécialités italiennes et européennes ne le dément pas.

Pâtisseries et glaces

– *Cukiernia Monika :* ul. Świętojańska 34. Dans la rue commerçante. Ouvert tous les jours de 8 h 30 à 19 h pour la boutique de vente à emporter, de 10 h à 22 h pour la salle. Les pâtisseries sont reines dans cette boutique doublée d'une salle au premier, posée comme un sous-marin au-dessus de la rue. Pas vraiment d'effort de décoration, un cadre gentil de cafétéria moderne qui n'a pas besoin de surenchère décorative pour faire apprécier ses produits.
– *Lody Zielona budka :* ul. Świętojańska 72. Ouvert tous les jours de 10 h à 20 h. Une petite boutique belle et blanche comme un magasin de surgelés, qui a le talent de proposer d'excellentes glaces à emporter ou à consommer sur les rares tables.

Où boire un verre ?

🍸 *Kawiarnia Cyganeria :* ul. 3 Maja 27. Dans une rue au croisement d'ul. Starowiejska qui part de la gare. Ouvert du dimanche au vendredi de 10 h à minuit, le samedi de 10 h à 1 h. Juste à côté de l'office du tourisme, ce café cultive par ses murs pastel l'ambiance littéraire. Des canapés sont posés ici et là en écho aux petites tables originales assez espacées pour conserver le beau volume du lieu. Des rideaux artistiquement plissés protègent les conversations de l'animation extérieure, tandis que de jeunes serveuses se dévouent à votre service.
🍸 *Bar Ameryka :* ul. 10 Lutego 21. Dans une rue qui part de la droite de la gare. Ouvert tous les jours de 11 h à minuit. Son décor de brasserie chic à l'américaine, habillé de marbre et de chrome, semble directement importé de Wall Street comme le public quadragénaire d'hommes d'affaires. Ici, on se veut résolument capitaliste et on le montre. La carte, en plus des nombreux alcools, propose une sélection de petits plats soignés comme du saumon de la Baltique.
🍸 *Złoty Melon :* ul. Abrahama 11. Dans une rue qui coupe ul. 10 Lutego, qui part de la droite de la gare. Ouvert tous les jours de 11 h à minuit. Le bar branché fauché de la ville. Les murs jaune pastel lorgnent vers la post-modernité, tandis que les tables alignées sagement le long du grand bar de cette salle couloir ont conservé les nappes à fleurs de l'ancienne mode. Anachronisme volontaire ou erreur de décoration ? Toujours est-il que la formule séduit peu de monde.

À voir

Les principales curiosités de la ville se trouvent sur la grande jetée (molo Południowe) que l'on gagne facilement en descendant l'avenue 10 Lutego qui part de la droite de la gare.

Sur le quai gauche (nb. Pomorskie), plusieurs navires ont été transformés en musées :

★ *Le destroyer Błyskawica :* ouvert du mardi au dimanche de 10 h à 16 h. Ce vétéran de la Seconde Guerre mondiale a été construit en 1937 dans les chantiers navals anglais. À cette époque, il était le bateau le plus rapide de la Baltique. Il s'appelle d'ailleurs *L'Éclair*. Sa visite permet de découvrir ses installations ainsi qu'une petite expo sur la flotte polonaise.

★ Un peu plus loin, le *navire-école Dar Pomorza*, un superbe trois-mâts de 91 m qui mouille habituellement ici entre deux voyages. Ouvert du mardi au dimanche de 10 h à 16 h. C'est l'œuvre des chantiers navals de Hambourg. Depuis sa construction en 1909, il a navigué sous pavillon allemand puis français, avant d'être racheté en 1930 par l'école navale de Gdynia.

★ Un autre bateau-école appartenant à l'université accoste généralement à côté : le *Dar Młodzieży*, qui est comme son voisin une frégate de trois mâts dont la voilure atteint les 3 000 m². Il peut accueillir 45 hommes d'équipage et 150 étudiants.

★ Au bout de la jetée s'élève le *monument* à la mémoire de l'écrivain et navigateur *Joseph Conrad*.

★ À côté, sur le quai droit (al. Zjednoczenia), le *Musée océanographique* et l'*aquarium (Muzeum oceanograficzne i akwarium Morskie).* Ouvert du mardi au dimanche de 10 h à 17 h. Expo sur la flore et la faune maritime, et de charmants poissons à contempler de loin comme des barracudas et des piranhas.

– En descendant le bord de mer plus au sud, on finit par rencontrer la *plage municipale.*

★ À l'arrière de celle-ci, sur Bulwar Nadmorski est logé un petit *Musée naval (Muzeum marynarki Wojennej).* Ouvert du mardi au dimanche de 10 h à 16 h. Pour tout savoir sur l'armement militaire naval.

★ Plus à l'ouest, derrière la rue Armii Krajowej, se dressent les 52 m de la colline du « mont des Pierres » (kamienna Góra). Une petite grimpette ombragée qui offre au sommet une vue panoramique sur le port et sur la péninsule de Hel.

LA POLOGNE

MALBORK

IND. TÉL. : 055

Une petite ville à 60 km au sud-est de Gdańsk, dont la plus importante et presque unique attraction est le spectaculaire château médiéval des chevaliers teutoniques. Le centre-ville est l'image même de la désolation, de la fatigue, des difficultés de la vie quotidienne en Pologne, encore plus frappantes face à ces vestiges d'antan. Malbork, comme beaucoup d'autres villes moyennes, est un lieu qu'on quitte sans regret. Un lieu qui a son passé, mais d'où l'on voit mal l'avenir et dont le présent est gris et triste. Cela fait aussi partie de la Pologne d'aujourd'hui.

Adresse utile

🛈 *Informations touristiques :* ul. Hibnera 4. ☎ 26-77.

Où dormir ?

Bon marché

🛌 *Schronisko Młodziezowe (A.J.) :* ul. Żeromskiego 45. ☎ 25-11. Ouvert seulement l'été, du 5 juillet au 25 août. Dans l'école primaire. 100 places. Dortoirs dans les salles de classe. Cuisine à disposition.

Prix moyens

🛌 *Hôtel Sportowy :* ul. Portowa 3. ☎ 24-13. Fait partie d'un complexe sportif. Vous pouvez demander la chambre avec vue sur le stade. Salles de bains et toilettes communes. Propre.

Chic

🛌 *Hôtel Dedal :* ul. Sikorskiego 5. ☎ 31-37. Hôtel de la garnison militaire des environs, aujourd'hui ouvert au public. Bâtiment très moderne et luxueux. Chambres avec salle de bains, propres et lumineuses. Appartement avec TV. Grande salle de conférence, salle de ping-pong. Deux cuisines sont à disposition. Le soir, possibilité de manger sur place. Parking gardé.

Où manger ?

Bon marché

🍽 *Bar Maćko :* ul. Kościuszki 7. Dans la rue principale. Ouvert de 8 h à 18 h. Correct et propre.

Prix moyens

🍽 *Restauracja Zbyszko :* ul. Kościuszki 43. Dans un bâtiment quelconque des années 50. Une grande salle sans charme, mais la cuisine est bonne. Fait aussi hôtel.

À voir

★ *Le château des chevaliers teutoniques :* du 1er juillet au 30 septembre, ouvert aux visiteurs de 9 h à 18 h (16 h pour le musée) ; le reste de l'année, château et musée ouverts de 9 h à 15 h. Fermé le lundi. Prévoir du temps car la visite est longue (plusieurs heures). En saison, le soir, spectacle « son et lumière » (pour les horaires, se renseigner à la caisse du musée). Nous vous conseillons de visiter le château en vous joignant à un groupe (si la langue vous convient) ou en louant les services d'un des guides (à la caisse du musée), car ils racontent superbement son histoire, la vie quotidienne au château, etc. Le prix du guide étant élevé, groupez-vous sur place avec d'autres touristes. Il est conseillé de réserver un guide parlant le français car ils sont peu nombreux : ☎ 33-64, entre 9 h et 14 h.

L'*ordre des chevaliers teutoniques* (le nom complet est : ordre de l'Hôpital de la Sainte Vierge de la Maison allemande à Jérusalem, ce qui faisait un peu long sur les cartes de visite) se constitue en 1191 en Palestine, comme ordre religieux et militaire (moines soldats), sur le modèle des templiers. En 1229, ils répondent à l'appel de Conrad de Mazovie qui, menacé par les Prussiens païens, les fait venir en Pologne, leur attribuant la ville de Chełmno. Mais les chevaliers teutoniques falsifient l'accord avec Conrad et s'approprient les terres prussiennes en exterminant totalement la population d'origine balte jusqu'à créer un véritable État au bord de la Baltique et menacer la Pologne.

En 1309, ils s'établissent à Malbork et entament la construction du gigantesque château. En 1410, déjà affaibli par les guerres avec la Lituanie, l'ordre est vaincu par le roi polonais Ladislas Jagellon, lors de la célèbre bataille de *Grunwald*. Le roi ne réussit pourtant pas à s'emparer du château, malgré le siège qui dura deux mois. C'est seulement quarante ans après que l'ordre quittera Malbork pour s'installer à Königsberg (aujourd'hui Kaliningrad qui faisait partie de la R.S.F.S. de Russie et qui dépend encore aujourd'hui de l'État de Russie).

Très bien restauré, avec ses tours, ses doubles et même triples murs, ses fossés, ses ponts suspendus, le château est comme sorti tout droit d'un conte pour enfants. Il se divise en trois parties : le *château bas,* avec l'arsenal et l'église Saint-Laurent, le *château moyen,* attenant au palais du Grand Maître et, enfin, le *château haut,* le plus ancien, avec sa superbe cour entourée de deux étages d'arcades. Au rez-de-chaussée, des cellules avec leurs imposantes grilles en fer, où l'on détenait les adversaires de l'ordre, les cuisines, dans lesquelles chaque plat préparé était d'abord goûté par le cuisinier par mesure de sécurité. Au premier étage, la salle capitulaire, la chambre du trésor et les dortoirs des chevaliers. En tant que guerriers religieux, les chevaliers dormaient à même le sol, toujours habillés. On peut même voir un ingénieux exemple de w.-c. médiévaux qui, outre leurs fonctions habituelles, permettaient de se débarrasser habilement des témoins gênants.

Le *musée* comprend une exposition consacrée à l'histoire de l'ambre (résine fossilisée), l'une des richesses traditionnelles de la région, avec une série d'objets superbement décorés, des objets usuels des XIVe et XVe siècles, et une exposition retraçant l'histoire du château.

LA MAZURIE   IND. TÉL. : 087

Au nord-est de la Pologne, la Mazurie est une contrée de rêve pour les routards qui aiment plonger dans la nature intacte et, pourquoi pas, dans l'eau transparente des lacs. Elle est cependant infestée de touristes. Son relief légèrement vallonné est parsemé de lacs postglaciaires, joints les uns aux autres grâce à un système complexe de canaux et de petites rivières. Le pays se prête en effet à des aventures aquatiques ! Ici, le bateau est souvent un moyen de transport privilégié par rapport à la voiture : automobilistes, ne soyez donc pas agacés lorsqu'il vous faudra patienter devant un pont sur un canal pour laisser passer les voiliers.

C'est le cas, par exemple, à **Giżycko**, situé entre les lacs Kisajno et Niegocin, où un des rares ponts tournants d'Europe fonctionne encore. Petite ville au cœur de la région des Grands lacs mazures, Giżycko est un centre nautique et une base de plaisance réputés. La ville, comme d'ailleurs la Mazurie entière, a connu tous les tourments de l'histoire : fondée par les Prussiens, conquise par les chevaliers teutoniques, brûlée successivement par les Lituaniens, les Polonais, les Suédois, les Tatares et enfin les Russes, ravagée par la peste, elle est ensuite devenue un important centre stratégique de l'ancienne Prusse orientale. Trois brèmes d'argent représentent l'emblème de Giżycko, car n'oublions pas que le poisson est ici roi.

En dehors de la pêche, la Mazurie invite à des balades écolos à travers des allées ombragées plantées de tilleuls et de bouleaux où, entre les troncs d'arbres, brillent des lacs innombrables aux rives escarpées ou couvertes de joncs. L'été, le climat est doux, septembre est encore très ensoleillé, mais attention : l'hiver est plutôt frisquet. Les cigognes (et les touristes !) sont toujours les bienvenus : la fidèle présence des uns et des autres assure la prospérité aux habitants...

– Les lacs inaccessibles aux bateaux (par exemple le long des itinéraires canoës) sont beaucoup plus silencieux que les autres (cf. les incessants bruits de moteurs). Pour un randonneur sans bateau, c'est dommage de ne pas tenter les deux! Il existe en fait trois Mazuries très différentes : celle des grands lacs et ses voiliers, celle des canoës, et celle des petits lacs isolés complètement épargnés des faveurs des touristes.

– On a sur la carte de l'office du tourisme les emplacements des *pole namiotowe.* On comprend tout de suite l'intérêt que ça peut avoir.

– Si l'on va à Święta Lipka, il est dommage de ne pas s'arrêter en passant au petit village de **Reszel**, à seulement quelques kilomètres au nord-ouest, car il fourmille de monuments très remarquables (château, églises).

Comment y aller ?

– *En voiture :* depuis Varsovie, par exemple, prenez la route 18 jusqu'à Ostrów Mazowiecki, ensuite la route 63 en direction de Łomża. Puis prenez la route 61 pour tourner à gauche au bout d'environ 10 km : c'est la voie directe (644) qui vous mènera à Giżycko via Pisz et Orzysz. Compliqué, non ? Mais vous serez tellement récompensé !

– *En train :* les trains sont lents, mais ils restent toujours une bonne solution pour les petits budgets. Il y a deux trains quotidiens depuis chacune des villes suivantes : Varsovie, Poznań, Wrocław et Gdynia.

– *En bus :* plusieurs bus arrivent de Varsovie. Très pratique pour circuler dans la région.

Adresses utiles à Giżycko

Ⓘ *Office de tourisme :* ul. Warszawska 7. ☎ et fax : 28-57-60. Entrée depuis la rue latérale : ul. Kętrzyńskiego. Ouvert du lundi au samedi : en été de 8 h à 18 h, hors saison jusqu'à 16 h. Un tout petit bureau rempli de cartes et de brochures mais rien en français. Connaître la langue allemande est très utile. Accueil sympa et service compétent.

▪ *Orbis :* ul. Dąbrowskiego 3. ☎ 28-31-50. Ouvert du lundi au vendredi de 8 h 30 à 17 h et le samedi de 9 h à 14 h. Location de bateaux, réservation d'hôtels et de billets d'avion. La location de bateaux n'est pas vraiment chère, mais pour vous éviter de mauvaises surprises l'été, une seule solution : réservez à l'avance.

🚆 *Gare ferroviaire PKP :* pl. Dworcowy. ☎ 28-42-68. Au sud de la ville, au bord du lac Niegocin.

🚌 *Gare routière PKS :* juste à côté de la gare *PKP*. ☎ 28-50-87.

Où dormir à Giżycko ?

Bon marché

▲ *Camping Rusałka :* à 22 km de Giżycko (route 644) en direction de Węgorzewo. ☎ 27-20-49. Ouvert de mai à septembre. Merveilleusement situé au bord du lac Święcajty. Plusieurs bus depuis Giżycko, arrêt sur demande. Prenez ensuite un agréable petit chemin dans la forêt, à gauche de la route. Bungalows pour 2 ou 4 personnes, sans salle de bains. Un grand terrain ombragé et étagé pour tentes et camping-cars. Tout est bien entretenu. Dépaysement garanti ! Sur place : resto, petit magasin d'alimentation, location de

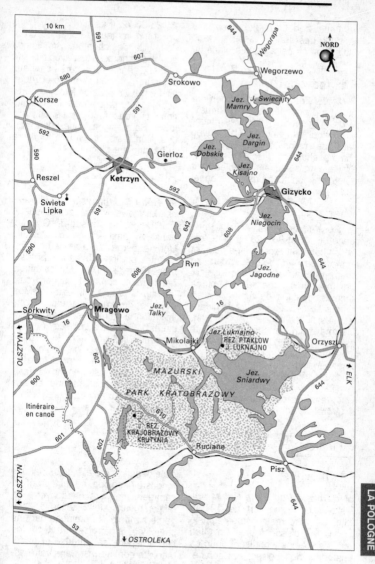

LA MAZURIE

pédalos, de kayaks et de petits bateaux.

🛏 *Camping Zamek :* ul. Moniuszki 1. ☎ 28-24-19. Fax : 28-39-58. Tout près du centre-ville, au bord du canal joignant deux grands lacs, Nie-

gocin et Mamry. Ouvert seulement l'été. Ne vous fiez pas au nom du camping (« château ») : en réalité le grisâtre bâtiment voisin est assez fantomatique et on a du mal à l'appeler « zamek ». Les bungalows et les tentes sont un peu trop serrés et le bruit des trains assez gènant. Mais l'endroit est agréable, dans un parc.

Prix moyens

📍 *Motel Zamek :* mêmes coordonnées que pour le camping *Zamek*. Vous y trouverez 12 petites chambres doubles, impeccables, avec salle de bains et un *box* sous chaque chambre (escalier direct !). Pratique mais souvent complet. Petit déjeuner non compris. Personnel compétent et aimable.

Cher

📍 *Hôtel Mazury :* ul. Wojska Polskiego 56. ☎ et fax : 28-59-56. C'est un joli bâtiment récent, bien fleuri et très calme, un peu à l'écart du centre-ville, au bord du lac Kisajno. Un bon repos dans des chambres simples, doubles ou triples, toutes avec salle de bains (douches gigantesques), téléphone et balcon. Charme discret et confortable. Petit déjeuner compris, « artistiquement » présenté. Vous pouvez y loger en demi-pension. Parking, bateaux à louer et sécurité parfaite, garantie par l'armée polonaise encasernée tout près... Accueil très soigné.

📍 *Hôtel Wodnik :* ul. 3 Maja 2.

☎ 28-38-72. Fax : 28-39-58. Dans un grand immeuble banal, au cœur de la ville, des chambres simples ou doubles et deux suites, avec salle de bains. Certaines chambres sont aux couleurs nationales : blanc et rouge vif. Le prix varie selon le confort. Petit déjeuner non compris. Des réductions si vous restez plus de trois jours. Hors saison, assez bon marché. Bon resto, bureau de tourisme et parking sur place.

Chic

📍 *Hôtel Gołębiewski :* à Mikołajki, ul. Mrągowska 34. ☎ 21-65-17. Fax : 21-60-10. Au sud de Giżycko, dans un petit village pittoresque. Une auberge ultra-moderne, fréquentée par les nouveaux *businessmen* polonais. Tout un complexe fraîchement construit au bord d'un lac, sur la route de Mikołajki à Mrągowo, et qui s'agrandit encore. Une invitation à faire des folies (financières !). Entrées à la discothèque et au sauna incluses dans le prix. En plus, balades en carriole et à cheval, piscine couverte, tout pour faire du bateau et pour rester en forme. Trois restaurants proposant une cuisine somptueuse parmi une végétation quasi tropicale.

Où manger ?

Prix moyens

📍 *Karczma Pod Złotą Rybką :* ul. Olsztyńska 15. Ouvert de 12 h à 23 h. Un petit resto sympa appelé « Sous le Poisson d'Or ». En effet, tous les vœux s'y réalisent pour les amateurs de poissons : perche, tanche, carpe, brochet, sandre, brème, voire requin... Le meilleur choix dans la ville. Service rapide et aimable. Décor en bois.

📍 *Pod Kominkiem :* ul. Olsztyńska. Ouvert de 10 h à 22 h. En face de l'hôtel *Wodnik* (voir « Où dormir ? »), de l'autre côté de la place Grunwaldzki, tout au fond du parking, à droite. Pratiquement invi-

sible depuis la rue et indiqué par une modeste enseigne, ce restaurant récemment inauguré mérite votre attention. Dans deux salles à l'élégante sobriété et dominées par une cheminée, le patron sert une cuisine fine et légère, savoureuse et parfumée. Le bonheur est dans votre assiette.

📍 *Jantar :* ul. Warszawska 10. Situé dans la rue principale, fait partie de l'hôtel du même nom. Une salle assez exiguë, avec une décoration champêtre. L'atmosphère y est joviale et décontractée et le grand choix de poissons incite les vacanciers à parler de leurs succès à la pêche. Service rapide et soigné.

Où boire un verre?

⍩ Tawerna Pod Kotwicą : dans le port, près d'une scène de spectacle en forme de proue de vieux navire. Cette taverne de pirates est une énorme tente installée ici l'été, devant un grand comptoir en bois, pour le bonheur de tous les buveurs de bière. Comme son nom l'indique, on est vraiment assis « sous l'ancre », en compagnie d'une statue de pirate. Férus de navigation, des marins amateurs de tous âges, le teint hâlé par le soleil et par le vent, se racontent ici des histoires invraisemblables. On plonge dans une atmosphère de vieux loups de mer (ou plutôt de lac). Dommage seulement que des écrans de T.V. et une musique américaine très forte nuisent à l'ambiance de cet endroit : nous aurions voulu fredonner quelques chansons de marins. C'est aussi un fast-food, mais attention aux plats chinois très suspects. Il vaut mieux manger un poisson pêché par soi-même !

Vie culturelle. Vie nocturne

– L'été se déroule dans la Mazurie sous le signe de la musique folk américaine. Mrągowo, à 40 km au sud-ouest de Giżycko, se transforme fin juillet en une sorte de Nashville grâce à son prestigieux *Festival international Pique-nique Country.*
– À Giżycko, vous ne vous coucherez pas tôt non plus. La ville organise chaque été les *Mazurskie Biesiady* : animations pour tous, du concert de rock polonais au concours de chansons de marins. Et à la fin de chaque soirée, on danse comme des fous ! Certaines activités ont lieu dans le fort Boyen, construit au XIXe siècle afin de défendre la Prusse orientale contre la Russie des tsars. Aujourd'hui en ruine, le fort a trouvé un tout autre usage...

À voir. À faire

★ Les *paysages lacustres*, naturellement : à pied, à vélo, en bateau ou bien à cheval, sans buts ni itinéraire précis, on est tenté ici de se balader rien que pour respirer. Non sans raison, toute la région du nord-est de la Pologne a été appelée les « poumons verts » du pays. Protégés par les parcs nationaux, les élans, loups, lynx et autres castors s'y sentent eux aussi bien. Les petites îles pittoresques sont un paradis pour de nombreux oiseaux : cormorans, cygnes, grèbes...
Le *lac Łuknajno*, par exemple, à 2 km à l'est de Mikołajki, est l'aire de couvaison d'une très grande colonie de cygnes muets. Ce lac est d'ailleurs inscrit sur la liste des Réserves mondiales de la Biosphère.

– Les amateurs de *yachting* ne seront pas déçus : les itinéraires sont bien aménagés et le dépaysement garanti. La rivière *Krutynia* est un célèbre itinéraire de canoë, long de 110 km, qui traverse plusieurs petits lacs. Le point de départ se trouve à Sorkwity, à 12 km à l'ouest de Mrągowo. Il faut une dizaine de jours pour le parcourir.

– Pour traverser les plus grands lacs de Pologne, Mamry, Śniardwy et Niegocin (plus de 100 km² chacun), le port de Giżycko organise des *balades en bateau* permettant de découvrir un ingénieux système de canaux et de digues, construit aux XVIIIe et XIXe siècles. Mais avant d'acheter votre billet, assurez-vous que la promenade aura effectivement lieu : parfois le nombre de touristes est insuffisant pour remplir un des deux gros bateaux de croisière. En cas d'échec, à droite du port, vers le centre-ville, vous trouverez facilement un marin barbu qui vous emmènera pour une balade plus intime, mais aussi chère.

★ *Święta Lipka :* à 12 km au sud-ouest de Kętrzyn. Perdue dans la nature exubérante, une magnifique église baroque surgit comme une apparition fabuleuse. La légende médiévale liée à cet endroit est d'ailleurs aussi extra-ordinaire que l'édifice même : un condamné à mort se repentit, la nuit avant son exécution, en priant la Sainte Vierge de le sauver. La Vierge apparut au malheureux et lui ordonna de sculpter une figure en bois. À l'aube, les juges émerveillés par le chef-d'œuvre représentant la Mère de Dieu avec l'enfant Jésus, reconnurent une intervention divine et libérèrent le prisonnier. Ce der-nier installa la sculpture sur un tilleul (d'où le nom de l'église « Saint-Tilleul »). Dès lors, les nouvelles de guérisons miraculeuses se répandirent dans tout le pays en attirant de nombreux pèlerins

Il paraît aussi que lorsque les habitants de Kętrzyn voulurent transporter la figure dans leur église, la sculpture revint toute seule sur son tilleul, éternel-lement vert. L'histoire ajoute que la chapelle bâtie autour de l'arbre fut démo-lie au XVIe siècle, à l'époque où le prince de Prusse se convertit au luthéra-nisme.

Au XVIIe siècle, afin de rétablir le culte marial à Święta Lipka, les catholiques polonais rachetèrent le terrain. Les jésuites s'y installèrent et firent édifier une église, entourée d'un cloître rectangulaire avec quatre chapelles. Le cloître est orné de belles fresques où on peut admirer la maîtrise de la tech-nique du trompe-l'œil.

Les concerts d'orgue, donnés à l'église plusieurs fois par jour, sont aussi impressionnants : des figurines animées présentent la scène de l'Annoncia-tion. On peut visiter l'église l'été de 8 h à 18 h, hors saison jusqu'à 17 h ; le dimanche de 10 h à 17 h sauf au moment des offices. Sur place, des guides proposent leurs services.

★ *Le quartier général d'Hitler, le « Repaire du Loup » (Wilczy Szaniec* en polonais) : à 8 km à l'est de Kętrzyn. Un bus toutes les deux heures de Węgorzewo ou bien de Kętrzyn vous dépose devant l'entrée. Pas évident à trouver car rien ne l'indique. Grand parking payant sur place.

Près d'un petit hameau, Gierłoż, émergent encore, çà et là, des chicots de béton, des ruines de bunkers qui constituaient pendant la Seconde Guerre mondiale (de 1941 à 1945) le quartier général des principaux dirigeants nazis. C'est dans cette cachette, perdue dans la forêt et camouflée par une végétation artificielle, qu'a eu lieu l'attentat manqué du 20 juillet 1944 contre Hitler, préparé par Claus von Stauffenberg. Aujourd'hui, la nature reprend ses droits en dissimulant les bunkers aux murs atteignant parfois 8 m d'épaisseur.

La visite se fait toute la journée. On trouve sur place des guides parlant le français.

BIAŁOWIEŻA
IND. TÉL. : 085

Le parc national de Białowieża est la véritable relique d'une nature majes-tueuse, celle qui rappelle la nuit des temps. Cette magnifique forêt reste sans doute la dernière quasiment vierge d'Europe, et se partage entre la Pologne et la Biélorussie. Outre l'intérêt qu'elle présente aux yeux des scien-tifiques de tous bords, elle a la caractéristique exceptionnelle de cacher en son sein les derniers troupeaux de bisons sauvages du Vieux Continent, attraction unique pour routards en mal de safaris. Cependant la forêt est très grande et les bisons peu nombreux, donc ça ne sert à rien de vouloir jouer les Indiana Jones ! Mais on retrouve ici les images des confins d'une Pologne orientale avec de petites maisons en bois et des églises ortho-doxes.

Comment y aller ?

– *En voiture :* de Varsovie, prendre la route de Białystok (18) pendant environ 200 km puis bifurquer à droite (route 19) direction Bielsk Podlaski, puis, à l'est, route 689 vers Hajnówka, pour enfin atteindre la forêt de Białowieża, à la frontière biélorusse.
– Sinon, *train* jusqu'à Białystok puis *autobus*.

Adresse utile

🛈 *Informations touristiques, bureau de PTTK :* ul. Kolejowa 17. ☎ 68-12-295. Devant l'entrée du parc. Les guides connaissent parfaitement la forêt. Vélos à louer (mais rudimentaires).

Où dormir ? Où manger ?

🛏 |●| *Auberge de jeunesse PTTK Zapraszamy :* à 100 m de l'hôtel-restaurant *Iwa*. ☎ 68-12-505. Une charmante A.J. que rien n'indique à part un panneau « PTTK ». Chambres avec lavabo. Calme, propre et pas cher du tout. Possibilité d'y manger. On y trouve surtout des étudiants de Varsovie venus en week-end avec leur copine.

🛏 |●| *Hôtel-restaurant Żubrówka :* ul. Olgi Gabiec 3, au centre du village. ☎ 68-125-70. Une auberge où on trouve des chambres pas trop chères (mais un peu tristounettes), et surtout un bon repas copieux et bon marché. Un vrai régal après les longues vadrouilles en forêt.

🛏 |●| *Hôtel-restaurant Iwa :* dans le parc du Palais. ☎ 68-122-60. Hôtel franchement pas beau mais vous pourrez y découvrir des plats de bison (noyé dans une sauce au goût incertain), qui ne vous laisseront pas un souvenir impérissable, mais que vous pourrez, vous aussi, ruminer, si vous les trouvez indigestes. Ce n'est pas tous les jours qu'on déguste un plus gros que soi !

À voir. À faire

★ La *nature*, d'abord, et, avec un peu de chance, les fameux *bisons* (*żubr* en polonais). Pratiquement tous les habitants de Białowieża sont forestiers, vous n'aurez donc aucune difficulté à dénicher un guide qui pourra vous entraîner vers les bêtes cornues à poils longs. Cela dit, la meilleure période pour les apercevoir est septembre-octobre, quand ils se regroupent avant d'affronter l'hiver rigoureux. D'ailleurs, évitez de l'affronter avec eux, car le climat est particulièrement rude à l'est de la Pologne de décembre à février.
– On trouve une *réserve naturelle* située sur la route entre Białowieża et Hajnówka. Ouvert tous les jours, sauf le lundi et les lendemains de jours fériés, de 9 h à 17 h. C'est comme au zoo de Vincennes mais en version plus écolo, avec beaucoup d'espace et de verdure. Mais paradoxalement, il est quasiment impossible d'apercevoir un bison dans cette réserve ! Les bisons se trouvent en fait en dehors de la réserve : pour les apercevoir, il vous faudra obligatoirement passer par un guide. Renseignez-vous auprès des forestiers.
– Pour les passionnés de la nature, la forêt offre des balades, à pied ou à vélo. L'*itinéraire des Chênes royaux* est célèbre pour ses chênes monumentaux. Ils portent les noms de rois polonais et lituaniens et se souviennent sans doute des grandes chasses d'autrefois. Silence et dépaysement à volonté ! Mais attention : la plupart des chemins forestiers ne sont pas répertoriés sur les cartes. On risque donc facilement de se perdre...

LA POLOGNE

LA RÉPUBLIQUE TCHÈQUE

On a beaucoup parlé de ce petit pays d'Europe centrale au travers de ses hommes célèbres (Kafka, Smetana, Dvořák, Janáček, Miloš Forman, Kundera, etc.). Paradoxalement, il reste méconnu, même si Prague attire de plus en plus de touristes ! Les petits royaumes de Bohême, de Moravie et de Slovaquie eurent pourtant un destin peu commun. Au fil des siècles, les peuples autochtones luttèrent sans cesse pour leur indépendance et leur liberté, remportant d'éphémères victoires et subissant de cruels revers. Le chiffre 8 symbolise tous les grands espoirs, les occasions manquées et les « enterrements » : *1848,* la révolution qui balaya Bohême, Slovaquie et Europe ; *1918,* l'indépendance ; *1938,* Munich ; *1948,* le coup de Prague ; *1968,* la fin du « Printemps »... Il n'y a que 1989 et la « révolution de Velours » pour enrayer la série (comme dirait *Gault et Millau,* un point de plus cette année !). C'est donc beaucoup l'histoire, tout comme la littérature, qui accompagneront votre voyage. Vous rencontrerez des habitants profondément humanistes, jamais résignés, patients à l'excès. Et puis Prague, « capitale magique de l'Europe », comme disait André Breton, vous transportera aux sommets d'une extase romantique, proche de la douleur parfois.

Carte d'identité

– *Superficie :* 78 864 km², soit à peine 15 % de la France.
– *Capitale :* Prague (1,26 million d'habitants).
– *Population :* 10 330 000 habitants. Tchèques (81 %), Moraves (13 %), Slovaques (3 %), autres (3 %).
– *Villes principales :* Brno (400 000 habitants), Ostrava (342 000 habitants), Plzeň (179 000 habitants).
– *Langues :* tchèque (officielle), slovaque, allemand, rom.
– *Monnaie :* couronne tchèque.
– *Régime :* démocratie parlementaire.
– *Président de la République :* Václav Havel.
– *Premier ministre :* Yosef Tošovsky.
– *Formations politiques :* l'ODS (parti démocratique civique, dirigé par Václav Klaus) ; le CSSD (parti tchèque social-démocrate de Miloš Zeman) ; le KSCM (parti communiste de Bohême et de Moravie) ; le KDU (parti chrétien-démocrate) ; le SPR-RSC (parti républicain tchécoslovaque) ; l'ODA (alliance démocratique civique) et l'US (union de la liberté, parti issu de la scission de l'ODS à la fin de 1997).
– *Salaire moyen :* environ 10 500 Kč.

Adresses utiles, formalités

ADRESSES UTILES

En France

◼ *Office du tourisme* (centre culturel tchèque, section tourisme) *:* 18, rue Bonaparte, 75006 Paris. ☎ 01-53-73-00-34. M. : Odéon ou Saint-Germain-des-Prés. Ouvert du lundi au vendredi de 13 h à 17 h.
◼ *Ambassade tchèque :* 15, av. Charles-Floquet, 75007 Paris. ☎ 01-40-65-13-00. Fax : 01-47-83-50-78. M. : Dupleix. Sur rendez-vous uniquement.

■ *Consulat tchèque :* 18, rue Bonaparte, 75006 Paris. ☎ 01-44-32-02-00. Fax : 01-44-32-02-12. M. : Odéon ou Saint-Germain-des-Prés. Ouvert du lundi au vendredi, de 9 h à 12 h. À Marseille, bd de Luvain, 13008. Fax : 04-91-83-28-29. Ouvert uniquement en juillet et août. Délivre les visas pour la République tchèque, mais n'est pas un consulat.

■ *Box Office International :* 43, rue Saint-Georges, 75009 Paris (par courrier uniquement). ☎ 01-49-95-08-06. Fax : 01-49-95-04-69. M. : Saint-Georges. Renseignements par téléphone du lundi au vendredi de 9 h 30 à 18 h 30. Cette agence de billetterie internationale permet de réserver à l'avance ses places de spectacles ou d'expositions dans les grandes villes européennes et des Etats-Unis, et notamment à Prague pour des ballets, opéras, concerts et théâtres. Envoi de la liste des spectacles par fax ou par courrier. Attention, les tarifs sont sensiblement majorés par les frais d'agence. Mais, bonne nouvelle, nos lecteurs bénéficient d'une remise de 5 % sur présentation du *Guide du Routard*.

En Belgique

■ *Ambassade tchèque :* rue Engeland, 555, Bruxelles 1180. ☎ (02) 375-93-34.

En Suisse

■ *Ambassade de la République tchèque :* Muristrasse 53, 3006, Berne 16. ☎ (031) 352-36-45.

Au Canada

■ *Ambassade de la République tchèque :* 541 Sussex Drive, Ottawa, Ontario, KLN-6Z6. ☎ 56-23-875.

FORMALITÉS

– Pour les Français, les Belges, les Suisses et les Canadiens, le *passeport* doit être encore valide au moins trois mois après l'entrée dans le pays.
– Pour les automobilistes et motocyclistes, se procurer à l'un des postes-frontières (ouverts 24 h sur 24) la *vignette routière* obligatoire sur autoroute et route à 4 voies. Valable un an. Prix : environ 160 F minimum ; variable selon la cyclindrée.

Comment y aller ?

En voiture

– *De Paris :* autoroute de l'Est jusqu'à Metz-Forbach (frontière allemande), puis les autoroutes allemandes par Heidelberg, Heilbronn, Nuremberg, Waidhaus-Rozvadov (poste-frontière tchécoslovaque), Plzeň, puis Prague. Soit 1 080 km.
Nos lecteurs venus en voiture passer le week-end doivent s'attendre à une longue attente à la frontière (environ 2 h) pour les formalités et ce, dans un sens comme dans l'autre. Penser également à se procurer la vignette obligatoire (voir « Formalités » ci-dessus).

En car

▲ **EUROLINES** propose des liaisons régulières pour Prague au départ de Paris et de Lyon. Voir plus haut la rubrique « Partir en bus » dans le chapitre « Comment aller en Pologne, en République tchèque et en Slovaquie ? ».

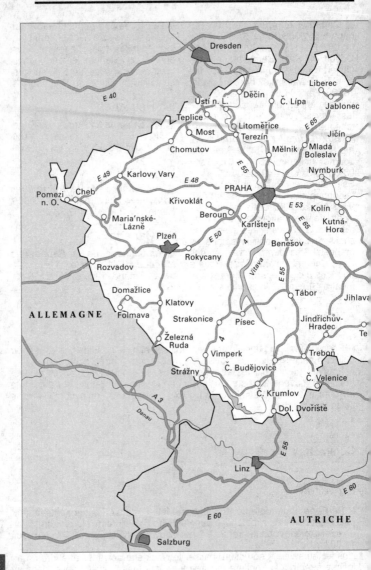

En train

🚆 *De Paris-gare de l'Est :* en été, deux départs quotidiens pour Prague. Le train de jour part à 8 h 55 pour arriver à 23 h 54. Le train de nuit part à 19 h 49 pour arriver à 11 h 01 le lendemain.
– *Renseignements S.N.C.F. :* ☎ 08-36-35-35-35 (2,23 F la minute).

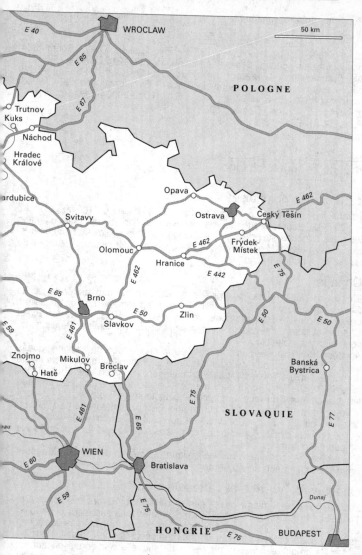

LA RÉPUBLIQUE TCHÈQUE

En avion

AIR FRANCE et **ČSA**, la compagnie nationale, sont associées sur la ligne Paris-Prague. Vols quotidiens. Durée du vol :
environ 1 h 40. Pour les tarifs spéciaux d'Air France, se reporter en début de guide au chapitre « Comment aller en Pologne, en République tchèque et en Slovaquie ? ».

Pour plus de renseignements :
■ *Air France :* 119, av. des Champs-Élysées, 75008 Paris. ☎ 0802-802-802. M. : George-V. Et dans toutes les agences de voyages. Air France dessert Prague avec quatre vols quotidiens au départ de Roissy - Charles-de-Gaulle.

■ *ČSA :* 32, av. de l'Opéra, 75002 Paris. ☎ 01-47-42-18-11. M. : Pyramides.

– *En Belgique :* ČSA, rue du Finistère, 4, Bruxelles 1000. ☎ 217-42-85.

– *En Suisse :* ČSA, Room 334, P.O.B. 188, 1215 Genève 15. À l'aéroport : ☎ (022) 798-33-30. À Zurich : Sumatrastrasse 25, 8006. ☎ (01) 363-8000 ou 8009.

Argent, banques, change

La monnaie polonaise

L'*unité monétaire* est la *koruna tchèque* (Kč), divisée en 100 *hellers*. 1 Kč = 0,20 FF. La couronne tchèque est convertible depuis peu, mais attention les rares banques qui pratiquent le change sur Paris prélèvent une commission assez élevée. Mieux vaut par conséquent écouler sa monnaie avant de quitter la République tchèque.

Change

La plupart des grandes banques possèdent un bureau de *change.* Le *Čedok,* agence touristique officielle, l'assure également. Les commissions prélevées par les établissements varient de 1 à... 10 %. Évitez les *Exact Change* et autres *Cekobanka* dont la commission est élevée. Renseignez-vous bien au préalable.

Attention : les banques, en 1990, ont eu la bonne idée de s'aligner quasiment sur le marché noir, ce qui a rendu cette pratique complètement inutile et même stupide. Toutefois, quelques changeurs vous solliciteront dans les rues de Prague. Voici, pour ceux qui n'ont pas compris, les coups d'arnaque les plus courants (auxquels de nombreux lecteurs ont eu droit !) :

● vous refiler des vieux billets qui ne sont plus acceptés nulle part ; sur un billet on doit lire « Korun Ceskych » et non plus « Ceskoslovenských » ;

● vous donner des złotys polonais dont vous n'aurez que faire et que vous ne pourrez pas rechanger ;

● le « take the money and run » classique ; ne jamais donner son argent le premier évidemment, on risque de le voir filer sans contrepartie.

Chèques de voyage et cartes de crédit

Les *chèques de voyage* et les *cartes de crédit* (Eurocard MasterCard, Visa, American Express) restent les moyens les plus sûrs pour éviter bien des désagréments. Certes les *travellers* sont soumis aux mêmes conditions de taxes que les devises, mais ils offrent la sécurité que l'on sait. Pour les cartes de crédit, la situation ne cesse de s'améliorer d'année en année. Aujourd'hui, la plupart des hôtels les acceptent, tout comme les grands magasins et une bonne partie des restaurants dans les villes et bien évidemment à Prague. De plus, il est possible de retirer directement du liquide dans les distributeurs automatiques de billets qui commencent à fleurir dans les quartiers les plus touristiques.

● La *carte Eurocard MasterCard* permet à son détenteur et à sa famille (si elle l'accompagne) de bénéficier de l'assistance médicale rapatriement. En cas de problème, appeler immédiatement le : ☎ 33-1-45-16-65-65.

En cas de perte ou de vol, appeler (24 h sur 24) le : ☎ 33-1-45-67-84-84 en France (PCV accepté) pour faire opposition. Sur Minitel, 36-15 ou 36-16,

code EM (1,29 F la minute), pour obtenir toutes les adresses de distributeurs par pays et par villes.
• Pour la *carte Visa*, en cas de vol, si vous habitez Paris ou la région parisienne, appeler le : ☎ 08-36-69-08-80 (2,23 F la minute) ou le numéro communiqué par votre banque.
• Pour la *carte American Express*, en cas de pépin : ☎ 01-47-77-72-00.

Problème de liquide ? Les dépannages d'urgence

En cas de besoin urgent d'argent liquide (perte ou vol de billets, chèques de voyage, cartes de crédit), vous pouvez être dépanné en quelques minutes grâce au système **Western Union Money Transfer**.
En cas de nécessité, appelez le : ☎ 01-43-54-46-12 (à Paris).

Boissons

– *Les bières (pivos) :* considérées par beaucoup comme les meilleures du monde. La qualité des orges produites dans les plaines de Moravie et de l'Elbe, la finesse et la puissance aromatique des houblons de Zatek font référence. Ajoutons à cela une eau généralement pauvre en sels minéraux apportant la douceur à la bière.
La célèbre *Pilsener* (*Prazdroj* 12°) de Plzeň est vendue en Europe sous le nom de Pilsen Urquell. Elle a donné son nom à un type de blonde légère, la Pils, brassée en fermentation basse. Sa grande concurrente, la *Budweiser*, est fabriquée à České Budějovice. C'est aussi le nom d'une bière américaine élaborée par la plus grande brasserie du monde en volume, Anheuser-Busch. Les deux sociétés sont en conflit quant à l'attribution définitive de la marque. Citons, par ailleurs, la *Smichov* de Staropramen à Prague, la *Starobrno*, la *Regent* de Třeboň, la *Radegast* d'Ostrava ou la *Velké Popovice*. Sans compter toutes les bières issues des petites brasseries locales. Attention, l'indication en degrés fait référence au pourcentage en ferments. Évidemment, plus la bière fermente, plus son degré alcoolique s'élève. Une bière de 5° de fermentation équivaut à 3° d'alcool. 12° de fermentation correspondent à 5° d'alcool. Elles sont donc moins fortes que les bières allemandes ou belges.
La bière a une telle importance ici qu'en 1990 un « parti des Amis de la bière » se présenta aux élections... juste pour rire.
– *Les vins :* excellents petits crus de pays, notamment les vins de Bohême (région de Mělnaík). Le *Bilá Ludmila* est un bon petit vin blanc. En Moravie du Sud, on trouve les meilleurs blancs. Ils sont délicatement fruités, notamment dans le coin de Znojmo et Valtice. Goûtez également un rouge fruité, le *Francovka*. Autre tradition immuable : la redoutable *Slivovice* (l'alcool de prunes), la liqueur *Borovička* et la liqueur *Becherovka* faite à base de plantes. Pour terminer, essayez le *Bohemia Sekt*, le champagne du pays.

Budget

Dire que la République tchèque n'est globalement pas un pays cher est une évidence. À Prague en particulier, il faut néanmoins nuancer le propos. On pourra toujours se débrouiller pour se nourrir à bas prix, mais pour le logement, il faut s'attendre à de fâcheuses surprises. On le dit tout net, les hôtels sont chers par rapport au niveau de vie de la population. Ils affichent des prix similaires à ceux de l'Europe de l'Ouest. Prix majorés pour les touristes étrangers. Voici l'échelle des prix appliqués à nos différentes rubriques dans ce guide.

LA RÉP. TCHÈQUE
(Généralités)

Hébergement

– **Pas cher :** de 30 à 60 F par personne. Il s'agit de logements en A.J., écoles transformées en dortoirs, chambres d'étudiant en cité U ou campings.
– **Prix modérés :** de 150 à 300 F pour deux. Petits hôtels ou pensions modestes souvent situés hors du centre historique. C'est dans cette gamme de prix que se situent généralement les locations d'appartements ou les chambres chez l'habitant. Plus on est éloigné du centre, plus le prix est modique.
– **Prix moyens :** de 300 à 400 F pour deux. Hôtels corrects proposant des chambres avec douche et toilettes.
– **Plus chic :** de 400 à 800 F pour deux. Tout confort, avec TV, téléphone, sanitaires. C'est hors de prix mais c'est comme ça. Si le confort est là, la déco en revanche peut être parfaitement ringarde ou triste à mourir.

Repas

Dans les *pivnices* ou les *hospŏdas* on déjeune d'un *goulasch* pour 15 ou 20 F. Les *vinárnas* peuvent proposer des plats plus élaborés ou des petits menus touristiques entre 50 et 80 F, tandis que les *restauraces* vous offriront un repas complet entre 80 et 150 F, voire plus pour les établissements de luxe qui ont bien vite accordé leurs tarifs au porte-monnaie des touristes étrangers.
On peut donc tabler sur un budget nourriture de 50 F par jour en se serrant la ceinture et en ne sortant pas du rituel *goulasch-knedlíky* ou élargir son champ culinaire et compter entre 130 et 180 F par jour et par personne.

Climat

La République tchèque possède un climat continental marqué. Au moins, on sait qu'en été il va faire chaud et plutôt glacial en hiver. Octobre et novembre sont les mois les plus pluvieux, mais il pleut tout au long de l'année même en été, ce qui permet de rafraîchir l'atmosphère. En hiver, les chutes de neige peuvent être assez impressionnantes et, au vu des températures qui peuvent se maintenir longtemps autour de zéro, le blanc se maintient assez longtemps, ce qui est beau (surtout lorsque le *smog* ambiant laisse la place à quelques rayons de soleil) mais un peu dangereux. Dès le mois d'avril, les températures redeviennent clémentes et le soleil permet à la nature de se parer de nuances infinies de verts. Les parcs se remplissent de fleurs multicolores. Les étés sont chauds et un peu humides.

Cuisine

Voici quelques recommandations importantes à avoir en mémoire pour éviter déconvenues et malentendus dans les restaurants. D'abord, comme les hôtels, les restos étaient autrefois, dans leur grande majorité, d'État. Serveurs et maîtres d'hôtel ne manifestaient guère un grand enthousiasme pour la qualité du service. Mais tout cela a bien changé et aujourd'hui on vous accueille à la bonne tchèquette. Du « temps des pays de l'Est », comme il n'y avait pas beaucoup de restos valables, ils étaient vite envahis. La réservation devenait alors indispensable et, par voie de conséquence, obtenir une table était un privilège ! De plus, pour des serveurs mal payés, accorder une table, c'était aussi l'occasion d'arrondir les fins de mois de façon substantielle. L'habitude des grandes tables vides en attente venait en partie aussi de ce qu'elles devaient être disponibles à tout moment pour les bureaucrates du PC ou des institutions locales. Ces manies ont complètement disparu.

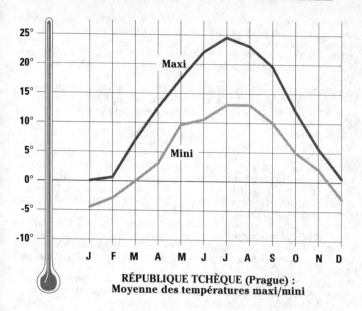

RÉPUBLIQUE TCHÈQUE (Prague) :
Moyenne des températures maxi/mini

Mais il arrive encore que l'on rencontre plusieurs cas de figure, surtout l'été.
– La salle est pleine à craquer. C'est une grande brasserie traditionnelle du type *U Sv. Tomáše.* Dans ce genre de resto, il suffit de réserver la veille ou quelques heures avant.
– S'agissant d'un restaurant prestigieux comme *U Pavouka,* ou *La Provence,* un petit coup de fil est toujours préférable, surtout pendant les gros week-ends de printemps.
– Apprenez à manger tôt. La majorité des restos ferme à 22 h et les cuisines vers 21 h 30. Ne vous étonnez pas si l'on vous demande de régler l'addition avant même que vous ayez terminé votre dessert. Plus l'heure de la fermeture approche, plus le service est expéditif.
– Dans la plupart des restaurants il y a un supplément pour le couvert, le pain et le service qui ne sont pas compris. L'eau en carafe n'existe pas. On vous apporte un verre d'eau gazeuse... payant. Si vous voulez de l'eau « sans bulles », précisez *bez bublin.*

Où manger ? Où boire ?

Voici les différents établissements typiques du pays. Beaucoup se situent en sous-sol ou dans des caves parfois voûtées. Tous servent des repas, même si certains sont plus axés sur le débit de boisson. Ces différences n'ont en fait que peu d'importance pour le touriste mais on vous donne tout de même quelques indications pour les distinguer.
– *Samoobsluha :* buffet rapide ou self-service. On y mange généralement debout. Très bon marché.
– *Pivnice* ou *hospǒda :* brasserie traditionnelle, populaire et simple. On y sert d'excellentes bières (ah, la *Velké Popovice* 12°!). En général, ouvert de 9 h à 21 h. Possibilité d'y grignoter un ou deux plats chauds (généralement sans génie) à toute heure. C'est l'endroit idéal pour les fauchés. La décoration est en général inexistante mais l'atmosphère authentique.

– *Hostinec* : troquet, petite taverne populaire traditionnelle où vous boirez la bière la moins chère. Toujours enfumée et furieusement animée.

– *Vinárna* : bar à vin classique. Peut se révéler le nirvāna (délicieuse contre-pèterie !) des amateurs de bons petits vins mais on y trouve également de la bière. C'est le niveau au-dessus de l'*hospŏda* et on a la possibilité de s'y restaurer.

– *Restaurace* : c'est le restaurant classique, où l'on mange plus que l'on boit. Comparable dans l'esprit à nos restos français. En dehors de Prague, la carte est souvent rédigée en allemand ou en anglais mais rarement en français.

– *Café* (ou *kavárna*) : un café, ou un salon de thé, où l'on sert des pâtisseries. Le café a été introduit à Prague en 1714 par un Levantin ne connaissant ni la langue ni les coutumes locales. Avec ses sacs de café achetés à Vienne il fit un tabac. Il ouvrit son premier établissement à l'*hôtel des Trois Autruches* puis rapidement un deuxième au *Serpent d'Or*, 18, rue Karlova. Depuis, le café est servi à la turque, mais vous trouverez de l'*espresso* assez facilement. Toutefois la mode du café américain, insipide et presque incolore, est en train de se développer.

– Dans certains restos, vous verrez la pancarte « Domáci polovic » qui indique que l'établissement propose un menu à moitié prix pour les Tchèques. On trouve ça très bien que même les moins fortunés puissent s'offrir un petit resto. Pour nous, vu les prix pratiqués, rien n'est vraiment cher.

Sachez que certains restaurants n'hésitent pas à afficher des tarifs différents sur les menus écrits en langue étrangère. Pour éviter cela, dans le cas où l'on vous donne un menu écrit en une seule langue, demandez-le aussi en tchèque afin de pouvoir comparer.

Les spécialités culinaires

C'est une cuisine très influencée par ses voisins germains et autrichiens. Plutôt consistante (euphémisme) et pratiquement toujours accompagnée de crème fouettée. C'est facile et ça peut rapporter gros... Les fêtes religieuses sont l'occasion, comme partout d'ailleurs, de s'empiffrer plus que de coutume avec des plats traditionnels. On parle de la Noël comme « d'un suicide par le couteau et la fourchette ». Le repas quotidien, quant à lui, ne célèbre pas nécessairement la liturgie à la française (entrée, plat, fromage et dessert). Bien souvent on se contente d'un plat avec accompagnement seul, souvent sans pain. Pour vous y retrouver dans la jungle des plats dont, hélas, bien peu vous inspireront étymologiquement, voici ceux que vous rencontrerez le plus souvent, pratiquement toujours accompagnés de *knedlíkys* (voir plus loin).

– **Předkrmy** (hors-d'œuvre) : parmi les entrées froides, vous trouverez le célèbre jambon de Prague (*pražská Šunka*), en fait un jambon blanc parfois farci de crème fouettée au raifort ; des salades classiques de concombres (*okurkový salát*) ou de pommes de terre (*bramborový salát*). Et aussi des importations diverses comme les œufs à la russe (*ruská vejce*), le salami hongrois (*uherský salám*), le jambon cuit (*dušená šunka*), le caviar ou le saumon fumé. Sans oublier le *husí játra na cilbuce*, foie d'oie aux oignons.

– **Polévkys** (les potages) : la soupe nationale (*česká bramborová*) est à base de pommes de terre, champignons et carottes. Autres styles, autres mœurs : la soupe aux tripes (*dršťkova*), la soupe aux choux et au lard (*zelňačka*) ou, plus léger, le consommé de bœuf (*hovězí polévka*).

– **Česká národni jídla** (les plats typiquement tchèques) : mille et une façons de présenter les aliments panés : le fromage chaud pané (*smažený sýr*), l'escalope panée (*smažený řízek*), les boulettes de viande panées (*smažený karbonátek*). Mais encore les champignons ou le chou-fleur panés... A vous de trouver d'autres exemples. Un détail, l'irremplaçable *goulasch* que vous trouverez dans tous les menus est une spécialité hongroise. Préparé avec

des petits dés de viande, des oignons et une sauce épaisse au paprika. Dans toutes les assiettes également, le *svíčková smetaně*, rôti de bœuf à la crème servi avec des airelles. Le mélange sucré-salé reste un peu surprenant mais pourquoi ne pas dépayser un peu nos papilles ? Le bœuf et le porc se déclinent à toutes les sauces : le *roštěnka se šunkou*, lamelles de bœuf sautées en sauce avec du jambon, ou le fameux *vepřová se zelím*, porc farci à l'ail et au cumin accompagné de choucroute. Côté poisson, la carpe est à l'honneur. Réservée traditionnellement au repas de Noël avec une sauce à base de pruneaux, raisins et noix *(kapr na černo)*. Sinon, on la déguste panée évidemment *(smažený kapr)*.
– Quelques viandes, gibiers et poissons : *hovězí* (bœuf), *vepřové* (porc), *telecí* (veau), *skopové* (mouton), *kuře* (poulet), *husa* (oie), *kachna* (canard), *kapr* (carpe), *pstruh* (truite).
– **Les knedlíkys :** vous ne pouvez passer à côté de cette « spécialité » servie en accompagnement. Préparées à base de farine, œufs, levure et pain rassis, les *knedlíkys* (les *knödel* allemands) sont cuites à l'eau puis coupées en rondelles. Assez étouffe-marxiste, elles remplacent le pain en quelque sorte. Là aussi déclinées avec imagination : les *knedlíkys* aux pommes de terre *(bramborový knedlíkys)*, au lard *(špkovy knedlíkys)* et même aux fruits *(ovocné knedlíkys)*. Le dessert préféré des têtes blondes tchèques.
– **Bramboráks :** galettes de pommes de terre, frites et parfumées à la marjolaine. Du meilleur au pire selon la préparation et l'ancienneté de la friture ! D'autres légumes d'accompagnement : *hráškeks* (petits pois), *fazoles* (haricots), *špenáts* (épinards), *hlávkový salát* (laitue) et *hranolkys* (pommes frites).
– **Moučníkys** *(les desserts)* : les gâteaux ont un lien de parenté avec leurs voisins viennois, à savoir le *sacherdort* (gâteau au chocolat), les *jablkový-závins* (Strudel) ou les *koláčes* (tartes aux fruits et graines de pavot). Sinon, parmi les « originaux », citons les choux à la crème vanille et chantilly *(větrniks)*, les sablés à la crème en forme de cercueil d'où leur nom, *rakvičkas* (petits cercueils), les sablés à la noix de coco, avec confiture et crème *(kokoskás)* et les beignets *(vdolkys)*.

Économie (la nouvelle donne)

En 1993, le chef du gouvernement décide de mettre l'économie tchèque sur les rails de l'économie de marché : abandon des terres peu rentables, introduction massive des investissements étrangers, privatisation de l'industrie avec distribution au peuple du capital des entreprises et création d'une TVA. Longtemps présentée comme l'enfant modèle de l'ère post-communiste, la République tchèque reconsidère aujourd'hui le bilan de sa transition. Après avoir connu, ces dernières années, de fortes hausses du pouvoir d'achat, une partie de la population craint désormais une dégradation de son niveau de vie.
De 5 % en 1995, la croissance est redescendue aux environs de 1,5 % en 1997. Le chômage suit la pente inverse. Pour la première fois depuis les années 30, il a franchi la barre des 5 % de la population active. Les prix de l'énergie, de l'alcool, des transports et du logement ont augmenté brutalement début 1998. Le déficit commercial (à 8 % du PIB) atteint un niveau critique. Même les privatisations tant vantées se sont révélées en trompe-l'œil. Si, officiellement, les trois quarts du PIB proviennent du secteur privé, ce dernier est en fait contrôlé par les grandes banques qui sont toujours étatisées. Ces dernières se retrouvent à la fois créditrices et débitrices d'entreprises qui perdent quasiment toutes de l'argent, à l'exception de celles passées sous contrôle étranger. Tel est le cas de Škoda, repris par Volkswagen, qui fait un tabac avec son dernier modèle, la « Felicia ». La disparition dans la nature d'importantes sommes d'argent provenant de fonds d'investisse-

ments auxquels des milliers de Tchèques avaient confié leurs « coupons de privatisation » a renforcé le malaise grandissant.

Si les Tchèques ont le moral en berne, il s'agit juste d'une déprime de velours, du même tissu que la révolution de novembre 89. On n'est pas ici au pays des grandes effusions. Pour l'heure, les regards se tournent du côté de l'Union européenne. Une adhésion rapide accélérerait le processus de rattrapage. La promesse avait été faite par le Président Chirac et le chancelier Kohl d'intégrer la République tchèque à l'Union européenne en l'an 2000. Eu égard aux négociations qui se sont ouvertes en avril 1998, il paraît plus raisonnable de tabler sur un délai de cinq ans.

Électricité

220 volts. Prises électriques comme en France.

Fêtes et jours fériés

Jours fériés

– 1er janvier, lundi de Pâques, 1er mai, 8 mai (fête de la Libération de 1945), 5 et 6 juillet (fêtes de Saint-Cyrille et Saint-Méthode, et commémoration de la mort de Jan Hus), 28 octobre (fondation de la République), 24, 25 et 26 décembre.

Fêtes

– *12-31 mai :* Festival international de Musique à Prague (le Printemps de Prague).
– *Juin-juillet :* Festival international de Folklore à Strážnice.
– *Juillet :* Festival international du Film à Karlovy Vary (tous les deux ans, années paires).
– *Août :* grand prix de moto de Brno.

Hébergement

De sérieuses difficultés en perspective pour trouver un logement en pleine période touristique. Malgré d'importants investissements réalisés, on constate un très gros déficit de chambres par rapport à la demande. Cette situation qui est en train de s'arranger rapidement pourrait tout de même durer encore quelque temps.

Auberges de jeunesse

Assez nombreuses, elles couvrent bien le pays. Les A.J. les plus intéressantes sont les *Junior Hostels*. Pratiquement des hôtels à prix d'A.J. Réservation obligatoire. Dans certaines A.J., possibilité de réserver directement par téléphone. Pour plus d'information sur la FUAJ, voir la rubrique « Hébergement » dans le chapitre sur la Pologne.

Hôtels

Les hôtels de catégorie ABC cèdent la place aux hôtels « étoilés ». La plupart d'entre eux incluent le petit déjeuner dans leurs prix et disposent d'un restaurant. Ils sont en général bien tenus, même si, pour certains, leur aspect vieillot présage parfois le contraire. Seul problème : les sanitaires ne sont pas toujours aux normes de nos contrées occidentales !

Pendant longtemps, le *Čedok* fut l'agence d'État incontournable pour réserver sa chambre, l'immense majorité des hôtels n'acceptant pas de réservation directe. Cela a changé, les hôtels ont retrouvé leur autonomie. Possibilité de réserver directement. Sur place, en dehors des périodes très touristiques, on peut trouver une chambre relativement facilement. À Prague, l'hôtellerie est très chère. Les chambres chez l'habitant sont de loin la solution la plus avantageuse. Pour les fauchés, les A.J., les chambres en cité U, les dortoirs aménagés l'été dans les salles de sport ou les écoles sont disponibles.

Savoir aussi que vous n'obtiendrez pas un service à la hauteur de votre joie de découvrir ce pays. Ça variera du bon au pire. Les employés ayant encore pour la plupart une mentalité de fonctionnaires, la tendance oscillera plutôt entre l'indifférence polie et le je-m'en-foutisme intégral. On n'efface pas en quelques années quarante ans de gestion bureaucratique!

Nous nous sommes efforcés dans ce guide de vous indiquer le plus souvent possible des hôtels situés en centre-ville.

Campings

Nombreux puisqu'ils représentèrent longtemps le mode d'hébergement populaire et bon marché par excellence. Il faut cependant noter qu'ils sont sensiblement plus chers qu'en France. La plupart proposent des petits bungalows à louer et même, parfois, des chambres à prix très raisonnables. Mais l'eau chaude est souvent payante. Autre petit problème : la grande majorité des campings n'est ouverte qu'en été. Se renseigner auprès des offices du tourisme et demander la brochure la plus récente pour organiser son programme (à Paris ou en République tchèque).

Sinon, sachez que les *auto-camps* sont en général des jardins transformés en terrains de camping par des particuliers. Très bon marché mais pas toujours bien équipés...

Chambres chez l'habitant

Elles ont fleuri à une vitesse foudroyante ces dernières années! C'est la solution idéale pour les routards : prix vraiment intéressants par rapport à l'hôtellerie, grand choix (donc plus de risque de dormir sous les ponts!) et bien sûr contact avec les habitants (presque toujours aux petits soins avec leurs hôtes). Tout le monde en propose, étant donné la manne financière que représentent les devises étrangères. Souvent, des familles louent carrément leur appartement entier, avec cuisine et affaires personnelles, et vont s'installer ailleurs! Nous vous indiquons des agences tchèques qui vous permettront de réserver de France ou directement à Prague sans avoir de surprises... Sinon, vous serez souvent sollicité par des particuliers, dans la rue ou ailleurs! Mais là, nous ne garantissons rien...

■ *Čedok France :* 32, av. de l'Opéra, 75002 Paris. ☎ 01-44-94-87-50. Fax : 01-49-24-99-46. Minitel : 36-15, code TCHECO. Adresse Internet : www.cedok-france.com. M. : Opéra. Ouvert du lundi au vendredi de 10 h à 18 h. Agence franco-tchèque, spécialiste des voyages à Prague et en Europe centrale. A le statut de partenaire officiel de l'Office du tourisme tchèque. Pour plus de détails, se reporter à la rubrique « Comment aller en Pologne, en République tchèque et en Slovaquie ? »

■ *Prago-Media :* 57, chemin du Bas-des-Ormes, 78160 Marly-le-Roi. ☎ 01-39-16-69-80. Fax : 01-39-16-69-90. Ouvert du lundi au vendredi de 13 h à 19 h. Sympathique agence créée par une exilée tchèque, Jitka Bedel. Propose des chambres d'hôte (de la simple à la triple) à Prague, en Bohême et en Moravie (Brno). Également des appartements, de 2 à 6 personnes. Peut aussi vous procurer : hôtels, billets d'avion ou de bus, location de voitures, guides, spectacles ou excursions.

■ *New East :* 12, rue du Docteur-Mazet, 38000 Grenoble. ☎ 04-76-

47-19-18. Fax : 04-76-47-19-14. Une petite agence dynamique qui propose des séjours et peut faire vos réservations d'hôtels ou en cité universitaire à Prague. Propose également des séjours tout compris.

■ *Slav'Tours :* 6, rue Jeanne-d'Arc, 45000 Orléans. ☎ 02-38-77-07-00. Fax : 02-38-77-18-37. Ouvert de 9 h à 12 h 30 et de 13 h 30 à 19 h du lundi au vendredi, et de 9 h à 12 h le samedi. Pour plus de détails, voir, au début du guide, le chapitre « Comment aller en Pologne, en République tchèque et en Slovaquie ? ».

■ *Agence France-Danube :* 4, rue des Ternes, 75017 Paris. ☎ 01-40-55-05-05. Renseignements uniquement par téléphone, du lundi au vendredi, de 9 h à 18 h. S'occupe d'hébergement à l'hôtel.

Échange d'appartements

Formule de vacances originale. Il s'agit pour ceux qui possèdent une maison, un appartement ou un studio d'échanger leur logement avec un adhérent de l'organisme du pays de leur choix. Cette formule offre l'avantage de passer des vacances à l'étranger à moindres frais et plus spécialement pour les couples ayant des enfants.

■ *Intervac :* 230, bd Voltaire, 75011 Paris. ☎ 01-43-70-21-22. Fax : 01-43-70-73-35. Un bureau Intervac est également ouvert à Prague ; ☎ 420-2-757-250.

Histoire

D'abord, il y eut des Celtes (les Boïens) qui, au début de notre ère, partirent vers l'ouest en des lieux plus humides. Ils laissèrent pourtant leur nom : *Boiohaenum*, qui devint la Bohême. Ils furent remplacés par des tribus germaniques. Les Romains, qui avaient pris le Danube comme frontière, ne montèrent guère au nord. L'absence de Rome se fit d'ailleurs sentir sur l'évolution culturelle du pays, notamment au niveau de l'urbanisation et de l'infrastructure routière.

Au IXe siècle, constitution du royaume de *Grande-Moravie.* Christianisation du territoire par les célèbres missionnaires Cyrille et Méthode (inventeurs de l'alphabet cyrillique). Des tribus slaves, les Tchèques, s'installèrent dans la région de Prague. À partir du Xe siècle, un royaume s'établit. Règne du prince Venceslas, assassiné par son frère en 929. Grand propagateur du catholicisme, Venceslas devint saint patron de la Bohême.

Après deux siècles de domination allemande, le royaume de Bohême réussit à devenir un État relativement indépendant au sein du Saint Empire romain germanique. Au XIIIe siècle, le pays devint même prospère. En 1346, Jean de Luxembourg, allié aux Français contre les Anglais, meurt à la bataille de Crécy. Son fils Charles IV fut l'un des grands rois de Bohême. Par un jeu subtil d'hérédité, il devint ensuite souverain du Saint Empire romain germanique. Grand constructeur aussi, il fit édifier le château de Prague, le pont Charles, de nombreuses églises et la première université de l'Empire. Prague devint la troisième ville d'Occident et le royaume de Bohême était au faîte de sa puissance.

La révolution hussite

Bien avant Luther et Calvin, un mouvement se dessina en Bohême contre la scandaleuse richesse de l'Église et sa corruption. Jan Hus, prédicateur renommé à Prague, s'éleva contre les abus de l'Église et la domination allemande. Il fut ainsi à l'origine d'un profond mouvement non seulement religieux, mais aussi social et politique. Invité à exposer ses théories au concile de Constance, il fut traîtreusement fait prisonnier et, refusant de se rétracter, condamné pour schisme et brûlé vif en 1415. Son exécution provoqua un soulèvement national qui ébranla considérablement le royaume et restera par la suite le symbole de l'indépendance des Tchèques vis-à-vis de tous les pouvoirs.

Vingt ans plus tard, la religion hussite fut reconnue par le roi et par le concile de Bâle comme une partie autonome de l'Église catholique. En 1485, catholiques et hussites signèrent la paix religieuse de Kuttenberg (Kutna Hora). La Bohême devient un havre de tolérance religieuse à une époque où l'Europe sombre dans l'obscurantisme.

Le règne des Habsbourg

Au début du XVIe siècle, la Bohême connut une grande période artistique et culturelle. Ce fut l'âge d'or de l'humanisme tchèque et du gothique flamboyant.

En 1526, les Habsbourg s'emparèrent du trône de Bohême. Ils le conservèrent jusqu'en 1918. Prague redevint jusqu'en 1611 la capitale du Saint Empire, avant que ce ne soit à nouveau Vienne.

La bataille de la Montagne Blanche

En 1618, le conflit larvé entre les Tchèques et les Habsbourg éclata à l'issue de la *Défenestration de Prague* (des représentants de l'empereur furent jetés par une fenêtre du château et la Bohême protestante se souleva). Ce fut le début de la fameuse guerre de Trente Ans qui s'étendit à toute l'Europe. En 1620, près de Prague, se déroula entre Tchèques et partisans des Habsbourg la bataille décisive dite de la Montagne Blanche. Les Tchèques connurent une sévère défaite, tous leurs chefs furent exécutés place de la Vieille-Ville, le 21 juin 1621. Cette date est la plus dramatique de toute l'histoire du pays. En effet, les Tchèques perdent leur élite et leur autonomie. Ils devront désormais attendre trois siècles pour recouvrer leur indépendance. Les Habsbourg imposèrent par la force le catholicisme. Ce fut la *Contre-Réforme*. Des dizaines de milliers de familles émigrèrent. Les Habsbourg qui suivirent renforcèrent la germanisation du pays. Pourtant, Joseph II, monarque éclairé, introduisit quelques réformes (rétablissement des droits des non-catholiques). Les guerres napoléoniennes affaiblirent l'Autriche et redonnèrent de la vigueur aux aspirations tchèques. Ce fut d'abord, dans la première moitié du XIXe siècle, la bataille pour la langue, puis le soulèvement de 1848 qui accéléra la prise de conscience du peuple tchèque.

L'indépendance de la République

À l'issue de la Première Guerre mondiale, l'Autriche-Hongrie battue, le pays était mûr pour constituer un État indépendant. La République fut proclamée le 28 octobre et Tomáš G. Masaryk en fut le premier Président. Beneš lui succéda en 1935. La Tchécoslovaquie connut de 1918 à 1938 vingt ans de démocratie authentique. Héritant des trois quarts du potentiel industriel de l'Autriche-Hongrie, le pays connut même une certaine prospérité.

Pourtant, le honteux accord de Munich de septembre 1938 entre Chamberlain, Mussolini, Daladier et Hitler, livrant la région des *Sudètes* (à population allemande majoritaire) à l'Allemagne, signa la fin de l'unité et de la stabilité du pays. Les nazis l'envahirent en mars 1939. Un État fasciste allié fut mis en place en Slovaquie. Beaucoup de Tchèques et de Slovaques entrèrent dans la Résistance. En avril 1945, toutes les forces de la Résistance établirent le *programme de Košice*, plan de reconstruction politique et de gouvernement du pays. Dans le même temps, l'armée américaine libérait Plzeň.

Les Soviétiques, quant à eux, entrèrent à Prague le 9 mai 1945 et bénéficièrent d'un accueil triomphal.

La IIe République et le « coup de Prague »

De 1945 à 1948, un gouvernement de cohabitation réunissant tous les partis issus de la Résistance prit d'importantes mesures : expulsion de trois millions d'Allemands, nationalisation des moyens de production, etc. En 1946, le parti communiste obtint 38 % des voix (et devint le plus important du pays) et le parti social-démocrate, 16 %. Une alliance des deux partis gouverna jusqu'au début de l'année 1948, avec Klement Gottwald (secrétaire général du parti communiste) comme Premier ministre.

En février 1948, une crise politique grave éclata à cause de la radicalisation du régime. Dans le but de déstabiliser Gottwald, les douze ministres sociaux-démocrates et leurs alliés démissionnèrent du gouvernement. Bénéficiant d'une très large assise populaire et profitant d'un profond mécontentement, le PC fit descendre massivement ses troupes et les syndicats dans la rue (avec grève générale) pour obtenir leur remplacement par des ministres communistes. Sous la pression, le président Beneš dut accepter. Ce fut le célèbre *coup de Prague*.

Les élections qui suivirent entérinèrent la nouvelle situation. Beneš démissionna en juin 1948 (il devait mourir deux mois après) et Gottwald devint président à son tour. De nouvelles nationalisations et la collectivisation des terres suivirent immédiatement. À signaler que le changement de régime se fit à l'issue d'une authentique mobilisation populaire et non pas dans les fourgons de l'Armée rouge. Contrairement à ce qui se passa dans la majorité des autres pays de l'Est, les Russes restèrent en dehors du processus, car ils n'avaient pas de troupes stationnées en Tchécoslovaquie (seulement des « conseillers »).

Le « Printemps de Prague »

Bien entendu, ce fut inévitablement un régime stalinien, bureaucratique et liberticide qui se mit rapidement en place. Ses horreurs sont trop connues, ce serait inutile et trop long de les énumérer ici. Ah si, une anecdote quand même : ironie de l'histoire, Gottwald mourut d'une pneumonie contractée à... l'enterrement de Staline. L'un de ses successeurs, Novotný, pâle bureaucrate complètement incompétent, régna pourtant plus de dix ans. La nécessité d'introduire des réformes économiques devenant criante, une nouvelle génération de militants du PC provoqua sa chute le 5 janvier 1968. Il fut remplacé par le Slovaque Alexander Dubček (« inventeur », 20 ans avant, selon Gorby en personne, de la perestroïka !). Le vieux principe « pas de liberté économique sans liberté politique » se vérifia une fois de plus. Le peuple s'engouffra dans la brèche, et progressivement un vent de liberté balaya le pays. Les gens retrouvèrent la parole, la censure recula au point de disparaître. Il ne s'agissait pas d'une remise en cause globale de la nature socialiste du régime, seulement d'une immense soif de liberté et du plaisir de jouir enfin des droits les plus élémentaires. Ce fut le célèbre *Printemps de Prague*.

Par peur de contagion pour le bloc de l'Est, Leonid Brejnev décida de mettre fin à cette dangereuse expérience. Ce fut l'intervention armée du 21 août 1968.

Normalisation, résistance et « révolution de Velours »

Dès lors, la grande peur passée, la bureaucratie « normalisa » le pays : éviction de Dubček, exclusion de 500 000 membres du Parti, immobilisme économique, répression politique, exil. Miloš Forman, Ivan Passer s'en vont filmer ailleurs, Kundera part écrire en France. Beaucoup d'intellectuels, n'ayant plus les moyens de s'exprimer, font de même. D'autres, chassés de leur administration, de leur faculté ou de leur théâtre, acceptent un travail manuel, le plus souvent disqualifié. Même Aragon se fendit d'une dénonciation de ce qu'il appela un « Biafra de l'esprit ». En janvier 1969, pour protester contre l'occupation soviétique, un étudiant, Jan Palach, s'immola par le feu place Venceslas et devint le symbole de la Résistance. Dans sa lettre d'adieu, il écrivait « il faut que quelqu'un secoue la conscience de la Nation », certain que dans son geste sacrificiel et désespéré, ses compatriotes opprimés liraient un message d'espoir.

En 1977, pour protester contre l'arrestation des membres d'un groupe de rock (les Plastic People), un groupe de dissidents, dont Václav Havel, écrivain dramaturge, créa la *charte 77*. Contre vents et marées, celui-ci dénonça toutes les injustices et lutta pour les libertés de base pendant treize ans. Des membres de la charte furent arrêtés ; Václav Havel fonda alors le *VONS* (comité pour la Défense des personnes injustement poursuivies). Accusé à son tour, Havel restera en prison plus de quatre ans, et subira par la suite deux autres incarcérations. La dernière, début 1989, pour avoir protesté contre la violence de la répression contre une manifestation étudiante (commémorant la mort de Jan Palach).

Mais les bouleversements politiques qui ébranlaient toute l'Europe de l'Est ne pouvaient manquer, bien sûr, d'atteindre la Tchécoslovaquie. De nombreuses manifestations commencèrent à secouer le pays. L'une d'entre elles, réunissant 30 000 étudiants le 17 novembre 1989, fut réprimée d'une manière particulièrement féroce. Elle sonna le glas de l'ère des bureaucrates et du PC tchèque. La population à son tour descendit dans la rue de plus en plus massivement, quasi quotidiennement. Il y eut un moment où la place Venceslas ne put même plus contenir les 250 000 personnes qui s'y pressaient. Alors, tout alla très vite : création du *Forum civique* autour de Václav Havel, démission en bloc de la direction du PC, retour de Dubček, véritable héros national, à Prague. Ce fut la *révolution de Velours* : un pouvoir complètement paralysé, perdant progressivement ses soutiens, incapable de réagir aux coups de boutoir des manifestations pacifiques. La population avait le pouvoir de capitaliser à chaque fois le rapport de force, pour faire rebondir le mouvement plus haut encore. Sans affrontement, sans violence, d'où son surnom, désormais historique, de « révolution de Velours »...

Václav président !

Et l'impensable arriva. Václav Havel, à peine sorti de prison, traîné dans la boue et injurié peu de temps auparavant, fut élu Président de la République, le 30 décembre 1989, par ceux-là mêmes qui l'avaient persécuté pendant quinze ans. Dans le même temps, Alexandre Dubček fut élu président de l'Assemblée nationale. Pour ces deux hommes, quelle revanche sur l'histoire, quelle magnifique ironie du destin ! Mais Dubček n'aura pas le temps d'en profiter. Il mourra deux ans plus tard. À cet égard, on peut se demander également quelle leçon tirer de cette extraordinaire période historique.

Est-il osé de mettre en parallèle deux démarches quasi identiques : la résistance de Jan Hus et celle de Václav Havel ? Tous deux se montrèrent intransigeants sur le plan de la morale politique et refusèrent toute compromission. Jan Hus alla lui-même défendre ses thèses au concile de Constance et refusa de les renier. Havel n'accepta aucune pause dans son combat pour les libertés démocratiques. Il ne s'endormit jamais sur les petites concessions lâchées par le régime. Elles servirent pour obtenir plus encore, et surtout empêchèrent que ces acquis fragiles ne trompent l'opinion publique et la portent à accepter l'absence de véritables libertés garanties.

Ce que le peuple tchécoslovaque a reconnu en Václav Havel, ce n'est pas un quelconque héros positif, sûr de lui et peut-être déjà dominateur, mais plutôt l'homme fragile, blessé, pétri de spiritualité, violemment mû par l'espoir de voir triompher, à terme, la vérité et la morale. Et pour clore ce chapitre en beauté, voici un court extrait de sa pièce *L'Interrogatoire* : « Il ne faut pas identifier l'espoir aux prévisions : il est une orientation du cœur et de l'esprit, il va au-delà du vécu immédiat et il s'attache à ce qui le dépasse... »

La guerre du trait d'union

Les élections législatives du 8 juin 1990 consacrèrent le triomphe de Václav Havel et du *Forum civique*. Avec son homologue en Slovaquie *Public contre la violence*, ils récoltèrent 46 % des voix et la majorité absolue à la Chambre du peuple et à celle des nations. Quant au parti communiste, il recueillit 13 % des voix et perdit ainsi le pouvoir, après quarante-six ans sans partage. Enfin, notons les 96 % de participation électorale (de quoi faire rêver les démocraties occidentales !).

En juillet de la même année, Havel est donc reconduit dans ses fonctions, pour deux ans. Mais l'euphorie de la période de velours s'estompe, et le problème slovaque apparaît. Un an après la révolution de Velours, la république de Tchécoslovaquie perdait déjà son appellation de « socialiste » ; elle change à nouveau de nom quelques mois après, sous la pression des politiciens de Bratislava : République « fédérative » tchèque ET slovaque. Ironiques, les médias internationaux parlent à l'époque de « guerre du trait d'union », les deux parties ayant eu du mal à se mettre d'accord sur le nouveau nom de la fédération : tchéco-slovaque (au lieu de tchécoslovaque) ou tchèque et slovaque ?

Derrière cette guéguerre grammaticale apparemment ridicule se cachent de profonds malentendus entre les deux peuples. Depuis 74 ans, rassemblés contre leur gré (par les vainqueurs de la Première Guerre mondiale), ils ont tenté de cohabiter tant bien que mal mais trop d'éléments les séparaient : la langue, très proche mais différente, l'histoire (royaume de Bohême d'un côté, enclave slovaque en terre hongroise de l'autre), la culture (les Slovaques forment un peuple essentiellement rural), les traditions politiques (les Tchèques se sentaient plus proches des communistes pendant la guerre, alors que les Slovaques connurent la tentation fasciste), etc. Malgré des efforts indéniables (mais tardifs selon certains), Havel ne réussira pas à enrayer une rupture provoquée par les aspirations nationalistes nées après la chute du communisme.

Le « divorce de Velours »

En mars 1991, le leader nationaliste slovaque Vladimir Meciar propose un référendum sur l'indépendance de la Slovaquie. Pour riposter, Havel ouvre un bureau présidentiel à Bratislava et promet de s'y rendre régulièrement, histoire de montrer aux Slovaques que les Tchèques ne les méprisent pas. Les deux républiques (rappelons que la Tchécoslovaquie est une fédération depuis 1968 et que, depuis cette date, la Slovaquie est « officiellement » une république, non pas indépendante, mais autonome, nuance) tentent de mettre au point un traité censé régir leurs relations. En vain. Les Slovaques se sentent toujours spoliés, voire ignorés, et les Tchèques ne comprennent pas tant de reproches. Finalement, le projet de référendum échoue.

Les élections législatives de juin 1992 provoquent une rupture définitive : en Slovaquie, le mouvement nationaliste de Meciar est largement vainqueur, alors qu'en Bohême-Moravie le parti du ministre fédéral Václav Klaus arrive en tête. Les deux hommes décident donc de s'entendre pour régler le sort de la Fédération. Le nouveau parlement, en juillet, ne reconduit pas Václav Havel dans ses fonctions, les députés nationalistes slovaques ayant fait barrage. Quelques jours plus tard, la souveraineté de la Slovaquie est proclamée par le parlement de Bratislava. Havel démissionne le jour même, fidèle à ses principes : il avait toujours déclaré qu'il ne serait pas le Président qui enterrerait la Fédération tchécoslovaque... Un échec qui n'est pas sans rappeler celui d'un Gorbatchev n'ayant pu parvenir à sauver l'URSS, mais une situation autrement moins dramatique que celle de la Yougoslavie. Le 1er janvier 1993 marque la naissance officielle des deux républiques.

Seul un petit village résiste encore et toujours, non pas à l'envahisseur, mais à une partition en bonne et due forme : U Sabotu. Sur la frontière, côté slovaque selon les accords de partition, une trentaine de familles se disputent leur droit à la fierté nationale, sur fond d'intérêts pécuniaires bien entendu (pensions, salaires, coût de la vie... variant selon les deux pays). Une faible majorité de la population a déclaré au ministère de l'Intérieur pragois préférer la Slovaquie, mais une pétition, signée par les partisans tchèques, stipulant que « nul ne peut être forcé de quitter son pays », fut envoyée au Conseil constitutionnel tchèque. Pour en finir (ou pour compliquer le tout), un dédommagement de 1,5 million de couronnes (environ 300 000 F) a été proposé à tout villageois voulant s'installer ailleurs en République tchèque. Vous avez compris ? Résultat des courses : à cheval entre fierté et jalousie, les gens continuent de se haïr joyeusement.

Le « meilleur élève de la transformation post-communiste » ?

Après quatre ans d'existence, la République tchèque est, parmi les anciens pays communistes, l'un des plus avancés dans les réformes. Mais parfois le miracle économique ressemble à un trompe-l'œil : car si les investisseurs affluent et les usines tournent, les banques et les grandes industries, privatisées sur le tard, donnent lieu à des rachats à bas prix, suivis de démantèlements. Une marche vers l'économie de marché que les Tchèques paient donc par un coût social élevé.

En mars 1995, les syndicats réunissaient entre 80 000 et 90 000 manifestants pour défendre leurs acquis sociaux. On a bien cru à cette époque que la coalition formée par le Premier ministre, Václav Klaus, n'en sortirait pas indemne, d'autant que le Président, Václav Havel, ne cachait pas son désaccord avec la politique du gouvernement. Le résultat des élections législatives de juin 1996 n'a fait que confirmer les doutes et la volonté de changement de la part de la population. Si la coalition sortante est arrivée en tête, elle a néanmoins perdu sa majorité au parlement. La scène politique doit désormais compter avec le parti social démocrate, devenu véritable parti d'alternance et deuxième formation politique du pays.

L'année 1997 a vu se conclure la déclaration tchéco-allemande, apaisant certaines tensions entre les deux pays. Cependant la stagnation économique, la dévaluation de la couronne tchèque, les affaires de corruption, les affrontements politiques au sein de la coalition au pouvoir, et les questions de l'intégration à l'OTAN et à l'Union européenne alourdissent l'atmosphère dans la société tchèque. Ainsi, fin novembre, Havel exige la démission de Václav Klaus, suite à un scandale sur le financement du parti démocratique civique. Depuis le 22 juillet 1998, Miloš Zeman a succédé en tant que premier ministre à Josef Tošorský.

Aux élections présidentielles de janvier 1998, le Président sortant, Václav Havel, a été réélu sans surprise, tant il fait figure d'autorité morale, voire d'arbitre. Ainsi, tous les dimanches depuis 1990, il aborde à la radio les grands thèmes de l'actualité et prône la vérité et l'intégrité en matière de politique. Ses jeans des premiers jours de la démocratie, la trottinette offerte par la joueuse de tennis Martina Navratilova pour se déplacer plus rapidement dans les couloirs du palais présidentiel, lui ont fait une image de simplicité. Au bout du compte, son pire ennemi reste sa santé. Depuis son opération, en avril 1998, d'une perforation intestinale, la République tchèque vit au rythme des bulletins de santé du Président.

LA RÉP. TCHÈQUE
(Généralités)

Langue

Chaque pays a désormais sa langue officielle. Les Tchèques parlent le tchèque, et les Slovaques parlent le slovaque. Logique, non? Bien qu'apparentées, ces deux langues sont toutefois différentes par l'orthographe et le vocabulaire. Info très utile : l'allemand se révèle beaucoup plus efficace que l'anglais. Si vous ne pratiquez ni l'un ni l'autre, voici quelques mots de tchèque pour ne pas être trop perdu !

En tchèque, tous les mots sans exception sont accentués sur la première syllabe. Pour mieux prononcer, ne pas oublier les quelques règles suivantes : *á* = a long (aa) ; *í* et *ý* = i long (ii) ; *ú* ou *ů* = ou long ; *ě* = ié ; *ď* ou *ť* = die ou tie ; *c* = ts ; *č* = tch ; *s* = s long (ss) ; *š* = ch ; *ř* = rch ; *j* = ié ; *ž* = j.

Conversation générale

Oui	*ano*
Non	*ne*
Bonjour	*dobrý den*
Bonsoir	*dobrý večer*
Bonne nuit	*dobrov noc*
Au revoir	*na shledanou*
S'il vous plaît	*prosím*
Merci	*děkuji*
De rien	*není zać*
Pardon !	*promiňte !*
Combien ?	*kolik ?*
Parlez-vous le français ?	*mluvíte francouzsky ?*

Inscriptions courantes

Entrée	*vchod*
Sortie	*východ*
Réserve	*zadáno*
À gauche	*vlevo*
À droite	*vpravo*
Entrée interdite	*vstup zakázán*
Caisse	*pokladna*
Défense de fumer	*kouření zakázáno*
Occupé	*obsazeno*
Ouvert	*otevřeno*
Réservé	*zadáno*
Fermé	*zavřeno*

Les chiffres

Un	*jeden*
Deux	*dva*
Trois	*tři*
Quatre	*čtyři*
Cinq	*pět*
Six	*šest*
Sept	*sedm*
Huit	*osm*
Neuf	*devět*
Dix	*deset*
Vingt	*dvacet*
Cent	*sto*
Deux cents	*dvěste*
Trois cents	*třista*
Quatre cents	*čtyřista*
Cinq cents	*pětset*

| Mille | tisíc |
| Dix mille | deset tisíc |

Le calendrier

Lundi	pondělí
Mardi	úterý
Mercredi	středa
Jeudi	čtvrtek
Vendredi	pátek
Samedi	sobota
Dimanche	neděle
Aujourd'hui	dnes
Demain	zítra
Hier	včera

Toponymie

Place	náměstí
Rue	ulice
Avenue	třída
Quai	nábřeží
Jardin, parc	zahrada, park
Église	kostel
Pont	most
Château	zámek
Château fort	hrad
Virage	zatáčka
Déviation	objížďka
Poste de police	policie

Au restaurant

Restaurant	restaurace
Petit déjeuner	snídaně
Déjeuner	oběd
Dîner	večeře
Café noir	černá káva
Lait	mléko
Café au lait	bílá káva
Chocolat	čokoláda
Thé	čaj
Beurre	máslo
Pain	chléb
Fromage	sýr
Apportez-moi de l'eau minérale	přineste mi minerálku
Une bouteille	láhev
Un verre	sklenka
À votre santé	nazdravi
La carte, s'il vous plaît	jídelní lístek, prosaím
L'addition, s'il vous plaît	platit, prosím
Canard	kachna
Gibier	zvěřina
Légumes	zelenina
Œufs	vejce
Petit pain	pečivo
Poissons	ryby
Poulet	kuře
Riz	rýže

Sel	*sůl*
Sucre	*cukr*
Viande de bœuf	*hovězí*
Viande de veau	*telecí*
Viande fumée	*uzené*
Volaille	*drůbež*

À l'hôtel

Une chambre à un lit	*jednolůžkový pokoj*
Une chambre à deux lits	*dvoulůžkovy pokoj*
Avec bains	*s koupelnou*
La clé	*klíče*
Pour un jour	*na jeden den*
Pour deux jours	*na dva dny*
Quel numéro de chambre?	*jaké je číslo mého pokoje?*
Service compris	*včetně spropitného*
Réveillez-moi à sept heures	*vzbuďte mne v sedm hodin*
Appelez un taxi	*objednejte mi taxi*
Je désire téléphoner	*chtěl bych si zatelefonovat*

Livres de route

– *Le Brave Soldat Švejk* (1920-1921), de Jaroslav Hašek; roman; Gallimard Poche : Folio n° 676 (364 p.); traduit par H. Horejsi. Il n'y a pas vraiment d'histoire dans ce roman, qui se présente plutôt comme une chronique de la Première Guerre mondiale, vue par les yeux de Švejk, le soldat. La satire de l'armée, de la bureaucratie, de la mesquinerie dépasse ici son objet premier pour devenir universelle. Le roman fut d'ailleurs un temps interdit dans certains pays de l'Est. Notez que cet anar de base sert aujourd'hui d'enseigne à une filiale de *MacDonald's*, qui vend des plats typiques tchèques version *McDo*.

– *Histoires pragoises* (1875-1926), de Rainer Maria Rilke; nouvelles; Le Seuil Poche : Points-Roman n° R100 (153 p.); traduit par M. Betz, H. Zylberberg, L. des Portes. Ces *Histoires pragoises* d'un poète de langue allemande, originaire de Prague, sont constituées de deux courts récits autobiographiques, *Le Roi Bohush* et *Frère et sœur*. Ces écrits de jeunesse ont un intérêt documentaire et historique, notamment en portant témoignage de la montée d'un sentiment nationaliste anti-allemand chez les jeunes Tchèques dans l'Empire austro-hongrois de la fin du XIXe siècle.

– *Milena* (1977), de Margarete Buber-Neumann; biographie; Le Seuil Poche : Points-Actuels n° 1795 (290 p.); traduit par A. Brossat. C'est au camp de concentration de Ravensbrück que Margarete Buber-Neumann fit la rencontre de celle qui se présenta d'emblée comme « Milena de Prague » et à laquelle elle consacre cette biographie bouleversante. Sans ce livre, l'histoire n'aurait retenu de sa vie qu'une relation profonde et fugace avec un écrivain alors peu connu : Kafka.

– *Le Procès* (posthume, 1925), de Franz Kafka; roman; Gallimard Poche : GF n° 400 (378 p.); traduit par B. Lortholary. Dans une grande ville (Prague?), l'employé Joseph K. est informé qu'il est accusé de quelque chose. Personne, ni K. ni le lecteur, ne saura jamais de quoi, ni par qui. Tout est dans le mécanisme aveugle, emblématique pour Kafka, de notre monde contemporain, qui broie l'individu sous le poids de l'appareil judiciaire ou bureaucratique.

– *Le Livre du rire et de l'oubli* (1978), de Milan Kundera; roman en forme de variations; Gallimard Poche : Folio n° 1831 (345 p.); traduit par F. Kérel. Un détail révélateur revient dans la plupart des livres de cet exilé tchèque :

son pays s'appelle toujours Bohême! La mémoire est l'un des thèmes principaux de ce livre. Étonnant chassé-croisé de tranches de vies et de regards portés sur une société bouleversée par les chars de 1968.

Magasins, achats

La République tchèque est encore loin d'être un eldorado du consumérisme. Pourtant elle est spécialisée dans le travail de quelques matériaux pour lesquels sa réputation dépasse désormais largement ses frontières.

– *Marionnettes :* à Prague on en trouve partout. En bois, en plâtre, en terre cuite ou en céramique, elles sont proposées à tous les prix. Il faut dire que l'histoire du théâtre tchèque remonte au XVIIe siècle, fut très importante au XIXe siècle et connaît un renouveau depuis les années 60. Les marionnettes les plus fameuses représentent des sorcières, des golems ou tout simplement des personnages en costume traditionnel. Le pont Charles est évidemment le lieu favori des jeunes vendeurs-artisans. Malgré le côté éminemment touristique du lieu, les prix ne sont pas forcément plus élevés que dans les boutiques. De toutes façons, comparez les tarifs. C'est le souvenir facile, typique, pas très cher et souvent de qualité.

– *Jouets en bois :* de nombreuses boutiques se sont spécialisées dans ce genre d'articles. Pas mal faits mais assez chers.

– *Porcelaine :* certains services colorés et pleins d'élégance s'achètent à prix étonnants dans des grandes boutiques de Na Příkopě ou Národní.

– *Cristaux de Bohême :* d'une qualité unique au monde, mais ne vous laissez pas abuser, tous ne sont pas de premier choix. Et même si le cristal est d'une rare pureté, assez souvent le style et les formes des réalisations se révèlent plutôt kitsch, bien qu'un vent de modernisme commence à souffler. Sur Na Příkopě, nombreuses grandes boutiques, mais n'hésitez pas à pousser la porte des petites échoppes modestes, style bric-à-brac, qui cachent parfois des petites merveilles.

– *Chapeaux et casquettes :* outre des chapeaux féminins qui oscillent entre l'originalité et le kitsch total, vous trouverez des stands de chapkas russes et surtout de casquettes de l'armée russe, vendues comme authentiques; sachez que vous achetez la plupart du temps de bonnes copies. De même les médailles, qui font fureur, sont en général fausses. Il y avait pas mal de gradés dans l'armée soviétique mais quand même...

Pourboire

Pratique assez rare qui se développe avec le tourisme. On arrondit naturellement la somme de la note du restaurant ou celle du taxi (quand celui-ci ne vous a pas arnaqué). La coutume veut qu'au moment de régler la note on dise au serveur qu'il convient qu'il conserve comme pourboire plutôt que de le lui laisser sur la table après qu'il a rendu la monnaie.

Téléphone

Il y a de plus en plus de téléphones à carte. À Prague, il y en a autant qu'à Paris. Très pratique. On achète les télécartes à la poste ou dans les petits kiosques de rues. Du coup, il vaut mieux éviter les cabines à pièces dont le fonctionnement est très aléatoire.

– *France* → *République tchèque :* 00 + 420 et le code de la ville. Prague : 2. Plzeň : 19. Brno : 5.

– *République tchèque* → *France :* 00 + 33, puis le numéro de votre correspondant sans le 0 initial.
– *Pour les appels interurbains :* ajouter un 0 devant l'indicatif de la ville.

Carte France Télécom

La *carte France Télécom,* internationale, permet de téléphoner depuis plus de 70 pays. Avec elle, vous pouvez appeler à partir de n'importe quel poste téléphonique ou d'une cabine, et vous êtes débité directement sur votre facture téléphonique habituelle. Plus besoin de monnaie.

Très pratique à l'étranger, vous appelez le numéro qui correspond au pays où vous êtes et vous êtes accueilli en français par un opérateur ou un serveur vocal qui établit votre communication. Idéal si vous ne parlez pas la langue locale. Noter que pour bénéficier du tarif le plus avantageux, il est préférable de passer par le serveur vocal plutôt que par l'opérateur.

– Pour appeler depuis la République tchèque, vous composez le *numéro France Direct* suivant : ☎ 00-42-00-3301.
– Pour obtenir une *carte France Télécom* ou des renseignements, composez le numéro vert : ☎ 0800-202-202, ou tapez le 36-14, code CARTE FT, sur votre Minitel.

La carte *France Télécom* est sans abonnement.

Si vous n'avez pas le temps de commander votre carte avant de partir, depuis l'Étranger vous pouvez aussi utiliser le numéro *France Direct* pour effectuer un appel en PCV (vers la métropole ou vers les DOM). La communication sera alors facturée à votre correspondant.

Transports intérieurs

Conduite automobile, auto-stop, vélo...

– Dans les transports en commun, obligation de payer pour les bagages selon leur taille, sinon gare à l'amende.
– Le *réseau routier* est incroyablement dense et de mieux en mieux entretenu. Bonne signalisation routière, sauf, parfois, pour sortir des grandes villes. En revanche, l'autoroute Prague-Brno-Bratislava est superbe. Vitesse limitée à 110 km/h sur autoroutes.
– N'oubliez pas d'acheter la *vignette,* désormais obligatoire (voir « Adresses utiles, formalités »).
– Les conducteurs sont dans l'ensemble prudents, fort peu hargneux et pas fous du volant du tout.
– Loi très rigoureuse concernant l'*alcool* au volant. Il est interdit de boire, même de la bière, si l'on conduit. Parfois, contrôle à la sortie de certaines boîtes et alcootest. Grosse amende payable immédiatement.
– Pour garer votre voiture, n'utilisez pas les *parkings* « réservés ». Ils se sont pour les Tchèques et vous risquez de vous retrouver (au mieux) avec un sabot ou (au pire) à la fourrière. Il vaut mieux utiliser les parkings « privés/gardés » ou bien trouver une chambre chez l'habitant à l'extérieur de la ville, dont le jardin pourra vous servir de garage.
– Enfin, nous vous conseillons d'acheter les *cartes* routières *Eurocarte*. Elles sont très complètes et les points de vue « remarquables » sont indiqués en vert, et valent généralement le coup d'œil.
– *Auto-stop* assez facile. Ce fut même longtemps un sport national (avec concours de stop parfois). Seul problème : les Škoda sont déjà fort petites et les familles tchèques souvent très nombreuses. Commencer de bonne heure le matin pour bénéficier des travailleurs qui vont à leur boulot ou des gens qui voyagent pour leur job.
– Peu de location de *vélos* pour le moment ; mais c'est en train de changer. Apporter impérativement le sien.

Travail bénévole

■ *Concordia :* 1, rue de Metz, 75010. ☎ 01-45-23-00-23. M. : Strasbourg-Saint-Denis. Logés, nourris. Chantiers très variés, restauration du patrimoine, valorisation de l'environnement, travail d'animation. Places limitées. Attention, voyage à la charge du participant.

– PRAGUE ET LA BOHÊME CENTRALE –

PRAHA (PRAGUE)

« Prague, cette pierre précieuse enchâssée dans la couronne de la Terre... »

Goethe

La cité aux cent clochers (et encore ne compte-t-on pas les tours poivrières, tourelles et autres échauguettes) est tout simplement l'une des plus belles villes du monde et, en tous cas, l'une des merveilles d'Europe (avec Paris, Venise et Rome, c'est tout dire). Elle échappa par miracle aux grandes destructions des deux dernières guerres et il y eut bien moins de monstrueuses saignées urbaines que dans les autres capitales européennes.
Résultat : l'une des rares capitales que l'on peut entièrement arpenter à pied, où la voiture n'apparaît à aucun moment nécessaire et le trafic, à part quelques exceptions, jamais meurtrier. D'où une sérénité totale pour admirer, le nez en l'air, tous les styles qui façonnèrent la ville : roman, gothique, Renaissance, baroque, Art nouveau et cubisme (le tout saupoudré de folies hybrides, de toutes époques). En outre, l'absence de pub et de néons oppressants met encore plus en valeur balcons fous, porches délirants, nobles fenêtres, jardins secrets et ruelles romantiques.
Car Prague se révèle la ville des romantiques et des amoureux. La nuit, l'éclairage parcimonieux de vieux réverbères favorise tous les tremblements de terre sentimentaux, les mots les plus beaux, les joies esthétiques les plus fortes... Prague, le « rêve de pierre », le paradis des flâneurs qu'aimèrent passionnément Goethe, Chateaubriand, Rilke, Camus, Claudel, Apollinaire, Nerval, Paul Morand, et jusqu'aux surréalistes Éluard et Breton. Prague, qui sut accueillir si chaleureusement Mozart, saura vous ajouter à sa liste infinie d'admirateurs à vie...
Revers de la médaille, depuis l'ouverture totale du pays, Prague est devenue « la » ville à visiter. Les longs week-ends de printemps et les deux mois d'été, la ville est littéralement envahie. Mais rassurez-vous, tout le monde va au même endroit au même moment. Même mi-août, à l'aube, le pont Charles sera pour vous seul.

Un peu d'histoire et d'architecture

Prague fut fondée au IXe siècle. Ce n'était d'abord qu'un petit quartier marchand à l'emplacement de la Vieille Ville. Puis commença la construction d'un premier château (de style roman) avec, comme seul vestige de l'époque aujourd'hui, la basilique Saint-Georges. Dans la Vieille Ville, les premières maisons en dur étaient romanes. Au XIIIe siècle, on construisit en gothique, le plus souvent sur les anciennes structures romanes. En effet, on

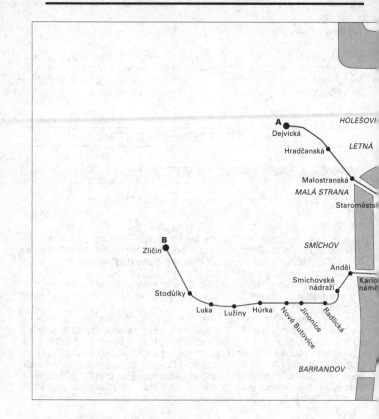

dut surélever toute la Vieille Ville trop fréquemment inondée par les crues de la Vltava, par un remblai de 2 à 3 m de terre. Voilà comment de nombreux rez-de-chaussée devinrent des caves. Cela explique aussi que les traces de style roman dans l'architecture civile soient si peu apparentes et que l'on ne puisse les découvrir (lorsque la façade est soit gothique soit baroque) que dans les entrées de portes cochères (d'anciens premiers étages) ou en allant dîner dans quelques fameux restaurants installés dans des sous-sols. C'est alors qu'apparaissent de très grandes et harmonieuses salles voûtées romanes.

Au XIIIᵉ siècle, fondation du ghetto juif et construction de la synagogue Vieille-Nouvelle. Création également du quartier de Malá Strana sur la colline du château. Au siècle suivant, naissance du quartier de Hradčany au sommet de la colline. Construction de l'hôtel de ville de la Vieille Ville et début des travaux d'édification de la cathédrale Saint-Guy. Le XIVᵉ siècle, sous le règne de Charles IV, connut une extraordinaire floraison architecturale.

Puis apparition du style Renaissance. Avec le gothique, ce style fut largement supplanté par le style baroque arrivé dans les fourgons de la Contre-Réforme au XVIIᵉ siècle. En effet, la victoire du catholicisme provoqua l'avènement du baroque jésuite, français, italien et allemand, assez étonnante « punition architecturale » pour un peuple protestant trop rebelle. Le baroque de la dynastie des Habsbourg (qui allait régner pendant plusieurs siècles) fut

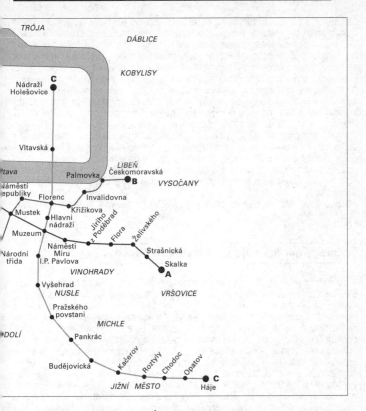

LE MÉTRO DE PRAGUE

donc un art imposé contre le gothique tchèque. Ce qui explique d'ailleurs aujourd'hui la merveilleuse homogénéité du quartier de Malá Strana, entièrement « converti » au baroque.

Les styles architecturaux qui succédèrent au baroque, classicisme et Empire, modifièrent très peu le visage de Prague. En revanche, on trouve plus d'exemples de la période dite « historiciste », couvrant la deuxième partie du XIXe siècle et un peu au-delà. Ce style mélangea allègrement toutes les tendances qui le précédèrent et parvint à créer un genre éclectique vraiment original (*cf.* la rue de Paris). Enfin, le profond désir d'un art national typique aboutit aux belles dérives de l'Art nouveau. Le cubisme trouva à Prague les rares cas d'application en Europe. Pour finir, les monstres architecturaux de la période stalinienne et husakienne ne méritent guère d'attention.

Il faut cependant saluer les gros efforts déployés depuis 1970 pour restaurer les plus beaux monuments de la ville. Hélas, cette entreprise salutaire engendra un nouveau style dominant, terreur des photographes, « l'échafaudagisme ». La ville se couvrit de tubes et de planches qui vinrent emprisonner églises et prestigieux bâtiments civils. Et l'ardeur bureaucratique aidant, pendant de nombreuses années, rouille, mousses et végétations diverses témoignèrent de la pérennité de ce style. Aujourd'hui tout cela est bien fini et les plus beaux monuments ont été superbement restaurés.

Du point de vue architectural, Prague se révèle un chef-d'œuvre absolu, une cité unique en Europe. Nulle part ailleurs, on ne retrouve autant de coins campagnards (voire sauvages), de telles avalanches merveilleusement désordonnées de toits, de tels pieds de nez à l'uniformité et à l'ennui. C'est un festival de lignes brisées, décrochements, saillies, etc. Les architectes s'adaptèrent savamment au terrain accidenté, accentuant même parfois le côté ludique de cet urbanisme imposé par la configuration des lieux. Ajoutez à cela les myriades de façades et frontons aux formes multiples et richement sculptés. Et puis la ville se révèle un véritable gruyère. C'est une ville de « passages ». De nombreux porches s'ouvrent sur des enfilades de cours menant à d'autres porches, s'ouvrant sur d'autres rues. Les Pragois connaissent bien ces raccourcis, ces traboules locales, qui ajoutent encore au mystère de la ville et qui permirent à nombre de résistants de toutes époques d'échapper aux soldats Habsbourg puis plus tard aux nazis. Ne dit-on pas qu'on pourrait traverser Prague en évitant quasiment toutes les rues ? Nos lecteurs aventureux, randonneurs urbains impénitents, seront vraiment à la noce !

Prague, une ville à arpenter, plus que toute autre, suivant sa propre inspiration.

Éclairage sur les différents styles architecturaux

Visiter Prague le nez en l'air et prendre un cours d'architecture en plein air. Que demander de plus ? Rare ville d'Europe qui témoigne de toutes les périodes de l'architecture, Prague invite à la découverte permanente. Elle a bénéficié des influences romanes et germaniques, oscillé entre protestantisme rigoureux et Contre-Réforme baroque et accueilli les avant-gardes occidentales (Art nouveau, cubisme) autant que celles de Moscou (constructivisme). À chaque strate successive, l'architecte tchèque réinterprète les genres et ajoute une tonalité originale « made in Bohême ». Pour comprendre cet audacieux collage de styles architecturaux, il suffit d'observer certains bâtiments. Les racines sont romanes, la galerie au rez-de-chaussée gothique, les étages Renaissance, les frontons baroque ou rococo, les fenêtres de style classique, et en dernier lieu une façade décorée d'ornements Art nouveau.

– **Roman (du IXᵉ siècle au milieu du XIIIᵉ siècle) :** à Prague comme ailleurs, l'art roman est un pot-pourri d'influences diverses. Introduit en Bohême au XIᵉ siècle, sous la dynastie des Přemyslides, il est à la mode byzantine à la rotonde Sainte-Croix et de tradition rhénane à la basilique Saint-Georges ou au château. Ses règles sont connues : arcades et voûtes rondes, clochers carrés, tympans et chapiteaux sculptés, fresques omniprésentes... Le tout massif, trapu, calqué sur les besoins de la liturgie et, pour tout dire, fonctionnel... Le style roman dans la maison est également omniprésent autour de la place de la Vieille-Ville mais... enfoui sous terre. En effet, les rez-de-chaussée romans ont été recouverts par un remblai au XIIIᵉ siècle pour rehausser la Vieille Ville et éviter les crues catastrophiques de la Vltava.

– **Gothique (du XIIIᵉ siècle au XVᵉ siècle) :** la voûte sur croisée d'ogives est sa marque de fabrique. Des raffinements de structure permettent d'élancer la voûte, d'allonger les fenêtres, de décomposer les vitrages en alvéoles innombrables... Libéré, le gothique (par exemple dans la cathédrale Saint-Guy) imite la forêt : clochetons arborescents, colonnades-futaie, voûtes à nervures du château... L'architecte Benedikt Ried portera à son paroxysme ces possibilités de nervures des voûtes en réseau ou en étoile, en particulier dans la salle Vadislas et dans l'escalier des Cavaliers du vieux palais royal. La multiplication des ouvertures, l'amplitude retrouvée de l'espace ne cessent d'alléger l'édifice. À la fin du XVᵉ siècle, le gothique flamboyant pousse au maximum cette effervescence et annonce avant la lettre le baroque.

– **Renaissance (XVIᵉ-XVIIᵉ siècles) :** Prague possède son propre style Renaissance. Il marie curieusement les pignons chantournés des pays du Nord au maniérisme de l'Italie néo-antique. Gimmicks d'usage : les sgraffites (fresques grattées sur fond noir ou bistre) à motifs figuratifs (maison « À la Minute », place de la Vieille-Ville) ou géométriques (les faux bossages « en pointes de diamant » au palais Schwarzenberg).

– **Baroque (du XVIIᵉ siècle au XIXᵉ siècle) :** le style baroque est la revanche de la Contre-Réforme, incarnée par la très catholique dynastie Habsbourg. Baroque jésuite, français, italien ou allemand, c'est le style imposé, l'anti-protestantisme. D'origine romaine avec la façade tripartite et le plan centré, il évolue sous l'influence des architectes Dientzenhofer qui accentuent l'ondulation des parois et l'enchevêtrement des espaces. L'église Saint-Nicolas, place de Malá-Strana, est une merveille du genre. Les églises manifestent un grand souci de promotion religieuse : portiques intimidants, amples plafonds en trompe l'œil, porches triomphaux... Sur les statues, les peintures, les saints se contorsionnent dans des postures théâtrales. Les maîtres-autels ruissellent de personnages dorés. On exploite les courbes sensuelles, les accroche-cœurs espiègles, les bulbes joufflus. Au XVIIIᵉ siècle, le baroque s'exaspérera pour imiter les fantaisies les plus tarabiscotées de la nature : c'est le style rococo ou rocaille.

– **Classicisme, Empire et historicisme (du XVIIIᵉ siècle au XXᵉ siècle) :** le classicisme marque le retour de balancier après les extravagances du baroque. Retenue, sévérité et économie d'effets en sont les conséquences. Le style Empire (début XIXᵉ) est peu représenté à Prague mis à part les réalisations du Viennois Georg Fischer. Ensuite les parodies historicisantes s'emparent de Prague : néo-roman, néo-gothique, néo-Renaissance, néo-baroque... Les monuments, par exemple le Théâtre national ou le Musée national, résultant de l'utilisation d'éléments historiques, renforçaient le sentiment d'identité nationale très en vogue à l'époque. Le holà sera mis au début du siècle avec une redéfinition du rôle de l'espace et une recherche sur les matériaux.

– **Art nouveau, Jugendstil et Sécession (1894-1910) :** sous le terme Art nouveau vont se regrouper différents mouvements européens qui voient le jour à la fin du XIXᵉ siècle, Modern Style en Angleterre, Jugendstil en Allemagne, Sécession en Autriche, Art nouveau en France, etc. Une même aspiration les unit : rejeter l'héritage historique et académique, exprimer un nou-

▲ Où dormir ?		|●| Où manger ?	
15	Domov Mládeže Penzion	85	Akropolis
16	TJ Sokol Žižkov	87	U Koleje
17	Spartak Čechie	88	Hájovna
22	Estec Hostel	89	Vinárna U Jiříka
23	Junior Hostel	232	Quido
24	Pension Sprint	233	The Globe
26	Pension Digitals	234	Ambiente
28	Pension Bonaparte	235	Crazy Daisy
30	Hôtel Brno	236	Restaurace Pod Viktorkou
34	Hôtel Bílý Lev	237	Restaurace U Matouše
35	Hôtel Splendid		
37	Hôtel Ariston	▼	**Où boire un verre ?**
204	Pension Jana		**Où sortir ?**
205	Pension Šubrt	117	Le Pavillon Hanava
206	Pension Madona	121	U Vystřeleného Oka
207	Pension Kosicka	122	U Růžového Sadu
		135	Belmondo Revival Music Club
		263	Vinečko 33

PRAGUE

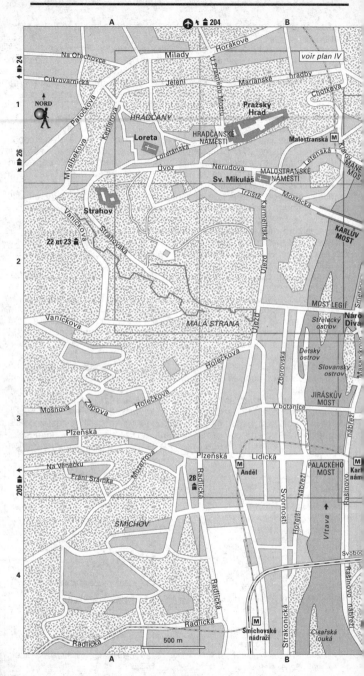

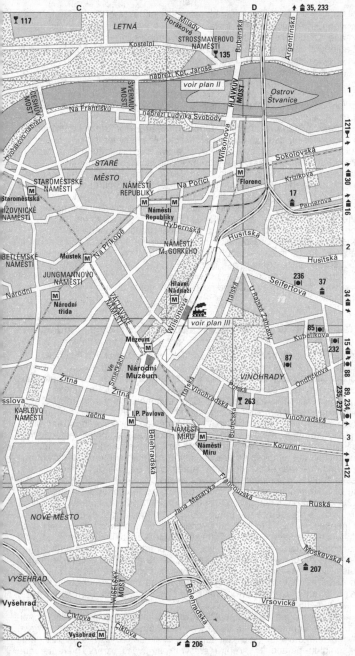

PRAGUE – PLAN I (ENSEMBLE)

vel art de vivre de l'époque en renouvelant le langage décoratif. L'Art nouveau, ici simplement appelé « Secese », va remodeler le visage de Prague, empruntant au Jugendstil un goût pour les lignes courbes du végétal et au genre viennois une stylisation plus épurée. De sinueux décors arborescents qui mêlent verrières, mosaïques, ferronneries et céramiques ornent, en particulier, les façades de la Maison municipale (Republiky nám.), de l'hôtel *Europa* (Václavské nám.) ou de l'hôtel *Central* (rue Hybernská). L'ornementation, qui est le fruit d'artistes d'horizons divers (peintres, sculpteurs ou artisans d'art), constitue un manifeste à l'art de la vie, du décor et de la beauté.

– **Cubisme, constructivisme, fonctionnalisme (XXᵉ siècle) :** Prague est la seule ville où des réalisations architecturales cubistes se concrétisèrent. Sur les théories du cubisme pictural, on arrive à un éclatement de la forme, à une décomposition de la façade en multiples facettes inclinées et saillantes. Quelques exemples : la maison « À la Vierge noire », rue Celetná, ou à Vyšerhad, la maison quai Rašínovo de l'architecte Chochol, et un immeuble à l'angle des rues Neklanova et Přemyslova. Pendant l'entre-deux-guerres, sous l'influence de deux mouvements, l'accent est mis sur la fonction utilitaire de l'architecture à laquelle doit se soumettre la forme. À l'Est, le constructivisme russe se veut un instrument révolutionnaire. À l'Ouest, le fonctionnalisme de Le Corbusier prône le volume élémentaire, « standardisable », aux surfaces dépourvues d'ornementation non fonctionnelle. Et aboutit à un style quelque peu indigeste...

Aujourd'hui, la tendance est au dialogue entre architecture nouvelle et ancienne, avec un regain d'intérêt pour le « génie du lieu » si particulier à Prague.

Prague : ville d'accueil pour les écrivains, artistes et musiciens

Prague, ville au grand pouvoir de séduction et à l'hospitalité légendaire, se devait d'attirer artistes et intellectuels. Le premier d'entre eux, Mozart, y fut véritablement reconnu (beaucoup plus qu'en Autriche) et y vécut ses plus beaux jours. *Don Giovanni* fut d'ailleurs créé à Prague. Beethoven y reçut également un chaleureux accueil. Chateaubriand, qui y séjourna en 1833, laissa dans les *Mémoires d'outre-tombe* de fort belles pages que lui avait inspirées la ville : « En chemin vers le château, je gravis des rues silencieuses, sombres, sans réverbère... À mesure que je grimpais, je découvrais la ville en dessous, les enchaînements de l'histoire, le sort des hommes, la destruction des empires se présentaient à ma mémoire en s'identifiant aux souvenirs de ma propre destinée. Après avoir exploré des ruines mortes, j'étais appelé au spectacle des ruines vivantes... » À la même époque, Chopin et Liszt séduisirent les Pragois. Berlioz, lui, les conquit. C'est d'ailleurs dans leur ville qu'il composa plusieurs morceaux de la *Damnation de Faust*. Puis, dans la deuxième partie du XIXᵉ siècle, Prague produisit deux immenses génies : Smetana et Dvořák, tout en continuant d'accueillir avec enthousiasme Saint-Saëns et Tchaïkovski. Beaucoup de musiciens, souvent mal compris dans leur propre pays, reconnurent devoir à Prague de grands moments de bonheur. Mahler, bien sûr, se devait indissociable de Prague puisqu'il y fit ses études avant d'aller au conservatoire de Vienne. Mais c'est en Bohême qu'il commença véritablement sa carrière musicale. À partir de 1903, on y joua ses symphonies les plus importantes. La même année, Grieg y reçut un accueil triomphal.

À la même époque, Guillaume Apollinaire fut, lui aussi, subjugué par la capitale de la Bohême qui lui inspira son enthousiaste *Passant de Prague*. D'emblée, l'œuvre de Rodin fut comprise et aimée par les Pragois. Le génie du sculpteur ne pouvait qu'entrer en symbiose avec l'extraordinaire baroque tchèque. Enfin, il faut citer Leoš Janáček qui, bien que né en Moravie et ayant vécu à Brno, composa souvent à Prague où il était fort estimé. Plus près de nous, l'illustrateur, cinéaste et marionnettiste Jiří Trnka laissa une œuvre superbe, très poétique, à l'image de la cité aux cent tours et clochers.

C'est kafkaïen tout ça!

Et un chapitre spécial pour le plus illustre des Pragois, Franz Kafka. Né à Prague en 1883, mort en 1924 de tuberculose près de Vienne, Kafka concentre toutes les contradictions de la ville et de son époque : juif en milieu majoritairement chrétien, intellectuel dans une famille qui ne l'est pas, écrivant en allemand au moment de la montée des aspirations nationales tchèques, travaillant dans une compagnie d'assurances qui l'empêche de s'épanouir... Tous les ingrédients sont réunis pour réaliser une œuvre sombre, pessimiste, inachevée!
Kafka entretenait avec Prague un rapport passionné, amour et haine mêlés. Il écrivit « Prague ne nous lâchera jamais, cette petite mère a des griffes! » Pour Kafka, le monde moderne n'inspire que l'angoisse, la perspective d'une vie sans issue. Ses héros ne comprennent ni les raisons ni les responsables de leur oppression. Ce sont des prisonniers et ce n'est pas un hasard s'ils portent des noms qui sonnent comme des matricules : l'arpenteur K. dans *Le Château,* Joseph K. dans *Le Procès...*

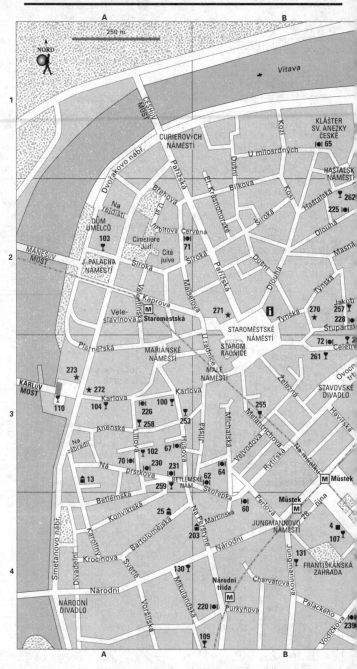

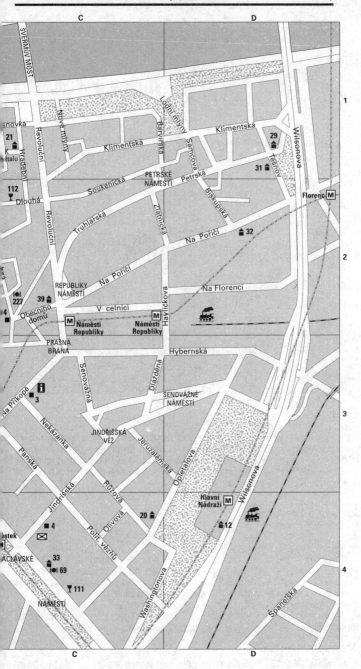

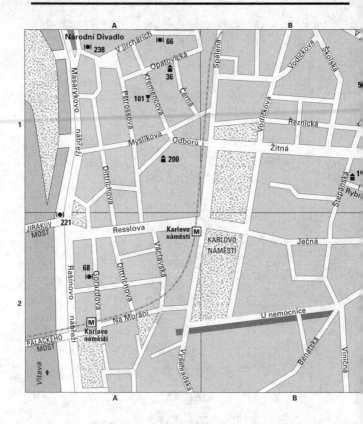

Il s'en fallut de peu que l'œuvre de Kafka disparaisse à jamais, puisqu'il avait ordonné à son ami Max Brod, écrivain lui aussi, de brûler tous ses manuscrits. Brod commit là une infidélité historique puisqu'il permit la publication posthume de la majeure partie de l'œuvre de son ami et le succès de l'un des adjectifs les plus utilisés : *kafkaïen!*

Arrivée à l'aéroport

Change

– **Banques :** plusieurs banques dans le hall de l'aéroport. La *Československá Obchodní Banka A.S.* pratique le taux de commission le plus bas. Ouverte 24 h sur 24. De manière générale, il y a toujours une ou plusieurs banques ouvertes à l'arrivée ou au départ de chaque vol.
– **Distributeur d'argent :** dans le grand hall d'arrivée. Prend la carte *Visa*, l'*Eurocard MasterCard* et l'*American Express*. Ne pas trop compter dessus tout de même, ils sont souvent en panne ou vides.

Transports en ville

– **Minibus CEDAZ :** navette privée qui part toutes les 30 mn du terminus ; place Republiky. Durée du trajet : environ 20 mn. Plus cher que le bus n° 119

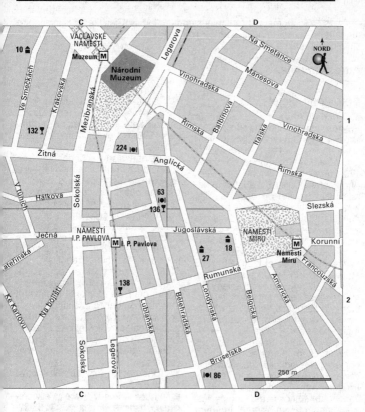

PRAGUE – PLAN III (PARTIE SUD DE LA VIEILLE VILLE)

■ **Adresse utile**			
5	Institut français	66	Pizzeria Kmotra
		68	Na Rybárně
â **Où dormir ?**		86	Na Zvonařce
		221	U Hastrmana
10	Konvex	224	Kavárna Deminka
18	Olet Youth Hostel	238	Rusalka
19	Olet Youth Hostel		
27	Hôtel Lunik	**Ⴈ Où boire un verre ?**	
36	Hôtel Koruna	**Où sortir ?**	
200	Hostel Klub Habitat		
		101	U Fleků
Ⅰ●Ⅰ Où manger ?		132	AghaRTA Jazz Centrum
		136	Radost
63	Fx Café	138	Uzi Rock Bar
		251	Cybeteria Kavárna

(le billet coûte 90 Kč) mais bien plus pratique et rapide, notamment pour les arrivées de nuit.
– ***Bus n° 119 :*** le prendre jusqu'au terminus. On achète son billet au distributeur jaune dans le hall (et non dans le bus). Descendre à Dejvická puis prendre le métro pour le centre. Dejvická est le début de la ligne A. Prix ridicule.

– **Taxis :** franchement, il vaut mieux prendre le bus. Bien lire, plus loin, notre rubrique « Taxis » dans la partie « Transports ».

Adresses utiles

Services officiels

▣ Office du tourisme de la Ville de Prague (plan II, C3) : Na Příkopě 20. ☎ 26-40-20. Ouvert du lundi au vendredi de 9 h à 18 h (19 h en été) et les samedi et dimanche de 9 h à 17 h (fermé le dimanche en hiver). Bon accueil. Délivre des infos générales sur la ville, un plan de ville, ainsi qu'un bon petit fascicule en français intitulé *Guide officiel de la capitale Prague*. On y trouve toutes les infos sur les transports, les salles de concerts, les services d'urgences... Pratique et bien fait. Vend également un fascicule *Cultural Events*, en anglais et en allemand, qui recense les principaux événements artistiques. Vente de forfaits de 1 à 5 jours pour les transports métro-bus-tram, mais vu qu'on marche la plupart du temps, ils nous ont paru chers et inutiles. Pour ceux qui sont en voiture, demander la carte *Parking à Prague,* très utile. Propose aussi un service de réservation de places de spectacles. Également un site Internet très pratique pour ses infos sur les hôtels de la ville : www.abaka.com/czech/praha.html.

▣ Autre office du tourisme (plan II, B2) : Staroměstské náměstí 22, place de la Vieille-Ville, face à l'hôtel de ville, sous les arcades. ☎ 24-48-22-02. Vente des places de spectacles uniquement.

▣ Čedok (plan II, C3, 3) : Na Příkopě 18. ☎ 24-19-76-42 ou 24-22-36-85. Voir « Où dormir ? » Très utile pour les infos générales et notamment pour les horaires de trains et de bus.

✉ Postes : Jindřišská 14 (plan II, C4). Rue donnant sur la place Václavské. Poste restante. Ouvert 24 h sur 24. Autre poste : sur Příčná, petite rue perpendiculaire à Žitná.

■ Institut français (plan III, B1, 5) : Štěpánská 35. ☎ 24-21-66-30 ou 24-22-64-09. Fax : 24-23-68-26. Ouvert du lundi au vendredi, de 9 h à 18 h. Fermé un mois pendant les vacances d'été. Cet institut, rouvert depuis 1990, est plutôt animé pendant l'année scolaire. Des cours de langue française y sont donnés. Une splendide bibliothèque-médiathèque est ouverte de septembre à juillet. L'institut publie tous les trois mois un journal bilingue, *Štěpánská 35.* On y trouve en fait le programme des festivités proposées par l'Institut : concerts, théâtre, danse, expositions et cinéma. À 18 h, entrée gratuite pour voir des films français (cycle Truffaut en perspective). Le *café de l'Institut français* est un lieu de rencontre pour les étudiants pragois et français. Tendance intello, donc.

■ Ministère de la Culture : Valdštejnský palác, Valdštejnskaulice 12. ☎ 513-24-73. Pour obtenir le programme des manifestations, rencontres...

■ Consulat de France : Nosticova 10. ☎ 57-32-05-07.

■ Ambassade de France : Velkopřevorské nám. 2, Praha 1. ☎ 57-32-03-52. Dans le quartier de Malá Strana (de l'autre côté du pont Charles).

■ Ambassade de Belgique : Valdštejnská 6, Praha 1. ☎ 57-32-03-89.

■ Ambassade de Suisse : Pevnostní 7, Praha 6. ☎ 24-31-12-28.

■ Ambassade du Canada : Mickjewiczova 6, Praha 6. ☎ 24-31-11-08.

■ Ambassade de Pologne : Valdštejnská 8. ☎ 57-32-06-78. Dans le quartier de Malá Strana.

■ Ambassade de Hongrie : Badeniho 1, Praha 6. ☎ 36-50-41.

■ Ambassade de Roumanie : Nerudova 5. ☎ 57-32-04-94. À Malá Strana.

■ Ambassade de Bulgarie : Krakovská 6. ☎ 22-21-12-60.

Infos sur la ville

– **The Prague Post :** hebdomadaire

en anglais très pratique et bourré d'infos de dernière minute. Plein d'articles culturels.

– *Prognosis :* bi-mensuel en anglais. En quelque sorte, le frère jumeau du *Prague Post.*

– *Prager Zeitung :* un peu le même genre que le précédent, mais en allemand.

Change

■ *Les points de change :* partout dans le centre, des *Points de Change,* des *Change Exact* ou *Change Points* ont été installés. Généralement ouverts tous les jours et tard le soir, certains 24 h sur 24. De manière générale, il convient de soigneusement les éviter. Allez-y uniquement si vous êtes vraiment à sec et que vous ne pouvez attendre l'ouverture des banques le lendemain matin. Leur commission oscille entre 5 et 10 %. De plus, il y a souvent une commission minimum élevée dont on ne vous informe évidemment pas. Ajoutez pour finir les « erreurs » de calcul ou les « oublis » fâcheux.

■ *Les banques :* c'est encore le moyen le plus simple, le plus sûr et le moins cher de changer de l'argent ou des chèques de voyage. En voici quelques-unes qui pratiquent un taux de change très bas :

● *Československá Obchodni Banka A.S. :* dans la Vieille Ville, Na Příkopě 14. ☎ 24-11-20-36. Dans Nové Město, Anglickà, 20. ☎ 61-35-11-11.

● *Komerčni Banka :* Na Příkopě 33. ☎ 23-91-11-11 Ouvert normalement de 8 h à 18 h 30 du lundi au vendredi.

● *Živnostenská Banka (plan II, B-C3) :* Na Příkopě 20. ☎ 24-12-11-11. On peut y retirer de l'argent avec la carte *Visa* ou la *MasterCard.* Ouvert de 8 h à 21 h du lundi au vendredi.

● Nombreuses banques sur Na Příkopě et Václavské náměstí.

● *American Express (hors plan II par C4) :* Václavské nám. 56 (à l'angle de Ve Smečkách). ☎ 22-21-01-21. Ouvert l'été de 9 h à 19 h du lundi au samedi et le dimanche de 9 h à 15 h. Distributeur à l'extérieur. Fait aussi agence de voyages, vente

de billets d'avion, change et réservation d'hôtels.

● *Distributeurs d'argent acceptant la carte Eurocard-MasterCard :* dans le centre, sur Celetná 20, dans Na Příkopě 3-5, sur Republiky náměstí 8, à Staroměstské náměstí 24, dans Karlova 20 et sur Mostecka 24. Enfin dans l'hôtel *Atrium,* Pobrezni 1, mais on ne va peut-être pas y aller que pour cela !

● *Banques françaises :* attention, ce ne sont que des bureaux. N'allez donc les voir qu'en cas de vrai pépin. *B.N.P.,* Vitezna 1, Praha 5. ☎ 57-00-61-11. *Crédit Lyonnais :* Ovocný trh., Praha 1. ☎ 22-07-61-11.

– *Perte de cartes de crédit :* Visa, ☎ 24-12-53-53. *MasterCard,* ☎ 22-43-33-90. *American Express,* ☎ 24-21-99-78.

Santé

■ *Ambulance :* ☎ 37-33-33.
■ *Urgence médicale :* ☎ 155.
■ *Police :* ☎ 158.
■ *Pharmacies ouvertes 24 h sur 24 :* Stefanikova 6, Praha 5. ☎ 57-32-09-18. Une autre Belgickà 37, Prague 2. ☎ 24-23-72-07. Et aussi dans le centre : Václavské nám. 64. ☎ 24-23-23-22 et Národní 35. ☎ 24-23-00-86.
■ *Hôpital d'urgence (nemocnice) :* Palackého 5, Praha 1. ☎ 24-21-63-34.
■ *Hôpital pour étrangers (nemocnice na homolce) :* Roentgenova 2. ☎ 52-92-11-11. On y parle l'anglais et l'allemand.

Compagnies aériennes

■ *Air France (plan II, B4, 4) :* Václavské náměstí 10. ☎ 24-22-71-64. Fax : 24-22-12-03. Ouvert du lundi au vendredi de 9 h à 12 h et de 13 h à 16 h.
■ *ČSA (Compagnie nationale tchèque) :* Celnici 5. Praha 1. ☎ 20-10-41-11. Ouvert du lundi au vendredi de 7 h à 18 h et le samedi de 8 h à 16 h.

Librairies, journaux, radio et cinéma

■ *Kanzelsberger Jan :* Václavské

náměstí 42. ☎ 24-21-73-35. Ouvert tous les jours de 9 h à 19 h. Vaste librairie avec un grand choix de bouquins sur tout. Cartes, beaux livres, guides, livres d'art...

■ *Academia Nakladatelství CSAV :* Václavské náměstí 34. Nombreux beaux livres sur Prague dans toutes les langues, cartes...

– *Journaux et magazines français :* on en trouve dans tous les kiosques du centre-ville. Sur Václavské náměstí et Na Příkopě.

– *Radio :* pour entendre la version tchèque d'Europe 2, branchez-vous sur 88.2. Une autre radio branchée, Kiss sur 98 FM.

■ *Cinémas :* énormément de films exclusivement américains! La programmation se trouve dans les journaux en anglais, *The Prague Post* ou *Prognosis.* Quelques adresses dans le centre :

● *Kotva :* Republiky nám. 8, Praha 1. ☎ 231-36-39. M. : Republiky nám.

● *Světozor :* Vodičkova 39, Praha 1. ☎ 26-36-16. M. : Můstek.

● Et bien sûr, des films français gratuits, à partir de septembre, à 18 h à l'Institut français (voir « Adresses utiles. Services officiels »).

Téléphone

La ville est très bien équipée en cabines publiques. La plupart sont à carte, comme en France. On les trouve à la poste ainsi que dans presque tous les kiosques à journaux. Les revendeurs pratiquent le prix qu'ils veulent, surtout en fin de semaine ou tard le soir. Attention, certaines numérotations sont en cours de changement.

Transports

À noter pour ceux qui pensent pouvoir la rentabiliser qu'il existe une carte forfaitaire, la *Matilda Card,* qui donne accès aux musées et aux transports urbains pour 4 jours (environ 80 F) ou plus simplement une carte de transport urbain de 1, 3, 7 ou 15 jours (environ 10 à 50 F). Largement conseillée si vous restez plusieurs jours. Même si vous avez une voiture : vous vous rendrez vite compte que les transports en commun sont bien plus pratiques et moins onéreux (à cause des PV!).

– *Métro :* trois lignes seulement (A, B et C) mais rapide, pratique et très bon marché. N'hésitez pas à l'utiliser. On l'adopte bien vite. Tout à fait inutile de frauder (contrôles fréquents et amendes). Fonctionne de 5 h à minuit. On composte soi-même. Le système d'utilisation est extrêmement simple à comprendre.

– *Tramways et bus :* très nombreux et pratiques. Fonctionnent de 5 h à minuit. Les trams, notamment, vous emmèneront partout à cadences fréquentes. Achat des tickets dans les distributeurs à la plupart des arrêts et par carnets de cinq dans les petites boutiques de tabac et journaux. On composte soi-même. Ticket valable une heure (et pour les correspondances) ou un quart d'heure (mais pas pour les correspondances). Quelques trams de nuit. Ils ont des numéros commençant par 5.

Les lignes (bus et tram) sont reproduites sur les plans officiels de la ville.

– *Taxis :* le mot anarchie résume bien la situation des taxis à Prague. Nous avons modestement établi une statistique : environ un taxi sur trois met son compteur spontanément. À peu près un sur deux est aimable comme un chauffeur de taxi... parisien. Il vous faudra demander au chauffeur de mettre son compteur dès que vous montez dans la voiture. S'il refuse, pas de problème, vous descendez. Le chauffeur râlera peut-être mais c'est lui qui est en faute et il le sait. Toutefois, ne croyez pas que si le chauffeur plein de bonne volonté met son compteur immédiatement, cela soit un signe favo-

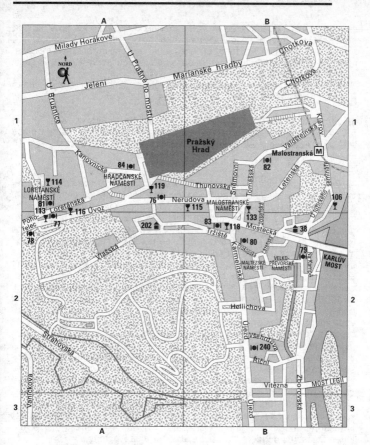

PRAGUE – PLAN IV (MALÁ STRANA ET HRADČANY)

⌂ Où dormir ?

  38 U Tří Pštrosů
  202 Hôtel Sax

|●| Où manger ?

  76 U Zlaté podkovy
  77 U Černého vola
  78 Saté Grill
  79 Velkopřevorsjý mlyň
  80 U Maltézských rytířů
  81 U Ševce Matouše
  82 Valdštejnská hospőda

  83 U Tři zlatých Hvězd
  240 U Svejka

♟ Où boire un verre ?
Où sortir ?

  106 Čertovka
  113 Pivnice U Černého vola
  114 U Lorety
  115 U Zeleného
  116 Resto Renthauz
  118 Jo's Bar
  119 Espreso Kajetańka
  133 Malostranská Beseda

---

rable de son honnêteté. Le taximètre peut être trafiqué. Impossible de vous donner des repères, il n'y a plus de tarifs au kilomètre, ni de prise en charge, les tarifs ayant été libéralisés. Face à ce tableau idyllique, il vous reste à

PRAGUE

suivre le conseil du maire de Prague : « Évitez de prendre les taxis dans la capitale ». Belle publicité du premier magistrat de la ville. Autre solution, essayez de négocier les tarifs et faites jouer la concurrence aux stations. Mais il faut avoir du temps à perdre dans une ville où les transports en commun sont performants.

– **Vélo :** et pourquoi ne pas utiliser la petite reine pour circuler dans Prague ? Pratique et sympa. Location de vélos :

■ **Landa Spol S.R.O. :** Terronská 57, Praha 6. ☎ 311-93-50.
■ **Milan Poskosil :** Za Humny 4, Praha 6. ☎ 302-32-88.

– À la belle saison, des jeunes louent parfois des VTT sur la place de la Vieille-Ville, devant le n° 16 U Radnice.

– **Voiture :** il est ridicule et inutile de circuler dans le centre de Prague en voiture. Ici, tout se visite à pied. Vouloir explorer la cité de cette manière, c'est comme traverser le désert à patins à roulettes. On en voit encore avec leurs petits « F » à l'arrière qui tournoient désespérément pour tenter de se garer « au plus près ». Sinon, la circulation à Prague est beaucoup moins trépidante qu'à Paris et relativement fluide pour une capitale. Il faut savoir que le stationnement dans Prague 1 est entièrement réservé aux habitants de ce district, sauf quelques exceptions que nous indiquons plus loin. Il faut donc avoir une autorisation, sinon votre véhicule sera envoyé à la fourrière. Le meilleur moyen est finalement de se garer un peu à l'extérieur du centre, et de prendre les transports en commun. L'office du tourisme délivre une carte, « Parking à Prague », donnant en français toutes les indications. Pour vous, deux types de parkings sont intéressants : ceux qui sont les plus proches du centre, à durée limitée, et ceux un peu plus excentrés où l'on peut rester longtemps.

● *Parkings autorisés proches du centre :* gare Wilson (Wilsonovo nádraží) sur Wilsonova ; sur L. Svobody nábř. (sur les quais de la Vltava) ; sur Na Františku (c'est le même boulevard que le précédent mais un peu plus à gauche) ; Republiky náměstí (en plein centre) et sur Těšnov (près de l'hôtel *Opera*). Un autre encore près du métro Florenc.

● *Autres parkings :* sur Náplavka (dans Staré Město), sur Malostranské náměstí (grande place de Malá Strana) et sur Karlovo náměstí (place Karlovo). Dans ces derniers, on peut stationner plus longtemps.

● *Parking en sous-sol :* sous le grand magasin Kotva.

– **Garages**
■ **Renault :** Ďáblická 2, Praha 8. ☎ 88-78-03. Ou Limuzská 12 A, Praha 10. ☎ 77-27-70. Dans le quartier de Malešice, à l'est de la ville.
■ **Peugeot :** Veleslavínská 17, Praha 8. ☎ 316-65-51.

– **Transports fluviaux :** il y a des vedettes qui parcourent la Vltava du centre et qui la remontent jusqu'à Vyšehrad...

■ **Prague Passenger Shipping (PPS ;** *plan I, B3) :* Rašínovo nábřeží, port central, Praha 2. ☎ 29-83-09. Fax : 249-13-862. M. : Karlovo náměstí (ligne B). Le port est situé sous les ponts Palacký et Jirásek. Des panneaux indiquent l'embarcadère. Une brochure est éditée et disponible à l'office du tourisme. Découvrez les joies du bateau-mouche sur la Vlatva, du château de Hradčany au rocher de Vyšehrad. Circuit de 2 h avec trois départs par jour de mai à août, et deux départs le reste de l'année. Il faut au moins dix à vingt passagers pour que le départ ait lieu. Faites venir vos amis. Pour les gourmands, un circuit gastronomique est proposé à l'heure du déjeuner ou du dîner (sauf le lundi). Au cours de cette balade, vous prendrez l'apéro à hauteur du pont Charles, le plat de résistance en admirant le château et le dessert en face de Vyšehrad. Possibilité de naviguer hors de Prague vers Troja, Karlštejn, Mělník, etc. Et si le cœur vous en dit, vous pourrez même louer un bateau et l'équipage avec. Bon vent !

■ *Location de barques et pédalos :* au pied du pont Legií, côté Nové Město.

– *Les calèches :* pour retrouver l'ambiance du *Mozart* de Miloš Forman. On les prend sur la place de la Vieille-Ville. En circuit touristique ou comme un taxi, c'est au choix. À faire au moins une fois. Assez cher. Si vous voulez réserver : ☎ 75-14-89.

Où dormir ?

Pour les informations d'ordre général, se reporter à la rubrique « Hébergement » dans les généralités sur la République tchèque.

Nul doute que pour quelques années encore, le meilleur moyen de bien se loger à prix raisonnables reste la location d'un appartement ou le logement chez l'habitant. Bien sûr, si vous restez quelques nuits à Prague en amoureux, vous préférerez certainement dormir à l'hôtel, mais sachez que les tarifs dans le centre de la ville sont assez élevés du fait du coût prohibitif des loyers. Mais vous économiserez largement sur le budget restauration. À vous de faire votre choix après avoir jeté un coup d'œil sur notre petite échelle de prix dans la rubrique « Budget ».

Réservation de logements

■ *Konvex* *(plan III, C1, 10) :* Vᵉ Smečkách 29, Praha 1. La rue donne sur la place Venceslas (Václavské nám.). ☎ 96-22-44-44 et 22-21-04-73. Fax : 22-21-15-02 (ce numéro est aussi un téléphone). Ouvert du lundi au vendredi de 9 h à 12 h 30 et de 13 h 30 à 18 h. À notre avis l'adresse la plus sympa à Prague. Agence créée par une jeune équipe dynamique et compétente. Vous pouvez vous adresser à notre ami Michal, qui parle parfaitement le français. Propose des chambres chez l'habitant en plein centre-ville, des locations d'appartements et des chambres en cités universitaires. 10 % de réduction à partir de 6 nuits. Fait aussi les réservations pour les groupes d'étudiants.

■ *Čedok* *(plan II, C3, 3) :* Na Příkopě 18. ☎ 24-19-71-11. De Pâques à mi-novembre, ouvert du lundi au vendredi de 9 h 30 à 19 h et les samedi et dimanche de 9 h à 14 h. Le reste de l'année, ouvert du lundi au vendredi de 8 h 30 à 18 h et le samedi de 8 h 30 à 12 h 30. Fermé le dimanche. Grand centre d'informations touristiques. Pour l'hébergement, il faut aller sur place et on traite votre demande pour le jour même. Se présenter très tôt, car il y a vite la queue en haute saison et ils ne disposent pas d'un gros parc de chambres chez l'habitant. Sinon, le *Čedok* propose en juillet et août plusieurs centaines de lits dans des dortoirs confortables (mais pas dans les A.J. d'étudiants). Réservations obligatoires directement au bureau de *Čedok*. On peut également y louer une voiture, y acheter des billets de concerts et des tours guidés de la ville. On rappelle qu'il y a un bureau du *Čedok* à Paris.

■ *AVE* *(plan II, D4, 12) :* dans la gare centrale Hlavní nádraží, Wilsonova 8, Praha 2. ☎ 24-22-32-26 ou 35-21. Fax : 24-22-34-63. Ouvert tous les jours de 6 h à 23 h. Nombreux autres bureaux à Prague, en particulier à l'aéroport et au château (Pohořelec 9). Située à l'extrême droite de la gare, quand on est face aux quais, cette agence (la plus importante de la ville), déjà ancienne, propose un éventail très large de logements, du dortoir à l'hôtel 5 étoiles. L'idéal est de leur soumettre vos souhaits et vous trouverez sûrement chaussure à votre pied. Prix dégressifs en fonction de la durée du séjour.

■ **KMC Travel Service** (plan II, A3, **13**) : Karoliny Světlé 30. ☎ 24-23-06-33. Fax : 855-00-13. Ouvert de 8 h 30 à 17 h. C'est l'organisme national pour la jeunesse, correspondant des auberges de jeunesse. Il communique les adresses des A.J. et les moyens de s'y rendre. Les A.J. d'été, ouvertes en juillet-août pour la plupart, sont le plus souvent dans des collèges ou universités et changent de lieu chaque année.

■ **Top Tour** (plan II, C2, **14**) : Rybná 3, Praha 1. M : Republiky Náměstí. ☎ 232-10-77 ou 231-40-69. Ouvert de 10 h à 19 h. Propose des chambres et des appartements à la location. La réservation n'est pas indispensable. Une adresse de dépannage en cas de problème. Autre adresse : Revoluční 24. ☎ 232-06-09. Correspondant à Paris : ☎ 01-49-28-91-22. Fax : 01-44-75-32-39.

Dortoirs, auberges de jeunesse et gymnases, non loin du centre

Ouverts uniquement l'été (essentiellement en juillet et août), ces établissements sont en fait des écoles, des facs, des centres sportifs qui, une fois les élèves, les étudiants ou les sportifs au loin pour l'été, organisent les espaces en grands dortoirs. Dans certaines facs on dispose de chambres d'étudiants à 2 lits, dans d'autres lieux ce sont des matelas posés sur le sol. Un truc important : la localisation. Préférer d'emblée les hébergements proches du centre ou facilement accessibles par les transports en commun. Si vous passez par un organisme qui s'occupe de réserver pour vous, faites-vous bien décrire les moyens d'accéder à votre logement et l'heure limite des transports pour y aller. Bien souvent cette donnée primordiale est passée sous silence. Si possible, essayez de voir le lieu sur photo, ça donne une idée, bien que la réalité soit généralement assez différente.

▲ **Domov Mládeže Penzion** (hors plan I par D3, **15**) : Dykova 20, Prague 10. ☎ 25-06-88. Fax : 25-14-29. M. : Jiřího z Poděbrad (ligne A). Situé dans le quartier résidentiel de Vinohrady possédant un charme très londonien avec beaucoup d'arbres et de façades victoriennes, c'est l'un des meilleurs rapports qualité-prix qu'on connaisse. À l'est du centre. 100 lits en tout, en chambrée de 3, 4 ou 5. Simple, propre, accueillant, presque familial. Réception ouverte 24 h sur 24. Pas de couvre-feu. Réservation par téléphone possible et conseillée. Sanitaires corrects, dans le couloir. Petit déjeuner compris dans le tarif. Une bonne adresse routarde et agréable, loin des sordides cités U. Un peu plus cher, tout en restant très bon marché.

▲ **TJ Sokol Žižkov** (hors plan I par D2, **16**) : Koněvova 19, Praha 3. M. : Florenc. ☎ 69-74-297. Fax : 69-77-172. À Florenc, prendre le bus n° 133 ou 207 jusqu'à Tachovské náměstí. C'est à 100 m. Réception de 6 h 30 à 18 h 30, mais une fois qu'on a les clefs, pas de couvre-feu. Salle de sport coopérative (concept purement tchèque) très bien tenue, dont les étages sont transformés en petits dortoirs de 4, 6, 8 et 10 lits. Mobilier en bois clair simple mais très correct. Sanitaires dans un état un peu moyen mais au vu du prix, on pourrait presque parler de luxe. Les draps sont compris dans le prix. On peut aussi profiter du sauna et du solarium. Et tout cela pour moins cher qu'une A.J. en France. Seul défaut : il n'y a pas de petit déjeuner.

▲ **Spartak Čechie** (Tj Sokol Karlín ; plan I, D2, **17**) : Malého 1. ☎ 26-09-55. À 10 mn du métro Florenc. Voici l'adresse la moins chère non loin du centre, pour budgets super riquiqui. Fermé du 1er janvier au 1er mars. Ouvert de 18 h à 8 h. On accepte toutefois les bagages à la réception dans la journée. Petits dortoirs de 6 à 14 lits. On peut aussi choisir de dormir sur des matelas au sol dans le gymnase. Sans confort et à proximité de la ligne de chemin de fer mais on dort pour un prix dérisoire. Une adresse de routard pur et dur !

▲ *Hostel Klub Habitat* (plan III, A1, 200) : Na Zborenci 10, Prague 2. ☎ 290-315 et 293-101. Réception ouverte tous les jours de 8 h à 22 h. Il ne faut pas être affolé par la rue un peu crasseuse. Cette maison plutôt sympa propose une cinquantaine de lits dans des chambres à 3, 4 ou 5. Quelques-unes ont des douches dans la chambre. L'ensemble paraît plutôt bien tenu même si le confort est un peu spartiate. Prix vraiment intéressants. En plus, vous ferez une bonne action en allant dormir là. Les bénéfices générés par cet hôtel permettent de faire fonctionner une association qui s'occupe d'enfants défavorisés. Grâce à vous, beaucoup d'entre eux peuvent partir en vacances à la montagne, l'hiver. Des vacances financées par des vacances : une belle idée, non ?

▲ *Olet Youth Hostel* (plan III, D2, 18) : Míru náměstí 19, Praha 2. M. : Míru Náměstí ou Pavlova. Tram n° 4 ou 22. Situé à l'angle de la rue Jugoslávská, dans Vinohrady. À deux stations du centre, dans un quartier très calme, à découvrir. Un bon compromis donc. Ouvert pendant l'été. Dortoirs de 10 lits avec matelas pneumatiques ou, pour les quasi fauchés, matelas à même le sol. Deux douches seulement au rez-de-chaussée. Pour les routards peu regardants en ce qui concerne le confort. Accueil jeune et décontracté, et pas de couvre-feu. Buffet et petit déjeuner proposés dans une petite pièce qui fait office de bar.

▲ *Olet Youth Hostel* (ex-*Iglibi Youth Hostel; plan III, B1, 19*) : Stěpánská 8, Praha 2. M. : Pavlova. Tram n° 4, 6, 16 ou 22. Ouvert du 1er juillet au 25 août. Une auberge de jeunesse en plein cœur de Prague. Dans une école, désertée pendant les vacances, des dortoirs de 10 à 12 lits sont installés dans les classes

aux bonnes odeurs de craies... au moins au début de l'été. Douches sur le palier. Et comme seul espace de verdure, il vous reste la cour de récréation... À moins que vous ne préfériez y jouer aux billes !

▲ *Universitas Tour* (plan II, C4, 20) : Opletalova 37. ☎ 26-04-26. Fax : 24-21-22-90. Près de la grande gare. Accueil ouvert 24 h sur 24 en été. Propose, du 1er juillet au 15 septembre en général, environ 300 lits en chambres de 2 à 3 lits, avec petit déjeuner, dans une sorte de cité U qui possède l'énorme avantage d'être proche du centre à pied (environ 15 mn). Sanitaires dans le couloir. Prix modiques. Également d'autres hébergements dans d'autres lieux.

▲ *Kolej AMU* (Académie de musique; plan II, C1, 21) : Hradebni 7. ☎ 231-10-92 ou 231-49-25. Ouvert du 15 juin au 15 septembre. Encore un centre estudiantin qui se transforme en hébergement pour touristes l'été et qui a le mérite de se trouver en plein centre de la ville. Alan Parker aurait pu y tourner *Fame* tant l'ambiance dans l'année est axée sur la musique. Quoi de plus normal dans une académie de musique ! L'été, les 150 chambres sont désertées et on y dort seul, à deux ou à trois. Confort simple et bâtiment relativement bien tenu.

– *Nota bene, Achtung, pay attention...*

Les deux adresses qui suivent sont situées au sein de la cité universitaire, dans un coin carrément glauque, voire déprimant. Ce sont des bâtiments moches, cubiques, dans un environnement un rien sordide. L'énorme avantage – vu le tableau idyllique, il en fallait un – est le prix bas et la possibilité quasi certaine d'y trouver de la place. Dans l'année, c'est l'État qui gère ces lieux, mais l'été ils sont loués à des privés qui les relouent aux touristes, c'est pour ça que, bien que voisins, ils se font une rude concurrence et pratiquent des prix compétitifs. Ils proposent tous les mêmes services. Plusieurs agences citées ci-dessus offrent d'ailleurs des hébergements dans ces lieux-là. Pour y aller, prendre le métro, ligne A, jusqu'à Dejvcká, puis le bus n° 217 jusqu'à Spartakiádní, Stadion Strahov.

🛏 *Estec Hostel (plan I, A2, 22)* : Vaníčkova 5, Block 5. ☎ 52-12-50. Fax : 52-73-43. Une cité U comme Usine. Une partie ouverte toute l'année, le reste (500 lits) seulement l'été. Chambres de 2 lits. Simple, propre. Sanitaires à l'extérieur. Réception ouverte 24 h sur 24. Pas de couvre-feu. Laverie. Possibilité de prendre un petit déjeuner. Attention, dernier bus vers minuit.

🛏 *Junior Hostel (plan I, A2, 23)* : Vaníčkova 5, Block 7. ☎ 52-08-51. Situé juste derrière le Block 5. Réception ouverte de 8 h à minuit. Pas de couvre-feu. Encore meilleur marché que l'*Estec Hostel,* mais un peu moins propre et moins bien tenu globalement. Chambres pour 2 ou 3 personnes. Aussi triste que les autres. Environ 500 lits en tout, une petite partie étant ouverte toute l'année.

Prix modérés

🛏 *Pension Sprint (hors plan I par A1, 24)* : Cukrovarnická 62, Praha 6. ☎ 312-33-38. Fax : 312-17-97. Dans le quartier de Střešovice, au nord-ouest de Hradčany, assez résidentiel et calme, mais éloigné. Pour y aller, compter en tout 30 mn. Prendre le tram n° 18, de Václavské náměstí. C'est direct. Établissement modeste, un peu tristounet mais bien tenu, qui propose des petites chambres pour deux avec petit déjeuner à des prix vraiment attractifs. Sanitaires dans le couloir. Patron accueillant, toujours prêt à rendre service. Attention, certaines chambres donnent directement sur un vilain terrain de foot.

🛏 *Pension Kosicka (plan I, D4, 207)* : Kosicka 12, Prague 10. ☎ 74-66-95 et 25-06-88. M. : Míru Náměstí, puis tram n°s 4, 22, 34 ou 57 jusqu'à Ruská. La rue sera sur la droite à 50 m. Double formule dans cette vaste maison à la façade blanche bien accueillante. Aux 1er, 2e et 4e étages, il s'agit d'une *hostel* disposant d'une soixantaine de chambres très propres (puisque récemment refaites) de 2 à 5 per-

sonnes. Au 3e étage, vous êtes dans un hôtel. On vous propose 5 chambres dont une pour 4 personnes. À peine plus cher que la formule en *hostel*. On s'y sent bien et l'ambiance est vraiment sympa.

🛏 *Pension Unitas-Cloister Inn (plan II, A4, 25)* : Bartolomějská 9, Praha 1. ☎ 232-77-00. Fax : 232-77-09. M. : Můstek. Trams n°s 6, 9, 18, 22. Bien indiqué de la rue Na Perštýně. Permanence 24 h sur 24. Pas de couvre-feu mais règlement à l'entrée. Essayez de le respecter pour préserver l'attrait de cette adresse exceptionnelle au cœur de la Vieille Ville. Si c'est aujourd'hui un hôtel, ce fut autrefois une prison, ce qui explique la taille des chambres et leur modestie. Lavabos et douches à l'étage. Il faut absolument réserver car l'adresse est connue... Les murs de cette pension ont vu défiler beaucoup de monde : couvent médiéval fondé par les jésuites, occupé par des religieuses au XIXe siècle, puis par des prisonniers politiques quand une police secrète y a installé une prison d'État en 1948. Václav Havel a été incarcéré plusieurs fois dans la cellule n° 6, au sous-sol. Une plaque le confirme. Aujourd'hui les touristes partagent les lieux avec les sœurs qui habitent à nouveau aux 1er et 2e étages. D'où : pas d'alcool ni de cigarettes. Si vous n'êtes pas trop claustro, vous passerez une nuit au sous-sol, en cellule (chambre n° 5, 6 ou 7). Les portes sont repeintes en rose mais ce sont les originales. Pour les amateurs de sensations fortes.

🛏 *Pension Digitals (hors plan I par A1, 26)* : Na Petynce 106/143, Praha 6. ☎ 20-51-13-93. En voiture (15 mn du centre), prendre la E48 en direction de Karlovy Vary, tourner à droite au niveau de l'arrêt de bus Kajetánská, après le superbe parc de Petynka. Sinon, bus n° 108, 174 ou 235 à partir du métro Hradčanská. Dans le quartier résidentiel de Střešovice, une petite pension sans prétention qui présente un bon rapport qualité-éloignement-prix. 16 chambres doubles avec TV et téléphone. Douches communes pour trois chambres. Une minuscule terrasse pour prendre le petit déjeuner.

≜ *Pension U Medvídků (plan II, B4, 203)* : Na Perštýně 7, Prague 1. ☎ 24-21-19-16. Fax : 24-22-09-30. En plein centre, à proximité de Bethlémské nám. Bâtiment à l'architecture assez remarquable proposant une pension proprette et bien tenue dont les chambres ont été récemment rénovées. Mobilier en bois clair, confort sommaire, douches et w.-c. à l'étage. 21 chambres dont 5 triples. Accueil un peu impersonnel. Préférez les chambres sur la rue, vous serez peut-être effrayé par la taille de la brasserie qui se trouve au pied de cette pension. Il faut dire que c'est une des plus anciennes de Prague (elle date de 1466). Ultra-touristique et sans grand intérêt !

≜ *Pension Madona (hors plan I par D4, 206)* : Podvilami 24, Prague 4. ☎ 692-58-36. Du métro Muzeum, prendre le tram 11 ou 18 jusqu'à la 5ᵉ station : V Horkách. Un peu excentrée, certes, mais cette jolie maison a tellement de charme qu'on n'a pas pu résister. On vous la donne. C'est une vraie chambre d'hôte de charme en terre pragoise. 11 chambres décorées avec goût qui donnent l'impression d'être dans un *B & B* anglais. Pour tout vous dire, on a un faible pour la 10. Petit salon à disposition des hôtes, salle pour le petit déjeuner avec des meubles en fer forgé et même un petit bar pour l'apéritif. Partout sur les murs, des tableaux d'un peintre slovaque, ami de la famille, qui payait son hébergement en donnant ses œuvres. L'ensemble est particulièrement propre et bien tenu. Une seule chambre sans salle de bains. Et tout cela pour le prix d'une petite chambre d'hôte en France.

≜ *Pension Jana (hors plan I par A-B1, 204)* : U Přechodu 7-Ořechovka, Prague 6. ☎ 35-06-94. Fax : 24-31-17-60. Dans le quartier de Dejvice. M. : Dejvická. Tram nº 51, arrêt à Hadovka Strajendahn. Soyons honnête, il y a une voie ferrée qui passe juste à côté, mais on a vraiment bien aimé cette vaste bâtisse. Très maison de maître du XIXᵉ siècle. Et puis Jana est telle-

ment sympa que cela compense largement ce petit inconvénient. 7 chambres un poil conventionnelles au niveau déco et très spacieuses. Tout cela est très bien tenu !

≜ *Pension Šubrt (hors plan I par A3, 205)* : Podbělohorská 50, Prague 5. ☎ 52-10-76. Fax : 55-14-93. Assez éloigné du centre. Tram nº 9 jusqu'à la station Llamouka depuis la place Venceslas. Sympa comme une chambre d'hôte en France dans le milieu des années 70. On est presque à la campagne. Il ne manque que les nains de jardin pour compléter ce tableau idéal. 6 chambres avec lavabo. Douches et w.-c. sur le palier. Spacieuses, déco croquignolette à l'image des portes en moleskine rouge. Accueil cordial de Milan à qui vous prendrez soin d'apporter un drapeau. Il en a toute une collection !

Hôtels de prix modérés à prix moyens

≜ *Hôtel Lunik (plan III, D2, 27)* : Londýnska 50, Praha 2. ☎ 24-25-39-74. Fax : 24-25-39-86. Dans le quartier qui monte de Vinohrady. Pas très loin du centre, un bel exemple de l'architecture d'avant la chute du Mur, moderne, entièrement refait, de bonne tenue et rapport qualité-prix correct pour sa situation. Dans un quartier résidentiel et verdoyant. *Cosy* et très accueillant. Bref, c'est bat. Curieusement, moins cher l'été que le reste de l'année. À cette période, réservation possible mais pas plus d'un mois à l'avance.

≜ *Pension Bonaparte (plan I, A3, 28)* : Radlická 38, Prague 5. ☎ 54-38-09 et 55-11-19. Fax : 37-40-50. M. : Anděl (sortie Za Ženskými Domovy). Tram nº 6, 14 ou 16. À 5 mn en métro du centre. Environnement vraiment nul, mais bon accueil dans cet immeuble du XIXᵉ siècle. 9 chambres doubles, spacieuses et meublées avec soin, comprenant douche, w.-c. et TV ; et un appartement pour trois personnes. Le double-vitrage atténue le bruit de la rue mais préférez quand même les chambres du fond. Réserver trois semaines à l'avance. En saison, le personnel vous propose un service de réservation pour les concerts ou pièces de théâtre. Pourquoi ce nom, « Bonaparte » ? Non pas à cause d'une bataille de Napoléon dans le coin, mais parce qu'on vous propose un bon appartement, tout simplement !

■ *Hôtel Opera (plan II, D1, 29)* : Těšnov 13. ☎ 231-56-09. Fax : 231-25-23. Immeuble bourgeois à la façade rose, typique du début du siècle. Bien situé, car à 10 mn à pied du centre ; malheureusement l'autoroute passe à proximité. Une adresse à fréquenter plutôt en hiver d'autant que les prix sont pratiquement 50 % moins élevés à ce moment-là. Sur les 60 chambres on en trouve 6 sans sanitaires, 6 avec douche mais sans w.-c. Les autres possèdent les deux. Tarifs vraiment intéressants pour les chambres sans sanitaires. Petit déjeuner compris. On y parle l'anglais. Bar agréable attenant à l'hôtel.

■ *Hôtel Brno (hors plan I par D1-2, 30)* : Thámova 26, Prague 8. ☎ 24-81-18-88 ; ☎ et fax : 24-81-04-32. Juste à la sortie du métro Křižíkova. Cet hôtel, à peine plus cher qu'une pension, présente l'avantage d'être facile d'accès, à 10 mn du centre. Sinon, l'immeuble, plutôt style HLM, n'a pas de charme particulier. 36 grandes chambres doubles avec salle de bains et w.-c. Petit déjeuner compris. Appartement pour 5 personnes à des prix plutôt

intéressants. Une adresse pratique sans charme et à l'atmosphère vraiment conventionnelle

■ *Merkur (plan II, D1, 31)* : Těšnov 9, Prague 1. ☎ 23-23-878. Fax : 23-23-906. M. : Florenc. Pas loin du centre-ville (10 mn à pied). Édifice des années 50, sans aucun charme. Chambres meublées à l'avenant. Quelques-unes avec douche, mais la plupart sans. Surtout intéressant pour sa relative « centralité » et pour les chambres sans sanitaires pouvant accueillir jusqu'à 4 personnes. Là, ça devient vraiment pas cher. Ne pas prendre celles avec sanitaires pour 2, bien trop chères pour ce qu'elles proposent. Toutes ont un double-vitrage donc pas de problème de bruit. L'ensemble est un peu *bluesy*.

■ *Hôtel Axa (plan II, D2, 32)* : Na poříčí 40. ☎ 24-81-25-80. Fax : 24-81-44-89. M. : Florenc ou Republiky Nám. Intéressant immeuble des années 60 dans lequel on trouve une usine de 131 chambres. Peut-être votre dernière chance d'en obtenir une lorsque tout est plein. Celles sans sanitaires sont relativement bon marché mais celles avec sont hors de prix. Toujours rempli d'Allemands. Piscine et salle de musculation payantes au sous-sol. Le tout banal, à l'image de l'accueil. Reste un bon rapport proximité-prix (pour les premières chambres, on le répète).

Plus chic

Les tarifs augmentent considérablement dès que l'on change de catégorie d'hôtels. Tous les établissements de standing pratiquent des prix internationaux, donc élevés. Surtout depuis ces dernières années où les prix ont flambé de manière soudaine.

■ *Hôtel Europa (plan II, C4, 33)* : Václavské náměstí 25. ☎ 24-22-81-17. Fax : 24-22-45-44. M. : Mústek. En plein centre. Un des plus fascinants édifices Art nouveau de Prague. Splendide façade qu'on décrit amplement dans notre rubrique « À voir ». Puisque c'est un hôtel, on peut donc y dormir. Contrairement à ce que sa notoriété pourrait laisser supposer, c'est l'établissement le moins cher de cette place. Pour bien

vivre l'*Europa*, il faut savoir quelques petites choses. Il respire encore une certaine décadence, c'est ce qui fait son charme, et le personnel a conservé ses mauvaises manières et parfois son je-m'en-foutisme. Il faut savoir dépasser ces petites déconvenues pour apprécier l'endroit. 2 types de chambres : celles donnant sur cour à l'arrière, sans salle de bains. Elles sont à éviter. Déco médiocre, ménage fait à la va-vite.

Si vous venez là, c'est pour avoir une chambre spacieuse, donnant sur la place. Demandez-en une le plus haut possible. Déco un peu kitsch, style « ancien », ringard à en être drôle, avec quelques éléments années 70 comme un vieux téléphone orange ou un tabouret en plastique. Un charme indéniable qui agit dès la porte à tambours franchie, une ambiance particulière pour un prix finalement pas si exorbitant. Faites un tour dans les salons des étages, c'est toujours amusant.

▪ *Hôtel Sax* (plan IV, A2, *202*) : Jánský Vršek 328/3, Prague 1. ☎ 53-84-22. Fax : 53-84-98. Dans Malá Strana, au pied du château. L'hôtel se situe dans un des quartiers les plus anciens de Prague. D'apparence plutôt classique, c'est une véritable révélation une fois à l'intérieur. La réception cache un beau salon dans un atrium. Les chambres sont agencées autour de cette cour intérieure sur deux étages. L'ensemble de la décoration très design ne choque absolument pas. Équipement moderne dans les chambres qui offrent diverses vues sur le quartier et parfois sur le château. Prix très raisonnables pour un hôtel de cette classe. Service prévenant et sympathique. Une de nos adresses préférées.

▪ *Hôtel Bílý Lev* (Le Lion Blanc; hors plan I par D2, *34*) : Cimburkova 20, Prague 3. ☎ 27-11-26. Fax : 27-32-71. Dans le quartier de Žižkov, Praha 3. Pour y aller de Václavské náměstí, tram n° 9 (3e arrêt). De Republiky náměstí, tram n° 26 ou 5 (3e arrêt). Petit hôtel au calme avec 27 chambres, tout confort (téléphone, TV, sanitaires complets), sympa et non loin du centre. Petit déjeuner compris. Pas de style particulier, mais presque familial. Chambres pour 2, 3 ou 4 personnes. Bonnes prestations générales.

▪ *Hôtel Splendid* (hors plan I par D1, *35*) : Ovenecká 33, Prague 7. ☎ 37-33-52. Fax : 38-32-12. Au nord de la Vltava, par le pont Švermův. Tram n° 26 de la Republiky náměstí. Descendre à Letenské náměstí. Un peu excentré, il faut 25 mn à pied pour aller dans le centre. Si-

tué dans le quartier très tranquille de Bubeneč. Chambres impeccables avec bains, TV, bar, et petit déjeuner inclus, mais la déco années 70 s'avère d'un charme redoutable. Petite terrasse devant l'hôtel. Bon accueil. On se proposera même d'effectuer vos réservations pour les spectacles.

▪ *Hôtel Koruna* (plan III, A1, *36*) : Opatovická 16. ☎ 24-91-51-74. Fax : 29-24-92. Dans Nové Město. Jolie façade classique, ocre, mais qui cache malheureusement une déco, années 70 vraiment ringarde. Bien que le petit déjeuner soit compris, le tarif est bien trop élevé pour le niveau global. Une adresse de dernier recours si vous n'avez vraiment rien trouvé d'autre. En plus, ils n'acceptent que le paiement *cash*.

▪ *Hôtel Ariston* (plan I, D2, *37*) : Seifertova 65, Prague 3. ☎ 627-88-40. Fax : 627-98-26. Tram n° 5, 9 ou 26. À 10 mn du centre, dans le quartier de Žižkov, après le stade. Hôtel 3 étoiles construit en 1888 et récemment rénové. Du coup, il ressemble à un quelconque bel hôtel de chaîne. Chambres tout confort avec TV, téléphone et mini-bar. Restaurant, grande salle de conférences.

Beaucoup plus chic, en plein centre

▪ *U Tří Pštrosů* (Les Trois Autruches; plan IV, B2, *38*) : Dražického nám. 12. ☎ 57-32-05-65 Fax : 57-32-06-11. M. : Malostranská. Tram n° 12 ou 22. L'hôtel le mieux situé de Prague : dans le quartier de Malá Strana, au pied du pont Charles. Installé dans un superbe édifice Renaissance (1597) qui doit son nom à une ancienne boutique de plumes d'autruche, voilà l'hôtel le plus « tout » de la ville. Beaucoup de charme. Le préféré des amoureux ou des jeunes mariés en voyage de noces... ou des routardes amoureuses ayant épousé un milliardaire (puisqu'on vous dit que ça existe !). Restaurant réputé au rez-de-chaussée. Très belles chambres à plus de... 1 000 F. Réservation plusieurs mois à l'avance, mais il arrive qu'au dernier moment on puisse profiter d'un désistement et d'une négociation sur les tarifs. Attention, toutes les chambres ne se valent pas : demander à les visiter avant de faire votre choix (si c'est possible).

▪ *Hôtel Paříž* (plan II, C2, 39) : U Obecního domů 1, Prague 1. ☎ 24-22-52-80. Fax : 24-22-54-75. Juste à côté de Republiky náměstí. Après quelques gros travaux de rénovation de la somptueuse façade et de nombreuses chambres, le *Paříž* peut s'enorgueillir d'être le plus bel hôtel de la capitale tchèque. On pénètre par une porte décorée d'une fine mosaïque totalement Art déco dans ce palace plein d'un charme suranné fréquenté par de nombreux hommes d'affaires et de riches touristes américains. Du coup, on a un peu cédé au modernisme dans les chambres qui ont parfois perdu de leur cachet d'antan. Prix très élevés (fallait-il le dire !), excellent confort (heureusement) et service attentif. Restaurant très agréable mais également assez cher (voir « Où manger ? »). Ceux qui veulent goûter au luxe à moindre prix peuvent aller prendre un chocolat et quelques pâtisseries sous les lambris dorés de la salle à manger. Pour un peu, on se croirait à Vienne.

Campings

Large choix, plutôt à l'ouest de la ville. Situés pour la plupart le long d'un axe routier, ils sont assez bruyants. Voici les plus proches du centre.

▪ *Kemp Džbán :* Nad Lávkou 3, Praha 6. ☎ 36-90-06. À 4 km à l'ouest. En voiture, prendre la route de Chomutov jusqu'au quartier Vokovice ; puis, suivre les panneaux d'indications jusqu'au site. Tram n° 20, 26 ou 6 de la station de métro Dejvická (ligne A). Ouvert toute l'année, uniquement pour les tentes. Situé en bordure de forêt et près d'un lac, le camping le plus calme des environs. Sanitaires assez propres et possibilité de louer des chambres. Ambiance très jeune, chants et guitare. Pas d'emplacements ombragés mais de la place pour s'ébattre.

▪ *Autocamp Trojská :* Trojská 157, Praha 7. ☎ 688-60-36. À côté du zoo, à 3 km au nord. Tram n° 5 de Republiky náměstí, arrêt Trojská. De l'arrêt de tram, première route à gauche en montant. Ouvert de mai à fin septembre. Un tout petit camping bien entretenu et ombragé, avec possibilité de louer des bungalows ou des chambres. Fréquenté par des familles en caravane. Restaurant ouvert de 8 h à 22 h.

▪ *Sokol Troja :* Trojská 171a, Praha 7. ☎ 688-11-77 ou 854-29-08. Tram n° 5, arrêt Trojská. Ouvert d'avril à octobre. Plus grand que les campings de la même rue mais beaucoup moins agréable. À consommer avec modération.

▪ *Caravan Camp :* Plzeňská 215, Praha 5. ☎ 52-47-14 ou 52-16-32. À 5 km à l'ouest de la ville, sur la route de Plzeň. Tram n° 4, 7 ou 9 du métro Anděl (ligne B). Ouvert d'avril à octobre. Comme son nom l'indique, il est réservé aux caravanes. Bien tenu mais assez bruyant. Préférez les emplacements du haut, plus calmes et ombragés. Toute petite piscine et restaurant.

▪ *Sport Camp Motol :* Nad Hliníkem 2, Praha 5. ☎ 57-21-50-84. Seulement des tentes et des bungalows. En venant de Prague, sur Plzeňská, prendre le chemin indiqué à gauche. Si vous êtes à pied, la grimpette est un peu raide mais au moins vous vous éloignez du bruit quand vous êtes sur la colline... Emplacements assez grands pour une tente. Bungalows un peu tristounets. À côté, tennis et mini-golf.

▪ *Triocamp Dolní Chabry :* Ústecká ul., Praha 8. ☎ et fax : 688-11-80. À Dolní Chabry, à 10 km au nord de Prague. Prendre la route 608 en direction de Teplice. Sortir à Zdiby et revenir sur ses pas pour tourner à droite dès l'indication « Triocamp ». Sinon, prendre le tram n° 5, 12, 14 ou 17 jusqu'à Kestírce puis le bus n° 162 jusqu'à Medenecká (30 mn de trajet). Loin du centre de Prague, il vaut mieux avoir une voiture... mais quel plaisir de planter sa tente sous un cerisier. Accueil gentil (on y parle un peu le français). 2 très belles chambres pour 4 personnes à louer.

Où manger ?

Contrairement à l'hébergement en hôtel, qui coûte très cher, la restauration est abordable : on peut très facilement se rattraper sur la nourriture. Manger bon marché se révèle très facile à Prague. De fait, l'échelle des prix s'étale de 10 F pour un plat copieux et sans finesse à 150 F (ou plus) pour un repas raffiné dans un lieu à la mode. La cuisine tchèque a bien évolué depuis quelques années, sans renier ses origines. Les plats ont été un peu dégraissés, un effort de présentation a été entrepris. Pour certains établissements de renom, il est indispensable de passer un coup de fil, surtout pendant les week-ends de l'Ascension, de la Pentecôte et de Pâques, ainsi que ceux de juillet et août.

À propos des coutumes locales, ne vous offusquez pas si le serveur débarrasse vite lorsque vous avez terminé. En France, on conserve son verre ou son assiette longtemps sur la table, en attendant que l'autre ait terminé. Pas ici. Cela ne veut pas dire qu'on souhaite que vous partiez. C'est une autre manière de faire, c'est tout. Un gros effort est entrepris depuis peu sur la traduction des cartes. Même la modeste *hospŏda* de quartier possède au moins un menu en allemand. Mais, c'est sûr, il faut parler l'allemand ! Disons qu'un quart des établissements propose une carte en français, et la moitié en anglais ou allemand. Mais, on connaît encore quelques adresses où vous aurez la surprise de découvrir ce que vous avez commandé un peu au hasard sur la carte tchèque.

Dernière remarque : l'heure de fermeture est rarement l'heure de la fin du service. Nous indiquons l'heure de fin de service, à laquelle vous pourrez encore retrancher une heure l'hiver : serveurs et cuistots sont en général pressés de rentrer chez eux.

Remarques générales

– Dans beaucoup de restos, on paie les couverts, ainsi que le pain.
– Évitez les « apéros maison » qu'on vous propose dès votre arrivée dans certains restos touristiques. Mauvais et hors de prix.
– On rappelle que la plupart des *hospŏdas* ou *kavárnas* sont aussi des endroits où l'on boit un verre.

DANS LA VIEILLE VILLE ET LA NOUVELLE VILLE (STARÉ MĚSTO ET NOVÉ MĚSTO)

Bon marché

|●| *U Dvou Koček* (plan II, B4, 60) : Uhelnýtrh 10. ☎ 26-77-29. Petite place qu'on atteint par la Perlová de la rue Národní. Sous les arcades (enseigne « Prazdroj 12° »). Ouvert tous les jours, de 11 h à 23 h. Une vieille taverne au décor simpliste et pourtant toujours remplie de touristes. Petits plats simples (et la bière coule à flots) dans une ambiance populaire. Soupe morave aux choux, bœuf aux légumes, goulasch (ça vous étonne !), échine de porc rôtie, palette roulée, lapin à l'ail. C'est évidemment plein le soir et pourtant ça reste étonnamment peu bruyant. Carte en français. On vous prévient quand même que lorsque l'accordéoniste vient jouer les airs du pays, un supplément vous est facturé d'office sur la note. Que ça vous plaise ou non ! Accueil et service carrément je-m'en-foutiste !

|●| **Restaurant U Vejvodů** (plan II, B3, 62) : Jilská 4. ☎ 24-21-05-91. En plein cœur de Staré Město. Ouvert tous les jours de 10 h à 22 h (pour le service). L'archétype de la taverne pragoise : une lourde porte de bois, deux salles voûtées et blanchies, une cheminée de pierre, des longues tables de bois sombre, des serveurs en tenue qui proposent force goulasch avec *knedlíkys*, viandes grillées, omelettes, patates, soupes... le tout à prix écrasés. Bien typique donc !

|●| **U Hastrmana** (plan III, A1-2, 221) : Rašínovo nábřeží, Prague 1. ☎ 29-93-44. Ouvert du lundi au samedi de 17 h à 23 h. En été, du lundi au vendredi de 11 h à 1 h, le samedi et le dimanche de 14 h à 1 h. Petit bar-restaurant adorable dans les piles du pont Jiráskuv. Aux beaux jours, terrasse au bord de la Vlatva, histoire de manger un morceau au coucher du soleil avec les cygnes, les canards et les mouettes pour voisins. Cuisses de grenouilles, saumon grillé, steak de requin...

|●| **Novoměstský pivovar** (plan II, B-C4, 61) : Vodičkova 20. Ouvert tous les jours de 11 h à 23 h (22 h le dimanche). Voilà une vraie brasserie, brassant sa propre bière dans d'anciennes caves aménagées en resto multisalles. Toujours de longues tables de bois nu, dépouillées à l'extrême. Clientèle très hétéroclite, de la grappe d'étudiants jusqu'au couple de cadres allant entre collègues trinquer après le boulot. Mais se contenter d'y boire un verre serait criminel. Spécialité de *vepřové pečené koleno* (jarret de porc bouilli), *svíčková na smetaně* (tranche de bœuf en sauce) et superbe *pivovarský; guláš* (goulasch à la bière). Si vous êtes plusieurs ou seul avec une faim d'ours, la poêlée de la brasserie vous attend : 2 kg de jambonneau, de poulet et de saucisses. Hélas, l'endroit semble être victime du succès : plusieurs lecteurs se sont plaints de l'accueil, des prix et de la qualité du service. Ne manquez pas de visiter la cave et ses murs peints de façon extraordinaire.

|●| **Fx Café** (plan III, C1, 63) : Bělehradská 120. ☎ 24-25-47-76. Situé dans Nové Město, ce resto fait partie de la boîte *Radost*. On l'indique, car c'est l'un des rares lieux à servir une bonne partie de la nuit à Prague. Jusqu'à 3 h donc, vous pourrez y manger des plats américains ou américanisés. Pizzas insipides mais agréable salade de pâtes et honnête *chili*. Les clients ne regardent pas vraiment la qualité. L'essentiel, c'est la quantité. Beaucoup d'Américains évidemment, qui remontent de la boîte pour se remplir la panse.

|●| **Pirvnice Apetit** (plan II, B2, 225) : Dlouhá 23, Prague 1. ☎ 232-98-65. Entre Republiky náměstí et Staroměstské náměstí. Une petite adresse sympathique cachée dans une cave. On mange sur des tables en bois et des nappes à carreaux. Ambiance un peu *Winstub*. Quelques concerts de country de temps en temps. Un endroit fréquenté par les gens du cru qui viennent goûter une cuisine simple et typique. Filet de porc aux pignons, canard aux pêches... Serveurs un peu nonchalants.

De prix modérés à prix moyens

|●| **Kavárna U Anežky** (juste à côté du couvent Sainte-Agnès; plan II, B1, 65) : Anežky klášter. ☎ 231-00-84. Ouvert de 11 h à 21 h tous les jours sauf le lundi. La petite terrasse dans la courette permet de déjeuner au calme (la proximité du couvent y est pour beaucoup), dans un cadre largement plus sympathique que la salle un peu triste. Bonne cuisine traditionnelle et soignée. Bon accueil. Bref, une excellente adresse.

|●| **Pizzeria Kmotra** (plan III, A1, 66) : V Jirchářích 12, au niveau de sa rencontre avec Voršilská. ☎ 24-91-58-09. Ouvert de 11 h à minuit en continu. Pizzeria tenue par des Croates, qui est devenue en peu de temps l'un des rendez-vous de la jeunesse estudiantine du coin. Dans un sous-sol modernisé, aux élégantes voûtes, on sert en effet de bien bonnes pizzas à des prix raisonnables. On y vient en bandes

joyeuses, on y fait des rencontres en dégustant un gouleyant petit rouge de Moravie. Attention, c'est souvent plein. Venir tôt... ou tard.

|●| *Pizzeria Coloseum* (plan II, B4, 239) : Vodičkova 32, Prague 1. ☎ 242-14-914. Ouvert tous les jours de 11 h 30 à 23 h 30. Une pizzeria en sous-sol dans un décor un poil romain. On y mange, évidemment, des pizzas, avec les gens du quartier. Bien pour le déjeuner. Mais attention il y a souvent du monde et ce n'est pas l'endroit idéal pour un déjeuner tranquille en amoureux. En revanche, pour discuter avec les gens du coin autour d'une bière, c'est pas mal. Service efficace.

|●| *Red Hot & Blues* (plan II, C2, 227) : Jakubská 12, Prague 1. ☎ 231-46-39. M. : Republiky Náměstí. Ouvert tous les jours de 9 h à 23 h. Malgré un nom anglophone et une cuisine mi-cajun, mi-tex-mex mâtinée de quelques spécialités créoles, on peut rencontrer dans ces salles agréables ou, mieux, dans le patio d'été, toute une jeunesse pragoise qui vient grignoter des *burritos*, des *quesilladas*, du poulet *gambo*... L'endroit est également très fréquenté le week-end pour le traditionnel *brunch* américain (comme quoi l'Est n'est vraiment plus ce qu'il était). Il y a même des *happy hours* entre 16 h et 18 h. Accueil cordial et service attentif.

|●| *U Betlémské Kaple* (plan II, A3, 230) : Betlémské náměstí 2, Prague 1. ☎ 24-21-18-79. Ouvert de 11 h à 23 h. Une petite adresse on ne peut plus conventionnelle, un peu guindée mais vraiment typique. On vient ici essentiellement pour manger du poisson : truite grillée, carpe frite, perche... Quelques poissons de mer et un peu de viande pour les inconditionnels des protéines terrestres. Serveurs en smoking dans un décor un peu ringard dans les tons de verts passés.

|●| *Klub Architektura* (plan II, A3, 231) : Betlémské náměstí 5a, Prague 1. ☎ 24-40-12-14. Un petit bijou de restaurant installé dans l'ancien cellier du XIIᵉ siècle de la chapelle Bethléem. L'association des voûtes séculaires avec un décor de-

sign aux lignes épurées, dans l'esprit de ce que fait Wilmotte, a tout pour plaire. La cuisine a quelque chose de fonctionnel également, mais il fait bon dîner dans cette cave largement fréquentée par la jeunesse de la ville.

|●| *U Matěje Krejčíka* (plan II, B3, 64) : Vejvodova 4. Ouvert de 11 h à 22 h tous les jours. Situé tout près de Michalska. Petit resto sympa et typique qui sert essentiellement de la viande dans une ambiance de musique anglo-saxonne. Un repas complet et plus qu'honorable pour un tarif modéré. Attention, le vin est assez cher.

|●| *U Supu* (plan II, B4, 220) : Spalená 41, Prague 1. ☎ 29-93-10. Ouvert du lundi au samedi de 10 h 30 à minuit et le dimanche de 13 h à minuit. Façade plutôt agréable qui tranche avec la salle un peu décevante quant à la décoration. Une adresse agréable pour manger pas trop cher lorsqu'on a essayé toutes les autres.

De prix moyens à un peu plus chic

|●| *Na Rybárné* (plan III, A2, 68) : Gorazdova 17. ☎ 29-97-95. Ouvert de 12 h à 22 h 30. Un peu en dehors du circuit central. Cadre à la déco maritime. Normal, le resto est spécialisé dans le poisson (truite, carpe, etc.). Une bonne adresse, très connue des Pragois. Václav Havel allait souvent y dîner quand il habitait dans le quartier. Une adresse de qualité. Excellents vins blancs.

|●| *Restaurant Reykjavik* (plan II, A3, 226) : Karlova 20, Prague 1. ☎ 24-22-92-51. M. : Staroměstska. Ouvert tous les jours de 11 h à 23 h. Selon nos informations, ce restaurant se situe dans l'ancienne ambassade d'Islande. Voilà qui explique son nom et le fait que la carte fasse une large place aux poissons. L'endroit n'est pas des plus typiques ni dans le décor ni dans l'esprit mais au moins il s'affiche comme tel. Violons collés au mur au-dessus du bar juste à côté d'un piano, déco un peu aseptisée dans les tons ocre. Cuisine fraîche et copieuse mais pas très typique. *Fish'n'chips*, saumon

PRAGUE

poché avec une sauce hollandaise, tournedos, escalope viennoise... On peut largement se contenter d'un plat. L'endroit est plutôt agréable et calme, et permet de regarder le flot de touristes qui dévale la rue la plus fréquentée de la capitale. Service jeune et agréable.

|●| *U Sv. Huberta* (plan II, A3, *67*) : Husova 7. ☎ 24-21-75-10. Ouvert tous les jours de 11 h 30 à 16 h et de 17 h 30 à 23 h. Au fond d'une cour et au sous-sol, ce petit restaurant propose une carte presque entièrement dédiée au gibier que l'on prépare avec beaucoup de surprises et d'originalité (steak de cerf à la banane, chevreuil au poivre, sanglier au vin, risotto de gibier...). Plats de qualité dans un calme absolu et une décoration agréable. Noter les peaux de bêtes sur les bancs. Accueil souriant et carte en anglais. Cela dit, l'endroit aurait tendance à devenir un peu trop touristique et la qualité à baisser.

|●| *Plzeňská* (restaurant de l'hôtel Europa; plan II, C4, *69*) : Václavské náměstí 25. ☎ 24-22-81-17. Entrée par la gauche de la porte principale de l'hôtel. Ouvert tous les jours de 12 h à 15 h et de 18 h à 22 h. Bien belle salle Art nouveau, depuis les lambris jusqu'aux fresques et vitraux. Resto éminemment touristique certes, mais on y trouve de quoi se sustenter correctement, même si le service est désespérément anonyme. Variations autour des grands classiques de la cuisine tchèque : bonne soupe en entrée puis steak façon bohémienne, bœuf en sauce, filet de porc aux champignons, canard rôti... puis dessert genre *Strudel, pancake* de fruit. Café compris. Évitez les mauvais apéros qu'on vous propose dès votre arrivée. Essayez de réserver ou venez en fin de service.

|●| *Rusalka* (plan III, A1, *238*) : Na Struze 1/277, Prague 1. ☎ 24-91-58-76. Juste à côté du Národní divaldo. Que l'on sorte ou non du spectacle, voilà une maison dans laquelle il fait bon s'arrêter. Bonne cuisine largement influencée par l'Italie dans un cadre agréable. Ambiance

assez chic, mais prix raisonnables pour la qualité.

Plus chic

|●| *Restaurant La Provence* (plan II, B2, *228*) : Štupartská 9, Prague 1. ☎ 24-81-66-95. Ouvert tous les jours de 12 h à minuit. Dans le sous-sol du *Banana Café*. C'est le resto en vogue à Prague. Tous les jeunes Pragois un peu friqués et les touristes en quête d'ambiance se retrouvent dans cette grande cave. Le décor reconstitue la Provence telle qu'on la voit dans cette ville avec des tissus genre Souleiado, des banquettes, des coussins et des lumières tamisées. Une sorte de bric-à-brac en forme d'inventaire à la Prévert que vous pouvez enrichir : une cafetière, un vaisselier, un pot à lait, un moulin à légumes, de la lavande séchée, un porte-bouteille, des ventilateurs, un sèche-cheveux ! On y mange vraiment bien, même si la cuisine n'a rien de typique : magret de canard au miel de lavande, *zarzuela*, cassoulet, daube de bœuf provençale, coq au vin rouge... Service à l'américaine, jeune et agréable.

|●| *Restaurant V. Zátiší* (plan II, A3, *70*) : Liliová 1. ☎ 24-22-89-77 ou 24-23-11-87. Ouvert tous les jours de 12 h à 15 h et de 17 h 30 à 23 h. Raffiné, classieux, avec ses plantes, son doux éclairage doublé par de petites bougies sur les tables, son service zélé et discret à la fois. Un décor et une mise en scène parfaitement réussis donc, pour mettre en valeur une cuisine d'inspiration française et internationale tout à fait maîtrisée et intelligente. Plusieurs formules de menus tout compris. On travaille ici aussi bien le poisson et la viande que les volailles (sole grillée, filet de bœuf Wellington, médaillon d'agneau au thym). Délicieux pain à l'ail et carte des vins élaborée (on peut les prendre au verre). Pour finir, mention spéciale aux desserts. Si votre budget n'est pas extensible, prenez un plat et un dessert plutôt qu'une entrée et un plat. Compter entre 120 F et 150 F (bien mérités) pour un repas complet.

I●I **Brasserie Le Molière** (plan III, D2) : Americká 20. ☎ 90-00-33-44. Ouvert de 8 h à 23 h. Fermé le samedi midi et le dimanche. Brasserie récemment ouverte par un Français. Salle très agréable à la forme légèrement arrondie. Ambiance feutrée le soir et service raffiné, qui expliquent peut-être la présence habituelle d'une clientèle d'hommes d'affaires. On peut y déguster terrine de canard maison, râble de lapereau farci ou blanquette de veau. Une adresse sûre. Attention, les cartes bancaires ne sont acceptées qu'à partir d'une certaine somme (environ 300 F).

I●I **Restaurace Shalom** (plan II, A2, 71) : Maiselova 18, dans le cœur du quartier juif. ☎ 24-81-09-29. Ouvert du dimanche au vendredi de 11 h 30 à 14 h. En plein cœur du quartier juif, ce restaurant pourrait entrer dans une catégorie « religieux prosélyte ». En effet, derrière une façade rose et baroque, une entrée discrète permet de pénétrer dans une antre *very typical jewish*. C'est le passage obligé de tous les juifs en transit à Prague. Vaste salle haute de plafond située dans l'ancien hôtel de ville. Menu simple et copieux composé d'une entrée, d'un plat, de fruits et d'un dessert. Un peu cher tout de même mais l'atmosphère est intéressante pour comprendre le quartier et son histoire.

I●I **U Pavouka** (L'Araignée ; plan II, B3, 72) : Celetná 17. ☎ 231-33-27. Dans la rue la plus célèbre de Prague qui part de Staroměstské náměstí. Ouvert tous les jours de 10 h à minuit. Au rez-de-chaussée, snack où l'on mange à prix raisonnables. Belle salle voûtée au sous-sol avec un décor médiéval roman un peu m'as-tu-vu et même nouveau riche. Du coup, l'atmosphère est un peu empesée et les prix ont tendance à grimper. 3 menus au choix et une carte dans laquelle on peut choisir entre un bifteck au raifort, un bœuf Strogonoff, un filet de bœuf au vin ou du canard rôti à la vieille bohémienne. Un restaurant fréquenté essentiellement par des étrangers et carrément à éviter en pleine saison touristique.

I●I **Restaurant de l'hôtel Paříž** (plan II, C2, 39) : U Obecního domů 1. ☎ 24-22-21-51. M. : Republiky nám. Sert midi et soir jusqu'à 22 h. Pour mémoire, car c'est l'un des chefs-d'œuvre Art nouveau pragois. Cela dit, nourriture un rien chichiteuse, pourtant honnêtement réalisée. Menu en français. Choisir de préférence un plat tchèque comme le « jarret de veau à la faisane » ou « l'oie rôtie à la tchèque ». Desserts médiocres. Clientèle d'hommes d'affaires et de couples bourgeois. Atmosphère vraiment conformiste et service lent. À éviter donc, si vous n'êtes là que pour un week-end.

À MALÁ STRANA ET HRADČANY

Bon marché

I●I **U Zlaté podkovy** (plan IV, A1, 76) : Nerudova 34. ☎ 45-24-06-74. Sert tous les jours, toute la journée, jusqu'à 22 h. Salle voûtée toute blanche mais bien banale quant à la décoration. Qu'importe, on aime bien la cuisine d'inspiration autrichienne. Penser à bien demander la carte. Bonne adresse méconnue. Service jeune et courtois. À midi on déjeune dans la cour.

I●I **U Černého vola** (plan IV, A2, 77) : Loretánská náměstí 1. ☎ 20-51-34-81. Ouvert tous les jours de 10 h à 22 h. Une de ces vénérables brasseries pragoises à la façade baroque qui ne comptent plus les siècles ni les guerres. On est happé par la chaleur de l'endroit et par l'odeur de la cuisine qui vous enveloppe. Le patron distille une merveilleuse bière Velké Popovice Kozel, les clients distillent aussi en dégustant des petits en-cas genre saucisse chaude, épaisse soupe aux tripes (drštková) ou de simples knedlíkys. Un endroit tout ce qu'il y a de plus pragois dans un quartier on ne peut plus touristique. Mais tout le monde cohabite !

I●I **Saté Grill** (U Dvou zlatých hvězd ; plan IV, A2, 78) : Pohořelec 3.

Ouvert de 10 h 30 à 22 h. Petit resto à deux pas du château qui propose une cuisine honnête et... indonésienne *(nasi goreng, saté,* porc sauté aux cacahuètes, etc.). Ça change des saucisses-pommes de terre! Peu de places assises mais ambiance sympa. Prix dérisoires.

De prix modérés à prix moyens

I●I *Velkopřevorský mlýn (plan IV, B2, 79)* : Hroznova 3. ☎ 53-03-00. Ouvert de 11 h à 23 h. Adorable enclave de paix sur la charmante île Kampa. Hors du circuit imposé, on y sert une nourriture classique, mais à prix plutôt raisonnables pour sa situation. De l'autre côté du muret, admirer cette belle roue qui tourne à la vitesse d'un slow. Terrasse agréable aux beaux jours.

Prix moyens

I●I *U Ševce Matouše (plan IV, A1, 81)* : Loretánske náměstí 4. ☎ 20-51-45-36. Ouvert tous les jours, de 12 h à 16 h et de 18 h à 23 h. Sous les arcades de la place. Salle agréable qui vient d'être entièrement refaite. Accueil avenant. Excellente cuisine, copieusement servie : jambon, steak, canard, bœuf Strogonoff, etc. L'adresse est connue : soyez patient pour avoir une place!

I●I *U Svejka (plan IV, B2, 240)* : Ujezd 22, Prague 1. ☎ 53-56-29. Brasserie populaire du quartier de Malá Strana. On mange sur des tables en bois. Ambiance nonchalante mais cuisine copieuse et roborative. Un plat et une bière suffisent amplement pour étancher la faim et la soif des plus gourmands. Cuisse de canard grillée, dinde aux pommes de terre, vous vous régalerez.

I●I *The Globe (hors plan I par D1, 233)* : Janovského 14, Prague 7. M. : Vltavská. Tram n° 5 de Republiky náměstí. Ouvert tous les jours de 10 h à 23 h. Dans Holešovice. C'est avant tout une librairie très fréquentée par les anglophones de Prague. Et dans une salle adjacente, on peut faire un gentil repas à base de *chili,* de *curry* de légumes, de pâtes au pistou ou de *scones.* Service assuré par des jeunes étudiants américains ou anglais. Clientèle plutôt branchée et prix ridicules pour la qualité.

Plus chic

I●I *U Maltézských rytiřů (plan IV, B2, 80)* : Prokopská 10. ☎ 53-63-57. Tram n° 12, 22 ou 57. Petite ruelle entre Karmelitská et Maltézské náměstí. Ouvert de 11 h à 23 h. Impératif de réserver le soir si vous ne voulez pas manger au comptoir. Un petit restaurant qui ne désemplit pas tant le bouche à oreille fonctionne à merveille. Essayez de dîner au sous-sol sous les authentiques voûtes romanes. *So romantic!* Le lieu vous ravit? La cuisine, tchèque et internationale, vous enchantera. Des entrées originales et des viandes extra (le chateaubriand pour deux à la cote). L'astuce sera de garder une place pour l'*Apfelstrudel* fait maison dont la patronne viendra sûrement vous toucher deux mots. Dommage, vu les prix on y trouve surtout des touristes.

I●I *Valdštejnská hospőda (plan IV, B1, 82)* : Valdštejnska nám. 7, Prague 1. ☎ 53-61-95. Ouvert tous les jours, de 11 h à 23 h 30. Réservation deux à trois jours à l'avance. Une autre des plus nobles adresses de Malá Strana. Exquis décor, atmosphère assez chic, service un peu guindé : trois facteurs qui en font une adresse très fréquentée par les touristes argentés. Très belle carte de viande et gibier : chevreuil, sauce au vin ou à la crème, chateaubriand, filet de porc farci, goulasch *Valdštejnský,* etc. Assez cher évidemment, mais une vraie adresse coup de cœur. Belle carte de vins de Moravie.

I●I *U Tři zlatých Hvězd (plan IV, B2, 83)* : Malostranské náměstí 8. ☎ 53-96-60. Ouvert tous les jours de 11 h 30 à 16 h 45 et de 18 h à 23 h. Sous des voûtes fraîches, peintes de motifs floraux, l'ensemble baigne dans une atmosphère assez chic sous le regard vacillant des bougies. L'exemple parfait d'une cuisine qui a puisé dans les grands classiques de son art. Ouvrez le menu (disponible en français) à la page « Spécialités ». C'est là que vous trouverez votre bonheur : *roast-duck on old Bohemian style, rabbit with ginger, St Nichola's meat miscellany in potato-pancake...* Ces plats-là se révèlent d'excellente facture, copieux, bien présentés et à

prix convenables, toujours accompagnés de choux et d'une sorte de pâté de légumes. Vins assez chers pour le pays. Quelques tables en terrasse sous les arcades pour ceux que l'ambiance confinée de la cave dérange.

À ŽIŽKOV, À SMICHOV ET À VINOHRADY

Bon marché

|●| Akropolis *(plan I, D3, 85)* : Kubelíkova 27, Praha 3. ☎ 27-21-84. M. : Jiřího z Poděbrad Nám. Ouvert jusqu'à 2 h. Non loin de la tour TV, futuriste, remarquable de loin. *Akropolis,* on y vient accessoirement pour la nourriture, en premier lieu pour l'atmosphère. Décor entièrement vert, créé par un jeune artiste pragois un peu allumé, à mi-chemin entre surréalisme et imaginaire marin. Le lieu s'anime vers 20 h, d'une clientèle jeune, artistique et plutôt théâtrale, et ferme à 2 h. Dans la cour, petit théâtre où se jouent régulièrement des pièces avant-gardistes en... tchèque. Pas simple quand on ne possède pas la langue !

|●| Restaurace Pod Viktorkou *(plan I, D2, 236)* : Seifertova 55, Prague 3. ☎ 628-44-68. M. : Hlavnínadrážní puis tram n° 5, 9 ou 26. La façade de cette maison de qualité sait se faire discrète. Peu de touristes ici mais surtout des étudiants de l'université voisine qui viennent boire un verre ou grignoter un morceau. Au fond, une salle : c'est le restaurant proprement dit. On y trouve plein de vieilles radios, de voltmètres et d'ampèremètres. Cuisine traditionnelle mais plutôt « fine » par rapport à la moyenne ambiante. Bœuf aux airelles, brochettes, poulet, accommodés de diverses manières et de la Velké Popovice comme s'il en pleuvait.

|●| Restaurace U Matouše *(hors plan I par D3, 237)* : Matousova 6, Prague 5. ☎ 54-62-84. M. : Anděl. Une petite adresse toute simple et typique, rendez-vous de quartier des Pragois qui n'ont plus rien dans leur frigo. Un peu excentré mais vaut la peine d'être essayé à l'occasion. Bonnes viandes.

Prix modérés

|●| Quido *(plan I, D3, 232)* : Kubelíkova 22, Prague 3. ☎ 27-09-50. M : Jiřího z Poděbradnám. Dans Vinohrady, voilà un très bon restaurant qui change de ceux du centre. Loin de tous les circuits touristiques, on est ici chez les Pragois. On y vient surtout pour la cuisine vraiment traditionnelle et copieusement servie. Soupe aux tripes, rôti de bœuf à la crème, canard rôti, goulasch, brochettes à la zizkov et une assiette tchèque avec du porc, du canard et des *knedlíkys*. Service et accueil attentionnés mais il ne faut pas être pressé. De toutes manières, vous n'avez pas de train à prendre, alors, ça va !

|●| Ambiente *(hors plan I par D3, 234)* : Mánesova 59, Prague 2. ☎ 62-75-913. Ouvert tous les jours de 11 h à minuit, à partir de 16 h les samedi et dimanche. M. : Míru Náměstí. Un des restos branchés et très courus de la ville. Il faut impérativement réserver en période d'affluence touristique. Beaucoup d'ambiance et cuisine d'influences diverses mais certainement pas tchèque : pâtes, *ribs, wings*, viandes au feu de bois, etc.

|●| Crazy Daisy *(hors plan I par D3, 235)* : Vinohradská 142, Prague 3. ☎ 67-31-03-78. M. : Florenc. Des tables bistrot en marbre, une cabine téléphonique londonienne, un arbre au milieu de la pièce, un piano droit dans un coin et une mappemonde. Un décor de théâtre, arrangé par cette « folle de Daisy », dans lequel on pourrait jouer le *Songe d'une nuit d'été*. Dans les assiettes, on trouve un peu de tout mais un tout qui vaut le détour. Poulet au gratin, brocoli au fromage, steak de requin au cumin, beaucoup de pâtes et de pizzas ainsi que des salades. Ambiance plutôt sympa et décontractée.

|●| *Na Zvonařce* *(plan III, D2, 86)* : Šafaříkova 1, Prague 2. ☎ et fax : 24-25-19-90. M. : Míru Nám. Tram n° 6 ou 11. Ouvert de 11 h à 23 h. Loin des rumeurs de la ville, détendez-vous à la terrasse de ce restaurant dont la couleur dominante est le vert des arbres environnants. La salle intérieure, beaucoup plus moderne, n'attire pas le client, sauf peut-être les amateurs de billards. Cuisine tchèque assez banale.

|●| *U Koleje* *(plan I, D3, 87)* : Slavíkova 24, Prague 3. ☎ 627-41-63. M. : Jiřího z Poděbrad nám. Ouvert de 11 h à 23 h. À trois pas du parc Riegrovy, on est frappé par la ressemblance avec Greenwich à Londres. Les arbres sans doute ! Toujours est-il qu'une halte repas s'impose dans ce pub, un des derniers survivants du quartier. On y sert une cuisine familiale qui remet sur pied. Sans fioriture mais de qualité.

|●| *Hájovna* *(hors plan I par D3, 88)* : Ondříčkova 29. ☎ 627-01-93. Ouvert de 11 h à 23 h. Un grand restaurant rempli de têtes de cerf, de sanglier et d'oiseaux naturalisés. Pas besoin de vous détailler ce que l'on trouve dans l'assiette : du gibier !

Quelques plats nécessitent de tester la liqueur spécialement distillée pour ce resto. Ambiance très conventionnelle.

|●| *Kavárna Deminka* *(plan III, C1, 224)* : Skrétova 1, Prague 2. ☎ 24-22-33-83. Ouvert tous les jours de 11 h à 23 h 30. Grande salle du XIXe siècle à l'ambiance surannée et à l'atmosphère feutrée. Il reste un côté luxueux dans cette maison du siècle dernier. Cuisine traditionnelle : porc aux beignets de pommes de terre, filet de bœuf à la crème et bien sûr goulasch. Un resto un peu chic, où les serveurs sont en pantalon et gilet noirs, à prix doux.

|●| *Vinárna U Jiříka* *(hors plan I par D3, 89)* : Vinohradská 62, Prague 3. ☎ 24-25-76-26. M. : Jiřího z Poděbrad Nám. Ouvert de 11 h à minuit. Pour un dîner aux chandelles, dans l'intimité d'une salle accueillante. Derrière une porte en bois style boîte de nuit, il faut descendre les quelques marches qui vous mèneront à votre table. De belles assiettes bien garnies à un prix très raisonnable. Service rapide. En sortant, vous pourrez admirer l'étrange église du Sacré-Cœur qui sert de pendule géante à tout le quartier et les superbes façades qui entourent une place telle qu'on les imaginait dans l'Europe de l'Est d'hier.

Où boire un verre ?

Les lieux pour boire ne manquent pas à Prague. On y brasse la bière depuis le XIe siècle. Certaines tavernes abreuvent les Pragois depuis les XIVe et XVe siècles. La plupart d'entre elles proposent une petite nourriture sympathique genre soupe, saucisse fumée ou pâté.

Il n'y a pas forcément une distinction nette entre les bars et les restos comme chez nous, c'est pourquoi certaines adresses figurent dans notre rubrique « Où manger ? », alors qu'elles auraient pu figurer dans « Où boire un verre ? », et réciproquement. Vous retrouverez cette ambiguïté dans les rubriques « Bon marché » et « Prix modérés », mais dans « Prix moyens » et « Plus chic », ce sont toujours de vrais restos.

La bière est toujours délicieuse, allant de la plus douce à la plus amère. Ce qui varie très peu, c'est son prix. Dérisoire !

Voici quelques lieux sympa, soit par l'ambiance, soit par leur notoriété du moment, ou encore pour leur importance dans l'histoire. Allez, *na zdrav'!* (« À votre santé ! »).

DANS LA VIEILLE VILLE ET LA NOUVELLE VILLE(STARÉ MĚSTO ET NOVÉ MĚSTO)

♟ U Zlatého Tygra (Au Tigre d'Or ; plan II, A3, 100) : Husova 17. ☎ 24-22-90-20. Dans Staré Město. Ouvert tous les jours de 15 h à 23 h. Dans une demeure très ancienne, à peine visible de l'extérieur, l'une des tavernes favorites des journalistes, écrivains et étudiants. Ambiance plutôt bohème. L'écrivain Bohumil Hrabal venait souvent y boire une mousse. Atmosphère bruyante et animée, où les générations savent se mêler amicalement.

♟ U Fleků (plan III, A1, 101) : Křemencova 11. ☎ 24-91-51-18. Ouvert tous les jours jusqu'à 23 h. C'est la taverne la plus ancienne et la plus populaire de la ville (1499), sise dans une vénérable demeure. Façade ornée d'une jolie horloge. À l'intérieur, grandes salles médiévales en enfilade, décorées de fresques et de vieux panneaux de bois. Grande cour plantée d'arbres majestueux et de longues tables de bois, où s'entassent les cars d'Allemands en goguette. À U Fleků, c'est « Oktober Fest » tous les jours ! La bière y coule par dizaines d'hectolitres quotidiennement. Bonne bière brune maison à 13°. Cela dit, l'endroit vaut surtout pour le coup d'œil... Accueil déplorable et clientèle hyper touristique. De plus, attention au petit verre de liqueur que l'on vous servira comme un cadeau avec votre bière, il vous sera facturé à la fin. Possibilité de se restaurer, mais nourriture assez banale et carte extrêmement limitée. Ne prend les réservations que pour les groupes.

♟ Café Gulu Gulu (plan II, A3, 259) : Betlémské náměstí 8, Prague 1. Ouvert tous les jours jusqu'à minuit. Un des bars vraiment sympa du centre. Rempli de jeunes Pragois dans un décor post-moderne. Bière à prix dérisoire. Ambiance un peu marginale, très enfumée et amicale.

♟ U Krále Jiřího (plan II, A3, 102) : Liliová 10. ☎ 24-22-20-13. Ouvert de 15 h à minuit. Au cœur de la Vieille Ville, au fond d'une allée, on descend par un escalier étroit dans une cave humide aux murs blanchis à la chaux dont l'odeur est largement couverte par la tabagie ambiante. Des jeunes, essentiellement chevelus, qui roulent leurs cigarettes, qui jouent aux cartes ou écoutent du rock en glougloutant une bonne Platan ou de l'absinthe à prix dérisoire. Un café de fin du monde où l'on vient faire passer le temps sans se rendre compte de la vie à l'extérieur.

♟ Café Gasper Kasper (plan II, B3, 260) : Celetná 17, Prague 1. ☎ 624-83-935. Ouvert de 9 h à minuit. Dans la rue la plus touristique de Prague, le bar est au 1er étage. En fait, c'est un peu le foyer d'un théâtre avec une décoration très art contemporain. Le plafond dans un style « à la française » est très amusant. Très sympa pour venir prendre un chocolat lorsque les après-midi sont fraîches ou pluvieuses.

♟ Qin Kunying (plan II, B3, 261) : Hrzanska pasaz dans Celetná, Prague 1. ☎ 480-65-758. Ouvert en semaine de 10 h à 19 h, le samedi de 11 h à 19 h et le dimanche à partir de 13 h. Dans une galerie commerciale de Celetná. Katerina est une fondue de la Chine et surtout du thé. Elle a conçu ce superbe salon de thé éclairé de lampes à huile plein de calme et de sérénité. Lapsang souchong, Lotus tea, Rose black tea... préparés avec rituel et plaisir. Une agréable maison pour se reposer et reprendre des forces. Très fréquenté par les touristes.

♟ Kavárna Rudolfinum (plan II, A2, 103) : Jana Palacha nám. ☎ 24-89-33-17. M. : Staroměstská. Ouvert de 10 h à 18 h. Avant le concert ou à tout moment de la journée, mille et une façons de prendre une pause café dans ce splendide lieu du Rudolfinum. À l'intérieur de la Maison des Artistes, anciennement parlement de Prague, un élégant café classique au mobilier façon Empire. Peu fréquentée car assez loin du centre, il est le cadre idéal pour une conversation privée ou une dissertation sur les mérites respectifs de Mozart et de Dvořák.

Chez Marcel *(plan II, B2, 262)* : Hastalská 751/12, Prague 1. ☎ 231-56-76. Ouvert du lundi au vendredi de 8 h à 1 h, à partir de 9 h les samedi et dimanche. Un « French bar » pour lire *Le Monde*, *Libération* et *Le Figaro*, histoire d'avoir des nouvelles du pays. Jolie salle voûtée au décor clair et aux tables en bois dans un style très bistrot. Ambiance tranquille, évidemment beaucoup de Français. On peut prendre un verre ou grignoter des quiches, un tartare ou du lapin à la moutarde. Au sous-sol, petite discothèque sympathique.

Ethno café bar *(plan II, A3, 253)* : Husova 10, Prague 1. ☎ 232-79-40. Ouvert de 10 h à minuit. Un de nos bars de Prague préférés qui joue dans un registre « united colors ». Déco largement influencée par l'Afrique, l'Asie et l'Océanie avec une forte influence d'art moderne. Lumières crues des halogènes que la jeunesse dorée fréquentant cet endroit apprécie. Beaucoup de cocktails. On peut également se sustenter de salades. Belle carte de café. L'endroit séduit autant les touristes que les Pragois.

Café Salieri *(plan II, A3, 258)* : Liliová ulice 18, Prague 1. Ouvert de 6 h à minuit. Un café vraiment amusant et plein d'humour dans la déco. Pour les connaisseurs, on pourrait penser que c'est Macha Makeïef qui a mis sa touche ici tant on pense aux « Deschiens ». Banquettes profondes, fauteuils « Lévitan » très *Seventies*, plantes vertes, tables basses... Tout ce qu'il y a de plus kitsch comme décor. Atmosphère *cool* et tranquille. On prend plaisir à savourer un chocolat avec une crêpe ou une gaufre en feuilletant quelques magazines.

Café Rincon *(plan II, B3, 255)* : Melantrichova 12, Prague 1. ☎ 24-21-45-93. Encore un café très mode aux murs ocre où se retrouve une certaine catégorie de la jeunesse pragoise, plutôt B.C.-B.G. Ambiance bien sage mais on peut y faire des rencontres sympa. Ici, c'est plus tequila, vodka et whisky avec quelques *tapas* que bière et goulasch. C'est tout prix !

U Malvaze *(plan II, A3, 104)* : Karlova 10. Ouvert de 11 h à minuit tous les jours. Très fréquenté par les étudiants qui sont censés être penchés sur leurs bouquins à la bibliothèque du Klementinium voisin plutôt que d'être penchés sur leur Plzeňsky Prazdroj. Un lieu connu, un lieu commun, apprécié, qui a su, malgré son grand âge, séduire la nouvelle génération. C'est l'un des premiers bars à avoir servi de la *pivo tmavé*, bière brune. Possibilité d'y grignoter également.

Le Chapeau Rouge *(plan II, B2, 257)* : Malá Stupartská 2, Prague 1. Ouvert tous les soirs de 16 h à 5 h en été (4 h en hiver). Un bar qui fait un peu boîte, rempli d'une jeunesse quelque peu interlope qui vient s'abrutir de techno, de *dance music* dans une ambiance branchée. On y trouve des étudiants, des touristes, des homos, des oiseaux de nuit. Un des endroits très mode du centre de Prague en ce moment.

Dobrá Čajovna *(plan II, B4, 105)* : Václavské náměstí 14, Prague 1. ☎ 24-23-14-80. M. : Můstek. Ouvert tous les jours de 12 h à 21 h 30 et le dimanche de 15 h à 21 h 30. Voici une maison d'où les *tea-addicts* reviendront comblés. De la bruyante place Venceslas, entrez dans un lieu relaxant pour déguster à petites gorgées les innombrables thés proposés. Les trois serveurs s'occuperont de vous avec calme, et la musique tibétaine se chargera du reste. Dans cette oasis, éviter à tout prix les enfants criards, les femmes querelleuses et les personnes piaillant à tort et à travers. C'est écrit dans la charte de la maison ! Il faut être zen pour venir ici. Choix de thés et d'ustensiles pour concocter votre breuvage dans la boutique attenante.

Cybeteria Kavárna *(plan III, B-C1, 251)* : Stepanská 18, Prague 1. ☎ 26-94-74. Fax : 26-09-62. Ouvert du lundi au vendredi de 10 h à 20 h et le samedi de 12 h à 18 h. En face de l'Institut français. Le sous-sol de ce cybercafé ressemble un peu à un centre de contrôle spatial. Les ordinateurs sont alignés dans un couloir *high tech*. Pas très convivial, il va sans dire, mais voilà un endroit utile pour les accros du Net qui ne peuvent se passer du cyberespace et du site de leur guide préféré.

Y *Čertovka* (plan IV, B1, *106*) : U Lužického semináře 24, Prague 1. ☎ 53-88-53. M. : Malostranská. Descendre le petit escalier juste au n° 24. Ouvert de 11 h 30 à minuit. Après avoir emprunté le très étroit escalier réglementé par un feu rouge, vous arrivez sur la terrasse face au pont Charles, et beaucoup voudraient être à votre place ! Évidemment on a une très belle vue, surtout de nuit. Mais l'endroit est très fréquenté par les touristes (dont vous faites partie), et la nourriture pas terrible pour le prix. Venez y boire une bière ou un café si vous trouvez de la place... mais ça va être dur !

Y *Šenk Vrbovec* (plan II, B4, *107*) : Václavské náměstí 10. ☎ 24-22-73-59. Ouvert du lundi au vendredi de 11 h 30 à 22 h 30, et le samedi de 14 h à 23 h. Fermé le dimanche. Il a fallu qu'on ouvre l'œil pour apercevoir ce petit bout de troquet bien camouflé au milieu de la place la plus touristique de la ville. La devanture n'attire pas le chaland, c'est certain. Mais le proprio s'en fout, il a ses habitués. Ce bar à vin de poche permet de déguster, perché sur de hauts et inconfortables tabourets, de sympathiques crus de Moravie pour l'essentiel, blancs ou rouges. Plusieurs petits vins en fûts, comme le *Moravský muškát*, le *Veltlínské zelené* ou le *Vavřinecké*, qu'apprécie une clientèle assez hétéroclite de touristes, d'hommes en costumes trois-pièces et de femmes désœuvrées.

Y *Kavárna Velryba* (plan II, B4, *109*) : Opatovická 24. ☎ 24-91-23-91. Ouvert de 11 h à 2 h. Un bar à la déco minimaliste. Seuls les murs ont été peints à la manière de Vasarély. Un bar à vin, un bar littéraire, un salon de thé, c'est un peu tout cela. On y lit des magazines ou les journaux mis à la disposition des clients. *Cool*, calme, plein de la jeunesse du quartier.

Y *Café Lávka* (plan II, A3, *110*) : Novotného Lávka 1, Prague 1. ☎ 24-21-47-97. Au pied gauche du pont Charles, côté Vieille Ville. On y accède en longeant le quai Smetanovo nábř., côté gauche en regardant la rivière. Terrasse ombragée, admirablement située au pied du pont Charles, donnant directement sur la rivière. En fin d'après-midi, quand la lumière se réchauffe, quand la température s'adoucit, ça devient magique. On y prend un verre jusqu'à 22 h. Attention, il y a souvent des mariages et des soirées touristes genre club de vacances. À l'intérieur, on trouve un théâtre et même une boîte

Y *Jalta* (plan II, C4, *111*) : Václavské nám. 45. ☎ 24-22-91-33. Bar de l'hôtel *Jalta* avec une clientèle ultra-classique d'hommes d'affaires pragois et négociants étrangers, grandes courtisanes, « julots » de toutes nationalités... et beaucoup de touristes. Une des terrasses les plus agréables de cette grande place, véritables Champs-Élysées locaux.

Y *U Zeleného Stromu* (plan II, C2, *112*) : Dlouhá tř. 37 ; tout près de l'angle avec Rybná. ☎ 41-83-29-57. Ouvert tous les jours sauf le dimanche de 9 h à 20 h. Voilà une taverne bien crapote qui sent la transpi où les ouvriers et les paumés locaux se descendent une bière pour trois fois rien. Vous voulez de l'authentique, vous en aurez !

À MALÁ STRANA ET HRADČANY

Y *Pivnice U Černého vola* (plan IV, A2, *113*) : Loretánska nám. 1. À deux pas de l'église Notre-Dame-de-Lorette. Ouvert de 9 h à 22 h, tous les jours. Voir aussi « Où manger ? » Sur la façade, jolie enseigne sculptée et peinte. Taverne typique de Hradčany. Bonne bière coulant à flots. Halte quasi obligatoire sur le chemin du château.

Y *U Lorety* (plan IV, A1, *114*) : Loretánska nám. 8. ☎ 24-51-01-91. Ouvert de 11 h à 23 h. La plus belle terrasse de Hradčany. Juste à côté de l'église Notre-Dame-de-Lorette. Calme et environnement verdoyant pour siroter un jus de fruits et détendre ses vieilles jambes. Cuisine chère et sans grand intérêt. Contentez-vous d'y prendre un verre.

Ⓣ U Zeleného (plan IV, B1, *115*) : Nerudova 19, Prague 1. ☎ 53-26-83. Ouvert tous les jours de 10 h à 19 h. Installé dans une maison du XIIIᵉ siècle, qui fut auberge dès le XVIᵉ siècle puis poste de douane, cet adorable salon de thé de poche (4 tables), tout en finesse, en grâce et en délicatesse possède un côté très anglais début de siècle. Bâtons d'encens, musique indienne et relaxante, fleurs séchées et murmures composent le décor. 80 sortes de thés à la carte et des petites salades. Sympathique halte sur la montée ardue vers le château.

Ⓣ Resto Renthauz (plan IV, A1-2, *116*) : Loretánska 13. ☎ 53-73-72. Ouvert tous les jours de 11 h à 21 h. Admirable petite terrasse offrant une vue bucolique sur la colline de Petřín et sa célèbre tour Eiffel. Si un rayon de soleil vous accompagne lors de la dégustation de votre bière, ce sera un moment de grand plaisir et de repos mérité après la visite au pas cadencé du château. C'est aussi un resto mais nourriture d'une triste banalité.

Ⓣ Le Pavillon Hanava (Hanavský Pavilon; plan I, C1, *117*) : Letenské sady 173, Prague 7. ☎ 32-57-92. M. : Hradčanská. Tram nᵒ 18 ou 22. Au-dessus de la rivière Vltava, dans le parc de la colline de Letná. Prendre la rue Gogolova et, une fois dans le parc, continuer dans cette direction jusqu'au pavillon. Ouvert de 12 h à 1 h. Splendide pavillon rococo-Art nouveau. Réalisé pour l'exposition de 1891 par le prince de Hanau. Cet ingénieur en puissance a utilisé la fonte comme matériau essentiel. Et grâce à des peintures appropriées, on croit voir du bois, du bronze (les deux anges de l'escalier) ou du cuivre. L'intérieur du pavillon, un restaurant tout en marbre et miroirs, est une invite à la gourmandise mais c'est relativement cher. Sur la terrasse, vous pourrez tout aussi bien profiter de la belle vue sur la ville que sur la Vltava.

Ⓣ U Stalete Baby (plan IV, B2) : Na Kampě 15. ☎ 53-15-68. Un bar-restaurant pour prendre un verre ou manger un goulasch (un peu cher) dans un décor de cinéma. C'est en effet ici que tout le début du fameux *Mission Impossible* avec Tom Cruise a été tourné. Et juste devant le resto, la voiture explosait. Remarquez que les immeubles ont été repeints mais seulement à hauteur du 1ᵉʳ étage, le reste n'étant pas dans le cadre.

Ⓣ Jo's Bar (plan IV, B2, *118*) : Malostranské náměstí 7. Ouvert tous les jours de 11 h à 2 h. Si vous nous demandiez pourquoi on indique ce bar américain pour jeunes étudiants, nous répondrions qu'il y a près de 40 000 Américains à Prague et que les lieux où ils se retrouvent font partie du Prague d'aujourd'hui. Ambiance US avec des prix dissuasifs pour les Tchèques. Les serveuses mâchent de la gomme, sont familières et servent des plâtrées de *burritos* et des brouettes de *nachos* à des jeunes affamés. Clientèle de faux étudiants, de glandeurs impénitents, de globe-trotters égarés, qui communient dans cette paroisse de la bière.

Ⓣ Espreso Kajetańka (plan IV, A1, *119*) : Hradčanské nám. Sur la place du Château, côté belvédère. ☎ 20-51-32-12. Ouvert de 11 h à 18 h ou 19 h. Prendre l'escalier qui mène au sous-sol pour atteindre la charmante terrasse qui donne sur Malá Strana et, au loin, la campagne de Bohême! Un café vraiment sympa, et pas aussi bourré de touristes qu'on pourrait le supposer, vu la proximité du château. Pause carte postale idéale. S'il fait froid, petites salles *cosy*. Éviter d'y manger : la bouffe est très chère au regard de la qualité.

Ⓣ Nebozizek : perché sur la colline de Petřín. ☎ 53-79-05. On peut y monter à pied ou par le funiculaire. S'arrêter à la station intermédiaire. Bien belle terrasse offrant une vue étonnante sur la ville. Sympa pour prendre un verre, sans intérêt pour manger.

À ŽIŽKOV ET À VINOHRADY

Y **U Vystřeleného Oka** *(hors plan I par D1, 121)* : à Žižkov, dans l'impasse U Božich Bojovníků, donnant sur la rue Husitská. Du métro Florenc, bus n° 133, 168 ou 207. En descendant du Mémorial national, venez donc ici boire une bière à la santé de feu Žižka ou feu Gottwald, c'est selon. Atmosphère jeune et musicale, taverne bondée dès 20 h et jusqu'à... plus soif. Un proverbe tchèque dit en substance : « bonne bière et jolies filles sont les cadeaux du pays tchèque ». Eh bien ! Voilà un endroit tout trouvé pour vérifier ce vieil adage.

Y **Vinečko 33** *(plan I, D3, 263)* : Budečská 40, Prague 2. ☎ 242-35-358. Ouvert du lundi au vendredi de 12 h à 23 h, le samedi et le dimanche de 16 h à 23 h. Un petit bar à vin de quartier vraiment sympa fréquenté essentiellement par les Pragois qui viennent ici en nombre à l'heure de l'apéritif. Agréable petit patio et salle au décor et à l'ambiance chaleureux. Pour s'initier aux savoureux *frankovka*, *vavrince* et *burgunské bílé*.

Y **U Růžového Sadu** *(hors plan I par D3, 122)* : à l'angle de Slavíkova et Mánesova. ☎ 62-72-647. M. : Jiřího z Poděbrad nám. Ouvert de 10 h à 23 h du lundi au samedi et de 11 h à 22 h le dimanche. À l'époque du communisme, version censure, ce bar était un des seuls à ouvrir jusqu'à 1 h. Autant dire qu'il était précieux pour les habitants du coin. Aujourd'hui, après un coup de peinture et de rajeunissement, il est toujours un lieu très fréquenté des Tchèques. Bar où la bière coule à flots au sous-sol. Au rez-de-chaussée, on déguste une cuisine typiquement tchèque pour quelques korunas en regardant la télé et en apprenant la langue.

Vie nocturne

Après des années de calme et de tristesse vespérale, la vie nocturne pragoise a pris une véritable dimension. Et même si peu de cafés ferment après minuit ou 1 h, les boîtes et clubs de musique prennent désormais bien le relais. Et là, il y en a pour tout le monde et tous les goûts. Du club de jazz au bar *destroy*, de la salle ripou à la boîte classique, les nuits de la capitale ont plein de choses à raconter. Voici une sélection de lieux qui possèdent une personnalité marquée et qui sont proches du centre. Il y en a d'autres, à vous de les découvrir. On n'est pas le bottin tout de même !

À noter que, hors saison, c'est impressionnant de voir la ville plongée tout à coup, dès minuit pile, dans l'obscurité.

Un dernier truc : ici tous les lieux sont accessibles financièrement, même pour les Tchèques. Certaines capitales, et au premier chef Paris, pourraient en prendre de la graine. À Prague, profitez des tarifs plus que démocratiques pour passer d'un lieu à un autre. C'est d'ailleurs ce qu'aiment à faire les autochtones.

Les lieux de jazz

– **Reduta** *(plan II, A4, 130)* : Národní 20. ☎ 24-91-22-46. M. : Národní (ligne B). La cave de jazz la plus fameuse. Ouvert à partir de 21 h. Arrêt du groupe à minuit. Arriver de bonne heure, car c'est vite plein. Salle agréable, assez intime, avec sièges en gradin. Concerts tous les soirs. Toutes les variétés de jazz : dixieland, free, big band... et même du Clinton qui y joua quelques notes le 11 janvier 1994. Ici le New Orleans le plus classique devient beau tant les musiciens mettent de cœur et d'enthousiasme à jouer. Entrée bon marché, ainsi que les boissons.

– **Metropolitan Jazz-club** *(plan II, B4, 131)* : Jungmannova 14. ☎ 235-09-98. Ouvert du lundi au vendredi de 11 h à 1 h, le samedi et le dimanche de 17 h à 1 h. Au bout d'une allée ouvrant sur la cour d'un immeuble, escalier sur la gauche qui descend au *jazz-club*. Salle minus contrairement aux artistes qui, sans être des pointures internationales, tiennent bien le pavé. Club ouvert à toutes les formes de jazz. Venir tôt pour avoir une place. Concert de 20 h 15 à 23 h 30. Programme du mois à l'entrée.

– **AghaRTA Jazz Centrum** *(plan III, C1, 132)* : Krakovská 5, Prague 1. ☎ 22-21-12-75 (réservations). M. : Muzeum. Ouvert du lundi au vendredi de 16 h à 1 h et les samedi et dimanche de 19 h à 1 h. Les concerts débutent à 21 h. Droit d'entrée. Votre oreille s'éveille à un accord de jazz, vous frissonnez en entendant une ballade ou un chorus de batterie. Découvrez sans plus tarder l'*AghaRTA Jazz Centrum*. Bonne programmation de groupes tchèques et d'invités internationaux. Et, entre deux sets, vous pourrez à votre aise choisir le CD de jazz dont vous rêviez grâce aux conseils de l'équipe qui tient boutique dans le hall. Jazzeux en herbe, votre visite à l'*AghaRTA* ne sera pas la dernière...

– **Malostranská Beseda** *(plan IV, B1-2, 133)* : Malostranské nám. 21, Prague 1. Sous les arcades, au 1er étage. ☎ 53-90-24. Ouvert de 14 h à 2 h. Un lieu vraiment dynamique, mi-alternatif, mi-branché, sis dans l'ancien hôtel de ville de Malá Strana. Fait à la fois boutique de disques et café-bar. Concerts rock, jazz, country ou folk tous les soirs. Loin d'être génial à chaque fois mais il y a de temps en temps de bonnes surprises. Tenu par des jeunes tout ce qu'il y a de plus *cool*.

Boîtes avec ou sans groupe

– **Rock Café** *(plan II, A4, 130)* : Národní 20, Prague 1. M. : Národní (ligne B). ☎ 24-91-44-14. Ouvert tous les jours de 10 h à 3 h. Un des clubs institutionnels de la ville, tendance rock progressif. Concerts tous les soirs, toujours rock mais pas souvent bons. Clientèle internationale. Mais ça n'est pas seulement une boîte. Il y a aussi une galerie d'art au sous-sol, une boutique de CD, une salle de cinéma... Une sorte de lieu multi-culturel, décadent et progressif à la fois. Un lieu obligé du circuit nocturne, mais plutôt tristounet dans la journée.

– **Roxy** *(plan II, C2, 134)* : Dlouhá 33, Prague 1. ☎ 231-63-31 M. : Republiky Náměstí. Ouvert de 19 h à 4 h. Révolutionnaire, Prague se met à l'heure underground sur du velours. Et le *Roxy* se révèle comme le lieu « expérimental » du moment. Dans cet ancien théâtre désaffecté, agrémenté d'une déco psyché, une faune bizarre et sympathique circule sans autre but que de discuter, boire une bière et refaire le monde pour la énième fois. Certains jours, en début de soirée, « événement » musical ou théâtral : une version d'*Hamlet* à la sauce *Roxy* (comprenez délirante) ou les aventures d'*Alice* de Lewis Carroll pour les grands enfants qui fréquentent le lieu. Allez y jeter un coup d'œil, il se passera sûrement quelque chose pour vous...

– **Belmondo Revival Music Club** *(plan I, D1, 135)* : Bubenská 1, Prague 7. ☎ 755-10-81. M. : Vltavská (ligne C). Dans le cadre d'une université, concerts en tous genres (reggae, rock, underground, etc.), annoncés par de nombreuses affiches dans toute la ville. Débute entre 20 h et 21 h. Pour les accros de musique.

– **Radost** *(plan III, C1-2, 136)* : Bělehradská 120, Prague 2. ☎ 24-25-47-76. M. : Pavlova ou Muzeum. Trams de nuit nos 51, 53, 56 et 57. Ouvert tous les soirs jusqu'à 5 h. Prix plus élevé que dans les autres boîtes. *Radost*, ça veut dire « heureux ». C'est depuis un moment le lieu le plus à la mode de la ville. Des espaces bien aménagés, confortables, deux bars, balcons de fer forgé, écran vidéo, mezzanines, recoins, de profonds canapés, des jolies filles, des beaux mecs. *Radost* est tenu par des Américains et donc très fréquenté par les émigrés d'outre-Atlantique. Et ça cause plus New York et Philadelphie que Brno et Bratislava. En fin de semaine, clientèle plus internationale. Musique uniquement techno distillée au kilomètre et beaucoup de soirées

à thèmes. Tous les mercredis, soirée disco pour les « vieux trentenaires ». Sinon, au rez-de-chaussée, le *FX Lounge* avec des salons *cosy* bien agréables, néo-barocobaba, avec des sièges de tous styles. Ça nous rappelle un peu le *Niel's* à Paris, pour ceux qui connaissent. À côté, un resto végétarien, américain aussi, qui possède l'énorme avantage de servir jusqu'à 3 h. Délaisser les pizzas, préférer les pâtes et les salades.
– *Uzi Rock Bar (plan III, C2, 138)* : Legerova 44, Prague 2. Près de

l'angle avec Rumunská. ☎ 24-91-32-01. Ouvert de 19 h à 3 h. Rock à fond les manettes. Plusieurs niveaux, plusieurs salles, un peu psyché. Jusqu'à 20 h 30, salon de tatouage. Le moment ou jamais de vous faire graver le dragon, la tête de mort où le « Maman, je t'aime » dont vous rêviez en cachette. L'endroit serait plutôt sympathique si l'accueil était moins détestable et les gens un rien plus souriants, mais entre les *bikers* sans moto et les *skins* sans *head*, il ne faut pas en demander trop.

Vie culturelle

C'est fou tout ce qu'il se passe dans cette ville. Impossible de passer devant une église sans qu'on vous distribue une pub pour un concert. Le journal *Prague Post* (en anglais) qui paraît tous les mercredis, et le *Prager Zeitung* (en allemand) qui sort tous les jeudis, donnent de très bonnes infos générales sur la vie culturelle de la cité. On y trouve la liste des concerts, les bonnes boîtes, des adresses de petits hôtels... L'office du tourisme délivre également de bonnes infos sur les concerts.
Outre la musique, le théâtre joue un rôle très important pour les Pragois et tient une place prépondérante dans la culture tchèque. N'oublions pas que Havel est avant tout dramaturge et que les salles de Prague furent longtemps l'un des théâtres (justement) de la dissidence tchèque...
On vous conseille d'acheter vos billets directement sur place : vous éviterez ainsi les commissions abusives...
Pendant le *Printemps de Prague,* réduction étudiante pour les concerts.

Théâtres

Voici les principales salles qui font la scène pragoise. La grande majorité des pièces est en tchèque. Ça paraît évident mais ça va mieux en le disant. Si vous ne connaissez pas l'œuvre, ça risque quand même d'être un peu dur même avec un excellent dictionnaire.

– *Národní divadlo (Théâtre national)* : Národní třída 2. ☎ 24-91-26-73. C'est le grand théâtre national. De renommée mondiale, il présente de l'opéra, des ballets et des pièces de théâtre. Il fonctionne depuis la fin du XIXe siècle, mais brûla peu après son ouverture. On ouvrit alors une souscription à laquelle le peuple participa avec ferveur.
– *Laterna Magika :* Národní třída 4. ☎ 24-90-11-11. Situé à côté du Théâtre national, c'est la seule véritable horreur architecturale de la ville. On dirait un objet entouré de bullepack qu'on aurait abandonné

dans un coin. Lors de sa construction, il fut très controversé. On ne peut s'en étonner. Le Laterna Magika est l'un des théâtres les plus célèbres de la ville. On l'appelle « lumière noire » car la mise en scène s'organise sur un fond noir. C'est une démarche originale qui consiste à mélanger de nombreux genres : musique, danse, mime, etc. Peu de textes, ce qui le rend attractif pour de nombreux lecteurs qui ne parlent pas le tchèque.
– *Divadlo Na Zábradlí :* Anenské nám. 5, Prague 1. ☎ 24-22-19-33. L'un des plus importants théâtres.

Très beau répertoire. Václav Havel y travailla cinq ans comme machiniste.

– **Státni Opera Praha (Opéra national de Prague) :** Wilsonova 4, Prague 1. ☎ 24-22-76-93. M. : Muzeum. Il faut absolument venir au moins une fois à l'opéra de Prague. Car les Tchèques ont l'opéra dans les gènes. C'est une véritable institution. Programme extrêmement varié et souvent facile d'accès autant dans les mises en scène que par les œuvres jouées. Attention ce ne sont pas des productions au rabais. Ici on a vraiment compris, depuis bien longtemps, que l'opéra était un art majeur populaire que l'on doit rendre accessible à tout le monde. C'est une belle occasion pour tous ceux qui n'ont jamais eu l'opportunité d'aller voir un opéra, de se frotter à ces merveilles du répertoire. Et puis si vous êtes déçu, c'est tellement peu cher que vous ne nous en voudrez pas longtemps. Places de 6 à 120 F pour les plus belles. En saison, il vaut mieux réserver. Sinon, il reste toujours des places et il suffit de venir à l'ouverture des guichets.

Musique

Si le jalon principal de la saison musicale de la ville est le *Printemps de Prague*, il reste que la cité propose chaque jour de l'année une multitude de concerts classiques, aussi bien dans des lieux prestigieux que dans de petites églises de quartier. La vie des Pragois est intimement liée à la musique classique. Que vous veniez en été ou en hiver, vous aurez toujours le sentiment d'être là pendant un festival tellement celle-ci est présente partout. Bien sûr le point culminant de cette envolée de notes reste le *Printemps de Prague*, mondialement célèbre.

Le festival se déroule à partir du 12 mai, date du décès de Smetana, et débute toujours par le célèbre *Ma patrie*, du même compositeur, pour s'achever à la fin du même mois par la *9e symphonie* de Beethoven. Ce festival est l'un des plus importants d'Europe. Opéras, grands orchestres et musique de chambre se répandent à travers la ville, dans les endroits les plus fascinants. Principalement au Rudolfinum, à la cathédrale Saint-Guy (dans le château de Prague), à l'église Saint-Jacques pour les concerts d'orgue, au couvent de Sainte-Agnès, au théâtre Smetana, au palais Lobkovic, à l'église Saint-Nicolas (à Malá Strana), etc. Atmosphère assez extraordinaire, pleine de passion, de chaleur et de simplicité.

Voici les adresses et téléphones des principales salles.

– **Rudolfinum :** Jana Palacha náměstí 1. Principale salle de concert pour le *Printemps de Prague*. Style néo-Renaissance. Le pignon est surmonté des statues des compositeurs.

– **Maison À la Cloche de pierre** (U *Kamenného zvonu dům) :* Staroměstské náměstí 13. ☎ 24-81-00-36.

– Et aussi dans le *Clementinum*, au *palais Martinic*, au *palais des Congrès* et dans pratiquement toutes les églises.

À voir

DANS LA VIEILLE VILLE (STARÉ MĚSTO)

Délimitée par Národní, Na Příkopě et Revoluční, la Vieille Ville offre au « piéton de Prague » mille ans d'histoire au travers de mille extraordinaires clins d'œil architecturaux. L'histoire de la Bohême est inscrite dans l'enchevêtrement de ses vieilles pierres, harmonie parfaite, composée de styles pourtant si variés. Symphonie lapidaire d'une complexité extrême quand on y regarde de près mais dont la vision globale est d'une limpidité étonnante. Tout simplement parce que c'est beau. La Vieille Ville se blottit au creux d'un coude de la Vltava.

La visite commence obligatoirement par la place de la Vieille-Ville, théâtre de tant d'événements, scène privilégiée des turbulences de l'histoire, puis on explore à son gré ruelles, passages, artères, églises, arcades... On a beau refaire dix fois le même circuit, on découvre toujours, selon les lumières et selon son humeur, des détails architecturaux insolites.

LA PLACE DE LA VIEILLE-VILLE, TOUT AUTOUR ET VERS L'EST DE LA PLACE

★ ***Staroměstské náměstí*** *(place de la Vieille-Ville; plan II, B2-3) :* c'est le cœur de la cité qui vit tant d'événements historiques : décapitation des vingt-sept leaders de l'insurrection contre les Habsbourg, en 1621, discours de Klement Gottwald annonçant la victoire des travailleurs le 21 février 1948 (le célèbre « coup de Prague ») et proclamation en 1990 par Václav Havel du retour à la démocratie. Fabuleux décor de théâtre avec ses belles maisons anciennes dominées par les tours de Notre-Dame-du-Tyn et de l'hôtel de ville qui est le plus parfait reflet de l'extrême richesse architecturale de la cité.

L'été, elle est cernée de terrasses sympathiques (et chères) et envahie de groupes de musique, groupuscules ou solistes dans une joyeuse cacophonie. Au centre de la place, une sculpture de bronze monumentale de style Art nouveau, représentant le prédicateur Jan Hus, premier réformateur religieux du pays, entouré de son auditoire; elle fut élevée en 1915 pour le 500e anniversaire de sa mort. Sur le socle, une inscription qui dit à peu près cela : « Aimez-vous et que la vérité triomphe ». Depuis 1918, date de la création de la République, le drapeau du Président porte cette devise. L'un des personnages porte un calice, emblème des hussites. Jan Hus apparaît ici grand et barbu, or il semble que l'histoire le décrit plutôt comme petit et glabre.

L'architecture de cette place donne d'emblée le ton pour ceux qui ne connaissent pas la ville. Observez un peu les plus belles façades avant d'étudier l'hôtel de ville.

● Devant l'église Notre-Dame-du-Tyn, dont les deux flèches s'élancent majestueusement, élégante façade Renaissance avec, au rez-de-chaussée, d'anciennes arcades gothiques. C'est d'ailleurs en passant sous les arcades qu'on accède à l'église (voir plus loin).

● Juste à gauche de Notre-Dame-du-Tyn, la maison *À la Cloche de pierre.* Sous une façade baroque, on découvrit cette superbe maison gothique il y a quelques décennies, avec sa cloche de coin. Élégantes fenêtres. C'est aujourd'hui une salle d'expositions temporaires ainsi qu'une des salles de concert les plus renommées du Printemps de Prague. Entre la maison et l'église Notre-Dame-du-Tyn apparaît au fond de la ruelle Týnská ulička, l'église Saint-Jacques.

● Tournant votre regard vers la gauche, juste à côté, le *palais Golz-Kinský,* bel édifice rococo de la deuxième moitié du XVIIIe siècle, tout rose et avec une jolie couronne au centre. Abrite une collection graphique de la Galerie nationale. Expos temporaires. On signale au passage un excellent magasin de CD à l'intérieur, au rez-de-chaussée (ouvert tous les jours).

● Derrière la statue de Jan Hus, trois façades du XIXe siècle, où se mêlent le baroque et le néo-baroque. Puis, de l'autre côté de la Pařížská, l'église Saint-Nicolas (voir plus loin). Sautons l'hôtel de ville pour poursuivre l'observation des façades.

● Au n° 17, à l'angle de la Železná, maison *À la Licorne d'Or,* qui présente un portail et des voûtes gothiques et une façade baroque léger. La licorne est l'un des symboles les plus importants du monde de l'ésotérisme. Symbole de pureté, elle est le principe fondamental du spirituel. Elle représente le féminin (signe de Mercure) et le masculin (signe du soufre). Curieusement, elle n'a pas le corps d'un cheval mais celui d'un mouton. Au n° 18, édifice saumon baroque avec un mendiant peint au centre. Au n° 16, la maison *A. Štorch. Syn,* ancienne librairie à la façade néo-gothique qui évoque les travaux de l'écriture.

★ *L'hôtel de ville :* ouvert tous les jours, de 8 h à 18 h (17 h du 1er octobre au 30 mars). Fondée au XIVe siècle, cette belle tour carrée avec sa chapelle à encorbellement est un peu la carte d'identité de la Vieille Ville. Elle ne garde d'origine que sa façade sud, celle de l'horloge. Devant l'hôtel de ville, au sol, 27 croix symbolisant les 27 dirigeants de la révolte contre les Habsbourg, responsables de la défenestration, en 1618, de deux nobles et de leur secrétaire. Considérés par les Tchèques comme des martyrs puisqu'ils se battaient pour conserver l'existence du royaume de Bohême et qu'ils furent décapités en 1621. À droite de la façade (côté place), le vestige rose d'un palais néo-gothique qui fut détruit dans la nuit du 7 au 8 mai 1945, juste le jour de l'armistice. Tristes et vaines représailles. La municipalité a décidé de conserver ce bout d'édifice pour symboliser la résistance de Prague contre les Allemands. Dans l'hôtel de ville se cachaient en effet les responsables du soulèvement de Prague.

– *L'intérieur de l'hôtel de ville :* ouvert tous les jours de 9 h à 18 h (17 h en hiver). Possibilité de grimper en haut de la tour pour bénéficier d'une vue privilégiée sur la forêt désordonnée de toits et admirer le superbe plan médiéval de la ville. Entrée payante. Au passage, visite de la petite *chapelle* gothique qu'on aperçoit sur le côté de la tour. Au-dessus de la porte, on remarque le symbole de Venceslas IV avec les deux oiseaux qui entourent la lettre E pour Eujenia, l'épouse de ce dernier. Les fresques représentant les apôtres sont d'origine (XIVe siècle) et contrastent avec les vitraux modernes. Voir aussi la belle *salle du Conseil* avec la ribambelle de portraits des anciens maires de Prague, tous plus sérieux les uns que les autres. Au rez-de-chaussée, dans le vestibule décoré de mosaïques, on reconnaît à droite Libuše, la légendaire fondatrice de Prague. À gauche, la femme quelque peu imposante symbolise la Bohême, avec en arrière-plan le Théâtre national et le Museum. Les dates au-dessus du portail (1620-1621) renvoient à la défaite de la Montagne Blanche et à l'exécution des chefs tchèques, place de la Vieille-Ville. Il est très populaire de convoler à la mairie de la Vieille Ville et les mariés sortent fièrement par le ravissant portail de style gothique flamboyant.

– *L'horloge astronomique :* accolée à un côté de la tour, c'est l'un des clous touristiques de la ville. Réalisée au début du XVe siècle dans l'atelier de Mikuláš de Kadaň et perfectionnée au XVIe siècle par le maître horloger Hanuš. On dit que l'horloger qui mit au point le mécanisme eut les yeux brûlés par les autorités, afin qu'il ne réalise pas un autre chef-d'œuvre ailleurs. Drôle de reconnaissance ! Voyant la mort venir, l'aveugle se fit accompagner par ses fils auprès de l'horloge et en détruisit rageusement le mécanisme. Cette légende expliquerait que le système fut en panne pendant une longue période, avant qu'un autre savant puisse le remettre en état. Cette étonnante œuvre d'art, composée de deux cadrans et de statues mobiles, met en branle chaque heure les douze apôtres.

● Le cadran du haut constitue l'horloge elle-même. Elle indique l'heure, le jour, le mois, la température à Moscou (rayer la mention inutile) et suit le mouvement du soleil et de la lune avec les approximations dues aux limites des connaissances de l'époque. En effet, sur ce cadran, la terre est considérée comme le centre de la galaxie. Cette incroyable machinerie fonctionne avec le même mécanisme qu'il y a 500 ans. Elle rappelle inévitablement celle de Strasbourg, la seule à pouvoir lui faire concurrence.

● De chaque côté de l'horloge, deux personnes baroques. À gauche, la Vanité est symbolisée par un avare agitant une bourse, tandis que le vaniteux se mire dans un miroir. À droite, la Mort, squelettique, qui tire la cloche de la tourelle pour indiquer que l'heure est venue. À ses côtés, un Turc, reconnaissable à son turban, fait « non » de la tête. Il symbolise la peur car, au cours des siècles, les Turcs furent les principaux envahisseurs de l'Europe centrale et ils représentaient la crainte suprême. Cette véritable terreur n'eut jamais de véritable fondement car ils n'envahirent jamais la Bohême. Tous ces personnages se mettent en mouvement chaque heure.

● Au-dessus de l'horloge astronomique, deux fenêtres où apparaissent les apôtres à tour de rôle. Encore plus haut, un coq doré qui chante toutes les heures en agitant ses ailes.

● La sphère du bas est un calendrier avec, en son centre, le blason de la Vieille Ville de Prague (trois tours et une porte), entouré des signes du zodiaque, eux-mêmes cernés par douze médaillons symbolisant les douze mois de l'année par le biais de scènes paysannes. C'est une œuvre du XIXᵉ siècle, n'ayant donc rien à voir avec l'horloge astronomique. C'est le travail du plus grand peintre tchèque de l'époque, Josef Mánes. Ce qu'on voit là sont des copies, les originaux étant au musée de la Ville de Prague.

● Les quatre demeures à gauche de l'horloge constituent l'hôtel de ville lui-même, qui s'est agrandi en achetant au fil du temps une maison puis encore une autre. La plus ancienne est celle tout de suite à gauche de l'horloge, achetée en 1338, l'année où le roi de Bohême Jean de Luxembourg autorisa la Ville à avoir sa propre administration. Portail gothique flamboyant par où passent les jeunes mariés de Prague. Plus à gauche, fenêtre Renaissance admirable (sur la façade couleur brique).

● Complètement à gauche, la maison *U Minuty,* de style Renaissance italienne, couverte de sgraffites, cette technique qui consistait à badigeonner la façade de plusieurs couches d'enduits, puis à gratter la forme du motif qu'on voulait voir apparaître. Ici, des images de la mythologie. Autrefois pharmacie, c'est aujourd'hui un petit troquet.

★ **L'église Notre-Dame-du-Tyn** (kostel Panny Marie před Týnem; plan II, B2, 270) : entrée par les arcades gothiques de la place de la Vieille-Ville, au nᵒ 14. Ouvert les mardi, mercredi et dimanche de 12 h 30 à 17 h, les vendredi et samedi de 12 h 30 à 15 h (ces horaires sont assez fluctuants). Ses flèches hautes de 80 m émergent derrière les demeures de la place. Superbe édifice gothique monumental du XIVᵉ siècle, qui a conservé toute sa cohérence au fil du temps. Les tours datent des deux siècles suivants. Du portail sud (côté gauche), il ne subsiste que les vestiges. Le tympan originel est exposé au couvent Saint-Georges. Il fut réalisé par un des grands de la sculpture du XIVᵉ siècle, Petr Parléř. À l'intérieur, plusieurs pièces intéressantes : belle chaire en pierre du XVᵉ siècle et, en vis-à-vis, un baldaquin gothique de la même époque, abritant un retable remarquable. Dans la nef de gauche, pierres tombales sculptées de chevaliers. À droite de l'autel baroque, voir la pierre tombale de Tycho Brahé (avec une main sur un globe), un astronome danois important à la cour de Rodolphe II à la fin du XVIᵉ siècle, qui s'était entouré d'alchimistes, de savants, mais aussi d'imposteurs et de charlatans. Il établit un catalogue d'étoiles, et fit un ensemble d'observations astronomiques grâce à des instruments qu'il mit au point. Connu pour ses travaux et pour sa prothèse nasale d'or et d'argent (il eut le nez tranché au cours d'un duel), il est encore plus fameux pour la légende liée à sa mort. Un jour où il était en audience chez le roi, il lui prit une envie d'uriner aussi forte que soudaine. Devant le roi, impossible de demander à se retirer. Il se retint donc si fort et si longtemps que sa vessie éclata. Ça, c'est du propre ! Les enfants apprennent encore cette histoire à l'école. Mais les médecins se contredisent encore aujourd'hui sur la possibilité réelle d'un être humain à se retenir d'uriner jusqu'à l'éclatement de la vessie.

★ **La cour du Týn (Ungelt) :** on accède à cette ancienne cour des marchands par la Malá Štuparská ou par la ruelle Týnská (de la place de la Vieille-Ville). C'est l'une des plus vieilles cours de Prague, bordée de pittoresques maisons. Voir la maison Granovský, élégant édifice Renaissance avec loggia et décoration de sgraffites. Ungelt (vieux mot yiddish qui veut dire « désargenté ») est là depuis le XIe siècle, a toujours offert le gîte aux plus miséreux et proposait des entrepôts de stockage aux marchands de passage. La rénovation complète en a fait un véritable décor de cinéma en plein air. Et l'on se prend à imaginer que l'on habite ici en plein cœur de Prague. C'est pourtant un havre de paix.

★ *L'église Saint-Jacques* (kostel Svatého Jakuba; plan II, B2) : Malá Štupartská. Derrière Notre-Dame-du-Tyn. Accessible par la Týnská ulička. Même s'il y eut depuis toujours une église ici, celle qu'on voit aujourd'hui est entièrement baroque, bien que la forme de la nef réponde aux canons du gothique. En façade, un bas-relief de la fin du XVIIe siècle, où s'agglutinent des saints, réalisé par l'Italien Ottavio Mosto. Intérieur gigantesque, vaste et haute nef entièrement couverte de fresques d'un baroque affirmé, tout comme les nombreuses sculptures. À remarquer surtout le tableau du maître-autel, *Le Martyre de saint Jacques,* réalisé par V. V. Reiner. Les chapelles abritent également quelques chefs-d'œuvre. Voir l'admirable buffet d'orgue, ainsi que le plus beau tombeau baroque de la ville, celui d'un chancelier des chevaliers de Malte, en marbre rouge, délirant et grandiloquent. Chaque pilier de la nef possède son autel baroque, décoré à foison. Excellents et fréquents concerts d'orgues.

★ *L'église Saint-Nicolas* (kostel Svatého Mikuláše; plan II, B2, 271) : à l'angle de Pařižská et de U Radnice. Entrée sur le côté gauche. Ouvert de 10 h à 13 h les mardi, mercredi et vendredi ainsi que de 14 h à 17 h le jeudi. Entrée gratuite. Concerts tous les soirs (pas cher). Monumental édifice baroque du XVIIIe siècle, bien proportionné, réalisé par l'un des papes du baroque tchèque, Dientzenhofer. L'église fut importante pour la religion hussite tchécoslovaque, créée en 1920 d'après le mouvement de Jan Hus pour protester contre les valeurs du catholicisme. On y célèbre toujours le culte protestant. Vaste coupole ornée de fresques et de nombreuses statues baroques. Imposant lustre en cristal de Bohême de style byzantin, rappelant le passé orthodoxe de l'édifice. Dans la chapelle, immédiatement à droite de l'entrée, columbarium composé de dizaines d'urnes louées par les familles. On trouve un columbarium dans pratiquement chaque église hussite.

★ *Franz Kafka Exhibition :* U Radnice 5. ☎ 232-16-75. À côté de la maison natale de l'écrivain. Du mardi au vendredi, de 10 h à 18 h. Expo sur Kafka au travers de livres, textes, photos et beaucoup de dessins. Malheureusement pas d'éditions originales.

– À l'angle de la rue Maislova, une plaque et un masque de Kafka indiquent que l'écrivain naquit dans cette maison.

★ *La Celetná* (plan II, B-C3) : de la place de la Vieille-Ville à la Tour poudrière, la rue piétonnière la plus élégante du quartier. Bordée de très nobles demeures et palais. C'était la voie royale menant au château. S'attarder sur les superbes porches et fenêtres baroques. Pousser les lourdes portes pour découvrir les rez-de-chaussée et cours gothiques ou romans. Au n° 2, la maison *Sixt,* riche décoration de façade. Au n° 8, un soleil noir. Au n° 12, autre palais baroque avec façade festonnée de guirlandes, feuilles et bustes divers. Dans le hall, voûtes romanes. Au n° 13, la faculté de philo dans le *palais Millesimo* (beau portail sculpté). Au n° 17, élégante cour intérieure. Au centre, une statue « légère » de Mathias B. Brown, symbolisant le vice. C'est réussi. Au n° 30, belle maison Art nouveau, avec son balcon à encorbellement. Au n° 34 (en cours de rénovation), l'une des œuvres maîtresses du cubisme tchèque, la maison *À la Vierge noire.* Cette splendide construction de 1912 innove de façon révolutionnaire tout en maintenant l'harmonie architecturale de la rue. Avant cela, il y avait une maison gothique dont la destruction pour faire du « moderne » fit beaucoup de tapage. L'architecte eut la bonne idée de conserver la Vierge noire incrustée au coin de l'ancien édifice. Aujourd'hui, l'immeuble est donc doublement fameux : pour son style cubiste et pour sa célèbre Vierge. Au n° 36, palais avec porche à atlantes.

★ *La Tour poudrière* *(plan II, C2)* : Republiky nám. Ouvert tous les jours de 9 h à 18 h (17 h l'hiver). Entrée payante. Grosse tour carrée et massive, l'un des derniers vestiges des remparts de la Vieille Ville. Édifiée à la fin du XIVe siècle sur l'ordre de Venceslas, selon le modèle de la tour du pont Charles (côté Vieille Ville). Lorsqu'au XVIIIe siècle la tour perdit son caractère défensif, elle abrita un dépôt de munitions, d'où son nom. Elle hérita à la fin du XIXe siècle de ce décor gothique très chargé, typique de la Bohême. C'est la seule porte qui fut conservée après l'agrandissement de la ville. Abondante décoration sur la façade où apparaissent les souverains tchèques et des allégories. Au-dessus de la voûte, le blason de Prague. Il faut à tout prix grimper au sommet et plus particulièrement en fin d'après-midi. Dans la tour elle-même, petites expos sur sa construction. Tout en haut, sous le clocher, superbe charpente. Possibilité de sortir sur la corniche et d'en faire le tour. Vue extraordinaire sur les toits et les tours de la ville. Sur les ardoises du toit, les amoureux (et les autres) ont signé leur passage.

★ *La Maison municipale* *(Obecní dům)* : Republiky náměstí. Juste à côté de la Tour poudrière s'élève ce remarquable édifice, très représentatif de l'Art nouveau tchèque. Superbe œuvre d'art d'une grande élégance, du début du siècle. Vient d'être entièrement restaurée.

★ *L'hôtel Paříž* *(plan II, C2, 39)* : U Obecního domu 1. Splendide architecture néo-gothique. À côté, dans la U Prašné brány, admirer également deux beaux immeubles d'habitation, d'un style Art nouveau plus épuré, moins végétal (style dit « Sécession »).

★ *Le couvent de Sainte-Agnès-la-Bienheureuse* *(klášter Svaté Anežky České)* : U Milosrdných 17, à l'angle de Anežská. M. : Staroměstská ou Republiky Náměstí. ☎ 24-81-06-28. Ouvert de 10 h à 18 h. Fermé le lundi. Situé dans un quartier paisible, absolument charmant, presque bucolique, à moins de 15 mn à pied du centre. Couvent de clarisses édifié au XIIIe siècle, dans un beau style gothique primitif, sur la décision d'Agnès, sœur du roi Venceslas Ier. C'est le premier bâtiment gothique de la Bohême. L'ensemble se compose de plusieurs édifices. Il faut dire qu'il y avait auparavant deux couvents : un pour les hommes et un pour les femmes. Détruit durant les guerres hussites, il fut reconstruit en Renaissance et baroque. Désaffecté et transformé en ateliers à la fin du XVIIIe sur l'ordre de l'empereur Joseph II qui interdit tous les ordres monastiques, il a cependant conservé une grande partie de ses bâtiments d'origine. Restauration très réussie.
Il abrite aujourd'hui les collections d'art (période XIXe siècle) de la Galerie nationale. Au rez-de-chaussée, expos temporaires historiques et visite du cloître. L'église, un peu trop retapée, a perdu beaucoup de son charme. Au 1er étage (on y accède par le cloître), une bonne dizaine de salles présentent une collection impressionnante de peintures et de sculptures tchèques du XIXe siècle. Portraits, paysages académiques, scènes d'intérieurs et un peu de peinture religieuse. On y trouve tous les pompiers et les symbolistes tchèques. Rien de véritablement mémorable, mais une palette assez exhaustive et cohérente du mouvement pictural tchèque du tournant du siècle. Bien sûr, l'académisme et la rigueur de la plupart des toiles flirtent souvent avec l'ennui. On pourra tout de même mettre en avant les beaux portraits expressifs de Karel Purkyné, ainsi que les scènes de réalisme social de Josef Mánes (1820-1871), connu pour avoir réalisé les peintures du cadran de l'horloge astronomique de l'hôtel de ville. Toiles également d'Antonin Machek et A. Lhota qui travaillèrent tous deux dans le style Puvis de Chavannes. Et puis des œuvres de František Ženišek, de Vojtěch Hynais et de Jakub Schikaneder qui peint à la manière de l'école de Barbizon. Belles scènes de la ville la nuit, et portraits de famille. Paysages de Václav Brožík... Intéressantes maquettes en plâtre d'édifices prestigieux de la ville, notamment de l'opéra de Prague.

LA VILLE JUIVE (JOSEFOV)

La cité juive de Prague se révèle aussi vieille que la ville elle-même. Elle n'a aujourd'hui rien à voir avec l'ancien ghetto. Autrefois dédale de ruelles, on y accède désormais par la large et commerciale Pařižská (rue de Paris). De l'important quartier juif (on y recensa jusqu'à 40 000 habitants), il ne reste que six synagogues, l'ancien hôtel de ville et le cimetière. Il se concentre pourtant ici un pouvoir émotionnel et une beauté spirituelle intacte. Il y règne une quiétude particulière, presque magique. Le trafic automobile et les bruits semblent curieusement s'y éteindre dès qu'on s'en approche. Il faut explorer ce petit bout de ville avec humilité et discrétion, même si ce n'est pas toujours évident, vu le monde l'été, « car ici, on passe devant des cendres encore fumantes », comme le dit un habitant.

Pour bien saisir l'importance de Josefov, si mêlé à l'histoire de la ville, il est bon de revenir loin en arrière, où l'on s'aperçoit que tous les siècles, et le XXe pas moins que les autres, ont durement frappé la communauté juive. C'est une visite à part entière que l'on vous propose, une sorte d'exploration, et il faut une bonne demi-journée pour tout voir. Au-delà de la partie ancienne comme l'émouvant cimetière, il faut admirer en levant sans cesse la tête (attention aux poteaux) les superbes et parfois délirants édifices Art nouveau au début du siècle. C'est la plus grande concentration qu'on connaisse de cette architecture en Europe. Contesté à l'époque pour son aspect bourgeois, pompeux, écrasant, l'Art nouveau a aujourd'hui acquis ses lettres de noblesse parmi les grands styles architecturaux.

Un peu d'histoire

● *Au Moyen Âge*

On trouve la trace des commerçants juifs de Prague dès le début du Moyen Âge, au pied du château, et ce jusqu'au XIIe siècle. La colonie déménage sans cesse mais reste bien présente au sein de la cité. Jusque-là les juifs possèdent une liberté relative mais bien réelle au sein de la société pragoise et détiennent les mêmes privilèges princiers que les marchands romans et allemands. Ils vendent surtout bijoux, étoffes rares, sel, armes et épices. La communauté est importante, tant sur le plan économique que culturel.

● *Le début de l'esprit de ghetto : privilèges et pogroms*

Sous l'influence de la première croisade, à la fin du XIe siècle, apparaissent les premiers pogroms. Suivirent les interdictions de posséder de la terre, de pratiquer quelque artisanat que ce soit, limitant ainsi la sphère économique au prêt d'argent. La ségrégation montre le bout de son nez. La colonie s'installe alors aux abords de la place de la Vieille-Ville. La principale percée porte le nom de « V Židech » (« Chez les juifs »). Le XIIIe siècle voit l'élévation de la synagogue Vieille-Nouvelle qui restera jusqu'à aujourd'hui le vrai centre spirituel de la communauté. Un véritable ghetto s'organise alors et l'on sépare le quartier juif des quartiers chrétiens qui le bordent en élevant un mur tout autour, afin de protéger la communauté. Toute cette période, du XIIIe au XIVe siècle, voit la population juive se barder de privilèges juridiques et commerciaux du fait qu'ils gèrent les finances du royaume. Ils sont protégés. Tout acte de violence envers eux est alors considéré comme une atteinte aux biens du royaume. Les baptêmes forcés sont interdits, les injures réprimées et le droit au culte défendu. Pourtant, au même moment, ils sont victimes de fréquentes persécutions religieuses. Cette situation tendue aboutit au terrible pogrom de 1389 de la part de la population pragoise sur les juifs du ghetto, qui fit 3 000 morts.

● *De la précarité à l'émancipation*

Au XVIe siècle, sous l'empire des Habsbourg, les efforts de la population pour chasser les juifs de la ville atteignent leur apogée. Une grande partie de la communauté quitte Prague. Certains restent mais leur situation est précaire durant tout ce siècle Renaissance et il faut attendre la venue de Rodolphe II au pouvoir, au XVIIe siècle, pour que les juifs recouvrent leurs droits. Il faut dire que son banquier était le célèbre Maïsel. De nouvelles synagogues s'élèvent ou sont rénovées (synagogue Haute, synagogue Maïsel), le cimetière s'agrandit.
La communauté juive se distingue au XVIIe siècle pour son combat contre les Suédois, concours très apprécié par Ferdinand III qui lui accorde en remerciement la possibilité d'élever la tour de son hôtel de ville. À la fin de ce siècle les juifs de Prague sont pratiquement aussi nombreux qu'à Amsterdam. Le XVIIIe siècle voit l'émancipation de la religion juive au regard des autres religions et la fin de l'obligation de porter des signes distinctifs. Le ghetto s'ouvre et n'est plus alors l'enclave impénétrable des siècles précédents. En revanche les conditions de vie s'y dégradent, les habitations deviennent insalubres. Les riches s'installent ailleurs, dès que l'obligation d'habiter le ghetto est abolie. Les pauvres restent. La cité juive est intégrée au reste de la ville en 1861 et en devient le cinquième quartier. Il prend le nom de Josefov en hommage à Joseph II qui réformera les lois les plus dures. Il se fit même bénir par le rabbin.

● *L'assainissement de la cité*

L'idée germe peu à peu, à la fin du XIXe siècle, de transformer fondamentalement ce quartier longtemps laissé à l'écart du développement immobilier et du progrès. On projette de détruire le dédale de places, galeries, passages, ruelles sombres, chemins tordus pour élever un quartier moderne, traversé par la large trouée de la nouvelle rue Pařižská. Les juifs ne s'opposèrent pas à la transformation du ghetto et ils eurent plutôt une attitude de soutien au projet, cependant des voix s'élevèrent contre le côté radical et brutal de la réhabilitation. Certains y virent même un zèle un peu suspect, comme une nouvelle preuve d'antisémitisme. Échevins et urbanistes locaux, pétris de la pensée haussmannienne, ne rêvaient que de grandes avenues pour « nettoyer » ce quartier insalubre. Les travaux débutèrent donc en 1900 et on y éleva tout naturellement des édifices Art nouveau, style qui faisait rage à l'époque. Plusieurs centaines de modestes maisons bringuebalantes furent mises à bas et remplacées par de bourgeois et superbes immeubles dont les façades s'ornèrent de balcons, *bow-windows*, encorbellements, tourelles, guirlandes, pignons travaillés...
On conserva malgré tout le cœur du ghetto et les promoteurs ne parvinrent pas à annihiler l'atmosphère du quartier. Kafka n'écrivit-il pas : « En nous sont toujours vivants ces recoins obscurs, galeries mystérieuses, fenêtres aveugles, cours malpropres, brasseries bruyantes et auberges closes... Nos cœurs ne savent rien de l'assainissement. La cité juive insalubre en nous est de loin plus matérielle que la nouvelle ville autour, tout autour, à une salubrité impeccable » ?

● *Le dernier ghetto*

Malgré la transformation fondamentale du quartier, la Seconde Guerre mondiale fera bégayer l'histoire, et les nouvelles restrictions et lois anti-juives reprirent du service : carte d'identité « marquée », interdiction de voyager, de téléphoner, obligation de séjourner dans le secteur de Josefov. Bref, le retour au ghetto. Près de 40 000 juifs partirent pour le camp de Terezín et ne revinrent pas. Le quartier se réveilla de la guerre exsangue, d'autant plus que dès 1948 le communisme prit le relais du nazisme et ne rendit pas la vie plus facile aux juifs. Vie politique limitée, vie culturelle amputée. Ce n'est finalement que depuis 1989 que la communauté a retrouvé pleinement ses droits. Les blessures ne sont pas toutes encore pansées et on le ressent.

La visite

Josefov a évidemment perdu sa cohérence d'antan mais c'est la visite des synagogues et du cimetière qui jalonnera votre parcours. Tous les sites sont situés à 2 mn les uns des autres et possèdent une caisse où l'on peut acheter un ticket général d'entrée (rue Široká). Seule la synagogue Vieille-Nouvelle possède un ticket séparé (qui est d'ailleurs aussi cher que l'ensemble des autres). Tous les lieux sont ouverts de 9 h à 18 h (16 h l'hiver), fermés le samedi et les jours de fête juive.

★ *La synagogue Vieille-Nouvelle (plan II, A-B2)* : sur Červená, petite rue à l'angle de Maiselova. Il est nécessaire de la visiter dès son ouverture le matin, après on est littéralement étouffé par la foule. Pour entrer, messieurs, on vous donne une kippa de papier. Cette synagogue date de 1270. C'est la plus ancienne d'Europe (après celle de Worms, détruite lors de la dernière guerre), et c'est le seul monument à être resté debout et intact à travers les siècles. On dit qu'elle fut préservée des nombreux incendies par les ailes des anges. On pense plutôt que c'est parce qu'elle n'a jamais été enchâssée dans des ensembles de maisons et que le feu ne s'est ainsi jamais propagé. Une autre légende rapporte qu'elle abrite les restes du Golem, personnage d'argile auquel sont liées de nombreuses histoires. Il aurait été créé par Rabbi Löw qui lui aurait donné la vie en plaçant sous sa langue un parchemin magique où figuraient les lettres du *chem*, le nom de Dieu. Supplantée par une nouvelle synagogue au XVIe siècle, elle prit le nom de « Vieille-Nouvelle ». Lors de sa construction, c'était l'édifice le plus grand du quartier. Extérieur d'une grande simplicité. Notable surtout est le haut toit crénelé, typique du gothique flamboyant, tout en brique. Tout autour, des bas-côtés et des contreforts en cimenterie. Le porche et le vestibule sont les parties les plus anciennes. En y accédant, on remarque immédiatement le superbe tympan gothique de la porte, composé d'un pied de vigne aux branches décoratives. Elle porte douze grappes de raisin symbolisant les douze tribus. La salle du culte se compose d'une double nef séparée par deux gros piliers aux chapiteaux sculptés qui terminent une voûte à nervures de style gothique cistercien. Délicate luminosité de l'ensemble, pureté des lignes intérieures. Entre les piliers s'étend une bannière qui symbolise l'indépendance de la communauté juive, droit concédé par Charles IV au XIVe siècle. En son centre, une étoile à 6 branches et un chapeau, emblème de la communauté à Prague. Toujours entre les deux piliers, la chaire, entourée par une élégante grille gothique flamboyante, en série d'accolades. Tout autour, les stalles de bois, très dépouillées. Encastré dans un mur, un tabernacle abritant la Torah. Au-dessus de la nef, plusieurs lustres tarabiscotés tranchent un peu avec un ensemble finalement pur et d'un relatif dépouillement.

★ *L'hôtel de ville juif* : sur Maiselova, à l'angle de Červená et face à la synagogue Vieille-Nouvelle. Voici l'édifice qui montre l'autonomie administrative qu'a toujours possédée la communauté. On y prenait les décisions relatives au groupe et déterminait une ligne de conduite par rapport à la ville, c'est-à-dire l'extérieur. Il a toujours eu un rôle symbolique important. C'est aujourd'hui ici encore que se rencontrent les communautés juives de la République tchèque. L'édifice fut élevé dans le style Renaissance italienne au XVIe siècle, sous Ferdinand Ier, mais brûla dans un grand incendie qui dévora une partie du quartier. Il fut donc remanié en style rococo au milieu du XVIIIe siècle.

Au-dessus du porche de l'entrée, l'emblème rococo de la ville juive : l'étoile à six branches et le chapeau pointu juif. Au sommet de la tourelle, à l'intérieur de l'étoile à six branches, un casque suédois. C'est Ferdinand III qui donna l'autorisation aux juifs d'élever cette tour et de la surmonter du casque, en remerciement de leur aide contre l'invasion suédoise. De même, la tour possède un clocher autrefois uniquement réservé aux édifices catholiques. Elle est entourée d'une jolie grille de fer forgé. Autres éléments notables, le toit à mansardes et ses lucarnes. À l'angle de Červená, noter l'horloge avec les chiffres en hébreu, dont les aiguilles tournent de droite à gauche, comme on lit l'hébreu. Celle en chiffres romains (au sommet de la tour) est plus tardive mais elles sont toutes deux reliées au même mécanisme. Un beau symbole. Sur Maiselova, faisant partie de l'hôtel de ville, une vaste salle transformée en restaurant rituel cacher où se réunit la communauté pour toutes les fêtes.

⏐●⏐ Voir le resto *Shalom* dans la rubrique « Où manger ? Dans la Vieille Ville et la Nouvelle Ville ».

★ *La synagogue haute :* dans la rue Červená, juste face à l'entrée de la synagogue Vieille-Nouvelle. Actuellement en rénovation. La synagogue a été rendue à la pratique du culte, et on ne peut plus y pénétrer pour une simple visite. Originellement édifiée au XVIe siècle, elle était étroitement liée à l'hôtel de ville voisin puisqu'on entrait par celui-ci au niveau du 1er étage, d'où son nom. Totalement reconstruite au XVIIe siècle après un incendie, encore remaniée deux siècles plus tard, elle présente un style évidemment décousu, ce qui ne lui enlève rien de son importance spirituelle.

★ *La synagogue Pinkas :* entrée par la rue Široká, face au n° 6, ou par le cimetière juif après l'avoir visité. Située dans une maison du XVe siècle, elle fut transformée en synagogue un siècle plus tard, en style gothique tardif. Elle prit le nom du rabbin à qui appartenait le lieu. Plusieurs inondations successives obligèrent à des rénovations continuelles jusqu'au milieu de notre siècle, ce qui explique la sobriété de l'intérieur et l'absence de style marqué. Sous la synagogue, on découvrit un bain rituel. Dix ans après la dernière guerre, on décida de la transformer en mémorial juif pour les victimes du nazisme des régions de Bohême-Moravie. Un mur est couvert des noms des 77 000 victimes des persécutions nazies, avec leurs dates de naissance et de mort. Un nom, un mort ; un nom, un mort ; un nom...

★ *Le cimetière juif :* entrée par la rue Široká. Fermé le samedi. Entrée payante (entrée groupée avec les autres sites). Le plus ancien cimetière juif d'Europe. Il fut fondé au début du XVe siècle et ferma en 1787 sur ordre de Joseph II qui ne voulait plus qu'on enterre les morts dans les quartiers d'habitation. On y trouve plus de 12 000 pierres tombales jaillissant en tous sens dans un désordre inouï au milieu d'arbres filtrant la lumière et de chants d'oiseaux. Les buttes et mamelons parsèment le terrain révèlent les quelque douze couches de sépultures qui s'empilèrent les unes sur les autres durant trois siècles. En effet, dans la religion juive, il est interdit de toucher les sépultures. On se contentait donc de remettre de la terre sur les plus anciennes tombes. À chaque élévation de terrain, on dressait quelques pierres de la couche précédente.

Le matin, à l'ouverture du cimetière, lorsque seuls quelques rais de lumière frappent cette forêt lapidaire et font surgir les pierres une à une de la pénombre, l'impression se révèle tout simplement extraordinaire. La tombe la plus ancienne date de 1439. C'est celle du savant Abigdor Karo. La plus célèbre est celle de Jehuda Löw ben Bezalel (Rabbi Löw), mathématicien et astronome dont le nom fut lié à l'histoire du Golem (c'est une grande et belle sépulture Renaissance surmontée d'une grosse pomme de pin). De la partie centrale du cimetière se dégage la grande et haute tombe de Mordechaï Maïsel, primat de la cité juive. C'est une étonnante mémoire des siècles derniers grâce aux inscriptions figurant sur les séculaires sépultures, les formes, les types d'inscriptions hébraïques et les tailles des pierres tombales qui s'enchevêtrent. Sur certaines apparaissent la profession du mort ainsi que des louanges à son sujet ou encore ses traits de caractère. En grès ou en marbre, Renaissance ou baroque, simples ou travaillées, elles forment un ensemble d'une rare cohérence et d'un incroyable romantisme. À l'époque baroque, ces épitaphes prirent une dimension lyrique et poétique propre à la période. En revanche, les premières tombes frappent par leur simplicité.

De-ci, de-là, vous verrez sur les sépultures de petits cailloux posés. Cette tradition provient du fait que lorsque les juifs visitaient leurs tombes dans le désert, ils ne pouvaient pas mettre de fleurs car il n'y en avait pas. Ils mettaient alors des petits cailloux, et c'est devenu la coutume.

★ *L'ancienne salle des cérémonies :* juste à gauche de la sortie du cimetière. Cette construction en néo-roman du début du siècle servait autrefois de pompes funèbres et de salle de purification rituelle des défunts. C'est aujourd'hui un petit musée consacré au camp de Terezín. Sur les murs, des dizaines de dessins d'enfants réalisés en noir et blanc ou en couleur, évoquant le camp, la vie dans le camp, les frayeurs et les espoirs de ces enfants qui, pour la plupart, ne reviendront pas.

★ *La synagogue Klaus :* U Starého hřbitova, à droite de la sortie du cimetière. Elle fut édifiée à la fin du XVIIe siècle en style baroque, juste sur le site de l'ancienne école où professait Rabbi Löw. L'intérieur est relativement banal car refait à de nombreuses reprises. Il présente aujourd'hui une décoration de la voûte en stuc. La synagogue a été transformée en musée sur la vie dans le ghetto au travers de l'histoire et des coutumes religieuses juives : nombreux objets cultuels avec explications en anglais. Intéressante série de 15 tableaux du XVIIIe siècle qui témoigne des activités de la confrérie des pompes funèbres à cette époque. Un tableau montre l'assistance à un mourant, sur un autre un groupe d'hommes se recueille sur la tombe de Rabbi Löw, un troisième montre un enterrement, un quatrième évoque un banquet d'hommes de la confrérie. Les fêtes religieuses et les objets qui y sont liés sont abondamment présentés dans des vitrines. C'est là, dans ce lieu, qu'on prêta le terrible et sinistre projet aux autorités allemandes d'ouvrir un « musée des Races disparues » après l'application de la solution finale.

★ *La synagogue Maïsel :* Maiselova 10. Originellement édifiée au XVIe siècle en style Renaissance, et remaniée en néo-gothique au XIXe siècle, avec une réussite toute relative. Actuellement fermée pour rénovation. Sur la façade apparaissent les tables de la Loi, les cinq livres de Moïse, fondement du judaïsme. Elle tient son nom du grand financier et rabbin Marc Mordechaï Maïsel, à qui Rodolphe II donna l'autorisation d'élever cette synagogue. Maïsel fut également maire de la communauté juive.

L'histoire rapporte qu'en échange de l'adoucissement de certaines lois concernant les juifs à Prague, le roi se verrait remettre, à la mort de Maïsel, la moitié de sa fortune. Le corps à peine refroidi, les grands argentiers du roi vinrent donc récupérer la somme, mais celle-ci fut considérée comme si faible qu'on traîna toute la communauté en justice. Le procès s'étala sur près de deux siècles.

L'intérieur de la synagogue a été transformé en un superbe petit musée d'objets religieux en argent, réalisés en Bohême-Moravie par des artistes et artisans plus ou moins illustres. De façon pédagogique, les vitrines sont classées par famille d'objets : plaques de manteaux, belles baguettes de Torah, boîtes à parfums, coupes, têtes de hampes, couronnes... La synagogue Maïsel accueille une partie de la collection des textiles autrefois visible à la synagogue haute.

★ *La synagogue espagnole :* Dušní 12. Pas véritablement passionnante sur le plan architectural. Son aspect actuel date de la fin du XIXe siècle et doit son nom à la présence de la communauté juive espagnole qui s'était installée dans le secteur suite à l'Inquisition. D'aspect néo-mauresque, il s'en dégage une certaine lourdeur, un manque de raffinement évident. L'intérieur, couvert de stucs dorés, toujours d'inspiration mauresque et rappelant plus particulièrement ceux de l'Alhambra de Grenade, ne se visite pas. Vitraux à motifs floraux et coupoles d'étoiles juives. Ce fut la première synagogue à accueillir un service en musique.

★ *Balade architecturale dans le quartier :* par chance, on n'a pas construit n'importe quoi à la place de l'ancien ghetto. Le nez en l'air, il faut détailler les incroyables façades et frontons de la plupart des immeubles. Certains apparaissent aujourd'hui comme de véritables petits chefs-d'œuvre de l'Art nouveau, appelé ici « Sécession », et surtout de l'art « historiciste ». Emprunter tout d'abord la Pařižská třída qui présente d'incroyables et nombreuses façades originales (néo-gothiques, néo-baroques, historicistes...) quasiment à chaque numéro. Cette grande opération immobilière que constitua la percée de cette avenue permit à l'Art nouveau de prendre une vraie dimension à Prague. Au n° 1 de Pařižská, édifice néo-baroque. Autres constructions notables aux n°s 10 et 13. Voir à l'angle de Pařižská et de Široká le bel édifice néo-Renaissance où apparaît saint Georges terrassant le dragon.

Empruntons un instant la Široká (la rue Large), sorte de rue tampon entre les secrets du quartier juif et l'arrogance et le monumental de la Pařižská, entre le baroque et le Sécession pur jus. Au n° 12, un bel aigle aux ailes déployées ; au n° 9, splendide portail où deux femmes mamelues et bien en chair vous invitent à entrer. Elles datent de 1908 et sont encore parfaitement conservées. Face au n° 6, l'entrée de la synagogue Pinkas.

Retourner ensuite sur Kaprova pour ses quelques façades Art nouveau, notamment à l'angle de Žatecká où apparaît en bas-relief une femme squelettique, tel un fantôme symbolique. Maiselova et Kaprova proposent également leur lot de curiosités. Levez la tête et ouvrez l'œil.

– Dans l'alignement de la rue Pařižská, quand on regarde au-delà de la Vltava, sur la rive opposée, on voit un socle énorme, gigantesque, sur lequel était érigé, jusqu'au début des années 60, un Staline démesuré, accompagné d'une cohorte de travailleurs, d'ouvriers et d'employés. À cette époque on commença à dynamiter l'ensemble, mais prudemment. On dit que la destruction de l'édifice coûta plus cher que son érection.

★ *Le musée des Arts décoratifs (plan II, A2) :* 17 Listopadu ul. Cette « rue du 17-Novembre » fut ainsi nommée en hommage aux étudiants qui manifestèrent contre les nazis à cette date. Le musée est dans le long bâtiment de style néo-Renaissance prolongeant le cimetière juif. Ouvert de 10 h à 18 h. Fermé le lundi. Accès par un escalier monumental aux voûtes et rampes sculptées. À chaque entresol, d'immenses vitraux. Un formidable panorama des arts décoratifs à travers les âges. Si certaines œuvres ne sont que des témoignages de leur époque, d'autres sont de vraies merveilles, comme les objets de verre. À l'entrée de chaque salle, prendre le document dactylographié en français où figurent d'excellentes explications.

● *Au 1er étage,* exposition essentiellement consacrée aux vêtements de la fin du XIXe et du début du XXe siècle (robes, chaussures...). À propos des robes, pour pouvoir les porter les femmes devaient soit posséder une taille dite « de guêpe », soit porter des corsets de choc (d'ailleurs exposés). Au mur, quelques représentations graphiques sommaires des tenues en situation.

● *Au 2e étage,* quatre salles d'expositions différentes aux voûtes intéressantes. *Salle 1 :* meubles de bois sculptés du XVIe siècle, dont un étonnant buffet à colonnades représentent diverses scènes de l'époque. À noter également, un meuble aux multiples tiroirs sculptés et dorés, de tailles très différentes, avec une façade rabattable pour en interdire l'accès. Et puis encore des plateaux, des vases, de la vaisselle de faïence du XVIIe siècle de style Renaissance. Quelques cadrans solaires début XVIIIe. *Salle 2 :* surtout consacrée au XVIIe siècle avec du mobilier baroque provenant de milieux aristocratiques et religieux, dont une grande partie de Bohême. En particulier, voir la très sculpturale table italienne (1714) avec un dessus en marbre artificiel. Quelques pièces en émail et verres peints, spécialité de Bohême. *Salle 3 :* tout le XVIIIe, donc essentiellement du baroque et du rococo. Dans cette pièce, ne pas manquer la bibliothèque du monastère de Valdice aux incroyables ornements de nacre et d'or. Plusieurs cabinets et secrétaires de conception nouvelle. *Salle 4 :* meubles aux formes beaucoup plus classiques et apaisantes avec apparition des bois clairs indigènes (noyer, poirier, merisier...). Une tapisserie, *Diane et le voile,* tissée à la manufacture royale des Gobelins à Paris. Exposition de faïences très représentatives de la fin du XVIIIe et du début du XIXe siècle. Beaux coffres anciens.

🍴 À gauche, avant de sortir du musée, l'*Espreso Kajetańka* pour se détendre avant de repartir à la conquête des autres merveilles de la cité (voir « Où boire un verre ? »).

★ *Le Rudolfinum ou la maison des Artistes (Umělců dům ; plan II, A2) :* sur la place Jan-Palach (Jana Palacha náměstí). ☎ 24-89-33-52. Édifié dans un style néo-Renaissance de la fin du XIXe siècle, sous l'archiduc Rodolphe, c'est une vaste salle de concerts de toute beauté (salle Dvořák), clé de voûte du festival du Printemps de Prague. C'est là que se produit régulièrement l'orchestre philharmonique tchèque.

Sous la Ire République, de 1918 à 1939, le Rudolfinum fut utilisé comme parlement.

Noter le pignon surmonté de statues de compositeurs ; on reconnaît entre autres Bach, Haydn, Schubert, Auber, Mozart... ainsi que de nombreux peintres. On raconte que quand Hitler visita Prague, il demanda qu'on retire le juif qui trônait sur la façade. Par ignorance, les techniciens enlevèrent le juif (!), ce qui attisa la colère du Führer. D'une part, Wagner n'était pas juif, d'autre part sa musique grandiloquente et énergique, et parfois militaire, convenait parfaitement à Hitler. Le juif dont il parlait était évidemment Mendelssohn-Bartholdy.

AU SUD ET À L'OUEST DE LA PLACE DE LA VIEILLE-VILLE

On reprend notre petit circuit à partir de Staroměstské náměstí pour aller vers la Malé náměstí.

★ *Malé náměstí (la Petite Place ; plan II, B3) :* à 100 m de la place de la Vieille-Ville. Remarquable puits en fer forgé du XVIe siècle, doté d'une belle grille Renaissance du milieu du XVIe, chapeauté par un lion doré ; les habitants y puisaient de l'eau, tout simplement. Tout autour, jolies façades à détailler, notamment celle de la maison *VJ Rott,* avec des fresques figurant les anciens métiers (forgerons, menuisiers, faucheurs), etc., en costumes folkloriques. Le premier grand magasin de Prague s'installa ici au milieu du XIXe siècle. On y vendait et on y vend encore tout pour la maison. Voir l'intérieur des années 20. Sur la place, d'autres belles maisons blasonnées ou à arcades.

★ Au sud de la place de la Vieille-Ville, on trouve dans les plus anciennes rues de Prague de *fort belles demeures.* Prendre Melantrichova puis à gauche Kožná ulička, on y trouve la *maison des Deux Ours d'Or.* Superbe portail Renaissance du XVIe siècle, considéré comme le plus beau de la ville. Cour intérieure à arcades. Sur Melantrichova, *maison Teufl* (belle cour également). Toujours sur cette même rue, nombreuses façades baroques. Dans la rue Radnice, au n° 8, une grenouille verte en façade. Elle rappelle l'histoire d'un sculpteur du XVe siècle, plaisantin notoire qui un soir, revêtu d'un costume vert, s'amusait à faire la grenouille en mettant ses pieds derrière sa tête. Une dame qui passait par là fut prise de panique et ameuta le quartier.

En souvenir de cette plaisanterie les compagnons du tailleur sculptèrent sur sa maison une grenouille verte.

★ **Le Carolinum** (plan II, B3) : à l'angle de Železná et de Ovocný třida, derrière l'église Saint-Gall. C'est encore aujourd'hui le rectorat de l'université Charles IV, érigée en 1348. C'est la plus ancienne université d'Europe centrale toujours en fonction. Jan Hus en fut le recteur. À l'intérieur, expos temporaires. Certaines salles sont réservées aux cérémonies de remise des diplômes aux étudiants. L'unique vestige de l'époque gothique visible de l'extérieur (à part les voûtes) est cette chapelle en gothique flamboyant et à encorbellement de la fin du XIVᵉ siècle, sise sur la Ovocný třida. Élégante et discrète. Les dais ont perdu leurs statues.

★ **Stavovské divadlo** (théâtre des États) : Železná 11. Beau théâtre, sorte de pâtisserie édifiée à la fin du XVIIIᵉ siècle. La première représentation du *Don Giovanni* de Mozart fut jouée ici en 1787. *Les Noces de Figaro* firent également un triomphe, surtout quand Mozart lui-même les dirigea. C'est d'ailleurs après le succès des *Noces* que *Don Giovanni* fut commandé à Mozart. Le théâtre, édifié par une famille bourgeoise et riche, les Nostitz, fut vendu aux États, d'où son nom. Les élégants balcons latéraux furent ajoutés au XIXᵉ siècle. On y joue encore des opéras de Mozart mais principalement du théâtre.

★ Donnant sur Železná, la petite **Havelská** accueille un marché de fruits, légumes et artisanat tous les jours. Sur **Železná**, au n° 7, voyez cette grosse grappe de raisin qui indiquait la présence d'un débit de boisson. On dit que le proprio, au XVIIIᵉ siècle, eut du mal à obtenir son autorisation car il y avait déjà neuf troquets dans la rue.

★ Sur **Rytířská**, voir la pittoresque maison du Bailli. Au n° 12, superbe cour intérieure (pas toujours ouverte). Au n° 29 de Rytířská, la *Česká Spořitelna* (Caisse d'Épargne), bel édifice fin XIXᵉ siècle, typique du style néo-Renaissance.

★ **La rue Karlova** (plan II, A3) : c'est certainement la portion la plus célèbre de la voie royale puisqu'elle se poursuit par le pont Charles lui-même. Cette voie était appelée ainsi car c'est la route qu'empruntaient les futurs rois pour se faire couronner en la cathédrale Saint-Guy. Le convoi partait de la Tour poudrière, empruntait la rue Celetná, traversait la place de la Vieille-Ville sous les clameurs, gagnait la petite Malé náměstí puis suivait la sinuante Karlova pour traverser le pont Charles. Côté Malá Strana, il suffisait de suivre Mostecká et grimper Nerudova pour enfin pénétrer dans la cour du château et atteindre la cathédrale. Sur le plan décoratif, Karlova propose un festival d'enseignes, mascarons, frontons, masques et pignons intéressants et originaux.

● Elle démarre sur Malé náměstí, puis elle sinue un peu avant d'attaquer sa dernière ligne droite avant le pont Charles. Voici quelques points de repère pour vous inciter à lever les yeux. Au premier coin à gauche (n° 48), deux angelots qui tiennent une couronne. Plus loin, au n° 20 de la rue Husova (à l'angle avec Karlova), le palais Glam-Gallas, surtout notable pour ses quatre fameux atlantes baroques qui semblent à peine suffire à supporter l'édifice. Réalisé au XVIIIᵉ siècle par le célèbre sculpteur pragois B. Braun. À l'intérieur (mais ça n'est pas toujours ouvert), bel escalier. Poursuivre Karlova vers le pont Charles. Sur une petite place, on découvre la façade Renaissance de la maison *Au Puits d'Or*, possédant une intéressante décoration baroque en son centre, œuvre de J. O. Mayer, coutumier de ce style d'ornementation à Prague. Au centre, une Vierge à l'Enfant et, de part et d'autre, quatre saints dont, en bas, saint Venceslas et saint Jean de Népomucène (avec son chien), deux personnages particulièrement importants dans l'histoire de Prague. Au n° 14, une sirène de pierre, enseigne païenne représentant la tentation et le désir qu'il fallait repousser. À l'angle de Karlova et

Liliová, un serpent doré où fut ouvert le premier café de la ville par un Levantin qui était venu de Vienne avec ses sacs de café pour se lancer dans ce commerce encore inconnu au début du XVIIIe siècle.

● Petit détour par la Mariánské náměstí pour observer l'une des entrées du Clementinum, mais surtout le nouvel *hôtel de ville* de la Vieille Ville, curieux mélange d'Art nouveau et de néo-baroque, élevé au début du siècle et dont la façade de balcons et corniches a été confiée aux plus grands sculpteurs du moment. Dans un coin, la célèbre sculpture de Rabbi Löw dans un style Art nouveau, réalisée par Ladislav Šaloun en 1910, également auteur du monument dédié à Jan Hus sur la place de la Vieille-Ville. On éleva cet édifice au moment où l'on assainissait le ghetto juif. L'ensemble montre Rabbi Löw digne et impassible, tenté par la Mort déguisée en une jolie fille. Löw en effet vécut presque centenaire. Revenir ensuite sur Karlova pour en explorer la dernière portion : au n° 8, levez la tête, un funambule traverse la rue sur son fil. Au n° 4, le masque de Johannes Kepler, astronome allemand du XVIe siècle, qui fut l'assistant de Tycho Brahé et qui découvrit les lois des mouvements des planètes. Au n° 2, sur la gauche, une très ancienne librairie avec des tas de livres séculaires et des belles gravures à vendre.

★ **Le Clementinum** *(Klementinum ; plan II, A3)* : plusieurs entrées possibles. Par la Mariánské náměstí ou par la Křížovnické náměstí, juste avant le pont Charles. Immense collège fondé au XVIe siècle, mais l'édifice qu'on voit aujourd'hui fut construit en 1653 par les jésuites sur l'emplacement d'un ancien couvent. Les jésuites vinrent à Prague sur la demande de Ferdinand Ier pour installer la Contre-Réforme. Le Clementinum occupe tout un pâté de maisons. On ne devine pas ses dimensions vu qu'il est coincé par des ruelles de chaque côté. C'est le deuxième plus grand édifice de la ville après le château. On y trouvait un couvent, deux églises, des chapelles et évidemment de nombreuses salles d'études et des bibliothèques. C'est d'ailleurs aujourd'hui une grande bibliothèque universitaire et la bibliothèque d'État. Le développement du Clementinum et de son université avait un objectif purement politico-religieux. Tous les enfants de nobles y allaient. L'objectif était avant tout de regagner les âmes catholiques égarées et de concurrencer l'université Charles. Plusieurs façades, cours et salles intéressantes. Voir la façade austère et sombre, d'un style baroque très achevé, qui donne sur la Křížovnické náměstí, juste à côté de l'église Saint-Sauveur, réalisée par l'architecte Carlo Lurago. Celle donnant sur la Mariánské náměstí s'avère plus gracieuse. On vous présente rapidement l'intérieur du Clementinum mais on ne développe pas car les salles ne se visitent plus. Cela dit, les cours restent accessibles et sont agrémentées de belles fontaines. Salles baroques avec fresques et dorures partout. Ainsi la *bibliothèque* possède une fresque en trompe-l'œil symbolisant les arts et les sciences. La *salle Mozart* quant à elle est rococo. Et puis, bien belle également, la *salle des Mathématiques* avec ses globes. C'est ici que se retrouvaient les étudiants pendant les événements de 1989. Amusant que ce soit ce lieu de la Contre-Réforme et d'un certain conservatisme qui ait servi de Q.G. (entre autres) à la révolte estudiantine et populaire.

– On aboutit sur la **Křížovnické náměstí** *(la place des Croisés)*, du nom de l'ordre religieux qui y avait son couvent. On y trouve deux églises et une statue.

★ **L'église Saint-Sauveur** *(kostel Svatého Salvátora ; plan II, A3, 272)* : située exactement à l'angle de Karlova et de la Křížovnické náměstí, juste à côté d'une des entrées du Clementinum dont elle était une partie intégrante. Renaissance à l'origine, baroque plus tard... de nombreux grands architectes interviendront pour ses multiples rénovations. Lurago et František Kaňka furent ceux-là. En façade, il y a du monde au balcon et même debout sur la corniche. Fresques, stucs et sculptures diverses constituent la décoration intérieure.

★ *L'église Saint-François-Séraphin* (kostel Svatého Františka Serafinského ; plan II, A3, 273) : c'est celle sur la place, à droite quand on regarde le pont. Cet emplacement appartenait à l'ordre des croisés et ils décidèrent d'élever ici une église, malgré l'exiguïté du site, pour faire concurrence à l'imposant Clementinum. Ils demandèrent au Français Jean-Baptiste Mathey (qui réalisa le château Troja) d'occuper le terrain. Résultat, tant à l'extérieur qu'à l'intérieur, il n'y a pas un centimètre carré de libre. Façade austère et lourdaude, assez dépouillée, avec au-dessus un énorme dôme de bronze, qui apparaît disproportionné de l'extérieur. L'intérieur se révèle on ne peut plus baroque. Voir la chaire de bois doré, les dessous de balcons surchargés (de chaque côté de l'autel), les tombeaux de verre dans l'une des chapelles latérales, où les squelettes de nobles ont été reconstitués et habillés (un peu macabre tout ça !). Mais le clou de la visite reste l'immense coupole occupée par l'admirable fresque symbolisant *Le Jugement dernier* de V. V. Reiner qui fut le maître en la matière. Mozart joua ici. L'église est d'ailleurs essentiellement utilisée pour des concerts de musique classique.

★ Au centre de la place des Croisés, la *statue néo-gothique de Charles IV* élevée pour le 500ᵉ anniversaire de l'université qui porte son nom. Sur le socle, quatre femmes symbolisant les quatre facultés : Théologie, Sciences, Droit et Philosophie.

★ *Au sud de Karlova :* vous aborderez un treillis de ruelles assez fascinantes. Prendre Husova et bifurquer dans la petite Řetězová. Au nᵒ 3, voir la *maison des seigneurs de Kunštát*. Ouverte tous les jours de 10 h à 18 h. Dans cette courette, on accède (contre un petit droit d'entrée) à une cave romane superbe du XIIᵉ siècle, un des exemples les plus caractéristiques de cette architecture et un des plus marquants vestiges de cette époque à Prague. Voûtes basses, piliers énormes, atmosphère fraîche et humide. On compte encore une bonne quarantaine de maisons romanes rien que dans la Vieille Ville. C'est aussi une petite galerie d'art. Évidemment, cette cave était autrefois un rez-de-chaussée. Au début du XVᵉ siècle, Georges de Poděbrady, le futur roi de Bohême, y vécut.

★ *Betlémské náměstí* (place Bethléem ; plan II, A3) : c'est une adorable placette, un vrai petit bout de campagne, entourée de vénérables groupes de maisons, notamment la maison *U Halánků*, ensemble du XVᵉ siècle. La place tient son nom de la chapelle voisine. On aime son côté simple pas indécent de beauté. Ça met un peu les yeux au repos.

★ *La chapelle de Bethléem :* sur Betlémské náměstí. Entrée payante. Si elle n'est pas bien belle et ne possède que peu d'intérêt sur le plan architectural, son histoire est intéressante. C'est une église halle, vaste et austère, sans nef. C'est ici précisément que prit forme le mouvement de révolution hussite. Jan Hus, recteur de l'université de Prague, y prêcha de 1402 jusqu'à sa mort mais c'est au début du XVᵉ siècle que ses idées de réforme prirent de l'importance et que les bourgeois sentirent le vent tourner. Détruite peu de temps après, la chapelle ne fut reconstruite qu'en 1948, à cause de sa portée symbolique pour le pays. Les murs, en partie refaits, ne sont pas très évocateurs et le résultat pas bien folichon. On y a repeint des scènes médiévales qui évoquent notamment la mort de Jan Hus. Concerts de temps en temps.

★ À l'angle de Konviktská et Karolíny Světlé, voir la *rotonde Sainte-Croix,* un des derniers et des plus beaux vestiges romans de Prague.

★ À l'angle de Betlémská et de Smetanovo nábř, noter la petite placette verdoyante avec en son centre un dais de statue... vide. Il y avait là une sculpture d'un empereur Habsbourg qu'on délogea après la proclamation de la république. Derrière, belle demeure Art nouveau.

★ *L'église Saint-Gilles* (kostel Svatého Jiljí ; plan II, A3) : sur Husova, face au n° 7. Encore un édifice baroque à l'élégante tour pointue où les hussites prêchèrent aux XVe et XVIe siècles. Intérieur délirant où tout est doré : les chapiteaux, les moulures, et surtout la fresque du plafond de V. V. Reiner qui évoque l'ordre de Saint-Dominique. Assez extraordinaire. D'ailleurs, Reiner est enterré ici. À chaque pilier, un autel. Les moulures des chapiteaux furent installées au moment où l'on rendit l'église baroque au XVIIIe siècle. Les architectes ont voulu signer de manière très nette le style de l'église. À la venue des communistes, on incarcéra les religieux qui occupaient les lieux. On les leur rendit dès la libération du pays en 1989.

MALÁ STRANA

Malá Strana signifie « petit côté », par rapport à l'autre côté de la rivière (la Vieille Ville). Ville créée au XIIIe siècle par le roi Přemysl Otakar II mais remaniée de fond en comble en style baroque aux XVIIe et XVIIIe siècles. Depuis, aucun bouleversement ne l'ayant touchée, on y découvre une unité architecturale unique en Europe. Encore plus que la Vieille Ville, elle invite aux dérives romantiques, poétiques et amoureuses à travers ruelles, escaliers, passages multiples bordés de merveilleux palais et jardins secrets.

Un peu d'histoire

Dès que le pont Judith traverse la Vltava au XIIe siècle, des quartiers d'habitations se développent doucement. Comme la Vieille Ville, Malá Strana est une commune indépendante des autres au XIVe siècle. La ville est prospère et surtout habitée par des colons allemands. Charles IV la développe et fait édifier des remparts tout autour. À la suite de plusieurs incendies, dus notamment aux guerres hussites, les vieilles maisons de bois partent en fumée pour laisser la place à de beaux palais Renaissance, édifiés par des artistes italiens, qui eux-mêmes céderont le pas à la folie du baroque au XVIIIe siècle. Ce qui est formidable à Malá Strana, c'est que tout resta architecturalement bloqué à la période baroque. Et ce style avait déferlé avec une telle force que tout Malá Strana est aujourd'hui d'une incroyable cohérence. Dès qu'une famille était riche, elle faisait construire son petit palais baroque. La ville fut rattachée aux autres communes à la fin du XVIIIe siècle pour créer Prague sous Joseph II.

★ **Karlův most** *(pont Charles ; plan IV, B2)* : l'une des merveilles de Prague, trait d'union entre la Vieille Ville et Malá Strana. Pont piétonnier, c'est l'un des rares exemples en Europe de continuité urbaine harmonieuse. Avant le pont Charles, il y en eut un premier (le pont Judith), en bois, édifié dès le Xe siècle. Il fut arraché en 1342 par les eaux tumultueuses de la Vltava. Charles IV, le grand bâtisseur, entreprit alors la construction d'un nouvel ouvrage et en confia en 1347 la responsabilité à l'architecte de la cathédrale Saint-Guy, Petr Parléř. On l'appela alors le pont de Pierre. Il prit le nom de « Charles » bien plus tard, au XIXe siècle, pour rendre hommage à l'illustre personnage qui aima tant sa ville et la para de tant de merveilles qu'elle devint l'un des principaux joyaux d'Europe.
Long de plus de 500 m et large de 10 m, le pont s'appuie sur seize énormes piliers de grès cassant le courant. D'ailleurs, savez-vous que les énormes troncs qui sont au pied du pont dans l'eau sont là pour protéger le pont Charles des blocs de glace qui pourraient s'écraser sur les piliers en hiver ? À force ça use, et il vaut donc mieux prévenir que guérir ! De part et d'autre c'est un paysage urbain sublime qui s'offre à vos yeux. On dit que pour consolider le mortier entre les pierres, les bâtisseurs utilisèrent du jaune d'œuf. On demanda à la population de faire parvenir les œufs et ce sont des charrettes remplies d'œufs qui arrivèrent en ville, venues de toute la Bohême. On raconte qu'un des villages apporta des œufs... durs, de peur qu'ils ne se cassent durant le trajet. Les Pragois en rient encore.

Il va sans dire que le pont Charles c'est un peu les Champs-Élysées (en beaucoup plus charmant, évidemment) et la place du Tertre réunis. Coupeurs de profil, peintres du dimanche, marionnettistes, gratteurs de guitares... toute la panoplie artistique est là. Le public est à la fête... tout comme les pickpockets. Certaines fins de semaine et en été, il faut parfois une bonne demi-heure pour réaliser la traversée du pont. Cette débauche touristico-commerciale en énervera plus d'un. Alors un conseil, venez au lever du soleil. Promis, vous aurez le pont pour vous seul et une lumière d'une douceur infinie.

De chaque côté du pont s'élèvent des tours magnifiques.

– *La tour côté Staré Mêsto :* édifiée par Petr Parléř et son atelier dans un style gothique superbe. Elle faisait partie d'une ceinture de remparts qui protégeaient la Vieille Ville. Elle traversa les siècles pratiquement sans dommages ni transformations, bien qu'elle ait eu chaud aux fesses lors de l'invasion suédoise au XVIIe siècle. La guerre de Trente Ans fut pourtant aussi l'objet de rudes batailles et Malá Strana paya un lourd tribut. Sur la partie extérieure, on trouve les statues de saint Venceslas à droite, Charles IV à gauche et au centre saint Guy, patron de la Bohême. Également tous les écussons des différents royaumes et des martins-pêcheurs, symbole de saint Venceslas. On considère cette tour comme l'une des réalisations gothiques les plus achevées d'Europe. Elle servit de modèle à la Tour poudrière de la Republiky náměstí. On peut grimper tout en haut de 9 h à 18 h 30 tous les jours. Payant. Vue exceptionnelle évidemment. L'ensemble est décoré avec finesse et élégance, sans surcharge.

– *Côté Malá Strana,* c'est l'enchantement, il faut admirer ici l'intelligence de l'architecture pragoise. Dans l'échancrure des deux tours (une à chaque extrémité du pont), s'inscrivent clochers, clochetons et dômes de l'église Saint-Nicolas, précédés d'une cascade de toits. Le tout encadré de merveilleuses demeures baroques, statues, etc. En fond, l'altier château royal et la gracieuse silhouette de la cathédrale Saint-Guy. Les tours du côté Malá Strana : la plus petite des deux tours date de l'époque du pont Judith, le premier pont que fit élever la femme de Vladislav Ier. Elle accuse un style roman marqué. Visite payante de 10 h à 17 h 30 tous les jours d'avril à octobre. L'autre tour fut élevée plus tard, en 1464, et ne possède pas la pureté des lignes de celles côté Staré Mêsto.

– *Les statues du pont :* on commença à élever des statues au-dessus de chaque pilier du pont au XVIIe siècle, d'abord quelques-unes puis beaucoup plus au siècle suivant. Sur une structure parfaitement gothique on a donc posé un style éminemment baroque. Le mélange ne plut pas à Rodin en visite à Prague. Mais ça semble être au goût de millions de touristes... L'ensemble retrace toute l'histoire religieuse de la ville. Une légende raconte que la nuit venue, quand le pont n'est plus occupé que par ces personnages de pierre, les statues conversent discrètement sur de graves sujets théologiques. Cette boulimie de soutanes et de crucifix était en fait un véritable écran publicitaire permanent au moment le plus fort de la Contre-Réforme. Le protestant qui traversait le pont à cette époque devait se sentir mal dans ses baskets. Une véritable galerie de personnages, un musée Grévin de pierre et de bronze qui accueille notamment (on ne cite que les plus marquantes), dans l'ordre d'apparition à l'image et sans souci hiérarchique, le groupe de sainte Barbe (2e sur la gauche), le groupe de la Sainte-Croix (3e sur la droite), saint François-Xavier (5e sur la gauche), le groupe de saint Norbert avec saint Venceslas et saint Sigismond (7e sur la droite), la célèbre statue de saint Jean de Népomucène (8e sur la droite) qui fera l'objet d'un commentaire personnel ci-dessous, le beau groupe de saint Jean de Matha (14e sur la gauche), et enfin saint Venceslas (15e sur la gauche). Il y a d'autres statues évidemment mais si vous vous recueillez auprès de toutes celles déjà indiquées, vous avez du boulot pour toute la journée. Un certain nombre d'entre elles furent réalisées par M. B. Braun et F. M. Brokoff. La plupart d'entre elles sont des copies. Les originales commençaient à drôlement s'user.

– Quelques mots sur le *groupe de saint Jean de Népomucène*. Ce fut la première statue du pont. Tout d'abord sachez que l'existence même de ce personnage n'est pas vraiment certaine. En fait, beaucoup de documents semblent concorder pour admettre la thèse que le prélat exista mais bien avant l'époque à laquelle la légende lui prête vie. Reste que les attachés de presse de l'époque ayant bien fait leur boulot, l'histoire vint jusqu'à nous et la plupart des Tchèques ne mettent pas en doute l'existence de saint Jean de Népomucène. L'Église, à une certaine époque, avait le chic pour sortir des martyrs et des saints de son chapeau, comme d'autres sortent des lapins. Peu importe, voici la légende. Le saint devint le symbole du sacrifice des jésuites pour soutenir la ferveur des catholiques au moment le plus dur de la Contre-Réforme. Jean de Népomucène était prélat à la Cour et confident de la reine. On raconte que le roi Václav IV prit ombrage du fait que celui-ci refusait de lui relater les secrets de la confession de sa femme. Symbole de résistance et de fidélité à l'Église, il représente la vérité éternelle face aux excès du pouvoir politique. Tu parles !... Dans la partie basse de la statue, un bas-relief de bronze montre à droite ce qui advint du prélat. On le noya dans la Vltava. Les touristes, sans trop savoir pourquoi, touchent le corps du saint. Sur la gauche, on voit la reine à confesse.

★ Au pied des tours, en contrebas sur la droite, l'hôtel *U Tří Pštrosú (Aux Trois Autruches)*, un des plus chic de la ville. Remarquable édifice Renaissance où l'on voit encore en façade trois autruches peintes. C'était une ancienne boutique de plumes d'autruche, élément de décoration très à la mode dans la bonne bourgeoisie sous Rodolphe II. Le proprio fit peindre un troupeau d'autruches sur sa façade (il n'en reste que trois), réalisant ainsi le premier mur peint publicitaire de la ville.

★ *L'île Kampa (plan IV, B2)* : à l'entrée de Malá Strana, au bout du pont sur la gauche, descendez les escaliers. Vous aurez noté *Na Kampě,* cette élégante place bordée de nobles demeures anciennes. Elle se prolonge par un beau parc menant au pont Legií (ex-pont du 1er-Mai). Une petite rivière, la *Čertovka,* enlace amoureusement l'île, et un beau moulin retapé tourne doucement. D'autres sont à l'état de vestiges. De nuit, nous vous conseillons de commencer la balade au pont Legií, de traverser ce parc si poétique pour déboucher sur Na Kampě. C'est une placette d'un charme fou, bordée de maisons basses, simples, avec des toits de tuiles et un gros bouquet d'arbres au centre. On se croirait vraiment à mille lieues de la capitale active d'un État moderne. L'hiver, c'est tout simplement l'endroit le plus romantique de la ville. L'été, de petits artisans font une gentille animation. Sur la place Na Kampě, au n° 1, une maison de 1664 avec une belle porte décorée d'une enseigne *Au Renard Bleu*. Cet animal est lié à une fable tchèque où il voulut noyer un jars irrespectueux à son égard. Le renard tient une rose dans sa bouche.

★ *La rue Mostecká :* c'est le prolongement du pont Charles. Juste au début de la rue, côté droit, série de maisons Renaissance avec des pignons tous différents, ornés de mascarons, masques, potiches... Au n° 4, un ours enchaîné. Dans l'enfilade de la rue, au bout, apparaît l'église Saint-Nicolas. Toute cette portion est éminemment touristique et commerciale.

★ *Malostranské náměstí (plan IV, B1-2) :* en haut de Mostecká, c'est la grande place de Malá Strana. M. : Malostranské. Tram n° 12, 18 ou 22. Cette vaste place se présente en deux parties : la partie basse et la partie haute où l'on trouve l'église Saint-Nicolas. C'est de fait la construction de l'église qui divisa la place en deux. Animée par le passage des tramways et par une circulation assez dense, elle fut d'ailleurs de tous temps un point de rencontre puisqu'un grand marché s'y tenait autrefois. Au n° 15 de Mostecká, beau *palais Kaunitz* abritant l'ambassade de l'ex-Yougoslavie, aujourd'hui squatté par les Serbes.

Au n° 21 Malostranské, le long édifice plein d'élégance avec ses arcades abritait l'ancien hôtel de ville de Malá Strana à l'époque où Prague était encore composée de quatre villes bien distinctes : Staré Město, Malá Strana, Hradčany et Nové Město. Aujourd'hui, au 1er étage, on y trouve un excellent lieu pour écouter du jazz, le *Malostranská Beseda* qui accueille aussi des formations de rock, latino, dixie... (voir « Vie nocturne »). Juste sur la droite, au n° 22, ravissante maison avec une élégante lucarne centrale et des fresques où apparaît le Couronnement de la Vierge. Au n° 25, la maison *Kaiserštejn* avec ses sculptures baroques. À gauche de la place (au n° 18), le *palais Smiřický* (XVIIe siècle). Il abrita le complot de la célèbre « Défenestration de Prague ». Belle tourelle d'angle avec motifs floraux.

★ *L'église Saint-Nicolas* (plan IV, B1-2) : ouverte de 9 h à 16 h. Entrée par la partie haute de Malostranské. Entrée de l'église payante. Malgré sa façade assez quelconque, très large, qui se caractérise essentiellement par son élégante ondulation, Saint-Nicolas est l'un des chefs-d'œuvre du baroque fou qui enflamma les jésuites, véritable triomphe arrogant de la Contre-Réforme. Même Paul Claudel fut ébahi quand il la vit, c'est tout dire. C'est donc entre 1673 et 1755 qu'on édifia cet ambitieux ensemble sous la responsabilité notamment (il y eut plusieurs architectes) de Christoph Dientzenhofer puis de son fils (nom qu'on retrouve très souvent dans le baroque pragois). On retiendra la forme ovale des trois nefs culminant au niveau de l'immense coupole à 70 m. Tout dans la décoration va dans le sens de la richesse, de l'exubérance, de l'excès. Rappelons, pour bien comprendre l'état d'esprit de l'époque, que les jésuites avaient choisi le baroque pour symboliser la richesse, les privilèges et les avantages de l'Église catholique sur l'Église réformée. Du brillant et du clinquant. C'était réussi.

● *La voûte de la nef :* elle représente l'apothéose de saint Nicolas. La fresque se poursuit par un trompe-l'œil fort réussi qui fait le lien avec les piliers de l'église.

● *Les colonnes,* contrairement à ce que l'on pourrait croire, ne sont pas en marbre mais en marbre artificiel très utilisé à cette époque où l'apparence seule comptait.

● *La chaire* rococo, sur la gauche, est également en marbre artificiel. Elle semble attaquée par une colonie d'angelots.

● *La coupole :* on y distingue l'apothéose de la Sainte-Trinité. Au bas des colonnes, noter ces 4 statues gigantesques. Elles sont en bois recouvert de craie. On trouve saint Basile, placide bon enfant ; saint Cyrille qui tient en respect le mal avec sa crosse ; saint Jean Chrysostome doctement représenté et saint Grégoire en train de prêcher le peuple.

● Voir encore le *maître-autel,* bien protégé par les saints jésuites Ignace de Loyola et François-Xavier, sous le regard impassible de saint Nicolas.

● *L'orgue* à 2 500 tuyaux mérite également sa petite mention, pour sa beauté d'une part, mais aussi pour le fait que Mozart y joua quand il était de passage en ville. On y donna d'ailleurs son *Requiem* trois jours après sa mort (alors que Vienne le boudait) et on le joue toujours aujourd'hui. Au-dessus de la tribune, fresque sur la vie de sainte Cécile.

● Avant de sortir, la dernière *chapelle* sur la droite (ou la 1re à gauche en entrant) est dédiée à sainte Barbe, la patronne de la mort heureuse. Tout en finesse et délicatesse, ce qui change du reste de l'église.

★ Au milieu de la place, une **colonne de la Peste,** plutôt vilaine, indique la fin de l'épidémie du début du XVIIIe siècle.

★ *Le palais Liechtenstein :* face à l'église Saint-Nicolas. Vaste palais dont la façade classique et banale (fin XVIIIe siècle) occupe une bonne partie de la place. Il abrite aujourd'hui l'Académie de musique. Le palais doit son nom au proprio, connu dans l'histoire du pays pour avoir été chargé, comme son copain Valdštejn, de confisquer les biens protestants. Il en conserva une bonne partie. Ben voyons !

★ *L'église Saint-Thomas* (kostel Svatého Tomáše ; plan IV, B1) ; sur Letenská. Entrée payante. Ouverte du lundi au samedi de 11 h à 18 h. Église petite par la taille mais délirante par sa déco. D'origine gothique, sa transformation en baroque est l'œuvre du célèbre Dientzenhofer dont le problème était de faire du grandiose dans un espace étroit. Délaissée par les touristes, elle possède pourtant plein de choses notables.

Elle est composée de trois nefs dont la principale fut décorée par V. V. Reiner. Sculptures de F. M. Brokoff, illustre artiste de l'époque, tandis que la toile du maître-autel, représentant le *Martyre de saint Thomas et de saint Augustin,* est attribuée à Rubens *himself.* Rassurez-vous, c'est une copie. Chaque pilier de la nef abrite un autel baroque et profite d'une décoration très recherchée. Beaucoup de stucs et de dorures. Deux d'entre eux possèdent des cercueils de verre où le squelette du noble défunt est recomposé et rhabillé. Macabre vitrine.

Gagner ensuite le cloître auquel on accède par une porte à gauche de la chaire. Il appartient à ce qui était autrefois un couvent. On aperçoit là les vestiges gothiques de l'église précédente.

★ *La rue Tomášská* (plan IV, B1) : on trouve au n° 4 la belle enseigne *Au Cerf d'Or* où l'on découvre un cerf orné d'une croix entre ses bois. Le thème du cerf et de la croix est lié à une légende tchèque. Un jour, un chasseur voit apparaître ce cerf dans une forêt. Paniqué, considérant cette vision comme une apparition divine, il quitte sa maison, perd sa femme et ses enfants et se fait ermite. Cette sculpture, réalisée par le célèbre Ferdinand Maximilián Brokoff, est encore un symbole fort de la présence jésuite au XVIIIe siècle et de la volonté de réhabilitation de l'Église catholique. Au n° 2, l'auberge *U Schnellů,* célèbre pour avoir accueilli le tsar Pierre le Grand. Poursuite du circuit pour atteindre Valdštejnské náměstí, où l'on voit le palais Valdštejn (entrée par Letenská 10). Festival de fenêtres et de lucarnes.

★ *Le jardin du palais Valdštejn* ou *Wallenstein* (Valdštejnský palác; plan IV, B1) : entrée par Letenská 10. Ouvert tous les jours du 1er mai au 30 septembre, de 9 h à 19 h. Caché derrière son long mur d'enceinte ; il est difficile d'imaginer l'existence de ce beau palais baroque édifié par un haut dignitaire de l'armée au service des Habsbourg après avoir trahi la cause nationale.

Valdštejn s'enrichit au nom des Habsbourg en confisquant tous les biens des nobles tchèques qui ne se ralliaient pas à l'empereur. Celui-ci laissa faire. Ainsi il put faire construire ce palais qui est en surface l'un des plus grands de la ville puisque 23 maisons furent détruites pour faire de la place. Jouant un double jeu contre les Suédois, encore une fois traître à sa nouvelle cause, il fut assassiné sur l'ordre de l'empereur. Comme quoi il y a parfois une morale en politique !

On ne visite pas l'intérieur, mais les jardins à l'italienne et la *sala terrena* au fond qui sont un ravissement. Cette gracieuse loggia de style Renaissance tardive fait merveilleusement la liaison avec le tout début du baroque, style dans lequel est édifié le reste du palais. L'été, c'est un lieu de concert divin mais on y joue également des pièces de théâtre, gentiment rythmées par le doux ronron du tramway qui circule non loin. Admirer la délicate série de statues en bronze de dieux antiques, petits formats pour une fois. C'est un lieu adorable et calme pour prendre un brin de repos. Curieux mur-grotte dans un coin.

En se dirigeant vers le métro Malostranská, pas moins de quatre palais (côté gauche), abritant des ambassades.

★ *L'église Saint-Joseph :* dans la Josefská. Accuse un style baroque primitif.

★ Tout ce quartier est truffé de *palais* transformés aujourd'hui soit en ambassades, soit en administrations. La plupart baroques, baroquisants ou fin Renaissance, chacun possède au moins un petit quelque chose de notable : une lucarne, une façade, une sculpture... On ne les décrit pas tous, vous risqueriez la crise de foie architecturale.

★ *U Lužického semináře :* retour vers le fleuve par cette charmante place. Au n° 24, jolie façade avec fenêtres ouvragées. Prolongée par la rue Míšeňská. Belles maisons aux n°s 4 et 10. Au n° 67, maison *A l'Agneau d'Or.* On arrive à nouveau à l'hôtel *Aux Trois Autruches,* au pied du pont.

★ *La rue Nerudova* (plan IV, A-B1) : l'une des voies les plus prestigieuses de Malá Strana. Longue succession de palais, porches remarquables, enseignes pittoresques. Chaque numéro se révèle digne d'intérêt. C'est dans cette rue qu'on se rend le plus compte de l'importance de l'enseigne de porte. Jusqu'à la fin du XVIIIe siècle où l'on entreprit un début de numérotation des rues, c'était le seul moyen d'identifier les maisons. Ainsi, pratiquement toutes avaient un élément de reconnaissance sur la façade, qui permettait au visiteur de s'y retrouver. Noms bizarres, expressions imagées, la plupart des enseignes sont liées à des légendes et sont tout droit sorties du bestiaire alchimique. Qu'y a-t-il derrière le signe du « Cupidon Noir », de la « Pierre d'Or », du « Soleil Noir » ? Voici quelques indices, quelques incitations à lever le museau, pour le plaisir des yeux. Chaque numéro se révèle digne d'intérêt. Le nom de la rue rend hommage au grand écrivain Jan Neruda qui vécut au n° 47, à la maison *Aux Deux Soleils d'Or.*

● Au n° 5, le *palais Morzin* du début du XVIIIe siècle, réalisé par un Italien, surtout notable pour ses deux Maures, atlantes colossaux qu'on trouve fréquemment sous une forme ou une autre dans les palais des nobles ayant participé à des guerres. En effet, les « métis et les Noirs » étaient très utilisés comme chair à canon à l'époque. Ici, les Maures ne se contentent pas de soutenir le beau balcon tout en rondeur (lourde tâche) mais ont tout simplement donné leur nom au palais. La statuaire de la façade est de F. M. Brokoff. La façade tout entière est riche de décorations. Sur la partie supérieure, quatre statues figurant les quatre parties du monde. C'est aujourd'hui l'ambassade de Roumanie.

● Au n° 12, trois violons : ancienne boutique d'un fameux luthier, fondateur de l'école de Prague. Beethoven y vint lors de son séjour à Prague. Et comme cette enseigne s'avérait trop limpide, une légende prit corps : on dit que les nuits de pleine lune, les spectres de Malá Strana y viennent pour donner un concert. On ne sait pas si l'entrée est payante. Autre interrogation : pourquoi un des violons nous tourne-t-il le dos ?

● Au n° 18, un autre édifice baroque avec masques et pots en corniche. Au n° 20, le *palais Thun-Hohenstein* abrite aujourd'hui l'ambassade d'Italie. Ce palais aux rondeurs féminines a été élevé par un comte dont l'emblème était l'aigle. Oiseau diurne que l'on retrouve au porche de cet édifice en guise d'atlantes impossibles. On les doit à Matyáš B. Braun qui, avec Brokoff, a sculpté une bonne moitié de Malá Strana. Au n° 11, un mouton rouge. Face au n° 15, juste après l'ambassade d'Italie, une volée d'escaliers qui grimpe, qui grimpe, pleine de mystère. Au n° 27, superbe enseigne *A la Clé d'Or* (*U Zlatého Klíče),* stylisée à souhait, qui indique vraisemblablement la présence d'un charcutier. Au n° 33, balcon baroque chargé en fer forgé à motifs végétaux et mascaron religieux encadré d'angelots. Au n° 32, voir l'ancienne pharmacie Lékárna, dont le meuble de bois suit les contours de la pièce. Belle pièce de menuiserie. Au n° 34, saint Venceslas sur son cheval, patron de Bohême. Autrefois, il n'y avait que le cheval. Il indiquait la présence d'un maréchal-ferrant. Le propriétaire d'après, maire de la ville de Hradčany, fit ajouter le saint sur le cheval. C'est ce qu'on appelle de l'opportunisme artistique. Au n° 39 *bis,* blason avec lion et coupe d'or. Au n° 47, beaux pignons et enseigne *Aux Deux Soleils d'Or* où vécut l'écrivain

Neruda. Et puis ça continue par un cygne, puis un cerf... on vous laisse poursuivre tout seul.

– De la dernière rampe, *Ke Hradu*, avant l'accès au château, belle plongée sur les admirables façades de Malá Strana et sur le jeu des toits.

★ **La rue Úvoz** *(plan IV, A1-2)* : c'est le prolongement de Nerudova. Elle grimpe jusqu'à la place Pohořelec. Sur la gauche, elle offre une splendide vue sur la campagne et la colline de Petřín. Atmosphère incroyablement bucolique à 5 mn du pont Charles.

★ Parallèle à la Nerudova, la **Thunovská** mène directement au château et finit en escalier. Vous y longerez le *palais Rádce Slavata,* de style Renaissance. Belle série de pignons et pinacles rythmant la pente.

★ **La rue Vlašská** *(plan IV, A2)* : une rue qui mène au couvent de Strahov, moins fréquentée et romantique en diable. À l'entrée de la rue, le *palais Schönborn-Colleredo,* qui possède de belles portes de bois et, plus haut, le *palais Lobkowicz* (ambassade d'Allemagne), l'un des édifices baroques les plus prestigieux. Malheureusement, la plus belle façade donne sur le jardin. Essayez de l'apercevoir par derrière, en contournant les maisons. Celle donnant sur la rue masque la richesse intérieure et la grandeur du lieu par une curieuse banalité.

LA PARTIE SUD DE MALÁ STRANA

L'un des plus romantiques itinéraires que l'on connaisse (surtout de nuit). À savourer modérément sous peine d'âme douloureuse...

★ Par la Mostecká, prendre la petite rue **Lázeňská** qui abritait autrefois des hôtels où descendaient d'illustres personnages. Au n° 6, la maison *Aux Bains (V Lázních dům)* où séjournèrent Chateaubriand et le tsar Pierre le Grand. Le lieu ne vaut que pour l'anecdote car il est banal. Au n° 11, l'hôtel baroque où descendait Beethoven (il y a une plaque).

★ **Maltézské náměstí** *(place de Malte)* : l'une de nos places préférées la nuit. Largement utilisée par Miloš Forman pour son film *Amadeus.* Voir notamment, au n° 6, le *palais Turba* (ambassade du Japon) de style rococo. Au n° 1, le *palais Nostic* (ambassade des Pays-Bas) au splendide porche.

★ **L'église Notre-Dame-de-la-Chaîne** *(kostel Panny Marie pod Řětězem)* : à l'angle de Lázeňská et de Maltézské nám. (place de Malte). Son nom provient du fait qu'une chaîne, semble-t-il, régulait autrefois l'accès au pont Judith (celui d'avant le pont Charles). La plus ancienne église de Malá Strana. Elle fut commandée pour l'ordre des Chevaliers de Malte. Modifiée au cours des siècles, elle n'en présente pas moins toujours une allure romane massive, avec ses deux gros clochers carrés. Mais l'intérieur fut entièrement refait en baroque par l'Italien Carlo Lurago dont on retrouve le travail dans de nombreuses églises de Prague. Dans le maître-autel, une intéressante *Bataille de Lépante,* qui vit, rappelons-le, la victoire de don Juan d'Autriche sur les Turcs au XVIe siècle. L'église est la seule à proposer un service en français, le dimanche à 11 h. Amen. On y rencontre le gratin bourgeois qui gravite autour de l'ambassade de France voisine.

★ **Le palais Maltais** *(Maltézského Velkopřevora palác)* : au n° 4 de la place de Malte, façade équilibrée et harmonieuse qui abrite encore aujourd'hui l'ordre des Chevaliers de Malte. Sculptures de l'atelier de Matyáš Braun.

★ Au centre de la place de Malte, sculpture de saint Jean-Baptiste de F. Maximilian Brokoff.

|●| Sur la place de Malte toujours, les plus riches pourront aller faire ripaille au célèbre *resto U Malířů (Maison des Peintres;* ☎ 57-32-03-17), où résidèrent de fameux artistes. Aujourd'hui, c'est la cuisine qui est ici à l'honneur. Un resto français, forcément français, mais très cher.

★ *Velkopřevorské nám.* : accès également par l'île Kampa. Secrète et ombragée. Côté île, au n° 1, on découvre le *palais Hrzán,* en partie Renaissance. Portail avec masques. Puis, au n° 2, le *palais Buquoy-Valdštejn* qui abrite l'ambassade de France, long édifice aux lignes très harmonieuses.
– Maintenant, retournez-vous. Le long mur face à l'ambassade est couvert de graffiti. En les observant, on arrive à reconnaître grâce aux lunettes rondes si caractéristiques qu'ils sont dédiés à *John Lennon*.
Depuis sa mort, c'est ici qu'à chaque date anniversaire, le 8 décembre, des centaines de jeunes viennent se recueillir. Certains anniversaires furent l'objet de rudes bagarres avec les forces de l'ordre, surtout avant la révolution de 1989. Maintenant, on vient honorer le symbole parfait de la liberté de pensée, dans une sérénité retrouvée. La police tolère le rassemblement et le mur est devenu intouchable. D'ailleurs, en accord avec l'ordre des Chevaliers de Malte à qui le mur appartient, le grand visage de Lennon devrait être restauré et protégé. Ce ne serait vraiment pas du luxe, car il tombe en ruine.

★ *L'église Notre-Dame-de-la-Victoire* (kostel Panny Marie Vitězné) : Karmelitská 9. La visite ou plutôt le pèlerinage à cette église est surtout conseillé à nos lecteurs d'origine espagnole. En effet, elle abrite la statuette de cire de l'Enfant Jésus. Elle fut offerte à Maria Manrique de Lara, une Espagnole, le jour de son mariage avec un noble tchèque. Rapportée et placée dans cette église, elle est l'objet d'un culte particulier que lui voue la population hispanique car, dit-on, elle fait des miracles.

★ *La colline de Petřín :* lieu de promenade extrêmement agréable. C'est un grand parc qui offre un calme parfait et une des plus belles vues sur la ville. Accès par un funiculaire (qui fonctionne de 9 h 15 à 20 h 45) face au n° 36 de Újezd (un peu plus haut que le pont Legíí). Du *belvédère* (un pastiche de la tour Eiffel édifié à la fin du XIXe siècle), très belle vue sur Prague et les environs. Cette tour, réalisée en 1891 sur la copie de celle de Paris, mesure 81 m et ce n'est pas par hasard. Là où elle est située, compte tenu de l'altitude de Prague et de l'élévation du terrain, son sommet est exactement au même niveau que celui de sa grande sœur parisienne.
La colline de Petřín constitue une véritable forêt de hêtres, de marronniers et de chênes. Autrefois, le bas de la colline était occupé par de belles vignes. C'est aussi ici que Charles IV avait fait édifier « le mur de la faim ». Durant la famine qui touchait son royaume au XIVe siècle, il employa les plus miséreux à construire ce mur (un peu inutile) afin de leur donner un travail, donc un salaire pour nourrir leur famille. Une sorte de « mur d'utilité publique » en quelque sorte. Il n'en reste pas grand-chose aujourd'hui mais les Pragois gardent l'image d'un bon roi, généreux et humaniste.

★ *L'observatoire Štefanikova* (Štefanikova hvězdárna) : on y accède par le funiculaire. Ouvert du mardi au vendredi de 14 h à 19 h et de 21 h à 23 h d'avril à septembre, de 18 h à 20 h le reste de l'année; les samedi et dimanche, de 10 h à 12 h en plus des autres horaires. Descendre au terminus du funiculaire.
Après l'ineffable vue sur Prague, le choc est rude. Cette fois, l'observation est planétaire. Il vous sera permis, si le temps l'autorise, d'observer Vénus et ses copines et même Jupiter. De nuit, les étoiles sont plus nombreuses évidemment.
La balade et le tandem funiculaire-observatoire méritent incontestablement le détour pour les images romantiques et galactiques qu'ils proposent, le tout

pour une poignée de centimes. Les étudiants aiment venir réviser leurs cours... et surtout conter fleurette sur les pelouses environnantes.

★ *L'église Saint-Laurent :* toujours sur la colline de Petřín, enfouie dans la verdure. Encore une église baroque. Dans une autre partie de Petřín, allez jeter un œil à cette curieuse église orthodoxe russe, tout en bois, dédiée à saint Michel de Petřín.

HRADČANY

L'une des anciennes cités à l'origine de Prague, Hradčany, sur son promontoire, est le quartier le plus bucolique, le plus campagnard. On se croirait dans une petite ville oubliée de province. En outre, il est probablement celui qui propose le plus de palais au mètre carré.

Au centre de cette colline, le ***château royal,*** véritable ville dans la ville avec ses ruelles, ses cours, ses passages, le tout dominé par la célèbre ***cathédrale Saint-Guy.***

Cet ensemble de monuments et musées demande une bonne demi-journée de visite, et une autre pour le quartier autour du château. Il faut venir tôt à Hradčany, surtout l'été, pour bien profiter du site avant l'arrivée des cars qui déboulent par dizaines. À vous de bien choisir votre heure.

Un peu d'histoire

L'idée d'un château se profile dès le IXe siècle, quand régnaient les Přemyslides. À cette époque, une petite forteresse s'organise. Une église s'élève, puis une autre, autour d'un embryon de château. Venceslas Ier fait édifier une rotonde pour abriter des reliques de saint Guy. Le XIe siècle voit la naissance d'un vrai château, entouré de fortifications. Une vaste basilique romane remplace la modeste rotonde qui sera la future cathédrale Saint-Guy. C'est évidemment le grand Charles IV au XIVe siècle, qui donnera toute sa plénitude au château (et à Prague en général). Un siècle plus tard, le château acquiert sa dimension presque définitive avec l'élévation des principaux monuments. Évidemment, à cette époque et jusqu'à la fin du XIXe siècle, la cathédrale et le château qui lui sert d'écrin n'ont cessé de se modifier par petites touches. Certaines périodes furent plus fastes que d'autres : les guerres hussites, par exemple, mirent un frein à sa construction mais le XVe puis le XVIe siècle voient les styles se succéder. La Renaissance chasse le gothique, et sera elle-même en partie estompée par l'éclosion du baroque. Il en résulte un mélange de styles, un manque d'homogénéité gênant, malgré le travail réalisé au XVIIIe siècle par un architecte de la Cour, Niccolo Pacassi, dont précisément le boulot fut d'opérer un grand lifting baroque et de donner de la cohérence à l'ensemble. Le jardin accolé au château ne fut réalisé qu'au XVIe siècle, dans un beau style Renaissance italienne. Les Habsbourg y habitèrent au début de leur règne, puis le délaissèrent bien vite, et pendant deux siècles le reléguèrent à l'état de résidence secondaire (si l'on peut dire). On y accueille plus tard les hôtes de marque et les rois en exil (comme Charles X par exemple). Le peu regretté Husák aimait, dit-on, dominer Prague de sa baignoire. Il devint le palais du président dès l'avènement de la Ire République en 1918, mais Václav Havel fut le premier dignitaire de l'État à refuser d'y séjourner, préférant sa nouvelle maison sur la colline.

Renseignements pratiques

– Pour l'*accès,* quatre entrées : par la place du Château (la principale), par Prasny most (tram n° 22), par les escaliers des jardins Na Valech au n° 3 de la place Valdštejnské et par les escaliers Staré zámecké schody (métro : Malostranská).

– *Heures d'ouverture :* accès à l'enceinte du château tous les jours de 5 h à minuit d'avril à octobre et de 6 h à 23 h de novembre à mars. Les sites à voir à l'intérieur sont ouverts de 9 h à 17 h, jusqu'à 16 h en hiver. On peut obtenir un tarif étudiant pour l'ensemble des sites.

– *Relève de la garde* : tous les jours à midi. Václav Havel fit redessiner l'uniforme des gardes par le costumier du film *Amadeus* de Forman. Aujourd'hui bleus à fourragères azur et rouge, véritables costumes de théâtre, ils ont remplacé les affreuses vareuses kaki du régime communiste.

– Tous les ans, un jour du mois de mai, opération portes ouvertes. Inutile de vous préciser que la file est longue...

La visite du château

★ *La première cour :* on y accède par Hradčanské náměstí. Son entrée est fermée par une grille monumentale du XVIIIe siècle, sur laquelle apparaît le monogramme de Marie-Thérèse. Au-dessus de chaque gros pilier qui encadre la grille, deux Maures gigantesques prêts à tout pour défendre le château. À l'aide de poignard et gourdin, ils terrassent l'ennemi. Dans la cour, le drapeau qui flotte sur le toit indique si le président est dans le pays ou pas. Élégants et modernes porte-drapeaux. Cette première cour ne possède pas de caractère notable. Elle est surtout utilisée pour les parades. Niccolo Pacassi, lorsqu'il refit toutes les façades au XVIIIe siècle, rendit cet ensemble particulièrement ennuyeux à notre goût.

Pour accéder à la deuxième cour, on passe sous la *porte Mathias,* édifiée sous le règne de l'empereur Mathias dans un style baroque du début du XVIIe siècle. C'est une ancienne porte de rempart incluse dans les fortifications et réinsérée là au moment de la reconstruction.

★ *La deuxième cour :* pas beaucoup plus belle que la première, elle est entourée d'édifices qui furent entièrement retapés fin XVIIIe siècle en baroque tardif, prélude au classicisme ennuyeux, ôtant toutes traces des architectures successives qui en firent la richesse. En fait, ces deux cours sont l'opposé de la ville de Prague elle-même qui a si bien su conserver, transcender et souvent dépasser son passé architectural pour faire toujours plus beau. Là, on a uniformisé. Au milieu de la cour, fontaine baroque du XVIIIe siècle, un élégant puits en fer forgé et une galerie de peinture.

– L'*ancienne chapelle de la Sainte-Croix* abrite un office du tourisme et le *trésor* de la cathédrale. Ouvert tous les jours de 9 h à 17 h (16 h l'hiver). On peut y acheter les tickets d'entrée pour tous les monuments. Pour un trésor, c'est un trésor : calices, vases, ostensoirs, croix de couronnement, reliquaires. Tous les objets liturgiques à travers les siècles mais surtout des XIVe et XVe siècles. Superbe. Voir aussi les belles fresques néo-baroques du plafond et le maître-autel.

– *La galerie de peinture* contient les collections de l'empereur Rodolphe II. Elle est fermée depuis quelques années et sa réouverture n'est pas à l'ordre du jour pour le moment.

– Sous les arcades, on accède à une longue allée qui mène (sur la droite) aux jardins, à la salle du jeu de Paume et au belvédère (voir plus loin, « Les Jardins royaux »).

★ *La troisième cour :* on y trouve la cathédrale Saint-Guy, le bâtiment dit « municipal » et le vieux palais royal.

★ *La cathédrale Saint-Guy :* entrée payante. Pas de visite pendant les offices. La toute première église, au Xe siècle, était déjà consacrée à saint Guy. On débuta la construction de la cathédrale en 1344, sous le règne de Charles IV, le grand bâtisseur, et elle se termina en... 1929. Entre-temps, elle subit bien des vicissitudes : incendies, guerres, bombardements, pillages protestants, foudre...

C'est sur le plan des grandes cathédrales françaises que travaillèrent les architectes, Mathias d'Arras, un Avignonnais, suivi par Petr Parléř. C'est à eux qu'on doit son admirable harmonie générale. Les guerres hussites (1421), le feu (1541) et l'occupation du château ralentirent la construction, mais c'est surtout le pillage de celle-ci par les calvinistes en 1619 qui lui fit le plus grand mal. La construction s'arrêta jusqu'en 1861 où une fondation fut créée pour réunir la somme nécessaire à son achèvement. Avec une histoire aussi tordue, pas étonnant que la dernière pierre n'ait été posée qu'en 1929, soit près de six siècles après la première.

– *La façade :* c'est en fait la partie la plus récente, néo-gothique (incroyable, non ?), mais dont la réalisation se fond bien dans l'ensemble. Surtout notable pour son énorme rosace flamboyante (près de 100 m²) qui relate la création du monde, et les portails de bronze de 1927. Le portail central narre les vicissitudes de la construction de la cathédrale. Sculptures de saints et rois en façade. Sur le flanc sud pointe une haute tour accrochée à la cathédrale et qui s'élève à 100 m dans le ciel. Bien que gothique, elle se caractérise par son clocher à bulbes encadré de tourelles. Le chevet est constellé d'aiguilles et arcs-boutants sculptés. À l'entrée de la cathédrale, sur la gauche, vente de tickets pour l'ensemble des sites (cathédrale, vieux palais royal, basilique Saint-Georges...).

– *L'intérieur :* d'aspect classique, avec ses trois nefs, son déambulatoire et ses chapelles tout autour. Il y a plein de choses à voir mais la plupart des éléments décoratifs furent ajoutés pêle-mêle au cours des siècles. Il y en a de tous les styles. En fait, il émane un petit côté bric-à-brac là-dedans. Une sorte de poème à la Prévert, mais avec un fond religieux. Voici une petite sélection des points les plus importants.

● *La nef :* on dit que le contremaître responsable des travaux, devant la hardiesse de l'œuvre accomplie et terrorisé à l'idée qu'elle ne s'effondre, se suicida. Petr Parléř et sa bande de tailleurs de pierre ont conçu une voûte à nervures d'une rare élégance, particulièrement légère. L'ensemble s'élance à 33 m de hauteur pour une profondeur de 125 m sur 60 m de large. Une vraie cathédrale, quoi !

On commence la visite par le dessert, comme ça, ceux qui ont peu de temps éviteront les mises en bouche et les hors-d'œuvre.

● *La chapelle Saint-Venceslas :* dans la nef de droite, au niveau du centre. Le chef-d'œuvre de la cathédrale, dédiée au patron de la Bohême et qu'on doit à Petr Parléř. C'est une chapelle fermée sur ses 4 côtés, comme une salle privée. Les murs sont une vraie bande dessinée où apparaissent en bas les scènes de la vie du Christ, réalisées dans un beau style gothique, et sur la corniche la vie de saint Venceslas, chef-d'œuvre de l'art Renaissance. Décoration époustouflante de richesse et de vérité dans le souci du détail. Elle date du début du XVIe siècle. Mais ce n'est pas tout car chaque surface non peinte est occupée par des pierres semi-précieuses (près de 1 500), grosses comme des pavés, de toutes les couleurs et enchâssées dans le mortier du mur, essentiellement des agates de Bohême et des chrysoprases. Au centre, le tombeau du saint qui apparaît en costume de chevalier, avec sa lance, son bouclier et sa couronne sur la tête. Il a une bonne tête débonnaire. À la porte est fixé l'anneau auquel se serait raccroché le saint lorsqu'il fut assassiné par son frère Boleslav. Lustre admirable en forme de couronne. Cette chapelle donne accès à la chambre du Trésor (ne se visite pas) où l'on conserve la célèbre couronne impériale ainsi que l'épée, chef-d'œuvre du XIVe siècle.

● *La chapelle de la Sainte-Croix :* dans la nef de droite, deux chapelles plus haute que la chapelle Saint-Venceslas. C'est de là qu'on accède à la crypte (au sous-sol) où l'on voit les vestiges de l'ancienne rotonde romane, premier embryon de ce que sera la cathédrale. Déjà, à l'époque, cette rotonde accueillait le corps du saint. On en voit le plan. Quelques colonnes et chapiteaux. Une salle de la crypte regroupe de nombreux tombeaux et sarcophages de rois tchèques, notamment Charles IV qui eut quatre femmes (dont Blanche de Valois), Venceslas IV, Georges de Poděbrady et

Rodolphe II. Le seul tombeau ancien est celui de Rodolphe II, roi Habsbourg ; les autres datent des années 30, mélange d'Art déco et de « Star Treck ». On remonte dans la nef pour poursuivre la visite.

• *L'oratoire royal* : tout en gothique flamboyant avec des soubassements imitant les branchages d'arbres. Les rois assistaient à la messe de cet oratoire, directement relié au palais par une passerelle qu'on voit de l'extérieur.

• *La chapelle Wallenstein* : où l'on trouve les tombeaux des deux principaux architectes de la cathédrale, Mathias d'Arras, qui en dessina les plans, et Petr Parléř, qui réalisa la nef et la plupart des sculptures.

• *La chapelle et le tombeau de Saint-Jean-de-Népomucène* : on ne peut le louper celui-là, véritable pièce montée dégoulinante d'argent, sommet du baroque prétentieux, soutenu par des angelots repus et satisfaits. Rappelons que le nom du saint est lié à une légende qui fait de lui un pauvre martyr. Au-dessus, encore un baldaquin tenu par des anges.

• *Le triforium* : en levant la tête, dans l'épaisseur des murs, on aperçoit les bustes de tous les personnages ayant œuvré pendant la construction. Ils furent ajoutés au XVIIIe siècle.

• *Bas-relief de bois* : dans la nef de gauche, sur la paroi au dos du chœur réalisé en 1625. On y voit la fuite de Prague de Friedrich de Pfalz après la bataille de la Montagne Blanche, qui vit les Habsbourg prendre le pouvoir. On l'appela « le roi d'hiver » car il ne régna qu'un seul hiver. Admirable vision de la ville d'avant 1630, où apparaît le pont Charles embouteillé par l'exode, mais sans ses statues qui n'étaient pas encore installées. En explorant l'horizon, on distingue Notre-Dame-du-Tyn, l'hôtel de ville, le château... Un vrai reportage photo.

• *La chapelle de la Vierge-Marie* : derrière le chœur. Abrite les beaux tombeaux des premiers rois de Bohême, dans un style gothique particulièrement réussi.

• *La chapelle Saint-Jean-Baptiste* : surtout notable pour son chandelier de Jérusalem de style roman.

• *La tribune d'orgue* : de style Renaissance (1557).

• *Les vitraux* : certains sont dignes d'intérêt. La plupart, notamment ceux du chœur, datent du milieu de notre siècle. Dans la nef de gauche, la troisième chapelle abrite une réalisation de Mucha, évoquant la célébration de saint Cyrille et saint Méthode.

• *Le mausolée royal* : au centre de la nef, juste en face du maître-autel, le mausolée de Ferdinand Ier de Habsbourg, de sa femme et de son fils, tout en marbre blanc et entouré d'angelots.

• *La porte d'Or* : c'était en fait l'entrée principale de la cathédrale au temps des rois. À l'extérieur, au-dessus des clous de la cathédrale, une mosaïque du XIVe siècle en verre de Bohême occupe le dessus des voûtes et évoque le Jugement dernier. Malheureusement, elle est très endommagée. On y voit l'effigie des saints de Bohême. Cette vaste mosaïque fut réalisée par des artistes italiens. Elle est depuis quelque temps en restauration aux soins du Getty Conservation Institute qui finance les travaux.

★ À l'extérieur, au niveau de la porte d'Or, on se retrouve sur une place. Sur la gauche, un édifice à la base duquel on devine des voûtes romanes. Ce sont en fait les **vestiges de la rotonde**, ancêtre de la cathédrale.

★ À côté, l'**obélisque** élevé en l'honneur du dixième anniversaire de l'avènement de la République. On l'appela la colonne maudite car elle se brisa lors de son transport. L'officier responsable se suicida. Ça c'est de la conscience professionnelle !

★ À droite de la porte d'Or, le *passage aérien* qui permettait aux rois de passer directement du palais à l'oratoire royal de la cathédrale.

★ Face à la porte d'Or s'étend le long **bâtiment municipal.** Les fenêtres au-dessus du beau balcon de fer forgé correspondent au bureau du président Václav Havel. Noter le petit porche des années 20 et la fontaine du même style. Le porche donne accès à de charmants petits jardins dominant la ville que fit rouvrir Havel en 1990. Constituent une agréable pause après la visite de la cathédrale et avant celle de l'ancien palais royal.

★ **L'ancien palais royal :** sa construction commença au XIIe siècle. Habité du XIIIe au XVIe siècle par les rois de Bohême, il fut déserté par les Habsbourg qui préférèrent s'installer dans les bâtiments ouest des deux premières cours. Aujourd'hui restauré, le palais est utilisé pour certaines occasions, notamment la proclamation des élections présidentielles, dans la salle Vladislas.

● *Salle Vladislas :* le chef-d'œuvre gothique flamboyant du palais. Construite par Benedikt Ried entre 1493 et 1502. L'immense salle aux murs massifs contraste singulièrement avec la voûte faite de nervures entrelacées comme des lianes. Jouant ici le rôle d'ornement en vue d'une dynamique spatiale, ce travail sur les nervures est baroque avant la lettre. La salle Vladislas servait autrefois aux banquets royaux ou même aux tournois de chevalerie. De la terrasse, très belle vue sur la ville. On remarque aussi les fenêtres du palais inspirées du style Renaissance.

● *La chancellerie de Bohême :* première salle à droite. Ici eut lieu l'historique « Défenestration de Prague » (1618) qui déclencha la guerre de Trente Ans. Parchemins, sceaux, maquette en plexi du château, vieux poêle en faïence. Dans la salle au fond, graffiti médiévaux.

● Au premier étage, *salle du Conseil Aulique :* belle vue sur le pont Charles. Document édifiant sur les exécutions perpétrées au XVIIe siècle, place de la Vieille-Ville. Noter un certain raffinement dans le gravure en bas à gauche.

● *Chapelle de Tous-les-Saints :* au fond de la salle Vladislas, on la voit depuis le jubé d'où une jolie vue s'ouvre sur l'intérieur de la chapelle. Maître-autel de style baroque dont un tableau de Reiner.

● *Salle de la Diète :* à droite en sortant de la chapelle. Là aussi, belle voûte gothique aux nervures pareilles à des lianes entrelacées. Dans cette salle où étaient traitées les affaires publiques, la disposition des meubles est restée la même. À la droite du trône royal, le siège de l'archevêque. Derrière, le banc des prélats. Face au trône, le banc des seigneurs et des chevaliers. Aux murs, portraits des Habsbourg en grande tenue.

● *La salle des Nouveaux Registres provinciaux :* au premier étage; accès par l'escalier à côté de celui des Cavaliers. Pas grand-chose à y voir si ce n'est une belle collection de blasons peints sur les murs et le plafond.

● *L'escalier des Cavaliers :* à droite en sortant de la salle de la Diète. Entrée avec porte Renaissance. Au milieu de l'escalier, élégante arche en accolade. Cet escalier permettait l'accès direct des cavaliers pour les tournois qui se déroulaient dans la salle Vladislas. Noter l'admirable voûte en nervures, de Benedikt Ried toujours, devenu le maître dans le travail des nervures en liernes et tiercerons.

● En descendant l'escalier des Cavaliers, on accède au *palais gothique* sous la salle Vladislas. Rien d'exceptionnel. Enfouie au sous-sol, la salle romane Soběslav mérite le coup d'œil. Les voûtes en plein cintre sont renforcées par des arcs en doubleaux.

● Sortie *place Saint-Georges* qui fut le centre de la vie sociale du château durant tout le Moyen Âge.

★ **La basilique Saint-Georges :** située derrière la cathédrale, sur une charmante place. Entrée payante. La remarquable façade baroque blanc et ocre rouge ajoutée là au XVIIIe siècle, où trônent le prince Vratislav et l'abbesse Mlada, ne doit pas faire oublier que c'est l'une des plus jolies églises romanes du pays et l'un des plus impressionnants vestiges de cet art à Prague. À droite de la basilique, chapelle Saint-Jean-de-Népomucène, ajoutée au XVIIIe siècle. À l'intérieur, trois nefs rythmées par de grosses arches. L'un des joyaux de la basilique est sans doute son escalier en fer à cheval menant à l'autel. Remarquable rampe en fer forgé. Devant, tombeaux des princes de Bohême : Vratislav Ier qui fonda l'église au Xe siècle, et Boleslav II. Vestiges de peintures du XIIe siècle. Galeries élégantes avec petites ouvertures à doubles colonnettes. À droite, chapelle gothique où repose le tombeau de sainte Ludmila qui baptisa Venceslas. On peut parfois y écouter d'excellents concerts de musique de chambre.

Sortir par la nef sud, par le portail de style Renaissance qui montre saint Georges terrassant le dragon.

★ **Le musée du couvent Saint-Georges** (*collection de l'art ancien tchèque*) : à gauche de l'église. Ouvert de 10 h à 18 h. Fermé le lundi. Entrée payante, séparée de celles des autres sites, car le musée dépend de la Galerie nationale. Là encore, de l'extérieur, nul ne peut soupçonner les richesses de ce musée remarquablement aménagé. Bâtiment d'une grande luminosité et plaisant enchaînement de toutes les salles. Accès par l'ancien cloître. On trouve ici tout ce qui concerne l'art religieux du XIVe au XVIIIe siècle. Malheureusement, peu d'explications en anglais, sauf au rez-de-chaussée.

● Section lapidaire et de primitifs religieux dont la *Madona Zbraslavská* de Český Mistr. *Martin et Jiří*, très beau bronze de 1373. Admirable statuaire médiévale en bois. Série assez rare de Mistr Vyšebrodského Oltáře, de 1350 (*Annonciation, Nativité, Rois mages, Crucifixion*, etc.). *Vierge en bleu* de Český Mistr. Vitraux du XVIe siècle.

● Rez-de-chaussée : intéressant tympan de pierre, superbe *Passion*.

● Dans la galerie longeant le cloître : beau groupe en bois sculpté, *Marie et les apôtres*. *Descente de croix*, avec personnages en vêtements médiévaux. Superbe triptyque, avec volets sculptés or et polychrome. Plafond très ouvragé.

● Dans une petite chapelle, un autre remarquable triptyque du XVe siècle. Délicatesse des scènes sur les petits panneaux (*Annonciation, Saint Georges terrassant le dragon, Les Rois mages*).

● Vers la fin de la visite : *Vierge, sainte Anne et l'Enfant-Jésus*, du XVIe siècle (curieuses disproportions des personnages). Belle série de bois sculptés. Puis composition très réaliste (Christ, la Vierge, personnage en décomposition). Belles toiles de Bartholomeus Spranger, Hans von Aachen, Karel Škréta, Michael Leopold Willmann. *Assomption* assez ténébreuse de Jan Kryštof Liška. Œuvres de Petr Brandl, grand « ténébriste » du XVIIIe siècle. Très jolies gravures de Václav Hollar (XVIIe siècle) et Václav Vavřinec Reiner. Section de peinture japonaise... Ouf, c'est fini ! On vous l'avait dit, à ne pas manquer.

★ **La ruelle d'Or** (*Zlatá ulička*) : petite rue extrêmement pittoresque, bordée de maisons de poupées du XVIe siècle. Elle s'adosse à la muraille d'enceinte du château et fut percée pour abriter les gardes du château sous Rodolphe II. Puis les magiciens, scientifiques et alchimistes de la Cour, très appréciés par le souverain, y habitèrent. C'est d'ailleurs pour cela qu'on l'appela « ruelle d'Or ». Quand le château fut abandonné par les Habsbourg, les pauvres envahirent les petites maisons. Enfin, au début du XXe siècle, artistes et écrivains mirent le lieu à la mode, le charme du quartier agissant comme un prodigieux facteur d'inspiration. Kafka travailla au n° 22 (en 1916 et 1917). Aujourd'hui, vous y trouverez nombre de boutiques d'art (gravures, estampes, bijoux, etc.). La ruelle est toujours bondée car tous les groupes la visitent.

★ Au bout de la rue, sur la droite, une grille permet de voir une tour carrée. À gauche, une autre tour, ronde celle-là, appelée ***Daliborkå***, qui marque les fortifications est du château. Utilisée comme prison, elle eut comme premier visiteur le chevalier Dalibor (qui lui donna son nom). Dans cette prison, on affamait les prisonniers. Alors Dalibor jouait du violon à sa fenêtre et il le faisait si bien que les Pragois montaient tout spécialement au château pour l'écouter. Il faisait alors descendre un panier où les gens déposaient de la nourriture. On finit par le relâcher. C'est en s'inspirant de cette histoire que le compositeur Smetana écrivit son célèbre opéra, tout simplement intitulé *Dalibor*.

★ *Le musée du Jouet* : ouvert tous les jours de 9 h 30 à 17 h 30. Sur deux étages, on opère un véritable plongeon dans une enfance imaginaire. Collection importante de jouets en bois de Bohême. Poupées en porcelaine. Somptueuse maquette du château de 1850 avec un système de fontaines impressionnant. Et puis des voitures en fer blanc des années 20, des trains à vapeur, des voitures de pompiers. Remarquez la maison de poupée de 1920. Évitez de la montrer aux petites filles, vous seriez bien embêtés si on vous la demandait pour Noël. Au 2e étage, deux collections mythiques : Bild Lilli créée en 1952 et qui fut d'abord une mascotte de camionneur avant d'être le chouchou des enfants et une collection presque complète de poupées Barbie des origines au début des années 80.

– On sort du château par un escalier au n° 12 de la ruelle, qui traverse la muraille. On redescend alors par l'escalier Staré žamecké schody qui rejoint le métro Malostranská.

★ *La Tour poudrière* (Prašná věž Mihulka) : Vikárská. Dans cette ruelle, à l'extérieur du château, on conservait la poudre. Au 2e étage, exposition sur Rodolphe II. Quelques portraits pittoresques de jeunes princes et princesses. On trouve également un exemplaire de *De Revolutionibus orbium coelestinum* de Copernic.

– Retour dans la *deuxième cour* pour une balade dans les jardins.

★ *Les Jardins royaux* (Královská Zahrada) : on y accède par le porche voûté de la deuxième cour. Ouverts de 10 h à 17 h 45. Grands jardins de style Renaissance italienne, réalisés par Ferdinand Ier au milieu du XVe siècle. Ils s'étendent tout en longueur, de l'autre côté de la fosse aux Cerfs, ce grand trou protégeant le flanc nord du château et où un jour il y eut certainement des cerfs. Au-delà de l'agréable balade, il y a trois édifices remarquables à voir.

● *La salle de jeu de Paume :* 100 m après l'entrée, sur la droite. Admirable réalisation du plus pur style Renaissance, à la façade couverte de sgraffites. Malheureusement bien endommagée par la Seconde Guerre mondiale, elle a subi une rénovation totale. Elle servit de salle de jeux avant d'être un entrepôt militaire. On y organise désormais des réceptions officielles et des concerts.

● *La fontaine chantante :* au milieu du jardin. Réalisée par un Italien. L'eau qui s'en écoule dégage une gentille sonorité quand elle tombe dans la vasque.

● *Le belvédère :* tout au fond du jardin, il répond également parfaitement aux canons du style Renaissance italienne. C'est d'ailleurs la première œuvre de ce style à Prague. Il se présente comme une sorte de longue loggia à arcades. Noter aussi le toit en forme de bateau renversé. La Galerie nationale y organise des expos temporaires.

LE QUARTIER DU CHÂTEAU

AUTOUR DE LA HRADČANSKÉ NÁMĚSTÍ (plan IV, A1)

Devant l'entrée principale du château s'étend un autre des quartiers les plus romantiques de Prague. Bien lui consacrer une journée entière au minimum (nombreux musées et balades). Déjà, sur Hradčanské náměstí, chaque mètre propose quelque découverte fascinante... Sur la place, la désormais habituelle colonne de peste (1726). Beau lampadaire au centre de la place, en forme de chandelier.

★ *Le Palais archiépiscopal* (*Arcibiskupský palác*) : Hradčanské náměstí 16. Il ne se visite pas, on se contente d'en apprécier la riche façade rococo. Cet édifice fut réalisé plus haut que les bâtiments de la première cour du château pour montrer la suprématie du religieux sur le pouvoir politique.

★ *La Galerie nationale* (*Šternberský palác, Národní galerie* ; plan IV, A1) : Hradčanské nám. 15. Dans la ruelle courant à gauche du palais archiépiscopal. Ouvert de 10 h à 18 h. Fermé le lundi. Entrée à prix modique. Les collections françaises des XIXᵉ et XXᵉ siècles et européennes du XXᵉ siècle sont désormais exposées au musée d'Art moderne de Prague (le Veletržní palác), situé à la périphérie. On peut trouver dans la Galerie nationale :

● les primitifs religieux. Italiens des XIVᵉ et XVᵉ siècles, icônes et art ancien, peinture flamande des XVᵉ et XVIᵉ siècles. *Exécution de sainte Barbara* de Hans Schüclin, *Christ et pêcheurs* de Hans Raphon, *L'Aveugle* de Bruegel le Jeune. Au 2ᵉ étage, beaux portraits de Lucas Cranach, notamment *Sainte Catherine et sainte Barbara, Adam et Ève* et *portrait de Lady Elizabeth Vaux* de Hans Holbein. Puis Palma le Vieux, *Éléonore de Tolède* de Bronzino, Bassano, *Christ* du Greco, *Saint Jérôme* du Tintoret ; également des œuvres de Tiepolo, Guardi. Superbes Canaletto, Rubens, Ruysdael. *L'Annonciation* et *Philosophe dans son cabinet* de Rembrandt, *Ambroggio Spinola* et *L'Expulsion du Paradis* de Rubens, *Abraham et Isaac* de Van Dyck, etc. Somptueux *Saint Martin* de Bruegel l'Ancien. Tout est dans les détails du tableau : saint Martin est face à un nombre considérable de pauvres alors qu'il n'a qu'une moitié de manteau à donner.
La *Fête du Rosaire* de Dürer représente le 1ᵉʳ grand portrait de groupe dans l'histoire de la peinture du nord des Alpes. On remarque à droite Dürer lui-même tenant un papier avec sa signature. C'est une œuvre d'une importance exceptionnelle par laquelle le peintre essaya de dépasser les maîtres italiens en montrant que les apports de la Renaissance étaient fondamentaux. Il fait ressentir en profondeur les nouveaux principes de la peinture, notamment la perspective.

● Et dans une autre salle, art allemand et autrichien du XIVᵉ au XVIIIᵉ siècle ainsi qu'italien, français et espagnol... de tous les siècles.

★ *Le Musée militaire :* Hradčanské nám. 2. Ouvert de mai à octobre, de 10 h à 18 h ; fermé le lundi. Installé dans l'admirable *palais Schwarzenberg-Lobkowicz*, chef-d'œuvre de la Renaissance tchèque. On y distingue, bien entendu, certaines influences italianisantes. Architecture d'une totale originalité : la façade et sa curieuse corniche, les créneaux des murs et, surtout, les remarquables sgraffites en forme de pointes de diamant et de décors floraux. Même les salles possèdent de belles fresques au plafond.
Le musée intéressera surtout les amateurs d'armes anciennes. Présentation plaisante. Chaque salle est réservée à une époque précise. Il est ainsi aisé de suivre l'évolution de l'armement et des uniformes depuis la fin du Moyen Âge jusqu'au XXᵉ siècle. Aucune explication autre qu'en tchèque. Dommage.

● *Au rez-de-chaussée :* exposition d'armes diverses allant du canon du XVᵉ siècle à la pointe de lance, en passant par tous les objets contondants originaires de cette époque. Également plusieurs maquettes et plans rappelant les réalités du pays du XIIIᵉ au XVᵉ siècle.

● *Au 1ᵉʳ étage :* splendides fusils incrustés, épée géante de 1584 fabriquée à Milan, bouclier peint du XVIᵉ siècle avec scène de bataille sur la face intérieure (sans doute pour motiver le guerrier) et une formation musicale très apaisante sur la face extérieure (sans doute pour endormir l'ennemi). Par ailleurs, magnifiques fusils de bois, bouclier français de 1742 avec une inscription géante : « L'art de vaincre est perdu sans l'art de subsister ». Tout un programme. Vitrine évoquant la révolution de 1848, la Révolution française, la guerre de 1914-1918 et la révolution russe.

★ *Le palais Thun-Hohenstein* (dit aussi *palais Toscan*) : Hradčanské náměstí 5. C'est le gros édifice jaune qui ferme la place en vis-à-vis du château. Surmonté de deux pavillons et d'une balustrade ornée de statues évoquant les arts.

★ **Le palais Martinic :** Hradčanské 8 (à l'entrée de la rue Kanovnická). Son propriétaire fut l'un des célèbres défenestrés du château de Prague (1618). Fort beaux sgraffites illustrant des scènes de la Bible. La façade suit la courbure de la rue. Très élégant fronton. Au n° 6, une maison dont Forman se servit beaucoup pour filmer son *Amadeus*. Au bout de la Kanovnická, l'église Saint-Jean-de-Népomucène.

★ **L'église Saint-Jean-de-Népomucène :** Kanovnická. On la doit à Kilian Ignac Dientzenhofer tandis que les fresques (partie la plus intéressante) sont de Václav Vavřinec Reiner. On rappelle que le tombeau du saint est dans la cathédrale Saint-Guy.

AUTOUR DE LA PLACE LORETÁNSKÉ (plan IV, A1)

De Hradčanské náměstí, on emprunte la Loretánské, l'une des plus jolies rues de Hradčany, pour aboutir à cette délicieuse place organisée au début du XVIIIe siècle. Bucolique avec ses espaces de verdure, elle est aussi monumentale et solennelle, grâce aux deux importants édifices qui la cernent, le palais Černín et surtout l'église Notre-Dame-de-Lorette.

★ **Le palais Černín :** Loretánské nám. Face à Notre-Dame-de-Lorette s'élève cet imposant palais de la fin du XVIIe siècle, de 150 m de long, ayant appartenu à un comte dont l'ambition était de rivaliser avec le château. Base en pointes de diamant, forme de bossage qu'utilisèrent plus tard les architectes cubistes au début du siècle. Cet élément très géométrique contraste fortement avec le long balcon qui ondule gracieusement. De nombreuses colonnes corinthiennes rythment la façade et lui donnent une allure très palladienne. Il devint en 1919 le siège du ministère des Affaires étrangères. Après la Seconde Guerre mondiale, son ministre n'était autre que le fils du premier Président de la République, Jan Masaryk. On retrouva son corps inerte devant le palais un beau matin du printemps 1948. Suicide ou assassinat imputable aux communistes ? L'affaire ne fut jamais élucidée, comme tant d'autres...

★ **L'église Notre-Dame-de-Lorette :** Loretánské náměstí. Ouvert de 9 h à 12 h 15 et de 13 h à 16 h 30. Fermé le lundi. Entrée payante. Réduction étudiants. Notre-Dame-de-Lorette est le symbole typique de la Contre-Réforme (ou « recatholisation » forcée) de la Bohême. En effet, sa construction débuta en 1626, peu après la défaite de la Montagne Blanche sur l'ordre de la princesse Catherine de Lobkovic, autour de son élément principal, la « Santa Casa ».

● *La façade :* tout à fait monumentale. Le célèbre architecte Christoph Dientzenhofer et son fils Kilian Ignac Dientzenhofer la remodelèrent complètement en 1721 et n'hésitèrent pas à laisser déborder son style baroque. Angelots sur la balustrade, statues de saints autour du portail et sur la corniche. Le beau clocher à bulbe date de la première construction. Les 30 cloches, fondues à Amsterdam, sonnent toutes les heures.

● *Le cloître :* il fut édifié autour de la Santa Casa pour lui donner un bel écrin baroque. Les voûtes des arcades s'ornent de fresques du milieu du XVIIIe siècle sur les litanies de Lorette. Chapelles, autels, confessionnaux et tableaux sous verre décorent le pourtour. Une chapelle notable, celle d'une Santa Liberata crucifiée (1re chapelle à droite en entrant dans la cour). Il s'agit d'une Espagnole martyre affublée d'une vraie barbe. On dit qu'elle refusa d'épouser un homme choisi par son père. Elle pria pour que quelque chose arrive qui empêche le mariage. Un matin, elle se réveilla avec une barbe. De colère, son père la fit crucifier. Au milieu du cloître, dans la courette, deux splendides fontaines baroques.

PRAGUE

• *La Santa Casa :* la maison de la Vierge fut réalisée au début du XVIIe siè-cle par des artistes italiens ; réplique de celle de Loreto en Italie, à une pé-riode où le culte de la Vierge avait le vent en poupe. Selon la légende du XVe siècle, la maison de Nazareth où naquit la Sainte Vierge et où l'archange Gabriel lui annonça la naissance de Jésus fut miraculeusement transportée en Italie après le passage des Sarrasins. De soi-disant recherches scientifiques tendraient à prouver que les restes proviendraient effectivement de Nazareth ! On n'a pas vérifié. Dès le XIVe siècle, la Santa Casa était un lieu de pèlerinage important. Devenue de plus en plus célèbre, elle fut copiée en plusieurs dizaines d'exemplaires qui parsemèrent le pays. Décoration extérieure de sculptures et bas-reliefs, très chargés, également dus à des artistes italiens. À l'intérieur, fresques évoquant la vie de la Vierge elle-même, enchâssée dans un écrin d'argent.

• *La basilique Notre-Dame-de-Lorette :* tout en baroque, juste derrière la Santa Casa. Elle l'écrase malheureusement un peu. Noter la chaire prise d'assaut par les *puttis* et autres chérubins dans une débauche d'or. D'ail-leurs, il y a des chérubins partout. Belles loggias de nobles sur le côté. Fresques de V. V. Reiner.

• *Le trésor :* le premier étage du cloître est organisé en musée qui abrite un extraordinaire trésor religieux, le plus riche du pays. Voilà de quoi vous mettre l'eau à la bouche. Petit autel domestique autrichien du XVIIe siècle. Superbe calice des Lobkowicz incrusté de diamants, ainsi qu'un missel d'Anvers. Reliquaires du XVIIIe siècle, crucifix filigrané en argent, magnifique ostensoir orné de 6 000 diamants et pierres précieuses (1699) figurant l'exceptionnel rayonnement du corps du Christ, c'est le plus riche qu'on connaisse au monde. Calices d'époque gothique, collection de couronnes pour les statues de la Vierge.

★ En sortant, par la Černínská, vous parvenez à la délicieuse *Nový Svět (Nouveau Monde),* la rue la plus secrète du quartier. L'ombre d'Amadeus y flotte encore... On se croirait dans un petit village de Bohême du Sud.

★ *L'abbaye de Strahov :* aux confins de Hradčany, sur une colline domi-nant la ville, découvrez ce merveilleux édifice, fondé au XIIe siècle. Petit escalier d'accès par la place Pohořelec, entre les n°s 7 et 9, mais il vaut mieux l'aborder par le monumental portail baroque. Il compose, avec le che-vet de la petite église et les maisons attenantes, un ensemble architectural de grande qualité, entouré de jardins sauvages. Le couvent fut fondé en 1140 pour y abriter des prémontrés, qui y séjournent encore aujourd'hui avec une petite interruption durant le passage des communistes au pouvoir, pendant laquelle on les délogea.

Le couvent possède trois parties ouvertes à la visite, dans trois édifices dis-tincts : l'église Notre-Dame, la bibliothèque (constituée des salles théolo-gique et philosophique) et la Strahovská Obrazárna. Ils sont tous à deux pas les uns des autres, dans la grande cour.

– *L'église Notre-Dame :* lumineuse façade baroque avec ses deux gros clo-chers. D'abord romane puis refaite en gothique après un incendie, elle fut redécorée au XVIIe siècle en baroque. L'intérieur n'est visible que de derrière la grille barrant l'entrée. Cette église possède une harmonie exceptionnelle avec ses trois nefs d'une grande élégance, ses quarante médaillons peints au plafond, la richesse des stucs, l'ornementation chargée des piliers (or et marbre), les bancs sculptés et la chaire croulant sous les dorures. Les médaillons sont posés là comme des nuages. Superbe orgue où joua Mozart. Au-dessus de l'entrée, buste de saint Pierre, les clés de l'église en main. Une grille tout en finesse ferme l'accès à la nef.

– *Les salles de la bibliothèque :* au 1er étage des bâtiments conventuels. Ouvert de 9 h à 12 h et de 13 h à 16 h 45. Visibles uniquement de derrière une grille comme pour l'église Notre-Dame. Entre le XIIe et le XVIIIe siècle, la riche bibliothèque subit bien des vicissitudes mais une bonne partie du patrimoine survécut. Les deux salles principales qui la composent constituent un must du baroque à Prague. L'ensemble abrite 130 000 livres et plus de 25 000 manuscrits, dont certains sont de véritables chefs-d'œuvre. On ne peut pas pénétrer dans les salles. À l'entrée, dans les vitrines du couloir, sorte de cabinets des curiosités animalières, espèce de mini-muséum d'histoire naturelle. Voir la belle *salle philosophique,* de plus de 30 m de long sur 10 m de large, dont les murs sont couverts de livres installés dans d'admirables rayonnages de bois. Fresque au plafond retraçant l'histoire de la connaissance. Au fond du couloir, la *salle théologique*. La merveille de Strahov! Décorée en style baroque exubérant en 1671. Riche décor du plafond en stuc. Fresques du début du XVIIIᵉ siècle qui s'enchâssent dans des médaillons aux formes peu orthodoxes, vantant l'amour de la connaissance, la passion de l'instruction et de l'étude. Elle abrite plus de 15 000 ouvrages. Beaux globes géographiques. Dans les vitrines, vénérables ouvrages dont une bible couverte de pierres précieuses du IXᵉ siècle. Autant la première salle est haute et étroite, autant la salle théologique possède une voûte très basse et large, presque écrasante.

– *La galerie Strahov (Strahovská Obrazárna) :* ouvert de 9 h à 12 h et de 13 h à 17 h. Entrée payante. Entrée située derrière l'église, en passant sous un porche. Dans la galerie du 1ᵉʳ étage du cloître, musée consacré à la peinture gothique et jusqu'à la période romantique, à savoir du XVᵉ au XVIIIᵉ siècle. Essentiellement des toiles religieuses et des paysages. Au rez-de-chaussée, petit musée (une salle) de la Littérature tchèque mais où rien n'est traduit.

– Des *jardins* au fond de l'abbaye, on bénéficie de l'un des plus beaux panoramas de Prague et de la seule vision, dans le même plan, des deux rives de la Vltava.

LA NOUVELLE VILLE (NOVÉ MĚSTO)

Ne vous laissez pas abuser par cette dénomination. La Nouvelle Ville date quand même du XIVᵉ siècle. Déjà, à l'époque, la Vieille Ville craquait aux jointures. C'est ainsi qu'on envisagea son extension suivant un nouveau plan d'urbanisme, qui apparaît aujourd'hui comme l'un des plus anciens et l'un des plus remarquables du Moyen Âge européen. En revanche, elle ne prit son visage contemporain qu'au XIXᵉ siècle, avec la disparition de nombre d'anciennes demeures et leur remplacement par des édifices plus modernes (le plus souvent de prestige). Lorsque Staré Město (la Vieille Ville), Nové Město (la Nouvelle Ville), Hradčany et Malá Strana fusionnèrent à la fin du XVIIIᵉ siècle pour former Prague, les anciennes murailles, devenues désuètes, furent démolies et leurs fossés comblés. C'est ainsi qu'à leur emplacement furent créées les rues Národní et Na Příkopě, les deux artères les plus commerçantes de Prague.

★ *La Na Příkopě (plan II, B-C3) :* rue piétonnière, le théâtre de rue permanent de Prague. Bordée de quelques édifices intéressants, principalement de style « Sécession » (l'Art nouveau pragois). Entre autres, à l'angle avec Václavské náměstí, la maison *Koruna* (avec sa tourelle). Au nᵒ 5, noter les atlantes fatigués de la porte de la *Komerční Banka* qui semblent sortis d'une B.D. de Moebius. Au nᵒ 10, le palais *Sylva-Taroucca* à la riche et harmonieuse façade avec un pignon garni de statues. Au nᵒ 18, l'agence *Čedok* est notable pour ses belles mosaïques Art nouveau. Au nᵒ 20, intéressant dessous de corniche de la *Živnostenská Banka*.

★ *La rue Národní (plan II, A-B4) :* prolongement de la Na Příkopě après avoir traversé la place Venceslas. C'est là que se déroula le « 17 novembre sanglant », déclencheur de la révolution de Velours. On y trouve un grand nombre d'immeubles dignes d'intérêt. Entre autres, au nᵒ 37, un très long édifice Renaissance orné de masques au-dessus de chaque porche. Au n° 31, édifice néo-baroque. Au n° 21, au-dessus du portail, quatre énormes bébés. Original. Au n° 9, la maison *Topic* (1910) de style Sécession, avec son balcon de fer forgé et ses guirlandes au fronton. Cela dit, elle est moins riche, plus timide que l'édifice du n° 7, superbe exemple Sécession dont on doit la façade à Ladislav Šaloun, le sculpteur du monument dédié à Jan Hus sur la place de la Vieille-Ville.

– À l'angle de Národní et Jungmannova, on trouve le seul édifice qui réponde à l'appellation « rondocubisme », mélange d'éléments cubistes et de rondeur, d'où son nom. Réalisé en 1923, il ne semble pas que ce style ait fait fureur. Il faut dire que c'était la grande époque du renouveau architectural, que les recherches étaient multiples et que certaines n'eurent pas de suite. L'édifice abrita longtemps le théâtre de la Lanterne Magique et fut l'un des hauts lieux de la révolution de Velours. En décembre 1989 s'y tenaient les grandes réunions du Forum Civique avec Václav Havel.

★ *Národní divadlo (le Théâtre national ; plan II, A4) :* Národní třída (à l'angle avec le pont Legií). ☎ 24-91-26-73 et 24-91-34-37. Parking gardé payant. Imposant édifice de style néo-Renaissance classique, construit de 1868 à 1881. Un grand élan du peuple tchèque contribua à sa création. On donna bijoux, objets de valeur pour le financer. Les pierres employées pour la construction arrivaient dans des charrettes décorées et tirées par des bœufs couverts de fleurs. Deux ans après l'inauguration, il brûla en partie, mais fut reconstruit très rapidement. Cela démontra, à l'époque, le profond attachement des Tchèques à leur culture. Splendide décoration intérieure, mais ne se visite pas, sauf quand on assiste à une représentation.

★ À côté, *Nová Scéna (le Nouveau Théâtre national)*, édifié à la fin des années 70. Immense bloc de verre, stupéfiant de lourdeur, censé équilibrer en volume celui du Théâtre national. À notre avis, c'est magistralement raté, plutôt le symbole d'une architecture stalinoïde en déclin définitif !

★ *Le quai Masarykovo nábřeží (plan III, A1) :* à gauche du Théâtre national, superbe alignement d'immeubles néo-baroques, Art nouveau, néo-Renaissance, la plupart construits au début du XXe siècle et de plusieurs couleurs pastel (vert, rose, ocre...), qui s'étend avec une rare beauté jusqu'à la Jiráskovo náměstí. Voir, notamment, les immeubles des n° 32 (l'ancien édifice des Assurances tchèques), n° 28 et n° 26. Édifices de style Art nouveau. Même chose au n° 16. Plus bas encore s'élève une tour d'aspect sévère surmontée d'un clocher à bulbe. C'est l'ancien château d'eau (de la fin du XVe siècle). Au pied de la tour, le pavillon Mánes, tout blanc, illustre représentant de l'architecture « fonctionnaliste » de l'année 1928. C'est une salle d'expo réputée. Elle se caractérise par des lignes sobres et des espaces lumineux.

★ *L'église Notre-Dame-des-Neiges (plan II, B4) :* Jungmannova nám. Place donnant sur Národní. Église du XIVe siècle, qui ne fut jamais achevée. À cause des guerres successives, vous n'en découvrirez que le chœur et la voûte, la plus haute de Prague (40 m). Immense autel baroque.

★ *Václavské náměstí (la place Venceslas ; plan II, B-C4) :* à l'emplacement de l'ancien marché aux chevaux du XIVe siècle s'étendent les « Champs-Élysées » de Prague, centre de la Ville Nouvelle. M. : Můstek. On l'appelle « place » mais c'est en réalité une sorte de large artère, piétonnière sur sa partie basse, et qui accueille la plus grosse concentration de boutiques, agences de voyages, boîtes, cafés avec terrasses, grands hôtels... En remontant, vous pourrez lever les yeux sur quelques édifices particulièrement dignes d'intérêt.

• À l'angle avec Na Příkopě, le *palais Koruna* est l'un des exemples les plus significatifs de la transition entre Art nouveau et Art déco (1914). Très majestueux. Au n° 12, séduisant *immeuble* Sécession.

• Au n° 25, l'*hôtel Europa*, le chef-d'œuvre de ce style. Prodigieuse façade où toute l'ornementation s'équilibre de façon totalement harmonieuse. Frontons, fenêtres et balcon particulièrement remarquables. À l'intérieur, ne pas manquer de jeter un coup d'œil aux grands salons. L'hôtel n'est pas si cher que cela, comparé à ses voisins.

• Au n° 34, à l'angle avec Vodičkova, la *maison Wiehl*, construite en 1896 dans un élégant style néo-Renaissance, avec sa façade couverte de fresques et son clocheton.

• Au n° 36, c'est au balcon du journal *Svobodné Slovo* (La Libre Parole) qu'apparurent Alexandre Dubček et Václav Havel devant la foule rassemblée en nombre en novembre 1989.

• D'ailleurs, faisons un petit crochet par cette rue Vodičkova qui propose au n° 30 un petit chef-d'œuvre de l'Art nouveau, l'*édifice U Nováku*, alliant grâce, équilibre... et humour. C'est l'une des constructions qui rappelleront le plus aux Français le style d'Hector Guimard, digne représentant de cet art en France. Balcons à motifs floraux tarabiscotés, profusion de fleurs, mosaïque champêtre (où l'on boit et où l'on danse), balcons en pointe pour changer de rythme, large verrière... jusqu'aux gouttières en forme de fleurs. Sous les fenêtres, des grenouilles enrubannées tentent de gravir la façade. Un chef-d'œuvre on vous dit !

• Revenons sur Václavské náměstí où trône la statue équestre de saint Venceslas, patron de la ville et quatrième souverain tchèque, à une époque (Xe siècle) où l'État tchèque cherchait encore ses marques. Il tient dans l'histoire la place du premier grand souverain du pays, et symbolise tous les grands rassemblements pour la liberté. C'est là que l'étudiant Jan Palach s'immola par le feu, le 16 janvier 1969, pour protester contre l'occupation soviétique. Lui aussi, à son tour, devint l'un des martyrs de la liberté et de la résistance à l'oppression. À quand une statue de Jan Palach ?

★ *Národní muzeum (le Musée national ; plan II, B3-4) :* en haut de la place Venceslas, au n° 68, au-delà de l'invraisemblable autoroute qui s'est égarée là. ☎ 24-23-04-85. Ouvert du mardi au dimanche de 9 h à 17 h. Créé en 1893, il fut réalisé en style néo-Renaissance et étale sa masse sur 104 m de long pour 74 m de large. Il constitue le sommet de l'art pompier, symbolisant le retour aux valeurs fondamentales nationales, véritable réveil d'un peuple à la recherche permanente de son identité. Au centre, une sculpture représentant la Bohême portant la couronne de saint Venceslas. L'intérieur est impressionnant par la prolifération des ors, marbres et stucs. C'est le sommet du kitsch. S'ajoutent à cela l'escalier monumental et les bustes des figures tchèques ayant marqué l'histoire du pays (artistes et écrivains).

– *1er étage*

• Salle du fond : salle d'histoire. Manuscrits médiévaux, vieux sceaux, vitrines sur la littérature, la musique, le théâtre. Nombreux documents, affiches, photos, etc. Histoire des deux guerres mondiales, de la naissance de la république, des luttes sociales, etc. Salles d'art : l'Art nouveau, vêtements, etc.

• Section préhistoire : bateau du Xe siècle sculpté dans un seul arbre, poteries, bijoux, outils, tombes reconstituées. Riches sections de l'âge du bronze et l'âge de pierre.

• Rotonde : décor lourdement chargé (dorures, fresques) pour une expo sur Tomáš Masaryk.

• Importante section minéralogique et de pétrologie, avec des tonnes de roches et minéraux. Il ne doit pas manquer un seul caillou. Pierres précieuses brutes, taillées, cristaux... et même des météorites. Prévoyez de rester plusieurs siècles à Prague si vous voulez tout voir.

– *2e étage*

Zoologie, ornithologie, animaux sauvages d'Europe : l'une des plus riches collections d'animaux naturalisés qu'on connaisse. En tout 7 grandes salles. La section des singes compte au moins 50 spécimens. Vampire de près d'un mètre d'envergure (brrrr !) et autruche géante pour les amateurs d'insolite.

Poissons géants, insectes, papillons, squelette de baleine suspendu au plafond. Par ailleurs, 5 salles sont réservées à l'exposition paléontologique et à l'évolution des espèces animales et végétales de la planète pendant les périodes géologiques passées.

L'ensemble du musée peut paraître affaire de spécialistes mais le tout est plutôt pédagogique, malgré l'absence totale de traduction.

★ *Le Musée historique de la Ville de Prague :* Nové Sady J. Švermy, Praha 8. ☎ 24-22-31-79. M. : Florenc. Ouvert de 10 h à 18 h. Fermé le lundi. Situé juste derrière la station de métro Florenc, au bord de l'autopont, dans un bel édifice de la fin du siècle dernier. À l'époque, le sous-sol n'était rien d'autre qu'une salle de torture, et ce jusqu'en 1918. En façade, les rois de Bohême. Un document commentant l'ensemble des collections est disponible contre caution à l'entrée et permet une meilleure compréhension des collections, qui se rapportent évidemment à l'évolution de la ville à travers le temps. Excellent musée, parfaitement organisé pour comprendre le cheminement architectural de cette ville qui n'a jamais perdu la moindre parcelle de sa beauté. Dans le hall du 1er étage, calèche utilisée pour le couronnement de Léopold II.

● Le *1er étage* se consacre à la période du Moyen Âge et présente de nombreux objets de culte et de la vie de tous les jours.

● En montant au *2e étage,* dans le hall, extraordinaire vue panoramique de Prague du peintre Sacchetti qui imposa à l'architecte du musée la conception d'un escalier demi-circulaire éclairé par une verrière pour en permettre l'observation. Ne surtout pas manquer, dans la salle centrale du 2e étage, la remarquable maquette de la Vieille Ville, signée Antonin Langweil, ancien fonctionnaire de la municipalité à qui nous adressons ici notre reconnaissance éternelle puisque sa hiérarchie ne l'a pas fait. Plus de 200 maisons y sont représentées, mais hélas, l'extension de la Ville Nouvelle n'a jamais pu être achevée. Dans cette même salle se trouve la plaque originale du calendrier de l'horloge astronomique de l'hôtel de ville de la Vieille Ville, réalisée au XIXe siècle par le peintre Josef Mánes.

★ *L'hôtel de ville de la Nouvelle Ville* (plan III, B2) : Karlovo nám., à l'angle du Vodičkova. Il date du XIVe siècle. La façade fut modifiée au XVIe siècle dans le style Renaissance mais la tour est gothique. C'est là qu'eut lieu la première « Défenestration de Prague » en 1618, point de départ de la révolution hussite. On peut monter à l'intérieur. Le panorama sur Prague vaut le coup d'œil.

– Autour de Karlovo náměstí, d'autres monuments qui méritent un coup d'œil :

★ *L'église Saint-Ignace :* à l'angle de la rue Ječná. Belle façade baroque jésuite dotée d'un gros portique sombre, orné de statues. Intérieur baroque également. Lourde chaire sur la gauche et autel monumental. Fresques de Carlo Lurago.

★ *L'église Saint-Jean-de-Népomucène-sur-le-Rocher :* un des chefs-d'œuvre de Kilian Ignac Dientzenhofer, l'auteur des façades de Notre-Dame-de-Lorette et de Saint-Nicolas (celle de la Vieille Ville). Elle présente une architecture originale (nef octogonale). Belle harmonie de la façade et de son escalier, en fer à cheval.

★ *La maison Faust :* sur Vyšehradská, non loin de Karlovo náměstí. Maison baroque dont le hasard (mais est-ce bien le hasard ?) fit qu'elle a appartenu successivement à plusieurs alchimistes. Une légende soutient qu'elle aurait pu être la demeure du docteur Faust. C'est ici que Méphistophélès aurait enlevé le docteur une fois leur pacte expiré.

★ À l'angle de Spálená et de Lazarská, la *maison Diamant*, intéressante construction cubiste (de 1912).

★ *Le musée Dvořák* (plan III, C2) : Ke Karlovu 20. Rue donnant dans

Ječná. ☎ 29-82-14. Ouvert de 10 h à 17 h. Fermé le lundi. Dans une grande villa du début du XVIIIe siècle complètement baroque, on a installé le musée Dvořák depuis 1932. D'avril à octobre, chaque mardi et vendredi, concert théoriquement à 20 h. Pour se mettre dans le bain, l'ensemble de la visite est agrémenté de morceaux de maître. Chaque vitrine possède une excellente légende en français et un document est disponible à l'accueil.

Accès par le jardin où l'on peut observer plusieurs statues attribuées à l'atelier de Matyáš Bernard Braun. Belles fresques originales au 1er étage. L'endroit peut sembler réservé aux inconditionnels du compositeur tant il confine au fétichisme. Au rez-de-chaussée, reconstitution chronologique des événements ayant jalonné la vie de l'artiste depuis ses études jusqu'aux dernières années de sa vie. Documents officiels, affiches de l'époque, photographies, mais aussi le bureau, la chaise, la lampe et le portrait de Ludwig van Beethoven. Tout provient de l'appartement de Dvořák, rue Žitná. Manuscrits du compositeur et son piano. Au 1er étage, encore de nombreux documents et puis ses lunettes, son porte-monnaie, sa montre... Tiens, il n'y a pas ses pantoufles.

DANS LE QUARTIER DE HOLEŠOVICE

★ **Le centre d'Art moderne et contemporain** (Galerie nationale de Prague) : à l'angle des rues Dukelských hrdinu et Veletržní. ☎ 24-30-11-11. Ouvert tous les jours, sauf le lundi, de 10 h à 18 h, le jeudi de 10 h à 21 h. M. : Vltavskà. Trams : lignes nos 5, 12 et 17, arrêt Veletržní. Construit dans les années 20 dans le style « fonctionnaliste », cet immense bâtiment, situé dans le quartier de Holešovice (à l'écart de la Prague touristique), abrite depuis décembre 1995 les collections contemporaines et modernes de peinture autrefois exposées au *Sternberský palác*.

L'édifice, construit dans un premier temps pour abriter les expositions industrielles, fut réquisitionné en 1939 par les nazis comme lieu de détention provisoire pour les juifs. Après-guerre, une centrale d'exportation occupa les locaux jusqu'en 1974, date du sinistre incendie qui réduisit le bâtiment à l'état de squelette et ne fut par ailleurs jamais officiellement expliqué. Après 10 ans de travaux, d'un coût estimé à 200 millions de francs, 5 ans de pause postcommuniste, faute d'argent, l'immeuble devient un véritable musée d'art moderne.

- Le *1er étage* est consacré habituellement aux expositions temporaires.
- Le *2e étage* s'ouvre sur un *Jeune homme nu*, exceptionnel de pureté, réalisé par Rodin. En ce qui concerne les peintres réalistes, on trouve des Courbet, des Monet, des Pissarro et des Delacroix dont *Le Jaguar attaquant un cavalier*, symphonie de couleurs dans une situation on ne peut plus dramatique.

On assiste ensuite à la naissance du cubisme en 1907 lorsque Braque et Picasso découvrent une nouvelle manière de tracer des portraits en simplifiant les objets et en leur rendant leurs formes géométriques élémentaires. En outre, ils excluent de l'espace toute perspective et utilisent un champ de couleurs réduit. Cela donne l'*Autoportrait* de Picasso et *Le Violon et la clarinette* de Braque.

Quelques beaux exemples d'impressionnisme et de post-impressionnisme avec *La Maria à Honfleur* de Seurat, *Joaquina* de Matisse, portrait touchant de sincérité et d'affection d'une belle Ibère. Également des œuvres de Dufy, Le Corbusier, Fernand Léger, et des sculptures de Bourdelle.

Plus loin, collection d'art contemporain européen avec Paul Klee, Miró et une œuvre angoissante de Ivan Kafka symbolisant le temps qui passe à travers 30 potences sur lesquelles on trouve des trotteuses.

- Plongez ensuite dans l'art moderne tchèque de 1900 à 1960 : le *3e étage* lui est consacré, avec le peintre symboliste Jan Preisler, le précurseur de l'art abstrait František Kupka, les surréalistes Toyen et Styrsky, Joseph Sima et Jan Zrzavy. Tout cela mérite une petite visite avec un œil amusé pour les néophytes.

DANS LE QUARTIER DE SMÍCHOV

★ **La maison de Mozart** *(villa Bertramka; plan I, A3)* : Mozartova 169, Prague 5. ☎ 54-38-93. Au sud de Malá Strana. M. : Anděl, puis tram n° 4 ou 7 (arrêt : Bertramka). Ouvert de 9 h 30 à 18 h. Petit dépliant en français à la caisse. Situé dans les faubourgs de Prague en pleine reconstitution. Vous maudirez le quartier jusqu'au passage du portail ouvrant sur le magnifique jardin abritant la villa.

Accrochée à une colline, cette demeure fut reconstruite après un incendie au début des années 1870. Elle était habitée par le pianiste tchèque František Dušek qui y accueillit Mozart de nombreuses fois. En 1787, Mozart y composa *Don Giovanni*. Aujourd'hui, l'ombre du génie hante toujours la villa, au travers d'un nombre de souvenirs considérables qui lui sont rattachés : objets, instruments de musique... Notamment le clavecin sur lequel il jouait, l'affiche originale de *Don Giovanni*, des gravures, estampes, tableaux, partitions, documents rares, etc. Son œuvre y est recensée avec la plus grande précision et la villa est devenue un lieu de passage obligé pour les amoureux de sa musique.

À ce propos, un concert y est donné chaque mercredi, jeudi et samedi à 17 h. Réservations : ☎ 55-14-80-83.

Pendant les mois de juillet et août, le jardin devient le théâtre de superbes concerts le vendredi à 19 h 30. Un moment exceptionnel qui vaut sans hésitation le détour.

LE QUARTIER DE VYŠEHRAD

Au sud de Nové Město *(plan I, C4)*, au bord de la Vltava, s'élève la très verdoyante colline de Vyšehrad. Ce fut le premier site du pouvoir à Prague (XIe-XIIe siècles), avant d'être détrôné par Hradčany. On situe ici le premier palais roman au XIe siècle, édifié par le prince Vratislav II. Mais très rapidement Hradčany prend le dessus et Vyšehrad perd tout pouvoir. La colline est délaissée, le vieux palais tombe en ruine pendant les guerres hussites. Bref, Vyšehrad ne sera jamais Hradčany. Aujourd'hui, c'est un bout de campagne, à deux pas du centre. Transformé en parc, on y trouve encore quelques vestiges romans, une église, un superbe cimetière... et quelques terrains de tennis. Et puis, c'est une des plus belles vues qu'on connaisse sur la Vltava. Le dimanche, les Pragois y viennent en famille.

★ **Balade sur la colline :** pour y aller, prendre la ligne C du métro et descendre à Vyšehrad. On sort près du palais de la Culture. La colline est à environ 10 mn à pied. L'accès principal est la rue V. Pevnosti qui passe sous les portes Táborská (XVIIIe siècle) et Léopold (portail monumental baroque). Si vous venez en voiture, essayez de vous garer près du petit café sur la droite. On fait tout le reste à pied. Ce n'est pas bien grand et les quelques sites se trouvent sans problème.

– *La rotonde Saint-Martin :* premier édifice rencontré sur la droite. C'est la seule construction romane de Vyšehrad encore debout provenant du haut Moyen Âge, à l'époque de Vratislav II, quand Vyšehrad était le royaume des Přemyslides. Elle fut évidemment copieusement restaurée au XIXe siècle.

– Avant l'entrée du cimetière, en face, un petit parc. Avez-vous vu cette curieuse colonne brisée en trois parties ? C'est la *colonne de Zardan,* la colonne du diable. Son nom provient d'une curieuse légende racontant que saint Pierre ordonna au diable d'apporter les pierres pour bâtir une église. Arrivant trop tard, furieux, il jeta la pierre qui se brisa en trois sur la colline de Vyšehrad.

– *Le cimetière :* accolé à l'église Saint-Pierre-Saint-Paul, ce superbe petit cimetière accueille les tombes de nombreux illustres personnages. Dès l'entrée, sépulture du célèbre poète Jan Neruda. En prenant l'allée sur la droite, celle du compositeur Smetana. Non loin, un grand tombeau abrite Alfons Mucha, le pape de la peinture et de l'affiche Art nouveau, et Jan Kubelík, grand violoniste. Sous les arcades repose Dvořák, tandis que Karel Čapek, l'écrivain inventeur du mot « robot », est sous une dalle un peu plus loin. Pour les amateurs, la tombe de Heyrovsky, chercheur qui reçut un prix Nobel pour la mise au point du laser.

– *L'église Saint-Pierre-Saint-Paul :* tout en néo-gothique, sur une ancienne base gothique. Tellement transformée au cours des siècles qu'elle ne possède plus de caractère particulier.

– En poursuivant la balade, on aboutit forcément aux anciens *remparts* qui cernent la colline. Panorama exceptionnel sur la rivière, un petit port de plaisance et le sud de la ville. Sur le rocher même de Vyšehrad, en contrebas, quelques ruines.

★ *Les maisons cubistes :* autour ou au pied de la colline, quelques beaux spécimens de maisons cubistes de Prague, réalisées par Josef Chochol. À l'époque, elles furent considérées comme révolutionnaires. L'élément principal de ce style est l'utilisation du bossage en pointes de diamant et de la rupture incessante des angles, jamais droits. Les façades sont en ondulations saccadées, ce qui donne un rythme permanent. Les quelques demeures visibles datent de 1912-1913.

● À l'angle du Rašínovo nábř. (quai Rašínovo) et de la rue Vnislavova, juste au pied nord de la colline de Vyšehrad. Demeure superbe, mais malheureusement laissée à l'abandon.

● À l'angle de Přemyslova et Libušina ulice, 3 : immeuble gris typique de la technique des « pointes de diamant ».

● Au n° 6 de Rašínovo nábřeží : malheureusement mal située devant les quais bruyants, une demeure qui ne manque pourtant pas d'élégance. Sur la façade, des scènes de la mythologie tchèque sont sculptées.

LES QUARTIERS DE ŽIŽKOV ET DE VINOHRADY

Vinohrady et Žižkov, deux quartiers en marge du flot touristique, à l'est du centre, ne demandent qu'à se laisser découvrir. À la recherche de la Prague perdue, celle du calme et de l'authenticité.

Vinohrady, comme son nom l'indique, était jadis planté de vignes sous l'impulsion de Charles IV. Au XIXe siècle, les vignobles ont disparu au profit de demeures résidentielles, toutes plus splendides les unes que les autres. Élevé au rang de ville en 1879, ce qui lui donne une personnalité à part, Vinohrady est intégré à Prague dans les années 20, au moment de son apogée. Aujourd'hui, habiter Vinohrady est très en vogue chez les expatriés. Les noms de rues évocateurs, Francouská, Italská, Anglická ou Americká sont sans nul doute la raison cachée et un brin nostalgique de cette présence cosmopolite.

Žižkov est dominé par le maître des lieux, l'imposant Jan Žižka, génial héros des guerres hussites, perché sur la colline d'où il commanda son armée. Il reste le symbole de la défense du pays contre l'invasion catholique. Il repoussa cinq croisades en incendiant sans discernement églises et couvents, moines et curés. D'un abord plus difficile que Vinohrady. Les constructions en béton côtoient les immeubles Art nouveau de manière anarchique et insensée. Ce quartier de logements de masse tient une place à part dans le cœur des Pragois, avec ses cours intérieures et ses ruelles

emmêlées. Aussi la rénovation voulue par l'État soulève bien des réproba-
tions. Milieu sensible également avec une forte population tsigane désœu-
vrée et sédentarisée. Après 1945, le gouvernement tchèque accueille
quelque 100 000 tsiganes persécutés pendant la guerre. À l'époque, les
habitants de Žižkov déménagent en banlieue dans les cités du bonheur qui
semblent offrir un meilleur confort (eau chaude, chauffage central...). Les tsiganes sont alors sédentarisés à Žižkov, avec interdiction de partir sur les
routes, dans l'espoir d'en faire des citoyens assimilés, « tchéquisés ».
Aujourd'hui la réalité est tout autre et « les gens du voyage », refusant l'assimilation, se retrouvent marginalisés dans la société pragoise, en proie à
toutes les délinquances. Alors Žižkov, enfer ou paradis ? Pas de réponse
toute faite, venez voir vous-même !

★ *Le théâtre Na Vinohradech :* Míru náměstí 7 ; entre les rues Slezská et
Řimská. M. : Míru Nám. Un bel exemple de bâtiment de style néo-baroque
du début du siècle présentant déjà des ornementations Jugendstil (l'Art nouveau des pays germaniques) d'inspiration symboliste ou végétale. Essayez
d'y entrer, la salle de spectacle est superbe.

★ *L'église du Sacré-Cœur :* Jiřího z Poděbrad náměstí. M. : Jiřího z Poděbrad Nám. (ligne A). En plein cœur de la place, si vous ne la remarquez pas,
on ne peut plus rien pour vous. Évidemment, on adore ou on déteste mais
impossible de rester indifférent. Cette église en briques vitrifiées et à l'horloge démesurée est une création de l'architecte Plečník dans les années 30.
Cet artiste, en marge des mouvements modernes, ne fait ni du néo-baroque
ni du néo-quelque chose, il crée son propre style empreint de grandeur et
d'intériorité. L'église est souvent fermée. Si vous y passez à l'heure d'un
office, jetez un coup d'œil à la nef, conçue sans appui intérieur, et à la
crypte.

★ De la place Jiřího z Poděbrad, remonter en flânant le long des rues
Mánesova, Polská, Krkonošská, Chopinova. De superbes façades style Art
nouveau, classiques ou fonctionnalistes. Au n° 4 de la rue *Chopinova,* la
maison de l'éditeur Laichter annonce l'architecture des années 20. L'utilisation de la brique, horizontalement, en biais ou verticalement, crée une décoration originale. La rue *Na Švihance* est un autre régal pour les yeux avec,
aux n°^{os} 1, 9 et 14, trois beaux immeubles de style Mucha. Après ces déambulations architecturales, pause ou sieste dans le parc Riegrovy tout
proche.

★ À Žižkov, les contrastes sont saisissants. De la rue Fibichova, on accède
à la *tour TV,* posée là telle une navette spatiale prête au départ. C'est le dernier édifice construit par les cocos. Cette hérésie architecturale totalitariste
est évidemment détestée par les Pragois. Malheureusement fermée pour le
moment, vous ne pourrez décoller sur les toits de Prague.
Plus terre à terre, le petit *cimetière juif* au pied de la tour a été en partie
détruit pour l'élévation de cette dernière ; étonnant avec son bric-à-brac de
tombes à moitié enfouies sous le lierre. Ne se visite pas.

★ *Le Mémorial national :* sur la butte de Žižkov, accessible par la rue
U Památníku, donnant sur Husitská. M. : Florenc. Ouvert tous les jours, de
10 h à 17 h. Sur la colline qui porte son nom, Jan Žižka domine les lieux sur
son cheval. Et pour cause, la statue érigée par Bohumil Kafka a près de
10 m de long ! Son mémorial se dresse à l'endroit d'où il dirigea son armée
pendant les guerres hussites et en sortit vainqueur. À l'arrière, le monument
constructiviste est un mémorial à la nation, fortement influencé par l'idéal
socialiste révolutionnaire et témoin d'une époque aujourd'hui révolue. Bientôt il devrait être transformé en centre culturel et sportif... révolution de
Velours oblige.
Dès l'entrée, on découvre une couronne de laurier posée sur un cube en

marbre : symbole du communisme. Au 1ᵉʳ étage, les salons servent encore pour des réceptions présidentielles. Les belles mosaïques du 2ᵉ étage, dans un style révolutionnaire, retracent les grandes heures de l'histoire nationale, notamment l'arrivée de l'armée soviétique en 1945... Déception en arrivant au mausolée du Parti, il ne reste que des caveaux vides depuis 1989. En sous-sol y étaient embaumés les Présidents et personnalités communistes dont Klement Gottwald. Premier Président communiste, il met le pays sous la coupe de l'U.R.S.S. staliniste en 1948. Ironie de l'histoire, Gottwald meurt trois jours après Staline, des suites d'un coup de froid attrapé à Moscou à l'enterrement du maître.

Ce mémorial regorge de statues expressionnistes intitulées *Bravoure* ou *Passion*, dédicacées aux légionnaires. Tout un pan de l'art socialiste révolutionnaire qui rappelle aux touristes un peu oublieux que Prague vient de vivre cinquante ans de régime communiste.

À LA PÉRIPHÉRIE

★ **Židovské hřbitovy** *(cimetière juif)* : Nad Vodovodem 1. M. : Želivského (ligne A vers l'est). Fermé les vendredi et samedi. À l'est de la ville. Pour les admirateurs(trices) de Kafka qui veulent déposer une rose sur sa tombe. Allée 21, à droite en entrant.

★ **Le Musée technique national** *(Národní technické muzeum)* : Kostelní 42, Praha 7. ☎ 37-36-51-29. M. : Hradčanská puis tram n° 1, 8, 25 ou 26. Station Letenské náměstí. Au nord-ouest du centre. Ouvert de 9 h à 17 h, sauf le lundi. Petit dépliant en français à la caisse. Installé dans un immeuble à la laideur difficilement égalable, le musée réserve cependant d'intéressantes surprises et quelques raretés.

• *Au rez-de-chaussée,* dans un immense hangar rempli d'avions, de locomotives, d'automobiles et de motos, voir surtout les engins volants de 1910 à 1917 dont certains ne sont pas trop rassurants. Bel ancêtre de l'hélico. Rayon voiture, une belle Bugatti, une Ford Lotus, une Škoda de course (ou pour aller faire les courses, on ne sait pas) tout à fait méconnue de 1968. On pourra encore apprécier les modèles officiels de 1935 (Tatra 80) ou 1952 (ZIS 110 B). Également au rez-de-chaussée, de nombreux objets relatifs à la mesure du temps (cadrans solaires, horloges...) dont certains fonctionnent toujours. Et puis une salle réservée à l'évolution de la technique photographique et cinématographique avec une multitude d'appareils dont quelques caméras énormes.

• *Au 1ᵉʳ étage,* on développe le thème de l'acoustique avec la mise en pratique de certains principes physiques. Nombreux appareils exposés.

• *Au 2ᵉ étage,* collection consacrée à l'astronomie, avec force cadrans solaires, sextants, globes terrestres du XIXᵉ siècle, outils de mesure...

★ **Le quartier Baba :** voici une petite excursion qu'apprécieront les étudiants en architecture. À 4 ou 5 km au nord-ouest de Malá Strana, un peu au-dessus du quartier résidentiel de Dejvice (il faut avoir le temps d'y aller). Dans les petites rues Matějská, Na Ostrohu et Na Babě, on découvre une concentration de villas des années 20 et 30 assez étonnantes : cubes de béton géométriques, décochements, verrières, avancées, hublots, escaliers extérieurs métalliques, promontoires d'angles, ruptures incessantes des rythmes... Pour les matériaux, béton, verre, carrelage et fer sont à l'honneur. Du rigoureux, du fonctionnel mais toujours ce souci de la différence et de la recherche. On y trouve les influences de Le Corbusier pour la dureté des lignes et la froideur des matériaux, mâtinées du style de l'Américain Franck Lloyd Wright pour l'originalité de l'organisation des volumes. Ami dessinateur et architecte, c'est un vrai cours *in situ*.

Dans les environs de Prague

Dans un rayon de 50 km, possibilité de visiter une série de sites historiques et de splendides châteaux. Voici les principaux.

★ *Le château de Troja (Trojsky zámek) :* au nord de Prague, Praha 7. M. : Nádraží Holešǫvice et bus n° 112 jusqu'au terminus « Troja Zoo ». Ouvert du mardi au dimanche de 10 h à 18 h. ☎ 84-07-61. Entrée payante. Tarif étudiant. Photos interdites. Visite très recommandée aux amateurs de belles demeures. Construit à la fin du XVIIᵉ siècle par le comte Venceslas Adalbert de Sternberg à la façon d'une villa Renaissance romaine. Œuvre architecturale de Jean-Baptiste Mathey, un Bourguignon, située dans le cadre d'un remarquable parc organisé en jardins à la française, lieu de promenade très prisé des Pragois, d'autant plus que le zoo est en face. L'escalier extérieur baroque est un pur chef-d'œuvre, avec ses statues de Johan Georg et Paul Heermann et les vases en céramique de Bombelli sur la terrasse.
À l'intérieur, dans la salle principale, fresque impressionnante à la gloire de la dynastie des Habsbourg. Sa réalisation demanda six années de travail à Isaac Godyn. Collection d'art tchèque du XIXᵉ siècle intéressante (Čermák et Brožík).

★ *Le château de Zbraslav :* à environ 13 km du centre, vers le sud. Bus nᵒˢ 129, 241 et 243 de la gare de Smíchovské nádr. Ouvert de 10 h à 18 h. Fermé le lundi. Édifié au début du XVIIIᵉ siècle à partir d'un ancien couvent cistercien. Il renferme les collections de sculptures de la Galerie nationale, couvrant les XIXᵉ et XXᵉ siècles. Galerie du cloître particulièrement remarquable mais malheureusement fermée au public pour le moment.

★ *Karlštejn :* à une trentaine de kilomètres au sud-ouest de Prague. Ouvert de 8 h à 15 h de novembre à mars, de 8 h à 16 h en avril et octobre et de 8 h à 17 h le reste de l'année. Fermé le lundi, les lendemains de jours fériés, ainsi que le 24 décembre. Visite guidée obligatoire (en groupe). Pour s'y rendre : en train, départ de la gare de Smíchov ; par la route, prendre la E50 et sortir à Beroun ou, si l'on dispose de plus de temps, passer par Strakonice, Černošice, Dobřichovice. Du village, 20 mn de marche (et ça grimpe !). Ce château, réputé être le plus beau de Bohême, fut édifié par Charles IV au XIVᵉ siècle (pour conserver les joyaux de la couronne). Ce dernier y séjourna souvent et y reçut Pétrarque. Merveilleusement situé sur un éperon. La perle de Karlštejn, c'est la *chapelle Sainte-Croix* abritée dans l'épais donjon. Voûte remarquable et, surtout, près de 130 portraits de saints peints sur bois par le maître Théodorique. Elle est en réfection mais devrait rouvrir bientôt. Et le reste de la visite n'a pas grand intérêt...

★ *Křivoklát :* à 46 km à l'ouest de Prague. Prendre la E50 en direction de Beroun, puis de Rakovnik. Ouvert de 9 h à 16 h en avril et d'octobre à décembre ; de 9 h à 17 h en mai et septembre ; de 9 h à 18 h en juin, juillet, août. Château assez imposant, mais possédant fort peu d'homogénéité architecturale. Entouré d'une belle forêt. La base du donjon et le bâtiment où se trouve la salle royale sont les parties les plus anciennes. Dans la grande salle du vieux palais, très intéressante présentation de peinture religieuse. Visite des prisons, avec leurs instruments de torture... Avis aux sadiques.

★ *Lidice :* à 22 km au nord-ouest de Prague. On y arrive par la 7 (en direction de Kladno). Bus du métro Dejvická. Mémorial ouvert toute l'année. Musée ouvert de 8 h à 17 h d'avril à septembre et de 8 h à 16 h le reste de l'année. C'est l'Oradour des Tchèques. Lidice fut rasé par les nazis, le 10 juin 1942, en représailles de l'attentat contre le chef de la Gestapo, Heidrich. Tous les hommes furent tués, les femmes et enfants déportés.

★ *Konopiště :* à 40 km au sud-est de Prague. En voiture, prendre la E50, puis la E55. En train, départ de la gare Hlavní nádraží. De mai à août, ouvert de 9 h à 12 h et de 13 h à 18 h (en septembre, jusqu'à 17 h ; en avril et octobre, jusqu'à 16 h). Fermé le lundi. Château du XIIIe siècle, largement remanié en style Renaissance au XVIe. Son propriétaire, l'un des dirigeants de l'insurrection contre les Habsbourg, en fut dépossédé après la défaite de la Montagne Blanche. L'archiduc François-Ferdinand, assassiné à Sarajevo, l'avait acheté pour en faire sa résidence familiale. À l'intérieur, belles collections d'armes, d'objets d'art, trophées de chasse, tapisseries de Bruxelles. Tout autour, le parc, pas très bien entretenu. Nombreux paons à photographier.

★ *Kutná Hora :* à 68 km à l'est de Prague, la ville de Kutná Hora rivalisait jusqu'au XVIe siècle avec... Prague. L'exploitation de mines d'argent et de cuivre explique l'épanouissement de la cité et sa richesse culturelle. Ville classée patrimoine mondial de l'Unesco. Pour s'y rendre : en voiture, prendre la route n° 12 en passant par Kolín, ou, plus direct, suivre la route Kutnohroradská qui prolonge la rue Vinohradská à Prague. En bus, plusieurs liaisons par jour du terminal de Florenc ou de Želivského (M. : Želivského, ligne A) ; compter 1 h 30 de trajet. En train, départ de la gare Masarykovo (M. : Republiky Nám.). De la gare de Kutná Hora, située à 3 km du centre, prendre une navette jusqu'à une station plus centrale ou bus n° 2 ou 4.

– *La cathédrale Sainte-Barbe (Sv. Barbory chrám) :* au sud-ouest de la ville. En voiture, s'arrêter sur la rue Kremnická en face de la cathédrale. Sinon, à pied du centre-ville (Palackého nám.), prendre la rue Braborská. Visite payante avec fascicule en français. La construction de cette cathédrale de style gothique flamboyant, financée en partie par les mineurs, débuta vers 1388 et se termina 150 ans plus tard...

– *Le Châtelet (Hrádek) :* aujourd'hui transformé en *musée de Numismatique.* Ouvert de 9 h à 12 h et de 13 h à 18 h, d'avril à octobre. Fermé le lundi. Muni d'une lampe, d'un casque et de la traditionnelle blouse blanche de mineur, vous pourrez descendre visiter les anciennes mines d'argent désaffectées depuis la fin du XVIe siècle. Impressionnant mais décevant quant au contenu.

– *La cour des Italiens (Vlašský dvůr) :* en descendant la rue Ruthardská, à côté de l'église Saint-Jacques. Ouvert tous les jours, de 9 h à 17 h en saison et de 10 h à 16 h en hiver. Visite guidée d'une demi-heure. À l'origine, lieu où était frappée la monnaie, la cour des Italiens est devenue, fin XIVe, la résidence royale du roi Venceslas IV.

Quitter Prague

En voiture

Depuis le 1er janvier 1995, l'accès des autoroutes est payant. Une vignette routière (400 Kč), disponible à la frontière, permet l'accès à tout le réseau autoroutier. Elle est valable 1 an.

– *Vers l'ouest*
● Direction Plzeň : E50/route 5.
● Direction Karlovy Vary, Bayreuth : E48.
● Direction Chomutov (aéroport) : route 7.
– *Vers le nord*
● Direction Teplice, Dresden (Dresde) : E55/route 8.
– *Vers l'est*
● Direction Mladá Boleslav, Wroclaw : E65.
● Direction Hradec Králové, Wroclaw : E67.
● Direction Kolín, Kutná Hora : route 12.

– *Vers le sud*
- Direction Brno, Bratislava, Wien (Vienne) : E50/E55/E65.
- Direction Tábor, České Budějovice : E55.
- Direction Strakonice : route 4.

En bus

Tous les horaires et les gares routières correspondantes se trouvent dans la brochure intitulée *Jízdní řád*. Certains hôtels ou agences la possèdent, sinon adressez-vous au *Čedok*. Le terminal de bus principal est celui de Florenc.

🚌 ***Terminal de bus Praha-Florenc :*** Křižíkova 5, Praha 8. ☎ 24-21-10-60 ou 22-14-45 (mais personne ne décroche...). M. : Florenc (ligne B). Destinations internationales et nationales. Facile de s'y retrouver. Dans la gare et à l'extérieur, les horaires sont affichés avec le code du voyage (numéro à 5 chiffres) et la tête de ligne correspondante (de 1 à 63).

- *Destinations internationales* (un à deux départs par jour) : bus pour Amsterdam, Berlin, Bruxelles, Copenhague, Munich, Vienne, Zagreb, Zurich. Bus vers l'Italie, la Suède, la Norvège, la Pologne. Bus pour Bratislava plusieurs fois par jour.
- *Destinations nationales :* bus pour Tábor, Jihlava (5 départs par jour), České Budějovice (4 départs par jour), Český Krumlov (2 départs par jour), Plzeň, Mariánské Lazně, Karlovy Vary (5 départs par jour), Třeboň, Telč ...

🚌 ***Gare routière :*** Wilsono nádraží, Praha 2. ☎ 24-21-76-54. M. : Hlavní Nádražní. Il s'agit en fait de la gare ferroviaire principale.

🚌 ***Želivského :*** Praha 3. À la sortie du métro Želivského (ligne A). Les bus pour la France (un par jour, 12 h de trajet) et l'Espagne partent de là.

– Les autres terminaux de bus concernent les destinations à l'intérieur de la République tchèque :

🚌 ***Holešovice :*** Praha 7. Juste à la sortie du métro Holešovice (ligne C).

🚌 ***Smíchov :*** Křížová, Praha 5. M. : Smíchovské Nádražní (ligne B). Pour les villes de l'ouest et du sud-ouest en général.

🚌 ***Roztyly :*** Praha 4. ☎ 795-04-81. M. : Roztyly (ligne C).

🚌 ***Palmovka :*** Praha 8. À la station de métro Palmovka (ligne C).

🚌 ***Hradčanská :*** Praha 6. À la station de métro Hradčanská (ligne A).

En train

Comme pour les bus, pas vraiment de points de repère pour savoir de quelle gare part tel ou tel train. Se renseigner avant à la gare principale (Hlavní nádražní). Voici quand même de quoi vous y retrouver dans les quatre gares majeures.

🚆 ***Gare principale, Hlavní nádražní :*** Wilsonova, Prague 2. ☎ 24-21-76-54 (24 h sur 24) ou 24-61-11-11. M. : Hlavní Nádražní (ligne C). Point de départ des lignes internationales pour Bucarest (1 h de trajet, 1 par jour), Copenhague (13 h de trajet, 1 par jour), Hambourg (9 h de trajet, 2 par jour), Nuremberg (6 h 30 de trajet, 1 par jour), Paris (14 h 30 de trajet, 2 par jour), Vienne (6 h de trajet, 2 par jour), Varsovie (10 h de trajet, 3 par jour), Venise (14 h de trajet, 1 par jour), etc. Certaines lignes nationales : Plzeň, Ostrava, Hradec Králové, Tábor, Brno, plusieurs fois par jour.

🚆 ***Gare Holešovice :*** au nord de la ville. ☎ 24-61-58-65. M. : Holešovice Nádražní (ligne C). Gare internationale pour les départs vers Budapest (8 h 30 de trajet, 2 par jour), Berlin (5 h de trajet, 2 par jour), Bucarest, Stockholm, Vienne, Hambourg, Bratislava... Et gare nationale (départs pour Karlovy Vary, Plzeň également).

🚆 ***Gare Masarykovo :*** Hybernská, Praha 1. ☎ 24-22-42-00. M. : Republiky Náměstí (ligne B). Gare régionale desservant les villes en direction de Kolín, Chomutov, Lovosice, Pardubice, Děčín, Kladno, etc., à raison de 4 à 10 trajets par jour.

LA BOHÊME

🚉 **Gare Smíchov :** Nádražní, Praha 5. ☎ 24-61-50-86. M. : Smíchovské Nádražní (ligne B). Généralement pour les villes vers l'ouest et le sud-ouest (Beroun, Karlštejn, Plzeň).

En avion

■ **ČSA :** V Čelnicí 5. ☎ 20-10-41-11 et 36-78-14 (à l'aéroport). Ouvert du lundi au vendredi de 7 h à 18 h et le samedi de 8 h à 16 h.

■ **Air France :** Václavské nám. 10. ☎ 24-22-71-64. Fax : 24-22-12-03. Ouvert du lundi au vendredi de 9 h à 12 h et de 13 h à 16 h.

– **Pour l'aéroport :** bus *CEDAZ* toutes les 30 mn environ de la Republiky náměstí. Autre arrêt sur la ligne A du métro à Dejvická. Environ 20 mn de trajet. Informations : ☎ 20-11-42-96 ou 20-11-42-86.

– LE NORD DE LA BOHÊME –

Du sud au nord, le lit de l'Elbe forme l'axe de la Bohême du Nord. Selon la légende, c'est dans son bassin que se sont établies les premières tribus slaves. À l'ouest de l'Elbe, les monts métallifères forment la frontière avec l'Allemagne.
Très industrialisée, la région regorge d'usines et de mines de lignite à ciel ouvert. Elle présente un taux anormalement élevé de cancers et de malformations congénitales. Les pluies acides ont abîmé un grand nombre de forêts.
Cependant, la Bohême du Nord abrite quelques villes au riche passé historique (Osek, Teplice, Litoměřice, Terezín, Liberec) et d'intéressants sites naturels. À 10 km au nord de Děčín, la « Suisse tchèque », dont les rochers en grès fendus sont meulés par les eaux et le vent, attend les alpinistes. Non loin de là, se dresse le plus grand pont naturel d'Europe centrale, dit Pravčická Brána, avec ses 30 m de long et 21 m de haut. À l'ouest de Nový Bor, la Panská Skála, curieuse formation rocheuse haute de 25 m, rappelle un orgue de basalte.

TEREZÍN
IND. TÉL. : 0416

La visite de ce lieu de commémoration des victimes des nazis s'effectue en deux parties : d'une part la ville de Terezín même, entourée par les 4 km d'enceintes de la grande forteresse et d'autre part, la petite forteresse.
Construites en 1780 par l'empereur Joseph II pour protéger l'Empire d'une éventuelle agression prussienne, les forteresses n'ont en fait jamais rempli cette fonction. Durant la Deuxième Guerre mondiale, la petite forteresse servit de prison à la gestapo de Prague et la grande forteresse fut transformée en camp de transit, puis en ghetto juif. En 1942, la population de la ville fut forcée de partir. De 1941 à 1945, près de 150 000 hommes, femmes et enfants ont vécu dans le ghetto. Plus de 87 000 personnes ont été déportées vers des camps d'extermination, implantés à l'est. Moins de 4 000 survécurent. Terezín eut la particularité d'avoir été un certain temps la « vitrine » de « l'humanisme » nazi. On y mourait moins vite que dans les autres camps de concentration et la communauté juive put conserver une très riche activité culturelle (concerts de musique, théâtre, etc.). Des « visites guidées » étaient d'ailleurs organisées pour les délégations de la Croix Rouge internationale et elles repartaient totalement bluffées bien sûr !

Comment y aller ?

Terezín est située à 59 km au nord-ouest de Prague.
– *Par la route* : accès par la E55.
– *En bus* : à partir de la gare Florenc, 6 départs par jour en semaine, 7 le dimanche, mais seulement 3 le samedi. Attention, ces fréquences changent plus ou moins tous les deux mois.

Où manger ?

Peu de possibilités, quelques snacks sur le parking situé à l'entrée de la petite forteresse. Une adresse originale toutefois :

|●| Sabra : Pražská 130. ☎ 782-303. Proche du musée du Ghetto. Premier restaurant juif de la ville, ouvert en 1997. Sert une bonne cuisine tchèque ainsi que des repas cachers pour des prix modiques. Aux murs, exposition de tableaux. La maison fait également office de galerie d'art.

À voir

★ *La grande forteresse* : à l'intérieur, la ville est bâtie selon un plan quadrillé. Voir le *musée du Ghetto* (Komenského ul. ; ☎ 92-576-7), ouvert tous les jours de 9 h à 18 h. La montée en puissance du nazisme, la vie quotidienne dans le ghetto ainsi que la formidable résistance de la population y sont clairement décrites. Projection de films documentaires.
En sortant du musée, s'arrêter devant l'ancien *bureau à arcades du Commandement* et l'imposante *église de la Résurrection*.
Sur la route du crématorium, *vestiges d'une voie de garage de chemin de fer* sur laquelle arrivaient les wagons de détenus.
Le *crématorium* est ouvert du 1er mars au 30 novembre, de 10 h à 17 h. Fermé le samedi. D'octobre 1942 à août 1945, 30 000 cadavres de la petite forteresse et du camp de concentration de Litoměřice (situé à quelques kilomètres au nord de Terezín) y ont été brûlés. Après la guerre, ce fut le tour des victimes du typhus. Aujourd'hui, 9 000 tombes sont regroupées aux alentours du bâtiment.

★ *La petite forteresse* : 500 m avant la ville. Visite de mai à septembre, de 8 h à 18 h et d'octobre à avril de 8 h à 16 h 30. ☎ 78-222-5 ou 78-244-2. Des guides – dont certains semblent être des survivants du ghetto – vous proposeront un tour guidé.
Visite des blocs et cellules où étaient entassés les déportés. Au-dessus d'une porte est inscrit le sinistre slogan nazi : « Arbeit macht frei » (le travail rend libre). Voir en particulier la cellule où séjourna Gavrilo Princip, l'assassin de l'archiduc François-Ferdinand à Sarajevo ainsi que celle du poète et résistant français Robert Desnos qui y mourut le 8 juin 1945 du typhus. Emprunter un couloir souterrain jusqu'à une esplanade. Les dernières cellules ont été transformées en salle d'exposition de peintures, dessins et photos, liés à la vie du camp et à sa libération. Malgré les effroyables conditions d'existence, la communauté juive du camp avait maintenu une organisation sociale et une riche vie culturelle.
Juste devant la forteresse, vaste *cimetière*, créé en 1945 pour enterrer les corps des victimes, exhumés des fosses communes.

– LA BOHÊME OCCIDENTALE –

KARLOVY VARY (KARLSBAD)   IND. TÉL. : 017

À 130 km à l'ouest de Prague. Fondée en 1358 par Charles IV, Karlovy Vary est la plus ancienne ville d'eau de Bohême. La légende veut que ce soit l'empereur qui découvrit la première des douze sources en chassant le cerf. Tout naturellement, il donna son nom à l'endroit : Karlsbad. La description médicale des eaux ne fut effectuée qu'en 1522 mais déjà leurs vertus curatives attiraient des visiteurs célèbres. La ville connut son plus grand succès aux XVIIIe et XIXe siècles. De nombreuses têtes couronnées, écrivains et artistes y vinrent : Pierre le Grand, Charles VI, Schiller, Tolstoï, Gogol, Chateaubriand, Beethoven, Chopin, Wagner, Liszt, Brahms... Goethe y séjourna treize fois. Karlovy Vary est aujourd'hui le plus sûr endroit pour retrouver l'ambiance nostalgique de l'ancien Empire austro-hongrois. Nombreux travaux entrepris pour restaurer les superbes façades des hôtels et établissements thermaux.

Comment y aller ?

– **En bus de Prague** : en semaine, départ de la gare de Florenc toutes les heures et demie ; 6 bus le week-end. Durée : 3 h.
– **En voiture de Prague** : prendre la E48 et se garer sur les parkings en périphérie de la ville. Ceux du centre sont plus chers et la police est intraitable.

Adresses utiles

🏠 **Office du tourisme** (plan A2) : Dr. Milady Horákové nám. 18. ☎ 322-28-33 et 323-37-88. Fax : 323-37-89. Ouvert en semaine de 9 h à 12 h et de 13 h à 17 h ; le samedi de 9 h à 12 h. Fermé le dimanche. Plans de la ville, change, listes des chambres d'hôtes et des hôtels.
■ **Alex Tour** : Krymská 9. ☎ et fax : 322-84-37. Accueil chaleureux, renseignements sur les possibilités de logement, les activités culturelles et sportives.

■ **Čedok** (plan A2, **1**) : Dr. D. Bechera 23. ☎ 322-33-35. Fax : 322-22-26. Autrefois représentant officiel de l'Office du tourisme national, cette agence s'est reconvertie en agence de voyages. Délivre encore des plans, des infos sur la ville et le logement. Attention, vous trouverez des points Čedok dans pratiquement toutes les villes mais bien souvent, ils ne délivrent plus d'infos touristiques locales. Se rendre de préférence dans les offices de tourisme récemment créés.

Où dormir ?

Pas évident de trouver à se loger. Les 65 000 habitants de Karlovy Vary accueillent en haute saison 80 000 patients et visiteurs. Les hôtels, assez luxueux, affichent des prix comparables à ceux de Prague. Les petits budgets sont donc pénalisés. Généralement, les tarifs ne comprennent pas la

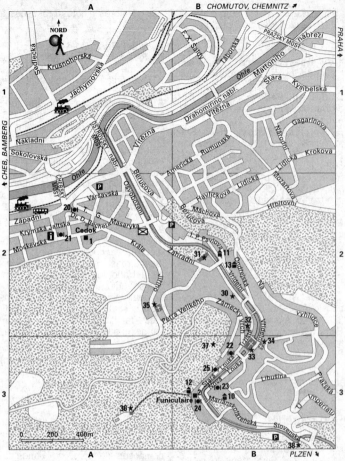

KARLOVY VARY

■ **Adresses utiles**

🛈 Office du tourisme
✉ Poste
🚂 Gare ferroviaire
🚌 Gare routière
    1 Čedok
    2 Funiculaire

▲ **Où dormir?**

10 Hôtel Neapol
11 Hôtel Růže
12 Hôtel Mallorca
13 Pension Amadeus

🍽 **Où manger?**
Où déguster une pâtisserie?

20 Kavalerie
21 U Radnice
22 U Švejka
23 Restaurant Embassy
24 Pupp
25 Elefant Café

★ **À voir**

30 Mlýnská kolonáda
31 Sadová kolonáda
32 Tržní kolonáda
33 Vřídelní kolonáda
34 Église Marie-Madeleine
35 Église Saint-Pierre-et-Saint-Paul
36 Point de vue Diana
37 Jelení skok
38 Galerie d'art Uměří

taxe « ville d'eau ». Optez plutôt pour les chambres d'hôtes proposées à l'office ou dans les agences de tourisme.

Bon marché

Il n'y a pas d'auberge de jeunesse mais possibilité l'été de dormir dans l'internat d'une école.

- *Střední Pedagogická A Rodinná Škola :* Lidická 40. ☎ 270-21 (futur n° : ☎ 357-70-21).
- *Motorest Březový Háj :* Staromlýnská ulice, 362 15 Březová. ☎ 32-22-665 ; mobile : ☎ 0602-452-682. À 6 km de Karlovy Vary. Prendre un bus près de l'hôtel *Thermal*, à l'arrêt qui se situe rue Osvobozeni. Location de petits chalets. Fait également camping.
- *Motel Auto-Camping :* Slovenská 9, 362 15 Březová. ☎ 251-01-2. Fax : 252-25. Catégorie supérieure au précédent.

Prix moyens

- *Hôtel Neapol* (plan B3, **10**) : Mariánskolázeňská ul. 17. ☎ et fax : 32-34-548. À quelques pas de l'hôtel *Pupp*. Quartier calme. 19 chambres spacieuses au décor contemporain. Bon accueil.

- *Hôtel Růže* (plan B2, **11**) : I. P. Pavlova 1. ☎ et fax : 222-24. Situé près de la Sadová kolonáda. 20 chambres très fonctionnelles. Terrasse l'été.
- *Hôtel Mallorca* (plan B3, **12**) : Mariánská 6. ☎ et fax : 3221-425. Au pied du funiculaire du point de vue Diana. Petit inconvénient pour les voyageurs chargés de bagages : accès par un long escalier. La plupart des chambres possèdent une grande salle de bains avec une baignoire en angle.
- *Pension Amadeus* (plan B2, **13**) : Ondřejská 37. ☎ 272-54 et 271-87. Fax : 271-79. Proche de la Mlýnská kolonáda. Très bel immeuble, reconnaissable de loin à sa façade rose. Les chambres côté jardin ont une vue magnifique qui embrasse toute la ville. Dans la salle – un peu kitsch – du petit déjeuner, les tables sont originalement constituées de plateaux de verre, reposant sur des pieds d'anciennes machines à coudre. Dommage que l'accueil soit méfiant et mitigé.

Où manger ?

Bon marché

- **I●I** *Kavalerie* (plan A2, **20**) : T. G. Masaryka 43. ☎ 283-30. Ouvert de 11 h à 22 h. Situé dans le centre économique sur la rive droite de l'Ohře, ce resto sert de la bonne cuisine tchèque avec comme spécialité un jambonneau braisé au chou cru.
- **I●I** *U Radnice* (plan A2, **21**) : Moskevská 32. Ouvert de 10 h à 23 h en semaine, jusqu'à 1 h les vendredi et samedi. *Vinárna* située également dans le centre administratif. Cuisine tchèque. Terrasse.

Prix moyens

- **I●I** *U Švejka* (plan B3, **22**) : Stará Louka 10. ☎ 323-22-76. Ouvert de 11 h à 23 h. Posté à l'entrée, le brave soldat Švejk vous invite à boire un verre dans cette brasserie

de style rustique. Photos de l'ancien Karlsbad aux murs. Goûtez notamment à l'assiette du vieux bohémien, composée de porc, de viande fumée, de choux blanc et rouge ainsi que de *knedlíkys*.

Un peu plus chic

- **I●I** *Restaurant Embassy* (plan B3, **23**) : Nová Louka 21. ☎ 322-11-61. Ouvert de 11 h à 23 h. L'un des plus vieux restaurants de la ville. Plusieurs salles intimes au plafond voûté. Très belle carte proposant de nombreuses spécialités tchèques ainsi que des plats végétariens. Par exemple, succulent gratin de légumes aux fromages. Sympathique accueil et service avenant. Sans aucun doute, l'une de nos meilleures adresses en République tchèque.

Plus chic

▮●▮ Pupp *(plan B3, **24**)* : Mirové nám. 2. ☎ 310-91-11. Le plus célèbre hôtel de la ville. Idéalement situé au bout de la colonnade principale. Goethe, Schiller, Beethoven, Dvořák y séjournèrent. Ici, c'est le resto qui nous intéresse, l'hôtel n'étant pas à la portée de toutes les bourses. Salle magnifique et prix très abordables eu égard à la qualité de l'adresse. En étant raisonnable, vous pouvez même vous en sortir pour 150 F par personne. Service efficace et discret.

Où déguster une pâtisserie ?

▮●▮ Elefant Café *(plan B3, **25**)* : Stará Louka 30. ☎ 32-23-406. Ouvert de 9 h à 20 h. Choix de pâtisseries au comptoir. Agréable terrasse en bordure de la Teplá.

À voir

La station thermale proprement dite s'étire sur 3 km le long de la rivière Teplá. Haie majestueuse de grands bâtiments.

★ **Les sources et les colonnades** : les douze sources jaillissent à l'intérieur ou à proximité des cinq colonnades. La plus monumentale est la **Mlýnská kolonáda** *(colonnade du Moulin ; plan B2, **30**)* de style néo-Renaissance. Elle abrite cinq sources et un petit kiosque où jouent souvent des musiciens pour fêter la santé retrouvée des curistes. Voir également la **Sadová kolonáda** *(plan B2, **31**)* ; la **Tržní kolonáda** *(colonnade du Marché ; plan B2, **32**)*, abritant deux sources dont celle de Charles IV ; la **Zámecká kolonáda ;** et la **Vřídelní kolonáda** *(colonnade du Geyser ; plan B3, **33**)*, qui possède la source la plus chaude (73°). Cette dernière est accessible au public de 6 h à 18 h 30. Les effets curatifs des sources sont dus à une forte concentration de sels minéraux dissous, d'oligo-éléments et de gaz carbonique. Les eaux de Karlovy Vary sont recommandées pour les traitements des maladies de l'appareil digestif et les troubles du métabolisme.

★ **L'église Marie-Madeleine** *(plan B3, **34**)* : datant de 1736, elle est l'œuvre de l'architecte Kilian Ignac Dientzenhofer, grand maître du baroque en Bohême.

★ **La tour du château** : érigée à l'emplacement du pavillon de chasse de Charles IV.

★ **L'église orthodoxe Saint-Pierre-et-Saint-Paul** *(plan A2, **35**)* : Krále Jiřího. Ouvert de 10 h à 17 h. Offices le samedi à 17 h, les dimanche et jours fériés à 10 h. Elle fut construite par des immigrés russes à la fin du XIXe siècle et constitue un chef-d'œuvre pour le moins étonnant en Bohême. Couronnée de cinq bulbes éclatants. Belles icônes à l'intérieur.

★ **La galerie d'art Umění** *(plan B3, **38**)* : Goethova Stezka 6. Ouvert tous les jours, sauf le lundi, de 9 h 30 à 12 h et de 13 h à 18 h. Petite mais intéressante collection d'art tchèque du XXe siècle.

À faire

★ **Point de vue Diana** *(plan A3, **36**)* : balade à partir de l'hôtel *Pupp*. Grimper sur 1,5 km à travers les bois pour surplomber la station. Tous les jours, de 9 h à 18 h, possibilité d'emprunter un funiculaire *(plan A-B3, **2** ;* montée en 394,5 secondes). Au sommet, le restaurant *Diana* et une tour d'observation (accès de 9 h à 18 h, tarif peu élevé). Très beau panorama sur la ville. Redescendre à pied et suivre le sentier qui mène au ***Jelenní skok*** (le saut du Cerf; *plan B3, 37*). Sur un rocher, un cerf en bronze (en fait un chamois) symbolise la légende de la ville.

Achats

L'avenue Stará Louka est la plus fréquentée mais aussi la plus chère. Élégants magasins.
– ***Cristal de Bohême :*** nombreuses boutiques sur Stará Louka et J. Palacha nábř. Grand choix de verres, carafes, vases, etc. Sur la route de Cheb, au village Dvory, vous trouverez la célèbre ***fabrique de cristal Moser***. Mal indiquée : dans Dvory, tourner à gauche au premier carrefour après la station-service Paramo. Visite de la fabrique à partir de 10 personnes, du lundi au vendredi, de 9 h à 13 h (entrée payante). Il y a aussi une très belle exposition gratuite de verres ainsi qu'une boutique qui pratique, hélas, les mêmes prix qu'en ville. Ouvertes en semaine de 8 h à 17 h et de 9 h à 15 h le samedi. Fermeture le dimanche. Fondée en 1892, la fabrique connut rapidement une renommée internationale et reçut l'appellation de « verrerie royale ».
– ***Un kalísek :*** pour faire couleur locale, achetez une de ces curieuses tasses à eau thermale, munies d'une pipette de porcelaine.
– ***Des oplatkys :*** il est d'usage de consommer ces gaufrettes tout en buvant les eaux de source.
– ***La Becherovka :*** « la Treizième source » de la ville est préparée depuis le début du XIXe siècle par la fabrique Becher. Pas moins de dix-neuf plantes entrent dans la composition de cette liqueur.

LOKET
IND. TÉL. : 0168

Village situé sur la route de Cheb, à 10 km. Château perché sur un rocher contourné par la rivière Ohře. Celle-ci forme un coude (*loket* en tchèque) qui a donné son nom à la localité.

Comment y aller ?

– ***En bus :*** de Karlovy Vary, une douzaine de départs par jour; moins le week-end.
– ***À pied :*** 15,5 km de sentiers balisés longent l'Ohře depuis Karlovy Vary.

Adresse utile

■ ***Goethe Tour :*** Radnični 1. ☎ 684-424. Ouvert de 9 h à 12 h et de 13 h à 17 h. Agence située dans l'hôtel de ville. Très bon accueil, infos sur le village, le logement, et organisation d'excursions.

Où manger ?

– *L'hôtel-restaurant Bílý Kůň* (T.G. Masaryka nám.), où Goethe descendait souvent, est fermé depuis 1995. Il a même été muré et attend une prochaine restauration. Le commencement des travaux se fait attendre pour cause de changement de propriétaire.

|●| Se rabattre sur les *restaurants Goethe* (☎ 684-184) et *Actus* (☎ 684-103), situés en face.

À voir

★ *Le château fort* : restauré en 1992. Ouvert, sauf le lundi, de 9 h à 12 h et de 13 h à 17 h, d'avril à octobre. Fondations romanes du XIIe siècle. Château remanié aux XIVe et XIXe siècles. Servit (trop) souvent de prison jusqu'en 1947. Intéressante maquette d'une météorite de 107 kg. Belle collection de porcelaines du XIXe siècle.

★ *Petit musée de porcelaines anciennes :* situé dans l'hôtel de ville, ouvert de 10 h à 14 h. Nombreuses tasses à eau thermale exposées.

CHEB (EGER)   IND. TÉL. : 0166

Cheb a conservé une physionomie médiévale pratiquement intacte, et son centre n'a pas encore été défiguré par de vilains promoteurs. La ville entra dans l'histoire en 1634 lorsque Albrecht de Wallenstein, généralissime de l'armée impériale, y fut assassiné. Cet événement inspira l'écrivain Schiller qui écrivit – lors d'un séjour à Cheb – la trilogie dramatique *Wallenstein*.

Comment y aller ?

– *En voiture :* prendre la nationale 6 à partir de Karlovy Vary.
– *En bus :* de Karlovy Vary, environ 12 départs par jour, un peu moins en semaine. De Prague, 8 départs quotidiens *via* Plzeň. Compter 4 h de route.

Adresse utile

■ *Centre d'information culturel et touristique :* Krále Jiřího z Poděbrad náměstí 33. ☎ 42-27-05. Fax : 43-43-85. Ouvert en semaine de 8 h 30 à 17 h, le samedi de 9 h 30 à 14 h 30 et le dimanche de 9 h 30 à 12 h 30. Infos sur la ville, possibilité de réserver des logements.

Où dormir ?

Les deux hôtels de la ville sont assez chers, préférez-leur le camping.

🛖 *Autokemping Drenice :* sur la Jesenicka Prehraxda. ☎ 315-91. En sortant de la gare, prenez à gauche et tournez encore à gauche au bout de 50 m, passez sous le pont et continuez tout droit sur 2 km. Le cadre, au bord d'un lac, vous ré- compensera de cette longue marche. Possibilité de louer un bungalow.

🛖 *Karel :* sur la Jesenicka Prehraxda également. ☎ 303-09. Camping semblable au précédent.

Où manger ?

Les restos et cafétérias autour de la place principale sont assez chers. Deux adresses cependant :

|●| *Staroceská Restaurace :* Kammenná 1. ☎ 4221-70. Ouvert de 11 h à 22 h. Bonne qualité pour des prix raisonnables.

|●| *Radmični Sklípek :* Krále Jiřiho nám. ☎ 4220-42. Ouvert de 10 h à minuit. Si le temps le permet, s'asseoir plutôt en terrasse, idéalement située sur la place principale. Cuisine assez banale. Soirées dansantes tous les soirs à partir de 21 h.

Où déguster une pâtisserie ?

– *Zapletal Pekařské Výrobky :* Jatecni 2. Boulangerie donnant sur la place. Ouvert de 8 h à 18 h, le dimanche de 9 h à 18 h. Confectionne de bons gâteaux. Possibilité d'acheter des sandwiches.
– *Cukrárna Kapucín :* Zidovská 22. Pâtisserie ouverte du lundi au vendredi de 7 h à 18 h, le samedi de 8 h à 13 h et le dimanche de 11 h à 18 h. Trois petites tables vous attendent pour reprendre des forces avant la visite du château. Vraiment très simple.

À voir

★ *La place centrale :* bordée de jolies maisons médiévales. Sa partie basse – le *Špaliček* (pâté de maisons) – constitue l'attraction principale de Cheb. Bel ensemble de maisons à colombages du XVe siècle qui appartenaient à des marchands juifs.

★ *L'église Sv. Mikuláš (Saint-Nicolas) :* élevée au XIIIe siècle, sur le modèle d'une basilique romane. Imposantes dimensions.

★ *Le musée de Cheb :* ouvert toute l'année de 9 h à 11 h 30 et de 13 h à 16 h ; fermé le lundi. Situé derrière le Špaliček, dans la maison où eut lieu l'assassinat d'Albrecht de Wallenstein. Façade rénovée en 1998. Des tableaux et des pièces archéologiques retracent l'histoire de la ville et de sa région.

★ *La galerie des œuvres d'art :* au n° 16 de la place centrale. Ouvert toute l'année, tous les jours de 9 h à 12 h et de 12 h 30 à 17 h. Riche collection, orientée sur l'art tchèque du XXe siècle.

★ *Le château :* en octobre et avril, ouvert de 9 h à 12 h et de 13 h à 16 h. En mai et septembre, ferme à 17 h et en été à 18 h. Fermeture le lundi. Bien que fort délabré, ce château surplombant l'Ohře est l'un des plus grands de Bohême du Nord et mérite une petite visite. Sa partie la plus intéressante, la chapelle Saint-Erhard-et-Sainte-Ursule, datant du début du gothique, est remarquablement conservée. Admirez les colonnes en granit portant chacune un décor différent. Du haut de la tour Noire, vue admirable sur les toits de la vieille ville.

FRANTIŠKOVY LÁZNĚ (FRANZENSBAD)　　IND. TÉL. : 0166

C'est la troisième ville d'eau de la région et la moins courue. Fondée en 1793, elle porte le nom de l'empereur autrichien François Ier, qui y séjourna. Ses 25 sources minérales sont recommandées pour le traitement des troubles cardio-vasculaires, des affections gynécologiques et des maladies des organes locomoteurs. La plus efficace d'entre elles, « Glauber IV », a la teneur la plus élevée au monde en sulfate de sodium. Le parc et les forêts aménagées alentour procurent le calme indispensable aux curistes (essentiellement allemands).

L'arrivée

À 5 km au nord de Cheb. Parking payant obligatoire à l'entrée de la ville. Les voitures sont interdites de circulation au sein du centre.

Adresse utile

■ *Informace a Směnárna :* Jiráskova 17. ☎ 942-350. Fax : 942-970.   Infos sur la ville et change.

Où dormir ?

▲ Les hôtels restent chers. Choisissez plutôt une pension ou l'*Autocamp Amerika :* caravan-site Amerika. ☎ 942-518. Tout confort, location de bungalows.

À voir. À faire

★ À pied, parcourir le *centre-ville,* conçu sur un plan rectiligne. L'axe est formé par la plus ancienne rue, la *Národní* (Nationale), artère commerciale principale. Admirer l'unité architecturale de l'ensemble, à l'heure actuelle classé et protégé. Immeubles aux façades néo-baroques et Art nouveau.

– Goûter à l'eau d'une des sources, réparties dans les allées du parc.

★ À proximité de la source François, découvrir la *statue du Garçon au poisson*, symbole de la ville. On dit que chaque femme qui touche ce garçon verra son souhait d'avoir un enfant réalisé.

★ Au sud-est, perdu dans la nature, s'arrêter devant l'imposant *hôtel Impérial*, qui accueillait autrefois les cadres soviétiques bien notés du PC. Leonid Brejnev en personne y avait sa suite attitrée.

Dans les environs

★ *La réserve naturelle de Soos* : à 6 km au nord-est de Františkovy Lázně. En sortant de la ville, suivre les pancartes (bien indiqué). Réserve nationale formée d'une grande tourbière, de végétation d'eau salée et de petits cratères d'où se dégagent des émissions d'anhydride carbonique. Il s'agit d'un phénomène rare en Europe centrale. 200 sources ont été répertoriées. Certaines créent des petits geysers. Site également intéressant pour les ornithologues. Ouvert tous les jours de 9 h à 18 h. En dehors de ces horaires, l'accès est quand même libre et gratuit. Suivre le chemin en rondins, ne pas revenir sur ses pas, le parcours forme une boucle. On revient par la route.

MARIÁNSKÉ LÁZNĚ (MARIENBAD)   IND. TÉL. : 0165

Bien que les annales conservées confirment la connaissance dès le XIVe siècle des effets thérapeutiques de ses sources, la cadette des villes thermales ne fut fondée qu'au début du XIXe siècle. S'étageant tout autour d'une vallée verdoyante, elle se distingue par la beauté de son environnement. Constructions et vastes parcs cohabitent harmonieusement. L'avenue principale, dont le tracé suit la configuration du terrain, forme l'unique grand axe nord-sud. La plupart des bâtiments datent du XIXe siècle. Malheureusement, un an avant leur chute, les bureaucrates ont saccagé le centre-ville pour construire un complexe hôtelier. Le chantier a vite été abandonné, la nouvelle administration se demanda même s'il ne valait pas mieux remplacer les constructions prévues par des jardins. Aux dernières nouvelles, les travaux auraient été stoppés uniquement par manque de sponsors.

Malgré ce trou béant, Mariánské Lázně reste l'une des plus agréables villes de Bohême. Le quartier de la Lázeňská kolonáda est imprégné d'une atmosphère romantique qui inspire la mélancolie.

Un peu d'histoire

La première analyse chimique de l'eau de Marienbad fut effectuée en 1606 par un médecin et physicien du nom de Michael Raudenius. Il constata que l'eau contenait de la « materia vitrioli » mélangée à de l'hydrogène sulfuré et qu'elle était excellente pour le métabolisme.

Depuis, de nombreuses personnalités vinrent y soigner le leur. La plus célèbre, Goethe, se prescrivit un traitement supplémentaire. À soixante-douze ans, il vécut sa dernière histoire d'amour avec Ulrika, une jeunette de dix-sept ans. Les écrivains appréciaient Marienbad : Tourgueniev vint y chercher l'inspiration, Gogol y construisit le plan des *Âmes mortes* et Maksim Gorki y apprit la mort de Lénine. Dostoïevski, Kipling, Mark Twain et Zweig vinrent également s'y reposer. Les musiciens furent tout aussi nombreux à s'y ressourcer : Chopin, Beethoven, Wagner, Weber, Liszt, Strauss, Dvořák... Édouard VII, roi d'Angleterre, y introduisit le premier golf en 1905.

Au fait, n'y cherchez pas l'ombre de Delphine Seyrig. *L'Année dernière à Marienbad* ne fut pas tourné dans la ville. Le titre du superbe film de Resnais fut choisi en fonction de la « sonorité littéraire » et du pouvoir évocateur de Marienbad.

Comment y aller ?

– **En voiture** : depuis Prague, 2 h de route.
– **En train** : environ 7 trains quotidiens à partir de Prague. 3 h de trajet.
– **En bus** : déconseillé au départ de Prague ; par contre, 15 départs à partir de Cheb (durée 30 mn).

Adresses utiles

■ *Infocentrum :* Hlavní 47. ☎ 62-24-74. Fax : 58-92. Ouvert de 9 h à 18 h en semaine et de 9 h à 17 h les samedi et dimanche. Tous renseignements sur la ville, réservations, change, etc.

■ *City Service :* Dopravní Podnik, en face de l'*Excelsior*. ☎ 62-42-18 et 62-38-16. Ouvert de 8 h à 17 h en semaine, de 9 h à 16 h le samedi et de 10 h à 14 h le dimanche. Plans, renseignements sur les hôtels et les chambres d'hôtes.

Où dormir ?

Bon marché

▲ *Autocamping Luxor :* Mar. Lázni ul., Velka Hled'sebe ; à 4 km au sud-ouest de la ville. ☎ 35-04. Fax : 20-58. Ouvert de mai à septembre. Du centre, *trolley-bus* n° 6 (direction Velká Hled'sebe) puis marcher 1 km. Le camping accueille tentes et caravanes et loue des bungalows.

▲ *Junior Hotel Krakonoš :* Krakonoše ul. ☎ 622-624. À 3 km de la gare. Prendre le bus n° 12 dans la rue principale, en face de l'*Excelsior*. Départ toutes les deux heures. Genre d'A.J. dans une superbe demeure. Chambres de deux, trois et quatre lits, avec ou sans douche. Réduction pour les étudiants présentant leur carte.

Prix modérés

▲ *Hôtel Polonia :* Hlavní Třída 50. ☎ 62-24-52. Fax : 62-47-87. L'un des moins chers de la rue principale. Souvent plein, d'où un accueil plutôt désagréable lorsque vous demandez une chambre sans avoir réservé au préalable. Bel édifice. Intérieur banal.

Prix moyens

▲ *Hôtel Helga :* Třebizského ul. 428/10. ☎ 62-04-33. Fax : 62-62-41. Au bout de l'artère principale, dans une rue parallèle. Calme absolu. Grande maison, couleur ocre et blanc. Possibilité de se garer dans la cour. Agréable jardin avec tables et chaises. Chambres avec mini-bar, TV, radio. Demandez la n° 5 avec son très grand balcon. Une seule fausse note : les salles d'eau auraient besoin d'une petite rénovation. Bon accueil à la réception.

Plus chic

▲ *Hôtel Excelsior :* Hlavní Třída 121. ☎ 62-27-05. Fax : 62-53-46. L'un des 4 étoiles les plus abordables de la ville. Belle façade début de siècle. Chambres impeccables joliment meublées. En choisir une avec douche, nettement moins chère que celles avec baignoire. Sauna, massages et deux restaurants. Excellent accueil. Notre adresse préférée dans le haut de gamme.

▲ *Hôtel Bohemia :* Hlavní Třída 100. ☎ 62-32-51. Fax : 62-29-43. Construit en 1904. Très grandes chambres, mais salles de bains un peu tristounettes et quelques postes de télévisions vieillots. Agréable accueil. Beaucoup moins cher que l'*Excelsior*.

Où manger ?

De bon marché à prix moyens

|●| *Restaurant Filip :* Poštovni 96. ☎ 76-161. Ouvert de 11 h à 24 h. Salle vite remplie, venir de bonne heure. Une des meilleures cuisines tchèques de la ville. Goûtez entre autres aux succulents plats de lapin. Service efficace. Petite terrasse.

|●| *Český Dvůr :* Hlavní 650/36 A. ☎ 34-07. Ouvert tous les jours de 10 h à 22 h. Établissement situé au fond d'une cour. Très fréquenté. Carte en français (ce qui est rare pour cette partie de la Bohême) et chaleureux accueil. Cuisine tchèque. La spécialité de la maison est « l'escalope du géant » et sa parure de pommes de terre.

l●l *Restaurant Classic :* Hlavní 131. ☎ 62-28-07. Ouvert de 10 h à 12 h. Une partie restaurant, une partie café. Spécialité de salades, excellentes pâtisseries et bon *espresso*. Prix modiques. Service professionnel.

l●l *Restaurace Zlatý Sklípek :* Poštovní 55/1. ☎ 62-39-24. Ouvert tous les jours de 10 h à 22 h. En face de l'*Excelsior*, même rue que le restaurant *Filip*. Cuisine simple, mais peu chère pour la ville. Terrasse.

Où boire un verre ? Où danser ?

♆ *Evergreen Club :* au restaurant *Jalta*, Hlavní 42. ☎ 62-43-05. Ouvert de 20 h à 1 h. Consommations servies aux tables du restaurant. Piste de danse en bout de salle. Un disc-jockey fait danser une clientèle disparate dans une ambiance bon enfant. Prix d'entrée minime.

– *Discothèque Monroe :* située dans le centre commercial Dilen Kollárova, à 2 km du centre-ville. ☎ 62-54-82. Disco classique.

À voir. À faire

★ *La colonnade Lázeňská* (ex-*Maksim Gorki*) : c'est l'épicentre de la ville. Très longue et harmonieuse. Immense structure métallique façon halles de Baltard. Fronton principal de toute beauté. Très riche ornementation. La colonnade abrite les sources. Conseillé d'y goûter l'eau (chaude ou froide, à votre goût). Pas désagréable, elle a le goût de celle de Vichy. On y trouve deux établissements, ouverts de 6 h à 12 h et de 16 h à 18 h. Possibilité de louer un gobelet. Amusant de voir tout le monde déambuler en sirotant l'eau salvatrice dans de curieux petits pots à bec en porcelaine.
Au bout de la colonnade, une *fontaine* moderne avec ballets de jets d'eau et musique classique chaque heure durant 5 mn environ, seulement en haute saison. Larges jardins en terrasses et agréables promenades compléteront votre cure.

★ *La place Goethe :* derrière la colonnade. Pittoresque avec ses établissements de bains du plus pur style rococo, s'étirant en demi-cercle dans une belle débauche de couleurs.

★ *Lestské muzeum :* J. W. Goetha nám. 11. Ouvert de juin à octobre, de 9 h à 12 h et de 13 h à 17 h. Fermé le lundi. Musée sur l'histoire de la ville, installé dans la maison qui abrita les dernières amours de Goethe. Rénové en 1998. Film en 7 langues, dont le français, plusieurs fois par jour (payant).

★ Si le cœur vous en dit, faites comme le prince de Galles et allez prendre un bain relaxant aux *Nové Lázné (les Nouveaux Thermes)*, à l'angle d'Anglická et de Reitenbergerova. Assez cher mais le décor est somptueux. Chaque cabine a une décoration unique. Vous pouvez même prendre un bain d'eau minérale dans la « cabine royale » d'Édouard VII. Peut-être jugerez-vous qu'un peu d'aquathérapie vous fera du bien avant Plzeň. Possibilité de forfait à la demi-journée ou à la journée. Réservation à l'accueil. ☎ 64-41-11. Fax : 64-40-44. Ouvert en haute saison de 7 h à 15 h en semaine et de 7 h à 21 h le samedi. Fermeture le dimanche.

★ *Maison Frédéric Chopin :* Hlavní 47. Ouvert de mi-mai à fin septembre, les dimanche et mardi de 14 h à 17 h. L'entrée se situe à l'étage. Demeure où le compositeur polonais passa 3 semaines de l'été 1836 en compagnie de Maria Wodzinska. Une pièce rassemble des gravures, photos et documents présentant les endroits que Chopin a visités en Bohême et quelques œuvres qu'il a composées. Dans le petit salon attenant sont donnés des récitals de piano. La maison abrite également la société Frédéric Chopin. Un festival Chopin se tient chaque année en août.

★ En redescendant, vous pouvez vous arrêter à la **galerie Fryderyk**, très appréciée des amateurs d'art. Ouvert tous les jours de 11 h à 18 h. ☎ 62-24-74.

★ Nombreuses possibilités de **balades dans les forêts voisines**.

Dans les environs

★ **Le couvent de Teplá** : à 12 km à l'est de la ville. ☎ 0169-92-264. Ouvert de mai à octobre, du mardi au dimanche, de 9 h à 16 h 30. Visite guidée uniquement. Couvent des Prémontrés, fondé en 1193 par un seigneur tchèque. À partir de 1818, c'est cette communauté religieuse qui fit bâtir la future ville de Marienbad. Sous le régime communiste, le couvent fut fermé. L'armée tchèque qui l'utilisa jusqu'en 1978, y fit des démolitions arbitraires de bâtiments. Rénovation partielle en cours. Le clou de la visite est la bibliothèque de style néo-baroque, contenant 100 000 volumes !

PLZEŇ (PILSEN)   IND. TÉL. : 019

À 80 km au sud-ouest de Prague. Pilsen est une ville industrielle (172 000 hab.), célèbre pour ses usines Škoda mais plus encore pour sa bière, la Pilsner Urquell, considérée comme l'une des meilleures du monde ! Bien sûr, la ville n'a ni les attraits de Prague, ni ceux des villes d'eau. Au premier abord, elle semble même très triste. On y rencontre peu de touristes. C'est pourtant une étape provinciale qui mérite un arrêt d'une journée. Le cœur historique s'inscrit dans un rectangle d'où partent des rues qui se croisent perpendiculairement. Nombreuses maisons décorées de sgraffites.

Adresses utiles

🮰 **Office du tourisme :** Republiky nám. 41. ☎ 703-27-50. Fax : 703-27-52. Juste derrière l'église Saint-Barthélémy. Cartes, infos touristiques, change, réservation dans les hôtels, les chambres d'hôte et les campings.

✉ **Poste centrale :** Solni 20. À deux blocs de l'office du tourisme.

Où dormir ?

Campings

Deux campings au nord de la ville :
🛏 **Autocamp Ostende :** Malý Bolevec 41. ☎ 52-01-94. Situé à 3 km du centre-ville, sur la route de Žatec. Pour s'y rendre, prendre le tramway n° 1 (direction Bolevec), près de la poste. Descendre à l'arrêt Studenska et marcher 1 km. Très bon accueil, situation agréable au bord d'un lac.

🛏 **Bilá Horna :** 28, Řijna 47. ☎ 53-49-05. À 3 km au nord de la ville, sur la route de Zruč. Prendre le bus n° 39, rue Sady Pětatřicátníků ; descendre au terminus.
À **Ejpovice** (12 km de Plzeň) :
🛏 **Autocamping :** Jezera ul. ☎ 0181-72-86-20. Sur la route de Prague. Bon accueil, possibilité de se restaurer sur place au resto Diana.

Bon marché

– **Chez l'habitant :** se renseigner sur les disponibilités auprès de l'office du tourisme.

▪ **Auberges de jeunesse :** renseignements au *CKM*, Dominikánská 1 (rue donnant sur Republiky nám.). ☎ 723-69-09 et 722-10-06. Vous pouvez réserver directement par téléphone ou sur place (ouvert de 8 h à 18 h en semaine, fermé le week-end). L'A.J. la plus proche se trouve à 10 mn du centre en bus.

Prix moyens

▪ **Hôtel Slovan :** Smetanovy Sady 1. ☎ 722-72-56. Fax : 722-70-12. Bel immeuble, situé en plein centre avec parking à l'arrière. Accueil méfiant et désagréable. Insistez pour voir les chambres, on risque de vous dire que l'hôtel est complet ! Demandez une chambre rénovée. L'établissement est restauré petit à petit.

▪ **Hôtel Victoria :** Borská 19. ☎ 722-10-10. Fax : 27-66-21. Proche de la gare Jižní Předměstí. Quartier triste, de nombreux immeubles attendent d'être retapés. Légèrement plus cher que le *Slovan*. Curieusement, tous les lits font également canapés.

Plus chic

▪ **Hôtel Continental :** Zbrojnická 8. ☎ 723-64-79. Fax : 722-17-46. À 5 mn à pied de la place de la République. Parking gardé. Hôtel au charme désuet. Si vous optez pour une chambre avec douche, vous ferez une sacrée économie par rapport à une chambre avec baignoire. Possibilité même de loger dans une chambre avec w.-c. pour moins de 200 F. Buffet varié au petit déjeuner avec un service très attentionné. Le meilleur rapport qualité-prix de la ville.

▪ **Hôtel Central :** Republiky náměstí 33. ☎ 722-67-57. Fax : 722-60-64. Un établissement qui n'a pas volé son nom : en plein centre, face à l'impressionnante cathédrale Saint-Barthélémy. Hôtel très vieillot mais confortable. Change, sauna, coiffeur et salle de gym. Un peu cher.

Où manger ?

Aucun resto ne nous a émerveillés. Voici cependant quelques adresses sûres.

Bon marché

|●| **U Salzmannů :** Pražská 8. ☎ 72-358-55. Ouvert tous les jours de 9 h 30 à 23 h. Rue donnant sur la place de la République. Brasserie récemment ouverte, certainement la plus animée de la ville. 100 plats à la carte. Nappes estampillées Pilsner Urquell *of course!* Peu cher. Dommage que le personnel soit nonchalant.

|●| **Moravská Vinárna :** Bezručova 4. ☎ 379-72. Ouvert de 10 h à 22 h. Rue parallèle à Republiky nám. Taverne non pas bohémienne mais moravienne. On y sert du vin délicieux, et de la bière ! Bon marché.

|●| **Na Parkáně :** Veleslavínova 4. ☎ 22-44-85. *Pivnice* à côté du musée de la Bière. Ouvert de 10 h 30 à 22 h, sauf le dimanche. L'une des brasseries les plus connues de Plzeň. Cadre rustique, plats bohémiens et bière locale. Prix raisonnables.

Prix moyens

|●| **Na Spilce :** Prazdroje ul. 7. ☎ 706-27-54. Fax : 706-27-03. Ouvert de 10 h à 22 h, le dimanche de 11 h à 21 h. Entrer dans la cour de la brasserie Pilsner Urquell. Établissement implanté dans l'ancienne cave de fermentation. Le plus grand resto du pays (il peut accueillir 580 clients !). 18 menus différents mais beaucoup trop de groupes (une

partie de la salle leur est d'ailleurs entièrement réservée).

Plus chic

|●| *Královská Vinárna Rosso :* hôtel *Rosso*, Pallova 12. ☎ 22-64-73 et 22-72-53. Légèrement décalé du centre historique. Ouvert de 11 h 30 à 23 h. Bâtiment du XVIe siècle, entièrement restauré en 1993. Salle assez chic. Spécialités françaises, notamment une bouillabaisse. Mais certains plats, comme le « lapin à la sauce moutarde de Dijon » ne sont qu'une pâle imitation de notre savoir-faire. Excessivement cher pour le pays. Très belle cave néanmoins.

Où boire un verre ? Où danser ?

♆ *Club Dominika :* Dominikánská 3. ☎ 22-32-26. Ouvert de 11 h à 24 h, le dimanche de 19 h à 24 h. Endroit fréquenté essentiellement par les jeunes étudiants du coin. Musique rock à fond, qui n'arrive cependant pas à couvrir le bruit des conversations animées. N'hésitez pas à vous asseoir à l'une des tables rondes, propices aux échanges de points de vue. Ambiance sympa et décontractée. Restauration légère.

♆ *Pivnice u Zumbery :* Bezručova 14. Essentiellement pour y boire (de la bière), bien que l'on puisse y manger. Très animé, nombreux jeunes tchèques. Ambiance populaire.

|●| *Harley-Davidson Club :* Prokopova 28. ☎ 722-71-57. Ouvert toute la semaine de 16 h à 4 h du matin. Murs tapissés de photos des motos mythiques. On peut danser sur de la musique rock et disco.

|●| *Night-club Hôtel Continental :* au sous-sol de l'hôtel. Ouvert de 21 h à 4 h du matin. Atmosphère tamisée. On y grignote un plat tard le soir ou on y danse. Animation surtout le week-end.

À voir

★ *Republiky nám.* (place de la République) : elle dispose de beaux édifices comme celui de la mairie, de style Renaissance. Au centre, la *cathédrale Saint-Barthélémy*, qui possède la plus haute tour de Bohême (102,26 m). On peut en gravir les 301 marches tous les jours de 10 h à 18 h. Dernière montée à 17 h 20.

★ *Le musée de la Bière :* Veleslavínova 6. À deux blocs de la place de la République. Ouvert quotidiennement de 10 h à 18 h. Situé dans une maison moyenâgeuse. Pièces et documents ayant trait à la fabrication et à la consommation de la bière dans le passé : souvenirs de la corporation des brasseurs, équipement des anciens estaminets, reconstitution d'une auberge du XIXe siècle et malterie. Remarquable collection de bouteilles à bière. Une salle est consacrée à l'équipement des laboratoires de brasserie. Musée passionnant, à faire absolument !

★ *La brasserie Pilsner Urquell :* Prazdroje ul. 1. ☎ 706-28-88 et 706-20-17. Sur la route de Prague, dans un virage à la sortie de la ville. Ouverture de 8 h à 16 h et le week-end de 8 h à 13 h. Venir à 12 h 30 pour les individuels. Difficile de se joindre à un groupe en dehors de cet horaire. À l'entrée, imposante porte néo-Renaissance. Brasserie créée en 1842. Depuis lors, les brasseurs du monde entier cherchent à imiter sa bière. La visite d'une heure comprend la présentation d'une vidéo, la salle de brassage, ainsi que les caves, taillées dans le roc. La dégustation finale est payante d'avance.

★ *Les souterrains :* Perlová 4/6. ☎ 722-52-14. Ouvert de 9 h à 17 h, sauf le lundi. Dernier départ à 16 h 20. Visite guidée uniquement, d'une durée de 30-40 minutes. Les frileux devront prévoir un pull. Dédale de caves, passages et puits. Exposition d'objets domestiques, tout au long du parcours.

★ *La grande synagogue :* rue Klatovská. Accessible du lundi au vendredi, de 11 h à 18 h. L'une des plus grandes synagogues d'Europe pouvant contenir 2 000 personnes. Elle fut construite en 1892 par la communauté juive de la ville. Aucune rénovation n'ayant été réalisée pendant de longues années (l'administration communiste s'en désintéressait), elle attend toujours d'importants travaux. Ces derniers tardent à venir par manque de fonds.

KLATOVY

IND. TÉL. : 0186

Ville historique, Klatovy s'enorgueillit de sa grande place, entourée de maisons baroques et gothiques. Point de départ idéal pour découvrir les beautés de la forêt de Bohême.

Comment y aller ?

Située à 41 km au sud de Plzeň.
– *Par la route :* accès par la E53.
– *En bus :* environ 5 départs quotidiens depuis Plzeň. 1 heure de trajet.

Adresse utile

■ *Agence Pergolia :* Míru 63. ☎ 235-15 et 205-40. Fax : 251-56. Ouvert de 9 h à 12 h et de 13 h à 17 h. Donne des informations sur la ville et la région de Šumava ; réservation d'hôtels et change.

À voir

★ *La pharmacie baroque :* Okresni muzeum, Hostašova 1. Sur Míru náměstí (la place principale), repérable à l'inscription « Lekarna » au-dessus de la devanture. Une horloge sur la porte indique l'heure de la prochaine visite. Demandez que l'on vous passe la cassette explicative (en français). La pharmacie « À la licorne blanche », devenue musée, a fonctionné jusqu'en 1966. Elle a conservé sa décoration baroque d'origine et nous donne une idée précise du travail d'apothicaire du XVIIIᵉ siècle. Chapiteaux richement sculptés, collection de pots en bois, verre et grès blanc. Remarquez les quelques pots en porcelaine, décorés par le dessin de la licorne. Il existe seulement trois pharmacies semblables dans le monde. Visite mémorable !

★ *La tour Noire :* monument principal de la place, cette tour de guet (1547-1557) doit son nom aux nombreux incendies dont elle a été victime. Vue dominante sur la ville du haut de ses 81 m.

★ *L'Église des Jésuites :* située en face de la tour Noire. Perle de l'art baroque. Visite des catacombes.

Dans les environs

★ **Sušice :** à 28 km au sud-est de Klatovy. Cette localité se singularise, depuis le XIXe siècle, par la production d'allumettes. Sa fabrique principale, SOLO, est l'une des plus importantes d'Europe.

Où manger ?

|●| Šumavský Dvůr : Svobody náměstí 1/1. ☎ 0187-528-939. Ouvert du lundi au jeudi, ainsi que le dimanche de 10 h à 23 h. Les vendredi et samedi, ouvert jusqu'à 24 h. Donne sur la place centrale. Établissement composé de trois parties distinctes : pâtisserie-salon de thé à l'entrée, bar à l'étage puis resto en cave. Idéal pour se restaurer avant la visite du musée.

À voir

★ **Muzeum Šumavy :** Svobody náměstí 2. Ouvert de mai à octobre, du mardi au samedi de 9 h à 17 h et le dimanche de 9 h à 12 h. Pause-déjeuner de 12 h à 12 h 45. Musée de la Forêt de Šumava, logé dans une riche maison bourgeoise du XVe siècle. L'intérêt essentiel réside dans l'exposition expliquant la fabrication des allumettes. Unique et superbe collection de boîtes !

– LA BOHÊME MÉRIDIONALE –

ŠUMAVA
IND. TÉL. : 0186

La Šumava, à cheval sur la Bohême occidentale et la Bohême méridionale (de Domažlice à Vyšší Brod) est une chaîne montagneuse de type vosgien. Elle s'étend sur quelque 140 km le long des frontières allemande et autrichienne. Son territoire est devenu zone morte pendant les 40 années de communisme. L'armée tchécoslovaque y avait établi ses troupes en prévision d'une attaque de « l'ennemi impérialiste ». D'une superficie de 685 km², elle a été classée *Parc national de Šumava*, en avril 1991. L'actuelle priorité consiste à préserver la nature en l'état d'origine. Si les villages révèlent rarement des merveilles, la nature en revanche y est superbe et reposante.

À faire

Balades et randonnées

– **En voiture :** vue l'étendue des possibilités, il nous est impossible de vous sélectionner des itinéraires précis. Sachez toutefois qu'à partir de Sušice, en vous décalant légèrement sur le côté est, vous pouvez vous rendre à *Vimperk* (château Renaissance), *Husinec* (village natal du réformateur de l'Église catholique, Jan Hus, dont la maison est accessible au public de 9 h à

12 h et de 13 h à 16 h) et *Prachatice* (vieille ville Renaissance, entourée de fortifications ; somptueux sgraffites).
Autre possibilité : longer le *lac de Lipno* par l'ouest. Partir de *Nová Pec* pour descendre jusqu'à *Vyšší Brod*, via *Zadní Zvonková*, *Vítův Kámen*, *Přední Výtoň* et *Loučovice*. Agréable parcours à travers la forêt de pins. Routes très étroites avec parfois impossibilité de se croiser ! À conseiller plutôt aux aventureux, les directions sont peu indiquées.
– Environ 1 500 km de **sentiers touristiques** (bien fléchés) traversent Šumava. Quelques hameaux et villages, à l'orée des forêts, forment les points de départ des randonnées. L'altitude moyenne est de 800 à 1 000 m. Certaines ascensions peuvent être facilitées par des télésièges.
– Plusieurs chemins également accessibles au *cyclotourisme*.
– **Boubín :** le sommet de cette montagne culmine à 1 362 m. Elle est recouverte par la forêt vierge la plus étendue de Bohême. Les randonneurs expérimentés partiront à l'assaut de ses flancs.

Sports nautiques et pêche

– Le *lac du barrage de Lipno* est devenu l'un des centres de loisirs les plus fréquentés. Son plan d'eau, long de 44 km, a une superficie de 4 870 ha. Ses rives peu inclinées permettent la baignade. En été, promenades en bateaux-mouches ou en bateaux traditionnels. Pour l'obtention d'un permis de pêche, se renseigner aux bureaux locaux des associations de pêche municipales.

ČESKÉ BUDĚJOVICE   IND. TÉL. : 038

À environ 140 km au sud de Prague. Cette ancienne cité royale fut au XVIᵉ siècle la ville la plus puissante de Bohême méridionale. Enrichie par son commerce du sel et ses mines d'argent, elle édifia de nombreux monuments. Elle possède aujourd'hui l'un des plus beaux centres historiques de la région. C'est d'ici que partit pour Linz (Autriche) le premier train européen (mais à l'époque, les wagons étaient tirés par des chevaux !).

Adresses utiles

🛈 *Office du tourisme :* Přemysla Otokara II náměstí. Sur la place centrale. ☎ et fax : 594-80. Ouvert de 9 h à 18 h, le samedi de 9 h à 15 h et le dimanche de 9 h à 13 h. Cartes, renseignements touristiques, réservation de places dans les hôtels, les campings ou chez l'habitant.

✉ *Poste :* à deux blocs de la place principale. Prendre Narla IV et tourner à gauche après la rivière.
🚆 🚍 *Gare et terminal des bus :* proches l'un de l'autre, sur Nádražní. Trains pour Prague, Plzeň, Jihlava, Linz. Nombreux bus pour Prague, Český Krumlov, etc.

Où dormir ?

Bon marché

🛏 *Campings :* au sud-ouest de la ville, en direction de Český Krumlov. Bus n° 3 (à la sortie de la gare, trottoir d'en face) puis 2 stations plus loin, prendre le bus n° 6. Sinon, bus

n° 16 (à la sortie de la gare), direct mais moins fréquent. Situés juste à la périphérie, dans un environnement verdoyant. Vous avez le choix entre deux terrains côte à côte : le **Dlouha Louka**, Stromovka 8,

☎ 721-06-01 (très confortable, bungalows à louer mais le plus cher des trois adresses données ici); et le *Stromovka Autocamp*, Litvinovická, ☎ 534-02 (plus simple, plus familial).

▤ *Camping Hůrak :* Hůrský Rybnik, à Rudolfov (4 km à l'est, sur la route de Trebon). ☎ 39-7-05. Bungalows à louer et petit resto.

Prix moyens

▤ *Hôtel Bohémia :* Hradební 20. ☎ et fax : 731-13-81. Au bord de la Mlýnská stoka. Belles chambres en sous-pente. Salles de bains impeccables. Demandez une des chambres de la dépendance. Ouvertes récemment, elles sont plus grandes pour un prix identique. Bon accueil.

▤ *Hôtel U Solné Brany :* Radnični ulice 11. ☎ 541-21. Fax : 541-20. Proche de la place principale, très calme.

Plus chic

▤ *Hôtel Malý Pivovar :* Karla IV

8/10. ☎ 731-32-85 et 731-32-86. Fax : 731-32-87. Rue menant à la place principale. Chambres très spacieuses avec poutres apparentes au plafond. Grande salle de bains. Tout confort. Décor raffiné. Restaurant, café, organisation d'excursions sur demande. Petit déjeuner-buffet servi dans la splendide salle du restaurant (vaisselle de qualité, nappes, fleurs coupées...). Le meilleur rapport qualité-prix de la ville.

▤ *Grand Hôtel Zvon :* Přemysla Otakara II nám. 28. ☎ 731-13-84. Fax : 731-1385. Sur la très belle place. On ne peut rêver mieux situé. Existe depuis 1533. Grand standing. Hall d'entrée avec garçon d'étage. Les chambres sont cependant un peu décevantes par rapport au prix affiché. La plupart de celles qui possèdent une belle vue sur la place sont des suites. Choisir une chambre de catégorie B, sans ascenseur, nettement moins onéreuse. Préférer le café ou le restaurant (voir ci-dessous).

Où manger ?

Bon marché

◖◗ *Masné Krámy :* Krajinská 13. ☎ 32-652 et 37-957. Ouvert de 10 h à 23 h. Dans l'une des rues menant à la place principale. Un des restos les plus populaires et animés de la ville, installé dans l'ancien marché datant du XVIe siècle. Immense hall, genre taverne, et petites salles voûtées sur le côté, ornées de fresques. Cuisine régionale (volaille, poisson...). On y vient autant pour boire que pour se restaurer. Service assez lent, bien qu'il y ait pléthore de serveurs. Ambiance pas super.

◖◗ *U Pani Emy :* Široká 25. ☎ 731-28-46. Ouvert de 10 h à 3 h du matin. Préférez la salle au fond, où il n'y a pas de sono. Plats corrects à très bons prix. Service sans éclat et première salle vite enfumée.

◖◗ *Savoy* : Dr. Stejskala 14. ☎ 635-03-93. Un peu décalé par rapport à

la place principale. Au choix, le restaurant, la *Weinstub* ou le café. Belle carte de spécialités tchèques. La salle du resto n'est pas très gaie. Autant aller au café, à l'étage, où l'on peut d'ailleurs se restaurer. Style plus moderne.

Plus chic

◖◗ *Restaurant Gourmet Symphonie du Grand Hôtel Zvon :* voir « Où dormir ? ». Restaurant très stylé. Salle à l'atmosphère feutrée avec vue imprenable sur la grande place. Cuisine de qualité, plus chère qu'ailleurs bien sûr, mais cependant prix tout à fait raisonnables. Également le *Café-restaurant Mozart :* mets moins raffinés. Idéal pour une pause-café, choix de jolies pâtisseries. La salle est aussi agréable que celle du *Gourmet Symphonie*.

Où boire un verre ? Où danser ?

♟ *Bar Víno z Panské :* Panská 14. ☎ 383-36. Ouvert du lundi au vendredi, de 10 h à 23 h. Fermé le week-end. Bar à vin. Longue liste de vins moraves.

♟ *Media Bar :* Přemysla Otakara II nám. ☎ 2-55-55. Ouvert de 10 h à 22 h. L'intérêt premier est son emplacement : terrasse face à la fontaine de Samson. On peut y boire un café ou y déguster une glace.

– *Discothèque Split :* Česká 41. ☎ 372-62. On peut y danser tous les jours de 20 h à 3 h du matin. Piste très étroite, mais c'est la seule boîte proche de la place centrale. On peut aussi y manger ou y siroter une Budvar.

À voir

★ ***Přemysla Otakara II náměstí :*** place de l'Hôtel-de-Ville. L'une des plus grandes et jolies de Bohême du Sud. Entourée de maisons à arcades de tous âges, tous styles (gothique, Renaissance, baroque). Belle fontaine au milieu et mairie de style baroque (1727). À côté, l'*église Saint-Nicolas* et la *tour Černá Věž* (1550). On peut y monter de mars à juin de 10 h à 18 h, en juillet-août jusqu'à 19 h et en septembre-octobre de 9 h à 17 h. Fermé le lundi. Le carillon de l'hôtel de ville joue toutes les heures un air de musique : répertoire de dix morceaux, dont un des Beatles.

★ ***Les belles demeures à arcades :*** dans la rue Česká (et Hroznova). Pittoresques frontons. Délicieuse promenade dans les autres vieilles ruelles : Široká ul., Videmka ul., etc. Au bout de Česká s'élève la *tour Rabenstein* (angle d'Husova).

★ ***Le musée de la Bohême du Sud (Jihočeské muzéum) :*** Dukelská 1. ☎ 721-15-28. Ouvert de 9 h à 17 h 30 sauf le lundi. À deux pâtés de maisons de la place principale, dans un gros bâtiment baroque. Expositions d'objets sacerdotaux, d'armes. Département de sciences naturelles. Intéressante collection sur la faune et la flore locale, avec notamment de nombreux champignons.

★ ***Le musée du Chemin de fer hippomobile :*** Mánesova 1. Exposition installée dans la maison du garde-barrière d'où partit le premier chemin de fer du continent européen. En restauration, réouverture prévue en 1999.

★ ***La brasserie Budvar :*** Karolíny Světlé 4. ☎ et fax : 770-53-37. Possibilité de la visiter (durée 1 heure) avec un minimum de 5 personnes. Ouverture du lundi au vendredi, de 8 h 30 à 14 h 30. Annoncer au préalable votre venue par téléphone.

★ ***La place Piaristické :*** voir la *maison du Sel*, récemment restaurée et l'*église Sainte-Marie* (le plus vieux bâtiment de la ville).

Dans les environs

★ ***Le château d'Hluboká nad Vltavou :*** à 11 km au nord-ouest. Quelques bus de České Budějovice. Ouvert de mai à octobre de 9 h à 12 h et de 12 h 30 à 17 h. Fermé le lundi. ☎ 965-045. Les Schwarzenberg, maîtres des lieux depuis 1661, se sont amusés il y a un peu plus d'un siècle à raser leur château pour en faire construire un autre, véritable copie de Windsor. Visite très recommandée pour son extraordinaire décor de lambris et panneaux de bois sculpté. Superbe ameublement également, tapisseries flamandes du

XVIIe siècle. L'ancien manège abrite une galerie de peinture, nettement moins passionnante. Parc ouvert au public toute l'année. Un des châteaux les plus visités.

Où manger ?

|●| Restaurant Na Zámku : ouvert de 9 h à 17 h 45. ☎ 79-66-444. À deux pas de l'entrée du château, à l'intérieur du parc. Sans prétention. Pour une petite faim avant la visite. Addition moins élevée qu'au restau-rant de l'hôtel de luxe *Stekl*, nouvellement aménagé dans les dépendances du château. Salle de resto assez chic mais froide. Elle est parfois entièrement occupée par des groupes.

ČESKÝ KRUMLOV   IND. TÉL. : 0337

Délicieuse et étonnante petite cité médiévale, à environ 25 km au sud de České Budějovice, inscrite au patrimoine mondial de l'Unesco depuis 1992. Elle s'accroche à deux collines s'élevant dans deux boucles de la Vltava. Très agréable promenade dans des ruelles pavées (et piétonnières). Panoramas multiples : sur la première colline, le château ; sur la deuxième, le musée et la place de l'Hôtel-de-Ville. Laisser sa voiture au parking n° 1 ou 2 de la porte de Budějovice. S'ils sont complets, franchir la porte : le parking n° 3 vous attend 200 m à gauche (en contrebas). Interdiction de rouler en voiture dans le centre, sauf si on a un reçu de son hôtel.

Adresses utiles

⬛ Infocentrum : Svornosti náměstí 1. ☎ et fax : 711-183. Dans le bâtiment de l'hôtel de ville. Ouvert en semaine de 9 h à 19 h 30. Service touristique complet : change, infos, cartes, réservation de chambres, service de guides et d'interprètes.
✉ Poste : à côté de la porte de Budějovice.

Où dormir ?

Bon marché

▲ Auberge de jeunesse Travellers' Hostel : Soukenická 43. ☎ 711-345. Derrière la place de l'Hôtel-de-Ville. À 15 mn à pied de la gare. Capacité de 30 lits (quelquefois superposés) répartis en 5 chambres. Certaines sont en cours de rénovation. Petit déjeuner compris. Bien chauffé en hiver.

Prix modérés

– Chambres d'hôte : beaucoup de particuliers vous offriront leurs services. Renseignez-vous à l'*Infocentrum*.
– Pensions : le moyen d'hébergement le plus intéressant de la ville. Pratiquement deux fois moins cher qu'un hôtel pour une qualité égale. La rue Rooseveltova regroupe le plus grand nombre d'entre elles. Signalons-en une :
▲ Pension Anna : Rooseveltova 41. ☎ et fax : 711-692. Pour un prix honnête, vous pouvez avoir un appartement avec mezzanine. Petit déjeuner copieux, servi dans la salle du bar, entre le billard et le jeu de fléchettes électroniques. Anna tient

également une petite boutique de souvenirs. Belle terrasse avec barbecue l'été.

Plus chic

Tous les hôtels pratiquent des tarifs élevés.

🛏 *Hôtel Růže :* Horní ulice 154. ☎ 71-11-41. Fax : 71-11-28. En face du Musée régional. Ancien collège des jésuites fraîchement restauré. Idéalement situé. Belle vue sur la ville en contrebas. Le moins cher dans sa catégorie. Mais ambiance monacale assurée ! À vous de voir...

– *L'hôtel Dvorak,* au standing bien supérieur, n'est malheureusement pas compétitif côté prix.

Où manger ?

Quelques intéressants restaurants de poisson.

🍴 *Auf der Insel :* attention, pas d'adresse précise. Situé à 100 m du parking n° 1. À partir du parking, prendre la direction du centre-ville, passer le pont, c'est la première maison à gauche. ☎ 35-89 et 712-532. Ouvert de 11 h à 24 h. Salle simple mais conviviale. Filet de pêche et têtes de brochet naturalisées pendent aux murs. Le patron, très sympa, se charge des commandes et des additions. On sert ici des plats de poisson bien concoctés. Excellent sandre.

🍴 *Rybářská Bašta :* Kajovská 54. ☎ 71-26-92. Près de la place principale. Ouvert tous les jours, de 11 h à 22 h. Au choix : taverne ou salon (plus calme). Truites à toutes les sauces, carpe, soupe du pêcheur, etc. Un peu plus cher que le précédent.

🍴 *U Pisaře Sana :* Horní 151. ☎ 712-401. Ouvert de 10 h à 22 h. Face à l'hôtel *Růže.* Cadre plutôt chic et agréable. Efforts dans la déco (stucs, lambris au plafond). Encore une occasion de manger de la truite ou du sandre, pêchés dans les rivières et lacs voisins.

🍴 *Restaurant Konvice :* Horní ulice 144. Dans la rue du musée. Souvent bondé. Salle très claire au décor moderne. On ne viendra pas ici pour du poisson mais pour des plats rapides (assiettes de jambon, salades) et copieux. Propose aussi des petits déjeuners.

Où boire un verre ? Où déguster une pâtisserie ?

🍷 *Cikánská Jizba :* Dlouhá 31. ☎ 55-85. Ouvert de 14 h à 23 h, et de 15 h à 23 h les vendredi et dimanche. Vous y trouverez la bière la moins chère de la ville. Ambiance rom, une minorité tsigane en butte à une certaine hostilité dans le pays. Patron sympa.

🍷 *Hospǒda Na Louži :* Kájovská 66. ☎ 54-46. Ouvert de 10 h à 22 h. Petite salle très fréquentée. On y boit de la bière ou un coca tchèque de la marque Zon. Côté décor : de vieux tue-mouches pendent au plafond et les murs sont recouverts de plaques publicitaires anciennes émaillées.

– *Zlatý Anděl :* Svornosti nám. 10/11. ☎ 712-310. Ouvert de 9 h à 22 h. Sur la place principale. Arrêt pâtisserie.

Fêtes

– *Le festival de Théâtre :* presque tous les jours l'été, dans le théâtre en plein air de la ville. Les pièces sont évidemment le plus souvent en tchèque mais il peut aussi y en avoir en anglais ou en allemand. Prendre le programme à l'*Infocentrum*.

– **Le Festival international de Musique classique :** deux semaines en août. De très bonne qualité ! Le programme se trouve, là encore, à l'*Infocentrum*.

– **La fête de la Rose à cinq pétales :** en juin, musique et théâtre de rue.

À voir

★ **Le château** (sur la première colline) : accès par une vaste cour à droite de la rue principale. Ouvert en juin, juillet et août de 9 h à 12 h et de 13 h à 18 h. En mai, septembre et octobre jusqu'à 17 h. Possibilité, à certaines heures, d'avoir une visite guidée en français. Venir au moins une heure avant la fermeture. Fermé le lundi. Édifice du XIIIe siècle, remanié au XVIe en style Renaissance. On traverse d'autres cours avec façades couvertes de fresques. Il fut le siège de la famille des Rožmberk, aussi puissante au Moyen Âge que les rois de Bohême. Entrée chère.

Intérieur richement meublé. Parmi les curiosités, on peut citer un *carrosse* exécuté à Rome et la *salle des Masques*, au décor en trompe-l'œil réunissant les personnages de la commedia dell'arte. Le *théâtre* est encore plus extraordinaire : c'est l'un des quatre au monde ayant conservé intacts sa scène avec son aménagement d'origine et les décors. Deux autres théâtres comme celui-ci se situent en Suède et un troisième à l'est de la Bohême, dans le château de Litomyši (se reporter aux environs de Hradec Králové). Possibilité de monter à la tour du château de mai à septembre, de 9 h à 18 h. 162 marches à gravir. Au sommet, belle vue sur le château et la ville.

Du château, un étrange pont baroque en pierre permet de gagner le sommet de la colline où s'étendent de fort beaux *jardins à l'italienne (zámecká zahrada)*. Ouverts de 7 h à 19 h. On y trouve un théâtre en plein air tout à fait original, puisque ce sont les gradins (et les spectateurs) qui pivotent au gré des scènes !

★ **La deuxième colline :** accès par un pont, prolongé de la rue Radniční, qui n'a guère changé d'aspect depuis le Moyen Âge. Sur la gauche, étroite et sinueuse rue Masná menant à la rue Horní (la rue du musée). Pavés curieusement plantés l'arête en l'air (pour prévenir les glissades probablement). *Hôtel de ville* de style gothique avec arcades. *Colonne de peste* baroque. *Église Saint-Vitus* avec voûte en étoile et hautes arches gothiques. À l'entrée, baldaquin pour le baptistère avec colonnes de marbre sculptées. Chaire rococo.

★ **Le Musée régional :** Horní 152. Ouvert de 10 h à 12 h 30 et de 13 h à 17 h. Fermé le lundi. ☎ 711-674. Belles sections préhistoire et période médiévale. Fascinante maquette en céramique, reproduisant la ville en l'an 1800. Beaux meubles sculptés. Dans le couloir, remarquable statuaire en bois sculpté polychrome. Étonnant piano à harpe du XIXe siècle. Dans un renfoncement, ne pas manquer la petite pharmacie baroque, installée à l'origine dans le collège des jésuites, aujourd'hui transformé en hôtel.

En sortant du musée, face à l'hôtel *Růže*, un panorama intéressant sur la ville.

★ **Egon Schiele Centrum :** Široká ul. 70/72. ☎ 71-12-24. À deux pas de l'hôtel de ville. Ouvert toute l'année, tous les jours, de 10 h à 18 h. Exposition de cinquante aquarelles et dessins de l'artiste, ainsi que de divers documents retraçant sa vie. Egon Schiele, un des maîtres de l'expressionnisme, était natif de la région. Hélas, les guides du musée ne sont actuellement écrits qu'en tchèque ou en allemand. Cependant, la visite vaut la peine.

À faire

★ *Balades en canoë :* par exemple, descente de la Vltava au départ de Český Krumlov jusqu'à Vyšší Brod. Un spécialiste de la location de matériel : *Pepa Maleček,* Parkán 119. ☎ et fax : 23-97 et 71-25-08.

Dans les environs

★ À 8 km de Český Krumlov, sur la route de České Budějovice, le *monastère* cistercien *de Zlatá Koruna.* ☎ 74-31-26. Ouvert d'avril à octobre de 9 h à 12 h et de 13 h à 16 h, sauf en juillet et août, ouvert dès 8 h et fermé à 17 h. Fermé le lundi. Venir une heure avant la fermeture. Visite guidée uniquement. L'entrée se trouve derrière l'église. Stationner sur le parking puis y aller à pied. Le monastère fut fondé en 1263 par le roi tchèque Přemysla Otakar II. Vous admirerez la chapelle, le cloître, le réfectoire (où est exposée une infime partie des 70 000 livres de la bibliothèque) et la salle capitulaire. Mention spéciale pour la beauté des plafonds, ornés de fresques et stucs de style souvent rococo.

TŘEBOŇ (TRÉBONGNE) IND. TÉL. : 0333

À l'est de České Budějovice, au milieu d'une région d'étangs, une gentille petite cité fortifiée qui mérite une visite, notamment pour sa jolie place de l'Hôtel-de-Ville. Třeboň est la capitale de la pêche à la carpe.

Adresse utile

🖪 *Office du tourisme :* Masarykovo nám. 103. ☎ 721-169. Fax : 721-356. En été, ouvert de 7 h 30 à 18 h en semaine, de 9 h à 12 h et de 15 h à 18 h le samedi, de 15 h à 18 h dimanche. Plans et doc sur la ville, renseignements sur les chambres d'hôte et les hôtels.

Où dormir ?

Bon marché

🛏 *Camping Autocamp Třeboňsky Ráj. :* ☎ 24-36. Fax : 25-86. Près d'un lac, sur la route de Domanin-Petrovice-Borovany. Ouvert de début mai à fin septembre. Location de bungalows.

🛏 *Dům Mládeže OA (Obchodní Akademie) :* Zámek 154/1. ☎ 72-15-30. Ouvert uniquement en été. Auberge de jeunesse située au cœur de la ville, dans une partie du château.

🛏 *Dům Mládeže Spšo :* Táboritská. ☎ 721-337. À 20 mn à pied du centre. Ouvert uniquement en été. Également une A.J. Se renseigner à l'office du tourisme.

Prix modérés

🛏 *Hôtel Bíly Kroniček :* Masarykovo náměstí. ☎ 723-213. Restaurant.

Prix moyens

🛏 *Zlatá Hvězda :* Masarykovo náměstí 107. ☎ 757-200. Bâtiment historique à arcades, entièrement rénové. Excellente position géographique. Chambres confortables. Deux restaurants, taverne, bar, café.

Où manger ?

|●| *Šupina Restaurant :* Valy 155. ☎ 721-149. Ouvert tous les jours de 10 h 30 à minuit. Petite salle agréable. Afin de s'agrandir, le patron a ouvert récemment un autre resto, juste en face, dénommé *Šupinka*. Décor plus moderne mais finalement moins attrayant. Les deux restos présentent la même carte. Spécialités de poissons (carpe, brochet, sandre) dues à l'existence dans la région de nombreux lacs. Bonne cuisine.

|●| *Restaurant U Zámku :* dernière rue à gauche en montant sur la Masarykovo náměstí. ☎ 25-08. Ouvert de 10 h 30 à 23 h. Le resto est situé à l'étage.

|●| *Virárna Morava :* TGM nám. 88. ☎ 32-83. Ouvert de 11 h 30 à 24 h. Choix plus restreint mais excellent rapport qualité-prix, et l'un des meilleurs poissons de la ville.

À voir

★ *La place principale :* accès par deux portes de ville. De forme ovale, elle accueille l'*hôtel de ville* Renaissance avec tour-clocher ; ouvert tous les jours en été (en juin, uniquement le week-end). Également bel ensemble de demeures à arcades. Symphonie de frontons différents et de tons pastel. Superbe croix de peste baroque.

★ *Le château :* au fond de la place. Ouvert de juin en août, de 9 h à 17 h. Fermé le lundi. Édifice de style Renaissance auquel on accède par une belle cour surmontée d'un pittoresque cadran solaire. Enfiler les patins pour pouvoir admirer les primitifs religieux, manuscrits et Vierges en bois polychromes. Bel ameublement, vieux plans de ville, curieuses cibles de tir peintes par thèmes. Salles consacrées à l'industrie locale : la pêche dans les étangs. Beaux meubles de cuisine. Salle aux plafonds et murs recouverts d'armoiries (XVIIe siècle).

★ En sortant du château, suivre la rue à gauche. Encore d'intéressantes *maisons.* Si l'église est ouverte, quelques fresques à voir.

★ Les nécrophiles pourront visiter le *mausolée néogothique de la famille Schwarzenberg,* situé à côté de la ville. Ouvert de 9 h à 17 h les mêmes jours que le château. Les cercueils disposés dans la crypte rappellent *Le Bal des vampires* de Polanski.

JINDŘICHŮV HRADEC   IND. TÉL. : 0331

Encore une pittoresque petite ville située au bord d'un lac. Gros château du XIIIe siècle, souvent remanié. À la Renaissance, il hérita du pavillon rond d'angle.

Adresse utile

■ *Informační Strediska :* Panská 136/I, à côté du *Čedok.* ☎ 218-44. Fax : 361-503. Ouvert en semaine de 8 h à 17 h ; le samedi de 8 h à 12 h.

LA BOHÈME

Où dormir ? Où manger ?

Prix moyens

☗ ◖◗ *Hôtel Concertino :* Míru nám. 141/I. ☎ 36-23-20 et 36-19-27. Fax : 36-23-23. Pas tout de suite visible car un peu en retrait. Hôtel moderne, ouvert en 1996. Vastes chambres confortables (TV satellite, mini-bar, téléphone, w.-c., baignoire). Restaurant, café, petit déjeuner-buffet.

☗ *Grand Hôtel Schneider :* Míru nám. 165/I. ☎ et fax : 24-964. En plein milieu de la place. Moins cher que le *Concertino* mais beaucoup moins confortable. Hôtel vieillot qui mériterait d'être rénové. C'est d'ailleurs l'intention des nouveaux propriétaires qui ont récupéré l'établissement en 1991, après 40 années de gestion communiste.

À voir

★ Très belle *place principale* entourée de nobles demeures. L'une d'elles présente une façade ornée de rares *fresques* médiévales en noir et blanc. Une autre est surmontée d'un joli clocher-horloge. Admirables frontons. Au centre, *colonne de peste* baroque.

★ *Le Musée régional (Okresní muzeum) :* entre la place principale et le château. Ouvert de juin à septembre, tous les jours de 8 h 30 à 12 h et de 12 h 30 à 17 h. Venir une demi-heure avant la fermeture. Situé dans un ancien séminaire de jésuites, datant de la Renaissance. Section de préhistoire. Beaux meubles. Vêtements paysans. Section ethnographique (outils de ferme, etc.). Collection d'horloges. Expo d'insolites crèches naïves et colorées. Statuaire médiévale. Au 2e étage : instruments et boîtes à musique. Très intéressant pour ceux qui maîtrisent bien le tchèque ou l'allemand.

★ *Le château :* ouvert du mardi au dimanche de 9 h à 12 h et de 13 h à 15 h 15 d'octobre à avril, jusqu'à 16 h 15 le reste de l'année. Beau château très bien conservé. Trois vivites sont proposées, d'intérêt égal : la « A » est une exposition des intérieurs classiques, avec surtout les chambres vertes qui datent de la Renaissance. La « B » montre la partie médiévale du château. La « C », enfin, propose une promenade à travers les siècles du XVe au XIXe et la visite de la salle de concert avec ses décorations de stucs du XVIe siècle. Visites guidées en anglais et en allemand.

Dans les environs

★ *Le château de Červená Lhota :* au nord de Jindřichův Hradec, dans un petit village. En mai, juin et septembre, ouvert de 9 h à 12 h et de 13 h à 15 h 45. En juillet et août, ouvert de 9 h 30 à 12 h et de 13 h à 16 h 45. Fermeture le lundi. Réduction pour les étudiants. Vous tomberez immédiatement sous le charme de ce château Renaissance, se reflétant à la surface d'un étang. Le pont-levis d'autrefois fut remplacé par un pont de pierre et pourtant, l'accès de Červená Lhota fait penser aux illustrations d'un livre de contes de fées. Le rouge de la façade fait des merveilles en photographie. Si le château est fermé, vous aurez toujours le loisir de vous promener dans les jardins anglais.

TÁBOR

Ville médiévale, à 80 km au sud de Prague et 44 km au nord-ouest de Jindřichův Hradec. Elle fut fondée par les partisans du réformateur Jan Hus et fortifiée en prévision des attaques des catholiques.

Adresse utile

⚑ *Infocentrum :* Žižkovo náměsti 2.
À côté du musée. ☎ 25-23-85. Fax :
48-61-00. De juin à septembre, ouvert de 8 h 30 à 19 h en semaine, de
9 h à 13 h le samedi et de 13 h à
17 h le dimanche. Cartes, renseignements touristiques et possibilité
de réserver une chambre d'hôte,
une place dans un camping ou dans
un hôtel.

Où dormir ?

Rien de vraiment formidable, même si la ville reçoit souvent des touristes.
Passez au bureau d'information afin d'être aidé.

Campings

⌂ *Camping Malý Jordán :* Přihr
pošt. 75. ☎ 321-03. Sur la route de
Prague. Ouvert de juin à septembre.
⌂ *Camping Knížecí Rybník :*
Měšice. ☎ 25-24-80 et 25-43-38.
Ouvert toute l'année. Plus cher que
le précédent.

Prix modérés

⌂ *Pension Niagara :* Čs. Armády
1763. ☎ 320-04. Prix bas, mais
confort spartiate.
⌂ *Pension Z & Z :* Vitkova 2010.
☎ 253-740. Bon accueil. Petit déjeuner copieux. Hôtesse parlant le français.

Prix moyens

⌂ *Hôtel Kapitál :* Třída 9, Května
617. ☎ 256-096. En plein centre-
ville moderne, proche du centre historique. 52 chambres très correctes.
⌂ *Hôtel Palcát :* Třída 9, Května
2471. ☎ 252-901. Dans la même
rue que le *Kapitál*, au pied de la
vieille ville. Gros immeuble moderne, dépourvu de charme.
110 chambres avec salle de bains, à
prix moyens.

Où manger ?

Pour se restaurer, préférer les restos de la place de l'Hôtel-de-Ville. Sinon,
quelques fast-food locaux dans la rue commerçante qui relie la vieille place à
la ville moderne.

|●| Sur la route E55 qui relie Prague
à České Budějovice, le *motel Mašát
Měšice* a un bon restaurant, situé à
Měšice u Tábora 474. ☎ 25-64-50.
Plats régionaux.

À voir

★ Pour une *vue globale de la vieille ville*, passer le grand pont et continuer quelques centaines de mètres. Elle apparaît accrochée à sa colline,
ceinturée d'une abondance de jardins.

★ Puis **balade dans le vieux Tábor** jusqu'à la place Žižkovo. Dans l'*église* au fronton Renaissance, bâtie entre 1440 et 1512, chaire baroque et orgue avec anges sculptés polychromes. Belle vue aussi du clocher.

★ Hôtel de ville composant un bel ensemble avec sa tour et la maison au fronton flamboyant sur la place, **musée de la Révolution hussite (Husitzké muzeum).** Ouvert de 8 h 30 à 17 h. ☎ 254-286.

L'exposition présente la vie et les travaux du Moyen Âge, ainsi que l'histoire du mouvement réformateur tchèque. Copies de manuscrits hussites, armes blanches médiévales, cottes de mailles originales, etc.

D'ici, vous pouvez aussi accéder à un *réseau de souterrains* (mêmes horaires que le musée, mais venir une demi-heure avant la fermeture) long de 800 m. Visite des caves à deux ou trois niveaux creusées dans le rocher.

★ Dans la ruelle du Cukárna, splendide **maison à sgraffites**. Tout le quartier compte d'ailleurs de nombreuses belles demeures. Cela dit, le reste de la ville n'a aucun intérêt.

– LA BOHÊME ORIENTALE –

De nombreuses formations naturelles abondent en Bohême orientale. Turnov et Jičín sont les meilleurs points de départ des randonnées. Limité par ces deux villes, le « Paradis de Bohême » (parc régional naturel, protégé depuis 1955) est formé par un vaste plateau de grès qu'entaillent des gorges encaissées. Ses principaux centres d'intérêt sont les **rochers** autour de **Hrubá** et ceux de **Prachovské Skály**. Dans l'extrême nord de la région se trouvent deux groupements de rochers dont le nombre s'élève à cent cinquante. Il s'agit des **rochers d'Adršpach-Teplice**, s'étendant sur 25 km^2. Ce sont les restes d'un plateau profondément entaillé et modelé par les eaux. **Les Krkonoše** (monts des Géants), quant à eux, représentent le plus haut massif du pays. Ils culminent au mont Sněžka, à 1 603 d'altitude. En été, un télésiège fonctionne jusqu'au sommet. Cette partie de la Bohême présente aussi un riche patrimoine culturel : vieilles villes, musées, châteaux...

HRADEC KRÁLOVÉ
IND. TÉL. : 049

Située au milieu d'une plaine fertile au confluent de l'Elbe avec la rivière Orlice, Hradec Králové représente aujourd'hui, avec ses 100 000 habitants, un centre industriel important : entreprises de construction mécanique, usines chimiques et alimentaires, et ateliers de production d'instruments de musique. Son seul attrait est sa vieille ville, classée monument historique. Elle constitue le point de chute idéal après avoir découvert les magnifiques châteaux environnants (Kuks, Náchod, Opočno, Častolovice...).

Comment y aller ?

– **Par la route :** à partir de Prague, accès par la E67 (132 km).
– **En bus :** nombreux départs quotidiens ; se renseigner auprès de *CSAD-BUS* (☎ 322-26).
– **En train :** plusieurs trains rapides par jour ; renseignements aux chemins de fer tchèques (☎ 305-55).

Adresse utile

◘ *Informačni Centrum :* Gočárova 1225. Ouvert de juin à septembre, du lundi au vendredi, de 8 h à 18 h ; les samedi et dimanche, de 10 h à 17 h.

Où dormir ?

Qu'on se le dise une fois pour toutes : les prix sont nettement moins élevés que dans les autres villes de Bohême, mais les adresses de rêve n'existent pas.

Prix modérés

⬗ *Pension U Jana :* Velké náměstí 137. ☎ 55-12-355 et 55-14-604. Idéalement située sur la place principale du centre historique. Ne pas s'arrêter aux escaliers et à l'entrée plutôt sales. Vastes chambres confortables. Au rez-de-chaussée, restaurant animé.

⬗ *Hôtel U Zezuláků :* Na Hrázce 229. ☎ 526-35-14. Fax : 526-35-94. À environ 3 km au nord-est de la ville historique. De la gare, prendre le *trolley-bus* n° 7. Des prix très sages, d'immenses chambres bien meublées, avec coin salon et une situation au calme. Autant de bons critères à condition d'accepter un hall d'entrée crasseux, ainsi qu'un accueil mou et fort désagréable ! Le petit déjeuner est catégoriquement à éviter : produits pas frais, servis avec parcimonie. Bref, hôtel pour routards tout-terrain pas trop à cheval sur les détails.

Prix moyens

⬗ *Hôtel Alessandria :* SNP 733. ☎ 41-521. Fax : 42-874. À 2 km au nord-ouest du centre-ville. Difficile de manquer ce grand bloc de béton plutôt disgracieux. Immeuble cependant moins massif que celui de l'hôtel *Cernigov*, en face de la gare. Chambres standard. Grande salle de restaurant agréable mais la cuisine n'est pas toujours à la hauteur !

Où manger ?

Dans le centre, peu d'endroits ouverts tard le soir. Côté carte, l'habituelle litanie de plats tchèques est présente à l'appel mais l'intérieur des restos est souvent décevant.

|●| *Restaurace Pod Věži :* Velké náměstí 165. ☎ 226-00. Ouvert tous les jours de 11 h à 22 h. Établissement que l'on remarque de loin l'été, grâce à sa belle terrasse. Ambiance de brasserie. Patron sympa.

À voir

★ *Velké náměstí :* la grande place, triangulaire. Signalons : la cathédrale du Saint-Esprit (XIVe siècle), la tour Blanche possédant la deuxième plus grande cloche de Bohême (10 tonnes) et l'église jésuite de l'Assomption, de style baroque.

★ *Galerie Moderního Uměni :* Velké náměstí 16a. ☎ 551-48-93. Ouvert de 9 h à 12 h et de 13 h à 18 h, sauf le lundi. Cette galerie d'art moderne propose une exposition permanente, consacrée à la peinture et à la sculpture d'avant-garde tchèques du XXᵉ siècle. Expositions temporaires également.

Dans les environs

★ *Pardubice :* à 30 mn en bus ou en train, au sud de Hradec Králové. En voiture, emprunter la nationale n° 37. Ville surtout connue par le grand steeple-chase organisé chaque année. Cette grande course d'obstacles, ponctuée de nombreuses chutes, est abordée avec crainte par beaucoup de cavaliers.

Ravagée au XVIᵉ siècle par trois incendies, Pardubice fut entièrement réédifiée. De magnifiques maisons patriciennes Renaissance en sont encore, aujourd'hui, le témoignage. Se promener autour de *Republiky náměstí*. Monter à la *tour Verte* (Zelená brána) pour jouir d'un beau panorama sur la ville. On accède au *château* (XVIᵉ siècle) par la rue Zámecka. Ouvert de 10 h à 18 h. ☎ 040-518-121. Par prudence, arriver bien avant la fermeture. Seules quelques salles sont accessibles pour cause de restauration. Une pièce gothique réunit des objets hétéroclites de la région : monnaies, théâtre de marionnettes, armes, motos, etc.

🛈 *Informační Centrum :* Míru tř. 60. ☎ 040-661-24-74. Ouvert de 7 h à 19 h tous les jours.

★ *Le musée de la Culture des marionnettes de Chrudim :* à 9 km au sud de Pardubice. Břetislavova 74. ☎ 0455-620-310. Ouvert tous les jours de 9 h à 12 h et de 13 h à 18 h. Logé dans une maison Renaissance. Une dizaine de petites pièces sur différents niveaux. Présentation d'une collection unique de marionnettes en provenance de 70 pays. Une salle est consacrée à l'art moderne de la marionnette (théâtre luminescent avec effets de lumière spéciaux). Dans le passé, les marionnettes étaient pour les Tchèques de formidables complices. Elles les aidaient à protéger leur langue et leur culture.

★ *Le château de Litomyšl :* à 55 km au sud de Hradec Králové. Accès par la E442. ☎ 0464-20-67. Ouvert de mai à août, de 9 h à 12 h et de 13 h à 17 h. En avril et septembre, fermeture à 16 h. Visite guidée. Château Renaissance à quatre ailes, orné de sgraffites. Arcades de style toscan et ionique. Un petit théâtre, construit en 1797, fait partie des quatre au monde qui possèdent encore leurs rideaux de scène et leurs décors d'époque. Le plus ancien se trouve dans le château de Český Krumlov (voir plus haut). La salle d'audience servait pour les bals et les célébrations en tous genres. Son lustre de cristal pèse 300 kilos. Il a été fait pour les besoins du film *Amadeus* de Miloš Forman et offert au château (le tournage se déroula en fait à Kroměříž, Prague et Vienne). Observez le parquet de la chambre bleue, il est formé de trois sortes de bois : prunier (ton foncé), érable (ton clair), chêne (ton moyen). Le piano à cinq pédales du salon de musique a servi à Bedřich Smetana, dès l'âge de trois ans. Admirez l'armoire musicale du salon pour hommes : elle fonctionne sur le principe de l'orgue de Barbarie et peut jouer 38 morceaux différents. Le père de Bedřich Smetana était brasseur au château. La brasserie a été transformée en musée, à la mémoire du compositeur.

● *Le musée Smetana :* entrée dans la cour du château. Ouvert d'avril à octobre, les samedi et dimanche, de 9 h à 12 h et de 13 h à 17 h. Pour les autres jours, téléphoner au : ☎ 0464-22-87. C'est ici que naquit Bedřich Smetana en 1824. Il partit étudier à Prague puis Plzeň, séjourna en Suède de 1856 à 1861 puis revint en Bohème. Il fut chef d'orchestre à Prague jusqu'à l'âge de 50 ans. Devenu sourd, il ne put plus exercer ce métier mais il continua à composer jusqu'à sa mort en 1884. Son piano, ses meubles et sa porcelaine sont présentés dans deux pièces. Aux murs, images retraçant sa vie.

– LA MORAVIE DU SUD –

Moins fréquentée que la Bohême. Les paysages y sont pourtant plus agréables (car moins industrialisés), et vous y traverserez d'adorables villages.

Entité administrative au sein de la République tchèque, la Moravie possède une véritable individualité, un très beau folklore, des traditions très vivantes. Les Moraves prennent d'ailleurs peu à peu conscience de leur spécificité dans le pays.

TELČ (TELCH)   IND. TÉL. : 066

La plus exquise des petites villes de Moravie du Sud. Toute repliée sur ses vieux remparts comme pour mieux protéger une remarquable architecture médiévale. Son centre historique est d'ailleurs inscrit sur la liste du patrimoine mondial de l'Unesco.

Adresse utile

▯ Office du tourisme : Zachariáca-ronše z Hradce nám. Sur la place, dans l'hôtel de ville. ☎ 96-23-33. Fax : 96-25-57. Ouvert en semaine de 7 h à 17 h, de juin à septembre. Le week-end de 9 h à 17 h. Renseignements touristiques et sur les possibilités de logement.

Où dormir ?

Bon marché

▮ Camping Velkopařezitý : à Řasná (8 km au nord-ouest de Telč). ☎ 737-94-49. Emplacements pour tentes et caravanes. Bungalows. Bon marché.

▮ Hôtel Pod Kaštany : Štěpnická 399. ☎ 72-130-42. Sur la route de Jindřichův Hradec et de Brno. Genre auberge de jeunesse. Établissement le moins cher de la ville mais un peu spartiate. Resto.

Prix moyens

▮ Nombreuses pensions situées dans les villages alentour. En général, elles offrent le meilleur rapport qualité-prix.

▮ Hôtel Celerin : Zachariáše z Hradce nám. I/43. ☎ et fax : 96-24-77. Au fond de la place principale. La façade un peu triste ne laisse pas deviner le bel aménagement intérieur. Chambres claires, spacieuses, très bien équipées (TV, téléphone, bureau, porte capitonnée). Salle de bains complète avec sèche-cheveux et shampoing (ce qui est – vous avez dû vous en apercevoir – rarissime en dehors de Prague). Déco raffinée. Demandez la n° 10 avec vue sur la place. Bon petit déjeuner.

▮ Hôtel Černý Orel : Zachariáše z Hradce nám. 7. ☎ et fax : 96-22-20/2. Au milieu de la place. Vieille maison cosy. Accueil moyen. Chambres simples mais très correctes. Restaurant (voir ci-dessous).

LA MORAVIE

Où manger ?

I●I *Restaurant de l'hôtel Černý Orel :* de l'extérieur, on aperçoit un cadre plutôt chic. Ne vous laissez pas impressionner, le décor étant somme toute banal. La nourriture lors de notre passage était mauvaise. Établissement qui semble vivre sur sa (bonne) réputation. Il est vrai qu'il n'y a guère d'autres possibilités, le soir, sur la place. C'est pratiquement le seul resto d'ouvert avec celui de l'hôtel *Celerin*.

I●I *Restaurant U Zachariáše :* Zachariáše z Hradce nám. 33. ☎ 96-26-72. Ouvert de 9 h 30 à 23 h, tous les jours. Terrasse avec vue sur la place. Grande salle agréable sans prétention, qui change un peu des traditionnelles caves voûtées. En entrant, levez la tête, un ptérodactyle est suspendu au plafond. Plutôt pour y boire un verre que pour s'y restaurer. Cuisine très banale.

À voir

★ *La place principale :* un chef-d'œuvre de beauté et d'harmonie, un vrai décor de théâtre ! Longue place pavée, rythmée par les arcades et les frontons gothiques, baroques ou Renaissance de magnifiques demeures. Architecture totalement préservée, vierge de trafic automobile, propice à toutes les rêveries. Au milieu, riche fontaine baroque.
Dans l'église, beaux autels et retable baroque tranchant joliment sur le fond blanc.

★ *Le château :* ouvert de 9 h à 12 h et de 13 h à 17 h (16 h en hiver). ☎ 96-29-43. Visite guidée en tchèque, allemand, et parfois en français l'été. Deux tours possibles : tour A, visite des salles de l'époque Renaissance (60 mn), et tour B, visite des habitations des derniers propriétaires (45 mn). Élevé à la fin du XIIIe siècle, le château fut remanié au XVIe et allie de façon séduisante gothique tardif et Renaissance. Largement inspiré de modèles italiens, il présente une somptueuse décoration intérieure.
● Au rez-de-chaussée : *chapelles* avec belles voûtes ouvragées (dont certaines noircies par la fumée des bougies). Ancienne salle d'armes avec voûte en toile peinte.
● Au 2e étage : *salle du Théâtre,* avec plafond peint à caissons. *Salle de chauffage* du château recouverte de fresques (Hercule à droite, Judith et Holopherne à gauche). Au début du siècle, le maître des lieux était un grand chasseur *(salle Africaine).* Dans la *salle des Chevaliers,* plafond peint (travaux d'Hercule). Hache en os gravé utilisée dans les mines d'argent locales (à gauche de la porte). Dans les pièces suivantes : bel ameublement, armes, gravures, etc.
Après la deuxième galerie : le *salon d'Or,* salle monumentale au plafond richement orné. *Salle Bleue* aux fort beaux reliefs polychromes. Aux quatre coins du plafond, les quatre éléments : eau, terre, air et feu.
● Très beaux *jardins Renaissance.* Ne pas manquer la *galerie zan Zrzaveho.* Ouverte en semaine de 9 h à 12 h et de 13 h à 17 h. Le dimanche, fermeture à 16 h et le samedi à 13 h. Nombreuses œuvres de Jan Zrzavý, grand peintre originaire du plateau tchéco-morave (1890-1977). Importante série sur la Bretagne. Cette région est l'un de ses thèmes de prédilection. Il fut attiré par sa lumière qui paraît sortir de la terre et de la mer. Quelques toiles également sur Venise.

★ *Vysočiny Pobočka muzeum :* dans l'enceinte du château, à l'étage. ☎ 96-29-18. Mêmes ouvertures que le château. Beau petit musée, pourvu d'objets évoquant la vie paysanne d'autrefois. Dans la première pièce, curieuse scène animée de personnages. Intérieurs reconstitués de demeures locales.

★ En sortant du château, continuer à droite. Après l'église, porte de ville menant à un grand **parc** avec étang.

JIHLAVA IGLAU (YIRRLAVA)   IND. TÉL. : 066

Amoureux de la grande musique, retirez votre chapeau : c'est en ces lieux que le jeune Gustav Mahler fut élevé avant de partir, à l'âge de quinze ans, pour le conservatoire de Vienne. La ville possède aussi quelques jolis vestiges architecturaux, témoins de sa place importante dans la région au Moyen Âge et à la Renaissance.

Adresse utile

◻ *Informační Centrum :* Masarykovo nám. 18. ☎ 280-34. Sur la place centrale. Ouvert de 8 h à 18 h en semaine, et de 9 h à 12 h le samedi. Fermé le dimanche. Renseignements touristiques et sur les chambres d'hôte ou les hôtels.

Où dormir ?

Prix modérés
♠ *Pension Ježek :* Telečska 51. ☎ 290-77. Une des adresses les moins chères de la ville. Capacité de 140 lits.

Prix moyens
♠ *Hôtel Gustav Mahler :* Křížová 4. ☎ 273-71. Fax : 273-77. À 100 m de la place Masarykovo. L'hôtel est situé dans un ancien monastère. Prix identiques au *Grand Hôtel*.

♠ *Grand Hôtel :* Husova 1. ☎ 235-41. Hôtel chic de style Art nouveau. Central mais calme. Petites chambres confortables à la décoration banale pour un 4 étoiles.

Où manger ?

|◉| *Restaurace U Šedivémo Draka :* Masarykovo nám. 65. ☎ 25-596. Situé sur la place.
|◉| *Restaurant du Grand Hôtel :* voir « Où dormir ? ». Salle agréable au décor tout de même très simple pour la catégorie de l'établissement. Personnel efficace. Bonne cuisine, sans éclat toutefois. Goûtez la spécialité de poulet aux amandes (épicé). Prix très honnêtes.
|◉| *Restaurace Bohemia :* Masarykovo nám. 10. Plats consistants et bon marché.

À voir

★ *Le musée Visočiny « Le jeune Malher et Jihlava » :* Kosmákova 9. ☎ 291-47. Exposition permanente de 9 h à 12 h et de 13 h à 17 h. Fermé le lundi. D'octobre à avril, appelez M. Jakubichkova (☎ 27-250) pour qu'il

LA MORAVIE

vienne vous ouvrir. Dès votre arrivée, possibilité de choisir un morceau de musique que vous écouterez tout au long de votre visite : le demander à la caisse. Le musée présente les deux premières décennies de la vie de Gustav Mahler.

La *maison des Mahler* se trouve sur Znojemská au n° 4 (première à droite en revenant sur la place) mais elle n'a toujours pas été rénovée, par manque d'argent. Le musicien y a vécu de sa naissance, en 1860, à 1875.

★ *La place centrale :* défigurée par la construction d'un épouvantable magasin, elle possède tout de même quelques belles constructions, dont l'hôtel de ville et, à côté, l'*église baroque Saint-Ignace*. Vous pouvez aller visiter les souterrains de cette dernière mais sachez que le taux de radio-activité y serait cinquante fois supérieur à la normale.

★ *Le Musée régional :* Masarykovo nám. 57-58. Ouvert de 9 h à 12 h et de 12 h 30 à 17 h. Fermé le lundi. Présente l'histoire de la ville et la faune alentour.

★ La *porte Matky Boží* et, à ses côtés, l'*église Sainte-Marie*, construite au XIIIᵉ siècle et abritant un christ en bois très kitsch.

Dans les environs

★ *Pelhřimov :* en route pour Tábor, vous traverserez cette ville peu touristique et qui possède un certain charme. Là encore, c'est la ravissante place principale qui enchante par ses demeures baroques colorées, ses frontons et façades à sgraffites. Aux abords, deux anciennes tours-portes de ville du XVᵉ siècle. Derrière le chevet de l'église, pittoresque maison avec cadran solaire et belle lucarne. Église avec un élégant clocher à bulbe, mais à l'intérieur, décor rococo chargé pas très joyeux. Voir également le *musée des Records et des Curiosités* (*Rekordů A Kuriozit*), Jihlavská brána. ☎ 0366/32-13-27. Ouvert tous les jours de mai à septembre, de 9 h à 17 h. Musée unique en Europe centrale. Photographies de manifestations curieuses, exposition d'objets géants ou de miniatures.

★ *L'église Saint-Jean-Népomucène* (*Sv. Jana Nepomuckého*), près de *Žďár nad Sázavou :* Na Zelené Hoře, sur une colline située à 2 km de Žd'ár nad Sázavou. ☎ 0616/220-97. Au nord-est de Jihlava. Pour s'y rendre, passer dans le centre-ville de Žd'ár nad Sázavou. Merveilleuse église baroque construite sur un modèle d'étoile à cinq branches. Tout autour, charmant petit cimetière, composé de tombes impeccablement entretenues. Atmosphère paisible et recueillie. Vaut le coup d'œil. Était en restauration en 1998.

ZNOJMO   IND. TÉL. : 0624

Où dormir ? Où manger ?

🛏 🍴 *Hôtel Družba :* Pražská 100. À l'entrée de Znojmo. ☎ 756-81. Immeuble moderne sans aucun charme. Mais on y parle le français, les chambres sont assez bon marché pour cette catégorie, et le resto sert une bonne cuisine. De plus, magnifique cave à vin, voûtée, où l'on danse le week-end au milieu d'une population locale joviale et simple. Un endroit étonnant dans cette banlieue grise !

🛏 *Hôtel Dukla :* Holanská 5. ☎ 22-73-20. Grand et sans charme, mais pas trop cher.

– Dans le village de Vranov, possibilité de se loger *chez l'habitant* à très bon marché (suivre les panneaux).

À voir dans les environs

★ *Le château de Vranov :* à l'ouest de Znojmo, presque à la frontière autrichienne. ☎ 97-215. En avril et octobre, ouvert de 9 h à 12 h et de 13 h à 16 h les week-ends seulement ; en mai, juin et septembre, tous les jours, sauf le lundi, de 9 h à 12 h et de 13 h à 17 h ; en juillet et août, tous les jours de 9 h à 12 h et de 13 h à 18 h. Visites guidées d'une heure environ en allemand ; l'été, en anglais également. Documents en français. Ancien château fort médiéval dressé sur un éperon rocheux qui surplombe le village niché au fond de la vallée. Il fut reconstruit dans un style baroque à la suite d'un incendie au XVIII siècle. Façades très colorées. À l'entrée, une délicieuse chapelle apporte un supplément de romantisme à l'imposant ensemble et contraste avec l'austère tour carrée. À l'intérieur, grande salle des ancêtres avec une superbe fresque de 1695. Également une imposante bibliothèque du début du XIX siècle, dont les trois quarts des ouvrages sont français.

BRNO   IND. TÉL. : 05

À 230 km de Prague. Capitale de la Moravie du Sud, très important centre économique et scientifique du pays. Connue pour sa célèbre foire internationale et son championnat de moto. Brno n'est pas d'un grand intérêt architectural, mais c'est une ville active, fébrile et proposant une riche vie culturelle. Le compositeur Janáček, V. Kaplan (l'inventeur de la turbine hydraulique) et J. Mendel (fondateur de la génétique moderne) naquirent ou exercèrent leur activité à Brno.

Adresses utiles

❶ *Office du tourisme* (plan B2, ❶) : Radnická 8 (dans l'ancien hôtel de ville). ☎ 42-21-10-90. Fax : 42-21-07-58. Ouvert de 8 h à 18 h en semaine et de 9 h à 17 h le week-end. Une personne parle le français. Plans. Infos sur les hôtels, les chambres d'hôte et les campings. Peu de documentation en français.

✉ *Poste principale* (plan B2) : à l'angle de Jánská et Poštovská, dans le centre-ville. Ouvert de 7 h à 18 h en semaine. Autre bureau de poste à côté de la gare, ouvert le samedi jusqu'à 14 h.

■ *Transports :* nombreux bus pour Prague et Bratislava. Au moins deux départs pour Vienne. Trains directs pour Prague et Bratislava également.

🚆 *Gare ferroviaire* (plan B2) : Hlavní nádraži. À l'écart du centre historique. ☎ 42-21-48-03.

🚌 *Gare routière Zvonařka :* à 10 mn à pied de la gare des trains. ☎ 43-21-77-33.

Où dormir ?

Bon marché

– Se renseigner à l'office du tourisme sur les possibilités en juillet et août de logement en dortoir dans les *collèges* de la ville.

🏕 *Motel-camping Bobrava :* situé à côté de Modřice, à 10 km au sud de Brno sur l'autoroute E461 en direction de Vienne ou de Poproviče. À 500 m de la gare de Popovice U Rajhradu. ☎ 47-21-60-57. Fax : 43-32-12-27. Au milieu de la verdure mais bruyant. Petits *cottages* à louer également, plus intéressants qu'en camping. Resto sur place. Selon des lecteurs, les tarifs sont à la tête du client.

▲ *Kemp Radka :* Kníničky 139. ☎ 46-21-58-21. Fax : 79-33-34. Au nord-ouest du centre-ville, tram n° 1 au départ de la gare. Descendre à l'arrêt Přístaviště (port du lac), marcher jusqu'à Sokolské Koupaliště. *Auto-camp* au bord d'un lac.

▲ *Camping Obara :* au bord du même lac sur l'autre rive. Un peu plus loin que le *Kemp Radka*. Possibilité de louer un bungalow.

▲ *Hôtel Družba* (plan A1, *10*) : Kounicova 11. ☎ 41-32-12-17. Pendant l'année scolaire, réservé aux étudiants. Du 10 juillet au 20 septembre, les particuliers ont la possibilité d'y loger. De la gare, prendre le tram n° 12 ou n° 13.

▲ *Hôtel Interservis :* à 3 km au sud du centre, quartier Komárov Lomená 48. ☎ 45-23-43-35. Fax : 33-11-65. Prendre le tram n° 9 ou n° 12. Descendre au dernier arrêt. Pas cher, mais ne pas être regardant sur le confort.

Prix modérés

▲ *Hôtel Avion* (plan A1, *11*) : Česká 20. ☎ 42-21-50-16 et 42-32-13-03. Fax : 42-21-40-55. Très central, au début d'une rue piétonnière menant à la place Svobody. Doit son nom à sa façade étroite et à sa profondeur (8 x 32 m). Deuxième hôtel de ce type après un premier

construit en France. L'architecte Bohuslav Fuchs a réussi à résoudre en 1927 le problème de la construction d'un bâtiment sur une surface étroite. Chambres simples à portes capitonnées. Casino, *Irish pub* récemment rénové. Bon accueil.

▲ *Hôtel Amphone* (plan B1, *12*) : Kpt Jaroše tř. 29. ☎ 45-21-17-83 et 57-31-28. Fax : 45-21-15-75. Très calme, sur une impasse. Proche du centre historique (15-20 mn à pied). Très petites, les chambres sont simples et possèdent le confort minimum. Petit déjeuner-buffet correct. Parking payant.

Prix moyens

▲ *Hôtel Slavia* (plan A1-2, *13*) : Solniční 15/17. ☎ 43-32-12-49 et 42-21-50-80. Fax : 42-21-17-69. Même quartier que l'hôtel *Avion*. Couloirs immenses, chambres spacieuses avec canapé. Sanitaires décevants (comme trop souvent !) par rapport au standing de l'hôtel.

Plus chic

▲ *Hôtel International* (plan A2, *14*) : Husova 16. ☎ 42-122-111. Fax : 42-210-843. Situé à côté de la galerie Moravská. Choisir une des chambres en « tarif économique ». Pour le même confort (seul le mobilier change), elles sont bien moins onéreuses que celles en « classe business ». Demander une vue sur le château plutôt que sur la ville (même prix). Chambres impeccables, salles de bains avec équipement complet (c'est tellement rare en République tchèque !). Garage payant. Le meilleur hôtel du centre-ville.

Où manger ?

Bon marché

|●| *Vinárna U Zlatého Meče* (plan B2, *20*) : Mečová 3. ☎ 42-21-11-98. Ouvert du lundi au samedi, de 11 h à 22 h. Proche de l'office du tourisme. Cuisine traditionnelle tchèque appré-

ciée par les autochtones. Salle voûtée, cadre agréable.

|●| *Italia Bar* (plan B2, *21*) : Zámečnická 2. ☎ 12-570. Restaurant-pizzeria ouvert de 9 h à 22 h. Rue perpendiculaire à la place Svobody. Une partie café, une partie resto.

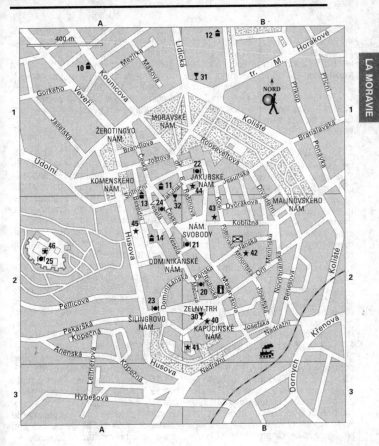

BRNO

■ **Adresses utiles**

🛈 Office de tourisme
✉ Poste principale
🚂 Gare ferroviaire

▲ **Où dormir?**

10 Hôtel Družba
11 Hôtel Avion
12 Hôtel Amphone
13 Hôtel Slavia
14 Hôtel International

|●| **Où manger?**

20 Vinárna U Zlatého Meče
21 Italia Bar
22 Restaurant de l'hôtel U Sv. Jakuba

23 Modrá Hvězda
24 Stopkova Pivnice
25 Hradní Vinárna Špilberk

🍷 **Où boire un verre?**

30 Veselá Husa
31 Café-restaurant Ludwig
32 Pegas

★ **À voir**

40 Musée de Moravie
41 Cathédrale Saint-Pierre-et-Saint-Paul
42 Église Saint-Jean
43 Musée ethnographique
44 Église Saint-Jacques
45 Moravská Galerie
46 Château de Špilberk

Salles claires, plaisantes. Aux murs des photos d'Italie vous rappelleront peut-être d'autres vacances !

|●| *Restaurant de l'hôtel U Sv. Jakuba* (plan B1, 22) : Jakubské nám. 6. ☎ 42-21-07-95. Fax : 42-21-07-97. Ouvert tous les jours de 7 h à 23 h. Grande salle. Service correct. Goûtez au filet serbe *Djulbastia* et à la grillade *Jacob*.

Prix moyens

|●| *Modrá Hvězda* (plan A2, 23) : Starobrněnská 20. ☎ 42-21-52-92. Ouvert de 11 h à 23 h. Fermé le dimanche. Situé dans une cave derrière la place Zelný tř., près de la cathédrale. Cadre assez chic, service stylé, mais pas trop zélé. Essayez la marmite du chef (poulet, champignons, poivrons), la fondue de viande à la morave, l'escalope *Brünner* (aux œufs, jambon et petits pois) ou les médaillons de porc accompagnés de champignons, de fromage et pêches. Vins de Moravie du Sud à prix raisonnables.

|●| *Stopkova Pivnice* (plan A2, 24) : Česká 5. ☎ 42-21-10-94. Dans la grande rue commerçante du centre. Ouvert de 11 h à 15 h et de 18 h à 23 h. Fermé le dimanche. Dans une superbe maison Renaissance. Taverne au rez-de-chaussée, resto à l'étage. Décor style Moyen Âge. Vitraux colorés. Table soignée.

|●| *Moravská Chalupa* : Křižkov-

skèho 47. ☎ 43-14-11-11. Fax : 43-21-20-02. Ouvert de 19 h à 24 h. Prendre le tram n° 1 à partir de la gare, direction Bystrc. Descendre à la place Mendel (Mendlovo nám.), ensuite bus n° 84 pour une station. Cuisine morave typique, souvent accompagnée de cymbales.

Plus cher

|●| *Sapanel* : Štursova 35. ☎ 41-21-69-16. Ouvert de 16 h à 1 h du matin. Fermé le dimanche. Prendre le tram n° 3 ou n° 11, direction Zabouresky. Si vous en avez assez des *knedlíkys* et autres *bramboráks*, voici une halte à ne pas manquer. L'endroit est tenu par un Bourguignon qui sert uniquement de la cuisine française. En guise d'entrée : une terrine maison, des moules marinières ou des escargots à la bourguignonne. Puis viennent les gambas, l'entrecôte au poivre vert ou le steak tartare. Le tout peut être servi avec un gratin dauphinois. Plats réussis. Vins naturellement français. Prix raisonnables.

|●| *Hradní Vinárna Špilberk* (plan A2, 25) : situé au château. ☎ 422-11-760. Ouvert tous les jours à partir de 19 h. Ambiance typiquement morave avec musique folklorique. Bonne cuisine. Impressionnante carte de vins de Moravie. Un peu cher pour un restaurant tchèque.

Où boire un verre ?

⚕ *Veselá Husa* (plan B2, 30) : Zelný tř. 9. ☎ 42-21-16-30. Entre la place du marché et la cathédrale. Ouvert de 11 h à 24 h. Les vendredi, samedi et dimanche, de 15 h à 24 h. *Hospoda* très animée. Possibilité de se restaurer. Vins moraves et français.

⚕ *Café-restaurant Ludwig* (plan B1, 31) : Koliště 3. ☎ 42-21-34-82. Ouvert en semaine de 11 h à 23 h, le

samedi de 12 h à 23 h. Fermé le lundi. Au nord du centre-ville historique, sur un boulevard. Agréable terrasse l'été. Intérieur moderne.

⚕ *Pegas* (plan A1-2, 32) : Jakubská 4. ☎ 422-101-04 et 422-143-14. Ouvert tous les jours, de 9 h à 24 h. L'une des brasseries les plus fréquentées car la bière est faite sur place. Assez bruyant et très touristique.

Où sortir le soir ?

– *Discothèque Boby La Grotta* : Sportovní 2a. ☎ 72-72-330. Ouvert

tous les soirs, de 21 h à 4 h. À l'intérieur du Boby Centrum, un complexe

comprenant hôtel, restaurants, boutiques, casino, squash, etc. Alors qu'à sa création (à la suite de la chute du mur de Berlin), elle était bondée tous les soirs, il semble que la folie soit terminée (du moins en semaine). Très belle salle. Piste de danse devant un mur d'images diffusées par une trentaine d'écrans vidéo.
– **Mersay :** Minská 17. Tram n° 3

ou 11. Même arrêt que pour l'hôtel *Družba*. À côté du cinéma Lucerna. L'une des discothèques les plus célèbres.Deux discothèques dans le quartier Královo Pole (au nord du centre) :
– **Pitkin Club :** Sobská 4. Prendre le tram n° 1, descendre à la station Husitská.
– **Vidéo Club Šumavská :** rue Šumavská. Tram n° 1.

À voir. À faire

★ **Le vieux Brno :** tout autour de Svobody náměstí et de la rue Vítězství (piétonnières toutes deux). Énorme animation la journée. Au n° 15 Svobody, beaux balcons Renaissance et, au n° 17, étonnante façade couverte de sgraffites (oiseaux, lapins...). Si le vieux Brno possède encore quelques nobles demeures anciennes, il lui manque cependant beaucoup d'homogénéité architecturale. Ce sont les bâtisses du XIXe siècle qui dominent.

★ **L'ancien hôtel de ville :** Radnická 8. À côté de l'office du tourisme. Ouvert de 9 h à 17 h d'avril à septembre. On entre dans la cour par un splendide porche gothique. Haute tour du XVe siècle. Dans le hall d'entrée, vous serez accueilli par le « dragon de Brno » (en fait, un gros crocodile, sans plus ! Mais à l'époque, il avait impressionné).

★ **Zelený tř.** *(ex-25 Unora nám.) :* c'est la place du Marché. Juste à côté de l'hôtel de ville. Au milieu, une curieuse fontaine baroque, gros amas de rochers d'où émerge Hercule en lutte contre les monstres.
Au n° 4, le célèbre *théâtre Reduta,* le plus ancien de la ville, où Mozart vint se produire en 1767.

★ **Le couvent des Capucins :** Kapucínské nám. Un peu plus bas que le musée de Moravie. Ouvert de 9 h à 12 h et de 14 h à 16 h 30 ; le dimanche, de 11 h à 11 h 45 et de 14 h à 16 h 30. Demander le texte en français. À deux pas de la Zelený tř. Les capucins n'étaient pas enterrés, mais déposés à même le sol, la tête contre une brique. L'air particulier des caves desséchait les corps et les momifiait. Au XVIIIe siècle, quelques notables de Brno demandèrent à être inhumés de la même manière. Aujourd'hui, on peut visiter ces catacombes. Tout au fond, une vingtaine de moines reposent depuis deux siècles.

★ **Le musée de Moravie** *(plan B2, 40)* : Zelený tř. 8. ☎ 42-32-12-05. Ouvert de 9 h à 17 h. Fermé le dimanche et le lundi. Installé dans le *palais Dietrichstein* (1760), ancienne résidence des évêques d'Olomouc. Le général Koutousov y passa les nuits précédant la bataille d'Austerlitz. Collection minéralogique superbe. Dans un autre bâtiment situé au n° 1 de la rue Muzejní, on peut voir d'intéressantes sections d'ornithologie et de zoologie. Animaux empaillés. Éclairages judicieux, belle présentation, photos en contrepoint, nature reconstituée. Un souci pédagogique indéniable !

★ **La cathédrale Saint-Pierre-et-Saint-Paul** *(plan B2, 41)* : accès par Šilingrovo nám. Elle date du XIe siècle, mais a subi de nombreuses transformations. Grande finesse des clochers, grâce des flèches. Intérieur aux

vastes proportions (nef de 65 m de long et de 27 m de haut). Superbe chaire en marbre sculpté du XVIᵉ siècle et Vierge du XIVᵉ en grès. Observer les quatre panneaux de gauche du chemin de croix. Réalisme très puissant. On ne peut pousser plus loin l'effet dramatique !
À gauche de la cathédrale, accès à une terrasse avec vue sur la ville.

★ *L'église Saint-Jean* (plan B2, 42) : Minoritská (entre Orlí et Panská Jánská). Belle façade baroque. Intérieur à une seule nef. Voûte en plein cintre recouverte d'une fresque immense. Décor rococo chargé. Neuf autels croulant sous les ors.

★ *Le Musée ethnographique* (plan B2, 43) : Kobližná et Běhounská. ☎ 42-21-11-61. Ouvert de 9 h à 17 h. Fermé le lundi. Riche musée aménagé dans un élégant édifice baroque. Au rez-de-chaussée : expos d'art étranger. Au 2ᵉ étage : armoires peintes, reconstitution d'une maison paysanne, l'architecture rurale morave, broderie, vêtements traditionnels de fête, ferronnerie d'art, instruments de musique, céramiques, etc.

★ *L'église Saint-Jacques* (plan B1, 44) : Květná. Rue au nord de Svobody. Remarquable pour la légèreté de son architecture. Voûtes en étoile très hautes retombant sur de fines colonnes cannelées. Superbe chaire sculptée avec escalier en pierre. Belles stalles du XVIIᵉ siècle. Bancs des fidèles sculptés. Orgues qu'on croirait en deuil avec leur crêpe noir !

★ En remontant la rue Panenská, on longe la nouvelle *mairie,* installée dans un ancien couvent (Dominikánské nám. 1). À l'intérieur, jolie cour et salle des Chevaliers décorée de fresques.

★ *Moravská Galerie* (plan A2, 45) : ouvert de 10 h à 18 h, fermé les lundi et mardi. Elle est partagée entre trois bâtiments différents. Les deux principaux sont :
– *Uměleckoprůmyslové muzeum :* Husova 14. ☎ 4221-6104. Dans la rue séparant la colline du Špilberk de la vieille ville. Ce musée des arts décoratifs propose au rez-de-chaussée, des expositions temporaires (peinture, arts graphiques, photos). Au premier étage, une collection permanente sur la création appliquée. Présentation chronologique d'objets relevant des domaines classiques de cet art : verre, céramique, textile, produits en bois et en métal. Sélection de beaux meubles, tels des armoires et des secrétaires ouvragés. Un appareil dans chaque pièce distille un commentaire. Demander la version en français.
– *Pražákův palác :* Husova 18. ☎ 4221-5753. Exposition permanente d'art moderne tchèque. Période : début XXᵉ siècle jusqu'à 1930. Également de superbes expositions temporaires.

★ *Le château de Špilberk* (plan A2, 46) : en voiture, monter par la rue Gorazdova. Parking voiture. Perché sur sa colline, un château à la sinistre réputation. Prison des dirigeants de la révolte de 1621 (qui mena à la bataille de la Montagne Blanche) puis, au fil des siècles, de tous les opposants à la monarchie austro-hongroise (Tchèques, carbonari italiens, etc.). Jean-Baptiste Drouet, qui avait reconnu Louis XVI lors de sa fuite à Varennes, y a été fait prisonnier puis échangé en 1795 contre Marie-Thérèse de Bourbon, duchesse d'Angoulême. Le château fut également un atroce centre de torture et de détention de la Gestapo (des milliers de morts dans les caves). Possibilité de visiter les catacombes qui servaient de prisons populaires ; visite guidée. Ouvertes de mai à septembre de 9 h à 18 h. Dernière admission 1 h avant la fermeture. Le château était toujours en rénovation en 1998. Voir également le musée pour son exposition permanente « De la Renaissance au modernisme ». Mêmes horaires que le château. Promenade agréable dans le parc tout autour.
– Enfin, les mélomanes iront voir un opéra au *théâtre Janáček*.

Dans les environs

★ *LE CHÂTEAU DE PERNŠTEJN*

À une cinquantaine de kilomètres au nord-ouest de Brno. Près du village de *Nedvědice*. ☎ 0505-56-61-01. En mai, juin et septembre, ouvert de 9 h à 16 h ; en juillet et août, de 9 h à 17 h. Visite guidée seulement. Commencé au XIIIe siècle, modifié à la Renaissance, il n'eut pas à subir d'autres transformations ultérieures. Assez ramassé sur lui-même, présentant une floraison d'angles et de recoins grâce à sa tour avancée. Beaux portails de marbre et, surtout, remarquables fenêtres à encorbellement. Belle salle des Chevaliers.

À 4 km, à *Černín*, *pont couvert en bois* construit en 1718.

★ *SLAVKOV (AUSTERLITZ)*

« Il vous suffira de dire : « J'étais à la bataille d'Austerlitz », pour que l'on vous réponde : « Voilà un brave ! ». Par ces mots, Napoléon Ier fit entrer Austerlitz, un tout petit village, dans l'histoire. Ça se passa le 2 décembre 1805. On l'appela la bataille « des Trois Empereurs ». En face de Napoléon, le tsar Alexandre Ier et François Ier d'Autriche avec une armée beaucoup plus nombreuse. Aujourd'hui, ce village s'appelle Slavkov et se trouve à une vingtaine de kilomètres à l'est de Brno. Prendre l'autoroute E462 jusqu'à l'embranchement « Slavkov ». Chaque année, le week-end précédant le 2 décembre, 250 nostalgiques reconstituent la célèbre bataille.

– **Le château :** ☎ 05-94-16-85. Reconstruit en forme de U, dans un style mi-baroque mi-classique un peu austère, à la fin du XVIIIe siècle. Il abrite deux musées.

• *Musée du château :* ouvert en avril, mai, septembre, octobre de 9 h à 16 h. En juin, juillet, août de 9 h à 17 h. Fermé le lundi. Visite guidée.
Le château a été construit par la famille Kaunitz, à partir de la fin du XVIIe siècle jusqu'à la seconde moitié du XVIIIe siècle. Vaste parc tout autour. Les principaux attraits du château sont : la salle des Fondateurs avec l'arbre généalogique des Kaunitz, le petit salon Doré, le portrait dominant est celui de l'épouse du fondateur du château en déesse (Diane chasseresse), la salle des Ancêtres (monumentale fresque au plafond représentant les dieux de l'Olympe). Deux pièces méritent particulièrement votre attention : la salle historique, où a été signée l'armistice entre la France et la monarchie des Habsbourg le 6 décembre 1805 et la chambre à coucher de la princesse. Cette dernière, d'après une légende, aurait abrité Napoléon la nuit suivant la bataille d'Austerlitz. Il n'a en tout cas pas dormi dans le lit que l'on voit mais vraisemblablement dans son lit de camp qu'il emportait partout. Le petit salon pour dames abrite une jolie table ovale de marqueterie, aux motifs chinois. Pour finir, admirez la chapelle qui passe curieusement par tous les étages au-dessus du sol.

• *Musée d'Histoire :* en sortant, situé dans l'aile gauche. Malgré les explications uniquement en tchèque, nombreux documents très intéressants. Fort bien présentés. Demandez un texte en français. Vitrines situant le contexte des guerres napoléoniennes. Documents, objets et estampes sur la Révolution française. Texte manuscrit de la *Déclaration des Droits de l'homme,* lettres, procès-verbaux divers. Vie de Bonaparte, campagne d'Égypte. Grande carte de la bataille d'Austerlitz (35 000 morts). Les Tchèques, grands pacifistes, n'en furent évidemment que témoins. Campagne de Russie, etc.

– *La colline de Žuráň :* c'est là que Napoléon dirigea la bataille d'Austerlitz. À la sortie de Bedřichovice, non loin de l'autoroute. Panneau indicatif à partir de Kobylnice. Passer à Práce. À 287 m d'altitude sur une colline. Table d'orientation de la bataille.

– *Le monument de la Paix :* de Brno, prendre la 51 pour Hodonin. Puis direction de Šlapanice. Construit en 1910. Sur place, une exposition permanente intitulée *La Bataille des trois empereurs*. Les textes explicatifs sont en français. Sont exposés les objets trouvés sur le champ de bataille (sabres, casques, cuirasses, un pistolet au verrou français à batterie, modèle an IX) ainsi qu'un fac-similé de l'acte de proclamation de Napoléon aux soldats. 10 000 à 12 000 corps sont enterrés dans la crypte de la *chapelle* attenante. Visite rapide de celle-ci.

|●| *Josefina Restaurant :* Palackého nám. 126. ☎ 442-207-00. À l'entrée du château. Ouvert tous les jours sauf le lundi, de 11 h à minuit. À l'étage, grande salle au décor bleu-blanc-rouge. Quand le filon Napoléon se retrouve dans la restauration.

★ *Le Karst morave :* pour les amateurs de grottes, gouffres et galeries, une région passionnante. Située à l'est de Blansko (à environ 30 km de Brno). Pour les visites, plusieurs choix.
Nous vous proposons un itinéraire possible. Se rendre au parking de Propast Macocha. *Point information :* Utulna u Macochy. ☎ (0506) 418-170. Prendre la télécabine qui vous descend au pied des grottes de Punkva.
– *Punkevní jeskyně :* ouvert de 8 h 20 à 15 h 50. Prévoir un pull-over et arriver tôt pour éviter la foule. Traversée des grottes jusqu'au célèbre *gouffre de Machoda*, profond de 140 m. Puis promenade en bateau sur la rivière souterraine jusqu'au retour à la lumière du jour. En sortant, prendre un petit train (payant) qui vous déposera au pied de l'entrée de la grotte Kateřinská. Vous pouvez aussi faire le trajet à pied (route très agréable).
– *Kateřinská jeskyně :* ouvert de 8 h 20 à 16 h. Son dôme a des dimensions monumentales et une excellente acoustique. Nombreuses stalactites et stalagmites. À la sortie, retournez prendre la télécabine (méfiez-vous des horaires, mieux vaut les regarder à l'aller).

|●| Auparavant : possibilité de reprendre des forces au *restaurant de l'hôtel Skalni Mlyn* : Spolecnost Pro Moravsky Kras. ☎ (0506)41-81-13. En sortant de la grotte, tourner à gauche. Ouvert de 7 h à 23 h. Agréable terrasse l'été.

– Autre itinéraire : *Balcarka jeskyně* et *Sloupsko-Šošůvské jeskyně*.

À voir vers le sud et l'est

En route pour Bratislava, plutôt que de s'engouffrer sur l'autoroute, on peut musarder dans la campagne pour y butiner quelques séduisants châteaux, villages typiques, etc.

★ *Le château (zámek) de Buchlovice :* au centre du village du même nom, sur la E50, en direction de Uh. Hradiště. ☎ 0632/951-12. Ouvert tous les jours de 9 h à 18 h, en juillet et août. En mai, juin et septembre, ouvert de 9 h à 17 h, sauf le lundi. D'avril à octobre, ouvert le week-end seulement, de 9 h à 16 h. Parc ouvert de 8 h à 20 h de début mai à fin septembre. Construit à la fin du XVIIe siècle, le château prit la forme de deux grandes villas italiennes bâties sur des niveaux différents. Modèle des luxueuses résidences d'aristocrates de l'époque. Le propriétaire avait voulu plaire à son épouse vénitienne. Superbe perspective. Visite guidée des appartements : 15 pièces en style baroque. Salle à manger dans les tons bleus avec plafond au joli décor en stuc. Lustres de Venise. Poêles baroques en céramique dans chaque pièce. Secrétaires chinois incrustés d'ivoire. L'immense salle à manger en rotonde est particulièrement intéressante, avec son décor assez sophistiqué. Belles fresques au plafond.

Dans la salle du Cardinal, ravissantes majoliques. Portes peintes.

– Tout autour du château, *parc* remarquable dessiné à l'italienne, avec une partie à l'anglaise. Dans un romantique désordre, des paons en liberté et de magnifiques essences choisies dans le monde entier pour résister aux rigoureux hivers moraves.

– Possibilité de visiter, plus loin, en haut de la colline, le *Hrad Buchlov,* un fort du XIIIᵉ siècle (dont la construction a débuté sous Otakar I). La visite, en tchèque, est un peu longue.

★ *Le musée du Village morave du Sud-Est* (Vesnice Jihovýchodní Moravy muzeum) : situé à **Strážnice**. Sur la 55, à mi-chemin de Uh. Hradiště et Břeclav. ☎ (0631) 942-587. Ouvert de 8 h à 17 h, de juin à août. Visite toutes les 30 mn. En mai, septembre et octobre, toutes les heures. Arriver une heure avant la fermeture. Fermé le lundi. Attention, mal indiqué. Au centre de Strážnice, tourner en direction de *Bzenec* (c'est à la sortie de Strážnice, après un pont, sur la gauche). En pleine campagne, rassemblement de maisons paysannes les plus caractéristiques de la région, remeublées avec beaucoup de soin. On y trouve aussi des granges, ateliers de forgerons, de tissage, etc. Surtout, vous apprécierez toute la partie consacrée aux régions vinicoles de Moravie : maisons de vignerons blanches et bleues, chais, matériel de pressage et vinification.

En juin, importantes manifestations de folklore.

🛏 *Flag Hôtel Strážnice :* Předměstí, en plein centre du village. ☎ (0631) 94-22-06. Fax : 94-23-35. Moderne. Confortable, dans la catégorie « Prix moyens », mais plutôt cher pour la campagne.

★ *Le château de Lednice :* aux frontières de l'Autriche et de la République slovaque. Au nord-ouest de Břeclav. Ne pas confondre avec le Janův Hrad, sur la même route, 3 km avant le village (ruines en pleine campagne). Ouvert de 9 h à 12 h et de 13 h à 17 h. Fermé le lundi. Du château Renaissance, reconverti plus tard au baroque, il ne reste pas grand-chose. Lednice fut entièrement reconstruit au XIXᵉ siècle en néogothique Tudor. Curieuse architecture assez hybride mais finalement pas vilaine. Intéressants aménagements intérieurs et bel ameublement. Beaucoup de bois sculpté : panneaux ruraux, plafonds, encadrements de porte. Magnifique escalier à vis en gothique flamboyant, véritable travail d'orfèvre.

Au fond de l'immense parc, minaret. Le complexe Lednice-Valtice (à 9 km au sud) fut inscrit en 1996 sur la liste du patrimoine mondial de l'Unesco. L'ensemble se trouve désormais protégé par toutes les nations du monde.

★ *KROMĚŘIŽ*

À 39 km au nord de Buchlovice. Une petite cité à l'écart des flots touristiques, agréable à parcourir. Ancienne résidence d'été des archevêques d'Olomouc. Dans le vieux centre, nombreuses maisons baroques et Renaissance, et fontaines. Grande place à arcades bordée de demeures pittoresques (notamment l'hôtel *Central*, la maison Art déco à côté et celle à sgraffittes plus loin).

– *Le château :* ☎ 0634-213-60. Ouvert de 9 h à 17 h. Fermé le lundi. Renferme de belles collections artistiques des XVIIᵉ et XVIIIᵉ siècles (Lucas Cranach, Titien, Bassano, Véronèse, Van Dyck, etc.). Près du château, splendide parc à l'anglaise *Podzámecká zahrada,* de 60 ha.

– *Květná zahrada :* à la périphérie de Kroměříž. Bel exemple de jardin à l'italienne avec élégant pavillon octogonal.

ZLÍN
IND. TÉL. : 067

Zlín (ex-*Gottwaldov*) est la capitale de la chaussure, située à 80 km à l'est de Brno. La ville fut fondée par l'industriel Tomáš Bátcaroňá en 1894. Encore aujourd'hui, on peut s'imaginer à quoi correspondait, à l'époque, une ville futuriste. Elle fut imaginée par les meilleurs architectes tchèques, avec la collaboration de Le Corbusier. On trouve encore nombre de maisons cubiques en brique rouge, prévues pour deux familles ouvrières, avec jardin privé. Bien que ne possédant pas de charme en soi, Zlín, dans son écrin de forêts et parsemée d'espaces verts, témoigne aujourd'hui des préoccupations sociales et écologiques de l'industriel visionnaire.

À voir

★ **Le musée de la Chaussure** (*Obuvnické muzeum*) : dans l'usine à chaussures Svit (qui remplaça le nom de Bata après la nationalisation). ☎ 852-22-03. Ouvert tous les jours, sauf le lundi, de 10 h à 12 h et de 13 h à 17 h. Explications en tchèque mais il existe un manuel en français. Documents sur la ville et la région en français.

– AU NORD DE LA MORAVIE –

Pas trop au nord quand même, car toute la région frontalière de la Pologne (Ostrava et Cie) souffre des mêmes maux que la Bohême du Nord (paysages industriels, etc.).

OLOMOUC
IND. TÉL. : 068

Capitale de la Moravie du Nord. Vieux centre historique avec une belle mairie de style Renaissance et son horloge astronomique.
Place Dolní, à côté de la mairie, au coin de la Fayettova, demeure aristocratique avec superbe fenêtre d'angle Renaissance.
La ville est entourée de parcs aménagés sur l'enveloppe de l'ancienne place forte.

Adresse utile

◨ **Office du tourisme :** Horní náměstí. ☎ 55-13-385. Situé sous les arcades de l'hôtel de ville.

Où dormir ?

Bon marché

▤ *K o l e j e :* Velkomoravska 8. ☎ 52-26-057. Logement uniquement l'été dans des chambres d'étudiants. Se renseigner à l'office du tourisme.

Prix moyen

≜ *Hôtel La Fayette :* Alšova 8.
☎ et fax : 54-36-600 et 54-36-407.
Un peu à l'écart du centre, dans un
quartier calme. Il porte le nom du général français arrêté en tant
qu'adhérent des armées révolutionnaires et emprisonné à Olomouc
de 1794 à 1797. Abrite 9 char-
mantes chambres rénovées. Elles
sont dotées de meubles de style et
portent chacune le nom d'un personnage célèbre. Parking gardé. Petit
déjeuner copieux mais artificiel et de
qualité très moyenne. Restaurant
avec plats diététiques.

Plus chic

≜ *Hôtel Gemo :* Pavelčákova 22.
☎ 52-22-065 et 52-22-115. Fax :
523-17-30. Central, il offre les avantages d'un 4 étoiles. Jolies chambres fonctionnelles. Parking payant.
Restaurant.

Où manger ?

Malheureusement, très peu de restaurants de qualité au cœur de la vieille
ville.

Bon marché

|●| *Café Caesar :* Horní náměstí.
☎ 522-92-87. Ouvert de 9 h à 1 h du
matin en semaine. Le dimanche, à
partir de 13 h. Installé dans l'hôtel de ville. Terrasse au pied de l'horloge. Deux salles voûtées, dont une
pavée au sol. Cuisine italienne,
trente sortes de pizzas. Très fréquenté.

Prix moyens

|●| *Moravská Restaurace :* Horní
náměstí 23. ☎ 522-28-68. Ouvert
tous les jours de 11 h 30 à 23 h. Salle
morave traditionnelle superbement
arrangée. Décor chaleureux. Personnel costumé ayant le sens du service.
Mets tchèques traditionnels et spécialités moraves. Excellents desserts. Le
meilleur rapport qualité-prix de la ville.

Où sortir ?

– *Night Club Varna :* Riegrova 6.
☎ 522-81-67. Ouvert tous les jours
de 21 h à 5 h du matin. Deux salles,
au milieu de la piste de danse en
forme d'escalier. Point de rencontre
préféré des jeunes du coin.

À voir

★ *Musée régional* (Vlastivědné muzeum) : Republiky náměstí 5. ☎ 52-22-
741. Ouvert de 9 h à 17 h. Fermé le lundi. Sections archéologique, historique
et ethnographique admirablement bien présentées. Culte des saints, armes,
orfèvrerie, peintures sous verre et pour les spécialistes du genre, une sordide collection d'instruments de torture médiévaux.

★ *Musée des Arts* (Umĕni muzeum) : Denisova 47. ☎ 522-84-70. Ouvert
de 10 h à 18 h. Fermé le lundi. Entrée libre le mercredi. Peinture italienne du
XIVe au XVIIIe siècle.

★ *Cathédrale* aux flèches élancées, mais intérieur sans grand intérêt.

★ *Palais Přemyslovský :* à côté de la cathédrale. ☎ 523-09-15. Ouvert
de 9 h à 17 h. Fermé le lundi. Vestige d'un ancien palais roman du XIIe siècle. Fenêtres finement travaillées. Restes de fresques dans le cloître
gothique.

LA MORAVIE

Dans les environs

★ *Le château de Šternberk :* à 15 km au nord d'Olomouc. ☎ 0643/41-26-71. Ouvert de 8 h à 17 h. Arriver une heure avant la fermeture. Visite guidée. Château Renaissance dominant la petite ville du même nom. Situé sur la colline, proche de la grande place. Dans la chapelle, restes de peintures murales gothiques. Dommage que la sculpture de la fameuse « Madone », de renommée internationale, soit pour quelque temps en restauration. Très bel intérieur avec notamment de somptueux poêles provenant de Suisse. Également un *musée des Horloges* : chronomètres mécaniques, pendules, tableaux-musicaux, encrier donnant l'heure... Ne manquez pas, dans la dernière pièce, une armoire-pendule qui indique l'heure dans toutes les grandes villes du monde. Elle a inspiré la grande horloge mondiale de la place Alexandre à Berlin.

★ *Le château de Bouzov :* à 31 km à l'ouest d'Olomouc. ☎ 068/544-6201. Ouvert de mai à septembre, de 9 h à 16 h. En avril et octobre, fermeture à 15 h. Pause entre 12 h et 12 h 30. Trois types de visite. La classique dure 1 h. Textes en français disponibles à l'entrée mais caution à payer. Château fort datant du début du XIVe siècle. À l'origine, propriété des chevaliers teutoniques, il fut reconstruit dans les années 1895 à 1910. Doubles remparts : extérieurs et intérieurs. On entre dans le château par une porte qui est très basse (attention à la tête !). Visite de la salle à manger, la salle de chasse, la salle des chevaliers, qui servit aux événements les plus solennels (admission à l'ordre, à l'adoubement...), la salle des séances et la salle des armes (boucliers, canon, arbalètes, cibles en bois sont exposés).

★ *Le musée en plein air de Rožnov :* à 70 km à l'est d'Olomouc, vers la frontière slovaque, petite ville proposant un intéressant échantillonnage de l'architecture rurale régionale. ☎ (0651) 523-31. L'un des parcs les plus visités (environ 600 000 visiteurs par an). Divisé en trois parties. On paie à chaque fois. Compter 3-4 h (au pas de course) si l'on veut tout visiter.
La première partie, *Dřevěné Městečko,* est accessible de 8 h à 18 h. Une dizaine de belles demeures et granges en bois des XVIIe et XVIIIe siècles. Fort bien meublées et décorées. Nombreux ateliers d'artisans (sellier-bourrelier, menuisier, etc.). Certains d'entre eux continuent d'y travailler. À côté, pittoresques ruches de campagne. Superbe église avec un clocher original. Reconstitution du petit cimetière autour.
Les autres parties du parc s'étendent sur la colline surplombant le village. Visites guidées uniquement. D'abord, *Mlýnská dolina* (la « vallée du Moulin »), ouverte de 8 h à 18 h. Dernier départ à 17 h 30. Scierie, forge, pressoir à huile. Pittoresque moulin à eau. Danses folkloriques le week-end. Pour finir, le *Valašská dědina.* Accessible de 9 h à 17 h 30. Dernier départ à 16 h. Durée : 90 mn. Remarquable architecture du village valaque, dans l'un des coins les plus agréables du parc. Promenade instructive.
Deux hôtels proches du musée :

🛏 *Hôtel Eroplán :* Horní paseky. ☎ 0651/55-636. Fax : 0651/57-217. À l'angle de la route pour Ostrava et de celle pour Horní Beckva. Hôtel moderne et confortable. Prix moyens.

🛏 *Hôtel Relax :* Lesní ul. 1689. ☎ 0651/559-11-5. Fax : 0651/54-464. Immense bâtiment grisâtre. Chambres très simples au décor datant de l'ère communiste. Prix modérés.

LA SLOVAQUIE

Dans « Tchécoslovaquie » on pouvait entendre distinctement « Slovaquie ». Et pourtant, depuis la partition, le 1er janvier 1993, la République slovaque n'évoque que peu de choses. Avec 50 000 km², elle est onze fois plus petite que la France et dix fois moins peuplée. Le pays comme les grandes villes sont à taille humaine. Située au cœur de l'Europe, occupée aux 4/5 par la montagne, la Slovaquie mérite d'être mieux connue. Elle offre de superbes balades dans une nature encore très sauvage, notamment dans les célèbres Tatras ou dans le Paradis slovaque, et recèle de nombreux trésors. Sur l'ensemble du territoire, vous trouverez des panneaux de bois indiquant les randonnées pédestres dans de basses montagnes verdoyantes.

Au centre des grands courants artistiques qui ont traversé l'Europe centrale, la Slovaquie possède d'admirables châteaux, églises et palais de style gothique ou baroque, sans oublier les églises en bois, à l'est du pays, perles de l'architecture slovaque. De plus en plus conscientes du potentiel touristique de leur pays, les autorités ont entamé il y a quelques années la rénovation de l'ensemble des vieux quartiers des principales villes. Il faut avouer que c'est, la plupart du temps, plutôt réussi – même si cette rénovation n'est souvent que de façade. Les villes comptent de nombreuses cours et caves chargées d'histoire à découvrir par soi-même : vous manqueriez une belle partie de votre séjour à ne pas pousser les portes et laisser traîner vos yeux un peu partout, tout en respectant les habitants...

Les Slovaques avaient la réputation, au temps du bloc communiste, d'être très hospitaliers. Eh bien ! ils n'ont pas changé : si vous leur témoignez un minimum d'intérêt, ils feront tout pour vous expliquer votre chemin, avec les mains si nécessaire. Certains vous proposeront même de monter dans votre voiture pour vous accompagner. Souhaitons que cela dure encore quelques années.

Carte d'identité

- **Capitale :** Bratislava.
- **Superficie :** 49 035 km².
- **Population :** 5 350 000 habitants.
- **Monnaie :** couronne slovaque.
- **Langues :** slovaque (officielle), hongrois, rom, ukrainien-ruthène.
- **Régime ;** démocratie parlementaire.
- **Chef d'État :** Michal Kováč.

Adresses utiles, formalités

ADRESSES UTILES

En France

■ **Consulat slovaque :** 125, rue du Ranelagh, 75016 Paris. ☎ 01-44-14-56-00 et 44-14-51-20. Fax : 01-42-88-76-53. Ouvert du lundi au vendredi, de 9 h à 18 h. Très accueillant, ils ont beaucoup d'informations touristiques et sont de bon conseil.

■ **Association Amitié franco-slovaque :** 7, place de l'Hôtel-de-Ville, 60430 Noailles. ☎ et fax : 03-44-03-34-11. En l'absence d'office du tou-

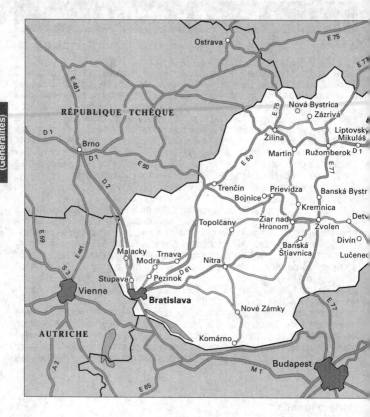

risme, une adresse qui peut dépanner pour tous renseignements touristiques et envois de documentation (joindre une enveloppe timbrée à votre demande). Propose également un cours de slovaque par correspondance, des échanges entre jeunes, des troupes folkloriques, des expos sur l'art et la culture slovaques, ainsi qu'un bulletin trimestriel.

En Belgique

■ *Ambassade et consulat slovaques :* av. Brügmann, 118, Bruxelles 1060. ☎ (02) 346-2605.

En Suisse

■ *Ambassade et consulat slovaques :* Thunstrasse 99, 3006 Berne. ☎ 352-36-46.

Au Canada

■ *Consulat slovaque :* 50 Rideau Terrasse, Ottawa, Ontario K1M-2A1. ☎ 749-44-42.

LA RÉPUBLIQUE SLOVAQUE

FORMALITÉS

– Pour les Français, les Belges, les Canadiens et les Suisses, pas de visas pour les séjours touristiques de moins de 3 mois, mais *passeport* en cours de validité exigé.

Comment y aller ?

En voiture

– ***De Paris :*** autoroute de l'Est jusqu'à Metz puis les autoroutes allemandes par Sarrebruck et Nuremberg et les autoroutes autrichiennes (vignettes à acheter) par Salzbourg et Vienne, et enfin Bratislava. Soit 1 400 km.
– Attention à votre voiture. Les ***vols*** de modèles occidentaux sont fréquents et un marché noir existe avec la Pologne. Fermez bien votre véhicule et

n'hésitez pas à vous garer dans des parkings surveillés la nuit. Et sachez que même la journée la plupart des parkings sont payants.
– Nous vous conseillons d'acheter les **cartes** routières *Eurocarte*. Elles sont très complètes et les points de vue remarquables sont indiqués en vert, et valent généralement le coup d'œil.
– Les autoroutes sont désormais payantes en Slovaquie, la vignette vaut environ 200 F pour l'année.

En train

– **De Paris :** nécessité de changer à Vienne puis prendre un bus ou un autre train pour Bratislava. *Renseignements S.N.C.F. :* ☎ 08-36-35-35-35.

En car

▲ **EUROLINES** propose des liaisons régulières pour Bratislava au départ de Paris, Reims et Strasbourg. Le vendredi et le dimanche au départ de Paris. Retour de Bratislava le mercredi et le vendredi.

■ **Eurolines :** gare routière internationale de Paris-Gallieni, B.P. 313, 28, av. du Général-de-Gaulle, 93541 Bagnolet. ☎ et fax : 01-49-72-51-51. M. : Gallieni.

En avion

– Vols quotidiens de Prague par la compagnie aérienne nationale.
– Vols également pour Vienne puis bus pour Bratislava (trajet : 1 h).
■ **ČSA :** 32, av. de l'Opéra, 75002 Paris. ☎ 01-47-42-18-11.

Argent, banques, change

La monnaie slovaque

Depuis août 1993, l'**unité monétaire** est la *couronne slovaque* (1 SK = 0,17 F).

Change

Le **change** peut s'effectuer dans les banques du lundi au vendredi (commission de 1 %), les postes (commission de 2 %), les hôtels (frais quelquefois élevés) et dans certains grands magasins. Comme en République tchèque, éviter les *Exact Change* qui peuvent prendre jusqu'à 15 % de commission, mais il existe désormais de nombreux lieux de change sans commission.
Il n'y a aucun problème pour changer des francs français. Les *travellers chèques* posent un peu plus de difficultés.

Chèques de voyage et cartes de crédit

– On peut utiliser les **Postchèques** (à la poste de Bratislava par exemple). La somme maximale que l'on peut retirer est 6 500 SK.
– Plusieurs **distributeurs** *Eurocard Mastercard* dans les grandes villes, mais très peu pour les *Visa* ou *American Express*. Vous pouvez cependant aller retirer de l'argent avec cette dernière dans les guichets des grandes banques. Sinon, les rares distributeurs à accepter la *Visa* sont ceux de la banque *Slovenská Sporiteľňa*.
● La *carte Eurocard MasterCard* permet à son détenteur et à sa famille (si elle l'accompagne) de bénéficier de l'assistance médicale rapatriement. En cas de problème, appeler immédiatement le : ☎ 33-1-45-16-65-65.
En cas de perte ou de vol, appeler (24 h sur 24) le : ☎ 33-1-45-67-84-84 en France (PCV accepté) pour faire opposition. Sur Minitel, 36-15 ou 36-16,

code EM (1,29 F la minute), pour obtenir toutes les adresses de distributeurs par pays et par villes.• Pour la *carte Visa*, en cas de vol, si vous habitez Paris ou la région parisienne, appeler le : ☎ 08-36-69-08-80 (2,23 F la minute) ou le numéro communiqué par votre banque.
• Pour la *carte American Express*, en cas de pépin : ☎ 01-47-77-72-00.

Problème de liquide? Les dépannages d'urgence

En cas de besoin urgent d'argent liquide (perte ou vol de billets, chèques de voyage, cartes de crédit), vous pouvez être dépanné en quelques minutes grâce au système **Western Union Money Transfer.**
En cas de nécessité, appelez soit le : ☎ (7) 83-07-90 à Bratislava ; soit le : ☎ 01-43-54-46-12 (à Paris).

**LA SLOVAQUIE
(Généralités)**

Boissons

– La Slovaquie possède une forte tradition viticole, contrairement à ses voisines, et en tout premier lieu la République tchèque, plutôt buveuse de *bière*. On peut, pour cette boisson, citer la *Topvar* et la *Zlaty Bazant,* appelée plus couramment *Gold Fassl*.
– La région viticole des Petites Carpates, au-dessus de Bratislava, produit d'excellents crus. À déguster dans les nombreuses *vináreňs* les Veltlin, Tramín ou *Silván*.
– La *Slivovica* (alcool de prunes) et la liqueur *Borovička* sont typiquement slovaques, produites dans les montagnes.

Climat

En grande partie couverte par les Carpates, la République slovaque possède un climat continental accentué. Le mois le plus froid est janvier (– 2° C en moyenne), les plus chauds sont juillet et août (21° C en moyenne). Seule la région de Bratislava échappe un peu aux rigueurs de l'hiver. De mai à septembre, malgré quelques grosses averses, le soleil est au rendez-vous.

Cuisine

– Des établissements s'ouvrent, d'autres ferment. En tous cas, la qualité du service s'améliore même si il y a encore beaucoup de progrès à faire. On trouve en Slovaquie de merveilleux petits restaurants *(reštaurácias)*, caves à vin *(vináreňs)*, sans oublier les nombreuses pâtisseries *(cukráréns)*. Nous vous conseillons d'ailleurs de faire comme les Slovaques, c'est-à-dire de prendre 2 ou 3 gâteaux à la fois dans votre assiette avec, pourquoi pas, un thé à la *šipkový* (églantine) pour faire passer le tout.
– Dans la plupart des restaurants, le pain, les légumes et l'eau sont en supplément. Certains restaurateurs abusent de cet état de fait, connu des Slovaques, moins des étrangers, et poussent un peu à la consommation. Dans le cas où cela vous arriverait, n'hésitez pas à vous plaindre, on vous remboursera parfois, mais n'insistez pas trop : vous êtes censés connaître la règle...
– En revanche, le service est généralement compris ; si ce n'est pas le cas, il faut laisser 10 % du prix du repas environ, mais sachez que cela représente beaucoup d'argent.
– La spécialité du pays, qui est aussi le plat national sans doute le plus consommé par les Slovaques eux-mêmes, est le *bryndzové halušky*. C'est un genre de *gnocchi* à base de pommes de terre, d'eau, de farine et de fromage de brebis, parfois agrémenté de petits lardons grillés.
– À goûter également la très répandue *zemiaková placka* (crêpe à la pomme de terre). Dans les restaurants, on la trouve fourrée à la viande et au paprika... un délice.

– On ne peut pas, bien entendu, éviter le chou que l'on trouve même dans les hot-dogs. À apprécier particulièrement dans la fameuse *kapustnica* (soupe aux choux, au paprika et à la viande). Si les Slovaques ont, comme les Français, un penchant pour les bons vins, ils n'ont pas comme eux pour habitude de conclure le repas par un morceau de fromage. Si vous y tenez, choisissez l'*oštiepok,* délicieusement fumé.

Droits de l'homme

La nouvelle constitution de la République slovaque a théoriquement instauré un État de droit. En pratique, la Slovaquie est l'un des pays d'Europe centrale qui respectent le moins les normes internationales de protection des Droits de l'homme et des minorités. Étonnant de la part d'un peuple qui a longtemps souffert des maux (hélas) propres aux minorités, que ce soit sous les régimes hongrois, autrichien ou communiste. Alors même que la Slovaquie proclamait son intention d'entrer à l'OTAN et à l'Union européenne, ces deux institutions ont préféré commencer par rappeler le respect de certains principes démocratiques concernant la liberté d'opinion et d'expression, ainsi que les droits des minorités.

D'après la FIDH, des révocations de journalistes et des pressions financières (par la législation fiscale) sont les principaux moyens utilisés pour censurer les médias publics. Et d'après Amnesty International, deux objecteurs de conscience ont été emprisonnés, suite à une législation non alignée sur les principes internationalement reconnus, ne facilitant pas leurs démarches pour effectuer un service civil.

Par ailleurs, la FIDH dénonce l'adoption récente de lois clairement restrictives à l'égard de la minorité hongroise : le ministre de l'Éducation peut révoquer les directeurs d'école et le slovaque a été déclaré seule langue administrative, alors que le bilinguisme avait été autorisé dans certaines régions. Les tsiganes, quant à eux, subissent discriminations des autorités, attaques verbales des médias et violences physiques (souvent impunies) de la population. Aux yeux de la majorité des gens, ils sont responsables de tous les maux et rapines et jouent le rôle de boucs émissaires dans un contexte économique difficile.

N'oublions pas au passage que la France souffre également d'atteintes aux Droits de l'homme, notamment en matière d'application du droit à l'égard des étrangers, souvent arbitraire, parfois illégale ! (Mission d'enquête de la FIDH, mai 96.)

1948-1998 : La Déclaration universelle des Droits de l'homme a 50 ans.

Pour en savoir plus, n'hésitez pas à contacter :

– *La Fédération internationale des Droits de l'homme :* 17, passage de la Main-d'Or, 75011 Paris. ☎ 01-43-55-25-18. Fax : 01-43-55-18-80. E-mail : fidh@hol.fr. Internet : www.fidh.imaginet.fr.

– *Amnesty International (section française) :* 4, rue de la Pierre-Levée, 75553 Paris Cedex 11. ☎ 01-49-23-11-11. E-mail : admin@amnesty.asso.fr. Internet : www.amnesty.org.

Économie

L'année 1993 n'a pas été facile pour la toute nouvelle République slovaque. La partition a entraîné l'interruption de sa reconversion à l'économie de marché. Le niveau de vie de la population reste correct mais la politique restrictive des salaires et l'augmentation des prix ont largement ralenti la consommation personnelle. Quant au taux de chômage, il atteint les 15 %. Ce chiffre devrait augmenter dans les années à venir en raison, entre autres, des nouvelles vagues de privatisations.

Reste que la situation financière globale du pays devrait peu à peu se redresser. 1997 l'a confirmé : son taux de croissance (6 %) est le plus élevé des pays post-communistes de l'Europe centrale pour la quatrième année consécutive, et son inflation (6 %, contre 25 % en 1993) est la plus basse. Les grands atouts de la Slovaquie sont une main-d'œuvre bon marché et qualifiée.

Les investisseurs étrangers sont les bienvenus. Pour la plupart, ils ont déserté après la partition. L'arrivée de ces capitaux et, d'une manière générale, le redressement économique du pays, dépendent en grande partie de la capacité de la Slovaquie à jouir d'un gouvernement stable, ce qui n'est pour l'instant pas le cas. Volontiers populiste et gangrené par la corruption, le gouvernement ne reçoit l'aval ni de la population, ni de ses pairs européens.

Fêtes et jours fériés

Jours fériés

– *1er janvier :* 1er jour de l'année et jour de la naissance de la République slovaque.
– *6 janvier :* Épiphanie.
– Vendredi saint, lundi de Pâques et lendemain.
– *1er mai :* fête du Travail.
– *5 juillet :* jour de Cyrille et Méthode, apôtres évangélisateurs.
– *29 août :* fête nationale, jour du soulèvement national slovaque en 1944.
– *1er septembre :* jour de la constitution de la République slovaque.
– *15 septembre :* fête de Notre-Dame-des-Sept-Douleurs.
– *1er novembre :* Toussaint.
– *24 décembre :* jour de Noël.
– *25 décembre :* 1re fête de Noël.
– *26 décembre :* 2e fête de Noël.

Fêtes

– *CONECO :* foire internationale à Bratislava, du 11 au 14 mai.
– *Festival pop rock* à Bratislava en juin.
– *Été culturel* à Bratislava (concerts de musique de chambre en plein air, jazz), en juillet et août.
– *Fête de la Musique* à Bratislava, en octobre.

Hébergement

Auberges de jeunesse

Elles n'existent pas sous la forme que nous connaissons habituellement. Elles sont en fait situées dans des hôtels classiques qui font des petites réductions pour les détenteurs de cartes d'étudiants ou de cartes Jeune. Ces hôtels sont le plus souvent les *junior hostels* qui couvrent assez bien le pays. Attention, ces établissements ne sont pas toujours la solution la plus avantageuse. Certains hôtels à prix moyens pratiquent des prix plus intéressants. La chambre universitaire est le type d'hébergement le moins coûteux. Ces chambres ne sont ouvertes que les deux mois d'été.
Pour plus de renseignements sur la FUAJ, voir la rubrique « Hébergement » de la Pologne.

Hôtels

Il en existe beaucoup à des prix très intéressants. On aurait tort de s'en priver.

Vous pouvez faire une économie d'environ 10 % sur le prix de votre logement si vous réservez votre chambre auprès d'une agence *Satour*. Pour cela, il vous suffit d'y passer à votre arrivée dans la ville ou de réserver par téléphone.

Campings

Ils sont très nombreux et constituent la solution la plus économique. On peut s'en procurer la liste à l'agence *Satour* (ancien *Čedok*). La plupart proposent des chambres bon marché dans des bungalows.

Chambres chez l'habitant

Ce type d'hébergement est encore peu développé. En tous cas, il n'est pas vraiment géré. Vous trouverez la plupart des pensions *(penzions)* chez des particuliers au hasard de votre route.

■ *Slav'Tours :* 6, rue Jeanne-d'Arc, 45000 Orléans. ☎ 02-38-77-07-00. Fax : 02-38-77-18-37. Ouvert du lundi au vendredi, de 9 h à 12 h 30 et de 13 h 30 à 19 h, et le samedi de 9 h à 12 h. Pour plus de détails, voir, au début du guide, « Comment aller en Pologne, en République tchèque et en Slovaquie ? Les organismes de voyages ».

Histoire

Succédant aux Celtes, les Slovaques, tribus slaves, s'installèrent dans la région à partir du IVe siècle. Le christianisme s'y répandit avec succès. Au XIe siècle, la Slovaquie fut conquise par les Hongrois. Bratislava devint même la capitale de l'État hongrois et le siège de l'archevêque, primat de Hongrie, au XVIe siècle, avec l'avance turque en Europe orientale. Tous les souverains furent couronnés à Bratislava jusqu'en 1830. La Slovaquie resta sous la domination hongroise jusqu'en 1918, résistant cependant à toutes les tentatives d'assimilation.

En 1848, profitant de la vague révolutionnaire qui déferlait sur l'Europe, les Slovaques demandèrent à Kossuth, dirigeant de l'insurrection à Budapest, leur autonomie linguistique et politique. En vain. Les Slovaques s'allièrent donc à l'armée impériale, et la révolte magyare fut écrasée. Quelques années plus tard, la langue slovaque fut condamnée à son tour et l'on ferma les écoles. Un régime dictatorial s'installa.

En 1918, après la défaite austro-hongroise, les Slovaques s'unirent aux Tchèques pour former la Tchécoslovaquie. Pourtant, en 1938, après Munich, sous la pression des nationalistes et du clergé (l'Église catholique dirigeait en fait la vie politique), la Slovaquie devint autonome, tout en perdant ses régions hongroises (rattachées à la Hongrie).

En 1939, le Dr Z. Tiso, dirigeant politique autant que religieux, se vit poussé par Hitler à prononcer l'indépendance de la Slovaquie, qui devint un État hyper clérical et pro-fasciste (fonctionnaires tchèques expulsés et remplacés par des Slovaques). Cependant, en 1943 se créa le Conseil national slovaque regroupant tous ceux qui luttaient contre le nazisme. Une insurrection en août 1944 fut suivie d'une terrible répression nazie.

Pourtant favorable à l'autonomie slovaque lors de l'établissement du programme de Košice en avril 1945, le PC tchèque ne tarda pas à s'y opposer et ne cessa de tenter de réduire le pouvoir des dirigeants slovaques (Husák fut même emprisonné dans les années 50 avant de devenir l'artisan de la normalisation d'après 1968!). En 1967, c'est pourtant un Slovaque, Alexander Dubček, qui provoqua la chute du bureaucrate stalinien Novotný.

Aujourd'hui

À partir de 1990, les événements vont se précipiter. Le régime démocratique issu de la « révolution de Velours » permet enfin aux Slovaques de s'exprimer... Même si certaines de leurs revendications déplaisent aux Tchèques. Bien sûr, il est difficile de résumer ici les engouements, les contradictions et les frustrations d'un peuple. Toujours est-il que sous la « pression historique », et avec beaucoup de démagogie de la part de certains responsables politiques slovaques, la population a fini par faire plier le président Havel... En juin 1992, après les élections législatives fédérales, le mouvement nationaliste slovaque sort vainqueur des urnes. Le divorce est radical : la Tchéco-Slovaquie n'a plus lieu d'exister. Le parlement de Bratislava proclame alors la souveraineté pleine et entière de la Slovaquie.

Le 1er janvier 1993, la République slovaque est officialisée. C'est un État de 49 000 km^2 qui compte 5 millions d'habitants (dont 600 000 Hongrois, 130 000 tsiganes et 60 000 Tchèques). Ce petit pays tout neuf n'est pourtant pas au bout de ses peines : moins riche que la République tchèque (qui pourtant elle-même...), il va certainement connaître bien des problèmes pour lutter contre la montée du chômage et réussir à attirer les capitaux étrangers.

Les résultats économiques ont été accueillis favorablement par la communauté internationale. Inflation et déficits contrôlés, paix sociale, la Slovaquie a fait mentir les Cassandre économiques. Les inquiétudes viennent d'autres fronts : les minorités culturelles réclament plus d'autonomie, et la corruption et les risques de coups d'État sont encore réels.

En tous cas, lorsque l'on visite le pays, la fierté du peuple slovaque est affichée clairement un peu partout. Vous apercevrez souvent le symbole de la Slovaquie (une espèce de croix de Lorraine!), des cartes du pays et des slogans divers, écrits non pas en tchèque mais en slovaque. Signe qui ne trompe pas : un an avant l'indépendance du pays, l'horloge d'un grand hôtel récent de la ville indiquait, parallèlement aux horaires d'autres capitales européennes, l'heure de Bratislava!

LA SLOVAQUIE (Généralités)

Langue

Elle diffère sensiblement du tchèque par son orthographe et son vocabulaire. Quelques mots vous seront peut-être utiles. Comme leurs voisins tchèques et hongrois, les Slovaques connaissent mieux l'allemand que l'anglais.

Conversation générale

Oui	*ano*
Non	*nie*
Bonjour	*dobrý den*
Bonsoir	*dobrý vecer*
Au revoir	*dovidenia*
S'il vous plaît	*prosím*
Merci	*ďakujem*
Pardon	*pardon*
Combien?	*koľko?*
Parlez-vous le français?	*hovoríte po francúzsky?*
Entrée	*vchod*
Sortie	*vychod*

À gauche	*vľavo*
À droite	*vpravo*
Ouvert	*otvorené*
Fermé	*zatvorené*

Chiffres

1	*jeden*
2	*dva*
3	*tri*
4	*štyri*
5	*päť*
6	*šest*
7	*sedem*
8	*osem*
9	*devät*
10	*desať*
20	*dvadsať*
100	*sto*
1 000	*tisíc*

Calendrier

Lundi	*pondelok*
Mardi	*utorok*
Mercredi	*streda*
Jeudi	*štvrtok*
Vendredi	*piatok*
Samedi	*sobota*
Dimanche	*nedeľa*
Aujourd'hui	*dnes*
Demain	*zajtra*
Hier	*včera*
Matin	*ráno*
Soir	*večer*

Toponymie

Place	*námestie*
Rue	*ulica*
Quai	*nábrežie*
Jardin, parc	*záhrada, park*
Église	*kostol*
Château	*zámok*
Château fort	*hrad*
Carte postale	*pohľadnica*
Timbre	*známka*
Poste	*pošta*

Restauration

Restaurant	*reštaurácia*
Petit déjeuner	*raňajky*
Déjeuner	*obed*
Dîner	*večera*
Café	*káva*
Lait	*mlieko*
Chocolat	*kakao*
Thé	*čaj*

Beurre	*maslo*
Pain	*chlieb*
Fromage	*syr*
Œufs	*vajíčka*
Eau minérale	*minerálka*
Bouteille	*fľaša*
Verre	*pohar*
La carte s'il vous plaît	*jedálny lístok prosím*
L'addition s'il vous plaît	*zaplatím*
Une chambre à un lit	*jednoposteľová izba*
Une chambre à deux lits	*dvojposteľová izba*
Avec bains	*s kúpeľňou*
Clé	*klúč*

LA SLOVAQUIE
(Généralités)

Téléphone

– Les numéros sont à 6 chiffres.
– *Slovaquie → France :* composer le 00 puis le 33 et le numéro de votre correspondant sans le 0 initial.
Pour appeler *en PCV* de Slovaquie en France : ☎ 00-42-00-33 puis 01 pour Paris.
– *France → Slovaquie :* 00 + 421 puis composer le code de la ville (7 pour Bratislava, 95 pour Košice).
– *Pour téléphoner en Slovaquie de Bratislava :* composer le code de la ville précédé du 0.

Carte France Télécom

La *carte France Télécom,* internationale, permet de téléphoner depuis plus de 70 pays. Avec elle, vous pouvez appeler à partir de n'importe quel poste téléphonique ou d'une cabine, et vous êtes débité directement sur votre facture téléphonique habituelle. Plus besoin de monnaie.
Très pratique à l'étranger : vous appelez le numéro qui correspond au pays où vous êtes et vous êtes accueilli en français par un opérateur ou un serveur vocal qui établit votre communication. Idéal si vous ne parlez pas la langue locale. Noter que pour bénéficier du tarif le plus avantageux, il est préférable de passer par le serveur vocal plutôt que par l'opérateur.
– Pour appeler depuis la République slovaque, vous composez le *numéro France Direct* suivant : ☎ 00-421-033-01.
– Pour obtenir une *carte France Télécom* ou des renseignements, composez le numéro vert : ☎ 0800-202-202, ou tapez le 36-14, code CARTE FT, sur votre Minitel.
La carte *France Télécom* est sans abonnement.
Si vous n'avez pas le temps de commander votre carte avant de partir, depuis l'étranger vous pouvez aussi utiliser le numéro *France Direct* pour effectuer un appel en PCV (vers la métropole ou vers les DOM). La communication sera alors facturée à votre correspondant.

Travail bénévole

■ *Concordia :* 1, rue de Metz, 75010 Paris. ☎ 01-45-23-00-23. M. : Strasbourg-Saint-Denis. Logés, nourris. Chantiers variés ; restauration du patrimoine, valorisation de l'environnement, travail d'animation. Places limitées. Attention, voyage à la charge du participant.

BRATISLAVA IND. TÉL. : 07

Capitale de la République slovaque, deuxième grande ville de l'ex-Tchécos-lovaquie (plus de 450 000 habitants), Bratislava est également la cité la plus « méditerranéenne » de l'ancienne fédération. On peut y apprécier la douceur du climat et l'atmosphère contrastant avec la rigueur des villes du Nord. Et puis on se trouve au milieu d'une région de vignes. Le vin réchauffe les cœurs et entretient la convivialité. Mis à part la vieille ville, rendue aux piétons, Bratislava, d'un point de vue architectural, n'a pas grand intérêt mais on y trouve beaucoup de beaux musées (prévoir du temps !). Cela dit, la ville est en pleine rénovation : on restaure les beaux immeubles de l'ancien patriciat hongrois que le régime totalitaire avait laissé tomber en ruine, ainsi que les bâtiments publics. La vieille ville y gagne un charme fou et un petit côté méridional aussi agréable en hiver qu'en été. Quant aux quartiers plus récents, certains recèlent quelques petits trésors et de grands parcs. Il est donc recommandé de flâner aussi un peu au nord de la vieille ville et de se laisser porter par son intuition. Les gens sont, comme partout en Slovaquie, très accueillants. Enfin, en franchissant le Danube on se retrouve, au choix, en Autriche (Vienne est à moins d'une heure) ou en Hongrie...

Adresses utiles

Informations touristiques

❶ Bratislava Information Service *(BIS; plan C2) :* Klobúcnická 2. ☎ 533-37-15. Fax : 533-31-09. Ouvert tous les jours de 8 h à 16 h 30 (13 h le dimanche). Fermé le dimanche en hiver. Bon accueil, personnel parlant l'anglais et quelquefois le français, qui peut vous réserver des chambres dans des hôtels bon marché. Pas mal de documentation. On peut aussi y retirer la liste des campings de Slovaquie.

On peut trouver un autre *BIS* dans le centre-ville : Nedbalova. ☎ 533-40-59. Fax : 533-27-08. Chargé plus particulièrement des circuits touristiques dans Bratislava et ses environs

■ **Satour** *(plan C3, 2)* : Jesenského 5/9. ☎ 531-01-33. Agence ouverte du lundi au vendredi de 9 h à 18 h et le samedi de 9 h à 12 h. Beaucoup de documentation également.

Représentations diplomatiques et culturelles

■ **Ambassade de France** *(plan C3, 3) :* palais Kutscherfeld,

Hlavné nám. 7. ☎ 533-57-25 (ou 45 ou 46). Dans le centre historique, dans le superbe palais de style rococo, où se trouve déjà l'Institut français, le Centre culturel français et le *Café français* (voir « Où manger ? »).

■ **Institut français :** Sedlárska 7. ☎ 533-46-62 ou 533-56-29. Il possède une bibliothèque bien fournie et organise différentes manifestations culturelles. De plus, le personnel est très sympa.

■ **Ambassade de Hongrie :** Sedlárska 3. ☎ 533-05-41. Fax : 533-54-84.

■ **Ambassade de Belgique :** Frana Králá 5. ☎ 549-13-38.

Services

✉ **Poste centrale** *(plan B-C3)* : Nám Hurbanovo 34, au coin de la rue Ursolo. Ouvert en semaine de 8 h à 14 h. Près de l'hôtel *Devin*.

✉ **Poste de la gare :** Predstaničné nám. 102. Ouvert 24 h sur 24.

■ **Téléphone :** rue Kolárska 12. Ouvert de 7 h à 17 h.

■ **CKM :** Hviezdoslavovo nám. 16. ☎ 533-41-14 ou 533-16-07. Fax :

533-56-44. L'agence est ouverte le lundi de 10 h à 18 h et du mardi au vendredi de 8 h 30 à 17 h 30. Très recommandé d'y aller pour s'inscrire dans les chambres universitaires ou autres hébergements pour jeunes.

Vie culturelle

– Se procurer **Kam v Bratislave**, guide mensuel avec les programmes de cinéma, d'opéra et d'autres spectacles.

Soins médicaux, urgences

■ **Soins médicaux d'urgence :** équivalent du SAMU, ☎ 49-49-49.
■ **Soins médicaux d'urgence pour adultes :** Mytna ul. 5. ☎ 49-65-80.
■ **Soins médicaux d'urgence pour enfants :** Bezručoa ul. 3. ☎ 54-85-41.

Change

On trouve de nombreux points de change. Il est préférable de demander le taux de commission. Dans certains Exact Change il peut aller jusqu'à 15 %. Il y a désormais de nombreuses agences de change à 0 %.

■ Dans le centre-ville, **agence** à l'angle des rues Uršulínska et Laurinská (plan C3, 4).
■ **Hôtel Forum** (plan C1, 5) : Hodžovo nám. 2. Commission plus élevée qu'à la poste centrale mais pratique car ouvert 24 h sur 24.
■ **À la gare :** bureau ouvert tous les jours de 7 h 30 à 18 h. 1 % de commission.
⊠ **Poste centrale** (plan B3) : 2 % de commission.
■ **Agence Satour :** Jesenského 5. Change possible. 2 % de commission.
■ **Distributeur Visa :** Venturska 18.

BRATISLAVA

■ **Adresses utiles**
   🛈 Bratislava Information Service
   ⊠ Poste centrale
   2 Satour
   3 Ambassade de France
   4 Change
   5 Change (hôtel Forum)

🛏 **Où dormir ?**
   10 Penzión Gremium
   11 Hôtel Kyjev
   12 Botel Gracia
   13 Hôtel Perugia
   14 Hôtel Danube
   15 Hôtel Forum
   16 Hôtel Devin
   17 YMCA
   18 Université Belojanis
   19 Youth Hostel Bernolak
   20 Hôtel Astra
   21 Hôtel Echo
   22 Hôtel Nivy
   23 Hôtel Turist
   24 Hôtel-Penzión Arcus
   25 Hôtel Sorea
   26 Hôtel Junior

|●| **Où manger ?**
   40 Lacinka Predaj Palac-iniek
   41 Non-stop Imbiss
   42 Korzo Lahôdky Bufet
   43 Prašná Bašta

   44 Kaviareň Lýra
   45 Divný Janko
   46 Le Café français
   47 Çafé London
   48 Ú Litzta
   49 Ú Dežmára
   50 Harmónia
   51 Červený Rak
   52 Velíkí Františkáni
   53 Kláštorná Vináreň
   54 Arkádia

🍸 **Où boire un verre ?**
Où sortir ?
   60 Johnnie Walker
   61 The 17s' Bar
   62 UW Café
   63 The Dubliner
   64 Stará Sladivňa
   65 Charlies' Centrum

★ **À voir**
   70 Château
   71 Porte Michel
   72 Ancien hôtel de ville
   73 Palais primatial
   74 Église des Franciscains
   75 Cathédrale Saint-Martin
   76 Musée ethnographique des Minorités
   77 Musée des Métiers d'art
   78 Musée de l'Horloge

BRATISLAVA

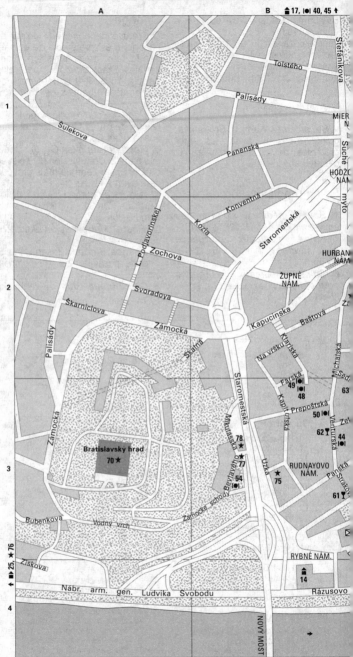

Štefánikova

Tolstého

Palisády

MIER N

Suché

Šulekova

Panenská

HODŽO NÁM.

myto

Konventná

Staromestská

Kozia

L. Podjavorinskej

Zochova

HURBAN NÁM.

ŽUPNÉ NÁM.

Svoradova

Škarniclova

Zámocká

Kapucinska

Baštová

Na vršku

Klariská

Skalná

Michalská

Sedl

Farská

49 |●|

48 |●|

63

Staromestská

Prepoštská

50 |●|

Zel

Kapitulská

62 ⍦

Venturská

44 |●|

Bratislavský hrad

70 ★

78 ★

Mikulášska

77 ★

54 |●|

75 ★

RUDNAYOVO NÁM.

Uzka

Panská

61 ⍦

Bubenkova

Vodný vrch

Zámocké schody

RYBNÉ NÁM.

14 ⌂

← ▣▶ 25 ★ 76

Žiskova

Nábr. arm. gen. Ludvika Svobodu

Rázusovo

NOVÝ MOST

→

BRATISLAVA

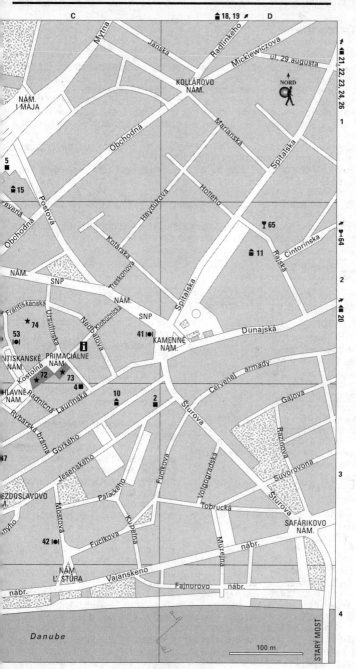

Transports

Il n'y a pas encore de métro à Bratislava. Le projet existe sur le papier depuis 15 ans, à l'origine avec du matériel et une technologie soviétiques. En 1992, une étude a été réalisée pour la mise en place d'un VAL. Le projet est gelé, en grande partie pour des raisons financières. En attendant, il y a les tramways, les bus et les *trolleys* qui sont nombreux et pratiques quoique un peu lents. On peut acheter les tickets aux distributeurs des arrêts ou dans les kiosques à journaux. Pour acheter des tickets à la semaine ou au mois : Štúrova 5. Ouvert de 5 h 30 à 21 h. Fermé le week-end.

Attention, ici comme dans toute la Slovaquie, les bagages sont payants dans les transports en commun, et les contrôles fréquents.

En ce qui concerne les taxis, il y en a beaucoup et ils sont bien moins chers qu'en Europe. Toutefois, les nombreux travaux réalisés actuellement dans le centre-ville entravent considérablement la circulation. Pour se rendre d'un point à un autre, il faut parfois faire de grands détours pour les contourner, ce qui revient vite cher.

Enfin, sachez que la ville est à taille humaine, la plupart des déplacements dans le centre peuvent donc se faire à pied.

Où dormir ?

Pour les informations générales, se reporter à la rubrique « Hébergement » des généralités sur la Slovaquie.

Campings

▪ Il existe un *camping* au nord de la ville mais pas terrible. Accès par les trams n°s 2 et 4.

▪ *Camping Zlaté Piesky (Les Sables d'Or)* : Senecká cesta 2. ☎ 644-06 ou 633-06. Prendre la direction de Nokra, puis Senec. Ouvert du 15 mai au 15 septembre. C'est avant tout une base de loisirs. Pour un peu plus cher, vous pouvez même avoir des chambres avec petit déjeuner.

Dortoirs et auberges de jeunesse

– Il est conseillé de se renseigner et de réserver au *CKM* (voir « Adresses utiles »).

▪ *YMCA (hors plan par B1, 17)* : Sancová ulica. ☎ 539-80-05. Fax : 539-27-91. Passé le mur de l'accueil, parfois très froid, vous obtiendrez une chambre parmi les moins chères de Bratislava. Les douches et les toilettes sont communes, mais il y a un lavabo dans certaines chambres. En plein centre-ville, le bâtiment contient un resto, un bar et un cinéma. Fermeture des portes à minuit. Bien entendu c'est bondé, il

faut donc impérativement réserver longtemps à l'avance.

▪ *Université Belojanis (hors plan par D1, 18)* : Wilsonova 6. ☎ 539-10-72. Ouvert toute l'année, jusqu'à 21 h. Au nord du centre-ville, à 10 mn à pied de la vieille ville. Pour une nuit, vous payez environ 150 SK.

▪ *Youth Hostel Bernolak (hors plan par D1, 19)* : Bernolakova 1. ☎ 49-77-24. À côté de la précédente. Résidence pour professeurs ouverte aux touristes de juillet à début septembre. De la gare centrale, prendre le tramway n° 3 jusqu'à la quatrième station. Réductions avec la carte des A.J. Tendance au laisser-aller. Plus chère et moins accueillante que *Belojanis*.

▪ Il existe également un *junior hostel* à Bratislava mais c'est aujourd'hui un vrai hôtel à des tarifs exorbitants.

▪ *Edmund Šóóš :* Záborského ulica 25. ☎ 25-79-51. Un vieux Slovaque traîne ses guêtres près de la gare et vous reçoit chez lui, à des tarifs raisonnables. Bien que cela soit un peu excentré, c'est assez accessible par bus ou tram depuis la gare ou la vieille ville.

Hôtels de bon marché à prix moyens

♦ *Penzión Gremium (plan C3, 10)* : Gorkého ulica 11. ☎ 532-18-18. Fax : 532-28-53. Au cœur de la vieille ville, dans une pension qui fait aussi bar, resto, et qui expose de jeunes artistes slovaques. Des petites chambres propres et très accessibles pour le centre de Bratislava. Douche, w.-c., TV et petit déjeuner compris.

♦ *Hôtel Kyjev (plan D2, 11)* : Rajská ulica 2. ☎ 532-20-41. Fax : 532-68-20. Considéré comme l'un des plus chers de la ville, il propose également – ce que peu savent – des chambres à moitié prix parce que situées dans les étages moins élevés et que la télévision n'a pas de télécommande ! Si ce défaut est pour vous insurmontable, préférez-lui un autre hôtel car il perd alors son bon rapport qualité-prix. Les chambres sont modernes et confortables et le service de bonne qualité malgré tout.

♦ *Hôtel Astra (hors plan par D2, 20)* : Prievozská 14/A. ☎ 521-58-16. Fax : 521-35-26. Un grand hôtel couleur terre battue, un peu excentré et situé à proximité d'un grand axe routier mais tout de même calme. Le quartier est assez animé et l'hôtel dispose d'un bar et d'un restaurant chinois, un peu chic. Les douches et toilettes sont communes à deux chambres.

Voici trois hôtels intéressants, un peu excentrés, mais qui offrent un très bon rapport qualité-prix. Ils sont très proches les uns des autres. Pour s'y rendre, emprunter le bus 39 depuis la vieille ville ou le *trolleybus* 219 depuis la gare.

♦ *Hôtel Echo (hors plan par D1, 21)* : Prešovská 39. ☎ 566-91-70. Fax : 566-91-74. Le plus propre des trois mais également le plus cher. C'est un hôtel moderne et calme malgré la proximité d'un grand axe routier. S'il manque d'âme, la propreté des chambres et la gentillesse de l'accueil vous le feront rapidement oublier.

♦ *Hôtel Nivy (hors plan par D1, 22)* : Liščie Nivy. ☎ 541-03-90. Fax : 541-03-89. Dans un grand bâtiment type *70's*, de grandes chambres bien tenues, bien aménagées, avec TV et des salles de bains très propres. Cela dit, les couloirs de l'hôtel ressemblent un peu à ceux des prisons et l'accueil n'est rendu tolérable que par le sourire des stagiaires.

♦ *Hôtel Turist (hors plan par D1, 23)* : Ondavská ulica 5. ☎ 526-27-89. Fax : 543-82-63. Un peu moins cher que les deux précédents, c'est le moins agréable évidement. Il est moins propre et moins moderne. Décoré dans le plus pur style « Formica et couverture à grosses fleurs », on y retrouve l'ambiance Europe de l'Est des années 50.

Chic

♦ *Hôtel-Penzión Arcus (hors plan par D1, 24)* : Moskovská 5. ☎ et fax : 526-52-22 et 526-67-50. Une super pension dans le centre, à 2 pas du *Charlies' Centrum* et 3 pas de la vieille ville. Vous êtes accueilli par deux copines aux petits soins. Grandes chambres modernes, qui s'apparentent véritablement à des studios, d'autant plus qu'une grande cuisine est à votre disposition. C'est un peu cher mais n'hésitez pas si vous pouvez vous le permettre financièrement.

♦ *Botel Gracia (plan B4, 12)* : Rázusovo nábrežie. ☎ 533-21-32. Fax : 533-21-31. L'hôtel est situé dans une péniche au niveau de l'embarcadère, à deux pas de la vieille ville. Chambres propres. L'endroit idéal pour ceux qui ont toujours rêvé de passer une nuit romantique bercés par les flots du Danube.

♦ *Hôtel Sorea (hors plan par A4, 25)* : Královské Údolie 6. ☎ 531-44-42. Fax : 531-10-17. Un site magnifique mais mal exploité par l'architecture, un grand hôtel plutôt propre et un peu excentré. Bar et resto, mais comme souvent un accueil un peu impersonnel.

♦ *Hôtel Perugia (plan C3, 13)* : Zelená 5. ☎ 533-07-19. Fax : 533-18-21. Petit hôtel plein de charme et très luxueux au cœur de la vieille ville. Essentiellement fréquenté par les hommes d'affaires. Le service est parfait mais c'est excessivement cher.

Hôtel Devin *(plan B4, 16)* : Riečna 4 . ☎ 533-08-51. Fax : 533-06-82. Belle vue sur le Danube.

Hôtel Danube *(plan B4, 14)* : Rybné nám.   1. ☎ 534-00-00. Adresse de l'ambassade de France. En plein centre. Direction franco-slovaque. Bon hôtel moderne, un peu impersonnel.

Hôtel Forum *(plan C1, 15)* : Hodžovo nám. 2. ☎ 534-81-11. Fax : 531-46-45. Bien situé entre la vieille ville et la nouvelle ville. Très chic et très cher. Affiche également *Café de Paris.* Par ailleurs, le meilleur *espresso* de la ville.

Hôtel Junior *(hors plan par D1, 26)* : Drieň 14. ☎ 433-34-340. Fax : 433-38-065. Loin du centre et difficile à gagner, cet ancien hôtel pour étudiants a été complètement rénové. Aujourd'hui, les chambres sont plus chères qu'ailleurs, sans doute en raison de son bar érotique – « réservé aux gentlemen » – et de ses machines à sous. En bois clair, les chambres sont somme toute assez communes. En fait, il n'y a que le lac à côté duquel est posé l'hôtel qui n'a pas bougé. Si, malgré tout, vous y passez une nuit, prenez des chambres aux étages supérieurs, cela vous évitera le bruit de la rue et de la discothèque de l'hôtel.

BRATISLAVA

Où manger ?

Bon marché

Pour manger sur le pouce vraiment pas cher, vous trouverez de nombreux *bufets* ou *lahôdkys*. Cuisine slovaque et quelques salades. On y mange le plus souvent debout. Sachez cependant que pour quelques francs de plus, vous pouvez accéder à la catégorie supérieure.

|●| **Lacinka   Predaj   Palaciniek** *(hors plan par B1, 40)* : Šancová ulica 18. Ouvert du lundi au vendredi de 11 h à 20 h, les samedi et dimanche de 14 h à 21 h. Dans une toute petite pièce, une crêperie, très prisée des autochtones, propose 54 sortes de crêpes très bon marché. Une si bonne adresse qu'on y fait toujours la queue.

|●| **Non-stop Imbiss** *(plan C2, 41)* : Kamenné nám. ☎ 539-86-06. Ouvert tous les jours de 8 h à 19 h et de 20 h à 7 h (de 19 h à 8 h le dimanche). Inratable, sur la grande place, face à l'hôtel *Kyjev* et du côté de la vieille ville, un snack ouvert toute la nuit, idéal pour éponger à la sortie des boîtes de nuit. C'est très bon marché, on y mange hot-dogs et sandwiches chauds sur le pouce et debout.

|●| **Korzo Lahôdky Bufet** *(plan C3, 42)* : Mostová 6. En face du palais de la Redoute, qui abrite l'Orchestre philharmonique. Ouvert tous les jours, sauf les samedi et dimanche, de 9 h à 17 h.

|●| **Snack-bar de la radio :** Mýtna 1. Ouvert du lundi au samedi de 9 h à 21 h et le dimanche de 10 h à 20 h. On ne peut pas rater le bâtiment.

C'est une immense pyramide à l'envers (en allant vers le nord-est de la ville). Le snack propose des salades de toutes sortes. On se sert soi-même. Assez sympa.

|●| **U Sv. Floriána :** Radlinského 27. ☎ 536-25-92. Ouvert de 11 h à 21 h. Restaurant sans fioritures. On y sert de la cuisine slovaque, et les plats ne sont pas chers du tout.

De bon marché à prix moyens

|●| **Prašná Bašta** *(plan C2, 43)* : Zámočni 11. ☎ 533-49-57. Ouvert tous les jours de 11 h à 23 h. Un petit resto très sympa, à proximité de la porte Michel, au fond d'un passage. Une première pièce voûtée et intimiste à la décoration originale puis une cour ombragée très agréable. La carte est variée et en anglais, et les plats sont délicieux. On peut également y prendre un verre à côté d'une fontaine. Le patron est un peu rude au premier abord mais finalement sympathique et aux petits soins pour ses clients, ce qui n'est pas toujours le cas ailleurs.

|●| **Kaviareň Lýra** *(plan B3, 44)* : Ventúrska ulica 4. ☎ 533-18-78

(chez le voisin, *Ledjy expresso*). Ouvert tous les jours de 9 h à minuit, service jusqu'à 22 h pour manger. Un café-restaurant entouré de nombreux autres cafés. Plusieurs salles voûtées et une terrasse au cœur du vieux Bratislava. Principalement fréquenté par les autochtones à l'heure du déjeuner. On y mange des plats typiques bon marché, d'autant que les assiettes sont très bien servies.

|●| Divný Janko *(hors plan par B1, 45)* : Jozeská ulica 2. ☎ 533-04-18. Ouvert du lundi au vendredi de 10 h à 2 h, les samedi et dimanche de 11 h à 2 h. En haut d'une petite rue charmante aux maisons basses et colorées, plusieurs salles très typiques, surtout fréquentées par les locaux. Si chaque pièce a son charme un peu kitsch, nous vous recommandons la cave en vieilles briques, plus chaleureuse. Le service est quelconque, mais les assiettes sont copieuses et plutôt de bonne qualité.

|●| Le Café français *(plan C3, 46)* : Sedlárska ulica 7. ☎ 533-46-62. Ouvert de 10 h à 21 h. Dans le Centre culturel français. Dans un cadre épuré, on y trouve des plats typiquement français à des prix accessibles. La salle du fond est plus chaleureuse. Les desserts sont superbes et copieusement servis.

|●| Café London *(plan C3, 47)* : Panská ulica 17. Ouvert du lundi au vendredi de 9 h à 21 h. Dans le British Council, sur le modèle du précédent, on peut s'offrir un déjeuner sur le pouce un peu amélioré et typiquement anglais, dans une petite salle ou sur une petite terrasse. Sachez toutefois que ces deux restos sont peu fréquentés par les Slovaques, notamment en raison des tarifs.

|●| Ú Litzta *(plan B3, 48)* : Klariská ulica 1. ☎ 531-25-40. Ouvert tous les jours de 11 h à 23 h. Passée l'appréhension à la vue de la façade, on découvre un restaurant proposant une salle transformée en grotte, sombre et intime, et une grande terrasse agréable et surplombée par le château. Avant de vous y rendre, révisez vos cours d'allemand ou de slovaque car seule la carte est tra-

duite, et la barrière du langage n'enrichit pas la qualité de l'accueil...

|●| Ú Dežmára *(plan B2-3, 49)* : Klariská 2. Juste à côté d'*Ú Litzta*. Là aussi on peut manger dès le mois de mai dans une tranquille cour intérieure. Le menu a l'avantage d'être traduit en anglais. Vérifiez votre addition au moment de payer car ils poussent à la consommation.

De prix moyens à chic

|●| Harmónia *(plan B3, 50)* : Ventúrska ulica 11. ☎ 533-16-83. Ouvert du lundi au vendredi de 10 h à 22 h. Un resto plutôt chic, de belles assiettes bien garnies et une cuisine raffinée. Terrasse agréable et ambiance feutrée dans les salles. Plats amusants et slovaques. Les serveurs sont agréables et la carte est en anglais.

|●| Červený Rak *(plan B2, 51)* : Michalská ulica 26. ☎ 533-13-75. Ouvert de 10 h à minuit. Grande salle moderne à la décoration étonnante et petite terrasse très calme, à côté d'un petit jardin où les amoureux se retrouvent, sous la tour de la porte Michel. Le restaurant est très chic et la cuisine raffinée, mais les prix sont en conséquence. Le service est agréable, une gageure en Slovaquie, et la carte, en français. On y déguste notamment une délicieuse salade de requin ou de « l'écrevisse rouge », dans le texte.

|●| Velikí Františkáni *(plan C2, 52)* : Františkánska nám. 10. ☎ 533-30-73. Ouvert tous les jours de 10 h à 1 h. Un des restos les plus connus de Bratislava, surtout des touristes. Dans les caves voûtées en vieilles briques d'un ancien monastère franciscain. Bien que relâché, le service fait de son mieux pour être agréable. Pour les amateurs, ce resto propose une belle carte des vins. Musique tsigane à partir de 19 h 30 et bonne ambiance en fin de soirée, quand les clients se mettent à chanter et font monter les musiciens sur les tables. Attention le couvert et la musique sont facturés environ 20 % du prix d'un repas déjà assez cher (mais de bonne qualité).

|●| Kláštorná Vináreň *(plan C3, 53)* : Františkánska nám. ☎ 533-

04-30. En face du précédent, entre l'ancien hôtel de ville et l'église des Franciscains, au fond d'une cour. Également très touristique. Dans une grande salle en bois et pierre rouge, de style « rococo », une ambiance feutrée. Nourriture vraiment pas terrible, mais on est là avant tout pour être bien ensemble. Le soir, forfait minimum à payer à l'entrée, incluant boisson et musique. Les musiciens adaptent volontiers la musique à la nationalité des clients.

|●| *Arkádia (plan B3, 54) :* Zamocké Schody. Ouvert tous les jours de 12 h à 23 h. Ruelle au pied du château. Restaurant très chic et attrayant, un peu isolé, avec une terrasse agréable mais un peu bruyante en raison du grand axe à proximité. Vue sur la cathédrale Saint-Martin et le pont SNP.

|●| *Mária Terézia :* Palisády 50. Ouvert du lundi au vendredi de 11 h 30 à 15 h et de 18 h à 23 h. Cadre luxueux qui rend hommage à Marie-Thérèse, impératrice d'Autriche, reine de Bohême et de Hongrie au XVIIIe siècle. Cuisine raffinée. Assez cher.

|●| *Bystrica (restaurant du Pylône) :* au bout du pont SNP, sur l'autre rive du Danube. ☎ 503-92. On atteint le resto par un ascenseur (payant). Nous vous conseillons de jeter un coup d'œil sur le panorama en vous contentant de boire un café. Mais évitez d'y manger ! Le cadre et la nourriture sont vraiment insignifiants. De plus, c'est très cher, trois fois plus cher que la moyenne des prix à Bratislava.

Où boire un verre ?

La vieille ville de Bratislava compte de nombreux bars. Les jeunes se retrouvent pour boire un verre sur la Michalská ulica et Venturská ulica, qu'ils appellent le *Broadway slovaque* parce que l'on y trouve de nombreux bars. Sachez que la plupart des bars ferment assez tôt et que passé minuit, ils se comptent sur les doigts de la main. Beaucoup se trouvent au fond de passages ou dans des caves, n'hésitez donc pas à tendre l'oreille et pousser les portes pour les découvrir.

♟ *Johnnie Walker (plan B-C3, 60) :* Zelená ulica 8. ☎ 531-94-29. Ouvert du lundi au vendredi 13 h à 1 h ; samedi et dimanche de 18 h à 1 h. Le bar, assez dur à trouver, se trouve au sous-sol, à droite au fond d'un passage dont l'entrée se situe presque en face de l'hôtel *Perugia*. Sans doute l'une des meilleures adresses de Bratislava et en tous cas notre préférée. Dans une cave voûtée en vieilles briques, 3 petites salles où se retrouve la jeunesse *underground* de Bratislava pour déguster toute une gamme de cocktails ou de l'absinthe. Même en semaine et tard le soir, il n'y a ni trop ni trop peu de monde pour que cela ne soit pas propice aux rencontres.

♟ *The 17s' Bar (plan B3, 61) :* Hviezdoslavovo nám. 17. Ouvert du lundi au jeudi de 11 h 30 à 2 h, le vendredi de 11 h 30 à 3 h, le samedi de 16 h à 3 h et le dimanche de 16 h à 24 h. Dans une ville, voire un pays, assez couche-tôt, c'est l'un des rares endroits ouverts tard le soir. S'il accueille surtout des touristes dans la journée, qui viennent se reposer à sa terrasse, le soir, le bar est bondé jusqu'à la fermeture. Il est un peu plus cher que les autres, mais c'est le dernier endroit où se retrouvent les fêtards avant leur virée nocturne. Dans une grande salle voûtée, entre les tables en bois, une toute petite piste de danse a été aménagée. Notez que l'*Amsterdam* (Prepoštská ulica), à la fréquentation moins huppée, est également ouvert tard le soir.

♟ *UW Café (plan B3, 62) :* palais Zichyho, Venturská ulica 9. Ouvert du lundi au vendredi de 10 h à minuit, le samedi de 12 h à minuit, le dimanche de 14 h à minuit. Assez dur à trouver. Au fond du passage à droite, descendre les escaliers et pousser la porte blindée. Dans un ancien abri anti-atomique, un bar tenu et fréquenté par des lycéens, assez rigolo. Ambiance *cool* dans une enfilade de pièces aux tons pastels, sur fond de musique techno.

T **The Dubliner** *(plan B3, 63)* : Sédlarska ulica. Ouvert tous les jours de 9 h à 1 h, sauf le dimanche, de 11 h à minuit. Impossible à rater. Au cœur de la vieille ville, le patron, anglais, vous accueille dans un grand pub irlandais vert et bois, dont l'immense salle est décorée façon cour intérieure de Provence. Plutôt chic, c'est là où se retrouvent les jeunes argentés à la sortie du bureau pour y boire des pintes jusque tard le soir ou manger un morceau (service jusqu'à 23 h, tapantes). Bien qu'on y parle beaucoup anglais, cela peut être un bon endroit pour commencer la visite de la vieille ville ou une soirée arrosée.

T **Stará Sladivňa** *(hors plan par D2, 64)* : Cintorínska ulica 32. Ouvert tout les jours de 10 h à 23 h. Immense usine à bière sur deux niveaux (la plus grande de Bratislava). Au rez-de-chaussée, une grande brasserie, très animée certains soirs. Section resto à droite, à gauche c'est pour prendre un verre. Au sous-sol : machines à sous, billard et roulette électronique. À l'étage, quelques machines à sous et une immense salle de bingo.

T **Čierny Havran** : Biela 6. Ouvert du lundi au vendredi de 10 h à 22 h et le week-end de 15 h à 22 h. Près de la place des Franciscains. Petite taverne intimiste en vieille pierre et bois noir, avec une cour intérieure ouverte l'été. En soirée, concerts réguliers de rock, blues, country, folk et jazz.

T **Café Gremium** : Gorkého 11. Ouvert du lundi au dimanche de 8 h à minuit. Café dans une immense salle qui fait fonction également de galerie pour des jeunes artistes (galerie-vente ouverte jusqu'à 18 h). On peut aussi y manger quelques gâteaux. À l'étage, restaurant, salle de billard et pension (ouverts de 11 h 30 à minuit).

T **Andy** : Beblavého. C'est la petite ruelle qui mène au château en partant de la maison du Bon Berger. Petit café tranquille et discret, un peu à l'écart. Voir aussi, aux n°s 2 et 14, un *restaurant* et une *cave à vin*.

T Vous trouverez également de nombreuses *krčmas* ou *hostinecs* (petites brasseries et caves à vin populaires), pas chères et fréquentées par les locaux, dans la très connue rue Obchodná (rue des magasins). Elles sont en général un peu en retrait dans des cours intérieures. Au n° 36, le *Zlatá Fantázia* propose du vin, de la bière et également à manger. Au n° 55, l'enseigne du bar, une grappe de raisin, rappelle que cette rue était le cœur d'un ancien village de vignerons.

Vie nocturne

– **Queen's Club** : Nobelova 32 ☎ 277-21-91. Ouvert du lundi au vendredi de 18 h à 4 h et jusqu'à 6 h le week-end. À ne rater sous aucun prétexte ! C'est bondé tous les soirs : garçons et filles y dansent toute la nuit sur les tables dans une ambiance démente et sur fond de bonne musique. Il y a une petite terrasse plus calme pour se restaurer et une belle pièce en bois propice aux discussions. Un peu excentré mais à ne pas rater. En taxi, comptez 150 SK à partir du *Charlies' Centrum*, négociable à 100 SK.

– **Charlies' Centrum** *(plan D2, 65)* : Špitálska 4 (juste avant l'hôtel *Kyjev*). Dans le centre-ville. ☎ 532-51-39. Ouvert du lundi au jeudi de 20 h à 4 h et du vendredi au dimanche de 20 h à 5 h. Passée l'entrée qui vous rappellera les premières boums de votre jeunesse, vous découvrirez une grande pièce moderne où l'on sert à boire jusqu'à 4 h du matin en semaine (ce qui est rare en ville). Les barmen, jeunes et plutôt sympa, vous serviront des *NRJ drinks* ou des cocktails (essayer notamment le *Red Ruscherl*, à base de Red Bull et de framboise). Il y a plus de monde le week-end, l'ambiance est bon enfant et la musique bonne tout simplement.

– **Step's Pub :** Panenská ulica 27. Ouvert tous les jours de 19 h à 3 h. Dans le centre. Plusieurs salles pour danser ou boire un verre dans des caves voûtées en vieilles briques. Les tarifs sont les mêmes que dans les bars. Bonne musique, plutôt techno.

– **Cassiope Club :** Nobelova ulica.

Ouvert du vendredi au dimanche de 21 h à 5 h. À côté du *Queen's Club*, ambiance moins déchaînée que chez son voisin. De la techno à fond toute la nuit dans une grande salle correspondant plus aux standards des boîtes de nuit occidentales. Bref : une vraie boîte avec stroboscopes et paillettes, et... tarifs en conséquence. Entrée payante et strip-tease certains samedis.

À voir

★ **Le château** *(plan A3, 70)* : accès par Zámocká (et Mudroňova). *Trolleys* nos 213 et 217 (mais tout à fait accessible à pied). Ouvert de 10 h à 18 h d'avril à octobre et de 9 h à 17 h le reste de l'année. Fermé le lundi. Cher lecteur, enfin un château qui ne nous obligera pas à sombrer dans le dithyrambe. Eh oui, imposant, mais pas très beau ! Il faut dire que le pauvre brûla en 1811 et resta en l'état pendant 150 ans avant d'être relevé il y a une trentaine d'années. Il ne conserve que quelques réminiscences de sa période Renaissance. En revanche, salles intérieures très plaisantes transformées en *musée*. Fondations de la basilique de Grande Moravie à côté. Pour la petite histoire, en 1189, Frédéric Ier Barberousse rassembla dans ce château les croisés pour la troisième expédition contre les Turcs. Il offre une vue magnifique sur le Danube et les montagnes, gâchée par les horribles cités-dortoirs et une forêt de cheminées sur la gauche.

● *Musée historique* : à gauche dans la cour, au 3e étage. Ouvert du mardi au vendredi de 9 h à 17 h et les samedi et dimanche de 10 h à 18 h, d'avril à octobre. La première salle du musée est... un café, puis le musée fait le tour du château. Il contient de très belles pièces, de marqueterie notamment. Bien que certaines pièces exposées soient inutiles, la visite montre parfaitement l'évolution de l'art slovaque. Splendides meubles médiévaux, en particulier des bahuts sculptés polychromes, tapisseries de Bruxelles du XVIe siècle aux fraîches couleurs, coffres, secrétaires incrustés d'argent, armoires marquetées d'ivoire. Mobilier Empire et XIXe siècle, chambre à coucher Art nouveau, beaux objets. Intéressante collection d'armes. Arbalètes incrustées d'os et ivoire. Pour terminer la visite, faites vous ouvrir la Crown Tower. Après un petit exercice, cela vous offrira une vue superbe sur Bratislava et ses alentours, à 360°, s'il vous plaît.

● *Musée des Instruments anciens* : au fond de la cour, derrière le château, à droite. Ouvert du mardi au vendredi de 9 h à 17 h, le samedi et le dimanche de 10 h à 18 h, d'avril à octobre. Ce sont en fait des reproductions d'instruments slovaques, « pour le futur » dit le vieux guide essoufflé. Du violon à la cornemuse utilisée par les montagnards pour échanger des messages avec les habitants de la vallée, tous les types d'instruments sont passés en revue. Intéressant, sans plus.

★ **La porte Michel** *(Michalská brána ; plan B2, 71)* : au cœur du centre historique, vestige des anciennes fortifications. Beau clocher à bulbes. Les deux fentes sur les côtés de la porte indiquent les traces du pont-levis. Possibilité de monter dans la tour par le *musée des Armes et Fortifications*, prendre la petite porte à droite. ☎ (7) 533-30-44. Ouvert tous les jours sauf le lundi, de 10 h à 17 h (dernière visite à 16 h 30). Dans la tour, pierre et bois se répondent sur 5 étages. C'est un petit musée assez génial. Il présente de nombreuses armes de la région, décorées d'ivoire ou de pierres précieuses. On y trouve notamment une superbe épée dont le fourreau est un lézard ! Au dernier étage, vue sur la vieille ville à 360°. Au pied de la tour, on aperçoit un petit jardin et les anciennes douves.

★ **Le musée de la Pharmacopée :** Michalská U 26. Juste derrière la ṕ_
Michel. Ouvert de 10 h à 17 h (dernière visite à 16 h 30). Fermé le lundi.
Dans une très ancienne boutique de pharmacien (à l'enseigne « À l'Écre-
visse Rouge »), intéressant petit musée exposant de nombreux objets insolites : livres de médecine, bocaux multiples, tiroirs de boutique, mortiers pour
les préparations, instruments de laboratoire, vieux médicaments, fioles, etc.
Au 1er étage : pharmacies reconstituées.

★ **La fontaine de Maximilien :** Hlavné nám. Sur la place centrale de la
vieille ville, en face de l'ambassade de France. Construite en 1572 en l'honneur de Maximilien Habsbourg, premier roi couronné à Bratislava. La fontaine est dite aussi fontaine de Roland, d'après le célèbre chevalier.

★ **L'ancien hôtel de ville** (plan C2-3, 72) : entre les places Primaciálne et
Františkánska. C'est le plus vieil édifice civil de la ville (1325). Mairie à partir
de 1421. Magnifique toit polychrome du XVIe siècle et beffroi de 1734. À
l'intérieur, belles arcades Renaissance. Il abrite le fantastique Musée municipal de l'ancien hôtel de ville.

★ **Musée municipal** (Mestské múzeum) : Primaciálne nám. 1. Entrée Stará
Radnica également. ☎ 533-46-90. Installé dans l'ancien hôtel de ville.
Ouvert de 10 h à 17 h. Fermeture des caisses à 16 h 30. Fermé le lundi. Ne
vous basez pas sur l'impression laissée par la première pièce car les 13 (!)
autres valent vraiment le coup. Riches collections présentées dans un cadre
superbe. Toute l'histoire de la ville, de ses origines à nos jours. Découvertes
archéologiques provenant des fouilles effectuées dans la ville. Statues de la
Vierge en bois polychrome, maquettes, manuscrits, étains, vieilles
enseignes, instruments de pesée de changeurs d'or (XVIIIe siècle), orfèvrerie
religieuse, beaux meubles. Bref, plein de beaux objets dans un cadre
superbe. Faites vous également ouvrir les cachots, somptueux et très bien
restaurés.

★ **Le Palais primatial** (plan C2, 73) : place Primaciálne également. Ouvert
de 10 h à 17 h (dernière visite à 16 h 30). Fermé le lundi. Construction de
style « classique », du XVIIIe siècle. Napoléon et l'empereur d'Autriche y
signèrent, après la bataille d'Austerlitz, la paix de Presbourg. On y trouve de
belles tapisseries et des tableaux romantiques, notamment un portrait de
Marie-Thérèse, célèbre impératrice d'Autriche, reine de Bohême et de Hongrie et mère de la reine Marie-Antoinette.

★ **L'église des Franciscains** (plan C2, 74) : Františkánska nám., en face
du palais Mirbach. Église du XVIIIe siècle extrêmement surchargée de
marbres, de dorures et de frises, assez difficile à digérer par ceux qui
n'aiment pas le style rococo. L'orgue lui-même est dans un style baroque
très lourd. Par contre, *la chapelle funéraire Saint-Jean-l'Évangéliste*
(XIIIe siècle) est adorable. Dans un style classique et démuni de toute
dorure, l'autel se présente en toute simplicité. Des concerts s'y déroulent de
temps à autre.

★ **La galerie d'art du palais Mirbach :** Františkánska nám. 11. ☎ 533-
15-56. Ouvert de 10 h à 18 h. Fermé le lundi. Magnifique palais
rococo (1768), qui a appartenu à différents propriétaires dont le comte Karol
Nyary (ses armes se trouvent sur l'une des façades du bâtiment). Son principal attrait réside dans une composition décorative exceptionnelle : 300 gravures des XVIIe et XVIIIe siècles dans leurs cadres de bois d'origine, réparties
dans une dizaine de salles. Le palais en lui-même est considéré comme l'une
des merveilles du style rococo à Bratislava. La troisième pièce est remarquable pour son allégorie du temps peinte au plafond dans un style baroque.

★ **La maison-musée de J.N. Hummel :** Klobučnícka 2. Ouvert de 10 h à
17 h. Fermé le lundi. Au fond de la cour, visite de l'adorable petite maison du
grand compositeur. Pianos, clavecins, instruments de musique, gravures,
partitions, nombreux souvenirs.

★ **Le musée du Vin :** Radnična 1. Ouvert de 10 h à 17 h (dernière visite à 16 h 30). Fermé le mardi. Intéressante présentation des matériels et techniques du vin (vieux pressoirs, etc.). En été, ne manquez pas la présentation de reptiles qu'abrite, en plein air, ce musée. Le propriétaire est un jeune Slovaque qui possède près de 150 reptiles de différentes espèces et qui se targue d'être le seul, en Slovaquie, à enlever les poches de venin de certaines espèces mortelles.

★ **L'église des Trinitaires :** Hurbanovo nám., au débouché de la rue venant de la porte Michel. Pour son immense nef-coupole et sa fresque en trompe-l'œil, œuvre d'un artiste italien. L'illusion est totale.

★ **L'église des Frères de la Miséricorde :** SNP nám. Église néo-baroque de la fin du XVIIe-début du XVIIIe siècle. Elle abrite également un couvent.

★ **La synagogue :** Heydukova 11/13. Elle date du début du siècle et comporte d'intéressants éléments d'Orient à l'intérieur.

★ **L'église des Clarisses Klariska :** elle donne dans Kapucinska. Belle carte postale avec sa ruelle pavée, ses vieilles maisons et le château au fond. Clocher original à cinq faces, de style gothique flamboyant. Son curé s'étant suicidé, les autorités religieuses désacralisèrent l'église. Aujourd'hui, c'est une salle de concert spécialisée dans la musique de chambre ou d'avant-garde.

★ **La cathédrale Saint-Martin** (plan B3, 75) : elle date du XIVe siècle. De 1563 à 1830, dix rois et neuf reines s'y firent couronner. Intérieur d'une très grande ampleur. Hautes verrières dans le chœur. Bel autel en bois sculpté du XVIIe siècle (à gauche). Remarquable tableau représentant la Cène. *Passion du Christ* très expressive. Fonts baptismaux en bronze du début du XVe siècle. Colossale statue de plomb de saint Martin partageant son manteau.

★ Le long de l'autoroute, les anciens remparts ont récemment été rénovés. Au n° 35 de la rue Panská (qui passe en bas de la cathédrale), jeter un œil sur la pittoresque *pharmacie Salvatore*. Comptoir soutenu par des lions en pierre, casiers en bois et plafond ouvragés, bocaux antédiluviens. Un petit monument, malheureusement fermé, mais qui vaut vraiment le coup d'œil, ne serait ce que pour son beau christ au-dessus de l'entrée !

★ **Musée ethnographique des Minorités** (Múzeum mimoeurópskych kulrúr; hors plan par A4, **76**) : Žižkova ul. 18. Sur les quais, sous le château, à côté du Musée archéologique. Ouvert tous les jours sauf le lundi de 9 h à 17 h. Une superbe collection d'œuvres d'art africain mélangeant le moderne et le classique. Très bien présentées, sur fond de musique africaine traditionnelle, certaines pièces sont tout à fait exceptionnelles. Comme nous, vous ne resterez certainement pas insensible aux imposantes sculptures de visage exposées dans l'avant-dernière salle. Visiter une exposition d'art africain à Bratislava, mais pourquoi ? nous direz-vous. Eh bien tout simplement parce qu'elle est superbe.

★ **Le musée des Métiers d'art** (plan B3, **77**) : Beblavého 1. Ouvert de 10 h à 16 h 30 (dernière admission à 16 h). Fermé le mardi. Juste de l'autre côté de la cathédrale (passage sous l'autoroute, on tient à nos lecteurs !). Visite recommandée. Dans une superbe demeure baroque du XVIIIe siècle, une remarquable exposition d'objets d'art de très grande valeur et souvent insolites.

– *Au rez-de-chaussée :* armoires peintes, orfèvrerie religieuse, enseignes et croix en fer forgé, un incroyable secrétaire en bois d'ébène néo-Renaissance incrusté d'ivoire et lapis-lazuli, un reliquaire en argent pur orné de saphirs (XVIIe siècle), chasubles en cuir peint, polisseuse d'étain (XVIIe siècle), faïences tchèques et très jolie majolique italienne, etc.

– *Au 1er étage :* meubles anciens, étains, porcelaines.

– *Au 2ᵉ étage :* bijoux, verrerie, tapisseries « de ficelle » (technique intéressante).
– *Le 3ᵉ étage* abrite des expositions temporaires d'artistes contemporains.

★ *Le musée de l'Horloge (plan B3, 78)* : en face du précédent (Židovska 1). Occupe la maison du Bon Berger, fort bel édifice rococo d'angle, ainsi appelé en raison de la statue qui trône à l'extérieur. Ouvert de 10 h à 16 h. Fermé le mardi. Une belle sélection d'horloges, de goussets et de pendules. Sur trois étages, toutes les époques, styles et formes. Entre autres, les pendules-tableaux qui sont aussi des boîtes à musique. L'une d'entre elles énumère les cycles de la vie tous les quarts d'heure. Le troisième étage, surtout, vaut le coup d'œil.

★ *Musée national slovaque (Slovenské národné múzeum) :* Vajanského nábrežie 2. Ouvert de 9 h à 17 h. Fermé le lundi. Départements de zoologie, botanique, minéralogie, paléontologie, etc.

★ *Slovenská národná Galéria :* Rázusovo nábrežie 2. Ouvert de 10 h à 18 h. Fermé le lundi. Dans un édifice du XVIIIᵉ siècle, bien rénové et aménagé. Importante section de primitifs religieux slovaques. Peinture régionale tchèque du XXᵉ siècle, art yougoslave, art contemporain.

★ *Academia Istropolitana :* Ventúrska 3. Bâtiment universitaire du Moyen Âge fondé en 1464 par le roi de Hongrie, Mathias Corvin. Il abrite aujourd'hui l'école des Arts dramatiques.

★ *Le palais Pálfy :* Ventúrska 10. Palais baroque avec un portail orné des butins de guerre qui rappelle un des premiers propriétaires de cette maison, le maréchal Leopold Pálfy. Enfin, pour les mozartiens, une plaque rend hommage au jeune Amadeus qui vint s'y produire à l'âge de 6 ans. Le palais accueille les locaux de l'ambassade autrichienne depuis deux ans. À ne pas confondre avec le musée du même nom.

★ *Le musée du palais Pálfy :* Panská 19. Ouvert de 10 h à 17 h. Fermé le mardi. On y a entreposé tout ce qui ne pouvait plus tenir dans le palais Mirbach : peintures du XXᵉ siècle, sculptures gothiques, expositions temporaires. Très intéressant. Texte en français.

★ *Le palais Grassalkovitch :* Hodžovo nám. 1. En 1760, on a construit ce palais baroque pour le comte Grassalkovich. En 1772, le musicien Joseph Haydn y a conduit un orchestre. Aujourd'hui rénové, il abrite le Palais présidentiel.

★ Pour les amateurs de musique et de belle architecture du XIXᵉ siècle, deux édifices à ne pas manquer : le *palais Reduta* (sur Mostová), en cours de rénovation, qui abrite l'Orchestre philharmonique slovaque et s'orne d'une belle façade néo-rococo (fermé en juillet et août mais, pendant cette période, des concerts sont donnés dans la cour de l'ancien hôtel de ville, place Hviezdoslavovo, ou dans l'église des Clarisses) ; et le *Théâtre national slovaque (Slovenské národné divadlo),* tout proche (Hviezdoslavovo nám. 1), de style néo-Renaissance. Le théâtre fut construit par les architectes qui réalisèrent celui de Vienne.

★ *La fontaine de Ganymède :* Hviezdoslavovo nám. Devant le Théâtre national. Construite en 1888 par V. Tilgner. Ce sculpteur s'est inspiré de l'histoire antique de Ganymède, le prince troyen enlevé par un aigle.
Sur la même place, en face, la statue de Pavol Országh Hviezdoslav, célèbre poète slovaque.

★ *La fontaine des Canards :* Šafárikovo nám. Adorable fontaine construite en 1914, représentant des petits garçons jouant avec des canards.

★ *L'église Sainte-Élisabeth* (dite *l'église Bleue) :* Bezručova (en face du n° 3). À l'est de la ville, après la place Šafárikovo. À ne pas manquer. L'église est entièrement bleue. On dirait la maison d'Hansel et Gretel. De style Sécession (Art nouveau), elle a été construite en 1913 et présente des ornements tout à fait originaux (porte en aluminium, mosaïque de carrelages, gouttière en cuivre...).

★ *Slavín :* cimetière et monument de l'Armée rouge. On ne peut pas le rater, tout a été fait pour qu'on le voie bien. On peut y accéder en *trolley-bus* (n° 216 ou 217), en voiture ou bien à pied en prenant la rue Palisády, puis il suffit de suivre les flèches qui indiquent « Slavín ». Le monument a été construit en 1960 à l'occasion du 15e anniversaire de la libération de Bratislava par l'armée soviétique. 6 845 soldats y sont enterrés. À part l'atmosphère assez particulière, le panorama sur la ville est intéressant.

★ *La tour de télévision :* complètement au nord de Bratislava, elle domine la ville. Prendre le bus n° 37 puis le n° 33 qui traverse la forêt. Continuer à pied, le téléphérique semble hors d'usage pour longtemps. Balade agréable en forêt. Le week-end, de nombreux Bratislaviens viennent y pique-niquer. La tour n'est pas accessible au public. Restaurant chic.

★ *Le marché couvert* (centrálne trhovisko) : Miletičova. À l'est de la ville. Ouvert du lundi au vendredi de 6 h à 18 h, et le samedi de 6 h à 14 h. Fermé le dimanche. Grand marché populaire très animé où l'on peut goûter le chou slovaque dans les grandes cuves en bois et boire un verre de vin blanc dans l'une des nombreuses buvettes.

Dans les environs

★ *Le château de Devín :* à une dizaine de kilomètres à l'ouest de Bratislava. Pour s'y rendre : bus n° 29 ; deux départs par heure environ sous le pont SNP. Possibilité également d'y aller en bateau : *Blue Danube Travel*, Fajnorovo nábrežie 2 (sur les quais). ☎ 536-35-18. Tous les jours sauf le lundi, départs à 9 h et 12 h 30, retours à 11 h 30 et 15 h. Comptez une heure et demie de traversée. Le château est ouvert tous les jours, sauf le lundi, de 10 h à 17 h (dernière entrée à 16 h 30), de mai à octobre. À ne surtout pas manquer. Ce sont les vestiges d'une forteresse datant du début de cette ère qui défendait la position stratégique au confluent du Danube et de la Morava. Les romains l'ont occupée puis elle appartint à divers grand seigneurs slaves. Elle fût détruite par Napoléon. Pour la petite histoire, on dit que devant l'émerveillement de François Mitterrand, alors Président de la République, les autorités slovaques lui ont suggéré de financer la rénovation et l'entretien de l'édifice que les troupes napoléoniennes avait rasé. Proposition à laquelle il n'a pas donné suite...

Dans l'arche, juste après la seconde porte à gauche, un petit *Musée archéologique* présente les fouilles et la restauration du château ainsi que quelques très belles pièces trouvées sur place. Par ailleurs, ce site, superbe en lui-même, offre un panorama magnifique sur l'ouest du pays, le Danube, la Morava, les Petites Carpates et, par temps clair, on aperçoit Bratislava. On comprend l'importance stratégique de cette forteresse, perchée à 202 m d'altitude.

Derrière, la *colline de Devín* aurait été colonisée dès le Ve millénaire av. J.-C. Dans le village, l'*église de la Sainte-Croix* date des XIIIe et XVe siècles. De style classique, avec plafond à caissons. Elle est ouverte aux heures de la messe, en fin de matinée et en fin d'après-midi.

★ *Stupava :* à 15 km au nord de Bratislava. Dans le village, intéressant *château* Renaissance détruit pendant la seconde guerre mondiale et, depuis peu, transformé en maison de retraite. Pour voir le château d'un peu plus près, entrer dans le parc par une petite grille à gauche de la place centrale. Également dans le village, petit *musée* consacré à *Ferdis Kostha*, auteur célèbre de la céramique figurative et utilitaire.

★ *Jur Pri Bratislave :* à 15 km de Bratislava. Sur une colline dominant le village, ceux qui disposent d'un peu de temps tenteront de voir le beau maître-autel Renaissance de l'*église Saint-Georges* (reconnaissable à son pittoresque campanile en bois du XVIIe siècle, à côté). L'église étant la plupart du temps fermée, essayer d'avoir la clé au presbytère, plus bas (descendre l'escalier après le cimetière).

★ *Malacky :* à une trentaine de kilomètres de Bratislava, après Stupava. Outre le *château* de style baroque, on peut s'arrêter pour la *synagogue* de style oriental, récemment restaurée. Elle détonne un peu dans le paysage.

★ *Pezinok :* un peu avant Modra (à 20 km au nord-est de Bratislava). Pour y aller, disposer de beaucoup de temps et posséder un véhicule. Autre village réputé pour ses vins. Dommage que la grande voie routière brise son charme. Dans le vieux centre, voir l'*église gothique* blanche (avec un clocher rouge). Superbe chaire Renaissance en marbre blanc. Le bourg ne présente toutefois pas un grand intérêt, pas plus que *Sváty Jur*, petit village le précédant de quelques kilomètres, tout de même plein de charme en hiver.

★ *Le château de Červený Kameň :* au-dessus du village de Casta, au nord-est de Modra. Ouvert d'avril à septembre, du lundi au vendredi de 9 h à 16 h 30, samedi et dimanche de 9 h à 17 h ; dernière visite une heure avant. Possibilité d'ouverture en dehors de ces dates pour les grands groupes. Situé sur un piton rocheux des Petites Carpates, le « château de la Pierre Rouge » (Červený Kameň) est l'un des châteaux les plus remarquables, tant pour le site que pour le bâtiment, et les mieux conservés de Slovaquie. Construit au milieu du XIIIe siècle pour le dépôt et le rechargement de marchandises, il a par la suite subi de nombreuses modifications, notamment celles apportées par la richissime famille Pálfy, qui en a été propriétaire jusqu'à la seconde guerre mondiale. À l'intérieur se trouve sans doute l'une des plus riches collections de meubles des XVIIIe et XIXe siècles en Slovaquie et une très belle collection d'armes serties de pierres précieuses. La première pièce à gauche, décorée comme une simili-grotte, est un délire de couleur et de matière, à la façon du Facteur Cheval.
À l'entrée du parc du château se trouve une présentation d'oiseaux prédateurs. Ouvert du mardi au vendredi de 9 h à 18 h et les samedi et dimanche de 9 h à 18 h 30. Immenses corbeaux, chouettes, faucons et aigles fantastiques. C'est tout de même un peu léger pour le prix. À 11 h 15, 14 h 15 et 16 h 15, démonstration de vols de corbeaux, de faucons et d'aigles, déjà beaucoup plus intéressante.

★ *Modra :* à 30 km au nord-est de Bratislava. Pour déguster un verre de vin de la région, après la visite du château, et avant la suite, nous vous conseillons ce petit village traditionnel au cœur du pays viticole. Maisons basses bourgeoises et vestiges d'une tour des anciennes fortifications. La ville est réputée pour sa très jolie *majolique* dans les tons bleu, jaune et vert. Il y a un magasin spécialisé à la sortie du village. Un petit musée a été aménagé dans l'ancienne maison de l'écrivain Ludovít Stúr. On y trouve aussi quelques expos d'artistes contemporains, mais c'est plutôt inaccessible pour les néophytes et les non-slovacophones.

★ *Trnava :* à 60 km au nord-est de Bratislava. C'est la deuxième ville importante en Slovaquie de l'Ouest (75 000 habitants). Récemment restaurée, et, depuis, pleine de charme et de trésors, elle mérite vraiment le détour. Ce fut la première, en 1238, à acquérir les privilèges de ville royale. Décision prise par Bela, roi de Hongrie. À partir du XVIIe siècle, son université lui valut d'être le centre culturel et religieux du pays. Grâce à ses nombreuses églises anciennes, on l'a appelée « la petite Rome », c'est tout dire.
– *L'église universitaire :* témoin magnifique de la première époque du baroque. Elle a été fondée en 1635 avec les autres bâtiments universitaires. À l'intérieur, riche décoration en stuc et un maître-autel composé de 27 sculptures.

BRATISLAVA

– *L'église paroissiale de Saint-Nicolas :* elle a été construite au XIVe siècle et modifiée au cours des siècles suivants. Au XVIIIe siècle on a ajouté une chapelle baroque centrale dans laquelle se trouve le tableau miraculeux dit *À la Sainte Vierge de Trnava.* Peintures murales du XVe siècle. Ne manquez surtout pas l'intérieur de la cathédrale. La *place Saint-Nicolas*, où elle se dresse, est superbe également. On y aperçoit, caché par le feuillage des arbres, le palais de l'archevêché, édifice Renaissance à deux étages. Ne manquez pas de faire le tour de l'église pour aller voir les remparts et fortifications de la ville, assez bien conservés. Vous y découvrirez aussi l'est de la ville, construit dans le plus pur style... « real-socialism ».
– *L'église et le couvent des Clarisses :* bâtiment du XIIIe siècle. Il abrite le musée de la Slovaquie de l'Ouest. Pour y aller, nous conseillons de partir de la cathédrale Saint-Nicolas et de suivre la rue du Chapitre (Kapitulská ul.) bordée de maisons bourgeoises Renaissance pleines de charme.
– Sur la place centrale, place de la Trinité (Trojicné nám.), se dresse l'horrible bâtiment de la maison de la Culture (Kulrúry dóm). Mais en vous retournant, vous apercevrez la tour de guet de style Renaissance et son horloge solaire.

Quitter Bratislava

Pour environ 5 F, vous pouvez trouver un fascicule de poche rassemblant tous les horaires de trains, avions, bus, bateaux pour tous les trajets à l'intérieur du pays et les principaux vers l'étranger. Hyper utile, ce petit bouquin est assez dur à trouver et s'appelle *Ochody Liniek Dovrecka.* Attention, il existe également en « version longue », beaucoup plus cher et nettement moins pratique.

En train

🚂 *Hlavná stanica (gare centrale) :* Dimitrovovo nám. 1. Au nord de la vieille ville. Pour s'y rendre, tram n° 13 ou 1. Pour Budapest, 5 à 8 trains quotidiens, une demi-douzaine pour Prague et Brno et 5 pour Vienne. Une dizaine de trains quotidiens pour Košice (via Žilina et Poprad). Renseignements téléphoniques : ☎ 0974-23-23-23 (de 7 h à 18 h) et ☎ 0974-32-32-32 (de 18 h à 22 h).

En avion

■ *ČSA (ligne aérienne tchèque) :* Štúrova 13. ☎ 531-12-05. Bus pour l'aéroport.

En bus

🚌 *Terminal des bus (ČSAD) :* Mlynské Nivy. À l'est de la vieille ville. Pour s'y rendre : bus n°s 215 et 220. Une dizaine de bus pour Prague, un ou deux quotidiens pour Vienne et Budapest. Départ tous les quarts d'heure pour Nitra ; 5 départs pour Banská Štiavnica ; une vingtaine de départs quotidiens pour Banská Bystrica ; 7 départs pour Liptovský Mikuláš ; 5 départs, dont 3 en fin d'après-midi pour Bardejov ; 4 départs (très tôt le matin) pour Bojnice ; 2 à 3 départs par heure pour Trvana.

En bateau

⚓ *Slovakoturist (hydrofoil) :* Panská 13. Achat des tickets pour Vienne (3 à 4 départs hebdomadaires) et Budapest (2 départs quotidiens).

Location de voitures

■ **Pragocar :** Hviezdoslavovo nám. 14. ☎ 533-32-01.

■ **Europcar :** dans le hall de l'hôtel

Danube, Rybné nám. 1. ☎ 534-00-00. De 8 h à 20 h, tous les jours.

■ **Hertz :** dans le hall de l'hôtel *Forum*, Mierové nám. ☎ 384-156. Ouvert tous les jours de 8 h à 20 h.

– **Pour Vienne :** stop, voiture ou taxi. Bus et trains tôt le matin. Il n'y a qu'une heure de route et la douane est facile. Queue de temps en temps, mais rarement longue. Le bon plan, vu le prix des hôtels autrichiens, c'est de dormir à Bratislava et de visiter Vienne dans la journée ! Vous pouvez changer vos francs une fois arrivé, mais sachez que la vie y est bien plus chère...

– LA SLOVAQUIE CENTRALE –

NITRA   IND. TÉL. : 087

Sur l'axe routier principal qui mène vers l'est du pays, vous passerez certainement par Nitra, à 80 km à l'est de Bratislava. Elle porte le titre de « mère des villes slovaques » en raison de son passé, plutôt tourmenté. Les premières traces de colonisation de la région remontent au néolithique (30 000 – 25 000 ans av. J.-C.). Au XIIIe siècle, la ville est tombée entre les mains de ses évêques et est restée, jusqu'au XVIIIe siècle, le seul évêché de toute la Slovaquie. Ce qui lui confère aujourd'hui son principal attrait culturel et sa forte dominante religieuse. Si cette ville manque d'ambiance, les vieux quartiers sont pleins de charme. Comme vous serez certainement amené à y passer, prenez le temps de vous arrêter et de vous promener jusqu'au château qui la domine.

SLOVAQUIE CENTRALE

Adresse utile

🛈 **Bureau régional du tourisme :** Stefánikova 46. ☎ 410-906. Ouvert de 9 h à 18 h, fermé le week-end.

Où manger ?

|●| **Piano Café :** Farská ul. 46. ☎ 772-16-51. Ouvert du lundi au vendredi de 10 h à 23 h, le samedi de 12 h à 23 h et le dimanche de 12 h à 22 h. Petit restaurant où l'on prend son repas dans une cour agréable ou dans une grande salle. C'est pas très cher et l'ambiance est plutôt jeune. On peut également y boire un coup, loin des touristes de la rue Stefánikova.

– À deux pas dans la même rue, il y a une grande **pâtisserie,** où l'on peut déguster des spécialités slovaques en buvant un verre. Les prix particulièrement bas permettent de faire des assortiments assez sympa.

|●| **Izba Starej Matere :** Radlinského 8. ☎ 563-034. Ouvert tous les jours de 10 h à 22 h. Dans une grande salle typique ou sur une terrasse très agréable en été, on sert une cuisine slovaque copieuse à des tarifs raisonnables.

À voir

★ **Nitrianské múzeum :** Stefánikova 2. Ouvert tous les jours, sauf le lundi, de 8 h à 11 h 30 et de 12 h à 17 h en semaine ; de 10 h à 17 h le week-end. C'est sans doute ce qu'il ne faut pas manquer à Nitra. Un petit musée aménagé avec les moyens du bord qui recèle de nombreux trésors. Normalement consacré à l'histoire régionale, il présente bon nombre des découvertes archéologiques de Slovaquie. On y trouve notamment de la monnaie du début de cette ère trouvée dans la région d'Orava ; un couteau trouvé dans la région du Danube et datant de la même époque ; de superbes statuettes byzantines en ivoire du IVe siècle et surtout la fameuse *Vierge de Morava*. Cette sculpture de quelques centimètres de haut, taillée dans un os de mammouth, est l'un des objets les plus vieux de Slovaquie. Une langueur et une féminité troublantes se dégagent de cette statuette sans bras, ni jambes. La visite se termine par une exposition graphique contemporaine beaucoup moins intéressante. Si vous avez de la chance et si vous montrez un peu d'intérêt, c'est Emília, une vieille Slovaque, qui vous fera visiter le musée et vous expliquera l'histoire de chacune des pièces exposées, y compris en mimant pour se faire comprendre... Ah, la barrière du langage !

★ *Le château (Nitriansky hrad) :* vous ne pouvez pas le rater, il domine la ville. Ouvert tous les jours de 7 h à 13 h et de 14 h à 16 h. Le château est composé du palais épiscopal, des fortifications (avec la *tour Vazal*) et de la cathédrale. Celle-ci est composée de trois éléments juxtaposés. Les deux parties supérieures sont de style baroque, très surchargées en marbre peint. À droite, dans la partie centrale, vous verrez un maître-autel en marbre (1662) représentant la déposition du Christ. Faites-vous ouvrir la porte qui se trouve juste à droite pour accéder à la partie la plus ancienne de la cathédrale, vestige d'une basilique du XIIe siècle. Vous y verrez notamment deux superbes reliques (à droite et à gauche) et un sceau magnifique (à droite). À l'extérieur, jetez un œil sur la plaine et remarquez au loin la petite *église de Nitra Drážovce,* posée en haut d'une colline sur votre droite.

★ *La synagogue :* dans une rue perpendiculaire à Stefánikova, aux toits en bulbes de cuivre, construite en 1911 dans un style très oriental.

★ *L'église, le cloître et le lycée Piaristes :* Piaristická ul. À l'entrée de la ville basse, sur la gauche en venant de Bratislava. Remarquable complexe baroque à double clocher. À l'intérieur, une déco rococo surchargée et un imposant autel de marbre et de stuc.

★ *Le théâtre municipal :* à droite, sur la route principale (Štúrova ul.) en arrivant de Bratislava. Remarquez cet édifice ocre et les maisons bourgeoises à un étage qui le bordent.

★ *Le Calvaire :* au loin, sur les hauteurs, se dresse la chapelle de la Sainte-Croix. On y parvient à pied, en suivant les quatorze chapelles – « Quatorze arrêts du Christ sur le chemin de Croix ». Au pied de la colline se trouve l'église de Notre-Dame.

Dans les environs

★ *Kostolany Pod Tribecom :* à 24 km au nord-est de Nitra. Prendre à gauche à l'entrée de *Neverdice* et aller jusqu'au fond de la vallée. Vous passerez notamment devant la charmante gare de *Ladice*, et apercevrez les ruines du château sur votre gauche. Possibilité de s'y rendre en bus à partir de Nitra. Ce petit village est un lieu de villégiature très prisé des habitants de Bratislava, qui y passent leurs week-ends. C'est également le point de départ de nombreuses balades dans des forêts riches en champignons. L'une d'elles vous conduira (comptez 1 h aller) aux superbes ruines d'un château du XIIIe siècle. Sur les hauteurs du village, se dresse ce qui est considéré comme l'un des plus vieux édifices religieux de Slovaquie. Il s'agit d'une petite église préromane, modifiée au XIIIe siècle. Les commentaires sont en français, ce qui n'est pas toujours le cas à Bratislava. Surtout recommandé pour les fanas de randonnées ou ceux qui ont beaucoup de temps.

KREMNICA   IND. TÉL. : 0857

À une trentaine de kilomètres au nord de Banská Štiavnica et à l'est de Zvolen, une autre ville minière importante d'où étaient extraits les métaux les plus précieux comme l'or. La ville s'est chargée également de les traiter : en 1328, les premières monnaies sont frappées à Kremnica. La ville a été le principal fournisseur de monnaie en Europe centrale pendant plusieurs siècles. L'édifice protégé de l'ancien hôtel de la monnaie n'est pas ouvert au public. Il continue à servir à la coulée de métaux, à la fabrication d'insignes et de médailles. La ville conserve de son passé de nombreux édifices gothiques et un charme indéniable, qui mérite le détour, mais pas d'y rester.

Adresse utile

◻ Infocentrum : à côté de la porte de la vieille ville. Ouvert en semaine de 9 h à 12 h et de 12 h 30 à 17 h.

À voir

★ **Le château urbain :** ouvert tous les jours de 9 h à midi et de 13 h à 17 h (dernière visite à 16 h). C'est un groupe d'édifices moyenâgeux entouré d'un double système de fortifications qui dominent la place. L'église et les tours ont été construites entre les XIIIe et XVe siècles. Dans l'église Sainte-Catherine on peut voir une statue gothique originale de la Vierge Marie. L'orgue, composé de 3 500 fûts, est, d'après les spécialistes, le meilleur que l'on puisse trouver en Slovaquie au niveau de l'acoustique : il a été fabriqué en totale symbiose avec l'espace de l'église.

★ **Musée de la Monnaie et de la Médaille** *(Mincí a Medailí múzeum) :* au n° 10/19 de la place centrale. Ouvert de 8 h à 13 h et de 13 h 45 à 16 h 30. Fermé les lundi et dimanche. Situé dans une maison gothique du XIVe siècle, il résume l'histoire de Kremnica depuis le XIVe siècle. Très bon accueil et très intéressante visite si vous trouvez un traducteur.

★ **La colonne de Peste :** sur la place centrale. Imposante colonne baroque, récemment rénovée, œuvre des sculpteurs D. Stanetti et M. Vogerle. Dans la partie inférieure, on peut voir les saints protecteurs contre la peste, et sur le sommet, un groupe de sculptures représentant la Sainte-Trinité.

★ **Le musée du Ski :** sur la place centrale. Petite exposition retraçant l'histoire des sports de neige. Ouvert de 8 h à 13 h et de 13 h 30 à 16 h 30 d'avril à octobre, tous les jours sauf les dimanche et lundi.

★ Tout autour de la place on trouve de nombreuses **maisons gothiques**, notamment la maison de la Monnaie, qui avait sa propre salle d'armes, et l'hôtel de ville, orné d'un balcon et de sept fenêtres verticales. Sur le bas de la place, vous verrez l'église des Franciscains qui jouxte le monastère du même nom. Au bout de la place, en bas du château, prolongez dans Kutnohorskad ulica : vous y verrez des maisons basses non rénovées, et pourrez accéder, en montant sur votre droite, à l'entrée nord du château.

BANSKÁ ŠTIAVNICA

IND. TÉL. : 0859

À 130 km au nord-est de Bratislava, cette ville fait partie des petits bijoux de la Slovaquie, posée sur l'écrin des Veľkás Fatras. Il ne faut donc pas la manquer. Du fait de sa situation géographique particulière, adossée à la montagne dans une étroite vallée, elle a été épargnée, voire oubliée, par le régime communiste. On peut admirer ses immenses maisons qui sont la marque de son ancienne et extrême richesse. Ville minière de référence, dès les XIIe et XIIIe siècles, on a commencé à y construire un réseau de lacs artificiels dont l'eau constituait la source d'énergie pour alimenter les machines d'extraction. Le cuivre, l'or, l'argent et le fer sont devenus les piliers du pouvoir royal. En 1736, Banská Štiavnica était le siège de la première académie minière du monde. En 1829, on y extrayait 75 % de la production européenne d'or et d'argent. En 1979, la montagne Štiavnicke est devenue zone protégée pour sa faune et sa flore. Enfin, Banská Štiavnica est devenue patrimoine mondial de l'Unesco en 1992.

Service d'informations à côté de l'église Sainte-Catherine (mais infos pas toujours fiables, notamment concernant les horaires de bus).

La ville n'étant pas très grande, tout peut se faire à pied.

SLOVAQUIE CENTRALE

Où dormir ?

Pensions

▲ **Penzión Steingrube :** Akademická 15. ☎ 225-09. Le jardin de Zuzana est mitoyen au jardin botanique (on peut difficilement être mieux situé !). Sa maison a plus de 300 ans et est pleine d'un charme rustique, vieillot, comme en dehors du temps. Zuzana, quant à elle, a toujours le sourire, peut-être à force d'entendre son fils et son mari jouer du piano, du trombone ou du violon, selon les humeurs du moment.

▲ **Penzión Tomino :** Akademická 9. ☎ et fax : 215-64. À droite de la pizzeria et à quelques pas de la pension Steingrube, la pension Tomino est un peu plus chère et présente beaucoup moins de charme. Cela dit, la maison récemment rénovée est très propre et les chambres sont grandes et calmes. Il y a également un petit bar et un jardinet.

Plus chic

▲ **Hôtel Grand Matej :** Kammerhofská 3. ☎ 237-82. Fax : 621-294. C'est l'hôtel chic de la ville. Le patron, un fana de jazz qui organise des concerts et fait parfois venir des musiciens des États-Unis, est également celui du restaurant Matej (on s'en serait douté). Il propose de grandes chambres propres, agréables et confortables (TV et salle de bains), avec une vue magnifique sur la ville. Très bon petit déjeuner, copieux, inclus dans le prix.

Où manger ?

|●| **Potraviny Lahôdky :** Višňonskeito 1. Dans une petite rue qui part en face de l'hôtel Grand Matej, un grand lahôdky traditionnel avec haluskys et galettes de pommes de terre. C'est dans le centre et vraiment pas cher.

|●| **Le restaurant de l'hôtel Grand Matej :** Kammerhofská 3. ☎ 238-88. Ouvert tous les jours de 12 h à 22 h. C'est un peu plus chic que toutes les autres adresses, mais à peine plus cher. Le chef propose des plats très variés et surtout une cuisine très raffinée, ce qui est rare ou très cher en Slovaquie. Les amoureux des bon-

nes tables ne doivent pas manquer celle-ci.

|●| **Reštaurácia Matej :** Akademická 4. ☎ 220-51. Ouvert tous les jours de 11 h à 23 h et jusqu'à minuit le samedi. Cette ancienne pension dispose d'une petite terrasse avec vue sur le nouveau château. Les plats ne sont pas terribles et un peu chers, mais c'est là qu'on peut boire un verre le soir ou l'après-midi.

À voir

★ **Le musée des Mines en plein air** *(Banské múzeum v prírode)* : à la sortie de la ville. Ouvert en juillet et août tous les jours de 8 h à 16 h ; de septembre à juin, uniquement du lundi au vendredi de 8 h à 15 h. La visite s'effectue avec au moins 15 personnes. On descend dans la mine muni d'un casque et d'une lampe électrique. Les tableaux, le long du parcours, expliquent très clairement les différentes méthodes utilisées au cours des siècles. Prévoir du temps, des bonnes chaussures et une petite laine.

★ **Le Vieux Château** *(Starý Zámok)* : ouvert tous les jours sauf le lundi, de 8 h à 15 h. Visites toutes les heures. C'est la dominante historique de la ville. À la base c'était une basilique de style roman du XIIIᵉ siècle. Au XVIᵉ, une église gothique a été construite à son emplacement, puis elle a été fortifiée pour faire face à l'invasion des Turcs. Maintenant que sa restauration est terminée, le château a plutôt du charme et on peut faire le tour de l'église par le chemin de ronde. À l'intérieur de l'église, un magnifique escalier en colimaçon, vous mènera... nulle part. À la sortie, sur votre gauche, vous pouvez monter en haut du clocher et vous offrir une vue magnifique sur la ville.

★ **Le Nouveau Château** *(Nový Zámok)* : il domine la ville, sur six étages. Cette ancienne tour de guet, du XVIᵉ siècle, abrite le **musée des Armes turques** *(Protiturecké Poje na Slovensku expozícia)*. Ouvert tous les jours, sauf le lundi, de 8 h à 16 h. Entrée toutes les 45 mn. La dernière est à 15 h. Ce musée retrace l'histoire de l'invasion des Ottomans et de la résistance slovaque face à l'envahisseur. Le site offre surtout un panorama magnifique sur la région et l'église du calvaire.

★ **Le musée des Minéraux** *(Mineralogicko-ložisková expozícia)* : dans le bâtiment Renaissance Berggericht, sur la place où se dresse la colonne de la Sainte-Trinité. Ouvert de 8 h à 16 h. Intéressant musée avec plus de 2 000 pièces exposées, provenant du monde entier. À faire surtout si vous avez le temps ou une passion pour les minéraux.

★ **L'église du Calvaire :** elle est située sur une colline face à la ville. Malgré la baisse de l'exploitation minière à la fin du XVIIIᵉ siècle, on a continué à construire. De style baroque, le calvaire date de cette époque. On emprunte un petit chemin de croix à travers la forêt pour y parvenir.

★ **Le jardin botanique** *(botanická záhrada)* : dans le jardin, plusieurs bâtiments d'enseignement supérieur et notamment la fameuse École slovaque des Mines et de l'Industrie, première école des mines d'Europe, fondée en 1762. Le jardin est très agréable, mais malheureusement mal entretenu, pour le plus grand bonheur des écureuils.

★ **Klopačka :** ouvert tous les jours, sauf le lundi, de 8 h à 16 h de mai à septembre, et de 8 h à 15 h le reste de l'année. Le « battant » *(klopačka)* servait autrefois de réveil municipal : toutes les 15 mn, deux morceaux de bois tapés l'un contre l'autre indiquaient l'heure aux mineurs. Le *musée* qu'il abrite présente une exposition consacrée au travail dans les mines.

Dans les environs

– Possibilité également de faire des randonnées au-dessus de Banská Štiavnica pour rejoindre les différents *lacs* artificiels, véritables petits lacs de montagne où les jeunes de la région viennent se baigner. Il est également possible de faire de grandes balades à pied.

★ *Le château d'Antol :* à 6 km de Banská Štiavnica. Ouvert de 8 h 30 à 16 h. De style baroque néo-classique, il date du XIVe siècle et a la particularité de posséder un toit en bois. Il abrite un musée de la Sylviculture, de la Chasse et de l'Exploitation du bois. On y trouve également des meubles des XVIIIe et XIXe siècles. Le parc du château est très agréable, avec des cascades et un petit lac.

ZVOLEN   IND. TÉL. : 0155

Zvolen, petite ville située sur le Hron, n'a pas le charme d'autres villes de la région et, hormis pour son château, elle ne mérite pas le détour. Cependant vous serez sûrement amené à y passer, et dans ce cas, nous vous conseillons vivement de vous arrêter une petite heure pour admirer l'exposition de peinture et les intérieurs du château.

À voir

★ *Le château :* datant du Moyen Âge, il a été reconstruit au XVIe siècle et rénové dans les années 60. À l'intérieur se trouve la plus large exposition de peintures de la Renaissance en Slovaquie. Ouvert tous les jours sauf le lundi de 10 h à 17 h (16 h le dimanche en été).

BANSKÁ BYSTRICA   IND. TÉL. : 088

À 200 km au nord-est de Bratislava et à 70 km au sud-ouest de Liptovský Mikuláš, cette ville de 85 000 habitants a possédé les plus grandes mines d'argent puis de cuivre du continent européen. Elle faisait la richesse du royaume de Hongrie et en a conservé un centre historique de grande qualité architecturale. Tout autour de la place centrale, vous trouverez de superbes bâtisses, témoins de cette richesse passée.

La ville fut aussi un important centre de résistance pendant la seconde guerre mondiale et constitue maintenant un pied-à-terre agréable pour visiter les environs. Elle est posée à la jonction de trois massifs montagneux : les Basses Tatras, les Grandes Fatras et les Monts métallifères.

Adresse utile

▣ *Kultúrne a Informačné Stredisko (KIS) :* Stefána Moysesa nám. 26. ☎ 543-69. Ouvert de juin à septembre, du lundi au vendredi de 8 h à 19 h, et d'octobre à mai, du lundi au vendredi de 9 h à 17 h.

Où dormir?

Chez l'habitant

🛏 *Stefán Hríbik :* M. M. Hodžu 5. ☎ 753-119. Dans un pavillon privé, des chambres à louer à deux pas du centre-ville. Stefán propose des petites chambres très propres avec TV et jardin fleuri, pour une bouchée de pain. Une très bonne adresse, tellement bonne qu'on s'y bouscule et qu'il est prudent de réserver à l'avance. Si c'est complet, le *KIS* vous donnera d'autres adresses.

De bon marché à prix moyens

🛏 *Hôtel Národný Dom* : Národná ul. 11. ☎ 723-737. Fax : 725-786. Dans le centre, à côté de l'opéra et d'une boîte de nuit, cet hôtel pro-pose des chambres pas très chaleu-reuses mais propres, et surtout ce sont les moins chères dans le centre-ville. Vérifiez bien le matelas car certains laissent à désirer ; dans ce cas n'hésitez pas à demander une autre chambre.

Très chic

🛏 *Hôtel Arcade* : SNP nám. 5. ☎ 702-111. Fax : 723-126. On peut difficilement faire plus central que ce grand hôtel de luxe. C'est un hôtel magnifique, moderne, dans une vieille maison rénovée. Les chambres sont de vrais studios, décorés avec goût, et il y règne une atmo-sphère feutrée propice au repos. In-sistez pour avoir une chambre ayant vue sur la place.

Où manger?

Bon marché

🍴 *Jedáleň Ú Másiarov :* SNP nám. 17. Ouvert du lundi au ven-dredi de 7 h à 18 h, et le samedi de 8 h à 14 h. En haut de la place cen-trale, derrière une superbe façade, un petit *lahôdky* traditionnel. Self-service ; possibilité de s'asseoir.

De prix moyens à plus chic

🍴 *U Komediantov :* Horná Strie-borná ul. 13. ☎ 52-554. Plutôt chic et très agréable. Vous pourrez dé-guster du gibier de la région dans une cave bien aménagée ou sous une verrière.

Où boire un verre?

– *Discount Bagatella :* Národná ul. Dans le centre, à côté de l'hôtel *Ná-rodný Dom*. Ce n'est pas un bar mais une boutique qui vend de l'al-cool, du tabac ou de quoi grignoter même tard le soir. Ouvert tous les jours de 14 h à 22 h.
🍷 *Pub 21 :* Dolna ul. Ouvert du lundi au jeudi de 11 h à 2 h, le vendredi de 11 h à 4 h, le samedi de 15 h à 4 h et le dimanche de 15 h à minuit. Tout en bas de la place centrale, un pub de style anglais avec des voitures qui sortent des murs. Les prix sont largement accessibles et la musique plutôt bonne.

À voir

★ *Le musée de la Slovaquie centrale* (Stredoslovenské múzeum) : SNP nám. 4. Ouvert tous les jours, sauf le samedi, de 9 h à 12 h et de 13 h à 17 h. Il se situe dans la célèbre maison Thurzo, où siégeait la société du même nom, propriétaire des mines de la région. Sur deux étages, vous trouverez l'histoire de la région du néolithique à nos jours. Il y a de très belles pièces, notamment une vache sculptée dans un os, datant du néolithique, et trouvée dans la région de Zvolen. L'intérieur du bâtiment vaut aussi, en soi, la visite. À l'extérieur, la façade est décorée selon le procédé sgraffite : cela consiste à appliquer une couche de mortier blanc sur un fond de couleur, puis à gratter pour faire apparaître le dessin. On en retrouve dans plusieurs villes de Slovaquie.

★ **Le musée de l'Insurrection slovaque :** Kapitul ská. 23. Ouvert tous les jours, sauf le lundi, de 9 h à 18 h. Dans un grand bâtiment moderne, censé évoquer un bateau, très laid et dans le plus pur style « real-socialism ». Autour du bâtiment, des tanks et des avions. À l'intérieur, exposition photographique sur l'engagement slovaque depuis la création de la Tchécoslovaquie jusqu'à nos jours.

★ **La place centrale :** de très beaux bâtiments dont l'hôtel de ville, la cathédrale Saint-François-Xavier datant du XVIIe siècle et une tour du XVIe siècle. Enfin, on pourra aussi remarquer le monument de l'Armée rouge en marbre noir.

Dans les environs

★ **La grotte Harmanecká** (Harmanecká jaskyňa) : située à quelques kilomètres au nord-ouest de la ville. Du 15 mai au 15 septembre, visite guidée toutes les heures de 10 h à 16 h ; début mai et du 15 septembre au 31 octobre, visites guidées tous les jours sauf le lundi à 10 h, 12 h et 14 h.

★ **Hronsek :** à 10 km au sud de Banská Bystrica, entre Zvolen et Vilkanova. À ne pas manquer, un petit village avec une charmante église en bois. Le beffroi, tout en bois lui aussi, lui fait face. Dans le village, ne manquez de vous arrêter voir *Kastel z Roku*, une très belle maison baroque transformée en école, avec un gigantesque nid de cigogne sur le toit.

★ **Špania Dolina :** un beau village sur les hauteurs de Banská Bystrica. On accède à une église du XVIe siècle par un gigantesque escalier de bois au pied duquel de vieilles Slovaques attendent les rares touristes en brodant. Dans le village, de belles maisons typiques et hétérogènes. Point de départ de nombreuses randonnées.

★ **La vallée de Špania :** où vous pourrez aller admirer sur les petites routes des villages remarquablement conservés.

★ **Staré Hory :** à 10 km au nord de Banská Bystrica. Encore une église de style baroque, avec fonts baptismaux dorés et surchargés.

★ **Donovaly :** à 25 km au nord de Banská Bystrica, par la route E77. C'est l'une des stations de ski de Slovaquie, réputée pour ses équipements. La vallée est superbe, du coup elle est tombée aux mains des promoteurs qui s'en donnent à cœur joie.

VLKOLINEK

À 50 km au nord de Banská Bystrica et à 5 km au sud de Ružumberok, par la E77. Ce petit village, perdu en haut des montagnes des Veľká Fatra et oublié par la plupart des guides, est pourtant un petit bijou. Classé patrimoine mondial par l'Unesco en 1993, il est composé d'une trentaine de maisons traditionnelles en bois (il y en avait 50 avant-guerre), réunies autour d'une chapelle elle aussi tout en bois.

La première référence sur ce village hors du commun date de 1376. À part les habitations, on y trouve juste un café (ouvert de 9 h à 17 h) et un tout petit musée, charmant et au prix d'entrée dérisoire, sur l'architecture traditionnelle et les coutumes montagnardes (ouvert de 9 h à 17 h). Le panorama est superbe et le site exceptionnel. Ami lecteur, un endroit à ne pas manquer car bien moins touristique que de nombreux villages dits « traditionnels ».

ŽILINA   IND. TÉL. : 089

À 200 km au nord-est de Bratislava, Žilina est la première ville importante sur la route des Tatras et un bon point de départ pour les excursions pédestres dans les Malá Fatra. Elle a gagné beaucoup de charme avec la rénovation de la vieille ville et propose quelques sites magnifiques à visiter. De la place centrale, composée de maisons bourgeoises de style gothique et Renaissance baroque, partent toutes les rues importantes.

Adresses utiles

🛈 **CKM :** Hodzoka 208. ☎ 62-35-18. Infos sur les hôtels et les chambres chez l'habitant.

◼ **Seliman Travel Agency :** Burianova Medžerka 4. Ouvert du lundi au vendredi de 8 h à 17 h. Tient lieu d'office du tourisme. Ils ont de très bonnes infos sur toute la région et parlent le français et l'anglais. Passé l'accueil, un peu froid, on vous renseignera très bien.

Où dormir ?

Campings

🛏 **Autocamp Varín :** ☎ 692-410. Fax : 623-3171. À la sortie de Varín, à une dizaine de kilomètres à l'est de Žilina. Un petit camping très familial avec tennis et sauna, à des prix raisonnables. Possibilité de louer des bungalows pas trop chers. Devient très économique si l'on est quatre. Une quinzaine de bus par jour pour Terchová et Žilina.

Hôtels

🛏 **Hôtel Polom :** Hviezdoclavova 22. ☎ 621-151. Fax : 621-743. Dans le centre, de petites chambres pas fantastiques mais propres, idem pour la salle de bains. C'est moins cher en semaine et cela devient un vrai bon plan si l'on prend les chambres sans toilettes. Sur le palier, celles-ci ne sont pas terribles mais praticables tout de même.

🛏 **GMK Centrum :** Mariánske nám. 3. ☎ 622-136. Fax : 624-126. Sur la place principale, cette pension ne présente aucun intérêt particulier, sinon d'être centrale et à des tarifs intermédiaires. Les chambres sont propres et avec TV. Dans le bâtiment, un restaurant, un bar et un *lahôdky*.

🛏 **Hôtel Slovan :** Kmet'ova 2. ☎ 620-556. Fax : 622-309. Petites chambres agréables dans le centre-ville. Plus propre que le *Polom*, moins cher que l'*Astoria*.

🛏 **Astoria Hotel :** Národná ul. ☎ 624-711. Fax : 623-173. Très bel hôtel moderne de luxe dans le centre. De belles chambres calmes, avec TV et vue sur la place A. Hlinku. C'est très bien, très chic, très cher.

Où manger?

Bon marché

|●| *U Méštána :* Farská ul. Ouvert du lundi au vendredi de 1 h à 19 h. Un *lahôdky* traditionnel, où l'on mange debout ou assis dans une ambiance cantine pour pas cher du tout.

De bon marché à prix moyens

|●| *Na Brána :* Bottava ul. 10. ☎ 487-97. Ouvert à l'heure du déjeuner uniquement. C'est le rendez-vous du coin. On y déguste, pour une bouchée de pain, des plats slovaques finement préparés et copieux. Les serveuses ont le sourire et il y a beaucoup de monde. Du coup, quand il n'y plus de table libre, on s'assoit à celle des autres.

|●| *Slovenská Jedálen :* Trnavská ul. 10. Ouvert du lundi au vendredi de 9 h à 22 h, le samedi de 11 h à 20 h et le dimanche de 12 h à 20 h.

À deux pas du centre-ville, un petit restaurant en pin blanc typiquement slovaque. Les plats sont traditionnels et pas chers.

|●| *Tosca Café-Restaurant :* Štúrova ul. 2. ☎ 621-197. Ouvert du lundi au jeudi de 10 h à 23 h, le vendredi de 10 h à 24 h et le samedi de 16 h à 24 h. Il y a toujours un peu de monde, c'est un peu chicos et pas très animé, mais on y sert à manger un peu plus tard que dans les autres établissements.

Plus chic

|●| *Gastro Nóvum :* Závodská cesta 2961. ☎ 476-63. Considérée comme l'une des meilleures tables de Žilina. Ce restaurant slovaque, propose des plats slovaques, dans un cadre slovaque. Si l'accueil laisse parfois à désirer, on y mange bien, et les prix restent malgré tout très raisonnables.

Où boire un verre?

♈ *Emócia Gallery :* Stefánikova ul. 2. ☎ 624-884. Ouvert du lundi au jeudi de 10 h à 18 h et le vendredi de 10 h à 22 h. Accolé à la galerie Povazská, c'est le café branché de Žilina où se retrouvent les jeunes artistes. La déco est très *in* : murs noirs décorés de dessins d'enfants, de trophées de chasse et de grandes photos d'art. C'est pas très cher et ça change de ce que l'on voit d'habitude en Slovaquie.

♈ *Méštán :* Farská ul. À côté du *lahôdky* du même nom. Ouvert du lundi au jeudi de 11 h à 23 h, le vendredi de 11 h à minuit et le dimanche de 17 h à minuit. Une autre bonne adresse du centre-ville : un grand pub dans une cave en pierre, très rock'n'roll. La pinte de bière est à environ 3 F et les barmen sont sympa.

À voir

★ *Le château de Budatin :* ouvert de 8 h à 16 h. Fermé le lundi. À l'entrée de la ville en provenance de Trecín, il est reconnaissable à son gros donjon d'une blancheur immaculée. Édifice Renaissance mâtiné de baroque. Il abrite le Musée régional possédant des œuvres de ferblanterie. L'élément historique le plus important est le Livre de Žilina, l'un des premiers manuscrits en langue slovaque, qui date de 1378.

Dans les environs

★ _Le château de Strecno :_ à 15 km de Žilina en direction de Martin. Ouvert de mai à octobre, de 9 h à 17 h et jusqu'à 18 h de juin à août. À ne pas manquer. Sur un site remarquable, dominant le Vah, ce sont les vestiges en partie reconstitués d'une superbe forteresse du XIVᵉ siècle. Le château a pris son essor au tournant du XVᵉ et du XVIᵉ siècles, avant d'être détruit par le feu sur ordre de Léopold Iᵉʳ, en 1698. Le 30 août 1994, des soldats français, évadés de camps de prisonniers allemands, ont été chargés par le Soulèvement national slovaque (SNP) d'arrêter, depuis ce château, l'avancée de la Wehrmacht dans le défilé de Strecno.

● _Stahrad :_ dans Strecno, sous le château, une barge embarque les voitures pour l'autre rive : très utile pour éviter de repasser par Žilina. Stahrad était une place forte, de guet, construite sur le même modèle que le château de Strecno qui lui fait face. Aujourd'hui en ruine, elle n'a pas (encore ?) été rénovée et présente moins d'intérêt que sa jumelle. Par contre, on s'y rend à pied par une très belle balade qui domine le Vah. Comptez 20 mn.

★ _Rajecká Lesná :_ à 25 km au sud de Žilina en direction de Čičmany. Ouvert de 9 h à 12 h et de 13 h à 17 h. Ce petit village propose une exposition insolite, voire incongrue : une reproduction en bois de Bethléem sur 8,50 m de large et 3 m de haut. Au fond du village, un petit calvaire avec une belle vue sur le village et la région. Au fond du village également, une source d'eau chargée de magnésium.

ČIČMANY

C'est un village reconstitué, pour les touristes, de plus d'une centaine de maisons en bois typiques, recouvertes de fresques blanches. En été, les femmes sont habillées du costume traditionnel multicolore, toujours pour les touristes, qu'elles invitent à venir admirer (et acheter) leurs broderies. Bref, cela manque autant de spontanéité que d'intérêt, d'autant que vous allez en visiter d'authentiques sur votre route. Si vous tenez à y aller, l'endroit peut être un bon point de départ pour des randonnées, et en hiver on y trouve trois pistes de ski.

À voir

★ _L'écomusée :_ au centre du village. Ouvert de 8 h à 16 h sauf le lundi. Visite commentée en anglais, allemand et slovaque. Musée ethnographique qui retrace la vie des habitants et expose les outils et le mobilier traditionnels.

BOJNICE · IND. TÉL. : 0862

★ _Le château de Bojnice :_ à la périphérie de Prievidza. À 180 km au nord-est de Bratislava et à 60 km au sud de Žilina. Ouvert tous les jours sauf le lundi, de 8 h à 17 h de mai à octobre, et de 9 h à 15 h d'octobre à mai. C'est un château construit sur le modèle de ceux de la Loire par la richissime famille hongroise Pálfy. Il est entouré de douves et de remparts récemment rénovés, et composé de 250 pièces dont on peut en visiter un tiers. Les guides sont en costumes traditionnels. On y admirera une superbe exposition (dans laquelle on a néanmoins relevé quelques anachronismes et incongruités). Dans la troisième pièce, le jardin d'hiver, remarquez que le plus grand tableau, en entrant à gauche, représente Louis XVI et Marie-Antoinette, qui n'était autre que la fille de Marie-Thérèse, la puissante impératrice d'Autriche. Plus loin, dans le superbe salon oriental, le lustre est remarquable. Vous verrez également de superbes tables incrustées de pierres précieuses, une très belle salle d'armes et le tombeau du dernier Pálfy, dont la pierre pèserait 7 tonnes. À la sortie, le jardin zoologique est le plus vieux de Slovaquie. Il y a également des démonstrations de vols d'oiseaux prédateurs, à 10 h 30, 12 h, 13 h et 14 h 30.

LES MALÁ FATRA

Les Malá Fatra (Petites Fatras) sont une petite chaîne de moyennes montagnes à l'ouest de la Slovaquie, qui remonte jusqu'aux Hautes Tatras. Les sommets les plus élevés culminent à 1 600-1 700 mètres. Le paysage, de petites routes de campagne douces et boisées, est magnifique, particulièrement propice aux balades et aux randonnées avec ses torrents et cascades. À l'est de Žilina, toujours dans les Malá Fatra, un parc national de 200 km² ouvre la voie, sur 10 kilomètres, à la magnifique vallée de Vratná. De nombreux touristes slovaques et étrangers y passent leurs vacances et leurs week-ends dans de grandes balades bucoliques en été, ou de longues journées de ski, l'hiver.

On accède à **la vallée de Vratná** et au **Parc national des Petites Fatras** (*Národný Park Malá Fatra*) à partir de **Terchová**. À la sortie de la ville, une grande statue est consacrée à Juraj Jánosik, Robin des Bois slovaque, né dans la région et célèbre dans tout le pays. Un petit musée lui est consacré à l'intérieur de la ville. C'est tout le long de la célèbre vallée de Vratná que vous trouverez les chemins de randonnée, jusqu'au « village » de **Vratná**, où se trouve le télésiège qui fonctionne, en principe, l'été. Il monte à 1 500 m, au *col de Snilovské Sedlo*. De là, en 1 h environ, on parvient sans trop de difficultés au *pic Chleb* (1 645 m) et au *Velký Fatranský Kriváň* (1 700 m), parmi les sommets les plus élevés des Petites Fatras.

À l'entrée de la vallée, sur la gauche, une route conduit à **Stefánova**. C'est un petit village qui a beaucoup plus de charme que Vratná, et duquel partent de très belles randonnées, notamment celle dite *Jánosík*.

– À l'entrée du village, à droite, le **Slovakotour**, ☎ (089) 695-222, donne plein d'infos sur les hébergements chez l'habitant, les randonnées à faire et les questions de sécurité.

Où dormir ?

🛏 **Bungalows et camping :** à l'entrée de Krasňany (en direction de Terchová).

🛏 Autre **camping** sympa : à l'entrée de la vallée, juste avant Bela Nižné Kamence. Site très verdoyant. Au bord d'un ruisseau et ombragé.

🛏 **Chambres chez l'habitant :** la formule la moins chère. Au service d'information, à l'entrée de Stefánova à droite, Magdaléna, une femme très sympathique et qui connaît la région comme sa poche,

propose plusieurs chambres chez l'habitant. ☎ (089) 695-222.

🛏 **Chata Vratná :** Vratná. ☎ (089) 695-731. C'est un superbe chalet, très chaleureux, au fond de la vallée et aux pieds des pistes. Les chambres sont typiquement montagnardes et les salles de bains sont propres. Attention, demi-pension obligatoire.

🛏 **Penzión Stárek :** Stefánova. ☎ (089) 695-359. Le patron, aux cheveux longs, poivre et sel, qu'il porte avec catogan, propose de petites chambres propres, refaites à neuf. Il tient également un bar et un restaurant. L'ambiance est détendue mais c'est un peu cher.

🛏 *Hôtel Terchová :* Terchová. ☎ (089) 695-625. Fax : (089) 695-630. C'est un très bel hôtel, de luxe, propre et agréable avec vue sur l'entrée de la vallée.

À voir

★ Vers Dolný Kubín, belle route de montagne. À *Zázrivá,* quelques vieilles maisons en bois. En revanche, Dolný Kubín est une ville industrielle sans charme. À la sortie de *Vyšný Kubín* (vers Ružomberok), splendide manoir en bois avec toits et dômes couverts de lauzes. À *Istebné,* une superbe église en bois, tout au fond du village à droite. Se faire ouvrir par quelqu'un du presbytère si c'est fermé.

★ *Le château d'Orava :* à 8 km au nord de Dolný Kubín. Ouvert tous les jours de 8 h 30 à 16 h en mai, septembre et octobre, et jusqu'à 17 h de juin à août. Sur réservation le reste de l'année. ☎ (845) 93-122. À ne surtout pas manquer, c'est sans doute l'un des plus beaux châteaux du pays. Construit, dès le XIIIe siècle, en trois parties, il semble posé en haut d'un puissant piton rocheux, qui lui sert de fondation. Cette forteresse domine la rivière Orava du haut de ses 106 m. Sa position stratégique permettait à ses propriétaires de contrôler la route vers la Pologne, à ses habitants de se défendre des envahisseurs, et à nous elle permet de profiter d'une vue magnifique. À l'intérieur, visite (en anglais) très intéressante.

★ *Sihelné :* à côté de la frontière polonaise, perdu dans l'Horná Orava.

🛏 *Hôtel Biela Fermas :* 02946 Sihelné. ☎ et fax : (0846) 946-35. Réservation de France : ☎ 01-45-47-38-20. Un de nos compatriotes, Gilles Le Bartz, a monté ce centre de vacances. Un vrai paradis pour les amoureux de la nature : lac à 10 km accueillant baigneurs, véliplanchistes et kayaks. Varappe et randonnées en montagne.

Les musées en plein air

Appelés *skanzens* (aussi bien en Slovaquie qu'en République tchèque), du nom du prototype de l'écomusée scandinave qui servit de modèle à la réalisation des musées en plein air slovaques. Pour se faire indiquer le chemin, c'est ce terme qu'il faut employer. Ce sont des musées ethnographiques composés de maisons, complètes, démontées, déplacées et remontées à l'identique dans un parc clos.

★ Pour ceux qui se baladeraient sur la route la plus au nord de la région (de Čadca-Krásno à Námestovo), on y trouve le *musée en plein air Kysucké múzeum* à *Nová Bystrica-Vychylovka.* Ouvert de mai à octobre de 9 h à 17 h 30. Fermé le lundi. Le samedi, reconstitution des métiers costumés. Possibilité de visite en anglais. Un des plus vastes du pays. Superbe environnement. Les monts Beskydes ondulent tout en douceur le long de la frontière polonaise.

★ Sur 100 ha, un autre parc à *Martin* (plus au sud) regroupe plus de 80 bâtiments traditionnels (représentant 12 régions de Slovaquie) autour d'une église en bois datée de 1798. *Musée ethnographique,* avec une grande collection de costumes folkloriques : ouvert du mardi au dimanche, de 9 h à 17 h 30. Et *musée Martin Benka,* avec des peintures du XXe siècle :

du mardi au samedi, de 9 h à 17 h ; de mai à septembre, également le dimanche, de 9 h à 13 h.

★ Vers l'est, d'autres musées en plein air vous attendent comme celui de **Zuberec-Brestová,** 4 km après le village. Ouvert de 8 h à 17 h en juillet et août, jusqu'à 16 h le reste de l'année. Perdu au milieu des sapins sur 20 ha et parcouru de ruisseaux. Les intérieurs des maisons ont été soigneusement décorés. Ne pas manquer l'église en bois du XVe siècle et ses fresques Renaissance.

LITPOVSKÝ MIKULÁŠ

IND. TÉL. : 0849

Cette ville industrielle ne présente pas un grand intérêt festif ni culturel. Toutefois, c'est un bon point de départ pour sillonner la région vers les nombreuses vallées qu'elle propose ou avant de se rendre dans les Hautes Tatras. Par ailleurs, son lac est très réputé pour les nombreuses activités sportives qu'il offre en été.

Où dormir ?

■ **Hôtel Lodenica :** Janka Kráľa nábrežie 8. ☎ 522-349. Fax : 202-17. À deux pas du centre, des petites chambres très propres et très bon marché, donnant sur le Vah. Les douches et les toilettes sont communes. À proximité, tennis et piscine. En été, ils reçoivent des colonies de vacances, c'est donc parfois un peu bruyant.

■ **Hôtel Krivan :** Stúrová 5. ☎ 522-414. Grand hôtel qui a rouvert récemment, un peu vieillot et très central, tenu par Michaël, un jeune Israélien très *cool*. Les chambres sont petites mais propres et l'accueil est super sympa.

Où manger ?

|●| **Liptavskáj Izbá :** Osloboditeľov nám. 21. ☎ 51-48-53. Ouvert tous les jours de 10 h à 22 h, sauf le dimanche de 12 h à 22 h. Reconnu comme l'une des meilleures adresses de Litpovský Mikuláš, un petit resto très mignon sur la place centrale. L'intérieur est tout en pin blanc, dans le style chalet. On y sert une bonne nourriture traditionnelle slovaque. Prendre une bière pour la déguster à la slovaque...

Dans les environs

★ **Lipkavá hrad :** au nord de Ružomberok, à une vingtaine de kilomètres à l'ouest de Litpovský Mikuláš. C'est à la périphérie de Ružomberok, au bout d'un chemin de terre. Encore un très bel endroit oublié des guides. C'est un magnifique château gothique en ruines, du XIIIe siècle. Pour des raisons de sécurité, son accès est encore interdit mais l'on peut se rendre tout près du château à pied ou en voiture, le panorama est magnifique. Même si vous ne vous en sentez pas le courage ou si vous tenez trop à votre voiture, ne manquez pas de faire le détour pour l'apercevoir depuis Lipkavá.

★ **La grotte de la Liberté** (Slobody jaskyňa) : à une dizaine de kilomètres au sud de Litpovský Mikuláš, en direction de Jasna. Ouvert de 9 h à 16 h, de juin à septembre et de 9 h 30 à 14 h le reste de l'année. Départ toutes les heures. Fermé le lundi et de mi-décembre à mi-novembre. Prévoir un pull, de bonnes chaussures et une bonne heure. C'est une grotte magnifique, située dans les Basses Tatras et découverte en 1924. On la visite sur 1 600 m, la longueur de ses souterrains étant quatre fois supérieure ! De nombreuses salles et de nombreux passages au milieu de stalactites et stalagmites, rouge, ocre, jaune ou blanc. Très impressionnant.

★ *La grotte Belianska :* mêmes horaires et même commentaires que pour la précédente. Elle se trouve quelques kilomètres avant. Difficile de choisir entre les deux. Le plus simple restant de choisir à pile ou face.

★ *Jasna :* célèbre station de sports d'hiver et de randonnées d'été, située au fond de la vallée de Demánová, dans les Basses Tatras. Sentiers très bien balisés et de nombreux hôtels de luxe. Beaucoup de petits chalets à louer également. Très touristique bien sûr. Une vingtaine de bus quotidiens de Liptovský Mikuláš. *Auto-camp* à l'entrée de la vallée.

– LES HAUTES TATRAS –

Chaîne de montagnes de type alpin la plus élevée de Slovaquie. Elle possède cinq sommets de plus de 2 600 m. Ses 26 km de long seulement lui valurent le surnom de « plus petite haute montagne du monde ». On y recense 1 300 espèces végétales et de nombreux animaux : cerfs, chevreuils, chamois, marmottes, sangliers, renards, blaireaux, lynx, ours et coqs de bruyère. Ne surtout pas s'attendre à découvrir une montagne sauvage et inviolée. Sauvage, elle l'est, mais il faudra d'abord franchir toutes les stations de sports d'hiver et centres de vacances qui balisent de façon très serrée ces 26 km. Eh oui, c'est une région superbe, donc très courue et hyper touristique !

Comment y aller ?

– *En voiture :* si l'on vient de l'ouest, quitter la E50 en direction de Pribylina (musée en plein air) et Podbanské. Charmante petite route de montagne. Accès par Poprad également.
– *En bus :* bus réguliers de Bratislava, Banská Bystrica et Starý Smokovec. Bus fréquents depuis Prešov.
– *En train :* express Prague-Bratislava-Košice. Correspondance à Poprad pour Starý Smokovec. On peut également s'arrêter à Štrba et prendre le train à crémaillère pour Štrbské Pleso. Un chemin de fer relie aussi les stations entre elles (entre Štrbské Pleso et Tatranská Lomnica).

ŠTRBSKÉ PLESO

C'est la plus haute station de ski et de randonnée (1 355 m). Fait aussi station climatique pour les maladies allergiques et respiratoires. Immenses parkings, multiples interdictions, nombreux panneaux... Tout est bien bétonné, fléché, balisé ! Rien n'est laissé au hasard et à l'improvisation. C'est très chic et très cher. Les infrastructures, hyper développées, attirent de nombreux touristes, donc les prix grimpent et la qualité de l'accueil baisse. La région voudrait accueillir les Jeux Olympiques d'hiver de 2006 : il faudra faire un effort de qualité d'accueil et cesser de s'auto-attribuer des 3 étoiles si le service ne suit pas... Balades intéressantes, cependant, vers la *vallée de Mengušovská* pour atteindre différents lacs.

🛏 Quelques hôtels et restos comme le *Panorama* (architecture très moderne). ☎ (969) 921-11. Vue unique sur la vallée, bien entendu. Assez chic. Compter 200 F la chambre double (petit déjeuner compris). Payable en devises.

🛏 Au bord d'un beau lac (et sous le tremplin de saut), on trouve aussi l'*hôtel Patria* (dans le style Avoriaz). Chic et confortable.

STARÝ SMOKOVEC
IND. TÉL. : 0969

La « petite capitale » des Hautes Tatras. Bien sûr, hyper touristique. Prendre le funiculaire qui monte à *Hrebienok,* une petite station de ski. Accès à pied également, en 1 h environ. De là partent les sentiers de randonnée. Notamment celui menant à la *vallée Velká Studená* en 3 h (chutes d'eau du torrent Studeńy potok) jusqu'au *chalet Zbojnícka* (à 1 960 m). Possibilité de continuer jusqu'à la frontière polonaise. Autre balade sympa : jusqu'au *chalet Teryho* (à 2 015 m). En hiver, la route d'Hrebienok à Starý Smokovec devient une piste de luge.

Adresses utiles

🄳 Il y a maintenant un *office du tourisme* situé dans le *Tatranská Informačná Kancelária*. ☎ 42-34-40. Ouvert une heure plus tard que l'agence *Satour*. Renseignements sur les hôtels, les logements chez l'habitant ou les activités touristiques et sportives des environs.
■ Demander à l'agence *Satour* (audessus de la gare) son dépliant sur la région. ☎ 24-97. Fax : 32-15. Ouvert de 8 h à 16 h en semaine et jusqu'à 12 h le samedi. Sinon, acheter une carte des balades à effectuer, notamment le célèbre *sentier Magistrála* qui court sur plus de 50 km à flanc de montagne. Beau tronçon (marqué en rouge) de Hrebienok à Sliezsky (vers l'ouest), puis vers Štrbske Pleso.
– Pour dormir dans les chalets jalonnant les sentiers de randonnée, se renseigner à l'agence *Satour*.

Où dormir ?

🛏 *Intercamp :* à Tatranská Lomnica. ☎ et fax : 467-703. Situé un peu avant l'*Eurocamp*, il est un peu plus petit mais tout aussi bien situé et bien plus agréable. Ici vous n'êtes pas qu'un touriste qui veut louer un emplacement ! Tous les ans, au mois de juin, pendant un week-end, les *bikers* de Slovaquie et des environs s'y réunissent pour un meeting très bon enfant.
🛏 *Eurocamp :* à Tatranská Lomnica. ☎ 467-741. Fax : 467-346.

Grand camping sans charme particulier, mais avec une belle vue sur les Hautes Tatras et le Paradis slovaque. Il dispose de toutes les infrastructures (restos, boîtes, piscines...). Possibilité de louer de grands bungalows sans charme.
🛏 *Sport Hotel :* à Horný Smokovec, un quartier de Smokovec. ☎ 422-361. Fax : 422-719. Cet hôtel propose de grandes chambres avec balcon, propres et agréables. Les prix sont raisonnables pour la ville,

surtout en basse saison. Dommage que les toilettes soient communes et que la salle de bains (ou plutôt la baignoire!) aussi.

🛏 *Junior Hostel :* à Horný Smokovec. ☎ 422-661. Fax : 422-493. Moins d'âme et moins agréable que le précédent. Mais les chambres sont tout aussi propres et le site est magnifique. Il est bien sûr surtout fréquenté par des jeunes et devient un très bon plan si vous avez la carte internationale d'étudiant.

🛏 *Hôtel Grand :* en face de l'agence *Satour,* à Starý Smokovec. ☎ 422-154. Fax : 422-157. C'est l'hôtel de luxe de la ville. Dans le style début du siècle, avec un certain charme, il propose de grandes chambres agréables avec une belle vue. Assez cher. Piscine et sauna. Possibilité de louer des VTT.

Où manger ?

I●I *Restaurant Taverna :* ouvert tous les jours de 12 h à 21 h. C'est en quelque sorte la brasserie du luxueux restaurant de l'hôtel *Grand* (voir « Où dormir ? »). Il se situe juste au-dessous et propose des plats traditionnels d'une excellente qualité à des prix relativement raisonnables. Sur la terrasse ou dans une ambiance calme, c'est agréable. Même si, en fin de service, on vous fait comprendre qu'il est l'heure d'y aller, cela reste l'un des restos les plus sympa de Starý Smokovec.

À voir. À faire dans les environs

Il y a de nombreux joyaux dans cette région, tant sur le plan des paysages que pour la flore et la faune. Le mieux est d'acheter le petit guide *Tatra National Park* de Milan Lučanský, disponible en anglais ou en allemand dans les agences de tourisme de la région. Pour une dizaine de francs, vous aurez le recensement de tout ce que l'on peut voir dans les Tatras.

– *Červený kláštor :* une balade de 9 km en radeau le long du Dunajek, sans émotions fortes mais dans un cadre magnifique. Renseignements : Ladislav Solár, à Podolinek, ☎ (963) 913-52, ou sur place, à la sortie de Cervený Kláštor, sur la droite en direction de la Pologne. Ouvert à partir de 9 h, dernier départ à 16 h 30. La descente dure une heure et demie environ. Attention, comptez entre le tiers et la moitié du prix de votre descente en plus pour le retour !

★ *Le musée de Tatranská Lomnica :* à moins de 10 km de Starý Smokovec. Ouvert du lundi au vendredi de 8 h à 12 h et de 13 h à 16 h 30 ; de 8 h à 12 h le samedi et le dimanche. Un musée sur la faune et le flore de la région.

ŽDIAR

Après Tatranská Lomnica, rejoindre la route 67 (vers Javorina et la Pologne). Ždiar est un village qui mérite le détour si l'on est motorisé. C'est l'unique localité tatraine qui prit naissance plus tôt que la construction des centres touristiques et climatiques des Hautes Tatras. Situé dans une haute vallée pleine de charme, il s'étend langoureusement et présente une architecture rurale homogène très pittoresque ; avec, notamment, à l'entrée du village, un groupe d'une dizaine de demeures en bois très massives (sur la gauche, en montant). Quelques coutumes traditionnelles y survivent. Également quelques pistes de ski et de nombreuses possibilités de randonnées en été. Continuer jusqu'au col pour la vue sur la vallée.

Où dormir ? Où manger ?

♣ Quelques *chambres chez l'habitant.* Et une petite *pension* – se renseigner au restaurant.

|●| *Restaurant Ždiarsky Dom :* ouvert tous les jours de 9 h à 22 h, sauf le samedi. Sa terrasse offre une vue superbe sur les Tatras et le village. On y mange des spécialités locales. Les assiettes sont bien servies, ce qui compense les prix un peu élevés.

À voir

★ Petit *Musée ethnographique.* À côté du restaurant *Ždiarsky Dom.* De novembre à avril, ouvert en semaine de 10 h à 16 h ; en haute saison, jusqu'à 17 h ; et de 9 h à 14 h le week-end.

Dans les environs

★ *La grotte de Belianska (Belianska jaskyňa) :* à **Tatranská Kotblina**, en allant vers Ždiar. ☎ (0969) 467-375. Ouvert de 9 h à 16 h tous les jours de juin à mi-septembre. Visite toutes les heures. Plus d'un kilomètre de visite souterraine. Prévoir un pull.

STARÁ ĽUBOVNÁ

Le village, mise à part sa place centrale, très provençale et pleine de charme, ne présente que peu d'intérêt. Mais, sur la route de Bardejov, son château mérite un petit détour et une petite pause.

★ *Ľubovniansky hrad :* ouvert de mai à octobre, tous les jours de 9 h à 17 h 30 ; de novembre à avril, de 10 h à 15 h. Encore une belle forteresse du nord du pays. C'est un château gothique du XIXe siècle qui servait à protéger les routes commerçantes vers la Pologne. Le château est grand et assez bien rénové. Il propose de nombreuse salles d'expositions, pas toujours très intéressantes. Par contre, le site et le panorama sont magnifiques.

★ *Musée en plein air :* juste à côté du château. Ouvert du lundi au dimanche de 9 h à 18 h (dernière admission à 17 h). Un intéressant *skanzen* composé d'une centaine de demeures pittoresques de la région.

KEŽMAROV

Village attachant sur la route de Poprad. Pas mal de maisons paysannes baroques et Renaissance autour de la place principale et dans les ruelles alentour surtout (belles portes). Petit *musée.* Au fil de la balade, vous pourrez admirer : une église évangélique en bois, construite en 1717, de style baroque, avec peintures murales, retable et chaire de J. Lerch ; une église néo-byzantine de la fin du XIXe siècle, un clocher Renaissance avec attique et sgraffite ; et peut-être une exhibition d'escrime historique près des murs de la ville.

Pour quitter le village, une jolie route musarde jusqu'à Janovce. De là, on rejoint Levoča, Prešov et Košice. Dans la région, nombreux villages tsiganes.

★ **Le château de Kežmarov :** ouvert du mardi au dimanche de 9 h à 16 h. Visites toutes les demi-heures. Un château fort des XIVe et XVe siècles, édifié à l'emplacement d'un monastère. Dans la cour de l'église, remarquez, notamment, la chapelle de style baroque primitif.

– LA SLOVAQUIE ORIENTALE –

Après la pause nature des Hautes Tatras ou des Malá Fatra, l'Est de la Slovaquie regroupe, toujours dans de superbes paysages, plus vallonnés, de très belles villes, culturellement passionnantes. Jusqu'à l'Ukraine on y trouve également la plupart des églises en bois de Slovaquie et le bien nommé Paradis slovaque.

LE PARADIS SLOVAQUE

Situé au sud des Hautes Tatras, le Paradis slovaque est surtout celui des randonneurs et des amoureux de la nature. Ce magnifique parc national de 20 000 ha, dont 90 % de forêts, est oublié des touristes étrangers, mais pas des Slovaques, et pour cause... On y trouve en liberté, et sans mise en scène, une faune et une flore uniques en Europe. Les ours bruns, les daims, les loups, les aigles des montagnes et les sangliers sauvages colonisent encore ces magnifiques espaces verts, propices aux longues randonnées. Elles peuvent durer plusieurs jours et également se faire à cheval, au gré des torrents et des chutes d'eau. On y trouve de nombreux campings et des possibilités de loger chez l'habitant. Bref, si vous manquez de temps et que vous aimez la nature, sans hésiter, il faut préférer cette région aux Hautes Tatras, tout en sachant que les infrastructures y sont moins développées.

★ **La grotte de Glace de Dobšinská** *(Dobšinská ladová jaskyňa)* : à une trentaine de kilomètres au sud de Poprad. Ouvert de mi-mai à mi-août, de 9 h à 16 h (visite toutes les heures et demie). Fermé le lundi, sauf en été. Cette grotte est l'une des plus belles de Slovaquie. Surnommée la grotte de Glace en raison des 145 000 m² de glace qu'elle contient, elle est à - 2° toute l'année. L'épaisseur de la glace varie entre 15 et 25 m. Prévoir un pull – évidemment – et de bonnes chaussures.

★ **Dedinsky :** à une quinzaine de kilomètres de la grotte de Glace, ce petit village très calme, en bordure d'un charmant petit lac, est le principal centre de départ de randonnées dans le Paradis slovaque. On peut se rendre à pied à la grotte en 2 heures et demie, par un chemin balisé. Sur le lac, on peut faire de la barque, du pédalo ou pêcher. Enfin, ce village offre de nombreuses possibilités de logement chez l'habitant, de pensions ou de campings.

LEVOČA   IND. TÉL. : 0966

Entre Presov et Poprad, cette ravissante ville médiévale a beaucoup gagné avec sa rénovation. Elle fut créée au XIIIe siècle pour contenir les invasions mongoles et obtint, dès 1271, une charte de droits. La place principale *(Mie-*

rove nám.) est adorable, bordée de petites maisons bourgeoises pleines de charme et coupée en son centre par la célèbre *église Saint-Jacques,* qui abrite le plus haut retable du monde. Si vous arrivez de Prešov, vous pénétrez dans Levoča par la *porte de Košice.* C'est l'entrée la plus pittoresque (arrêt du bus également). À ne surtout pas manquer !

Adresse utile

▣ *Infocentrum :* Majstra Pavla nám. 58. ☎ 37-63. En haut de la place centrale. Ouvert en semaine de 9 h à 12 h et de 13 h à 16 h. Infos sur la ville, les hôtels et les chambres d'hôte.

Où dormir ?

Prix moyens

🛎 *Penzión Šuňavský :* Nová ul. 59. ☎ 51-45-26. C'est une grande maison de famille propre et très agréable. Les chambres sont grandes et l'on peut profiter du petit jardin délicieux au moindre rayon de soleil.

🛎 *Hôtel Texon :* Sidlisko Západ. ☎ 44-93. À l'ouest de la ville. Propre et le moins cher des environs.

🛎 *Hôtel Faix :* Probstnerova česta 22. ☎ 51-23-35. Fax : 51-35-54. À 5 mn à pied du centre. Ce sont des chambres assez bon marché, surtout celles sans douche. Les toilettes et les douches communes laissent parfois à désirer. L'hôtel est assez calme malgré la route qui le longe. Il est aussi possible de s'y restaurer.

Très chic

🛎 *Hôtel Satel :* Majstra Pavla nám. 55. ☎ 51-29-43. Fax : 51-44-86. Parmi les plus beaux hôtels de Slovaquie, il a été construit dans l'ancienne demeure d'un richissime marchand de vin. Les chambres sont spacieuses et très agréables. Élégante cour intérieure. Le restaurant et le bar, quant à eux, présentent peu d'intérêt.

Où manger ?

– *Mliečne Lahódky :* ouvert du lundi au samedi de 8 h à 12 h 30 et de 13 h à 18 h 30, le dimanche de 9 h à 18 h 30. Située sur le haut de la place, à droite, c'est une pâtisserie au décor rose et blanc où l'on grignote des plats locaux et boit un verre pour pas cher du tout.

|●| *Jedáleň Slovenka :* Majstra Pavla nám. 62. ☎ 51-23-39. Ouvert du lundi au vendredi de 7 h à 18 h, les samedi et dimanche de 8 h 30 à 18 h. Sur la place centrale, un excellent restaurant parmi les moins chers de la ville – qui en compte peu. La petite terrasse est très agréable en été. Spécialités slovaques d'excellente qualité. En plus, le service est attentionné. Bref, une bonne adresse.

À voir

★ *L'église Saint-Jacques :* ouvert les dimanche et lundi de 14 h à 16 h 30 et du mardi au vendredi de 8 h 30 à 11 h 30 et de 13 h à 16 h (entrée toutes les heures). À ne pas manquer pour son immense *retable gothique,* l'un des plus fascinants qu'on connaisse. Serait, avec ses 19 m, le plus haut du monde. Véritable chef-d'œuvre de bois sculpté doré, réalisé par Pavol de Levoča en 1517. Orné de scènes de martyres. À gauche, une décapitation. À droite, un saint cuit dans son jus. On a l'impression d'une montée irrésistible vers le ciel grâce à l'élan donné par la forêt d'aiguilles ciselées qui le surmonte.

Chaque pilier possède son retable où l'envers vaut souvent l'endroit. Superbes scènes sur le pilier à gauche. Le travail de sculpture se révèle en général éblouissant. À droite du chœur, un autre grand retable illustrant le martyre de saint Sébastien. Chaire et tribune d'honneur en face, abondamment décorées.

★ **L'ancien hôtel de ville :** à côté de l'église. Ouvert tous les jours, sauf le lundi, de 8 h à 11 h 30 et de 12 h à 17 h. De style gothique, mâtiné Renaissance. Tour massive et corps de bâtiment élégant, avec double rangée d'arcades et belles lucarnes. C'est un vaste musée très intéressant, avec une grande salle d'armes et la superbe salle du Conclave, sorte de conseil des Sages. Il abrite aujourd'hui, entre autres, l'original des armes actuelles de la ville, qui date de 1550.

À l'extérieur, la cage de la honte remonte à la fin du XVIᵉ siècle, on y exposait les voleurs et les criminels.

★ **Le musée de Maître Pavol :** Majstra Pavla nám. 20. Sur la place centrale. Ouvert tous les jours, sauf le lundi, de 9 h à 11 h et de 11 h 30 à 17 h. Il s'agit de la maison du sculpteur de l'église, maître Paul. On y trouve des copies des œuvres de l'artiste. Ce petit musée permet de mieux comprendre sa vie mais ne présente que peu d'intérêt, même si c'est un bon complément à la visite de l'église Saint-Jacques.

★ **Le Musée régional de Levoča :** Majstra Pavla nám. 40. Ouvert tous les jours de 9 h à 12 h et de 12 h 30 à 17 h. Ce musée se trouve dans l'ancienne maison du chroniqueur Gaspar Hain. Il comporte de belles salles et quelques superbes pièces, notamment ses fresques.

★ **La maison Thurzo :** Majstra Pavla nám. 7. Un autre remarquable édifice, une superbe demeure Renaissance et gothique ocre et pourpre, dont la façade est décorée de sgraffites. On remarque aussi les fenêtres peintes et la très élégante frise de créneaux Renaissance de l'attique. La richissime famille Thurzo possédait 3 autres maisons à Levoča.

★ **La maison Mariássy :** Majstra Pavla nám. 43. Cette ancienne maison d'une famille d'officiers de la noblesse hongroise offre une superbe façade mais très abîmée, il ne faut surtout pas manquer de visiter la cour intérieure. Pas rénové mais très bien conservé.

★ Ce n'est pas parce qu'elle est superbe qu'il faut se contenter de la place principale, ses alentours recèlent également quelques trésors, et notamment le *lycée*, sur Klástorská ul.

★ **L'église des Minorités** (kostol Minoritov) : à côté de la porte de Košice, c'est une petite église baroque, donc surchargée, mais avec un intéressant plafond peint.

SPIŠSKÝ PODRHADIE

Depuis 1993, le *château* (Spišský hrad) est inscrit sur la liste du patrimoine mondial de l'Unesco. À environ une quinzaine de kilomètres à l'ouest de Levoča, et à une cinquantaine à l'est de Prešov. De Levoča, prendre la route de Košice jusqu'à Spišský Pohradie si vous voulez y monter à pied. Parking au centre du village et belle grimpette. Autrement, sortir à la jonction indiquée « Spišský Hrad », vous n'aurez alors plus que quelques mètres à monter. Ouvert de début mai à fin septembre, tous les jours sauf le lundi, de 9 h à 18 h (dernière admission à 17 h).

Impossible à rater. Sur sa butte de 700 m, c'est le plus grand château d'Europe centrale. Au XIIIᵉ siècle, il résista victorieusement aux Mongols. Donjon de 22 m de diamètre possédant des murs de 4 m d'épaisseur. Dans le palais, belles fenêtres romanes à colonnettes géminées. Immense enceinte. Le château brûla en 1780 et fut abandonné. La restauration entreprise ces dernières années permet désormais de le visiter. Des remparts, on profite d'un superbe panorama. À ne manquer sous aucun prétexte.

★ À côté, dans le village *Spišský Kapitula*, l'*église Saint-Martin*, située sur les hauteurs, se visite du mardi au dimanche de 10 h à 17 h.

PREŠOV

IND. TÉL. : 0185

Cité ancienne, à une quarantaine de kilomètres au nord de Košice. Habitants d'origine ukrainienne. En 1919, au moment de la vague révolutionnaire submergeant l'Europe centrale, la ville fut le siège d'une éphémère république slovaque des Soviets. À voir pour sa place principale oblongue, entourée de maisons Renaissance et baroques, et couverte de gros galets ronds.

Adresse utile

🛈 *Metské Informačný Centrum :* Hlavná 67. ☎ 72-25-94. Ouvert de 9 h 30 à 12 h 30 et de 13 h 30 à 18 h en semaine, et de 9 h 30 à 12 h 30 le samedi. Renseignements touristiques et sur les possibilités de logement.

Où manger ? Où dormir ?

🛏 *Penzión Lineas :* Budovatelská 14. ☎ 723-325. Fax : 723-206. Cette grande pension à 10 mn à pied du centre-ville est propre et bien tenue. Douche et toilettes dans la chambre. Un bon plan, surtout si on est deux.
🛏 *Študentsky Domov :* Prešovskej Univerzity, 17 Novembra ul. ☎ 722-851. Quelques chambres économiques dans cette résidence universitaire mais le personnel parle uniquement le slovaque.
🛏 Des lecteurs nous recommandent l'*hôtel Dukla* (à côté du théâtre ; ☎ 227-41), un 3 étoiles un peu cher mais bien tenu.
I●I *Fast-Food :* Hlavná nám. 17. À côté de la pizzeria. Ouvert tous les jours de 9 h 30 à minuit. Un petit self-service très prisé des Slovaques. Propose des salades et des frites. Bon marché et rapide, donc idéal pour une petite faim ou un déjeuner sur le pouce.
I●I *Slovenská Reštauraciá:* Hlavná 13. ☎ 248-27. Spécialités slovaques dans un décor traditionnel. Personnel agréable.

À voir

★ *L'église Saint-Nicolas :* au milieu de la place. Élégant clocher nanti de quatre petits clochetons, galerie gothique et horloges. Intéressant intérieur. Vestiges de fresques sur les piliers. Massive tribune d'orgue sculptée. Beau retable. Sur le côté gauche, chaire et tribune d'honneur richement ornées. Barrant le chœur, une poutre de gloire avec crucifix. À côté, l'*église évangélique*.

★ *Le Musée régional :* en face du chevet de Saint-Nicolas, dans un bel édifice en brique orné de sgraffites. Ouvert de 10 h à 17 h; les samedi et dimanche, de 11 h à 15 h. Fermé le lundi.

BARDEJOV   IND. TÉL. : 0935

Petite cité médiévale à 40 km au nord de Prešov, l'une des plus pittoresques de Slovaquie. Elle obtint sa charte de droits en 1376. En tous cas, elle mérite le détour pour sa ravissante place principale, les retables de sa cathédrale et ses deux petits musées.

Adresse utile

🖪 *Turisticko Informačné :* Radničné nám. 21. ☎ 55-10-64. Ouvert tous les jours de 9 h à 19 h en haute saison et jusqu'à 17 h en basse saison.

Où dormir ? Où manger ? Où boire un verre ?

🛏 🍸 *Sport Hôtel :* ☎ 724-949. Fax : 728-208. Petit hôtel pas très cher proposant des grandes chambres propres avec douches et toilettes. On y retrouve beaucoup de jeunes dans une ambiance proche des *youth hostels.* Un bar est ouvert en début de soirée.

🛏 *Penzión Rolland :* Radničné nám. 25. ☎ 748-538. C'est le seul logement en centre-ville, mais les prix ne sont pas prohibitifs. Cette pension propose, sur la place principale, de grandes chambres très propres. Les douches sont communes sauf si l'on prend l'appartement. Accueil agréable : même s'ils ne parlent que le slovaque, les patrons font un effort.

🍴 🍸 *U Zlatej Koruny :* Radničné nám. 41. ☎ 61-60. Ouvert tous les jours jusqu'à 22 h. Le meilleur resto de la ville, mais, comme souvent, le service n'est pas terrible. Spécialités slovaques mais aussi polonaises et hongroises. Dans la soirée, on y trouve beaucoup de jeunes venus boire un verre.

🍴 🍸 *Roland Klub :* Radničné nám. 12. ☎ 729-220. Ouvert du lundi au jeudi de 10 h à 23 h, le vendredi jusqu'à 1 h, le samedi de 14 h à 1 h et le dimanche de 13 h à 23 h. Sur la place principale, dans une cave, c'est l'endroit à la mode de Bardejov. Les prix sont raisonnables, même si ce n'est pas bon marché, et les plats sont variés. Le soir, fait également pub dans une bonne ambiance et un cadre sympathique.

À voir

★ *La place principale :* sur trois côtés, harmonieux alignements de belles maisons médiévales et baroques. Certaines d'entre elles présentent d'intéressantes fresques. Au fond, la cathédrale barre merveilleusement le quatrième côté. Elle possède toujours ses gros galets ronds. Au milieu, l'ancienne mairie, qui fut le premier bâtiment de style Renaissance de Slovaquie. Escalier sur le côté, finement sculpté.

★ *La cathédrale :* de style gothique, avec un plan classique à trois nefs.

Très haute. Longues verrières. Belle rosace arrière. Les retables en nombre incroyable sont particulièrement remarquables et d'une richesse inouïe ! Celui du maître-autel, bien entendu (avec ses exquis petits panneaux peints et six statues polychromes), mais surtout celui du transept gauche (le plus proche du chœur). Il représente une somptueuse *Nativité* en bois sculpté doré. Quatre panneaux dont un très réaliste *Massacre des Innocents* et une *Fuite en Égypte* dramatique (noter le ballet agité des anges et la beauté de leur drapé).

D'autres retables proposent à leur tour une intéressante iconographie. Mais le plus original demeure celui du porche d'entrée où, curieusement, l'artiste a représenté le Christ en croix au lit tandis que des femmes le bordent affectueusement ! Dans le retable à droite du chœur, délicieuse scène de torture (on arrache un sein, on brûle l'autre !).

Pour finir : baptistère gothique, bancs des fidèles sculptés. Dans la chapelle de droite, belle pierre tombale en marbre d'un chevalier.

★ **Ikony múzeum :** à l'angle de la place principale et de Rhodyho ul. Entrée par Rhodyho ul. ☎ 72-20-09. Ouvert du mardi au dimanche de 8 h 30 à 12 h et de 12 h 30 à 17 h. Fermé le lundi. Collection d'objets artistiques, historiques et de très belles icônes.

★ *Le musée d'Histoire naturelle :* en face du précédent. Mêmes horaires. Petit, mais fort bien réalisé. Enfants et parents ne peuvent qu'être émus par les vitrines présentant les animaux (tendres scènes familiales). Quelques beaux fossiles et bois pétrifiés. Au 2ᵉ étage : animaux dits sauvages, flore, insectes et oiseaux.

★ *Le Musée régional :* dans l'ancien hôtel de ville. ☎ 60-38. Ouvert de 9 h à 12 h et de 12 h 30 à 18 h en basse saison, de 8 h à 12 h et de 12 h 30 à 16 h en haute saison. Vierges en bois peint, étains, meubles.

Dans les environs

★ Nombreuses *églises en bois* classées monuments historiques. On en trouve notamment de belles sur la route de la Pologne, à *Ladomirová*, *Hunkovce*. Celle de *Krajné Cierno* est située au fond à gauche d'un petit village plein de charme. Cachée par les arbres, elle se dresse à côté d'une superbe ferme en bois au toit de chaume, en escalier. À l'entrée du village, une autre au toit à bulbes, en zinc, qui présente moins d'intérêt. Celle de *Bodruzal*, peu avant la frontière polonaise, surplombe le village, face aux pièces d'artillerie et aux carcasses d'avions soviétiques commémorant la bataille de Dukla. Elle a un charme indéniable et la rivière qui coule à ses pieds est pavée !

BARDEJOVSKÉ KÚPELE
IND. TÉL. : 0935

À 6 km au nord de Bardejov, une célèbre ville d'eau, spécialisée dans les maladies digestives. Elle n'a pas plus de charme que d'intérêt et ne se distingue que par le calme presque funèbre qui y règne. Pour y aller, prendre le bus n° 2 ou n° 7 devant l'hôtel *Dukla* à Bardejov.

À voir

★ *Le Musée en plein air de maisons rurales :* situé en pleine ville, mais mal indiqué. Ouvert de 9 h 30 à 12 h et de 12 h 30 à 17 h. Fermé le lundi.

Pour s'y rendre depuis le parking : longer la colonnade où les curistes prennent leurs eaux jusqu'au petit kiosque à musique moderne. Grimper les marches, suivre la voie entre les maisons jaune et ocre rouge jusqu'à l'entrée du parc. L'église de campagne possède une belle iconostase peinte. Une vingtaine de fermes et granges, machines agricoles, ruches, ameublement traditionnel. Curieux toits de chaume « en escalier ».

★ À quelques mètres de l'entrée du parc, ne pas oublier le petit *musée d'Ethnographie.* Mêmes horaires que le parc. Vêtements de fête (superbes boléros brodés), expo sur les métiers traditionnels (bottier, vigneron, vannier, etc.). Documents relatant l'histoire de la ville.

SVIDNÍK

Petite ville à l'est de Bardejov possédant, également, un intéressant *Musée en plein air de l'habitat rural ukrainien (Svidník skanzen).* Pour y accéder, que vous arriviez du nord ou du sud, prenez la petite route qui part juste devant le musée de l'Armée soviétique. C'est sur la colline (Kochanyjbereh), après le golf miniature et l'amphithéâtre. On y reconstitue sans cesse de nouvelles maisons et il y a des animaux en liberté. Belle église en bois avec trois clochers. Ouvert tous les jours, sauf le lundi, de 10 h à 18 h. Compter 1 h de visite.

À l'entrée nord de la ville, *monument commémoratif* et *musée de l'Armée soviétique* dans un bâtiment moderne, au pied de la colline, au même niveau que le *skanzen*. Ouvert du mardi au vendredi de 8 h à 16 h, le samedi et le dimanche de 10 h à 14 h. Plus hagiographique que pédagogique !

Dans les environs

★ *Le col de Dukla :* au nord, à la frontière polonaise. Il s'y déroula l'une des batailles les plus décisives de la dernière guerre, fin 1944. 300 000 hommes dans chaque camp s'y affrontèrent durant 97 jours.

KOŠICE   IND. TÉL. : 0935

Deuxième ville de la République slovaque et « capitale » de la Slovaquie de l'Est (250 000 habitants). Carrefour entre la Hongrie, la Pologne et l'Ukraine, cette ville, depuis sa rénovation, est pleine de charme et propice aux longues promenades citadines. La place centrale, coupée en son milieu par la célèbre *cathédrale Saint-Élisabeth,* a été rendue aux piétons et aux cyclistes ; seuls quelques tramways la traversent de temps en temps. Le quartier piétonnier est en train de s'agrandir, pour le plus grand plaisir des visiteurs. L'été, la ville est remplie de touristes de tous horizons. Durant l'année, vous aurez de multiples occasions de rencontrer des étudiants avides de parler avec des Occidentaux. En début de soirée, les noctambules se retrouvent sur la place centrale pour discuter sur un banc ou avant de se rendre dans de petits bars au fond des passages.

– *Manifestation folklorique :* fin juin.

Un peu d'histoire

Košice fut aussi une importante cité médiévale et acquit sa charte des libertés en 1347. Très active contre les Habsbourg aux XVIIᵉ et XVIIIᵉ siècles. Un des hauts lieux de la résistance contre les nazis et leurs Quisling locaux. C'est ici que fut élaboré le fameux « programme de Košice » (le 5 avril 1945), qui fixait les rapports futurs des Tchèques et des Slovaques dans le pays réunifié.

Adresses utiles

∎ *Mestké Informačné Centrum :* Hlavná 8. ☎ 186. Ouvert en semaine de 8 h à 17 h ; de 9 h à 13 h chaque samedi et les dimanches compris entre le 15 juin et le 5 septembre. Un bon service d'informations touristiques de la ville et de la région.

∎ *Satour :* Rooseweltova 1. Au rez-de-chaussée de l'hôtel *Slovan*. ☎ 62-23-847. Fax : 76-76-16. Ouvert en semaine de 9 h à 17 h.

∎ *CKM :* Alžbertina II. Services touristiques et logement.

∎ *Pragocar :* Hlavná 12. ☎ 20-535. Location de voitures.

∎ *ČSA :* Južná Trieva 20. ☎ 225-78. Pour confirmer votre vol retour.

✉ *Poste principale :* Posťová 20.

∎ *Centre français de coopération linguistique et d'éducation :* Technická Univerzita, Hlavná. ☎ 62-26-982.

∎ *Change sans commission :* Hlavná 14. Ouvert du lundi au vendredi de 9 h à 17 h, le samedi de 9 h à 12 h. Fermé le dimanche.

Où dormir ?

Camping

🛏 *Autocamp :* Salaš Barca. ☎ 623-33-97. Fax : 625-83-09. Accès par le tram n° 3. En voiture, prendre la route en direction de Rožnava ; juste après l'échangeur, à la sortie de Košice, prendre à gauche après le deuxième feu. C'est un peu dur à trouver si l'on ne fait pas attention. Petit camping « familial ». Le patron possède également le restaurant *Café Carpano*. Coincé entre l'aéroport et un grand axe routier, il offre néanmoins un peu de calme et propose des bungalows pas chers pour 2, 3 ou 5 personnes. On peut également planter sa tente ou installer son camping-car.

Pas cher

🛏 *Youth Hostel :* Podhradoýa 11. ☎ 633-34-37. Pour les étudiants.

🛏 *Hôtel Metropol :* Štúrove ul. 32. ☎ 625-59-48. Fax : 763-110. À deux pas du centre-ville, des petites chambres plutôt correctes. Les douches communes laissent parfois à désirer mais c'est ce que vous trouverez de moins cher dans le centre. On y trouve un resto, un bar et un petit jardin intérieur.

🛏 *Hôtel Europa :* Protifašistických Bojovnikov ul. 1. ☎ 622-38-97. De grandes chambres claires et propres. Les douches et les toilettes sont communes mais il y a un petit lavabo dans les chambres. C'est très central, en face du palais Jacob, qui abrite le British Council.

Prix moyens

🛏 *Hôtel Akadémia :* Južná trieda 10. ☎ 676-05-57. Fax : 677-04-31. Si l'on voit l'hôtel depuis la route, l'entrée du parking est cachée par les arbres. Le meilleur de cette catégorie et le moins cher. Chambres spacieuses et propres, avec toilettes et vraie salle de bains. Accueil plutôt agréable.

🛏 *Hôtel Hutnik :* Tyršovo nábr. 1. ☎ 633-75-11. Fax : 633-74-15. Au nord de la vieille ville. Au bout de Hlavná, prendre à droite la Hviezdoslavova, c'est à deux pas. Grandes chambres propres avec douche privée mais w.-c. sur le pallier. L'hôtel essaie de se placer dans la catégorie chic pour les prix (élevés pour le pays), mais reste léger par rapport à la qualité et l'accueil (très froid).

■ *Pension Atlantic :* Rázusova 1. ☎ 622-65-01. Fax : 622-07-90. Décorées avec beaucoup de mauvais goût, les chambres sont néanmoins agréables, propres et spacieuses. Pas de salle de bains mais une cabine de douche dans la chambre.

Où manger?

Bon marché

|●| Diverses formules de *snacks* sur Hlavná.

|●| *Reštaurácia Ajvega :* Orlia ul. 10. ☎ 622-04-52. Ouvert tous les jours de 11 h à 22 h. Un restaurant végétarien, qui ne propose que des produits frais, à ne pas manquer. Salle agréable et terrasse fraîche les soirs d'été. Plats simples, fins, succulents et servis sans modération. Et (pour une fois) le service est agréable. Nous conseillons notamment les « vitamins bombs » en entrée ou au dessert, ou tout simplement au milieu de l'après-midi.

|●| *Malá Fajka :* ouvert du lundi au vendredi de 7 h à 21 h, le samedi de 10 h à 16 h. Fermé le dimanche. Petit bistrot slovaque avec des plats différents tous les jours. Les assiettes sont bien remplies et bien cuisinées et les serveuses plutôt sympa. Attention, les prix sont différents sur la carte en anglais ; « c'est une vieille carte », vous expliquera-t-on, mais prenez tout de même vos précautions.

|●| *Reštaurácia Sedliacky Dvor :* Biela ulica 3. Ouvert tous les jours de 11 h à 22 h. Restaurant typiquement slovaque avec un grand choix de plats et beaucoup de monde à l'heure du déjeuner. Dans un cadre

Où boire un verre? Où sortir?

🍸 *Music Pub Diesel :* Hlavná ul. 92. Ouvert du lundi au jeudi de 12 h

Tout de même cher pour ce que c'est.

Chic

■ *Hôtel Slovan :* Rooseweltova et Hlavná 1. ☎ 622-73-80. L'hôtel de luxe du coin. Très cher, mais bon accueil, bar assez animé.

■ *Hôtel Centrum :* Južná trieda 2/A. ☎ 763-101. Fax : 764-380. Chic, à deux pas du *Slovan*. Un peu moins cher que celui-ci, surtout si l'on est deux.

chaleureux, de belles assiettes typiquement de Slovaquie.

Prix moyens

|●| *Café Carpano :* Hlavná 42. ☎ 623-00-03. Ouvert tous les jours de 11 h à 22 h. On mange au sous-sol. Les 3 caves ont pas mal de cachet : une pour les fumeurs, en vieilles briques, assez sombre et intime, une autre pour les non-fumeurs, et une grande pièce lumineuse. Assiettes copieuses comme souvent en Slovaquie mais ce restaurant, qui pourrait être sympa et se veut assez chic, pèche un peu par son service de mauvaise qualité.

|●| *Zlata Hus :* Hlavná 78. ☎ 622-64-72. Cuisine excellente et prix relativement bas.

Plus chic

|●| *Caravella :* Orlia ul. 4. ☎ 623-03-78. Ouvert de 11 h 30 à 23 h. Plus cher que les précédents, ce resto spécialisé dans le poisson en offre une grande variété différemment cuisinée. Ici aussi on mange au sous-sol, dans un superbe cadre de bateau et une odeur marine. Malheureusement, on retrouve également la légendaire rudesse des marins dans l'accueil.

à minuit, le vendredi de 12 h à 1 h, le samedi de 15 h à 1 h et le dimanche

SLOVAQUIE ORIENTALE

de 15 h à minuit. Vous êtes accueilli... par une corde de pendu. Mais après cela tout va bien. Grand pub avec une belle déco, une bonne musique et une fréquentation mélangée. Comme c'est un vrai pub il y a la cible de fléchettes, le grand bar en bois et la Guiness qui coule à flots...

Ú Urbana : autour de la tour Urban, une terrasse agréable avec vue sur la fontaine. Ouvert tous les jours de 12 h à minuit. C'est plus calme, plus agréable et au même prix que les bars aux parasols publicitaires qui bordent la place.

Bomba Club : Hlavná 5. ☎ 623-34-30. Ouvert du lundi au jeudi de 10 h à minuit, le vendredi de 10 h à 1 h, le samedi de 11 h à minuit et le dimanche de 12 h à minuit. Souvent conseillé comme restaurant, c'est en fait un lieu agréable pour boire un coup dans une ambiance plutôt relax, avec de la bière au litre. Ils servent jusqu'à 23 h des plats slovaques ou américains, mais c'est assez cher.

– **Jazz Pub :** Kováčska ul. Ouvert du lundi au jeudi de 12 h à minuit, le vendredi de 12 h à 2 h, le samedi de 16 h à 2 h et le dimanche de 16 h à 24 h. Comme son nom ne l'indique pas, ce n'est pas un pub et on n'y entend pas particulièrement de jazz. Cela reste l'une des boîtes les plus fréquentées, pour sa piste de danse, sa petite terrasse, sa bonne musique et sa position très centrale. Pas très cher, sauf l'entrée, mais il y a possibilité de négocier.

– Pour danser, également le **Havana Club** : Kriva ul. 25. Ouvert du mercredi au dimanche, de 20 h à 3 h 30. Un peu derrière l'hôtel *Centrum*, pas loin du centre. Plutôt étudiant et ambiance discothèque.

À voir

★ **La rue Hlavná** (ex-*rue Leninova*) : c'est le cœur de la ville, rendu aux promeneurs. On y trouve la plupart des monuments importants et les musées. Bordée de demeures et palais prestigieux des XVIIIe et XIXe siècles. *L'église des Franciscains (kostol Fransiskánov)* présente notamment de beaux portails en pierre et mérite un petit tour à l'intérieur.

★ **La cathédrale Sainte-Élisabeth :** édifiée au XIVe siècle, de style gothique. Peut-être la plus belle église de la République slovaque. Côté clocher, elle compose un magnifique ensemble avec ses façades très travaillées en gothique flamboyant, sa noble tour surmontée d'un beau clocher à galerie, ses toits polychromes. La porte nord possède un superbe bas-relief sur le Jugement dernier et la vie de sainte Elisabeth. À l'intérieur, dimensions imposantes. Chaire en pierre de style gothique fleuri, retable avec nombreuses peintures. Sur le côté gauche, crypte où fut inhumé François Rákoci II, l'un des héros de la lutte pour l'indépendance au XVIIIe siècle. Ne manquez pas la très belle Vierge assoupie (sur la droite) et les fresques (sur la gauche).

★ À côté de la cathédrale, la **tour Urban,** de style gothique et Renaissance. Exposition de cloches et de pierres tombales.
De l'autre côté du jardin, le **théâtre** et ses jets d'eau, une assez remarquable architecture (XIXe siècle).
Sur Hlavná, à droite du théâtre, la **maison de Levoča**, superbe édifice du XVe siècle. Voir la cour à arcades. À côté, l'**ancien hôtel de ville** (aujourd'hui bibliothèque), à l'élégante façade néoclassique et rococo tout à la fois.
Plus haut, sur Hlavná, entre Adyho et Dostojevského, l'**église des Jésuites** et l'*ancien couvent*, première université de Slovaquie (en 1657).

★ **Galerie de la Slovaquie de l'Est** (*Juliusa Jakobyho galéria*) : Hlavná 27. Ouvert de 10 h à 12 h et de 12 h 30 à 18 h ; le dimanche, de 10 h à 14 h. Fermé le lundi. Panorama assez complet de la peinture régionale.

Au 1er étage, on peut apprécier Július Jakoby *(Circus)*, Anton Jaszuch, Jury Collináry, Vojtech Borecký. De Nikolaj Fedkovoič, *Veronika Kimaková*. Remarquable par la mélancolie de l'atmosphère fort bien rendue. Art contemporain également et expositions temporaires.

★ *Le musée des Techniques :* Hlavná 88. Ouvert de 8 h à 17 h (13 h le dimanche). Pour nos lecteurs avec enfants (et aussi sans), un très amusant musée et, de plus, fort bien réalisé. Pas du tout austère ! Sur deux étages. Toutes les techniques (construction, instruments de mesure, électricité, télécommunications, optique, microscopes, robots et tant d'autres) présentées de façon vivante et didactique. En contrepoint, photos et documents anciens. Quelques pièces intéressantes, comme ce soufflet de forge géant du XVIIe siècle et une splendide porte en bronze ouvragée (au 1er étage) pour illustrer le travail du métal. Planétarium. Insistez pour vous faire accompagner. Sans guide, la visite présente beaucoup moins d'intérêt.
À la fin de la visite, passer dans le hall pour accéder à la cour derrière. Là, une petite porte mène à une exposition particulièrement insolite : au sous-sol, reconstitution parfaite d'une galerie de mine avec toutes les techniques et machines. Il n'y manque que le grisou !

★ *Le musée de la Slovaquie de l'Est :* Hviezdoslavova (et Maratónu Mieru nám.). Au nord de Hlavná. Ouvert de 10 h à 17 h. Fermé le lundi. Dans un bâtiment du XIXe siècle, musée régional tentant de couvrir le maximum de thèmes. Au rez-de-chaussée : peinture. Pas mal de « croûtes », mais on parvient à dégager quelques œuvres intéressantes. Section de préhistoire : présentation plaisante (maquettes, photos). Au 1er étage : préhistoire (suite) et période médiévale : outils, armes, manuscrits, statuaire religieuse, coffres, livres anciens, mobilier et sections sur les écrivains.

★ *Východoslovenské múzeum :* Pri Miklušovej Väznici 10. Prolongement d'Adyho (et donnant dans Hrnčiarska). Ouvert de 9 h à 17 h (13 h le dimanche). Fermé le lundi. Si c'est fermé, s'adresser à côté, au 7 Hrnčiarska (à la galerie géologique et zoologique). Pour ceux qui disposent de temps, un petit musée d'histoire d'un genre particulier. Aménagé dans un bel édifice du XVIe siècle qui servit longtemps de prison. Manuscrits, blasons, sceaux, documents divers, objets domestiques, etc. Visite des sinistres cellules.

★ *Le trésor de Košice :* ouvert du mardi au samedi de 9 h à 17 h et le dimanche de 9 h à 13 h. Dans les anciennes salles de tortures, au sous-sol du Východoslovenské múzeum, ce trésor est composés de 2 920 pièces, pour un poids total de 12 kg. Il a été découvert en 1945 par des ouvriers effectuant des travaux dans une maison de la place centrale. La plupart des pièces ont été frappées à Kremnica, les autres proviennent de Transylvanie et de plusieurs pays européens. Vous verrez également une collection complète de la monnaie slovaque, de ses origines à 1992, juste avant la partition.

★ *La maison du Bourreau (Katova basta) :* Hrnciarská ul. 7. Ouvert du mardi au samedi de 9 h à 17 h et le dimanche de 9 h à 13 h. Dans l'ancienne maison du bourreau, par la suite transformée en commissariat, un intéressant musée consacré à la ville et au travail du bourreau.

Dans les environs

★ *Herlany :* à 20 km à l'est de Košice. Source minérale projetant de l'eau froide sous la forme d'une colonne de 30 m, pendant 30 mn toutes les 34 heures. Informations sur les horaires : ☎ 186. Une dizaine de bus par jour, au départ de la station centrale de bus.

★ *La grotte de Jasov :* à environ 25 km de Košice. Au printemps et en automne, ouvert de 9 h 30 à 14 h (départ toutes les heures et demie); en été, ouvert de 9 h à 16 h (départ toutes les heures). Fermé le lundi. La visite de cette belle grotte, cœur du Karst slovaque, dure environ 45 mn. Prévoir un gros pull sinon glagla : il y fait − 8° C !

★ *Le château de Betliar* : à 6 km au nord de Rožnava et 80 km à l'ouest de Košice. Ouvert de mai à novembre, tous les jours sauf le lundi, de 8 h à 16 h 30. La visite se fait généralement en slovaque ou en hongrois, mais possibilité d'avoir un guide parlant l'anglais ou l'allemand. Ce château construit au XVIIIe siècle par la richissime famille hongroise des Andrassi est à ne pas manquer. Dans 41 salles, et un désordre apparent, sont exposés de nombreux souvenirs de cette famille plutôt voyageuse. Ainsi y trouve-t-on, outre un portrait de Napoléon et un buste de Sissi, des momies ramenées d'Afrique, de splendides luminaires vénitiens et une bibliothèque de plus de 15 000 ouvrages. Les plus gros livres pèsent plusieurs kilos et retracent la vie des grandes familles hongroises. Certains ont été écrits ou illustrés par des membres de la famille Andrassi. Dans le parc, orné de grottes et de cascades, ont été reconstruits, entre autres, un pavillon chinois et un petit pont japonais. Bref, un bric-à-brac passionnant et étonnant à voir absolument.

★ *La grotte de Domnica* : à une trentaine de kilomètres au sud-ouest de Rožnava et 120 km à l'ouest de Košice. Ouvert de février à mi-mai, de 9 h à 14 h ; de mi-mai à mi-septembre, de 14 h à 16 h ; et de mi-septembre à fin décembre, de 9 h à 14 h. Fermé le lundi. Considérée comme l'une des plus belle grottes du monde, tout simplement, elle est inscrite au patrimoine mondial de l'Unesco. Longue de 22 km, elle court sur 6 km vers la Hongrie et se poursuit là-bas sur 16 km. On y aurait retrouvé près de 45 000 tessons de poterie datant de plusieurs milliers d'années av. J.-C.

Quitter Košice

🚆 *Gare ferroviaire :* dans le prolongement de Gen. Mlynská, à l'est de la ville. Pas loin du centre à pied. Renseignements : ☎ 237-00. Express Košice-Bratislava-Prague, Hautes Tatras, etc. Pour un retour à Bratislava, une dizaine de trains quotidiens. Compter 5 à 7 h. Deux trajets sont possibles, soit par le sud de la Slovaquie, soit par les Hautes Tatras. Les deux ont la même durée, mais le second est bien plus beau.

🚌 *Terminal des bus* (ČSAD) : Stanične nám. 9. ☎ 516-19. À côté de la gare. Toutes directions. Prešov, Bardejov, Hautes Tatras, etc.

Le plein de campagne.

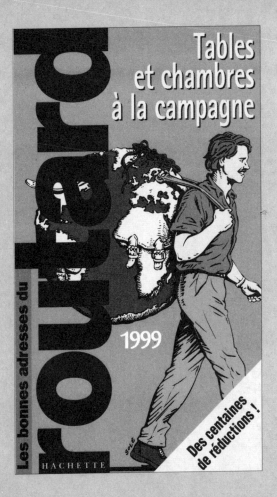

Plus de 1 600 adresses dont 130 inédites de fermes-auberges, chambres d'hôtes et gîtes sélectionnés dans toute la France. Un certain art de vivre qui renaît.

Le Guide du Routard.
La liberté pour seul guide.

Hachette Tourisme

Guides Bleus : 60 titres pour voyager avec intelligence.

© L. Parrault

Hachette Tourisme
l'esprit Vacances!

attention
touristes

Le tourisme est en passe de devenir la première industrie mondiale. Ce sont les pays les plus riches qui déterminent la nature de l'activité touristique dont les dégâts humains, sociaux ou écologiques parfois considérables sont essuyés par les pays d'accueil et surtout par leurs peuples indigènes minoritaires. Ceux-ci se trouvent particulièrement exposés: peuples pastoraux du Kenya ou de Tanzanie expropriés pour faire place à des réserves naturelles, terrain de golf construit sur les sites funéraires des Mohawk du Canada, réfugiées karen présentées comme des "femmes-girafes" dans un

zoo humain en Thaïlande... Ces situations, parmi tant d'autres, sont inadmissibles. Le tourisme dans les territoires habités ou utilisés par des peuples indigènes ne devrait pas être possible sans leur consentement libre et informé.

Survival s'attache à promouvoir un "tourisme responsable" et appelle les organisateurs de voyages et les touristes à bannir toute forme d'exploitation, de paternalisme et d'humiliation à l'encontre des peuples indigènes.

Soyez vigilants, les peuples indigènes ne sont pas des objets exotiques faisant partie du paysage !

Survival est une organisation mondiale de soutien aux peuples indigènes. Elle défend leur volonté de décider de leur propre avenir et les aide à garantir leur vie, leurs terres et leurs droits fondamentaux.

Survival
pour les peuples
indigènes

ROUTARD ASSISTANCE

L'ASSURANCE VOYAGE INTEGRALE A L'ETRANGER
BULLETIN D'INSCRIPTION

NOM : M. Mme Melle

PRENOM   AGE

ADRESSE PERSONNELLE

CODE POSTAL   TEL.

VILLE

VOYAGE DU   AU   =
SEMAINES

DESTINATION PRINCIPALE. ....

PAYS D'EUROPE OU USA OU MONDE ENTIER (à entourer)

Calculez exactement votre tarif en SEMAINES selon la durée de votre voyage:
7 JOURS DU CALENDRIER = 1 SEMAINE .

COTISATION FORFAITAIRE 1998/1999 !

Pour un Long Voyage (3 mois ...), demandez le *PLAN MARCO POLO*

Prix spécial "JEUNES" : **124 FF. x**   =   FF.
ou
De 36 à 60 ans (et - de 3 ans) : **186 FF. x**   =   FF.

Faites de préférence, un seul règlement pour tous les assurés :

Chèque à l'ordre de : ROUTARD ASSISTANCE - *A.V.I. International*
28, rue de Mogador - 75009 PARIS - Tél. 01 44 63 51 00
Métro : Trinité - Chaussée-d'Antin / RER : Auber - Fax : 01 42 80 41 57

ou Carte bancaire : Visa ☐ Mastercard ☐ Amex ☐

N° de carte :

Date d'expiration :   Signature

Je veux recevoir très vite ma *Carte Personnelle d'Assurance.*
Si je n'étais pas **entièrement** satisfait,
je la retournerais pour être remboursé, aussitôt !

JE DECLARE ETRE EN BONNE SANTE, ET SAVOIR QUE LES
MALADIES OU ACCIDENTS ANTERIEURS À MON
INSCRIPTION NE SONT PAS ASSURES.
SIGNATURE :

Faites des copies de cette page pour assurer vos compagnons de voyage.

Contrats souscrits et gérés par **AVI INTERNATIONAL**
VOIR MINITEL 36.15 CODE ROUTARD

LE GUIDE DU ROUTARD ET VOUS

Nous souhaitons mieux vous connaître. Vous nous y aiderez en répondant à ce questionnaire et en le retournant à :
Hachette Tourisme - Service Marketing
43, quai de Grenelle - 75905 Paris cedex 15
Chaque année, le 15 décembre, un tirage au sort sélectionnera les 500 gagnants d'un Guide de Voyage.

NOM : .... Prénom : ....

Adresse : ....

.... Routard

1 - VOUS ÊTES :

a - Qui êtes vous ?

❏ 1 Un homme   ❏ 2 Une femme

b - Votre âge : ___ ans

c - Votre département
de résidence : |___|___|

d - Votre profession :

e - Quels journaux ou magazines lisez-vous ?
Indiquez les titres.

f - Quelles radios écoutez-vous ? *Précisez .*

2 - VOUS ET VOTRE GUIDE :

a - Dans quel guide avez-vous trouvé ce questionnaire ? *Précisez le titre exact du guide.*

b - Où l'avez-vous acheté ?

❏ 1 Librairie   ❏ 2 Fnac/Virgin/Grands mag.   ❏ 3 Maison de la Presse   ❏ 4 Hypermarchés

❏ 5 Relais H : ○ aéroport ○ gare   ❏ 6 Ailleurs   ❏ 7 On vous l'a offert

c - Combien de jours avant votre départ ? jours

Pour un séjour de quelle durée ? jours

d - Quels sont, d'après vous, les points forts du GDR :

 - **Quels sont, d'après vous, les points faibles du GDR :**

e - Que pensez-vous du Guide du Routard ?
Notez les points suivants de 1 à 5 *(5 = meilleure note).*

Présentation	1 2 3 4 5	Adresses	1 2 3 4 5
Couverture	1 2 3 4 5	Cartographie	1 2 3 4 5
Informations culturelles	1 2 3 4 5	Rapport Qualité / prixdu livre	1 2 3 4 5

Précisez vos réponses

f - Depuis quelle année utilisez-vous le Guide du Routard ?

g - Parmi toutes les collections de guides de voyage proposées en librairies, quelle est, selon vous,

• la plus séduisante
• la plus fiable, sérieuse
• la plus actualisée
• la plus complète (contenu)

• la plus "pratique" (adresses)
• la plus maniable
• celle qui offre le meilleur rapport qualité/prix

Remarques :

3 - VOUS ET LES VOYAGES :

a - Dans le cadre de vos voyages, utilisez-vous :

☐ Le GDR uniquement

☐ Le GDR et un autre guide   lequel ? ....

☐ Le GDR et 2 (ou +) autres guides   lesquels ? ....

Cochez, par destination, les voyages de 3 jours au moins, que vous avez effectués au cours de ces 3 dernières années et précisez les guides que vous avez utilisés (tous éditeurs confondus).

	Vous êtes allé...	avec quel(s) guide(s) ?		Vous êtes allé...	avec quel(s) guide(s) ?
FRANCE			**AMÉRIQUE**		
Tour de France			Canada Est		
Alsace			Canada Ouest		
Auvergne			Etats-Unis Est		
Bretagne			Etats-Unis Ouest		
Corse			Argentine		
Côte-d'Azur			Brésil		
Languedoc-Roussillon			Bolivie		
Midi-Pyrénées			Chili		
Normandie			Equateur		
Paris - Ile de France			Mexique - Guatemala		
Pays de la Loire			Pérou		
Poitou - Charentes			Autres :		
Provence					
Sud-Ouest					
Autres :			**ASIE / OCÉANIE**		
			Australie		
EUROPE			Birmanie		
Allemagne			Cambodge		
Autriche			Chine		
Belgique			Hong-Kong		
Bulgarie			Inde		
Danemark			Indonésie		
Espagne			Japon		
Finlande			Laos		
Grande-Bretagne			Macao		
Grèce			Malaisie		
Hongrie			Népal		
Irlande			Sri Lanka		
Islande			Thaïlande		
Italie			Tibet		
Norvège			Vietnam		
Pays-Bas			Singapour		
Portugal			Autres :		
Rép.Tchèq./Slovaquie					
Russie					
Suède			**ILES**		
Suisse			Antilles		
Autres :			Baléares		
			Canaries		
AFRIQUE			Chypre		
Maroc			Crète		
Tunisie			Iles anglo-normandes		
Afrique Noire			Iles grecques		
Autres :			Maurice		
			Madagascar		
PROCHE-ORIENT			Maldives		
Egypte			Malte		
Israël			Nlle Calédonie		
Jordanie			Polynésie-Tahiti		
Liban			Réunion		
Syrie			Sardaigne		
Turquie			Seychelles		
Yemen			Sicile		
Autres :			Autres :		

les **Routards** *parlent aux* **Routards**

Faites-nous part de vos expériences, de vos découvertes, de vos tuyaux pour que d'autres routards ne tombent pas dans les mêmes erreurs. Indiquez-nous les renseignements périmés. Aidez-nous à remettre l'ouvrage à jour. Faites profiter les autres de vos adresses nouvelles, combines géniales... On adresse un exemplaire gratuit de la prochaine édition à ceux qui nous envoient les lettres les meilleures, pour la qualité et la pertinence des informations. Quelques conseils cependant :
– N'oubliez pas de préciser sur votre lettre l'ouvrage que vous désirez recevoir.
– Vérifiez que vos remarques concernent l'édition en cours et notez les pages du guide concernées par vos observations.
– Quand vous indiquez des hôtels ou des restaurants, pensez à signaler leur adresse précise et, pour les grandes villes, les moyens de transport pour y aller. Si vous le pouvez, joignez la carte de visite de l'hôtel ou du resto décrit.
– N'écrivez si possible que d'un côté de la lettre (et non recto verso).
– Bien sûr, on s'arrache moins les yeux sur les lettres dactylographiées ou correctement écrites !

Le Guide du Routard : 5, rue de l'Arrivée, 92190 Meudon

36-15, *code* **Routard**

Les routards ont enfin leur banque de données sur Minitel : 36-15, code ROUTARD. Vols superdiscount, réductions, nouveautés, fêtes dans le monde entier, dates de parution des *G.D.R.,* rancards insolites et... petites annonces.

Routard Assistance *99*

Vous, les voyageurs indépendants, vous êtes déjà des milliers entièrement satisfaits de Routard Assistance, l'Assurance Voyage Intégrale sans franchise que nous avons négociée avec les meilleures compagnies, Assistance complète avec rapatriement médical illimité. Dépenses de santé, frais d'hôpital, pris en charge directement sans franchise jusqu'à 2 000 000 F + caution + défense pénale + responsabilité civile + tous risques bagages et photos + 500 000 F. Assurance personnelle accidents. Très complet ! Le tarif à la semaine vous donne une grande souplesse. Chacun des *Guides du Routard* pour l'étranger comprend, dans les dernières pages, un tableau des garanties et un bulletin d'inscription. Si votre départ est très proche, vous pouvez vous assurer par fax : 01-42-80-41-57, mais vous devez, dans ce cas, indiquer le numéro de votre carte bancaire. Pour en savoir plus : ☎ 01-44-63-51-00 ; ou, encore mieux, Minitel : 36-15, code ROUTARD.

Imprimé en France par Aubin n° L57885
Dépôt légal n° 4040-03/99
Collection n° 13 - Édition n° 01
24/2973/6
I.S.B.N. 2.01.242973.4
I.S.S.N. 0768.2034